Política económica de España

Manuales / Ciencias Sociales

El libro universitario

L. Gámir, C. Montoro, N. García Santos, Y. Fernández Jurado,
Vicente J. Fernández, Á. L. López Roa, J. Vallés, J. M.ª Jordán,
V. Fuentes, M. Á. González Moreno, M.ª D. Genaro Moya,
F. de Vera Santana, R. Pampillón, J. Lamo de Espinosa,
J. Conejos, V. Oller, J. M.ª Marín Quemada, J. Casares,
L. Rodríguez Saiz, J. Sotelo, M.ª J. Arroyo, J. Rodríguez López,
E. Aranda García, M. Figuerola Palomo, T. Mancha Navarro,
J. R. Cuadrado-Roura, F. Utrera, E. Bono, J. Nácher,
J. A. Tomás Carpi y M. Cuerdo

Coordinado por Luis Gámir

Política económica de España

(Séptima edición)

Alianza Editorial

Primera edición, 1972
Primera edición en «Alianza Universidad Textos»: (2 vol.): 1980
Primera edición en «Alianza Universidad Textos»: (1 vol.): 1986
Primera edición en «Manuales»: 2000

© Luis Gámir Casares
© Alianza Editorial, S.A., Madrid, 1972, 1980, 1986, 1990, 1993, 1994, 2000
    Calle Juan Ignacio Luca de Tena, 15; 28027 Madrid; teléf. 91 393 88 88
    ISBN: 84-206-8710-3
    Depósito legal: M. 45.764-2000
    Fotocomposición e impresión EFCA, S. A.
    Parque Industrial «Las Monjas»
    28850 Torrejón de Ardoz (Madrid)
    Printed in Spain

Índice

Cuarta parte
Políticas sectoriales

Quinta parte
Política regional y de financiación autonómica

Sexta parte
Políticas por objetivos

Séptima parte
A modo de epílogo

Índice de cuadros, gráficos y recuadros

Cuadros

Gráficos

Recuadros

Presentación

Luis Gámir

1. El libro

A) Introducción

Este libro empezó a escribirse en 1971.

A finales de aquel año, nos reunimos un grupo compuesto básicamente por profesores no numerarios con algunos técnicos especialistas en determinadas materias para realizar una labor relativamente ambiciosa en relación a nuestra situación: preparar una obra sobre *Política económica de España,* trabajo que nos parecía extraño que no existiera en el mercado. La labor no era sencilla. No existían situaciones de jerarquía ni convivencia diaria entre nosotros. Nuestras ideas políticas tampoco eran homogéneas. Nos unía sólo la confianza en los conocimientos profesionales de los demás, conocimientos adquiridos no sólo a través de la docencia, sino de tesis doctorales o de trabajos en la Administración pública y en el sector privado en temas relacionados con los capítulos respectivos.

El experimento era muy atractivo, pero nada fácil: en algunas ocasiones pareció que aquello iba a quedar en un intento frustrado más de trabajo en equipo. Sin embargo, en el verano de 1972 entregábamos a la editorial el original de la obra.

La obra tuvo cierto éxito de público universitario y extrauniversitario. Año y medio después se había agotado la edición y tuvimos que enfrentarnos de nuevo con la labor de puesta al día, de ampliación de capítulos y autores e incluso de una nueva sistemática del libro. En el verano de 1974 se entregaba la segunda edición, publicada en 1975 y de nuevo agotada, por lo que se procedió a una reimpresión que apareció al año siguiente como tercera edición.

En 1980 se publicó la cuarta edición. Eran dos mil folios, dos volúmenes, treinta largos capítulos y una tirada muy amplia. Parecía que lo lógico es que se convirtiera en la última versión del libro. Sin embargo, las ediciones seguían agotándose. En 1986, en 1993 —en ambos casos con reimpresiones— y ahora en el 2000 aparecen otras tres obras, cada una de ellas un libro nuevo, por las fechas, los acontecimientos que han tenido lugar, los enfoques analíticos e incluso los capítulos y los coautores.

En estas tres últimas ediciones se ha cambiado el enfoque. Se pensó en el «producto» que se debía ofrecer y estimamos que se hacía necesario un libro diferente: más breve, más selectivo y más actual.

El resultado fue una considerable reducción del número de páginas, lo que no resultó una tarea sencilla (normalmente es mucho más difícil que lo contrario). Hay que resumir lo más importante, eliminar algunos capítulos, reducir el contexto temporal, etc. El resultado es que se ofrece al lector un libro más ágil y más fácil de leer, porque la brevedad no se ha buscado nunca a costa de la claridad. En todo caso, sigue siendo una obra amplia que permite obtener una visión del conjunto de nuestra política económica.

A lo largo de las sucesivas ediciones el horizonte temporal ha cambiado. En la actual nos encontramos ante una tarea que creemos es especialmente fascinante para nuestro trabajo y que sólo había ocurrido en dos ocasiones anteriores: el análisis de la política económica del primer mandato de un nuevo partido democrático que accede al poder [1], con algunas acotaciones sobre su programa para su segunda legislatura.

Sin embargo, el análisis no sólo se centra en el Gobierno del PP sino que, en general, se analiza la política económica desarrollada en la última década del siglo xx, con las remisiones a fases anteriores que los coautores han estimado necesarias y con los planteamientos hacia el futuro que han juzgado convenientes según el contenido de cada uno de los capítulos.

Con este nuevo enfoque y en este contexto temporal, se ha preparado esta séptima edición, que de forma más marcada que otras veces constituye casi en su totalidad un libro diferente respecto a ediciones anteriores.

La política económica debe diferenciarse de la historia de la política económica por su concentración en un entorno temporal más cercano. En esta edición, sin embargo, y ante una petición atendida de los estudiantes, el libro se inicia con un capítulo introductorio que presenta una visión panorámica sobre cómo han evolucionado los rasgos esenciales de la política económica durante el largo período que se prolonga desde el final de la guerra civil hasta la actualidad. Está escrito después de recibir el resto del material, con lo que, en lo relacionado con los años próximos, se ha procurado complementar y no reiterar lo analizado en otros capítulos, dentro de la exigencia de que resultara un trabajo con coherencia y lógica internas.

B) Sistemática del libro [2]

Se suele argumentar que el núcleo de la Política Económica, como disciplina académica, es el estudio de la relación entre instrumentos y objetivos. De ahí que la clasificación más típica de la Política Económica sea por instrumentos y por objetivos. Pocos autores estarán de acuerdo sobre cuáles son los instrumentos y cómo clasificarlos, y mucho menos sobre la prioridad de objetivos.

A veces los autores ponen en un eje de coordenadas los instrumentos y en otro los objetivos y analizan su interrelación. En estos enfoques, los sectores suelen desaparecer o formar parte de las políticas instrumentales (es típica la inclusión de la política agraria como instrumento).

Un planteamiento distinto fue el de Jané Solá (1974). Colocó en un eje los sectores, en otro los instrumentos, y superpuso, sin entrecruzarlos, los objetivos: superposición cada vez más alejada del entrecruzamiento sectores-instrumentos cuanto más abstractos eran los fines.

Reconozco que toda esa problemática de las clasificaciones me parece un tanto convencional, pero, en último grado, quizá lo más sencillo sea plantearse el problema en el espacio y colocar en un eje los instrumentos, en otro los sectores y en el tercero los objetivos y entrecruzar las tres dimensiones.

Así, en un «cubo» concreto aparecería el análisis de, por ejemplo, la política fiscal del sector agrario para el objetivo de la distribución de la renta. En otras palabras, podemos estudiar la Política Económica desde tres enfoques: instrumentos, sectores y objetivos, pero no como «compartimentos estancos», sino precisamente fijándonos en su interrelación múltiple [3].

El problema de las «tres dimensiones» es que están diseñadas pensando en un contexto espacial determinado: el nacional.

Las políticas instrumentales, sectoriales o por objetivos pueden afectar en la práctica a una zona concreta, dentro del contexto espacial mencionado. En una primera fase las podríamos seguir analizando dentro de las tres dimensiones antes citadas como casos concretos, sin complicar más el esquema de clasificación que acabamos de exponer.

Un paso adelante en la conveniencia de crear una «cuarta dimensión» aparece con la política regional. Se trata de decisiones del Gobierno central pensadas para un contexto o área concreta, con la vocación de restringirlas a esa zona. Como es lógico, puede existir una política regional para cada área y el ámbito total coincidir con el nacional, pero ello no negaría el carácter geográfico específico de estas medidas. De la misma forma, la suma de políticas sectoriales puede afectar a la totalidad del PIB.

La existencia de la política regional empieza ya a exigir una cuarta dimensión. Por ejemplo, combinando las cuatro dimensiones, se puede estudiar la política fiscal del sector comercio para el objetivo empleo en las islas Canarias.

En todo caso, mientras el problema geográfico se reduce a políticas centrales de ámbito regional, se puede aún mantener el triple criterio de clasificación antes citado, aun a sabiendas de su imprecisión. Así, podemos incluir en la misma dimensión las políticas sectoriales y regional: el argumento es que en ambos casos se analiza la relación instrumento-objetivo en un contexto diferente más reducido del nacional, sea un sector o una región. Es un argumento válido solamente a medias, porque no se superponen normalmente dos políticas sectoriales, y sin embargo se entrecruzan una sectorial con otra regional. No se suele estudiar la política agraria del sector industrial (aunque sí la relación entre las dos políticas o la subordinación de una a otra, de acuerdo con lo expuesto en la nota 3). Sin embargo, parece normal el análisis de, por ejemplo, la política de la construcción en Andalucía, especialmente si tiene rasgos específicos.

La conveniencia de la cuarta dimensión aumenta cuando aparecen las políticas económicas de las autonomías. Ya no se trata de políticas del Gobierno central para una región. Encontramos por lo pronto una categoría intermedia: políticas nacionales para desarrollar las autonomías (por ejemplo, su forma de financiación). Además, acto seguido, hay que plantearse las políticas autonómicas que emanan de sus propios Gobiernos. Estas políticas son instrumentales, sectoriales y por objetivos. Su ámbito puede ser el territorio autonómico, parte de él o trascender a otras áreas.

Cada vez va siendo más clara la necesidad de introducir un cuarto criterio en la clasificación. Como es lógico, podríamos complicar más el análisis y diferenciar el contexto geográfico no sólo por el territorio sobre el que es válida la decisión de política económica, sino a su vez por el órgano central o autonómico del que emana. Aunque sería un enfoque muy atractivo, se ha decidido, sin embargo, no aumentar el nivel de complejidad de la clasificación, porque disminuiría la funcionalidad del análisis. Dejémoslo en la conveniencia de introducir el ámbito geográfico como «cuarta dimensión».

El problema del contexto espacial se nos complica también cuando tomamos en cuenta la integración en la UE.

El carácter convencional ya mencionado de las clasificaciones se refleja incluso en este mismo libro. En sus primeras ediciones (entre 1970 y 1974) se optó por el triple enfoque de: a) políticas instrumentales, b) regionales y sectoriales y c) por objetivos. En la cuarta, de 1980, por el planteamiento cuádruple que implicaba una categoría diferenciada para la política autonómica y regional. En la quinta se amplió esa categoría incluyendo la política de integración europea (es decir, se creó un apartado especial para las políticas de ámbito territorial distinto del nacional). Tanto en la que ahora sale a la luz como en la penúltima edición se vuelve a un enfoque en parte similar al de la cuarta edición[4].

La siguiente pregunta tendría que ser: dentro de las «cuatro dimensiones», ¿a qué instrumentos, sectores, políticas regionales y autonómicas y objetivos se les da entidad propia? De nuevo reconozco que las polémicas al respecto me parecen un tanto convencionales. La ciencia no se ha desarrollado y clasificado por compartimentos de manera estrictamente lógica, sino por razones historicosociológicas y, en consecuencia, las fronteras entre las clasificaciones son movedizas[5].

Empecemos por las políticas instrumentales. En esta obra, aunque la clasificación principal pueda ser relativamente clásica (política monetaria, financiera, fiscal, comercial...), la «subclasificación» puede resultar más «heterodoxa» y está influida por razones «historicosociológicas», con lo que a pequeño nivel contrastamos de nuevo lo que suele ocurrir a niveles de clasificación más importantes. Me refiero a la «pequeña historia» de las siete ediciones del libro y al elemento sociológico de las especialidades relativas de cada autor. Manteniendo en parte el esquema de capítulos y coautores de la anterior edición, hay por lo pronto un capítulo sobre política monetaria, otro sobre la política de financiación, un tercero sobre política del tipo de cambio de la peseta y el euro, un único capítulo de política fiscal y otro de comercio exterior (sólo que ahora es de España *y de la UE*).

Dentro de este bloque de políticas instrumentales desaparece el capítulo de política de rentas (debido al menor peso que, en la práctica de la economía española, ha tenido desde la segunda parte de la década de los ochenta) y se amplía el capítulo de política de empleo. Se mantiene, quizá con más justificación, el capítulo sobre política de privatizaciones y se añade uno nuevo sobre política de liberalización y regulación. (Es sintomático que en las primeras ediciones existiera un capítulo sobre política de planificación. La praxis de la política económica ha llevado a esta modificación más que simbólica.)

La siguiente «dimensión» la componen las políticas sectoriales. Siempre existirán políticas sectoriales ausentes en un libro de estas características. Su número y selección han variado en las distintas ediciones. En esta edición se han mantenido las de la anterior y se ha complementado con dos políticas nuevas: la del sector de las telecomunicaciones y la de educación. Creemos que era conveniente, dada su importancia.

La «tercera dimensión» incluye el «contexto espacial» antes comentado y como tal las políticas regional, autonómica y de integración europea. Las políticas regional y autonómica tienen, como el resto, un planteamiento selectivo. No se analizan las políticas económicas de las diversas autonomías —que incluso en un enfoque más completo deberían ir acompañadas de un estudio de la política económica municipal—. Se han escogido dos temas que se consideran de especial interés: la política regional en España y la política de financiación de las autonomías.

También el tratamiento de la política de integración europea es selectiva. La de convergencia nominal y el cumplimiento de los criterios de acceso a la moneda única aparecen en varios capítulos. Así, por ejemplo, cuando el capítulo introductorio se refiere a las últimas fases, analiza el cumplimiento de estos criterios; asimismo en los capítulos dedicados a la política monetaria o a la política del tipo de cambio se realizan amplias referencias sobre esta materia. Adicionalmente se ha incluido un capítulo sobre la convergencia nominal y la integración en Europa que, a pesar que centrarse en el período 1999-2002, tiene una extensa introducción sobre la fase anterior.

La cuarta de las dimensiones antes mencionada es la política por objetivos, que también requiere una cierta explicación. Podríamos empezar por dividirlos en económicos y extraeconómicos. La política económica puede servir para financiar una guerra, puede ponerse al servicio de determinados ideales políticos (justicia, libertad, etc.), puede utilizarse para conseguir la estabilidad de un determinado régimen o sistema político, etc. Pero la política económica también sirve para incrementar al «bienestar material» de la colectividad. Pues bien, se va a denominar «objetivos económicos» a aquellos más relacionados con el «bienestar material» y, para simplificar, son éstos los que se van a analizar básicamente en este libro.

¿Cuáles son dichos objetivos? Quizá el viejo símil de la tarta pueda sernos útil. Se trata de hacer más grande la tarta (crecimiento), de distribuirla adecuadamente (distribución), de procurar que crezca de manera continuada y estable (estabilidad) y de preocuparse por su calidad (lo que relacionaremos con el objetivo «calidad de vida»).

Este enfoque es básicamente pigouviano. Pigou nos hablaba del crecimiento y la distribución como los dos grandes objetivos de la política económica, aunque también menciona —no siempre— la «variabilidad» como el otro problema a analizar. Pigou, además, a menudo se refiere a problemas relacionados con lo que él mismo llama «calidad de vida».

Lo que Pigou denominaba «variabilidad» ha sido —y es— un objetivo básico, con cuatro vertientes: crecimiento a corto plazo, empleo, precios y equilibrio exterior. Destaquemos su especial importancia en las políticas de conducción de la demanda agregada de los países desarrollados, tanto en la época en la que regía el paradigma postkeynesiano como en la actualidad, aunque el enfoque para el tratamiento de este objetivo pueda ser, hoy día, mucho más complejo (políticas de oferta, micro, de profundización en el empleo del mercado, etc.).

La parte relacionada con objetivos se podría distribuir en seis capítulos: 1. crecimiento; 2. distribución; 3. calidad de vida; 4. empleo; 5. inflación; y 6. equilibrio exterior.

Uno de los problemas del cuádruple enfoque de la realidad de este libro —aparte del «marco» económico mencionado en la nota 4— es el de las posibles reiteraciones. Se ha procurado reducirlas, pero sería difícil que no fueran mucho más abundantes si se replanteara toda la política económica vista ahora desde los objetivos. Por otra parte, hay abundantes referencias a los objetivos en las otras partes del libro. Por ello se ha optado por la alternativa de presentar dos únicos capítulos sobre objetivos. Uno acerca del objetivo de calidad de vida, analizado desde un enfoque muy amplio y ambicioso —y como tal «cruzándose» con instrumentos y sectores—. El segundo reagrupa el estudio del resto de los objetivos, procurando que resulte complementario a lo ya dicho en el resto del libro, aunque a veces las remisiones son inevitables. Por otra parte, este capítulo, tal y como está concebido, retrotrayéndose a períodos anteriores para facilitar las comparaciones, completa en algunas de sus partes el análisis que se menciona en el último párrafo del apartado 1-A de esta presentación, es decir el capítulo 1.

Se ha mencionado ya la existencia de una «quinta dimensión» relacionada con el «marco económico». Cristóbal Montoro ha enviado una aportación interesante que rompe el enfoque de las cuatro dimensiones mencionadas y combina todas ellas. Su mejor encaje es como análisis del «marco» en el que su autor considera que se ha desarrollado la política económica en el último cuatrienio. Existe también una tradición de anteponer el «sistema económico» —o, con otro enfoque, el «marco económico»— en el que se desarrollan el resto de las políticas (esta tradición tiene orígenes ideológicamente muy diversos, desde marxistas a liberales). Las clasificaciones se adaptan, como ya se ha dicho, al material científico existente (tanto en un libro concreto como en la ciencia en general). De ahí que este capítulo merezca una «nueva dimensión» para un encaje más adecuado, lo que se fortalecerá con lo que se comentará algunos párrafos más abajo.

Algunos especialistas de la asignatura Política Económica decían que en ella la expresión Política era el sustantivo y Económica sólo el adjetivo. En Gámir (1973) no estuve de acuerdo con ese enfoque. Argumenté que en la política económica como realidad era muy posible que a menudo el sustantivo predominase sobre el adjetivo, pero que esa realidad era examinada por politólogos, sociólogos y economistas —entre otros especialistas—. Por ello mi postura de entonces era que la Política Económica como disciplina científica consistía en el análisis que realizaban los economistas de la política económica como realidad y, como tal, en la disciplina Política Económica el adjetivo era más importante que el sustantivo.

Sin embargo, he de matizar lo que acabo de exponer: recuérdese lo dicho en la nota 3 sobre el contenido de la Economía y de la Política Económica. A menudo los economistas, al escribir sobre política económica, introducen elementos políticos. Diría que casi siempre, porque apenas hay *value-free economics*, pero el grado puede ser diferente, como ocurre con el capítulo del profesor Montoro... lo que en definitiva incrementa el atractivo de un libro de estas características. Por poner un ejemplo distinto, el capítulo 24 también tiene un enfoque «político» quizá menor pero claro y muy distinto del que estamos comentando (otro ejemplo distinto sería el Apéndice al capítulo 25). Por otra parte, el economista puede escribir simultáneamente como político y como economista al analizar, por ejemplo, la actual política económica española. Todo ello debe «encajarse» y «clasificarse» de forma adecuada para que este «producto» —este libro— resulte más interesante para el lector y para que, en definitiva, entienda mejor, con un «caso práctico», lo complejo del juego entre sustantivo y adjetivo en la Política Económica.

Aunque la base de este libro sean las «cinco dimensiones» mencionadas, la obra está dividida en siete partes. La primera se basa en un análisis general del período que va desde el final de la guerra civil hasta la actualidad, tal y como se ha mencionado en el último párrafo del apartado 1-A de esta presentación.

La séptima parte incluye «a modo de epílogo» un capítulo sobre la convergencia real de la economía española y el fenómeno de la globalización.

Es argumentable que este capítulo podría haber encajado en lo que hemos denominado «contexto espacial», dándole un contenido más amplio (que incluyese la globalización). Pero se ha preferido «aislarlo» por tres razones: a) porque en cierto grado da simetría al libro, que empieza analizando «de dónde venimos y en dónde estamos» y acaba con uno de los aspectos básicos de «hacia dónde vamos»; b) porque también engarza con el capítulo 2: en el nuevo «marco económico» resulta básica la convergencia real con Europa y la globalización; y c) porque es un capítulo «transversal» que afecta a muchos otros objetivos, instrumentos, sectores e incluso a la integración europea —aunque ello no impide que, en futuras ediciones, se cambie de opinión y, modificando su contenido, se le sitúe en un nuevo enfoque del «contexto espacial», como antes se ha indicado—.

Como es lógico, la libertad de los autores al escribir sus capítulos ha sido absoluta. Incluso aunque conocieran el esquema del libro, en ciertos casos al analizar su tema concreto inciden en otros. Se han mantenido los textos originales, pero como coordinador he introducido unas «Notas de Coordinador», la mayoría de las cuales indican al lector que el punto concreto del que se habla se trata también en otra parte de la obra, lo que complementa el contenido del libro sobre ese aspecto. Con ello, se busca evitar que el lector se encuentre ante una suma de capítulos puramente «recopilados y yuxtapuestos» [6]. Sin embargo, se ha procurado no abusar en la utilización de estas notas y emplearlas sólo en los casos más claros. Se insiste: es lógico que, por ejemplo, el autor de un capítulo sobre un objetivo se refiera a los instrumentos o sectores relacionados con el mismo. En el grado en que no sea una pura referencia de pasada, sino un cierto análisis del tema, se «cruza» —en el sentido positivo de la expresión— con otro capítulo, y la obligación del coordinador es hacerlo constar [7].

2. Los autores

El equipo de autores es el activo básico de este libro.

De los once de la primera edición de 1972, pasan en esta séptima del año 2000 a treinta, de los cuales veintidós trabajaron también en la sexta de hace siete años. Sus cualificaciones en relación con la materia tratada, expresadas de la manera más resumida posible, son las siguientes:

Cristóbal Montoro, Catedrático de Hacienda Pública de la Universidad de Cantabria y Secretario de Estado de Economía, analiza el «marco» o el modelo español de la política económica actual[8].

Nieves García Santos es Profesora Titular de Política Económica en la Universidad Complutense de Madrid (ha estado encargada de la asignatura «Política monetaria española»). Es Directora del Departamento de Estudios de la Comisión Nacional del Mercado de Valores. Ha escrito sobre la política monetaria. También ha participado junto con **Yolanda Fernández**, Profesora de Historia Económica de la Universidad Pontificia Comillas y ex profesora de Política Económica de la Universidad Complutense, en el capítulo sobre la política de financiación.

Vicente Javier Fernández es Consejero Económico y Comercial de la Representación Permanente de España en las Comunidades Europeas y ha sido director de la Junta de Directores del Fondo Monetario Internacional. Ha escrito el capítulo sobre la política de tipo de cambio de la peseta y del euro.

Ángel Luis López Roa es Catedrático de Política Económica de la Universidad Complutense de Madrid y Director de Relaciones Institucionales del Banco Atlántico. Repite, igual que en la anterior edición, el análisis de la política fiscal.

José Vallés Ferrer, Catedrático de Política Económica de la Universidad de Sevilla, escribe sobre la política de convergencia nominal e integración en la UM (1999-2002).

Josep M.ª Jordán, Catedrático de Política Económica de la Universidad de Valencia, y **Víctor Fuentes**, Profesor Titular de la Escuela Universitaria de la misma disciplina y Universidad, escriben sobre la política de comercio exterior de España y de la UE.

Miguel González Moreno, Catedrático de Política Económica de la Universidad de Granada, junto a **M.ª Dolores Genaro Moya,** Profesora asociada de la misma Universidad, tratan en su capítulo de la política de empleo en los años noventa.

Francisco de Vera Santana trabaja en la actualidad como Consultor Internacional especializado en mercados de capitales y regulación financiera en países emergentes y ha sido miembro del Consejo de la Comisión Nacional del Mercado de Valores y Profesor de Política Económica. Su capítulo analiza la política de liberalización y regulación.

Rafael Pampillón, Catedrático de Política Económica de la Universidad de Extremadura y Director de Investigación en el Instituto de Empresa, escribe sobre política de innovación tecnológica.

Jaime Lamo de Espinosa, Catedrático «Jean Monnet» de Economía Agraria de la Escuela Técnica Superior de Ingenieros Agrónomos de Madrid, ex ministro de Agricultura, escribe sobre la política agraria.

Vicens Oller ha sido Conseller de Industria y Energía de la Generalitat de Catalunya y presidente del Círculo de Economía. Junto con **Jordi Conejos**, Profesor de Política Económica de la Universidad de Barcelona y Director General de Industria en la Generalitat de Catalunya, analizan la política industrial.

José M.ª Marín, Catedrático de Política Económica de la UNED y Director de Relaciones Institucionales de CEPSA, escribe sobre política de energía.

Javier Casares, Catedrático de Política Económica de la Universidad Complutense de Madrid y ex Subdirector General de Estudios de Modernización del Comercio del Ministerio de Economía y Hacienda, trata de la política de transformación de las estructuras comerciales interiores.

Luis Rodríguez Sáiz, Catedrático de Política Económica de la Universidad Complutense de Madrid y Director Económico Financiero de la Fundación Universitaria San Pablo CEU, y **Justo Sotelo**, Vicedecano de la Facultad de Ciencias Económicas y Empresariales de la Universidad San Pablo CEU, escriben sobre una de sus especialidades: la política de transporte.

María Jesús Arroyo, Doctora en Análisis Económicos y Profesora Adjunta de Economía Aplicada de la Universidad San Pablo CEU, analiza la política de telecomunicaciones.

Julio Rodríguez, Presidente de la Caja de Ahorros de Granada, ex Consejero de Economía e Industria de la Junta de Andalucía y ex Presidente del Banco Hipotecario de España, analiza la política de la vivienda.

Evangelina Aranda García, Profesora de Economía Aplicada (Política Económica) en la Universidad de Castilla La Mancha, escribe sobre política de educación.

Manuel Figuerola, Doctor en Ciencias Económicas y Director General de Promotores Internacionales de Turismo, escribe sobre la política de turismo.

Tomás Mancha Navarro, Catedrático de Economía Aplicada de la Universidad de Alcalá de Henares, y **Juan Ramón Cuadrado Roura**, Catedrático de Política Económica de la misma Universidad, analizan la política regional.

Francisco Utrera, profesor titular de Economía Aplicada de la Universidad Autónoma y Diputado por Cuenca, especialista en Hacienda Pública, ha analizado la política de financiación de las Comunidades Autónomas [9].

J. A. Tomás Carpi y **Emerit Bono**, catedráticos de Política Económica de la Universidad de Valencia (el segundo fue Conseller de la Generalitat de Valencia y ex Diputado de IU y del PCE), junto a **José M.ª Nácher**, Profesor de la misma especialidad y Universidad, aportan a este libro un amplio capítulo sobre política de calidad de vida.

Por último, el autor de esta presentación ha sido Ministro de Comercio y Turismo y de Transportes, Turismo y Comunicaciones. Es catedrático de Política Económica de la Universidad Complutense de Madrid y Presidente del Consejo Consultivo de Privatizaciones. Ha escrito para esta edición los capítulos dedicados al análisis de la política económica desde el final de la guerra civil; la política de privatizaciones; los objetivos crecimiento, distribución, inflación y equilibrio exterior —este capítulo junto con Miguel Cuerdo, Profesor de Economía Aplicada de la Universidad Juan Carlos I—; y el referente a la convergencia real con Europa y globalización. Su trabajo de coordinador se ha visto muy facilitado por la labor de los dos coordinadores adjuntos: Javier Casares y Pedro Durá, este último Profesor Asociado de Política Económica de la Universidad Complutense.

En resumen, éste es un libro escrito en primer lugar desde la Universidad. Lo firman, entre otros, 16 catedráticos y 9 profesores de Universidad, pertenecientes a once universidades distintas.

Sus autores conocen la Administración pública. Dos han sido ministros. Hay un Secretario de Estado* y tres ex consellers o ex consejeros, numerosos coautores tienen o han tenido experiencia administrativa en cargos de Secretario de Estado, Subsecretario, Director o Subdirector General, dos han sido presidentes de un banco oficial, etc.[10]. Por último, diez trabajan o han trabajado en empresas públicas o privadas (para no hacerlos más minuciosos, muchos de estos datos no figuran en los currículos).

Se suele hacer una distinción muy discutible: que la Universidad tiene un enfoque más «teórico» de la economía y la Administración y la empresa más «práctico». Se insiste en lo discutido de este planteamiento, pero, en el grado en que sea cierto, reúnen una amplia experiencia teórica y práctica.

Sus ideologías son también diversas. Entre los coautores hay militantes —o ex militantes— del PP, de UCD, de Convergencia i Unió, del PSOE, de IU y del PCE y muchos —la mayoría— son independientes de ideologías a su vez bastante distintas. Precisamente lo antes dicho sobre la relación entre el sustantivo y el adjetivo en la expresión Política Económica exigía abrir ampliamente el abanico político.

Desde juicios de valor diferentes, hay un elemento común: el nivel de análisis es elevado —y, como es lógico, opino sólo de lo que no he escrito—. La razón es que se trata de economistas que, de un lado, han profundizado en las técnicas económicas generales y, de otro, se han especializado, entre otros temas, en el que tratan en este libro.

---

* Que ha sido nombrado Ministro con este libro ya en la imprenta.

Éste ha sido uno de los puntos por los que ha resultado atractiva la coordinación de este libro: sus dos elementos básicos eran el respeto a las posiciones políticas y a los conocimientos profesionales de los demás.

Preparar cada edición ha sido una experiencia complicada pero interesante. No existen muchos otros ejemplos de siete ediciones de libros colectivos con aportaciones de personas en buena parte repetidas y de ideologías diversas sobre la realidad española (en total cincuenta coautores hemos participado en alguna de las ediciones).

Dos últimas notas: la primera es recordar que este libro se terminó de escribir antes de las elecciones de marzo del año 2000, como ya se indicó en la nota 6 (salvo las alusiones al programa electoral del PP y a algunas de las primeras medidas del nuevo Gobierno mencionadas en dicha nota). En todo caso el análisis que aquí se presenta será útil para que el lector extraiga sus propias consecuencias sobre la política económica del Gobierno que se formará tras la mayoría alcanzada por el PP en las urnas.

La segunda y última consiste en rendir nuestro homenaje a los presentadores y prologistas del libro, por todo lo que han aportado con sus análisis y comentarios, además de simbolizar, con su presencia, lo que este libro implica.

El libro sólo se presentó formalmente en las tres últimas ediciones —aunque hubo actos coincidiendo con la salida al mercado en algunas de las anteriores—. Por ello me voy a referir sólo a las presentaciones de 1993, 1986 y 1980.

Hemos hablado ya de la importancia del sustantivo y del adjetivo en la expresión Política Económica. Los presentadores de la última edición —1993— implicaban una clara imagen de todo ello. Si la política económica es parte de la política, un político que ha sido nada menos que Presidente de Gobierno —Leopoldo Calvo Sotelo— cerró el acto de presentación.

La cátedra de profesores no coautores se vio representada por dos escuelas de pensamiento de gran impacto en España: por Juan Velarde y por Martínez Cortiña. La diversidad ideológica se simbolizó incluso a niveles de partidos políticos concretos: en la presentación intervino Julio Rodríguez, coautor y miembro del PSOE, y el «escribidor» de estas líneas, que pertenece al PP.

Pero si nos remontamos a ediciones pasadas, los presentadores han sido también figuras muy representativas de la sociedad, de la cátedra y de la vida política.

La quinta edición —de 1986— fue presentada por Guillermo de la Dehesa —entonces Secretario de Estado de Economía con Solchaga como Ministro—; por Adrián Piera —en aquella época Presidente del Consejo Superior de Cámaras— y por Diego Hidalgo, que entre otros puestos era Presidente de Alianza Editorial.

En la anterior —de 1980— fue la Universidad la protagonista. La presentación la realizaron Fuentes Quintana y Manuel Varela en Madrid, y Fabián Estapé y Trías Fargas en Barcelona. El libro estaba prologado por Fuentes Quintana. Un enfoque académico... con un matiz político de importancia. Fuentes Quintana había sido Vicepresidente Económico en el primer gobierno de UCD, en el que se aprobaron los Pactos de la Moncloa, de amplia repercusión en aquella edición, y Trías Fargas era entonces Conseller de Economía y Hacienda de la Generalitat catalana.

Recuerdo haberle oído decir a Adrián Piera, cuando era Presidente del «Club Siglo XXI», que a menudo, en una conferencia, tan importante como el conferenciante es su presentador. Dicho de otra manera, los coautores que hemos participado en las siete ediciones de este libro estamos especialmente agradecidos a la excepcional calidad de quienes han sido nuestros prologistas y presentadores.

Notas

1 En la edición de 1980 se trataba también del estudio del primer partido que gobernaba en democracia.

2 En este apartado se ha suprimido casi todo el «aparato bibliográfico» y se sintetizan al máximo los temas tratados. La razón es que es un resumen muy modificado y puesto al día de dos capítulos de Gámir (1973) y (1979), el primero de los cuales contenía casi 500 páginas de bibliografía, que no es éste el lugar de poner al día, porque, aunque fuera en una versión resumida, implicaría sin duda un espacio excesivo.

3 Se puede argumentar que otro tipo de análisis en la Política Económica es la comparación entre dos o varios instrumentos (por ejemplo, política monetaria *versus* política fiscal), dos sectores (un típico problema es industrialización *versus* desarrollo agrario) o dos objetivos (entre otros casos, crecimiento *versus* distribución). Ahora bien, a menudo el análisis se realiza en relación a las otras dimensiones, es decir, la polémica monetario-fiscal se basa en su incidencia sobre los objetivos, y lo mismo la discusión sectorial. En otras palabras, las interrelaciones citadas no quieren decir que a su vez no se crucen las teóricas «líneas paralelas» y se comparen entre sí cualquiera de sus clasificaciones. Por otra parte, por ejemplo, en la dimensión de objetivos, al basarse su importancia relativa en juicios de valor en grado mayor que las otras comparaciones, sus *trade off* pueden plantearse, en una primera fase, al margen de instrumentos y sectores, aunque se introduzcan éstos para «instrumentalizar» lo decidido.

4 Esta séptima edición contiene una nueva «quinta dimensión»: la política de marco económico, completada por el epílogo sobre convergencia real y globalización, como luego veremos.

5 Decía Marshall (1963): «Cuanto menos nos ocupemos de las investigaciones escolásticas sobre si una consideración entra o no en el campo de la economía, tanto mejor», y lo mismo es aplicable a sus subdivisiones internas. Añadía Schumpeter (1971): «Sería el colmo del absurdo... dejar de emprender una tarea interesante por mero respeto a fronteras...».

Economía es lo que hacen en cada momento los economistas, y con más razón este enfoque es aplicable a las divisiones internas dentro de una de sus ramas. Las clasificaciones son funcionales, por puras razones de división de trabajo, y como tales son modificables. Incluso se pasa por fases de incremento de las especializaciones y de las subdivisiones y por otras inclinadas a «enfoques interdisciplinarios» más amplios. Lo importante de cualquier clasificación es que tenga coherencia, para recoger en su interior los distintos problemas básicos, y flexibilidad, para acoplarse a modificaciones en el desarrollo no uniforme de las distintas divisiones. No existe en estas líneas un «desprecio a las clasificaciones»: se ha dedicado tiempo a la decisión sobre la clasificación concreta de este libro, pero se acepta, como es lógico, que hay otras alternativas también válidas.

6 También se ha buscado fortalecer la coordinación con la forma en que se han redactado los capítulos de los que es autor el «escribidor» de estas líneas. En ellos se ha procurado —aparte de tratar su tema concreto— presentar análisis coordinados de diversas aportaciones o incluso «rellenar huecos» que se habían creado por la manera —dentro de su libertad— en que cada autor había analizado su problemática específica. El resultado buscado ha sido una obra más coordinada y completa.

7 Excepcionalmente, se han introducido también Notas de Coordinador para añadir de forma muy escueta algún aspecto del programa electoral del PP. Como se dirá al final de esta presentación, este libro se cerró en febrero del año 2000, antes de conocerse dicho programa. Por ello, sólo en la corrección de pruebas de imprenta de algunas de sus partes, a través de dichas notas o de otras técnicas, se presentan alusiones al programa económico del partido que obtuvo mayor respaldo en las elecciones y se mencionan algunas de las primeras medidas adoptadas en la nueva Legislatura.

8 Con este libro ya en imprenta Cristóbal Montoro es nombrado Ministro de Hacienda.

9 Con este libro ya en imprenta Francisco Utrera es nombrado Secretario General de Comercio Exterior.

10 Recuérdese lo dicho en las notas 8 y 9.

Referencias

Gámir, L. (1973): *Memoria sobre concepto, método, programa y fuentes de Política Económica*, Universidad Complutense de Madrid, Facultad de CC.EE. y EE.
— (1979): *Apuntes sobre introducción a la Política Económica*, Alicante, CEU.
Marshall, A. (1963): *Principios de economía,* Madrid, Aguilar.
— (1932): *Industry and Trade,* 4.ª ed.
Schumpeter, J. A. (1971): *Historia del análisis económico,* Barcelona, Ariel.
Solá, J. (1974): «Por una estructura operativa de la política económica», *Revista Española de Economía*, enero-abril.

Primera parte

Introducción sobre el período 1940-2000

1. La política económica desde el período autárquico

Luis Gámir [1]

1. Introducción

En este capítulo se intenta presentar una visión general sobre la política económica española desde el inicio de la democracia en 1977. Para ello, se analizarán los períodos de los tres partidos políticos que han gobernado desde esa fecha hasta el momento en que se escriben estas líneas (primeros meses del año 2000 [2]).

El gobierno de estos tres partidos se dividirá a su vez en distintas fases. Así, en el epígrafe tres, que analiza la política económica de UCD, se distingue entre el período anterior y posterior al inicio de la segunda crisis del petróleo. El epígrafe cuatro divide el gobierno del PSOE en cuatro fases (hasta la entrada en la UE, expansión, crisis y devaluaciones y salida de la recesión).

En el período del PP (analizado en el epígrafe quinto), aunque no se realiza la división de una manera explícita, se podrían distinguir dos fases: antes y después de haber «aprobado el examen» de convergencia y la consiguiente entrada en el euro.

Sin embargo, y con anterioridad a proceder al análisis de la política económica de la época democrática, el siguiente epígrafe de este capítulo analizará brevemente los rasgos de la política económica española desde el final de la guerra civil, sobre todo desde el año 1950: parecía simbólico en un libro que se publica en el año 2000 recogiera —aunque fuese en sus líneas más generales— lo ocurrido en el último medio siglo.

2. Breve reflexión sobre la política económica anterior a 1977

Es difícil interpretar el contexto de la política económica de la democracia —sobre todo en sus primeras fases— sin realizar una breve introducción sobre sus precedentes. En este epígrafe no se trata de describir con detalle los diferentes elementos de la política económica de los distintos subperíodos, sino que nos centraremos, en cada caso, en una serie de puntos elegidos de una manera muy selectiva.

2.1 Autarquía y estabilización

Aunque parezca alejado, este período juega un importante papel para comprender el contexto en que se ha movido la política económica española hasta fechas recientes.

a) La autarquía (1940-1959)

Se suele presentar la autarquía como un período de crecimiento muy lento. Las estimaciones de crecimiento de la época autárquica son muy diversas. La más completa es probablemente la de Prados de la Escosura (1993).

No es éste el lugar de sacar todas las conclusiones que podrían derivarse del citado trabajo, pero hay una clara: aunque en la década de los cuarenta el crecimiento fue muy lento, entre 1950 y 1958 el crecimiento fue significativo y de media superior al que ha existido desde 1959 a la actualidad.

Si desde el punto de vista del crecimiento (al menos en la década de los cincuenta) los resultados no son censurables, entonces ¿por qué es criticable la autarquía?

Para lograr la autosuficiencia económica, el Estado impulsó el proceso de industrialización; pero el aislamiento con el exterior era un freno para la expansión futura, ya que la industrialización estaba basada en el principio de sustitución de importaciones sin tener en cuenta costes comparativos. El resultado fue el desarrollo de industrias sin dimensión, maquinaria ni mercados apropiados, con altos costes y bajas calidades, que cerraban el acceso de los productos españoles a los mercados internacionales. A medida que avanzaba el proceso de desarrollo, se demandaban artículos que no siempre podían ser producidos en el interior y surgían nuevas necesidades de importación; pero las posibilidades de importar estaban extraordinariamente limitadas por el estrangulamiento de las exportaciones, generándose de esta forma una continua inflación sectorial de demanda. En cada cadena productiva se necesitaba una serie de materias primas, maquinaria, etc., y para cada una de ellas, a su vez, otra gama de productos. Continuamente se fabricaban sucedáneos de calidades ínfimas y costes internacionalmente muy altos, porque otros países estaban mejor dotados en costes comparativos para obtener determinados productos y porque las series tenían que ser muy pequeñas en mercados nacionales. Ello creaba constantes estrangulamientos difíciles de superar, lo que provocaba que los sucesivos pasos hacia la autarquía se realizaran con costes y distorsiones mayores, haciendo patente la no sostenibilidad del modelo. Además, en un modelo de equilibrio general, el estímulo a un sector se realiza necesariamente penalizando a los demás, lo que implica que con la autarquía se apoya a sectores en los que no contábamos con ventajas comparativas a costa de penalizar a los sectores en los que sí éramos (o podíamos) ser competitivos, lo que complicaba aún más las posibilidades de exportación[3].

Dado lo reducido de nuestro mercado interno, el desarrollo económico lógico de España era exactamente el contrario: un desarrollo selectivo, especializado en producciones en las que en costes comparativos e intensidades de factores mejor pudiéramos competir.

La política autárquica acaba rompiéndose por su punto más débil: la balanza de pagos. En 1958 ocurren además en Europa tres importantes acontecimientos que hacen más patente la diferencia que nos separa de ellos: incremento de la liberalización de mercancías, convertibilidad de las divisas entre sí e iniciación del Mercado Común. Estos hechos y la entrada de un equipo en el Gobierno con ideas diferentes (contrarias a las de otros grupos de gran influencia en el régimen) llevaron a la estabilización y a una cauta liberalización exterior.

b) Estabilización (1959-1960)

Las medidas concretas cambiarias, monetarias, fiscales, de comercio exterior, etc., han sido examinadas por una amplia literatura[4]. Aquí, seleccionaremos únicamente algunos rasgos.

Fue una operación positiva. El Plan de Estabilización de 1959 significó una decisión audaz de utilizar el mercado en vez de la autorización administrativa y un intento de ir aproximando progresivamente los precios nacionales a los internacionales y de emplear estos nuevos precios como orientadores para la asignación de recursos. En definitiva, supuso un cambio intenso en la dirección adecuada.

Fue una operación importante, quizá la decisión económica más importante desde la guerra civil hasta nuestros días. Con sus defectos, fue el enfoque básico en el que luego se ha apoyado la tendencia liberalizadora en años y décadas posteriores. Su resultado fue una liberalización cautelosa.

La operación consistió en medidas estabilizadoras a corto plazo (incluyendo una devaluación profunda[5], unificación del tipo de cambio y medidas de demanda —monetarias y fiscales— restrictivas) y en medidas liberalizadoras a medio plazo (en terminología actual las llamaríamos «medidas estructurales») que consistieron principalmente en la modificación progresiva de la protección frente al exterior sustituyendo los cupos o contingentes por aranceles (un instrumento, en principio, menos proteccionista porque deja «jugar» a los precios) y una normativa algo menos intervencionista en la actividad industrial y más favorable a las inversiones extranjeras en España.

La liberalización en la importación de mercancías podríamos decir que fue intensa (en 1960 se sacan listas de productos que pasan a régimen liberalizado que suponen el 38% del comercio y que posteriormente se irán incrementando), pero cauta debido al carácter proteccionista del arancel de 1960. Para la fijación de aranceles, aunque también se tuvieron en cuenta otros enfoques, el criterio principal fue la igualación de precios internacionales y nacionales, sistema que merece críticas de cierta importancia [6].

El Plan no se enfrentó con otras reformas estructurales e institucionales. Así, en los mercados de factores, en el sector financiero es muy posible que el intervencionismo aumentara, se mantuvo la carencia de flexibilidad laboral, no se introdujeron los sindicatos libres, ni el derecho a la huelga, no se realizó una reforma fiscal, etc. Aún así, y a pesar de todo ello, fue una importante operación claramente liberalizadora.

A continuación intentamos, brevemente, analizar los efectos de las medidas del Plan (especialmente la devaluación y la disminución del proteccionismo exterior) en un modelo trisectorial en el que el sector *a)* es el que compite con importaciones, el sector *b)* es el de bienes y servicios exportables y el sector *c)* el de bienes y servicios no comercializables internacionalmente.

La operación implicó dinámicamente un incremento de recursos para los tres sectores por el efecto crecimiento, pero el sector relativamente más favorecido fue sin duda el *b)*, porque devaluar más reducir la protección significa por definición un transvase de recursos de *c)* y de *a)* hacia *b)*. El efecto sobre *a)* es más complejo, y habría que bajar al nivel de subsectores. Dado lo intenso de la devaluación, a menudo sus consecuencias fueron mayores que la disminución del proteccionismo, pero existieron sin duda muchos subsectores perjudicados —en términos de estática comparativa—, especialmente los menos competitivos internacionalmente, con mayor protección y más intensa reducción de la misma. En teoría perjudicó a *c)*, aunque hay que tener en cuenta que existen subsectores de servicios muy influidos por el tipo de cambio y que la construcción se benefició, dentro de sus ciclos particulares, de los efectos dinámicos del crecimiento, de los fuertes movimientos internos de emigración y del turismo. Este último subsector vio multiplicarse los efectos del crecimiento europeo con el nuevo y único tipo de cambio [7].

2.2 Crecimiento y crisis

a) Crecimiento (1961-1973)

Desde que se supera el efecto inicial de la operación estabilizadora la economía española creció, y lo hizo rápidamente (al 6,6% en media anual acumulativa). No es un puro elemento cuantitativo. Realmente son dos sociedades cualitativamente distintas. Si al PIB de 1960 le damos el valor 100, el de 1974 llega a 250,6. Si en 1959 el PIB per cápita equivalía al 58% del de la UE, en 1975 ese porcentaje había llegado al 79%. Nos centraremos sólo en algunos rasgos de este período.

En primer lugar, en relación con la importación de mercancías, tuvo lugar, especialmente entre 1959 y 1967, un cambio intenso, aunque progresivo y gradual, desde los métodos de control directo —contingentes, bilateralismo y comercio de Estado— al empleo del arancel. Así, el comercio liberalizado (protegido únicamente mediante el arancel y los ajustes fiscales en frontera) pasó desde el mencionado 38% de 1960 al 78% en 1966 y al 85% en 1974. Esta política liberalizadora se vio mitigada por lo elevado de la protección. Por un lado, el arancel medio inicial (que era alto) claramente va a ir descendiendo de una manera progresiva durante este período (pasando del 16,5% en 1960 al 9,5% en 1970 y al 6,8% en 1974 —en medias ponderadas por importaciones, lo que tiene un sesgo a la baja—). Sin embargo, el análisis de la evolución del proteccionismo es algo más complejo debido a que durante el mismo tiempo el ajuste fiscal en frontera (ICGI, Impuesto de Compensación de Gravámenes Interiores [8]) tiene una tendencia creciente (hasta el año 1967).

Este último punto no deja de tener cierta ironía: el arancel de 1960 fue criticado por su carácter excesivamente proteccionista, lo cual, unido a la buena situación de reservas, llevó a una política en parte liberal desde la Dirección General de Política Arancelaria del Ministerio de Comercio [9]. Sin embargo, este liberalismo era compensado en parte con la actuación de otros organismos de la Administración. Ello no quiere decir que desde 1961 hasta 1967 no existiese una política liberalizadora, ya que durante dicho período gran número de mercancías pasaron, como se ha comentado, al régimen liberalizado. En todo caso, hay que destacar que el «intercambio» de aranceles por ICGI no es neutro en la asignación de recursos [10].

Si pasamos a la protección efectiva arancelaria, encontramos que disminuye desde el 53,4% en 1962 al 26,5% en 1968 (se da la paradoja de que la suma del arancel y del ICGI aumentó entre 1965 y 1966, mientras que la protección efectiva descendía). La protección efectiva puramente arancelaria era más reducida, pero su desviación típica (por ejemplo en 1966) era muy alta, lo que demuestra las distorsiones creadas para el arancel *dentro* del sector de bienes sustitutivos de importaciones.

Los aranceles (al estar gravando a sus inputs) provocan que las exportaciones tengan una protección efectiva negativa. Sin embargo, el tráfico de perfeccionamiento —aunque incompleto, por definición—, la subvención oculta en la desgravación fiscal y la política de fomento de las exportaciones (a través de medidas financieras, comerciales, etc.) es posible que lograran eliminar —o reducir sensiblemente— la protección efectiva negativa de la exportación. Al final, y tomando en cuenta el conjunto de medidas, es posible que en el modelo trisectorial comentado antes el sector a), el que compite con importaciones, tuviera una protección efectiva positiva y el b), el de bienes y servicios exportables, «gozase» de protecciones efectivas negativas, nulas o positivas dependiendo de los subsectores. Lo que sí parece más claro es que el resultado discriminaba contra el que no tenía influencia sociopolítica y producía efectos micro que distorsionaron la asignación de recursos. Sin embargo, en relación con la situación existente en los años cincuenta, el sector b) sale claramente beneficiado con el conjunto de la política de devaluación-estabilización-liberalización de 1959-1960 y de los años posteriores durante la fase 1961-1974 [que incluyen una devaluación —que comparativamente favorece a los sectores a) y b)—, aunque habían quedado perjudicados por nuestra mayor inflación relativa y una profundización en la apertura al exterior, que beneficia al sector b) y perjudica al a)].

El resultado final es que las exportaciones crecieron durante este período el doble que la producción (ya se ha dicho que la renta creció a casi el 7% de media anual acumulativa durante este período mientras que la exportación se expandió al 14%), si bien es cierto que se partía de bases muy bajas después de la política claramente antiexportación —ésa sí— de la década de los cincuenta.

Por último, una nota sobre los planes de desarrollo. Los planes de desarrollo tuvieron poco que ver con el desarrollo de nuestra economía. En cierto grado fueron el instrumento de una versión más moderna que la de los cincuenta del «nuevo intervencionismo». Políticamente, hubo Planes de Desarrollo porque había desarrollo y el Gobierno, o parte de él, quería «apuntarse» más directamente el «éxito político». Económicamente, la causalidad inversa no es fácil de establecer. La razón del crecimiento fue la apertura al exterior dentro de una Europa y un mundo en crecimiento.

b)   Primera crisis del petróleo (1973-1977)

Este apartado podríamos resumirlo diciendo que ante una crisis distinta, España fue diferente. La crisis del petróleo fue distinta de otras anteriores. Es típica la distinción que se realiza con la de la década de los treinta. Aquélla fue una crisis de demanda, mientras que la de los setenta tuvo su origen en la oferta.

Ante una crisis distinta, España fue diferente por diversas razones, algunas —no todas— relacionadas con la coincidencia entre la crisis económica y la incertidumbre existente ante el cambio político que implicó el final del franquismo y la evolución hacia la democracia.

Fue diferente porque el modelo de crecimiento de 1960 a 1974 había sido energético-intensivo y petróleo-intensivo, lo que supuso que de necesitar, en 1960, menos energía —y mucho menos petróleo— por unidad de producto respecto a la media de la OCDE, pasamos a la situación opuesta en 1973. Es decir, desde el punto de vista de la estructura productiva en 1973 España era comparativamente más vulnerable que la media de la OCDE.

La España que sale del autoritarismo exige no sólo libertad, sino también mayor igualdad, que busca, entre otras vías, a través de la subida de los salarios y con mayores prestaciones de la Seguridad Social. España es sobre todo diferente en el sentido de que, simultáneamente al *shock* del petróleo, sufre otro *shock,* relativamente más intenso y también desde la oferta, a través de los costes laborales. Así, en los setenta, hasta el inicio del segundo *shock* petrolífero de 1979 (y a pesar del impacto energético de 1973-1974), el coste del trabajo crece más rápidamente que el coste de la energía, lo que supone un encarecimiento relativo del trabajo incluso en relación con la energía.

El problema puede ser más grave debido a que el precio del trabajo más importante para el empleo —aquel con el que toma decisiones el «empleador»— es el «precio empresarial». Este precio presenta un incremento aún superior al precio del mercado. El «precio empresarial» se compone del precio de mercado —salario y Seguridad Social— más un posible elemento psicológico debido al cambio de las «reglas del juego» con las que estaba operando el empresario. Ese elemento psicológico fue importante en esta fase a causa, en primer lugar, del nuevo clima laboral (libertad de sindicación y huelga, conflictividad, disminución de la disciplina laboral, etc.), con efectos multiplicados, por una especie de «efecto champagne»: tras cuarenta años de una situación represiva, al «sacar el corcho», el líquido —en forma de reivindicaciones sociales, huelgas, etc.— brota al principio a borbotones, hasta que se va calmando. El rápido crecimiento de los tres sumandos influyó de manera importante en la sustitución de mano de obra por capital, llevando a la economía a una relación capital-trabajo superior a la que la correspondería de acuerdo con su dotación relativa de factores, con el consiguiente desempleo del factor trabajo.

En el comparativamente fuerte desempleo creado y, sobre todo, en su prolongado mantenimiento en el tiempo, tuvo mucha influencia el peculiar mercado de trabajo español (que ha sido ampliamente analizado en otro lugar) [11], en el que, claramente, España también era diferente.

También fue diferente la manera en que reaccionó la política económica española. Así, hasta la llegada del primer Gobierno democrático en 1977 no se hace frente a la crisis. Al contrario, se intenta poner en práctica una política «compensatoria» con unos efectos especialmente graves.

Debido a la distinta intensidad energética de los diferentes sectores (y la existencia dentro de un mismo sector de diversas técnicas de producción con distinta intensidad energética), ante una crisis proveniente de la oferta con una brutal subida del coste de la energía la economía necesita realizar numerosos ajustes sectoriales o microeconómicos para adaptarse a la nueva situación. El protagonista de estos ajustes «micro» es el sector privado. Pero para que se produzca este laborioso y largo proceso es esencial, aparte de contar con la flexibilidad adecuada, transmitir rápidamente la información de la nueva situación de costes a todos los agentes a través del principal mecanismo por el que en la economía de mercado se toman las decisiones y se transmite la información: los precios.

En España ocurrió lo contrario. En la primera parte de la crisis se puso en práctica una política compensatoria que impidió el traslado a los precios internos del impacto de las subidas del coste del petróleo que quedaban parcialmente absorbidas con cargo a los recursos públicos. De esta manera, el Estado pasó de ingresar por el monopolio de petróleos 26.355 millones en 1973 a ingresar sólo 234 millones de pesetas en 1974 (una reducción del 99%), lo que supone que, en relación con la situación anterior, el Estado estaba «subvencionando» el consumo de productos petrolíferos.

Entre los resultados negativos de esta política el menos importante es la pérdida de recaudación para la Hacienda pública. Lo más grave fue que retrasó el necesario ajuste a la crisis. Por ejemplo, en 1974, mientras que la crisis se sentía en otros países, España siguió creciendo artificialmente a una tasa cercana al 6% agravando y prolongando en el tiempo la recesión posterior, lo que dificultó que se disfrutara, como sucedió en los países de la OCDE, de unos años de recuperación antes de que apareciera la nueva crisis del petróleo de 1979-1980.

De esta manera, mientras que en la OCDE (coherentemente con la evolución de los precios) cae el ratio energía/PIB (y también el ratio petróleo/PIB), en España, en donde ya eran más altos, no sólo no se mantienen sino que incluso se siguen incrementando. Es decir, durante los años posteriores a la primera crisis del petróleo nuestro aparato productivo se vuelve *más* intensivo en energía. Esto hará que seamos todavía más vulnerables al impacto de la nueva crisis de 1979-1980.

En otros aspectos —salvo un breve período de política estabilizadora con Cabello de Alba— la política económica de esta época supuso un retroceso. Así, se incrementó el proteccionismo (el arancel medio se eleva desde el 6,8% en 1974 al 8,2% en 1976 y el comercio liberalizado se reduce desde el 85% en 1974 al 78% en 1977), y otras medidas como la devaluación de febrero de 1976 fueron tímidas y sin credibilidad al no ir acompañadas de las necesarias medidas restrictivas para que no repercutieran automáticamente en la inflación (al contrario, tanto la política fiscal como la monetaria tenían en ese momento un sesgo expansivo). De hecho, esta devaluación fue absorbida por el crecimiento de los precios internos en pocos meses. Por lo tanto, se produjo un retroceso tanto en la política de apertura como en la de estabilización, con el resultado de un fuerte agravamiento en los desequilibrios macroeconómicos.

Es discutible la actuación del tardofranquismo y de los Gobiernos inmediatamente posteriores de no enfrentarse con la crisis, porque lo hacían sin plantear un objetivo claro —salvo el de mantener en lo posible el *statu quo*—. Puede ser más defendible la actuación del primer Gobierno Suárez, hasta las elecciones generales de junio de 1977: entonces el objetivo era traer la democracia pronto. Se consideró que la dificultad de la operación sería muy superior si se realizaba simultáneamente una política de duro ajuste económico. Estamos dentro de los juicios de valor, pero dicho argumento, expuesto en su día por Adolfo Suárez al autor de estas líneas, tiene base sustancial, aunque tuvo un claro coste económico.

En esta situación, sin habernos enfrentado a la primera crisis del petróleo (ocurrida casi cuatro años antes) y con una agudización de los desequilibrios macroeconómicos, se llega a las primeras elecciones democráticas desde la República.

3. Política económica de UCD (1977-1982)

3.1 Período anterior a la segunda crisis del petróleo

En el mes que se celebran las primeras elecciones democráticas (junio de 1977) la inflación en nuestro país presentaba unas cifras casi «latinoamericanas», estando cerca del 30%. Una vez formado el nuevo Gobierno comienzan los trabajos y conversaciones que conducirán a la firma en octubre de ese mismo año de los **Pactos de la Moncloa**.

El rasgo básico fue el carácter pactado de la política económica. Un pacto eficaz entre centrales patronales y sindicales era entonces difícil, por el carácter naciente de ambos tipos de organizaciones. Además, los acuerdos eran bastante más amplios que un pacto social empresarios-sindicatos. Por ello, se utilizó, en vez de la vía de la representatividad orgánica, la inorgánica de todos los españoles —no sólo trabajadores y empresarios— a través de los partidos políticos con representación parlamentaria.

En cierto sentido los Pactos de la Moncloa tienen una orientación parecida al Plan de Estabilización, pero son bastante más amplios al afectar a más materias, y, como veremos, su piedra angular, la política de rentas pactada, no estaba presente en el Plan de 1959.

Así, combina políticas estabilizadoras destinadas a corregir los desequilibrios macroeconómicos (principalmente la inflación) con políticas de reformas con unos efectos y un período de implementación mayor.

Entre las primeras, se acompaña la devaluación de la peseta (realizada en ese verano de 1977) con una política de demanda restrictiva.

Esta última, basada principalmente en la **política monetaria** (el protagonismo de la política monetaria, sin el suficiente apoyo de la política fiscal, en materia estabilizadora va a ser una de las características de la política económica española hasta bien entrada la década de los noventa). La política monetaria pasa de tener un carácter acomodaticio a tener un claro signo estabilizador. De esta manera, los saldos monetarios reales durante la mayor parte de 1978 descendieron, porque la tasa de inflación (y el crecimiento del PIB nominal) era superior al incremento de la oferta monetaria, originando una fuerte elevación de los tipos de interés (el interbancario llegó a sobrepasar el 50%). Hay que destacar que se consolida la instrumentación de la política monetaria basada en el control de un agregado monetario, en este caso la M3, como objetivo intermedio (sistema que dio sus primeros pasos a comienzos de la década de los setenta), en lugar de controlar los tipos de interés, y se inicia el uso de bandas para fijar el objetivo de crecimiento anual de la oferta monetaria (con anterioridad los plazos para cumplir los objetivos no eran iguales y a menudo se solapaban, las tasas de crecimiento no eran homogéneas y el objetivo no era una banda sino una cantidad).

La **política fiscal** tiene rasgos expansivos con tendencia a incrementar su déficit (en comparación con los superávit existentes con anterioridad a 1974), pero en estos años (1977, 1978 y 1979) el déficit público nunca supera el 2% y se mantiene en niveles inferiores al promedio de la OCDE.

Adicionalmente, con los Pactos de la Moncloa se va a iniciar uno de los rasgos fundamentales de la política económica de la democracia: la **política de rentas** pactada (hasta 1986 todos los años, a excepción de 1979 y 1984, contaron con un acuerdo marco de rentas). Fue esencial el romper una de las herencias del franquismo —y especialmente del «tardofranquismo» y del comienzo de la transición— por la cual los salarios debían subir igual que la elevación de precios de los últimos doce meses más «equis» puntos. El nuevo enfoque consistió en relacionar la elevación salarial con la inflación futura esperada, al mismo tiempo que se preveía una tasa de incremento de precios muy inferior a la existente. Este último punto llevó, de hecho, a que los salarios reales no sólo se mantuvieran, sino que se elevaran en 1978, por el fuerte descenso de la tasa de subida de precios. La clave estuvo en la creación de expectativas de descenso de la inflación, unida al apoyo de los grupos sociales más importantes a las medidas básicas.

Por lo tanto, la columna vertebral de la política económica pasa a ser mixta. Desde la oferta, la política de rentas basada en la inflación esperada. Desde la demanda, se profundiza en el empleo de un agregado monetario como objetivo intermedio de la política monetaria.

No es éste el lugar para analizar los costes y beneficios de las políticas de rentas pactadas, pero sí podemos decir que por las especiales características que concurrían en ese momento los beneficios superaron a los costes. Así, entre los costes podemos destacar las distorsiones y rigideces de salarios (y de precios) relativos que ocasiona, que se van incrementando según se va prolongando esta política en el tiempo. Entre los beneficios podríamos citar la introducción del concepto de inflación esperada en las elevaciones salariales, la moderación de sus subidas en una fase de crecimiento del paro y la reducción del elemento «psicológico» (véase lo dicho en el epígrafe anterior) que formaba parte del «coste empresarial» del trabajo.

Por otra parte, los Pactos incluyen diversas políticas de reformas que van a tener gran impacto en los años siguientes: se reanuda la política de **disminución del proteccionismo exterior** (interrumpida desde el inicio de la crisis) aumentando el comercio liberalizado, que pasa a suponer el 91% en 1980 frente al 78% de 1977 y reduciendo el arancel medio, que alcanza el 5% en 1981 frente al 8,2% de 1976 [12]; **se reforma el sistema financiero** para liberalizarlo y abrirlo a la competencia exterior; se define un **nuevo marco de relaciones laborales** mediante el Estatuto de los Trabajadores; y sobre todo se lleva a cabo la **reforma fiscal**.

La pieza básica de la «reforma fiscal Fernández Ordóñez» fue la introducción del IRPF que se aprobó en 1978 y entró en vigor en 1979. Se puede decir que en cierto grado hay un *trade off,* al utilizar la vía del «progresismo fiscal relativo» frente a la contención salarial, sobre todo nominal, que implicaron los Pactos de la Moncloa.

La libertad de sindicación y huelga y un sistema fiscal moderadamente progresivo, con un tipo marginal máximo del 40%, completan lo que se hizo en 1960 en cuanto a acercamiento de nuestro modelo económico al occidental en países democráticos [13] y responden en la transición a la exigencia de mayor igualdad —además de libertad— de la sociedad española de la época.

Con los Pactos de la Moncloa se consiguió un ajuste importante que llevaba esperando desde finales de 1973. La inflación, que se encontraba en agosto de 1977 en el 28,4% con unas expectativas para 1978 que rondaban el 30%, se situó al final de 1978 en el 16,5%. También se esperaba un elevado saldo deficitario en la balanza básica para 1978, y el resultado fue un fuerte superávit.

El coste más importante de los Pactos fue el incremento del paro —bastante mayor del previsto—. Otras críticas que se podrían realizar a los Pactos es el cumplimiento relativo —especialmente en cuanto al plazo se refiere— de una serie de medidas institucionales y estructurales incluidas en el acuerdo. En 1978 los salarios reales se siguieron incrementando (la estabilización de los salarios reales se consiguió en un grado más elevado en 1979, año sin acuerdo marco), pero en 1978 se dio un paso adelante de verdadera importancia en la realidad y en las expectativas sobre la evolución salarial, necesario tanto por la situación de la que se partía como por la elasticidad a medio plazo de la demanda de trabajo a su precio (este último punto se analiza con extensión en Gámir [1985]).

En definitiva, hay que realizar una valoración muy positiva de los Pactos de la Moncloa, ya que suponen la primera repuesta seria para ajustar y sanear nuestra economía desde que se produce la crisis de 1973 y sientan las bases que seguirá la política económica de los siguientes años de la democracia (incluso como se verá en la primera fase del Gobierno del PSOE).

En el enfoque trisectorial comentado en el apartado 2.1b), el efecto sobre los tres sectores del enfoque de los Pactos de la Moncloa (que implicó una estabilización junto a una devaluación y una reducción del proteccionismo) sería en términos cualitativos similar al del Plan de Estabilización: implicó un trasvase de recursos hacia el sector b), es decir, el sector exportador (aunque los efectos cuantitativos y de «cambio de expectativas» en este punto concreto del Plan de Estabilización fueran sin duda muy superiores).

3.2 El *shock* de 1979-1980 y la política económica posterior

Con el ajuste realizado en 1978, las previsiones económicas para 1979 eran más favorables y se contaba con una cierta mejoría de las economías occidentales.

Sin embargo, en 1979, con la segunda crisis del petróleo, todas las previsiones tienen que ser revisadas a la baja. Aunque en términos relativos el impacto fuera menor que la crisis de 1973, en términos absolutos fue mayor.

El retraso ocasionado en el ajuste a la primera crisis tiene al menos dos consecuencias importantes en la segunda. En primer lugar, nuestra economía sufre este segundo golpe cuando todavía se estaba ajustando a la anterior crisis, en contraste con lo que ocurre en los países de la OCDE, que ya venían disfrutando de dos años de respiro (en el período 1977-1978 la OCDE crece al 4,5%). En segundo lugar, la intensidad energética de nuestra economía, como consecuencia de la política compensatoria ya comentada, era superior a la de 1973 (en la OCDE la situación era la contraria), con lo que nuestra economía era más vulnerable a un nuevo *shock* del petróleo.

Sin embargo, en esta ocasión no coincidió con un *shock* adicional desde los costes del factor trabajo y sobre todo no se cometió el error de aplazar el ajuste a la crisis. De esta manera, las autoridades trasladaron de manera inmediata (sólo pasaron cuatro días desde que el 28 de junio la OPEP formalizara la subida de precios hasta que el Gobierno aprobara una fuerte subida de los precios de los productos petrolíferos) el incremento de los costes del petróleo a los precios internos.

En los años posteriores a la crisis, se puede decir que la política económica centrista pasa por un período más liberal (con el PEG o Programa Económico del Gobierno de 1979) y por otro más keynesiano (que se intensifica en 1982).

En estos años, en general se mantiene el esquema política de rentas-política monetaria iniciado con los Pactos de la Moncloa y se profundiza en la reforma de los mercados de factores productivos.

La **política fiscal** presenta un rasgo más expansivo incrementándose las transferencias de rentas e intentando luchar contra el paro —sobre todo en 1982— mediante incrementos en términos reales de la inversión pública. Esta política acabó implicando un déficit público que a partir de 1980 supera al de la OCDE y que da un salto en el año 1982 —difícil de cuantificar de acuerdo con el contenido de la nota 16—.

En el conjunto del período de Gobierno de la UCD el peso del sector público en el PIB se incrementa claramente, aunque hay que tener en cuenta que los niveles de partida eran muy reducidos y que los que se alcanzaron al final del período todavía se situaban bastante por debajo de los medios de la UE. Así, y aunque el gasto público desde 1977 se elevó en casi diez puntos, en 1982 se encontraba en niveles inferiores al 40% del PIB. La presión fiscal se incrementó en más de 4 puntos, pero no superó el 30% del PIB. La deuda pública en 1982 se encontraba en el 26%, lo que significaba el nivel más reducido de toda la UE (con la excepción de Luxemburgo).

La **política monetaria** tendría una tarea (junto a la política de rentas) estabilizadora, en parte compensadora de los efectos creados por la política fiscal. En cualquier caso, el sesgo de la política monetaria no fue muy restrictivo en esta época (la oferta monetaria, M3, crece ligeramente por encima del PIB nominal[14]).

En relación con la **política de rentas**, se firman los AMI (Acuerdo Marco Interconfederal) para 1980 y 1981 y el ANE (Acuerdo Nacional sobre Empleo) para 1982. En estos acuerdos, a diferencia de lo sucedido en los Pactos de la Moncloa, ya participan los interlocutores sociales (CEOE, UGT y USO en los AMI, a los que se añaden CCOO y el Gobierno en el ANE).

Se continúa con la **liberalización del sistema financiero** relacionada con la política monetaria activa, el fomento de la competencia entre las entidades bancarias, la liberalización gradual y progresiva de los tipos de interés y la creación de un sistema de supervisión y del Fondo de Garantía de Depósitos, como instrumentos para evitar que la crisis económica se viese multiplicada por una crisis financiera.

También, en el campo de los factores productivos, se aprueba el **Estatuto de los Trabajadores**, vinculado, de hecho, a la política de rentas a través del primer AMI.

En otro orden de cosas, con el **Plan Energético Nacional**, uno de cuyos principios es el de una política de precios realista que traspasara a precios las oscilaciones del coste del crudo, se modifica la tendencia creciente en el ratio del petróleo/PIB, iniciándose una disminución en dicho cociente. El Decreto-Ley Bayón inicia la política micro y sectorial de **reconversión industrial**, que luego continuará Solchaga y a la que se hará referencia después.

En resumen, aunque existen claroscuros en los objetivos conseguidos —especialmente en lo relacionado con el paro y la propia crisis—, la valoración de la política económica de este período puede ser, en general, positiva.

La «herencia recibida» era cuando menos muy «compleja». No se había hecho frente al *shock* petrolífero de 1973-1974; se había desarrollado otro *shock* de oferta incluso de más importancia a través del coste del factor trabajo; la inflación rozaba el 30% y con tendencia creciente; el paro aumentaba de forma claramente diferenciada al resto de Europa; existían «efectos champagne» no sólo salariales sino también en determinadas posturas políticas; la situación política era la de una democracia recién establecida que había que consolidar; etc. A todo ello se unió el nuevo *shock* energético de 1979-1980 y la apertura de una nueva crisis económica internacional.

Frente a ello, especialmente con los Pactos de la Moncloa y con la reforma fiscal, pero también con muchas otras medidas de ajuste y «estructurales», se hizo frente al *shock* del petróleo de 1973-1974 y al posterior de 1979-1980; se atajó el *shock* de oferta de los costes del trabajo, creándose la «cultura de la inflación esperada»; se desvió la presión igualitaria del instrumento salarial al fiscal, al mismo tiempo que se introducía un sistema impositivo y de gasto público en línea con el europeo y que obtenía una distribución de los ingresos también más en línea con Europa, como veremos en el capítulo 25; se redujo la inflación en un año a casi la mitad y al 13,2% cuando UCD dejó el Gobierno; se profundizó en la liberalización del sistema financiero y de los intercambios comerciales; se reguló el mercado de trabajo dentro del contexto político de la época; se fortaleció la política monetaria y se evitó una potencial crisis financiera; se creó un contexto de «consenso» en amplias partes de la política económica, que facilitó una Constitución por consenso; etc.

4. Política económica del PSOE (1982-1996)

Se va a dividir el período de gobierno del Partido Socialista en cuatro fases.

4.1 Desde el primer Gobierno del PSOE hasta el ingreso en la CE (1983-1985)

Cuando llega el PSOE al poder ya se conoce el fracaso de la política expansiva y de nacionalizaciones realizada por el primer Gobierno socialista en Francia. Este hecho pudo haber tenido un efecto disuasorio sobre el primer

Gobierno socialista en España, introduciendo muchos más criterios de racionalidad económica de los que aparecían en los programas de política económica del PSOE de algunos de sus Congresos, aunque ya existía un giro a tener en cuenta en su propio programa electoral de 1982 (aparte de la influencia personal de Miguel Boyer).

Una primera nota a destacar es que en esta fase existe una cierta continuidad con el período anterior, aunque sin duda con modificaciones. Se puede seguir utilizando la clasificación que proviene de los Pactos de la Moncloa entre políticas de saneamiento (encaminadas a reducir los desequilibrios) y políticas de reforma (tendentes a realizar los ajustes productivos necesarios para mejorar el funcionamiento de los mercados y de los sectores). Esta clasificación es utilizada en el Programa Económico a Medio Plazo, 1983-1986.

a) Entre las políticas de saneamiento se mantiene el esquema básico de la época anterior: desde la oferta se continúa con una política de rentas pactada (con la excepción del año 1984) y desde la demanda se mantiene la primacía de la política monetaria basada en un agregado monetario. Aún así, se introducen modificaciones en los dos instrumentos:

En relación con la **política de rentas**, sigue basándose en la inflación esperada, pero se cambia el enfoque y se utiliza el objetivo de inflación diciembre sobre diciembre y no la inflación media, como había ocurrido con UCD. La diferencia puede ser importante en un contexto en el que se reduce la inflación.

Si la elevación salarial coincide con la inflación esperada, en media anual, la cesta de lo comprado durante todo el año subirá igual que los salarios. Si la subida salarial se produce en enero y los incrementos del IPC disminuyen a lo largo del período, en los primeros meses los precios irán por encima de los salarios y después el fenómeno será el contrario. Sin embargo, si la subida salarial coincide con la inflación esperada a final del año, durante once meses la subida salarial es menor que la de los precios y sólo al final, en el último mes, se iguala. Por lo tanto, con el nuevo enfoque, sólo en el fin del año se mantiene el poder adquisitivo de los salarios, que se reduce en media anual.

Se firman dos acuerdos, a principios de 1983 el AI (Acuerdo Interconfederal), con vigencia para ese año, y a finales de 1984 el AES (Acuerdo Económico y Social), con vigencia para 1985 y 1986 y que va a ser el último de los acuerdos sociales que incluyen bandas de incrementos salariales. El primero lo firman la CEOE, CEPYME, CCOO y UGT, y al segundo se añade el Gobierno y se descuelga CCOO[15].

En relación con la **política monetaria**, se sigue utilizando un agregado monetario como objetivo intermedio, pero se cambia la M3 por un agregado más amplio, los ALPs (tras el período transitorio de 1983 y 1984, en el que se fijan objetivos para ambos agregados). La justificación de este cambio se basa en la continua innovación de instrumentos financieros originada por la creciente liberalización de estos mercados, que provoca que aumente la inestabilidad de la relación entre la M3 y el PIB nominal.

La política monetaria va a llevar el peso principal en la lucha contra la inflación, objetivo que dentro de la política de saneamiento había sido declarado como prioritario por el Gobierno. En esta tarea la política monetaria no contó con la ayuda de la política fiscal (que, como se comentará a continuación, tuvo un carácter claramente expansivo). Ello incrementó el carácter restictivo de la política monetaria, dificultada en su instrumentación y en el logro de sus objetivos por la evolución de la política fiscal y por las necesidades de financiación que originaba.

En estos tres años la **política fiscal**, cualquiera que sea el indicador que tomemos, tiene que ser caracterizada como expansiva. Así, los gastos públicos van a crecer a un ritmo bastante más rápido que el PIB nominal con el resultado de que el porcentaje del gasto público en el PIB se va a elevar de una manera importante (pasando de estar claramente por debajo del 40% en 1982 —concretamente en el 38%— a suponer casi el 43% del PIB en 1985). El déficit público del período se va a mantener en unos niveles muy elevados (6,2% del PIB en media durante los tres años) y con tendencia creciente (en 1985 se situó casi en el 7% del PIB) [16].

Por el lado de los ingresos, la presión fiscal también va a sufrir un elevado crecimiento (pasando del 27,9% del PIB en 1982 al 31,3% en 1985) que va a superar, en media anual, al registrado en la época de UCD, en la cual además se partía de una situación mucho más reducida (en todo caso, con la UCD la presión fiscal se incrementó en media 0,8 puntos anuales, y en estos tres años se aumenta a un ritmo de 1,1 puntos).

Este rápido crecimiento de la presión fiscal no puede evitar (debido al elevado crecimiento de los gastos) que la deuda pública dé un verdadero salto. Así, pasa desde el 26,6% del PIB en 1982 al 43,7% en 1985, lo que implicó que en tan sólo tres años se elevara en más de 17 puntos (en términos absolutos las diferencias son todavía más espectaculares, aumentando desde 5,2 billones de pesetas hasta 12,3 billones, es decir, un incremento del 135%).

b) Entre las políticas de reforma se encuentran las modificaciones en materia laboral que se introdujeron en el AES (citado anteriormente en relación con la política de rentas). En este acuerdo, además de aspectos salariales, se abordaron temas como el de la **flexibilización del mercado de trabajo**. Así, se produjo una ampliación de las posibilidades de contratación temporal, se redujeron los requisitos de contratación a tiempo parcial y se instauró un salario mínimo inferior para menores de 18 años (no se abordó el tema de los costes de despido, que era una de las principales preocupaciones de la patronal). Aunque supone un esfuerzo de flexibilización, esta reforma ha sido criticada porque al no afectar a los contratos existentes va a provocar una dualización del mercado de trabajo. Por otra parte, el AES (Segura, 1990) no fue una operación gratuita para el gasto público, ya que estimaciones de la época (finales de 1984) sitúan el coste de las contrapartidas en términos de gastos de protección social pactados y en beneficios fiscales concedidos en torno al 1% del PIB.

También podríamos citar entre las políticas de reforma la **política de reconversión industrial**. Esta política, que da sus primeros pasos con la UCD, tiene en esta época una gran relevancia pública. Con ella se intentó realizar un ajuste de capacidades en los sectores industriales más afectados por la crisis (siderurgia, construcción naval, fertilizantes, textil, electrodomésticos de línea blanca, etc.). Este proceso, que concluye, en líneas generales, a finales de 1986, afectó a 84.000 trabajadores y tuvo un coste para el sector público que se puede estimar a finales de 1989 en una cantidad próxima al billón y medio de pesetas (entre el sector siderúrgico y el naval representan el 75% de estas ayudas). Una valoración personal de este proceso es la de Oller y Conejos (1993) incluida en la anterior edición de este libro: «consideramos que el coste social y económico de la política de reconversión ha sido muy cuantioso si tenemos en cuenta que los beneficiarios de las ayudas han sido un número reducido de empresas. Y que —salvo la experiencia de las Zonas de Urgente Reindustrialización— la política de reconversión únicamente ha tenido un planteamiento defensivo, abandonando prácticamente la posibilidad de instrumentar paralelamente actuaciones de promoción industrial en sectores o actividades de demanda fuerte y de diversificar la estructura productiva española» [17].

En relación con la **empresa pública**, destaca que, aunque se nacionaliza la red de alta tensión, se realizan algunas privatizaciones de empresas pequeñas. También se produce la expropiación y posterior venta de las empresas de Rumasa, en condiciones que fueron en su día muy discutidas.

Entre los resultados de este período podemos encontrar luces y sombras. Así, entre las primeras podríamos citar que, en general, la política económica practicada es más «ortodoxa», desde el punto de vista económico, que el contenido del programa electoral (o que las declaraciones programáticas realizadas), a pesar de la evolución que ya había tenido el PSOE. Por otra parte se consiguen logros en variables tales como la inflación (que disminuye desde el 13,2% en noviembre de 1982 al 8,2% en 1985) y la balanza de pagos por cuenta corriente (que de tener un déficit del 1,8% del PIB en 1983 pasa a un superávit del 1,4% en 1985), aunque en ambos casos se contó con la ayuda de la disminución de los precios del petróleo.

Entre los aspectos negativos, hay que mencionar que no se aprovecha la buena coyuntura internacional. Así, desde finales de 1983 se inicia una recuperación en las economías occidentales y también durante ese año los precios del crudo inician una tendencia decreciente. A pesar de esta situación favorable, la economía española: a) sigue registrando unas pobres tasas de crecimiento que sólo empiezan a recuperarse en la segunda parte de 1985; b) el número de parados se dispara, alcanzándose una tasa de paro del 22% en 1985 (frente al 16,2% de 1982) y destruyéndose empleo a una tasa media anual del 1,4%; c) el déficit público alcanza casi un 7% del PIB en 1985; y d) como ya hemos visto, los déficit del período incrementan en un 135% una herencia de deuda pública muy reducida.

4.2   Expansión económica (1986-1991)

En el año 1985 habían quedado despejadas las dos grandes incógnitas de nuestra política exterior. Así, se había celebrado el referéndum de la OTAN y se había firmado el tratado de adhesión a la entonces CEE que fijaba el ingreso de España para el 1 de enero de 1986.

Los efectos de la adhesión van a producir un salto importante en el **desmantelamiento del proteccionismo**. Así, con un período transitorio, no sólo van a desaparecer los aranceles con el resto de los socios comunitarios, sino que España aplicará ante terceros países la llamada Tarifa Exterior Común, que en términos medios resultaba más reducida que la española.

Por otra parte, el período transitorio incluido en el tratado de adhesión va a coincidir con la formación del Mercado Único, cuyo comienzo se había establecido para comienzos de 1993. Entre los objetivo del Mercado Único se encontraba el conseguir la libre circulación de capitales. De esta manera, al final de este período (diciembre de 1991), España, sin agotar todo el período transitorio, **liberaliza plenamente los movimientos de capital** no sólo con los países de la UE, sino también con el resto del mundo. Previamente, se había aprobado la Ley del Mercado de Valores (1988) por la que se moderniza el funcionamiento de estos mercados y se crea la CNMV.

Nuestro ingreso en la CEE coincide con el inicio de una fase de fuerte expansión de nuestra economía (aunque ya se venían registrando algunos síntomas en la última parte de 1985). Así, el crecimiento medio anual de la economía española durante estos seis años fue de 4,1%, alcanzándose tasas por encima del 5% en el período de máximo auge (5,6% y 5,2% en 1987 y 1988 respectivamente). El crecimiento dará lugar a que 1986 sea el primer año desde 1974 en que no se destruyen puestos de trabajo, iniciándose una etapa de crecimiento del empleo. Éste va a crecer a un elevado ritmo (2,8% en media anual durante estos seis años), a pesar de lo cual al final de este período, en 1991, todavía no se había logrado recuperar los niveles de empleo de 1974.

Es en esta fase cuando se rompe uno de los dos elementos comunes que venía presentando nuestra política económica desde los Pactos de la Moncloa: **la política de rentas pactada**. Así, el AES tenía vigencia hasta el año 1986, y con posterioridad, a pesar de los intentos del Gobierno, no se vuelve a firmar un acuerdo marco sobre incremento de salarios. Sobre la valoración de este hecho se podría retomar lo comentado en el epígrafe 3.1 sobre las ventajas e inconvenientes de la política de rentas pactada.

Así, entre los beneficios se había señalado que ayudaba a reducir las fuertes elevaciones de salarios —introduciendo expectativas diferentes— y el componente «psicológico» del coste empresarial del trabajo, el cual podía ser alto en una época de transición, pero con la normalización democrática —y la finalización del «efecto champagne»— ambos factores se habían reducido sensiblemente. Entre los efectos negativos de la política de rentas citábamos la rigidez salarial y las distorsiones que crea en los salarios relativos. Estos efectos son acumulativos y, por tanto, después de nueve años consecutivos (con alguna excepción) de aplicación de una política de rentas pactada, los costes se habían incrementado.

Los beneficios se habían reducido y los costes habían aumentado, por lo cual podía tener cierta racionalidad pasar a un período sin acuerdos marco de salarios (aunque las intenciones del Gobierno fueran distintas).

Sin embargo, este hecho resalta aún más la soledad en que se encontraba la **política monetaria** en la lucha contra la inflación, que se va a agudizar sobre todo a partir de 1989, año en que se produce la entrada de la peseta en el SME (Sistema Monetario Europeo) y en el que se va acentuar el carácter expansivo de la política fiscal.

Efectivamente, la política monetaria tiene que presentar un carácter marcadamente restrictivo alcanzando unos resultados modestos en el control de la inflación con unos elevados efectos indirectos (altos tipos de interés, sobrevaloración de la peseta, etc.) que podían haber sido amortiguados con otra orientación de la política fiscal. (En 1986 la inflación se eleva ligeramente hasta el 8,3%, recogiendo los efectos de la introducción del IVA, alcanza el mínimo del período en 1987, con un 4,6%, y a partir de entonces inicia una tendencia creciente que llegará a un máximo en 1989, con casi un 7%, para acabar el período, en 1991, con un 5,5%.)

Además, con la **entrada de la peseta en el SME** en 1989, el objetivo intermedio de la política monetaria pasa a ser los tipos de cambio, quedando el agregado monetario como un indicador (importante) a seguir. Este hecho va a destacar aún más la problemática con la que se enfrentaba la política monetaria y la incompatibilidad de perseguir varios objetivos intermedios al mismo tiempo sin la colaboración de los otros instrumentos de la política económica.

Entre los aspectos negativos de este período destacaremos claramente la **política fiscal**. En los primeros años de esta fase la política fiscal tiene un comportamiento moderado y los gastos públicos crecen, aproximadamente, al mismo ritmo que el PIB nominal (que ya estaba creciendo a un ritmo muy rápido, como hemos comentado), con lo que hasta el año 1988 el gasto público se mantiene en el entorno del 42% del PIB. De igual manera, y debido al buen comportamiento de los ingresos, el déficit tiene una tendencia decreciente. Se podría decir que en estos tres años (1986, 1987 y 1988) la política fiscal mantuvo su orientación anterior y la mejora obedeció al efecto beneficioso de la expansión tanto sobre los ingresos como sobre los gastos.

No obstante, hasta ese año, en líneas generales, no se utilizó la expansión económica para incrementar el ritmo (ya alto) de crecimiento del gasto público.

Sin embargo, es a partir de 1989 cuando se detecta un cambio en la orientación de la política fiscal hacia unos parámetros claramente más expansivos. La tasa de crecimiento del gasto público se acelera (pasa de crecer a una tasa del 11% en 1988 al 16,2% en 1989 en términos nominales o del 5,5% al 9,3% en términos reales) y se inicia una tendencia de incremento de la proporción del gasto público en el PIB, alcanzando el 45% al final de este período (tendencia que se prolongará durante el período de crisis posterior, llegando al 50% del PIB en 1993 como luego veremos).

Hay que resaltar que este efecto no se debe a la acción de los estabilizadores automáticos ni a una actuación anticíclica, ya que en este año el PIB registró una elevada tasa de expansión (4,7%). Las razones para explicar este fuerte incremento del gasto público se podrían basar, en parte, en otros enfoques (por ejemplo, desde un planteamiento cercano al *Public Choice*, se puede recordar que el éxito de la huelga general de diciembre de 1988 trajo consigo una fuerte demanda de incremento del gasto público y que en el último trimestre de 1989 se celebraban elecciones generales, aunque no sean éstas las únicas razones [18]).

En cualquier caso, ésta fue una decisión importante, porque frente a la opción de un crecimiento con estabilidad (en el que se aprovecharan los beneficios del crecimiento para ir reduciendo los desequilibrios) se optó por un crecimiento desequilibrado, con importantes consecuencias posteriores. A mediados de ese mismo año 1989, y en principio paradójicamente, el Gobierno, como ya se ha comentado, toma otra importante decisión económica: el ingreso de la peseta en el SME (un régimen de tipos de cambio fijos aunque ajustables). No entraremos aquí en el análisis de esta decisión (para lo cual nos remitimos al capítulo de este libro dedicado a la política del tipo de cambio), pero sí comentaremos que la reacción lógica que se esperaría sería que la política económica se comportara con mayor rigor y disciplina.

Por el contrario, en este caso, se utilizó la credibilidad «importada» que se obtuvo con el ingreso en el SME para realizar una política presupuestaria expansiva. Es decir, con la peseta en el SME, el «castigo» de los mercados, gracias a esa credibilidad (temporal) adquirida, fue menor de lo que habría sido si se hubiese realizado la misma política sin pertenecer a un sistema como el SME. Sin embargo, ese margen de confianza es temporal, y una política inconsistente con la decisión de teórica estabilidad que implicaba el SME no puede ser mantenida en el tiempo, como se demostrará con las devaluaciones ocurridas en la siguiente fase [19].

Las consecuencias de esta combinación de políticas (monetaria restrictiva para luchar contra la inflación y fiscal expansiva para atender a las demandas de gasto) en un período en el que la demanda interna estaba creciendo de una manera muy intensa originan el llamado «modelo de los dos déficits»: el exterior y el del sector público.

Así, el déficit público, tras un período de mantenimiento, empieza a crecer a partir de 1990 (en 1989 se reduce debido al fuerte incremento de los ingresos) y además se vuelve impredecible por el bajo grado de cumplimiento de los presupuestos (esta característica de la política presupuestaria se mantendría en un grado elevado hasta 1993). Un ejemplo son las desviaciones sobre el gasto presupuestado inicialmente, que alcanzaron unos niveles muy elevados (el 32%, el 25% y el 22% en los años 1989, 1990 y 1991, respectivamente, según Barea, 1995).

La financiación de este déficit, junto con la política monetaria restrictiva originan una elevación de los tipos de interés que en un contexto de pertenencia a un sistema de tipo de cambio fijo (que goza de credibilidad en el mantenimiento de las paridades centrales) provoca una fuerte entrada de capitales con la consiguiente apreciación de la peseta (durante estos años la peseta fue la moneda más fuerte del SME, permaneciendo en la parte alta de la banda). La apreciación de la peseta (junto con el mantenimiento de un diferencial de inflación) implica la pérdida de competitividad de nuestros productos, ocasionando una ralentización de nuestras exportaciones (en este período el peso de las exportaciones disminuye desde el 23% del PIB en 1985 al 17% en 1991) y una aceleración de nuestras importaciones. Como resultado, la balanza de pagos por cuenta corriente experimentó un elevado déficit. Así, mientras que al principio de este período que estamos analizando la balanza por cuenta corriente registraba superávit (años 1986 y 1987) o un pequeño déficit (1988 con un 1% del PIB), a partir de 1989 el déficit de la balanza de pagos por cuenta corriente se dispara sobrepasando el 3%, manteniéndose por encima de esta cifra hasta 1991 y alcanzando un 3,7% en 1990, lo que supuso casi un récord dentro de la OCDE.

La crítica básica a este período es que no se aprovechó la fuerte expansión de la economía (y el fuerte incremento de ingresos) para acercar las cuentas públicas al equilibrio (sino que por el contrario se utilizaron los recursos adicionales para incrementar los gastos) ni para realizar otras reformas que luego habrá que afrontar en un período de recesión, cuando son más costosas de llevar a cabo (por ejemplo, la reforma del mercado de trabajo o la liberalización de determinados mercados).

Un crecimiento con fuertes desequilibrios no sólo tiene consecuencias sobre la fase de expansión (acortándola en el tiempo por no ser mantenible), sino también sobre la fase posterior, en la cual la recesión tendrá que ser más severa para proceder a corregir los mayores desequilibrios. Como se verá en el epígrafe siguiente, la recesión de los años 1992-1993 va a ser más profunda que en la UE, y en el año 1993 la economía española experimenta su peor tasa de crecimiento desde 1948 [20], disminuyendo un 1,2%, lo que no había sucedido ni en los peores años de la crisis del petróleo. Esto implica que parte del avance en términos de PIB per cápita en relación con la UE conseguido en esta fase de expansión se va a perder en la siguiente fase de recesión (sobre este punto, véase también el último capítulo de este libro).

Trayectoria distinta es la que sigue, por ejemplo, Irlanda. Así, en 1986, al igual que España, inicia un período de expansión que le lleva a recortar diferencias con la UE. En este año Irlanda estaba 6 puntos por debajo de España en renta per cápita con relación a la media europea (UE-15 = 100). Sin embargo, su política económica en la fase de crecimiento fue distinta que la aplicada en España y optó por un crecimiento equilibrado dedicando los recursos generados por el crecimiento a la reducción de sus desequilibrios.

En este sentido, a partir de 1986, Irlanda realiza una importante política de contención del gasto público que ocasiona un resultado espectacular: en cuatro años reduce el porcentaje del gasto público en el PIB (porcentaje que bajo diversas circunstancias se podría considerar un indicador «avanzado» de la presión fiscal) en más de 12 puntos, pasando de estar por encima del 51% en 1985 a situarse por debajo del 39% en 1989. Esta política de reducción de la importancia del gasto público (con relación al PIB) permite que dos años después se inicie un descenso marcado de la presión fiscal, que disminuye en más de 5 puntos entre 1988 y 1997 (pasando del 38,2% al 32,9%). Adicionalmente, a partir de 1986 la inflación irlandesa se ha mantenido significativamente por debajo del 4% —con la excepción del año 1989, en que alcanzó el 4,1% (con este libro en pruebas de imprenta la inflación irlandesa ha superado esta cifra)—. España no logra esta situación hasta 1996.

Los resultados de este crecimiento equilibrado se pueden observar claramente en el siguiente período recesivo, donde la evolución de la economía irlandesa contrasta con la de la economía española. Así, Irlanda consigue superar el período recesivo de 1992-1993 con un crecimiento positivo y además (aun en el período recesivo) continúa recortando sus diferencias en renta per cápita con la UE lo que contrasta con la evolución española, que, como hemos mencionado, veía cómo en el período de recesión su renta se alejaba de la media europea. (De esta manera, ya en 1992 la renta per cápita irlandesa supera a la española[21].)

Para finalizar este período destacaremos el inicio de una nueva etapa en la **política de privatizaciones**. Así, además de vender algunas empresas importantes como Seat, Enasa o Enfersa, se inaugura la etapa de las grandes OPV (con las ventas parciales de Endesa y Repsol en 1988 y 1989 respectivamente) en las que un tramo importante se destina al ahorro minorista[22].

4.3   Crisis y devaluaciones (1992-1993)

Los capítulos de este libro analizan, en general, las políticas realizadas en los años noventa. Por ello, para las políticas concretas nos remitimos a las aportaciones correspondientes. En este capítulo se intenta ofrecer una visión global de la política económica en estos períodos.

La recesión de los años 1992-1993 es una de las más severas (aunque no de las más largas) que ha sufrido la economía española. Así, mientras que en el último trimestre de 1991 la economía todavía crecía al 2%, en el último trimestre de 1992 ya lo hacía a tasas negativas. El resultado del conjunto de 1992 fue de un crecimiento de sólo el 0,69%. El año 1993 fue peor, registrando todos los trimestres tasas negativas de crecimiento con un resultado para todo el año de una caída del PIB del 1,2% (en estos dos años la UE tuvo un crecimiento mayor, en concreto 1,1% y −0,5% en 1992 y 1993 respectivamente).

Esta recesión tuvo unos efectos muy negativos sobre el empleo. Entre los dos años se destruyeron casi 1 millón de empleos (en concreto, 835 mil) y el número de parados aumentó 1,1 millones, alcanzando la cifra récord de 3,7 millones de parados y una tasa de paro del 24%, nunca antes registrada en nuestra historia reciente. Especialmente graves fueron los efectos sobre el sector industrial, que sólo en el año 1993 vio cómo desaparecían el 10% de sus empleos. La elevada elasticidad renta-empleo (caída del crecimiento-paro) se debe, entre otras razones, a que los empleadores deciden realizar el ajuste a la nueva situación con rapidez y sin *lags* en el tiempo, recordando el elevado coste empresarial de retrasar el ajuste en crisis pasadas.

En relación con estos años se puede mantener la idea de que la «calidad» de la política económica disminuye y entra en una fase de desconcierto, viéndose superada por los acontecimientos. Como consecuencia se va a producir una pérdida importante de credibilidad de las autoridades económicas españolas.

Por otra parte, en este período va a entrar en vigor el **Tratado de la Unión Europea** (conocido como «tratado de Maastricht»), que enmarcará el desarrollo de nuestra política económica en toda la década de los noventa. En este tratado se fijaban los criterios de convergencia necesarios para poder formar parte de la moneda única[23]. Aunque este tratado se aprueba en diciembre de 1991, tiene un largo proceso de ratificación y no entra en vigor hasta noviembre de 1993. Sin embargo, ya antes de entrar en vigor se convierte en la referencia de la política económica.

Así, en marzo de 1992 el Gobierno aprueba el Programa de Convergencia, que definía las líneas básicas de la política económica para el período 1992-1996. Este programa ya contenía previsiones diferentes a las incluidas en los presupuestos, aprobados sólo unos meses antes, y a su vez se ve rápidamente desbordado por los hechos. Además, algunas de las medidas de política económica que contenía van a ser incumplidas en cuestión de meses. Por ejemplo, se declaraba explícitamente que no se iba a aumentar la presión fiscal individual y dos meses después se subió el IRPF de forma que ha sido calificada de retroactiva, las retenciones y el IVA. Por ello, se puede decir que este programa no tuvo mucha trascendencia práctica, y en julio de 1994, con el Tratado de Maastricht ya en vigor, se presentó una Actualización del Programa de Convergencia (1994-1997).

Ya en la fase anterior habíamos observado que una de las razones de los problemas macroeconómicos a los que se enfrentaba la economía española provenía de la **política fiscal**. En estos dos años se va a agudizar este problema debido a que, además de proseguir su sesgo expansivo (incluso se incrementa), va a tener un carácter poco predecible.

Así, en los presupuestos para 1992 y 1993 el gasto público previsto crecía a unas tasas que eran bastante más elevadas (en concreto un 60% y un 50%, respectivamente) que el crecimiento previsto del PIB nominal. Estos fuertes incrementos eran incluso superados con la ejecución de los presupuestos. Como consecuencia, el gasto público salta del entorno del 45% del PIB en 1991 a la cifra récord del 50% del PIB en 1993 [24].

El escaso control del gasto público, junto con el hecho de que el PIB tuviera un comportamiento peor del previsto en la elaboración de los presupuestos, supone que las previsiones realizadas para el déficit público estuvieran muy alejadas de la realidad. De esta manera, los objetivos de déficit para 1992 y 1993 se fijaron en –3,1% y –3,6% del PIB y los resultados fueron de –4,0% y –6,8% (lo que supone desviaciones del 30% y del 126% respectivamente). Esta situación origina que, debido a su bajo cumplimiento, el presupuesto deje de ser un instrumento clave de la política económica.

Otro aspecto relevante de la política económica fueron las **devaluaciones de la peseta**. Después de que Dinamarca rechazara en referéndum el Tratado de Maastricht —entre otras causas—, disminuye la credibilidad del SME y los mercados se centran en aquellas monedas pertenecientes a países cuyas políticas eran inconsistentes con el mantenimiento de un tipo de cambio fijo. España era claramente uno de esos países, y de tener una moneda artificialmente fuerte se ve obligada en septiembre de 1992 a realizar una primera devaluación de la peseta (un 5%). Sin embargo, por una parte, el porcentaje fue pequeño y no situaba a la peseta en la proximidad de la teórica situación que le correspondería de acuerdo con la teoría de la paridad del poder de compra (es decir, no se conseguía compensar el diferencial de inflación acumulado desde la entrada en el SME en 1989) y, por otro lado, las medidas que acompañaron a la devaluación no fueron las adecuadas (ya hemos comentado que el presupuesto de 1992 —enviado a las Cortes poco después de la devaluación— era poco riguroso). De esta manera, se produjo una de las peores situaciones: se devalúa y se deja la moneda bajo sospecha de una nueva devaluación.

En el mes de octubre el diferencial de los tipos de interés a largo con Alemania (que se podría considerar como la prima de riesgo exigida por los mercados) siguió incrementándose, y tras la cifra hasta el momento récord de 5 puntos alcanzada en el mes de la devaluación (septiembre) llegó posteriormente a los 5,64 puntos, señal de que los mercados seguían apostando por una nueva devaluación. Así, en el mes de noviembre la peseta tuvo que ser nuevamente devaluada (en esta ocasión un 6%). A partir de este momento el diferencial de intereses empezó a disminuir, aunque muy lentamente (a final de año todavía se encontraba por encima de los 5 puntos).

Ante la falta de medidas de acompañamiento, pocos meses después, en mayo de 1993, la peseta tiene que devaluar (en un 8%) su paridad central por tercera vez en menos de un año. De acuerdo con algunos analistas, con esta nueva devaluación la peseta recuperaba el tipo de cambio teórico que le correspondería si se aplicase la teoría de la paridad de compra, con lo que nuestras exportaciones (así como los bienes que compiten con importaciones) dejaban de estar penalizadas por el tipo de cambio. De esta manera, una vez que se elimina la restricción del tipo de cambio, las exportaciones detienen la tendencia de caída de su peso en el PIB (que, como se ha comentado, se había iniciado en 1986) e inician una rápida recuperación (en el año 1992 había frenado su caída pasando del 17,1% del PIB al 17,6%, y en 1993 y en 1994 ese porcentaje se eleva al 19,4% y al 22,3% respectivamente) que continuará en la posterior fase expansiva y se prolongará hasta la actualidad.

En el cuadro 1.1 se representa la evolución de los cinco criterios de convergencia de Maastricht desde 1991 (año en que se aprueba el Tratado de la UE) hasta 1997 (año que se tuvo en cuenta para el «examen» de acceso al euro realizado en la primavera de 1998). En este cuadro, para cada uno de los criterios de convergencia, se ha representado en la última columna si se cumple el criterio (en cuyo caso el signo es positivo) o si se incumple (en este caso el signo sería negativo). Cuanto más negativo sea el valor de esta columna, más lejos nos encontraremos de la convergencia (definida ésta de acuerdo a los términos del Tratado).

Se puede observar que en este período (entre 1991 y 1993) no se realizan avances en la convergencia y que, por contra (con la única excepción del de los tipos de interés), se produce un empeoramiento en todos los criterios.

4.4 Salida de la recesión (1994-mayo 1996)

En las elecciones de junio de 1993 el PSOE pierde la mayoría absoluta y tiene que gobernar con el apoyo de CiU. En el verano se forma el nuevo Gobierno y una de sus principales preocupaciones será la restauración de la credibilidad y la confianza de la política económica.

Para ello, se intentará aplicar un mayor rigor en **la política fiscal** y el cumplimiento de los objetivos de déficit público será uno de los principales objetivos. Así, se elaborarán unos presupuestos basados en unas previsiones macroeconómicas más realistas que las anteriores y se fijarán unos objetivos de déficit factibles de cumplir.

En estos dos años se consigue que el gasto público no crezca más rápido que el PIB nominal, con lo que se logra frenar la tendencia a aumentar su peso en el PIB (que disminuye desde el 49,5% de 1993 al 47,8% en 1994 y

Cuadro 1.1 Cumplimiento de los criterios de convergencia

	Inflación				Tipos de interés			
	Media tres países con menor inflación	Límite permitido (+1,5)	España	Converg. (+) o diverg. (−)	Media tipos países menor inflación	Límite permitido (+2)	España	Converg. (+) o diverg. (−)
1991	2,9	4,4	5,9	**-1,5**	8,7	10,7	12,4	**-1,7**
1992	2,3	3,8	5,9	**-2,1**	8,7	10,7	11,7	**-1,0**
1993	1,4	2,9	4,6	**-1,7**	7,5	9,5	10,2	**-0,7**
1994	1,9	3,4	4,7	**-1,3**	7,4	9,4	10,0	**-0,6**
1995	1,2	2,7	4,7	**-2,0**	7,7	9,7	11,3	**-1,6**
1996	1,0	2,5	3,6	**-1,1**	7,1	9,1	8,7	**0,4**
1997	1,2	2,7	1,9	**0,8**	6,0	8,0	6,4	**1,6**

FUENTE: Banco de España (Boletín estadístico).

	Déficit sobre PIB			Deuda sobre PIB			Tipo de cambio		
							Núm. meses en el SME sin devaluación		
	España	Límite 3%	Converg. (+) o diverg. (−)	España	Límite 60%	Converg. (+) o diverg. (−)	Transcurridos a final de año	Requisito (2 años)	Converg. (+) o diverg. (−)
1991	4,5	3	**-1,5**	45,5	60	**14,5**	31	24	**7**
1992	4,1	3	**-1,1**	48,0	60	**12,0**	1	24	**-23**
1993	7,0	3	**-4,0**	60,0	60	**0,0**	7	24	**-17**
1994	6,3	3	**-3,3**	62,6	60	**-2,6**	19	24	**-3**
1995	7,3	3	**-4,3**	65,5	60	**-5,5**	10	24	**-14**
1996	4,6	3	**-1,6**	70,1	60	**-10,1**	22	24	**-2**
1997	2,6	3	**0,4**	68,8	60	**-8,8**	34	24	**10**

FUENTE: Programa de Estabilidad 1998-2002 y elaboración propia.

en 1995 prácticamente se mantiene, alcanzando el 47,7%). Adicionalmente se consigue que la desviación presupuestaria con respecto al presupuesto inicial sea bastante más reducida que en los años anteriores. Así, desde magnitudes de desviaciones de gasto del 22% y 19% en los años 1992 y 1993 respectivamente (además de lo comentado en relación con lo sucedido en el período 1989-1991), se pasa en el año 1994 a una desviación del 6%[25] (hay que tener en cuenta en cualquier caso que este porcentaje supone en términos absolutos más de 1,1 billones de pesetas o, lo que es lo mismo, un 1,8% del PIB).

En 1994 se consigue después de muchos años cumplir el objetivo presupuestario establecido para el déficit (se había previsto un objetivo del 6,4% del PIB y finalmente se quedó en el 6,3%). Por contra, en el año 1995 vuelve a existir una desviación entre el objetivo y el resultado (la previsión era del 5,9% y el resultado final ascendió al 7,3%), aunque menor que las anteriores[26].

En cualquier caso, se consigue un mayor rigor en el cumplimiento de los presupuestos, pero con unos niveles de déficit muy elevados. Así, en 1995 (cuando la economía ya estaba registrando tasas de crecimiento positivas) se supera el elevado déficit de 1993 (cuando el PIB registró una fuerte caída) y se alcanza el máximo de todo el período democrático.

A mediados de 1994 se hacía necesario actualizar el Programa de Convergencia dada la disparidad entre sus objetivos y la realidad. Así, por ejemplo, el déficit de 1993 y el incluido en los presupuestos para 1994 se encontraban muy alejados de los previstos en el Programa de Convergencia aprobado en marzo de 1992. Frente a unas previsiones de –3,5% y –2,7% para 1993 y 1994, el año 1993 se había cerrado con un déficit de –7,0%, y en los presupuestos aprobados para 1994 se incluía una previsión de –6,4%. Por ello, en julio de 1994 se aprueba una Actualización al Programa de Convergencia que contenía las nuevas previsiones y objetivos hasta el año 1997. Este nuevo programa se realiza sobre unas previsiones macroeconómicas algo más realistas, pero presentaba el inconveniente de retrasar los ajustes para los últimos años de su vigencia (1996 y 1997). De esta forma, el déficit previsto para 1995 era casi del 6% (en concreto el 5,9%), lo que suponía el doble del límite de Maastricht (ya hemos visto que el déficit real de ese año fue incluso más elevado).

Por otra parte, se siguen dando pasos hacia la Unión Monetaria. Al comienzo de este período (enero de 1994) se inicia la segunda fase, por la cual se crea el Instituto Monetario Europeo, que será el germen del futuro Banco Central Europeo. En España, en primavera de 1994, se aprueba una ley de gran trascendencia económica: la Ley de **Autonomía del Banco de España**, cumpliéndose así uno de los requisitos necesarios para ingresar en el euro.

Su entrada en vigor supone que el objetivo principal del Banco de España sea el de la estabilidad de precios e implica que tanto la instrumentación como el diseño de la **política monetaria** sean ejercidos de una manera autónoma por el Banco emisor. De esta manera el Banco de España va a poner en práctica un nuevo diseño de política monetaria por el cual se abandona la instrumentación basada en la fijación de un objetivo intermedio para establecer un seguimiento directo de la inflación (sobre este punto, véase el capítulo dedicado a la política monetaria).

Otra medida trascendente que se adopta es la **reforma laboral de 1994**. Aunque tenga algunos aspectos discutibles, la dirección es la adecuada. Presenta el inconveniente de que no cuenta con consenso social ni político[27].

Por otra parte, en febrero de 1995 se produce la **cuarta devaluación de la peseta** (un 8% esta vez), precedida de una subida continua del diferencial de tipos de interés a largo plazo con Alemania, que se encontraba en 2,3 puntos en enero de 1994 y había ascendido a 4,3 puntos en enero de 1995. Después de la devaluación, el diferencial superaría los 5 puntos en el mes de marzo y posteriormente empezaría a disminuir ligeramente. En cualquier caso, en el año 1995 alcanzó una media anormalmente elevada (4,4 puntos). Sólo a partir de finales del año, después del anuncio de elecciones adelantadas, se produce una reducción significativa de la prima de riesgo (pasando de 4,2 puntos en noviembre de 1995 a 2,9 en abril de 1996).

En esta última legislatura del PSOE, la **política de privatizaciones** se acelera y se realizan ventas importantes como la de Sidenor o Enagás y se profundiza en las realizaciones de las OPVs, en las que se vende en Bolsa un porcentaje de las grandes empresas públicas, mientras que el Estado sigue permaneciendo en el capital. Se puede considerar a este período como una etapa de transición hacia el amplio plan de privatizaciones que desarrollará el PP en la siguiente fase.

En este período se consigue salir de la recesión. Así, a partir del año 1994 la economía abandona las tasas de crecimiento negativo, registrando en ambos años tasas de crecimiento por encima del 2% (2,2% y 2,7% en 1994 y 1995 respectivamente). Sin embargo, el crecimiento medio en estos dos años es inferior todavía al crecimiento medio de la UE. Analizando el crecimiento por trimestres, se puede observar que en el año 1994 la economía se acelera desde un crecimiento del 1% en el primer trimestre al 3% en el cuarto. A partir de ese momento se inicia una fase de suave, aunque continua, desaceleración del crecimiento que se prolonga hasta el primer trimestre de 1996 (en el que crece el 2,1%).

Desde el punto de vista del empleo, el año 1994 es curioso de analizar. Si comparamos el cuarto trimestre de 1994 con el cuarto trimestre de 1993, el resultado es que el empleo, según la EPA, se incrementa en un 0,4%. Sin embargo, si comparamos el empleo medio existente en 1994 con el empleo medio de 1993 el resultado es una disminución del 0,9%. La cifra que da Eurostat para el crecimiento del empleo en España para 1994 es una tasa negativa de 0,5%, un dato peor que el descenso de 0,2% en el conjunto de la UE. En 1995 se produce una recuperación del empleo, que crece a un 1,6%, superando en un punto al registrado en la UE.

Si nos fijamos en el cuadro 1.1, observamos que en el año 1994 se consigue avanzar en la convergencia en prácticamente todos los criterios (la única excepción es el de la deuda). Sin embargo, 1995, el último año completo de esta fase de Gobierno del PSOE, es un año perdido para la convergencia porque se produce un retroceso en los cinco criterios (es decir, se empeora en precios, en tipos de interés, en déficit, en deuda y en los tipos de cambio debido a la devaluación mencionada). El resultado de 1995 supone que, en relación con los criterios de convergencia, España se encontraba peor el último año (completo) de Gobierno del PSOE que en el momento en que se aprobó el Tratado de Maastricht (en 1991). En el cuadro 1.1 se puede observar que entre esas fechas se produce un empeoramiento en cuatro de los cinco criterios de convergencia y sólo tiene lugar un avance muy ligero en uno de ellos (el de los tipos de interés).

5. Política económica del PP (1996-2000)

El PP gana las elecciones de marzo de 1996 y accede al Gobierno a principios de mayo, tras un acuerdo con CiU, PNV y Coalición Canaria. Desde ese momento quedaba algo más de año y medio para cumplir con los objetivos de convergencia establecidos en el Tratado de Maastricht (el «examen» se realizaría en la primavera de 1998, pero con los datos correspondientes al año 1997).

La entrada en el euro y, por tanto, el cumplimiento de los criterios en el plazo previsto se convirtieron en el objetivo principal de la política económica española. Aunque, finalmente, España consigue el objetivo de una manera holgada, la situación a mediados de 1996 no era muy esperanzadora.

Ya hemos visto que en el año anterior (en 1995) España no sólo no se había acercado a la convergencia, sino que se había alejado de los niveles de referencia en todos los criterios. Aunque durante los meses transcurridos de 1996 se habían experimentado avances en inflación y tipos de interés, cuando el PP forma Gobierno todavía no se cumplía con ninguno de los criterios. En el caso del déficit (que va a ser el criterio fundamental, ya que los demás van a depender en algún grado de él), existía una situación delicada porque no se había logrado aprobar los presupuestos y, por tanto, los del año anterior se encontraban prorrogados.

Adicionalmente, una opinión independiente como la de los «mercados» apostaba claramente porque España no llegaría a tiempo. Así, durante los años anteriores al examen de convergencia, surgieron diversos índices que trataban de medir la probabilidad de que un determinado país accediera a la Unión Monetaria. Su metodología era incorporar las expectativas de los mercados a través de la estructura temporal de los tipos de interés. Algunos servicios de estudios (J. P. Morgan, BCH, AFI) utilizaron sistemas basados en esta metodología para elaborar sus respectivos índices sobre la probabilidad de la entrada de España en la UM. La evolución que se deriva de cada uno de ellos es parecida. Tomando como referencia el elaborado por AFI, observamos que a principios de 1996 la probabilidad que daban los mercados a la entrada de España en el euro era casi nula, con lo que claramente se estaba descontando la dificultad existente en aquellos momentos para que nuestro país se acercara al cumplimiento de los requisitos de Maastricht.

Por tanto, una de las principales tareas de las nuevas autoridades económicas era transmitir claramente la idea de que el objetivo de España era cumplir con los criterios de convergencia, y, para ello, había que recuperar la confianza y la credibilidad en la política económica española.

Ya en junio de 1996 se aprueba un primer paquete de medidas dirigidas a la **flexibilización y liberalización** que afectan a sectores económicos importantes como telecomunicaciones, suelo, distribución de carburantes, sistema financiero, colegios profesionales, farmacias y servicios funerarios. Estas medidas se irían desarrollando y aplicando con posterioridad y fueron completadas en el llamado Plan de Liberalización y de Impulso de la Actividad Económica de febrero de 1997, así como en las diversas leyes y normativas sectoriales aprobadas a lo largo de la legislatura (eléctrica, hidrocarburos, telecomunicaciones).

También en junio de 1996 se aprueba el llamado **Programa de Privatizaciones,** en el que se recoge la voluntad del Gobierno de llevar a cabo una amplia política de venta de las empresas públicas estatales que afectaría, en principio, al total del capital en posesión del Estado y a la totalidad de sus empresas (con alguna excepción, como la minería del carbón). Este programa se iniciaría en noviembre de ese año con la venta de Gas Natural y en tres años afectará a 36 empresas y producirá unos ingresos de casi 5 billones de pesetas.

Por tanto, ya a comienzos del verano el nuevo Gobierno había anunciado cuáles serían las líneas generales de las denominadas «políticas estructurales» (o políticas de reforma, por continuar con la nomenclatura seguida en este capítulo —también se las denomina «políticas de oferta»—): flexibilización y liberalización de mercados y privatización.

El conjunto de estas medidas es bien acogido por los «mercados» y así, a partir del verano de 1996, los índices que recogían la probabilidad de ingreso de España en el euro empezaron a aumentar, situándose en septiembre de ese año en el entorno del 21% (todavía en unos niveles muy bajos).

Sin embargo, la verdadera prueba de fuego del nuevo Gobierno se encontraría en la **política fiscal.** Se podría afirmar que era en este campo donde existían más incertidumbres para el cumplimiento de los criterios de convergencia. Como ya se comentó, en 1995 el déficit público había alcanzado el máximo de todo el período democrático superando el 7%. Por lo tanto, en tan sólo dos ejercicios presupuestarios había que reducir el déficit en más de la mitad, con el inconveniente de que para el año 1996 no se pudieron aprobar los presupuestos y se habían tenido que prorrogar los del año anterior. El objetivo de déficit para el año 1996 era del 4,4% y era de vital importancia asegurar su cumplimiento, tanto para lograr el objetivo del 3% en 1997 como para recuperar la credibilidad de la política fiscal y generar las expectativas de que España podía ingresar a tiempo en el euro.

Por tanto, ya antes de la remisión a las Cortes de sus primeros presupuestos, el Gobierno tuvo que tomar medidas con el objeto de asegurar el cumplimiento de los objetivos de 1996, así como para dotar de mayor credibilidad las actuaciones tendentes a la reducción del déficit público. De esta manera, se aprobó un recorte del gasto de 200.000 millones de pesetas, se adoptó el compromiso de realizar nuevos recortes en el caso de que fueran necesarios para alcanzar el objetivo de déficit y se envió al Parlamento el Proyecto de Ley de Medidas de Disciplina Presupuestaria (aprobada como ley 11/1996) en la que se limitaban las modificaciones de gasto y se reforzaba la disciplina y el control en la ejecución presupuestaria. Finalmente, se consiguió el objetivo del 4,4%, aunque los ajustes posteriores dejarían el déficit definitivo en el 4,6% del PIB.

Los presupuestos para 1997 eran especialmente importantes porque, por un lado, eran los primeros elaborados por el Gobierno del PP y los que marcarían la orientación de su política presupuestaria y, por otro, afectaban al año que se tendría en cuenta para el «examen» de Maastricht, con lo que no sólo había que presentar unos presupuestos que incluyeran la cifra del 3% de déficit (lo que ya se sabía), sino que además tenían que ser creíbles, incluyendo las medidas necesarias para lograr su cumplimiento y evitar desviaciones a lo largo de su ejecución.

Se presentaron unos presupuestos muy restrictivos en todas sus partidas, incluyendo las inversiones públicas (con la excepción de las pensiones, que, a diferencia de los sueldos de los funcionarios, que quedaron congelados, se revalorizaron de acuerdo con la inflación prevista), que contenían medidas adicionales para incrementar la disciplina presupuestaria. Los presupuestos son acogidos favorablemente y en octubre, después de su remisión a las Cortes, el índice AFI de probabilidades de acceso al euro se eleva hasta el 42% (desde el 21% que se encontraba en septiembre), situándose ya a finales de 1996 en el entorno del 75%. Asimismo, se produce una aceleración en el descenso del diferencial de tipos de interés a largo plazo con Alemania que pasa de 2,17 puntos en septiembre a 1,76 puntos en octubre, situándose en sólo 0,8 en diciembre.

Una vez superada la tramitación parlamentaria del presupuesto para 1997, el Gobierno aprueba en abril de 1997 un nuevo Programa de Convergencia (el anterior finalizaba en 1997) que comprende los años 1997-2000. Este programa es importante porque en el «examen» de convergencia, aparte de analizar las cifras del año 1997, se tendría en cuenta la «sostenibilidad» del déficit, lo que implica que (Comisión Europea, 1998) «una vez logrado, debe mantenerse en años sucesivos. No basta con concentrar los esfuerzos de ajuste presupuestario, para respetar este criterio, en un solo año y a continuación, tal vez, flexibilizar la política presupuestaria y volver a aumentar los desequilibrios presupuestarios». Por ello, en el nuevo Programa de Convergencia se establecían reducciones adicionales (aunque a un ritmo bastante menor que en 1996 y 1997) del déficit público hasta dejarlo situado en el 1,6% en el año 2000.

Finalmente, la previsión de déficit contenida en los presupuestos para 1997 no sólo se va a cumplir, sino que se va a mejorar al situarse en el 2,6% del PIB, significativamente por debajo del límite de convergencia. Este dato, junto con las previsiones del Programa de Convergencia para los siguientes ejercicios, sirve para que en el examen de acceso al euro en la primavera de 1998 España cumpla con el criterio del déficit. Una vez aprobada la entrada de un país en el euro, los Programas de Convergencia se sustituyen por los llamados Programas de Estabilidad (España ha presentado ya dos Programas de Estabilidad para los años 1998-2002 y 1999-2003), que con carácter anual deben incluir los objetivos y previsiones a medio plazo para cumplir con los requisitos del llamado Pacto de Estabilidad y Crecimiento [28]. Este pacto establece que los Estados miembros que formen parte del euro tendrán que respetar el objetivo a medio plazo de lograr situaciones presupuestarias «próximas al equilibrio o en superávit» y que solamente en ocasiones muy excepcionales se podría superar el límite del 3%, incluyendo fuertes sanciones cuando se supere.

Los siguientes presupuestos del PP (años 1998, 1999 y 2000) no van a tener un carácter tan restrictivo como los de 1997, y algunas partidas contendrán un comportamiento expansivo, sobre todo los gastos relacionados con la dotación de capital (infraestructuras, I+D y capital humano) y (especialmente en los presupuestos del 2000) los gastos sociales [29]. De esta manera, la política fiscal ha abandonado el fuerte carácter restrictivo de 1997 y se ha optado por disminuir el ritmo de la consolidación presupuestaria a cambio de fomentar el crecimiento del capital físico, humano y tecnológico por su contribución al crecimiento económico a largo plazo, además del gasto social. El peso de los gastos sociales en el conjunto de los Presupuestos Generales se ha incrementado entre 1995 y 2000, pasando de representar el 49,8% del conjunto del Presupuesto a implicar el 51,1% (los gastos sociales incluyen las pensiones contributivas y no contributivas, Sanidad, Educación homogeneizada, incapacidad temporal, servicios sociales y otros gastos sociales). Recordemos que cada punto porcentual del Presupuesto del 2000 significa más de 300.000 millones de pesetas. Dado el incremento del empleo, la comparación resulta más homogénea si excluimos el gasto por desempleo y la incapacidad temporal (el segundo supuesto ha registrado una caída debido a la lucha contra el fraude). En tal caso el aumento es de 4,3 puntos, aunque simultáneamente haya mejorado la cobertura del de-

Cuadro 1.2 Previsiones de déficit público contenidas en los Programas de Convergencia y de Estabilidad (cifras en porcentaje del PIB)

	1992	1993	1994	1995	1996	1997	1998	1999	2000	2001	2002	2003
Prog. Converg. 92-96 (abr. 92)	−4,0	−3,5	−2,7	−1,8	−1,0							
Prog. Converg. 94-97 (jul. 94)			−6,7	−5,9	−4,4	−3,0						
Prog. Converg. 97-00 (abr. 97)						−3,0	−2,5	−2,0	−1,6			
Prog. Estab. 98-02 (dic. 98)							−1,9	−1,6	−1,0	−0,4	0,1	
Prog. Estab. 99-03 (feb. 00)							−1,7	**−1,3**	**−0,8**	**−0,4**	**0,1**	**0,2**
Evolución déficit público	−4,1	−7,0	−6,3	−7,3	−4,7	−2,6	**−2,3**	−1,1	−0,4*	0,0*		

Las cifras en negra corresponden al déficit calculado con el nuevo sistema de cuentas nacionales SEC-95.
* Previsiones del Gobierno (a junio de 2000).

sempleo existente (estas cifras proceden del Ministerio de Economía, 1999). Desde el punto de vista del análisis realizado a lo largo de este capítulo podríamos resaltar las siguientes características de la política presupuestaria de este período:

a) En todos los ejercicios (véase el cuadro 1.2) se ha conseguido disminuir el déficit del año anterior, hasta situarse en el 1,1% en 1999. Éste es el porcentaje más reducido de todo el período democrático. Con los presupuestos del 2000 está previsto seguir disminuyendo el déficit (el objetivo es del 0,8%), y en el Programa de Estabilidad 1999-2003 se prevé su eliminación, alcanzando un superávit presupuestario en el 2002 (que se incrementará en el 2003). Con este libro ya en la imprenta el Gobierno ha reducido a la mitad (del 0,8% al 0,4%) su previsión del déficit para el año 2000 y ha anunciado que su objetivo para el año 2001 será alcanzar el equilibrio presupuestario.

b) En todos estos años no sólo se ha conseguido cumplir los objetivos contenidos en los Programas de Convergencia/Estabilidad, sino que se han mejorado, lo cual ha contribuido a la recuperación de la credibilidad de nuestra política presupuestaria. En el cuadro 1.2 se puede observar que tanto las previsiones contenidas en el Programa de Convergencia 1997-2000 como las del Programa de Estabilidad 1998-2002 son mejoradas por la realidad, lo que no ocurrió con los dos programas anteriores (que se vieron, sobre todo el primero, ampliamente superados).

c) En todos los años de Gobierno del PP el gasto público ha crecido menos que el PIB nominal, lo que implica que se ha ido reduciendo su peso en el PIB (así, mientras que en 1995 el gasto público representaba el 47,7% del PIB, en 1999 había disminuido al 41,3%). En el Programa de Estabilidad 1999-2003 está previsto que esta tendencia continúe en los próximos años, situándose a partir del año 2002 por debajo del 40% (regresando a unos niveles parecidos a los que tenía cuando la UCD abandonó el Gobierno). Desde el punto de vista del crecimiento económico, esta evolución es positiva, ya que, tanto en trabajos teóricos como en algunos estudios empíricos (véase, por ejemplo, Páramo, 1999) se ha relacionado negativamente el peso del gasto público en el PIB con el crecimiento económico —dentro de ciertos límites—. Si esto es así, los efectos inducidos por el mantenimiento de un gasto público por debajo del 40% podrían suponer, en relación con la situación anterior, en que se encontraba próximo al 50%, un aumento en la tasa de crecimiento potencial a largo plazo de la economía española.

d) Lo comentado en el punto anterior no significa que disminuya el gasto público y ni siquiera que crezca por debajo de la inflación. Al contrario, con la excepción de 1996 en todos los demás años de este período el gasto público ha crecido a un ritmo mayor que la inflación, es decir, ha experimentado un crecimiento en términos reales.

e) España, desde 1997, cumple con la llamada «regla de oro», es decir, desde ese año el déficit público es inferior al gasto público en inversión. De esta manera el incremento del endeudamiento no se destina al gasto corriente, sino que financia sólo parte de las inversiones públicas.

Para acabar estas notas sobre la política fiscal del PP debe resaltarse la reforma de los impuestos, especialmente la experimentada por el IRPF, que ha visto cómo se simplificaban su estructura y sus tarifas y cómo disminuían sus tipos marginales (el máximo se quedaba en el 48%, frente al 56% anterior[30]). Sobre estos temas, véase el capítulo sobre política fiscal.

La instrumentación de la **política monetaria** tiene dos fases bien diferenciadas. La primera, hasta la adopción del euro el 1 de enero de 1999, es una fase donde se consolida la instrumentación de seguimiento directo de la inflación puesta en práctica por el Banco de España desde que adquirió su autonomía. En esta fase se logra cumplir con los diferentes objetivos de inflación que a medio plazo iba estableciendo el Banco Emisor, con lo que se cumple con el requisito de convergencia en lo que a inflación se refiere. Hay que destacar que en estos años la política monetaria se ve ayudada (o al menos no obstaculizada) por la orientación de la política fiscal, lo que ha permitido al Banco de España disminuir de manera significativa sus tipos de interés de referencia al mismo tiempo que mantenía el carácter restrictivo de la política monetaria para luchar contra la inflación.

A partir del 1 de enero de 1999 se crea el euro y la peseta (al igual que el resto de las monedas nacionales) se convierte en una fracción de la nueva moneda europea. Desde ese momento el Banco Central Europeo asume plenamente sus funciones y ya no se puede seguir hablando de una política monetaria española, sino europea (el análisis en profundidad de la política monetaria de este período aparece en el capítulo 3).

En este período se consigue un auténtico cambio «estructural» en relación con los tipos de interés a largo plazo (que son los relevante a la hora de tomar una decisión de inversión). Así, el diferencial con Alemania, de situarse en cuatro puntos y medio en 1995 (superando en algunos momentos los cinco puntos), a finales de 1998 prácticamente se había eliminado (permaneciendo desde entonces en el entorno de dos décimas). Éste es uno de los beneficios de la moneda única que supone dejar en igualdad de condiciones a las empresas españolas frente a las del resto de la zona euro en lo que al coste para financiar sus inversiones se refiere (anteriormente podían acudir a endeudarse en los mercados exteriores con un menor tipo de interés, pero el coste de cubrirse del riesgo cambiario podía eliminar parcial o totalmente esta ventaja).

Además de la política fiscal y monetaria, ya se han destacado las políticas de liberalización, desregulación y privatizaciones llevadas a cabo durante este período. Adicionalmente, habría que mencionar la **reforma laboral de 1997** pactada entre sindicatos y empresarios en el llamado Acuerdo para la Estabilidad del Empleo y asumida por el Gobierno, que la aprobó mediante un Real Decreto-Ley que dio lugar a la Ley 63/1997 de Medidas Urgentes para la Mejora del Mercado de Trabajo y el Fomento de la Contratación Indefinida. Esta reforma, además de fomentar la contratación estable y disminuir la dualización del mercado de trabajo, puede haber tenido el efecto de aflorar parte de la economía antes sumergida.

En relación con la política económica de este período se podría criticar que, en algunos casos, se debería haber profundizado, en mayor grado, en los ajustes o en las reformas o tendrían que haberse acelerado los períodos transitorios. Por ejemplo, se podría mantener que la reducción del déficit a partir de los presupuestos de 1998 podría haber sido mayor, adelantando el logro del equilibrio presupuestario en algún ejercicio (con este libro en imprenta el Gobierno ha anunciado que adelanta en un ejercicio el logro del déficit cero); o que los plazos para la apertura de algunos mercados (como el eléctrico y sobre todo el del gas) podrían haber sido más cortos; o que la relación entre privatización e incremento de la competencia —que ha existido— podría en algunos casos haberse acentuado. En junio de 2000 el Gobierno adoptó un nuevo «paquete» de medidas liberalizadoras que afecta a sectores como el del petróleo, gas, electricidad, telecomunicaciones, pero también a otros como los Colegios Profesionales, notarios o comercio interior. De todos modos, creemos que la dirección de la política económica ha sido la adecuada, y las críticas, en todo caso, se refieren a los ritmos o a la intensidad en su aplicación[31].

Ya hemos comentado que el principal objetivo de la política económica puesta en marcha en esta fase era cumplir los criterios de convergencia para ingresar en el euro desde su creación. En el cuadro 1.1 habíamos recogido la evolución española en los cinco criterios de Maastricht desde la aprobación del Tratado hasta el año de referencia para el «examen» de ingreso. Se puede observar cómo el esfuerzo de la convergencia se concentra en dos años (1996 y 1997). Así, en 1996 se consigue cumplir con uno de los criterios (el de tipos de interés) y, con la excepción del de la deuda, se producen avances sustanciales en todos los demás. En 1997 se consigue cumplir estrictamente con todos los requisitos con la excepción del de la deuda. En este caso, el Tratado estimaba que se podía considerar cumplido si (como ocurría en España) el nivel de deuda tenía una tendencia decreciente que se juzgara sostenible.

El logro de esta convergencia nominal no ha sido incompatible, ni siquiera a corto plazo, con el crecimiento económico, la convergencia real y la creación de empleo. Así, la reducción de la inflación y del déficit público a la mitad en tan sólo dos años (entre 1995 y 1997) no ha tenido los efectos recesivos pronosticados por una corriente de opinión, sino que, por el contrario, la actividad económica y la creación de empleo se han acelerado. Una de las explicaciones podría residir en que las políticas de estabilidad han tenido un favorable efecto en la actividad privada a través de un significativo «efecto expulsión *a la inversa* del déficit público» y de su incidencia sobre la mejora de las expectativas de los agentes económicos. Por otra parte, en el éxito de la política antiinflacionaria parece haber influido la credibilidad de nuestras autoridades económicas (tanto la del Banco de España, que adquirió su autonomía a principios de 1995, como la del nuevo Gobierno). Éstas han sido algunas de las razones básicas que, en nuestra opinión, han permitido reducir la inflación sin excesivo coste y con una rápida adaptación de las expectativas de los agentes económicos a la nueva situación.

De esta manera, precisamente en el segundo trimestre de 1996 (cuando la economía crece al 2,1%) la tasa de crecimiento del PIB frena su desaceleración e inicia una senda ascendente que se prolonga hasta el primer trimestre de 1998, en el que se consigue un máximo con un crecimiento del 4,2%. Como consecuencia de la crisis financiera internacional, a partir de la segunda parte de 1998 se produce una suave desaceleración del ritmo de crecimiento, que baja hasta el 3,6% en el primer trimestre de 1999 para empezar a recuperarse a partir del segundo y acabar el año con un crecimiento cercano al 4% (3,9% en el último trimestre). En media, en estos cuatro años (1996-1999) el PIB crece a una tasa del 3,45%, que se eleva al 3,8% si tenemos en cuenta solamente los tres últimos años.

Habría que destacar que éste es un crecimiento con estabilidad macroeconómica, lo que ha permitido generar expectativas sobre su mayor sostenibilidad en el tiempo. Las ventajas de este crecimiento equilibrado las podemos haber empezado a notar ya en la reciente crisis internacional comentada en el párrafo anterior. A diferencia de lo ocurrido en otras épocas, en una fase de desaceleración económica generalizada España no sólo ha sido capaz de mantener su diferencial positivo de crecimiento en relación con la UE, sino que incluso lo ha aumentado, lo que le ha permitido seguir recortando diferencias en renta per cápita con la UE.

Así, en 1995 el PIB per cépita español se situaba en el 76,9% de la media de la UE-15, lo que había implicado un avance de 0,5 puntos en relación al año anterior. En los años 1996 y 1997 (en los que se logra la convergencia nominal) ese avance es ligeramente superior, alcanzando los 0,7 puntos en cada uno de ellos, situándose en 1997 en el 78,3%. En 1998 se acelera el ritmo de convergencia al producirse un avance de 0,9 puntos (elevándose al 79,2% de la renta per cápita media de la UE), y para 1999, según las previsiones de Eurostat, se recortaría la diferencia con la media europea en un punto adicional, con lo que se seguiría acelerando el ritmo de convergencia [32].

En el año 1999 se ha producido un repunte en dos de los equilibrios básicos de la economía española: la inflación y el desequilibrio exterior. En relación con la inflación, después de terminar 1998 en el 1,4% (un nivel tan bajo no se conocía desde 1969), se eleva en 1999 (el primer año del euro) hasta el 2,9%. Aunque este incremento está influido por la elevación de los precios del petróleo (que se multiplican por tres), implica un aumento del diferencial de inflación en relación con la UE. El déficit de la balanza por cuenta corriente, después de cuatro años con saldos próximos al equilibrio (con pequeños superávit en 1995, 1996 y 1997 y con un ligero déficit en 1998), en 1999 se eleva significativamente por encima del 1% del PIB. En este resultado ha influido —entre otras causas— la desaceleración en el crecimiento de las exportaciones desde finales de 1998 como consecuencia de la crisis financiera internacional.

Estos repuntes deben vigilarse para evitar que se incrementen y, al contrario, buscar que se reconduzcan en los próximos ejercicios (sobre este punto, véase el capítulo 25).

Esta fase de crecimiento ha tenido unos efectos muy positivos sobre el empleo. Si tenemos en cuenta la EPA, el crecimiento medio del empleo en estos cuatro años ha sido del 3,5%, una décima superior al crecimiento medio del PIB (3,4%, como se comentó anteriormente). Sin embargo, han existido diversos cambios metodológicos (algunos por indicaciones de la UE) y es posible que esa cifra esté sesgada al alza. Si nos basamos en las cifras que da la Comisión Europea, el crecimiento medio del empleo se ha situado en el 2,7% (porcentaje que se elevaría al 3,2% si tenemos en cuenta únicamente los tres últimos años). Este elevado crecimiento del empleo, que triplica al experimentado por la UE, 0,9%, en ese período), ha implicado la creación de más de 1,8 millones de empleos. De esta manera, en el año 1998 se supera el «récord» de ocupados, que permanecía desde 1974, y a finales de 1999 su número se encontraba por encima de los 14 millones, según la EPA.

Aunque este crecimiento del empleo ha permitido rebajar en 7 puntos y medio la tasa de paro y situarla en unos niveles (15,4%) que no se conocían desde 1981, todavía se encuentra en unas tasas comparativamente muy elevadas, siendo incluso superior el nivel de paro femenino (22,4%). Por consiguiente, la política económica española durante la primera década del nuevo siglo tiene, junto con la convergencia real con la UE, el importante objetivo de continuar disminuyendo el desempleo.

Notas

1 Agradezco a Pedro Durá su colaboración en la preparación de este capítulo. Parte de él proviene de otros trabajos anteriores (Gámir, 1980, 1985 y 1997), pero se ha procurado aportar nuevos enfoques y elementos de análisis. El planteamiento elegido para el capítulo 25 le convierte en parcialmente complementario.

2 Justo al final de la legislatura que comenzó en el año 1996 y antes de que se celebraran las elecciones del 12 de marzo de 2000, aunque en las pruebas de imprenta se

haya introducido alguna nota sobre el programa electoral del partido que resultó ganador en las urnas y sobre algunas de las primeras medidas adoptadas en la nueva legislatura.

3 Como ha dicho L. A. Rojo en *Factores impulsores y obstaculizadores del desarrollo económico español* (trabajo no publicado), «el simple paso del tiempo se encargaría de demostrar que el desarrollo por vía de la inflación y la autarquía se devoraba a sí mismo, asfixiado por el estrangulamiento provocado en la balanza de pagos. Todo plan racional de creación o de expansión de una industria quedaba en entredicho ante la imposibilidad de importar normalmente la maquinaria prevista. Cualquier programa de racionalización de una empresa resultaba ocioso cuando el problema apremiante era asegurar el flujo de materias primas o de semimanufacturas importadas que permitiera continuar la producción. Los esquemas productivos respondían más al ingenio superador de dificultades que a las exigencias de las modernas técnicas; y quedaban fiados a la tensión de unos mercados enrarecidos que absorbían todo, con cualquier calidad y precio, ante la falta de alternativas...».

4 El autor de este capítulo lo hizo, por ejemplo, en Gámir (coord.) (1980).

5 Sobre la fijación del tipo de cambio es curiosa la siguiente cita extraída de González (1979): «El grupo de técnicos que se reunían en el Banco de España y en Hacienda perfilaba los tipos y formaba opinión sobre el tipo de cambio. Todos estaban en torno a las 55-59 pesetas/dólar. La cifra de 59 pesetas fue llevada por Ullastres al Pardo. Cuando volvió llamó a Varela: "El cambio a 60 pesetas. El Caudillo ha señalado que 59 era muy complicado, mejor redondear a 60 pesetas"».

6 Véase Gámir (1997).

7 Por razones de espacio no se puede ampliar este apartado en este trabajo. En mi opinión, es un tema importante y complejo, que analicé con algún detalle en Gámir (1985).

8 Este impuesto tenía la función teórica de igualar la tributación de las importaciones con la de las mercancías interiores gravadas por el ITE (que no es sustituido hasta la implantación del IVA en 1985). Sin embargo, el ICGI estaba sesgado al alza, con lo que suponía un elemento de protección adicional al de los aranceles.

9 El proteccionismo también disminuyó por nuestra mayor tasa de inflación, en el grado en que no quedaba compensada por devaluaciones y sobre todo recordando que rompía el criterio básico del arancel de 1960: igualar precios internacionales a nacionales.

10 La reducción de aranceles, al mismo tiempo que se incrementaba —en parte— el ICGI, llevaba a una elevación de la desgravación fiscal a la exportación. El resultado final era en cierto grado similar a una reducción de aranceles con una devaluación encubierta. En el modelo tridimensional antes mencionado, la sobrevaloración de la desgravación fiscal implica una prima oculta a las exportaciones, que podía compensar el incremento en sus costes y la modificación en la asignación de recursos que implicaba un ICGI excesivo. Simultáneamente, la reducción de aranceles favorecía al sector exportador. El tercer sector —el de bienes no comercializables— resultaba beneficiado por la reducción de aranceles y perjudicado por el proteccionismo y las primas ocultas del ICGI y de la desgravación fiscal. En el grado en que el primer fenómeno fue más intenso, el resultado neto también favorecía a este sector. El perjudicado neto —a pesar de la protección oculta en el ICGI— era el sector que competía con importaciones.

11 Para una descripción más amplia de este punto, así como de otros de este período, véase Gámir (1985).

12 El autor de este libro tuvo alguna relación con esta política, que implicó no solamente la reducción del arancel nominal sino de la protección efectiva.

13 Muy posteriormente aparecerá en España una amplia polémica social sobre el grado de progresividad fiscal y la vuelta a sistemas más proporcionales y simplificados. Este último debate afectará a algunos de los fundamentos teóricos del «enfoque Fernández Ordóñez», pero la crítica se referirá especialmente a su desarrollo posterior, que, por ejemplo, elevó el tipo marginal máximo hasta el 56%, para bases muy inferiores en términos reales a las necesarias para aplicar el 40% antes mencionado. (Hay que recordar que con las reducciones de los tipos introducidos por el PP en la legislatura 1996-2000 y las anunciadas para la próxima, el tipo máximo seguirá estando por encima del 40%, y se debe insistir en el clima de sensibilidad pública sobre el valor igualdad a la salida del franquismo —al que no solamente se le criticaba por la carencia de libertades públicas—).

14 Sin embargo, el inicio de la política monetaria relacionada con los Pactos de la Moncloa, junto a la liberalización financiera que luego mencionaremos, llevó a una fuerte elevación de los tipos de interés.

15 Como nota curiosa se puede observar que ninguno de los acuerdos sociales con la UCD y el PSOE tienen los mismos firmantes.

16 Aquí habría que observar que, tal y como señala el Banco de España, en su *Informe Anual* de 1982, los cambios de criterio de imputación temporal de ingresos y gastos adoptados por el primer Gobierno socialista provocaron un incremento del déficit de 1982 y una disminución del de 1983, lo que hace complicada una comparación homogénea del déficit de 1982 tanto con el de 1981 como con el de 1983. En cualquier caso, el déficit de 1982, como se dijo en el epígrafe anterior, supuso un salto en relación con el de 1981.

17 Una opinión algo más positiva —aunque muy matizada— la desarrolló el autor de estas líneas en Gámir (1985).

18 En el capítulo 25, con otro enfoque, el autor de estas líneas recuerda también la importancia de la inversión en infraestructuras como una de las razones de la expansión del gasto público, aunque mencione allí más de pasada —por haberse tratado ya aquí, entre otros lugares— los problemas de un modelo de fuerte déficit público.

En general, este análisis del período socialista hay que completarlo con el que aparece en el capítulo 25. Es posible que, visto desde los objetivos, el resultado tenga aspectos comparativamente algo más positivos —salvo en el paro y en los desequilibrios, especialmente en los causados por el «modelo de los dos déficit», al que luego nos referiremos—.

19 Unas declaraciones de L. A. Rojo, Gobernador del Banco de España hasta julio del año 2000, parecen apoyar esta interpretación. Así, en *Expansión* (18-12-93), justifica las devaluaciones como el resultado de «una incorrecta utilización por parte de España del margen de confianza que había supuesto la integración en el SME».

20 Véase Prados de la Escosura (1993).

21 La comparación con Irlanda se introduce a modo de ejemplo, dado que lo cierto es que constituye un caso excepcional dentro de Europa, pero el contraste nos sirve para comprender mejor los problemas de la política económica española de la época.

22 Sobre las privatizaciones de este período y de los siguientes, véase el capítulo 11 de esta obra.

23 Para una descripción detallada de estos criterios y del proceso que lleva al euro, véase el capítulo 3 de este libro.

24 En el Programa de Estabilidad 1998-2002 se recoge una cifra para este año del 49,5%, y el BBV lo eleva hasta el 49,83%.

25 Véase Barea (1995).

26 En el año 1996 hubo un cambio de criterio entre la afectación temporal de ingresos y gastos que influyó en el aumento del déficit de 1995.

27 Para más información sobre este tema, véase el capítulo de este libro sobre política de empleo.

28 Aprobado en junio de 1997 en el Consejo Europeo de Amsterdam con el objetivo de establecer un marco de disciplina presupuestaria para los países que formen parte del euro.

29 Es el caso, por ejemplo, de las pensiones mínimas, que en el año 2000 se han visto incrementadas en un 5,5% de media (a lo largo de esta primera legislatura del Partido Popular el poder adquisitivo del conjunto de las pensiones se ha elevado en 1,8 puntos porcentuales). Para el próximo mandato el Partido Popular se ha comprometido a elevar las pensiones mínimas y de viudedad entre un 10% y un 15%.

30 Para el nuevo mandato el PP se ha comprometido a rebajarlo hasta el 46%.

31 Por otra parte, para que este tipo de políticas sean viables, aparte de la racionalidad económica hay que tener en cuenta la lógica política. Así, aunque sus beneficios globales superen a sus costes, las reformas para introducir la competencia presentan numerosas resistencias. Por un lado, los costes se concentran en unos pocos (principalmente en los agentes ya instalados en el sector), por lo que individualmente pueden ser suficientemente elevados para que sea «rentable» organizarse para presionar en contra de la reforma. Sin embargo, los beneficios se reparten sobre un elevado número de agentes (normalmente el conjunto de consumidores o las empresas que utilizan los productos de estos sectores como inputs) y, por consiguiente, el beneficio individual suele ser pequeño y compensa menos dedicar recursos para organizarse y presionar a favor de dicha reforma.

32 La convergencia real se examina el en capítulo 26.

Referencias

Barea, J. (1995): «Los agujeros del presupuesto», *Cuadernos de Información Económica*, núm. 100, julio.

Comisión Europea (1998): *Informe de Convergencia (elaborado de conformidad con el apartado 1 del art. 109j del Tratado)*, Comisión Europea.

Gámir, L. (coord.) (1980): *Política económica de España*, Madrid, Alianza Editorial.

— (1985): *Contra el paro y la crisis*, Madrid, Planeta.

— (1997): «La política económica española de 1959 a 1994», en Febrero, R. (ed.), *Qué es la Economía*, Madrid, Pirámide.

González, M. J. (1979): *La economía política del franquismo (1940-1970)*, Madrid, Tecnos.

Ministerio de Economía y Hacienda (1999): *Presentación del Proyecto de Presupuestos Generales del Estado 2000*.

Oller, V., y Conejos, J. (1993): «Política industrial», en Gámir, L. (coord.), *Política Económica de España*, Madrid, Alianza Editorial.

Prados de la Escosura, L. (1993): *Spain's Gross Domestic Product, 1850-1990: A New Series,* documento de trabajo, Madrid, Dirección General de Planificación, Ministerio de Economía y Hacienda.

Segura, J. (1990): «Del primer Gobierno socialista a la integración en la CEE», en García Delgado, J. L. (dir.), *Economía Española de la Transición y la Democracia*, CIS.

Segunda parte

Marco de la actual política económica española

2. El modelo español de la política de estabilidad

Cristóbal Montoro

1. Introducción

El reconocido éxito de la economía española en la legislatura 1996-2000 es, sin duda, fruto de una acertada opción política, fundamentada en una correcta relación entre los problemas/objetivos de la sociedad española y los desafíos/oportunidades del momento económico que atravesamos. Esta opción política podría formularse sintéticamente de este modo:

El estudio de la economía española y de sus contextos, Europa y un mundo en proceso de integración, coincide en aconsejar una senda de mayor iniciativa de la sociedad y de competencia entre los agentes económicos en un clima de libertad e igualdad de oportunidades. Todas las reformas derivadas de este principio han de acometerse desde una base de estabilidad política y económica.

Tras cuatro años de aplicación de esta legislatura hemos comprobado que cuando se encuentran las condiciones para que la estabilidad económica sea en sí misma un factor determinante del crecimiento del producto y del empleo, la economía accede a un nivel cualitativo superior donde es posible mantener las variables macroeconómicas dentro de unos márgenes que permiten prolongar muy significativamente la duración de las fases expansivas de los ciclos económicos.

Me propongo exponer de forma sencilla los fundamentos conceptuales, los instrumentos económicos y los resultados de esta política económica.

También, brevemente, su vigencia y orientación para el próximo futuro adaptadas a las necesidades aún no satisfechas o nuevas de la sociedad española.

En primer lugar, con suma concisión, la selección de los principales ejes conceptuales que dan fundamento, coherencia y dinámica finalista a los instrumentos económicos:

1.1 La incorporación de los recursos ociosos

Para mejorar el bienestar económico de los ciudadanos españoles es necesario «poner a trabajar» los recursos ociosos del país. En una economía avanzada, como la española, los recursos son básicamente recursos humanos. Es decir, se trata de incrementar la población ocupada y mejorar sus conocimientos para que trabajen todos los que quieran y puedan y lo hagan con provecho y eficacia. El modelo de política económica se encarga de encontrar la manera de aumentar y mejorar la oferta de empleo hasta satisfacer plenamente la demanda.

1.2 La emergencia del mercado global

La economía internacional está viviendo un proceso de integración que modifica los presupuestos en que hasta ahora se apoyaba la actividad de los individuos y las empresas y condiciona el poder y la función de los Estados. El centro de gravedad de la actividad económica se está trasladando desde los mercados domésticos al mercado internacional, que es un mercado libre de regulaciones, regido por la voluntad contractual de las partes y la esperanza del mutuo beneficio. Es un camino hacia la libertad: mayor libertad de movimiento de capitales, de intercambio de bienes y servicios y de desplazamiento de las personas. El mundo es, cada vez más, un mercado amplio y accesible, que bascula en un equilibrio dinámico que sucesivamente rompe y restaura la lucha entre la oferta y la demanda.

1.3 Europa, el horizonte de España

Europa ha sido para la sociedad española de la segunda mitad del siglo XX un horizonte ampliamente compartido, un punto de referencia aceptado por la mayoría. El proceso integrador de la Unión Europea ha permitido que nuestras aspiraciones europeas se vayan convirtiendo en realidad. Las exigencias de la integración en la Unión Económica y Monetaria, que condicionan nuestra política económica, son bien recibidas porque damos mucho valor a lo que con ello conseguimos.

1.4 La estabilidad

Los desequilibrios macroeconómicos son el origen de las incertidumbres que dificultan la iniciativa de los agentes económicos. Esto es así dentro de las economías nacionales, pero sus efectos son mucho más intensos en el marco de una economía internacional en proceso de integración. En Europa, el deseo de culminar y perfeccionar el mercado único, que nos ha llevado a la UEM y a la moneda única, sólo se ha podido satisfacer tras un período de convergencia hacia el interior de unos perímetros de estabilidad fijados para las grandes variables económicas y tras el compromiso de mantener la estabilidad en el futuro.

La estabilidad económica debe estar respaldada por la estabilidad política. En España disfrutamos de un alto grado de estabilidad política.

En primer lugar, la estabilidad de la sociedad española, que es cada día más culta y más experimentada. Por esta razón, es menos amiga de los extremos. Prefiere buscar el terreno del diálogo y de la concordia.

Es una sociedad más tolerante. Es la tolerancia del que sabe que la única manera de vencer es convencer. Es una actitud integradora, que busca con paciencia sumar apoyos sociales al proyecto político común.

Es también una sociedad más realista. Desconfía de las utopías, de los fervores políticos y de los milagros. Prefiere proponerse metas más asequibles, tanto en el ámbito de lo personal o familiar como en lo colectivo. Se conforma con mejorar, paso a paso, en el bienestar económico y en las virtudes de la convivencia. Los españoles, en general, desean ser cada vez un poco más libres, más responsables, más provechosos para el bienestar común y, a ser posible, un poco más justos y solidarios. Es decir, vivimos en una sociedad respetuosa con la realidad: se hace cargo del ritmo lento —y renqueante— del progreso moral. Sospecha, con razón, que los grandes ideales revolucionarios, que en principio entusiasman y movilizan a las sociedades, terminan descoyuntándolas y al final las conducen a la frustración.

Estabilidad del Estado, que se apoya en la fecunda vigencia de la Constitución, en la probada madurez del sistema democrático, en la creciente variedad y fortaleza de las relaciones políticas y económicas con otros Estados, tanto bilaterales como multilaterales, y en el funcionamiento equilibrado de sus distintos poderes e instituciones. Y, en fin, estabilidad del Gobierno, que cuenta con un sostenido y leal respaldo parlamentario para llevar adelante su programa y negocia con las fuerzas políticas el grado de consenso necesario para todos los asuntos de interés público que rebasan su competencia. Desde esta base de estabilidad política se toman las decisiones de reforma necesarias para la economía.

1.5 La confianza

Como es natural, la estabilidad política y económica amplía los horizontes de la acción económica, reduce los riesgos y da confianza. La economía se nutre de confianza. ¿Quién trabaja o invierte si no confía en la recompensa? ¿Quién asume compromisos de largo plazo con temor y desconfianza? La confianza convierte en posible lo que antes se consideraba imposible, convierte en fácil lo que antes era difícil. La desconfianza, en cambio, paraliza o entorpece. Con confianza cuesta menos actuar. Confianza y crédito significan lo mismo, con confianza se reduce el precio del dinero porque cualquiera está dispuesto a prestar. El precio del dinero es el precio de la desconfianza.

1.6 El círculo virtuoso de la economía

La conducta expansiva o recesiva de la economía es el resultado de una multitud de acciones individuales mutuamente condicionadas por el frenético vaivén de la oferta y la demanda. La tendencia de una transacción influye en la siguiente y continúa intensificándose a lo largo de una serie en la que cada respuesta va retroalimentando el estímulo consecutivo. Llegado a un punto, una novedad puede invertir la tendencia, que a partir de entonces precipita la conducta económica en la dirección opuesta. Son círculos viciosos o virtuosos que en su proyección macroeconómica dibujan el comportamiento cíclico de la economía.

La estabilidad económica que ha despertado la confianza de los agentes económicos está en el origen del actual círculo virtuoso. En el nivel macroeconómico son los resultados del crecimiento, del empleo, del déficit público, del déficit exterior y de la inflación los ingredientes del nuevo cóctel de confianza que alimenta el siguiente proceso económico.

1.7 Una sola política económica y social

Toda la política económica es política social. No son dos cosas distintas. Los beneficios sociales no son efectos extrínsecos, consecutivos o residuales del crecimiento que procura esta política económica. En absoluto. La estabilidad económica es ya en sí misma el beneficio social más considerable, porque modera los precios, incluido el del dinero, genera confianza, induce la sana expansión económica y, sobre todo, procura la generación de empleo. No hay ningún beneficio social más eficaz, más digno y más humano que ofrecer a una persona la oportunidad de ser útil y ganarse la vida. Además, el crecimiento permite sanear los instrumentos y aumentar los medios para la redistribución de la renta y completar con eficacia la solidaridad de la sociedad con quienes lo necesitan.

1.8   El valor político de la economía

La economía es cada día más un vehículo de convivencia, de civilización y de paz. Una economía internacional más abierta muestra las posibilidades del trato mutuamente provechoso, del intercambio de conocimientos, técnicas, bienes y personas, de las nuevas posibilidades de desarrollo de las regiones deprimidas, etc. La tupida red de intereses y de vínculos que se va extendiendo por todo el mundo es también una red de seguridad para prevenir conflictos y excluir la lucha armada para dirimir diferencias.

La economía ha sido también el camino escogido por los países europeos para evitar que se repita la sangrienta historia europea del siglo XX. A través de acuerdos económicos, sobrios y prácticos, se va construyendo una nueva sociedad europea. La «Europa de los hechos» precede a la «Europa de los derechos».

Unir, conciliar, integrar es la vocación política de la nueva economía. El lenguaje del comercio es universal y tan antiguo como el mundo, y la lógica de la propiedad y del mercado libre se ha extendido a todos los rincones de la tierra y está proporcionando el entendimiento y el progreso.

También es ésta la vocación de nuestro modelo de política económica. Tal vez esta cualidad, esta voluntad integradora, sea la que mejor lo define. Es, en efecto, un modelo integrador porque se ha preocupado —y se sigue preocupando— de que España se integre en la UE con el mayor provecho y con el mejor ánimo de colaboración para avanzar en la integración política de Europa. Es, también, un modelo integrador porque sus pautas de estabilidad macroeconómica son consecuentes con el proceso de integración económica internacional. El resultado es que cada día que pasa la economía española se abre más al mundo, y viceversa, tanto por el comercio, la expansión empresarial y el turismo como por el tráfico de las inversiones.

Pero no sólo es una política integradora hacia fuera. Sobre todo, es integradora hacia dentro de casa. Tal vez la mejor cualidad que tiene es su demostrada capacidad de convocatoria a la sociedad para que participe cada vez más en el proceso económico con su iniciativa, su ahorro y su trabajo. De hecho, la finalidad última de nuestra política económica es integrar los recursos todavía ociosos para que aporten su energía al esfuerzo común y reciban a cambio su correspondiente beneficio. Son, en último término, recursos humanos, hombres y mujeres que desean trabajar y no encuentran trabajo. La función de nuestra política económica consiste precisamente en facilitar la conciliación de este deseo de trabajar con la aspiración de progreso de la sociedad, en buscar la manera de resolver la paradoja que en este ámbito dificulta el encuentro entre la oferta y la demanda.

2. Los elementos y la dinámica del modelo de política económica

Los instrumentos empleados para garantizar la base de estabilidad económica sobre la que se ha elevado el crecimiento económico y la generación de empleo de estos años han sido:

a) Una política fiscal exigente, encaminada a consolidar cuanto antes el déficit público y estricta en el cumplimiento de los presupuestos del Estado.

b) En segundo lugar, una política monetaria rigurosa atenta a las señales de la política fiscal y con la vista fija en la estabilidad de los precios, que ha navegado prudentemente por una estrecha ruta de compromisos. Ahora, tras la implantación de la moneda única, el ejercicio de esta política corresponde al Banco Central Europeo.

c) En tercer lugar, un amplio programa de reformas estructurales de variado contenido que han contribuido, en un primer momento, a reducir más rápidamente el déficit público y la inflación y ahora siguen aportando nuevos impulsos al constante perfeccionamiento del mercado.

d) En cuarto lugar, el apoyo a la apertura de la economía española está dando sus frutos en la buena situación de la balanza de pagos y en la creciente internacionalización de las empresas españolas. La elevada tasa de ahorro propio cubre la inversión doméstica y la ya significativa inversión exterior.

e) Por último, el constante diálogo social.

La política de estabilidad que se lleva aplicando se ha manifestado en una consolidación fiscal que ha reducido el déficit público desde el 7,3% al 0,8% que tendrá en el presupuesto del año 2000. La deuda pública se ha reducido en términos del PIB en más de tres puntos porcentuales. Los efectos de esta contracción fiscal han ayudado a reducir los tipos de interés y han permitido un cambio sustancial en la financiación de la economía española.

La consolidación presupuestaria, junto con una política monetaria vigilante y, sobre todo, profundas reformas estructurales que de forma gradual han ido afectando al lado de la oferta de la economía, han ayudado de manera decisiva al control de los precios.

Menores tipos de interés y menores niveles de inflación tienen un efecto beneficioso para la propia consolidación fiscal. A su vez, los menores tipos de interés disminuyen la incertidumbre, hacen más rentables los proyectos de inversión y alientan la inversión productiva, que ha sido, sin duda, el elemento más dinámico de la demanda agregada en este ciclo expansivo de la economía española.

En la reducción sustancial de tipos de interés ha colaborado la mayor credibilidad que obtenía nuestro país a medida que se avanzaba en la convergencia nominal. Desde 1995 al momento presente la prima de riesgo de la deuda española ha caído en más de 500 puntos básicos. Ello se debe a dos efectos: por un lado la consolidación fiscal, que disminuye el riesgo financiero, y, sobre todo, la creencia y posteriormente la confirmación del ingreso de España en la tercera fase de la UE, que han eliminado el riesgo cambiario.

El euro ha dotado también de estabilidad a la economía española, incluso antes de su propio nacimiento. La reciente crisis financiera internacional afectó sólo de forma momentánea en algunos mercados a la economía española. La estabilidad que mostraron los mercados financieros españoles fue hasta entonces desconocida.

Los resultados de esta política económica han sido extraordinarios. El año 1998 fue un año excepcional para la economía española. El cumplimiento de los objetivos económicos fue muy satisfactorio. El crecimiento se situó en el 4,0% y el mismo se tradujo en 440.000 empleos, todo ello en un contexto de gran estabilidad macroeconómica con una inflación que cerró el año en el 1,4% gracias a una contención del déficit público que se situó en algo menos del 1,8% del PIB.

En 1999, y a pesar de la crisis financiera internacional, el ciclo se mantiene con alto crecimiento del 3,6% en el primer trimestre según la Contabilidad Nacional y, sobre todo, una elevada creación de empleo, lo que permitirá un adecuado cumplimiento para fin de año de los objetivos económicos que el Gobierno ha definido en su Programa de Estabilidad. De hecho, tanto para la segunda parte de 1999 como para el año 2000, existe una coincidencia generalizada entre los organismos económicos internacionales de una recuperación económica que beneficiará fundamentalmente al área asiática y al núcleo europeo, por lo que las perspectivas para el crecimiento español siguen siendo muy positivas. Ello nos permitirá, manteniendo los equilibrios básicos, seguir creciendo más que la media europea e intensificar por tanto nuestro proceso de convergencia real.

Uno de los cambios más importantes para la economía española se ha producido en el seno del mercado financiero: la gran reducción de tipos de interés, que han pasado de más del 12% en el segmento a largo plazo de 1995 al actual 4,3%.

Lo que ha posibilitado esta reducción de tipos de interés ha sido la reducción del déficit público y la lucha contra la inflación. Esa reducción del déficit público, además, se ha centrado básicamente en la contención del gasto, que ha reducido su peso en términos del PIB más de 4 puntos porcentuales —desde el 47,8% al 43,5%—. Al mismo tiempo, la inversión ha mantenido un peso en el PIB del 3,2%, superior al déficit público, cumpliéndose así la regla de oro de las finanzas públicas.

Los efectos de la reducción de los tipos de interés han beneficiado a todos los agentes de la economía. Ello ha sido así porque se ha creado un clima de confianza y estabilidad económica y porque la estabilidad macroeconómica se ha visto completada por una acción de gobierno comprometida con las reformas estructurales, que son las que permiten un crecimiento por el lado de la oferta, que es la garantía de una expansión sana y sostenida.

2.1 La importancia de las reformas estructurales

Los tres últimos años se han aprovechado para la modernización estructural de la economía española. Han desaparecido barreras, privilegios, monopolios, rigideces endémicas en todos los mercados clave y en todos los factores de producción. La economía española es ahora más libre, más flexible, más abierta, más eficaz. Está mejor preparada para satisfacer las demandas de los ciudadanos y para responder con agilidad a los retos de nuestra integración en Europa y de la economía global.

Esta política de reformas estructurales —junto a los demás instrumentos de política fiscal y monetaria— es la que ha hecho posible la estabilidad de los precios, la reducción de los tipos de interés, la expansión internacional de nuestras inversiones y de nuestras empresas, el destacado crecimiento económico de estos años y, sobre todo, la creación de más de un millón de puestos de trabajo. Una estructura económica más libre, más sometida a la competencia, crea más trabajo y trabajo más estable.

Hemos desarrollado esta política de reformas estructurales en un intenso ambiente de integración europea, en estos años clave en que nos hemos jugado nuestra participación de primera hora en la constitución de la UEM con la implantación del euro. El euro ha sido un aliciente más para aplicar una política económica que de todas formas necesitábamos. El euro ha servido para convencer de la necesidad de las reformas estructurales de la economía española incluso a los sectores y a los colectivos más afectados por los cambios.

Las reformas estructurales han sido objeto de amplia discusión y análisis para una ampliación y mejor coordinación de las mismas en la UE. En las orientaciones generales de política económica, las reformas estructurales han ocupado un papel central. También lo han sido los informes de progreso presentados por los Estados miembros. En marzo del año 2000 en la presidencia portuguesa tendrá lugar el Consejo Europeo por el empleo y la reforma estructural, en el que la coordinación de las políticas estructurales en el marco comunitario será la base para la definición de las políticas económicas europeas en el futuro.

Las reformas estructurales son el vehículo que utiliza la política económica para transmitir a los distintos niveles de la economía nacional las pautas de libertad, competencia, apertura al mundo y estabilidad que imperan en el mercado global. No pueden participar con éxito en un mercado europeo e internacional libre, abierto a la competencia, empresas que dentro de casa estén sujetas (o protegidas) a una regulación anacrónica. En la economía europea y mundial que está naciendo no hay lugar para los jugadores de ventaja. Todos los agentes tienen que acostumbrarse a las mismas reglas de juego, y los poderes públicos ejercen bien su cometido cuando definen con claridad estas reglas y velan porque todos las cumplan.

Cuando la libertad y la competencia llegan al nivel microeconómico se van convirtiendo de proyecto en realidad. La competencia que se ejercita en cada una de las empresas que luchan en los mercados abiertos es el fundamento del crecimiento del conjunto de la economía y de una mayor presencia de nuestras empresas en el mundo.

Las reformas estructurales desencadenan una fértil relación mutua entre los niveles macroeconómicos y microeconómicos que va dando coherencia y, en último término, eficacia al conjunto de la economía. La estabilidad de los precios, el equilibrio de las finanzas públicas, la confianza de los ciudadanos y de los mercados financieros no se consiguen con meras combinaciones de la política macroeconómica. Sin unas relaciones microeconómicas sanas entre empresas capaces de competir y de reaccionar con rapidez a las solicitudes de la demanda, la estabilidad macroeconómica es precaria.

Las reformas estructurales emprendidas por este Gobierno abarcan muchos ámbitos horizontales de la vida económica española. Así destacan, por supuesto, la reforma fiscal, en especial los cambios normativos en el IRPF, la reforma de la Ley de Enjuiciamiento Civil, las reformas en los mercados financieros y el fomento del ahorro a largo plazo, reformas en ámbitos importantes como el suelo, el mercado laboral —gracias al diálogo social—, y también unos cambios muy importantes en la normativa de defensa de la competencia.

En aspectos sectoriales se pueden destacar las reformas en el sector de la energía, especialmente del sector eléctrico, el de hidrocarburos, el mercado de las telecomunicaciones, los colegios profesionales, la fe pública, el transporte, el sector financiero....

La política de liberalización ha ido acompañada de un proceso de privatización que ha permitido la creación de mercados más competitivos que ofrecen servicios de más calidad y más baratos a los usuarios, al tiempo que generan un efecto expansivo de la actividad económica, tanto por el incremento de la oferta como por el sostenimiento de la demanda a través del efecto de confianza inducido en el conjunto de la sociedad. Todos los sectores se ven beneficiados con precios de los servicios básicos más baratos y de mayor calidad. Esto es especialmente importante en el caso de las pymes. También el propio sector se ve beneficiado por un incremento de su actividad y aumento de sus ventas, y esto ha sido la constante en todos los sectores desregulados.

En sólo tres años el Gobierno ha privatizado prácticamente todas las grandes empresas públicas de una amplia gama de sectores (Tabacalera, Argentaria, Endesa, Repsol...), alcanzando un valor de enajenaciones de más de 4,5 billones de pesetas, de los cuales 3,4 billones se han obtenido —total o parcialmente— mediante Oferta Pública de Venta (OPV).

3. La distribución de los beneficios

Han pasado más de tres años desde que entró en vigor esta política económica. Ya es posible hacer un balance. En 1996 el PIB creció el 2,3%, en 1997 el 3,4, en 1998 el 4% y un 3,7% en 1999, y se han creado más de un millón y medio de puestos de trabajo. En los tres ejercicios citados, tanto en crecimiento como en creación de empleo, hemos superado ampliamente la media de la UE. Esta comparación es especialmente pertinente en este período, en el que todos los países de la UE hemos estado sometidos al mismo programa de convergencia con idénticos objetivos macroeconómicos y el mismo calendario. Los mejores resultados de España, a pesar de verse obligada a un mayor esfuerzo de convergencia, se explican, como he dicho antes, por el empeño de los agentes económicos y de toda la sociedad española, que han respaldado al Gobierno tanto en la austeridad como en el optimismo.

Pero es interesante ver cómo el cumplimiento de unos criterios de estabilidad llamados «nominales» se va transformando en beneficios bien reales, contantes y sonantes, para toda la sociedad y para cada uno de los ciudadanos.

Ante todo la inflación. La estabilidad de los precios que al fin hemos conseguido es un acontecimiento económico y social de primer orden. En España es también un acontecimiento histórico. Este índice es el mejor indicador de que la economía en su conjunto marcha bien, porque, en última instancia, expresa el grado de conciliación de la oferta y de la demanda, que es tanto como afirmar que mejora la capacidad de cubrir las necesidades. Es decir, mejora el bienestar.

Al bajar la inflación aumenta el poder adquisitivo de los ciudadanos. Con el mismo sueldo, o con la misma pensión, podemos adquirir más cosas o podemos ahorrar más. Gracias a la evolución de los precios tanto los salarios como las pensiones han ganado más poder adquisitivo de lo que cabría esperar en unos años de necesaria austeridad.

Entre los beneficios de la baja inflación no es el menor de ellos su contribución a crear un clima de fiabilidad y tranquilidad sociales. Para el Gobierno, que puede construir los presupuestos del Estado sin miedo a graves desviaciones. Para los agentes económicos, que pueden predecir y confiar en la evolución de los precios de sus compras. Fiabilidad para los particulares y las familias, que pueden saber a qué atenerse y administrarse mejor.

Fiabilidad, en fin, para los ahorradores, que no han de tener miedo a que la inflación se vaya comiendo su dinero.

Después de la inflación, el precio del dinero. El paulatino descenso de los tipos de interés ha sido un desahogo para las familias, en buen número cargadas con hipotecas, y para las empresas, sobre todo las medianas y pequeñas, que no veían el modo de recomponer sus finanzas y descansar un poco en la persecución del crédito. También ha sido un gran ahorro para las arcas del Estado por el menor coste de la servidumbre de la deuda pública, que de hecho significa un beneficio fiscal para todos los ciudadanos.

Por último, las nuevas posibilidades de aplicación del ahorro en la renta variable han fomentado la participación de los pequeños inversores, que se han beneficiado de las revalorizaciones de la riqueza financiera. Por esta vía se han difundido títulos de propiedad de las principales empresas del país a una amplia base de población. Este capitalismo popular avala una mayor compenetración de la sociedad con su propio tejido productivo y refuerza la estrategia competitiva de las empresas en este momento crucial.

Las «rentas de la estabilidad», las «rentas de la política económica» de estos tres últimos años se han ingresado sin tardanza en las cuentas de los españoles. Todos los españoles hemos aportado trabajo y ahorro a esta empresa y es justo que el reparto de beneficios no se haga esperar.

Como antes he dicho, desde el comienzo de la legislatura hasta estos momentos se ha creado intensamente empleo. Los colectivos más beneficiados son los menores de 25 años y las mujeres. En la distribución del empleo generado por Comunidades Autónomas se aprecia que entre las Comunidades que más empleo han creado están las más afectadas por el paro. También mejora la estabilidad del empleo, ya que los contratos indefinidos crecen también por encima de la media.

El empleo generado es el fruto final, ciertamente, de la política económica, pero es también una de las semillas de las que nace el nuevo proceso económico. En este caso, los nuevos empleos significan más consumo y más ahorro, que alimentan la economía desde la demanda y desde la oferta, más ingresos para la Seguridad Social y menos gastos en subsidios de paro. La creación de empleo es también, como hemos visto con la inflación y con el precio del dinero, un componente de la política de estabilidad. Como ocurre con los demás parámetros macroeconómicos, la generación de empleo se transmuta en confianza para alimentar los verdaderos motores del nuevo crecimiento, es decir, la iniciativa, la inversión y el trabajo.

Otro deseado fruto de estos años ha sido el reforzamiento de la protección social. Hace ya mucho que no se habla de crisis de la Seguridad Social ni se oyen amenazas apocalípticas para los pensionistas. Las cuentas de la Seguridad Social están saneadas. Las perspectivas de crecimiento y de creación de empleo y la aplicación del Pacto de Toledo permiten ver las cosas con algo más de tranquilidad, pero ello no quiere decir que todo esté asegurado ni que tengamos que conformarnos con lo que tenemos. La moneda única europea significa también para España el desafío de mejorar sus niveles de bienestar. No para alcanzar ciegamente supuestos estándares europeos, sino para mejorar efectivamente los niveles de bienestar de la población española. Vivimos un momento histórico en España, no para hacer lo que se ha hecho en Europa, sino para hacerlo mejor y sin cometer los errores que a otros países europeos tanto les está costando deshacer en estos momentos.

Lo que debemos hacer es reforzar el estado del bienestar para acceder a la sociedad del bienestar, no destruirlo. Y la base para hacerlo es combinar de manera inteligente y eficaz cohesión y solidaridad social con estímulo individual. De nada vale una cohesión social que anula la creación individual, y tampoco vale nada una individualidad que es insensible a las necesidades de los demás. Ya no existen problemas individuales distintos de los colectivos. La sociedad moderna es así, guste o no guste. En esa combinación se desarrolla el proceso de civilización en las puertas del siglo XXI.

La España del bienestar que tenemos que construir entre todos deberá contar con la presencia del Estado, es cierto. De un Estado moderno, rápido, eficaz y no especialmente gravoso para el bolsillo de los contribuyentes. Pero el bienestar tiene otras fuentes distintas de la estatal: el mercado y las familias son, de hecho, proveedores de bienestar y deben encontrar su lugar en el diseño del futuro bienestar de los españoles. Es falsa la idea de que sólo el Estado puede facilitar bienestar. Es falsa, está obsoleta y ha conducido a muchos países europeos a posiciones complicadas de las que les resulta muy difícil salir. El futuro bienestar necesita utilizar recursos de mercado y recursos familiares para desarrollarse plenamente. Una vez que está claro que el bienestar no es gratuito, que siempre se paga de una forma u otra, el mercado puede facilitar mecanismos de bienestar de mil formas; y también las familias pueden mostrar públicamente lo que con tanto acierto y tanto esfuerzo hacen todos los días en el ámbito privado. Muchas empresas privadas han descubierto ya el sector de la prestación de bienestar, y están facilitando mecanismos de bienestar muy notables. Y las familias empiezan a ser reconocidas como piezas clave en el proceso de cohesión social general. No estamos más que al comienzo de una tendencia de gran futuro en que la sociedad civil será robustecida y donde podremos lograr un equilibrio entre Estado, mercado y familias que redunde en beneficio de todos. Ése es el futuro; lo demás es pasado problemático. El fin es potenciar la cohesión social a la vez que se potencia la individualidad creadora.

Esta orientación hacia la sociedad del bienestar también ofrece sugerencias de interés para el sistema sanitario, que se enfrenta a una demanda creciente por el envejecimiento de la población y por las expectativas que incesantemente genera una oferta en constante innovación enfrentada a una demanda inagotable. Los primeros pasos en el control del gasto y en la mejora de la gestión ya están dando sus frutos. Mejora la atención de los enfermos y se reducen las listas de espera.

Este generoso reparto de beneficios no agota la caja. El Estado se reserva recursos suficientes para cubrir la financiación de nuevas inversiones en educación, infraestructuras e investigación científica y técnica. La educación y la investigación cobran cada día más valor económico. La innovación y la calidad de los recursos humanos determinan la capacidad de competencia de las empresas y de los países. En nuestro caso, además, la educación cultiva una cultura internacional, con peso creciente, que es el mejor patrimonio que nos ha dejado la historia.

4. La política económica después del euro

4.1 Consolidar el terreno conquistado

La primera preocupación de los gobiernos europeos después del euro, también del gobierno español, es consolidar el terreno conquistado. La extensión y la profundidad de las reformas económicas acometidas requieren un tiempo de sedimentación y firmeza hasta que la estabilidad económica alcanzada llegue a ser una virtud adquirida en el comportamiento económico de los países. Como he dicho antes, en este ejercicio de responsabilidad está en juego la fiabilidad del euro y, en el fondo, el éxito de todo el proceso de integración económica de Europa.

Esta preocupación hace tiempo que se ha convertido en un compromiso —el Pacto de Estabilidad y Crecimiento—, por el que todos los países aceptamos unos límites en el déficit público. El Programa de Estabilidad del Gobierno español para los próximos años busca el notable. Se propone alcanzar el superávit presupuestario en el año 2002. Y es que la convergencia real con los demás países de la UE no se consigue aprobando por los pelos. Ahora ya no se trata de llegar todos juntos a un horizonte de parámetros nominales. Ahora, establecidas y respetadas las reglas de juego, la carrera está abierta.

Este objetivo de política fiscal se va a seguir persiguiendo por la reducción del gasto público, sobre todo del gasto corriente, manteniendo, e incluso incrementando, la inversión pública y reduciendo la presión fiscal. La evolución esperada del crecimiento económico va a permitir, además, avanzar en la reforma fiscal, que aportará estímulos a la economía, incrementará la renta disponible de las familias y aliviará la presión sobre los salarios. Continuarán también las reformas estructurales, ahora todavía más necesarias para que la economía española mejore su capacidad de respuesta a la creciente competencia del mercado europeo.

4.2 Sintonizar con las aspiraciones de la sociedad española

El ritmo de crecimiento de la economía española para los próximos años va a ser suficiente para dar satisfacción a las aspiraciones de la sociedad española en cuanto a la mejora de los niveles de bienestar y de creación de empleo. España, por primera vez en muchos años, está en buena disposición para acercarse decididamente a la media europea de la renta por habitante y cubrir la distancia que nos separa del nivel de desempleo de la UE.

En los próximos años puede mejorar la calidad de vida de los españoles, tanto por el incremento de la capacidad adquisitiva de los particulares y de las familias como por la mejora de los parámetros del bienestar colectivo. La suma de la iniciativa privada y de la pública procurará avances significativos en la educación, la sanidad, la mejora del medio ambiente, el acceso y la calidad de la justicia y la igualdad de oportunidades. A todos estos retos tiene que responder, en el ámbito de su competencia, la política económica y social del Gobierno.

También tiene que hacerse eco de otra gran preocupación de la sociedad española: la cohesión territorial de España. Es verdad que hemos andado un largo camino de éxitos en el desarrollo del Estado de las Autonomías y en la consolidación de un modelo original de descentralización concebido para dar cauce a las diferencias sin perjuicio de la unidad. Pero es aquí donde sigue siendo más vivo el debate político, donde aún prenden con relativa facilidad las emociones, en un rescoldo de inestabilidad todavía humeante.

Hay una orientación positiva de la descentralización autonómica, prevista en la Constitución, que busca como resultado final la suma de las iniciativas dispersas para el fortalecimiento común del Estado. La emulación, incluso la competencia, tienen sentido en el saldo final de progreso y bienestar para todos. Desde este punto de vista, la solidaridad entre Comunidades Autónomas no debe perturbar la iniciativa, sino sólo garantizar la igualdad de trato y oportunidades para todos los ciudadanos.

Pero también existe el peligro, como comprobamos cada día, de caer en la vertiente negativa de la exigencia violenta o de la reivindicación perpetua o, en fin, de la dialéctica de los agravios. Este camino, sólo escogido por minorías poco significativas pero que no deja de ser una tentación para el oportunismo político de variado origen, es un camino a ninguna parte. Cuanto más se avanza en él, más pronto se aprecia la tapia que cierra ese callejón sin salida. En todo caso, mientras este fenómeno permanezca, conviene advertir del peligro de inestabilidad política que encierra y de sus consecuencias negativas para el crecimiento económico y la generación de empleo.

Y en cuanto a la respuesta que desde la política económica procede dar a las preocupaciones por la cohesión que manifiesta la sociedad española, creo que es el momento de destacar un argumento siempre válido, tanto cuando hablamos en Europa como cuando hablamos en España, y dentro de

España en Castilla o Cataluña o Andalucía o el País Vasco: que, por encima de la discusión de los saldos netos entre Comunidades o entre Estados, están las personas, que, vivan donde vivan, tienen las mismas necesidades básicas y los mismos derechos, y están las empresas, que aspiran legítimamente a trabajar y competir con igualdad real de oportunidades en el extenso mercado de la UE.

Tercera parte

Políticas instrumentales

3. Política monetaria

Nieves García Santos

1. La política monetaria antes de la Unión Monetaria y Europea

Desde que el Banco de España comenzó a practicar una política monetaria activa, a principios de los años setenta, han pasado casi treinta años. En este dilatado período de tiempo la economía española ha experimentado transformaciones muy profundas. Una de las más importantes ha sido la integración plena en la economía europea, aunque no ha sido la única. La liberalización del sector financiero y el desarrollo de los mercados de capitales también han jugado un papel muy significativo en la evolución económica y social de España en el último cuarto del siglo XX.

La política monetaria ha experimentado diversas modificaciones a lo largo de este período. En general se ha perseguido estabilidad de precios como el objetivo prioritario de la política monetaria española, especialmente dados los niveles tan elevados de inflación registrados en los años setenta. No obstante, la estabilidad de precios se ha combinado con la búsqueda de otros objetivos, como han podido ser el crecimiento económico, los tipos de interés o el tipo de cambio, con mayor o menor intensidad según el momento. Pero donde los cambios han sido más radicales es en el diseño de la estrategia operativa, en la elección de instrumentos y de variables operativas.

Se pueden determinar dos períodos principales para la política monetaria española anterior al comienzo de la Unión Económica y Monetaria Europea (UME), marcados por otro compromiso formal, la integración de la peseta en el mecanismo de cambios del Sistema Monetario Europeo (1989). Sin embargo, ni en el período anterior ni en el posterior a esa fecha la política monetaria se mantuvo invariable. Distintos acontecimientos y circunstancias provocaron modificaciones en la misma, a veces sustanciales, y no siempre reconocidos expresamente en la programación monetaria.

1.1 La política monetaria antes del SME

El primer diseño de la política monetaria realizado por el Banco de España planteaba una estrategia en dos niveles. En el primer nivel se buscaba el control de la inflación mediante el control del crecimiento de un agregado monetario, que se configuraba como un objetivo intermedio. En el segundo nivel, el Banco de España controlaba el objetivo intermedio utilizando una variable instrumental.

El primer agregado monetario elegido fue M3 (o disponibilidades líquidas), cuya relación con el gasto nominal de la economía era estable. La variable instrumental elegida fueron los activos de caja del sistema bancario, cuya relación con los pasivos bancarios (y por tanto M3) venía muy determinada por la existencia de un coeficiente de caja. El Banco de España drenaba o inyectaba liquidez a los bancos en función de si el nivel de los activos de caja implicaba una desviación del crecimiento de M3 respecto a su objetivo. Los distintos pasos de la política monetaria estaban muy definidos, y la autoridad monetaria reaccionaba de forma mecanicista para conseguir los objetivos planeados.

Las primeras modificaciones de la política monetaria se plantearon a principios de los años ochenta para dar respuesta a ciertos procesos de innovación financiera. El desarrollo de activos financieros muy líquidos provocó la pérdida de estabilidad en la relación entre M3 y el PIB nominal, haciendo inefectivo el control de ese agregado. Por otra parte, tampoco parecía conveniente el hecho de que un estricto control cuantitativo de un agregado provocara movimientos importantes en los tipos de interés. Por último, se comenzó a dudar sobre la oportunidad de que el tipo de cambio fluctuara con toda libertad, como respondía al régimen de cambios flexible. La primera causa suponía un límite a la capacidad de influencia sobre la inflación por parte del Banco de España. La segunda y tercera implicaban que un estricto esquema de control cuantitativo del agregado monetario provocaba efectos indeseables en otras variables financieras.

El primer cambio que se produjo fue la sustitución en 1984 del agregado M3 por otro más amplio, ALP, que englobaba M3 y otros activos financieros muy líquidos. Éstos habían aparecido a principios de los años ochenta y mostraban un elevado grado de sustituibilidad con los depósitos bancarios a plazo en la colocación de fondos por parte de las familias. El grado de relación entre ALP y el PIB nominal se mostraba más estable que en los años precedentes con M3, aunque la capacidad de control del Banco de España era inferior, ya que muchos activos incluidos en el agregado monetario no eran pasivos bancarios.

Por otra parte cada vez fue siendo más evidente que el Banco de España iba flexibilizando el control de los activos de caja para conseguir una mayor estabilidad en los tipos de interés interbancarios. Los efectos eran beneficiosos tanto para los mercados financieros como para la estabilidad cambiaria.

Al inicio de esta etapa de mayor flexibilidad la consideración de los efectos sobre el tipo de cambio de las decisiones monetarias era marginal. La variable que se consideraba relevante a efectos del impacto sobre el comercio exterior era la posición efectiva real de la peseta frente al conjunto de países desarrollados, que resultaba poco afectada por las decisiones españolas. Sin embargo, la adhesión de España a la Comunidad Económica Europea en 1986 centró la atención en el tipo de cambio efectivo nominal frente a la Comunidad Europea, y en particular al tipo de cambio frente al marco alemán. Así, cada vez se fue dando más importancia al nivel de los tipos de interés a corto plazo, cuyo diferencial con otros tipos externos provocaba entradas importantes de flujos de capital. Es decir, que a partir de 1986 la restricción externa de la política monetaria fue haciéndose cada vez más importante.

La situación de 1987 fue paradigmática de la incompatibilidad entre objetivos monetarios. Desde comienzos de ese año se vio la necesidad de que la política monetaria fuera restrictiva, ya que había síntomas de que el crecimiento del gasto era muy elevado y que tendría consecuencias negativas para la inflación. La subida de los tipos de interés empezó a provocar entradas masivas de capitales que presionaban sobre la peseta. Las intervenciones necesarias para impedir su apreciación inyectaban liquidez al sistema, cuya esterilización desembocaba en nuevas subidas de tipos de interés. Era evidente que para cumplir el objetivo definido para ALP debería permitirse que la peseta se apreciara. Si esto no era deseable, deberían aceptarse desviaciones del objetivo intermedio. El resultado en el año 1987 fue de compromiso, dado que ALP creció 5 puntos porcentuales por encima de su objetivo y la peseta se apreció un 3%.

El problema de incompatibilidad entre objetivos intermedios continuó los años siguientes, a la par que se fueron liberalizando los movimientos de capital anticipándose incluso al calendario acordado al ingresar España en la Comunidad Europea.

Desde 1987, la atención prestada por el Banco de España al tipo de cambio fue mayor, aunque no existía un objetivo formal. Esa situación intermedia entre un control de ALP o del tipo de cambio perjudicaba la credibilidad del Banco de España, ya que se excedían los objetivos cuantitativos pero no se hacía explícito un objetivo de estabilidad del tipo de cambio de la peseta frente a una moneda fuerte, como era el marco alemán.

Aunque la economía estaba pasando por un momento alcista en el ciclo y el diferencial de inflación con Europa era elevado, España decidió integrarse en el mecanismo de cambios del SME el 19 de julio de 1989.

1.2 La política monetaria española en el contexto del SME

El propósito de introducir la peseta en el SME fue doble. Por una parte reafirmaba el compromiso de España con el proceso de integración europea, cuyas etapas se habían aprobado en el Consejo europeo de junio de 1989 (celebrado en Madrid). Por otra parte se buscaba aprovechar el efecto positivo de la fijación del tipo de cambio sobre la credibilidad de la política monetaria. No obstante, el Banco de España no abandonó el objetivo de control del crecimiento de los ALP.

De forma similar a lo ocurrido en 1987, el diferencial de tipos de interés estimulaba la entrada de fondos, alentados además por la confianza de que la pertenencia de la peseta al SME limitaba su depreciación potencial (premio implícito). De forma similar a 1987, la autoridad monetaria hubo de recurrir a establecer ciertos controles de capitales para poder manejar la situación, que se levantaron tan pronto como las tensiones cambiarias remitieron.

Durante los años siguientes a la incorporación del SME, la peseta se mantuvo apreciada en la parte superior de la banda de fluctuación, como lógico resultado de las condiciones de liquidez restrictivas, necesarias para reducir la inflación.

El SME en sí mismo empezó a registrar ciertas contradicciones en los primeros años noventa. Los países fijaban la paridad de sus monedas con el marco alemán, que hacía de «ancla» antiflacionista. Pero en los primeros años noventa, se produjo una asincronía en las condiciones económicas de los países europeos. Mientras que en muchos casos la situación económica era bajista (o incluso recesiva), Alemania se enfrentaba a la reunificación. Con una política fiscal expansiva, Alemania imponía una política monetaria muy restrictiva sobre el resto de países, completamente inadecuada para sus respectivas condiciones domésticas. Era obvio que el sistema de cambios fijo del SME no establecía un marco apropiado para las condiciones económicas del conjunto de países y por tanto perdía su credibilidad.

El SME sufrió entre 1992 y 1993 la mayor crisis de su historia. Al final de 1992 la lira italiana y la libra irlandesa abandonaron el SME y devaluaron su paridad el escudo y la peseta (ésta dos veces). En 1993 volvieron a devaluar ambas monedas y también lo hizo la libra irlandesa.

Tras muchas tensiones, en agosto de 1993 las bandas de fluctuación se ampliaron al +/−15%, que en la práctica permitía la flexibilidad cambiaria. La amplitud de las bandas no se utilizó, sin embargo, para relajar las condiciones monetarias, sino simplemente para tener mayor margen de maniobra en unos momentos de gran inestabilidad. De todas formas se puso de manifiesto que el tipo de cambio frente al marco alemán había dejado de ser una referencia sólida para la política monetaria.

Nuevamente parecía necesario redefinir la estructura de la política monetaria. Las alternativas parecían estar en la vuelta a un esquema en dos niveles con agregados monetarios como objetivo intermedio o en un nuevo esquema. La programación monetaria de 1994 puso de manifiesto la dificultad de mantener el antiguo esquema. La alternativa nueva era una estrategia en un nivel en el que directamente el Banco de España se planteara la estabilidad de precios.

Este nuevo esquema se facilitó con la promulgación de la Ley 13/1994 de Autonomía del Banco de España. En la misma se declara la estabilidad de precios como el objetivo indiscutible de la política monetaria. En el aspecto operativo, la nueva ley no modificaba mucho la situación existente, puesto que desde 1980 el Banco de España gozaba de autonomía en cuanto a la instrumentación monetaria, lo cual le proporcionaba una independencia práctica. Pero el hecho de que la ley 13/94 consagrara como objetivo prioritario la estabilidad de precios y protegiera al Banco de España de intromisiones políticas suponía un factor determinante de su credibilidad, lo cual redunda en su efectividad.

La elección de un objetivo directo de inflación se justifica porque enfatiza la importancia del mismo ante la sociedad, puesto que el Banco Central se compromete abiertamente al mismo. Como inconvenientes a un control directo de la inflación había que contar con el nivel de déficit público, que suponía un condicionante importante a la política monetaria, y la incertidumbre sobre la respuesta de los agentes económicos al mismo.

Se pueden establecer ciertos factores que influyen en la efectividad del control directo de la inflación. En primer lugar, el objetivo de precios debe formularse a medio plazo (superior a un año) para ser alcanzable, aunque se vaya haciendo un seguimiento anual o semestral de la evolución. Un requisito imprescindible es que exista una información transparente y continua sobre la situación económica y los logros en materia antiinflacionista. El Banco de España, además de formular explícita y públicamente los objetivos, publica dos veces al año un informe sobre la inflación.

El tipo de cambio de la peseta ha continuado siendo una referencia importante para la política monetaria, aunque no exclusiva. Junto con el tipo de cambio, el Banco de España tenía en consideración un conjunto amplio de indicadores. Entre éstos se encontraban indicadores monetarios y crediticios, diferenciales de tipos o la curva de rendimientos. También analizaba la situación de diversos indicadores de precios y de costes, especialmente los laborales. Y por último miraba la evolución de variables que reflejaban la actitud económica real.

En 1995 se estableció como objetivo la reducción de la inflación hasta una tasa por debajo del 3% en 1997, lo cual suponía una cierta desaceleración desde el 4,5% de partida. Además se planteaban ciertos riesgos, como la subida en el IVA en 1995 y la tendencia de la peseta a depreciarse (lo que ocurrió en marzo de 1995). A pesar de ello, la situación de la inflación comenzó a mejorar en la segunda parte de 1995, tendencia que continuó en 1996, alcanzándose plenamente el objetivo en 1997.

Desde que se aprobara y ratificara el Tratado de Maastricht (1992 y 1993), el horizonte de la política monetaria española estuvo marcado por la creación de la UME. Desde 1994, pero especialmente desde 1996, la política monetaria española estuvo muy centrada en la consecución de los requisitos de convergencia nominal que cualificaban a los países como aptos para formar parte de la UME. A partir de 1999, la política monetaria ha dejado de ser competencia nacional para ser responsabilidad de la autoridad monetaria europea. En el siguiente epígrafe se examina el grado de éxito que tuvo el proceso de convergencia para cada uno de los diferentes criterios establecidos [1], y en el epígrafe 3 se comenta cuál ha sido el proceso de creación de la UME.

2. El examen de convergencia

El artículo 109 J (1) del Tratado constitutivo de la Comunidad Europea establecía que el Instituto Monetario Europeo (IME) debería informar al Consejo de la UE sobre los progresos que hubieran hecho los Estados miembros en su convergencia para constituir la UME y de la conformidad de los estatutos de los bancos centrales nacionales con los requisitos necesarios para formar parte del Sistema Europeo de Bancos Centrales. El IME ya elaboró un primer informe en 1996, y en 1998 se realizó un segundo informe, como paso previo al examen y decisión sobre los países integrantes en la UME. La Comisión Europea también debía elaborar un informe sobre las mismas cuestiones. Ambos informes tenían que enviarse al Consejo de la UE, que es quien tenía capacidad para aceptar la candidatura de los países.

2.1 Los criterios de convergencia y la convergencia conseguida

El tratado de la UE recoge los criterios que los países candidatos debían cumplir, que son los siguientes:

— Convergencia de inflación: que la tasa de inflación del país no superase en 1,5 puntos porcentuales la media de los tres países con menor tasa. El cómputo de la tasa de inflación se refería a la media del año 1998, medida por el Índice Armonizado de Precios de Consumo.

100

— Convergencia en tipos de interés a largo lazo: que el nivel de tipos existentes en un país no superase en más de dos puntos porcentuales la media de tipos de los tres países con menor tasa de inflación.

— Estabilidad del tipo de cambio; que la moneda del país hubiera formado parte del mecanismo de cambios al menos durante dos años, sin que se hubiera modificado su paridad central.

— Déficit público: que el déficit de las Administraciones públicas del país como máximo supusiera una proporción del PIB del 3%.

— Deuda pública: que el saldo de deuda bruta de las Administraciones públicas se situara por debajo del 60% del PIB.

Además de estos criterios de convergencia nominal de las economías, el Consejo de la UE también pedía como requisito imprescindible la independencia del Banco Central.

La aplicación de los criterios de convergencia debería realizarse de forma estricta, para asegurar que los Estados tenían unas condiciones económicas que permitían el mantenimiento de la estabilidad y por lo tanto garantizaban la viabilidad de la UME. Además los criterios debían satisfacerse en su totalidad, al constituir un conjunto coherente e integrado. Otro principio establecido por el IME era que la aplicación de los criterios debería ser transparente y sencilla.

Los criterios deberían cumplirse en función de los datos observados, que fueron proporcionados por la Comisión. Los datos de precios, tipos de interés y tipo de cambio alcanzaban hasta los primeros meses de 1998. Los datos de las posiciones fiscales llegaban hasta 1997, aunque se tomaban en cuenta proyecciones de organismos internacionales y los presupuestos realizados por los Estados para el año 1998.

Entre la publicación del primer informe del IME en 1996 y el segundo en 1998 se produjeron avances significativos en la convergencia en la UE. Así la inflación media se redujo desde el 2,2% hasta el 1,3%, mostrando todos los países (menos Grecia) tasas inferiores al 2%. La dispersión entre las tasas de inflación nacionales disminuyó hasta 0,9%. Los tipos de interés a largo plazo bajaron hasta una media del 5,5%, sin existir diferenciales significativos entre ellos. También entre 1996 y 1998 los tipos de cambio permanecieron estables.

En cuanto a los déficit públicos, se han reducido también, de forma que en 1998 la media de la UE suponía un ratio déficit/PIB del 2,4%. La proporción de la deuda sobre el PIB permanecía aún en un 72,1%, aunque en 1997 disminuyó por primera vez en los años noventa. La modestia del resultado se debía a que la reducción del déficit se había planteado recientemente.

El informe del IME enfatizaba la necesidad de continuar avanzando en políticas de ajuste incluso tras haberse formado la UME. Las políticas de ajuste deberían dirigirse a reducir el paro (aún muy elevado en algunos países) y a mejorar las finanzas públicas para prevenir el efecto del envejecimiento de la población y para reducir el peso de deuda pública.

La mejora de la inflación de la UE entre 1990 y 1997 se ha debido a diversas causas. Las políticas monetarias nacionales se han orientado hacia la estabilidad de precios, pero también han contribuido en su favor la evolución de los costes laborales y la propia política fiscal. También la estabilidad de los tipos de cambio y de los precios de importación ha contribuido a contener la inflación. Los países que progresaron más rápidamente en reducción de la inflación fueron España, Italia y Portugal, cuya tasa pasó desde un 4-5% en 1995 a cerca de un 2% en 1997. También Grecia experimentó una importante reducción (desde el 7,9% hasta el 5,4%) entre 1996 y 1997, aunque aún permanece por encima del valor de referencia. Los tres países con menor tasa de inflación en el momento del examen de convergencia fueron Austria (1,1%), Francia (1,2%) e Irlanda (1,2%). El valor de referencia se situó por tanto en el 2,7%.

Los tipos de interés a largo plazo de esos tres países fueron 5,6%, 5,5% y 6,2% respectivamente. El valor de referencia resultó el 7,8%. Todos los Estados miembros, menos Grecia (9,8%), registraron tipos inferiores al valor de referencia. En la evolución de los tipos de interés a largo plazo durante la década de los noventa hay que destacar la convergencia registrada por Finlandia y Suecia desde 1994, y por España, Italia y Portugal desde 1995. La evolución de los tipos en el Reino Unido se diferenció del conjunto debido a su posición cíclica, aunque en la fecha de evaluación del IME se habían reducido otra vez. Los factores que contribuyeron a la reducción de tipos fueron, aparte del tipo de cambio, la reducción de la inflación y del déficit público, la mejoría en las expectativas de inflación y la anticipación de que existían posibilidades de participación en la UME.

En el período de los dos años anteriores al examen del IME, diez monedas fueron parte del mecanismo de cambios: el franco belga-luxemburgués, la corona danesa, el marco alemán, la peseta, el chelín austríaco y el escudo portugués. El marco finlandés y la lira italiana mostraban un período de permanencia más corto puesto que ambas se integraron en el mecanismo de cambios a mediados de 1996. Fuera del mecanismo de cambios estaban la corona sueca, la libra esterlina y el dracma griego (que se incorporó en marzo de 1998). En el período de referencia los tipos centrales no se modificaron y las monedas en general se comportaron de forma estable. Hubo, no obstante, algunas desviaciones de naturaleza temporal de la peseta, franco francés, escudo portugués y marco finlandés en algunos momentos de 1996 y 1997. La única divisa que se desvió sustancialmente por encima de su tipo central fue la libra irlandesa, que también vio aumentar su volatilidad frente al marco alemán.

El cumplimiento del criterio de déficit público fue satisfactorio en 14 países, de los cuales tres incluso registraron superávit (Dinamarca, Irlanda y Luxemburgo). Sólo Grecia tenía un déficit del 4%, superior al valor de referencia (3%).

La proporción de la deuda sobre el PIB ha estado disminuyendo en general, especialmente en los países que partían de un ratio por encima del 100% (Bélgica, Grecia o Italia) y en los países que se situaban por encima del 60%. En Alemania la deuda en 1997 aumentó respecto al ratio de 1996, registrando un 61,3% del PIB. Por debajo del valor de referencia se situaron Luxemburgo, Reino Unido, Finlandia y Francia (cuyo ratio aumentó hasta el 58% del PIB en 1997). Aunque el IME preveía que continuara la reducción (excepto Francia), el Informe de Convergencia señalaba que parte de la reducción del déficit se había apoyado en medidas temporales (entre 0,1 y 1 punto de la reducción) y que era necesario avanzar en la reducción del déficit estructural.

También la reducción de la deuda se había beneficiado de transacciones financieras de carácter extraordinario, como las privatizaciones. El IME aprovechó el informe para pedir a los países de la UE que aplicaran mayores restricciones fiscales para cumplir lo exigido en el Pacto de Estabilidad y Crecimiento que entraba en vigor en 1999 y que exigía el objetivo a medio plazo del equilibrio presupuestario.

El Informe de Convergencia del IME, aparte de pasar revista a la estabilidad de los países, examinaba la compatibilidad de las legislaciones nacionales con el Tratado (artículo 197, 108), especialmente de los estatutos de los bancos centrales nacionales (BCN). Las adaptaciones que fueran necesarias para garantizar la independencia de los BCN deberían estar completadas en la fecha de constitución del Sistema Europeo de bancos centrales (SEBC). La independencia era esencial para la UME, ya que el SEBC tomaba las competencias monetarias que anteriormente tenían los BCN, por lo que debía estar claro que los Estados miembros descartaban cualquier posibilidad de influir en las decisiones monetarias. El artículo 107 del Tratado de la UE consagraba el principio de la independencia, prohibiendo cualquier influencia externa sobre el BCE y los BCN (y sus órganos rectores). También el IME señalaba la necesidad de adopción de otras medidas que permitieran a los BCN ejecutar sus funciones como miembros del SEBC; es decir, que era necesario asegurarse de que los estatutos de los BCN no pudieran constituir un obstáculo para que un gobernador de un BCN cumpliera con sus obligaciones como miembro del Consejo del BCE. También el artículo 108 del Tratado exigía la convergencia legal en las áreas que se ven afectados por la transición a la tercera fase de la UME; especialmente en el funcionamiento del BCN, la política de tipo de cambio, la gestión de divisas, billetes, monedas y en la confidencialidad.

El examen realizado por el IME confirmó que todos los Estados introdujeron modificaciones en los estatutos de sus BCN, menos Dinamarca, cuya normativa no lo exigía. También el Reino Unido estaba introduciendo un nuevo estatuto para su banco central que le dotaba de mayor independencia operativa.

2.2 El examen de convergencia de la economía española

Al llegar el momento de examinar las condiciones de los países candidatos, España cumplía con los criterios de convergencia requeridos para formar parte de la UME.

En primer lugar la peseta formaba parte del mecanismo de cambios desde 1989, y durante el período de referencia se mantuvo estable, oscilando cerca de su paridad central frente a las demás monedas. En cuanto a la inflación, el índice armonizado de precios de consumo se mantuvo en una tasa del 1,8% a lo largo del período de referencia, por debajo del valor objetivo. Además, tanto los costes laborales unitarios como otros indicadores señalaban la ausencia de presiones inflacionistas. Los tipos de interés a largo plazo se situaban en el 6,3%, por debajo del umbral establecido. Respecto al déficit público, el nivel alcanzado en España en 1997 suponía un 2,6% del PIB, por debajo del umbral de referencia, previéndose reducciones adicionales en los años posteriores. En el caso del criterio de la deuda pública, su proporción sobre el PIB era del 68,8%, superando el umbral del 60%, aunque tendía a reducirse. Las previsiones de que el déficit disminuyera en 1998 y que el presupuesto se equilibrara a partir de entonces permitirían contar con que la deuda se situara por debajo del 60% en el 2001. Si los planes fiscales retrasaran este equilibrio presupuestario planeado, la deuda necesitaría unos cinco años más para alcanzar el nivel objetivo respecto al PIB.

Cuadro 3.1   España: criterios de convergencia

	1996	1997
Inflación (IAPC)	**3,6**	**1,8**
Tipos interés largo plazo	8,7	6,3
Déficit AAPP	4,6	2,6
Deuda bruta AAPP	70,1	68,8
Otros criterios	**1996**	**1997**
IPC	**3,6**	**2,0**
Gastos laborales unitarios	2,9	1,9
Saldo por CC/PIB	1,3	1,4

Respecto al criterio de independencia del Banco Central, fue la ley 13/1994 la que dio autonomía al Banco de España, aunque desde 1980 el Banco de España tenía autonomía en la instrumentación de la política monetaria. No obstante el Banco de España terminó de adaptarse a las condiciones exigidas para su integración en el SEBC por la ley 66/1997, que modificó su estatuto, y por la ley 12/1998, que modificaba la ley 13/1994.

3. El Tratado de Maastricht y el horizonte de la UME

La UME ha tenido un largo período de preparación y discusión. Los primeros pasos se tomaron hace treinta años, cuando los seis miembros iniciales de la Comunidad Económica Europea (CEE) propusieron un plan para la creación de una unión monetaria y económica. Éste se recogió en el informe Werner.

La ruptura del sistema de tipos de cambios fijos de Bretton-Woods supuso un paso atrás. Sin embargo, la CEE reaccionó con el establecimiento de unas bandas de fluctuación del 2,25% dentro de cuyos márgenes las monedas de los Estados miembros podrían fluctuar. Este acuerdo, conocido por el nombre de la «serpiente en el túnel», también fracasó, pero fue reemplazado al poco tiempo (1979) por el establecimiento del SME, que se definía como un sistema simétrico de tipos de cambio fijos pero ajustables. Las monedas podían flotar dentro de bandas del 2,25% alrededor de unos tipos bilaterales fijos. Se preveía que las autoridades de los países cuyas monedas se desalinearan intervinieran simétricamente (tanto si se apreciaba como si se depreciaba). Además cabría la posibilidad de que se modificaran las paridades centrales.

En 1988 se publicó un informe realizado bajo la presidencia de J. Delors, en el cual se recomendaba realizar la UME en tres etapas. La primera etapa comenzó el 1 de julio de 1990 y durante la misma los Estados miembros debían coordinar sus políticas monetarias y económicas. Además existía un calendario para liberalizar las barreras a los flujos de capitales. En febrero de 1992 se firmó el Tratado de Maastricht, que reformaba el Tratado constitutivo de la CE y que contenía los fundamentos de la UME. El Tratado de Maastricht se ratificó y entró en vigor en noviembre de 1993, creando la base legal para la UME.

La segunda etapa de la UME comenzó en 1994. En esta etapa los Estados miembros debían intensificar la cooperación en política monetaria y llevar a cabo políticas dirigidas a cumplir los requisitos necesarios para adoptar la moneda única, en particular los criterios de convergencia referentes a las tasas de inflación, déficit público, deuda pública, tipos de interés y de cambio. Además los Estados se comprometían a modificar las leyes que fueran necesarias para hacerles compatibles con el Tratado y para dotar de independencia a sus bancos centrales. Al comienzo de la etapa segunda se creó el IME como precursor del BCE, que fue establecido el 1 de junio de 1998 desapareciendo entonces el IME. En junio de 1997 el Consejo europeo emitió una resolución sobre el Pacto para la Estabilidad y el Empleo que clarificaba los criterios del Tratado en cuanto a los déficit públicos excesivos.

En 1995 se unieron a la UE tres nuevos miembros: Austria, Finlandia y Suecia, y en mayo de 1998 se eligieron los países participantes en el inicio de la UME, tras el examen del cumplimiento de los requisitos de convergencia.

El comienzo de la tercera etapa tuvo lugar el 1 de enero de 1999 y ha supuesto un cambio único en el proceso de integración europea. Los tipos de cambio de las monedas de los Estados integrantes quedaron fijados de forma irrevocable y se adoptó el euro como moneda única. La introducción del euro ha supuesto la cesión de la soberanía monetaria de los países y la transferencia de la política monetaria a una institución supranacional. La política monetaria pasa a ser formulada y decidida por el SEBC, formado por el BCE y los bancos centrales de los países miembros.

La introducción del euro ha tenido lugar en una coyuntura económica marcada por la estabilidad de precios y la convergencia de los tipos de interés, fruto de la intensa preparación de los países miembros. Los países de la UE que no formaron parte de la UME en 1999 pueden decidir incorporarse con posterioridad, sujetos al cumplimiento de los criterios de convergencia.

3.1 La elección de los países miembros de la UME

El procedimiento establecido en el Tratado de la UE para la formación de la UME suponía los siguientes pasos:

— La Comisión Europea debería enviar al Consejo de la UE una recomendación sobre cada Estado miembro en vista de su cumplimiento de los requisitos de convergencia.
— El Consejo de la UE evaluaría las condiciones de cada Estado por mayoría cualificada y elevaría sus conclusiones al Consejo, reunido en formación de Jefes de Estado o de Gobierno.
— El Parlamento europeo sería consultado y transmitiría su dictamen al Consejo.
— El Consejo, reunido en formación de Jefes de Estado o de Gobierno, confirmaría el 2 de mayo de 1998 los Estados miembros que cumplían las condiciones para adoptar la moneda única europea.

En base a la decisión del Consejo de la UE, los países que pasaron el examen de convergencia fueron: Bélgica, Alemania, España, Francia, Irlanda, Italia, Luxemburgo, Holanda, Austria, Portugal y Finlandia. La reunión del Consejo de la UE tomó la decisión unánime de que esos países participarían en la tercera etapa de la UME en su reunión del 2 de mayo de 1998. El Consejo consideró que ni Grecia ni Suecia cumplían en ese momento las condiciones requeridas. En esa reunión también se nombraron los miembros integrantes del Consejo ejecutivo del BCE, que fueron W. Duisemberg (presidente), C. Noyer (vicepresidente), O. Issing, T. Paoba-Schioppa, E. Domingo-Solans y S. Hämäläinen (vocales).

Tanto Dinamarca como el Reino Unido notificaron al Consejo de la UE que no tenían intención de participar en la tercera fase de la UME en su inicio. No obstante, quedaba abierta su participación posterior.

3.2 La determinación de los tipos de conversión irrevocables para el euro

El Consejo de la UE también anunció en mayo de 1998 los tipos centrales bilaterales entre las monedas que formarían el euro. Estos tipos se usarían para determinar los tipos de conversión irrevocables para el euro. Además determinaron el método que se utilizaría para calcular el euro, que se adoptaría como moneda el primer día del inicio de la tercera etapa de la UME, el 1 de enero de 1999.

El anuncio de las paridades bilaterales en mayo de 1998 suponía un compromiso muy fuerte de los países integrantes, ya que aquéllas deberían mantenerse a lo largo del año. Sin embargo, la estabilidad cambiaria fue ejemplar en Europa, ya que la crisis financiera y económica que entre 1997 y 1999 afectó a Rusia y a otros países asiáticos, y a alguna institución financiera americana, no influyó sobre los tipos de cambio de las monedas europeas, a pesar de que sí tuvieron reflejo temporalmente en los mercados bursátiles y en los tipos de interés. La estabilidad cambiaria fue indicativa de que las paridades bilaterales anunciadas eran compatibles con las condiciones económicas de los países, de que existía estabilidad macroeconómica y de que los agentes económicos apostaban por la credibilidad de la UME.

El 31 de diciembre de 1998, en el proceso de transición al euro, se calcularon los tipos de cambio oficiales del ecu utilizando las paridades bilaterales previamente anunciadas, que debían coincidir con los tipos de mercado de ese momento. Los tipos de cambio oficiales del ecu se utilizaron como tipos de conversión fijos frente al euro de las monedas participantes. Así se cumplía el requisito establecido en el Tratado de la UE de que el euro sustituiría al ecu con una base 1:1. El proceso de cálculo de los tipos de conversión se llevó a cabo durante la mañana del día 31 de diciembre de 1998. El Consejo europeo adoptó la resolución relativa a la adopción de los tipos de conversión (véase el cuadro 3.2).

Cuadro 3.2.   Tipos de conversión

	Unidades para 1 euro
Franco belga	40,3399
Marco alemán	1,95583
Peseta española	166,386
Franco francés	6,55957
Libra irlandesa	0,787564
Lira italiana	1.936,27
Franco luxemburgués	40,3399
Florín holandés	2,20371
Chelín austríaco	13,7603
Escudo portugués	200,482
Corona finlandesa	5,94573

3.3   Primeras decisiones sobre política monetaria

Durante el año 1998 el BCE (que sustituyó al IME desde marzo) fue tomando algunas decisiones que definirían la política monetaria que iba a ser su responsabilidad desde 1999. Así en octubre de 1998 el BCE anunció su definición de estabilidad de precios como el mantenimiento de una tasa interanual en el índice armonizado de precios de consumo del área inferior al 2%. Además señaló el papel primordial asignado al dinero, definiendo un valor de referencia cuantitativo para un agregado monetario amplio. También declaró la importancia de realizar evaluaciones amplias de las condiciones económicas y de su incidencia sobre la inflación.

En diciembre de 1998 se especificó que el agregado monetario de referencia sería M3 y se determinó que su tasa de crecimiento compatible con la estabilidad de precios (y dadas las previsiones de crecimiento del PIB y de la velocidad de circulación del dinero) era de un 4,5%.

También el BCE tomó decisiones en relación con los tipos de interés antes de la entrada en vigor de la UME. El 3 de diciembre todos los BCN participantes en la UME tomaron la decisión coordinada de reducir su tipo de interés principal al 3% (Italia al 3,5%). Esta decisión se tomó a la vista de las condiciones monetarias y financieras del área y se entendió también como una decisión sobre el nivel con el que los tipos de interés comenzarían la UME.

A finales de diciembre de 1998 el BCE decidió que su primera operación de política monetaria en la UME se realizaría al 3%. También se decidieron los tipos de interés que se aplicarían en la facilidad de crédito (4,5%) y en la facilidad de depósito (2%). De forma transitoria, sin embargo, durante el mes de enero esos tipos se situarían en el 3,25% y el 2,75%, respectivamente, para facilitar las transición de los participantes al nuevo marco institucional.

La primera subasta de provisión de liquidez se llevó a cabo el 4 de enero de 1999. Acudieron a la misma 944 bancos, que solicitaron una cuantía total de 482 miles de millones de euros. La resolución de la subasta se realizó proporcionando liquidez por 75 miles de millones de euros al tipo fijo del 3%.

3.4   El escenario de introducción del euro

La introducción del euro como moneda única europea en los Estados miembros se apoyó en las directrices emanadas de dos Reglamentos de la UE: el Reglamento 1103/97 sobre determinadas disposiciones relativas a la introducción del euro y el Reglamento 974/98 sobre la introducción del euro.

El primer reglamento se refería a la identificación del ecu por el euro con una equivalencia 1:1, y por tanto la continuidad y la validez de todos los documentos que estuvieran referidos al ecu, que se entenderían referidos a la nueva moneda sin que ello se considerase una alteración en los mismos. Por otro lado el reglamento se refiere a los tipos de conversión entre las monedas nacionales y el euro y a las reglas de conversión[2].

El segundo reglamento se refiere a la sustitución de las monedas de los Estados miembros por el euro. Establece que a partir del 1 de enero de 1999 la moneda es el euro, que, aparte de dividirse en céntimos, se divide también en las monedas nacionales de acuerdo con los tipos de conversión. También establece la equivalencia entre la denominación de los contratos o actos jurídicos en monedas nacionales integrantes o en euros. Además de ello, considera que los Estados miembros podrían establecer medidas para redenominar la deuda pública en circulación o para cambiar la unidad monetaria de los mercados de valores o sistemas de intercambio, compensación o liquidación de pagos. Por último establece la validez de los billetes y monedas en circulación existentes en la fecha de adopción del euro, pero recoge que a partir de una determinada fecha (1 de enero de 2002) se pondrán en circulación billetes en euros que serán los únicos de curso legal.

Estos reglamentos eran de directa aplicación en los Estados miembros, pero muchos de ellos emitieron leyes que servían para adaptar determinadas normas nacionales. En España, la introducción del euro dio origen a la Ley 46/1998, de 17 de diciembre, sobre Introducción del Euro. A esa ley le ha acompañado la Ley Orgánica 10/1998 de 17 de diciembre[3], complementaria de la Ley de Introducción del Euro.

La ley 46 dota al proceso de sustitución de la peseta por el euro de seguridad jurídica, evitando conflictos interpretativos, y facilita la divulgación y conocimiento de los ámbitos afectados por la introducción del euro. La ley tiene tres apartados básicos, dedicados a: (1) modificación del sistema monetario; (2) normas para el período transitorio; y (3) medidas tendentes a favorecer la plena integración del euro.

Según se recoge en la exposición de motivos de la ley, la introducción del euro no supone un cambio sustancial en el sistema monetario, ya que el euro sustituye de modo íntegro a la peseta como la unidad de cuenta y medio de pago del sistema monetario español. Es decir, los principios que gobiernan las modificaciones del sistema monetario son las de neutralidad, fugibilidad y equivalencia nominal entre el euro y la peseta. Debido a ello, la sustitución de la peseta por el euro no es un hecho imponible ni un hecho jurídico. La ley recoge que la equivalencia se extiende a la materia sancionadora, de forma que las referencias a los tipos sancionadores se entienden referidas tanto al euro como a la peseta, incluso para conductas anteriores al período transitorio de la UM. La ley recoge también que la equivalencia entre los importes monetarios en pesetas y en euros será efectiva siempre que se haya hecho utilizando los factores de conversión fijos y las reglas de redondeo al céntimo de euro o a la peseta más próximos.

Dentro del segundo apartado, normas del período transitorio, cabe destacar que la ley establece la gratuidad en las conversiones entre importes monetarios expresados en pesetas y en euros, realizadas por las entidades de crédito. Asimismo, las entidades de crédito, previo acuerdo con los titulares, podrán redenominar a euros las cuentas de efectivo que tengan abiertas, y también los medios de disposición de las mismas. Por otra parte, la ley avala el principio de ejecución de deudas o de los importes monetarios expresados en los contratos según la moneda en que estén denominados los mismos. No obstante, los pagos podrán efectuarse indistintamente en pesetas y en euros, siempre que el deudor cubra exactamente el importe de la deuda (tras haber realizado la conversión y el redondeo legal).

Durante el período transitorio se redenominarán a euros la deuda pública viva, la actividad de los mercados de valores, la renta fija privada y el capital de las sociedades mercantiles. La redenominación de la deuda pública tuvo lugar durante el primer fin de semana de 1999, con lo cual desde principios de año toda la deuda pública (la existente y la nueva) está expresada en la misma moneda. También desde ese primer fin de semana los mercados de valores utilizan el euro para expresar sus operaciones (cotización, contratación y liquidación).

La ley recoge asimismo el procedimiento a utilizar en la redenominación de la renta fija privada y las acciones. En el primer caso la conversión a euros se realiza en el valor unitario de los bonos, y el valor de la emisión viene dado por la suma del valor de los bonos redenominados. La conversión a euros de las acciones se realiza mediante la conversión a euros del capital de la sociedad y la división entre el número de acciones. Dado que la cifra resultante puede tener un número no limitado de decimales, la ley, dentro del capítulo de medidas tendentes a favorecer la integración del euro, considera la posibilidad de redondear al céntimo de euro el nominal de cada acción.

Respecto al cumplimento de obligaciones tributarias o de pagos públicos, la ley establece lo siguiente: la opción de declarar o liquidar los impuestos en euros será irreversible y estará condicionada a que la contabilidad y los libros y registros fiscales se expresen en euros. La posibilidad de realizar pagos públicos en euros dependerá del Director General del Tesoro. Asimismo, la posibilidad de hacer pagos a la Seguridad Social dependerá de una norma posterior. Por último, la ley recoge la obligación de que los actos y contratos administrativos y los documentos que intervengan los notarios desde el 1 de enero de 1999 hagan constar su contravalor en euros si estuviesen expresados en pesetas.

La adopción del euro el 1 de enero de 1999 es virtual, ya que físicamente los billetes y monedas no se pondrán en circulación hasta el 1 de enero de 2002. El período entre 1999 y 2001 es de transición y de convivencia de las monedas nacionales con el euro. Durante ese período la utilización del euro es voluntaria, bajo el principio de «no prohibición, no obligación». Durante ese período los precios de los bienes y servicios empezarán a ser mostrados a la vez en la moneda nacional y en euros. El pago, si se realiza mediante cargo a una cuenta corriente, puede hacerse en euros. La adaptación del sector privado de esta forma podrá llevarse a cabo con gradualismo y las personas se irán acostumbrando a los nuevos sistemas de precios y a su uso.

El sector que ha sufrido la mayor presión para adaptarse ha sido el financiero, y el bancario en particular. El comienzo de la política monetaria única desde el 1 de enero de 1999 en euros exigía que el funcionamiento del mercado interbancario se realizara en euros. Por otra parte, las operaciones con el sector privado, tanto de activo como de pasivo, se irán adaptando gradualmente a lo largo del período transitorio. Aparte de esa disociación en su funcionamiento mayorista y minorista, el sector bancario debió redenominar todas sus cuentas con el Banco de España desde pesetas a euros en la transición del 31 de diciembre de 1998 y el 1 de enero de 1999. También sufrieron ese proceso de transición «de una sola vez» *(big-bang)* el Tesoro público y los mercados de valores y de derivados. El primero por el compromiso del Tesoro español de redenominar toda la deuda pública existente. Los mercados porque las operaciones de política monetaria se basaban en operaciones de mercado abierto con valores, y por lo tanto era conveniente que el precio de mercado de éstos estuviera expresado en euros.

Tanto las instituciones financieras como el Banco de España y los mercados de valores realizaron distintas pruebas durante 1998, y la transición al euro durante el fin de semana del 31 de diciembre de 1988 y el 4 de enero de 1999 («fin de semana de transición»), con la redenominación de cuentas y saldos y con la introducción de nuevos procedimientos para poder operar en euros, se realizó sin ningún problema.

4. La política monetaria en la tercera etapa de la UME: las instituciones

Desde el momento en que se firmó el Tratado de Maastricht se comenzaron a diseñar las estructuras que serían necesarias para la canalización de la política monetaria. Además de tener que afrontarse el diseño de procedimientos operativos y de instrumentos propios, la política monetaria europea ha requerido de un nuevo entramado institucional.

4.1 Las instituciones: el SEBC y el BCE

En el Tratado de Maastricht se recogía cuál era la estructura institucional que se iba a encargar de la política monetaria. Así en el artículo 4.A. se habla de la creación de un Sistema Europeo de Bancos Centrales (SEBC) y del Banco Central Europeo (BCE), y en el artículo 166 se establece la composición del SEBC, entidad formada por todos los bancos centrales de los países de la UME (BCN), además de por el BCE. El SEBC no tiene por tanto personalidad jurídica, pero sí la tiene el BCE. El BCE goza de independencia en el ejercicio de sus funciones, al igual que la gozan el resto de bancos centrales nacionales. Éstos debieron adaptar su legislación para que fuera compatible con los estatutos del SEBC y con el Tratado de Maastricht.

El SEBC está dirigido por los órganos rectores del BCE, que son el Consejo de Gobierno y el Comité Ejecutivo. El Comité Ejecutivo está compuesto por el presidente, vicepresidente y otros cuatro miembros. El Consejo de Gobierno está formado por los gobernadores de los BCN junto con los miembros de Comité Ejecutivo. Adicionalmente existe un tercer órgano rector del SEBC: el Consejo General, que está formado por los gobernadores de los BCN y por el presidente y vicepresidente del BCE.

Respecto a la función asignada a cada uno de los órganos rectores, el Consejo de Gobierno formula la política monetaria, incluyendo la fijación de los objetivos monetarios intermedios, y establece las condiciones para su cumplimiento. En definitiva, se encarga de asegurar que se llevan a cabo las funciones encomendadas al SEBC. El Comité Ejecutivo pone en práctica las decisiones tomadas por el Consejo de Gobierno, para lo cual transmite las instrucciones pertinentes a los bancos centrales nacionales. Las responsabilidades del Consejo General se relacionan con los Estados miembros acogidos a una excepción porque no cumplen las condiciones necesarias para la adopción al euro. También contribuye a las funciones consultivas que puede realizar el SEBC, así como a la recopilación y elaboración de estadísticas. Por último, en la fase de preparación de la UME y del pleno establecimiento del BCE, el Consejo General facilitó la adopción de las medidas necesarias para elaborar las cuentas financieras y el balance del banco y para el cálculo de las participaciones de cada Estado en el capital. También contribuyó a los preparativos requeridos para la fijación irrevocable de los tipos de cambio.

Para llevar a cabo sus funciones el BCE puede elaborar recomendaciones y dictámenes, que nacen de las funciones consultivas y no son vinculantes, o tomar decisiones, que sí lo son y cuyo incumplimiento puede ser sancionado. Sus estatutos (incluidos en el Protocolo anexo al Tratado de Maastricht) recogen los objetivos y funciones, siendo la principal la política monetaria, aunque también puede llevar a cabo tareas de supervisión prudencial de las entidades de crédito y de la estabilidad general del sistema financiero. En estas tareas el BCE presta asesoramiento al Consejo, a la Comisión y a las autoridades competentes de los Estados miembros, que son quienes tienen que tomar las decisiones.

Aunque puede contribuir a la realización de otros objetivos comunitarios, el objetivo principal del SEBC es mantener la estabilidad de precios, según se afirma en el artículo 105 del Tratado de Maastricht. Este objetivo se plasma en la realización de cuatro funciones básicas:

— Definir y ejecutar la política monetaria de la Comunidad.
— Realizar operaciones de divisas dentro del marco de las decisiones que sobre el tipo de cambio haya tomado el Consejo europeo.
— Mantener y gestionar las reservas de divisas.
— Promover el buen funcionamiento de los sistemas de pagos.

El BCE debe ser consultado sobre cualquier materia que entre en el ámbito de sus competencias. Por último el SEBC debe contribuir a la gestión de las políticas que se llevan en cada Estado relevantes a la supervisión de entidades de crédito y estabilidad del sistema financiero, como también el BCE puede ser encomendado por el Consejo europeo a llevar a cabo actividades específicas en este terreno.

4.2 El sistema de pagos transfronterizo: Target

La política monetaria requiere que existan mecanismos que faciliten la canalización de la liquidez entre el banco central y las instituciones de crédito de forma efectiva, rápida y con coste reducido. Es imprescindible también que el mecanismo de pagos sea seguro: que no ponga en riesgo la estabilidad del sistema y que no sea discriminatorio el acceso.

La relación entre las entidades financieras y de éstas con el banco central nacional, y el funcionamiento de mercados monetarios conllevan la existencia de sistemas de pagos. En muchos países, el sistema financiero dispone de diversos sistemas de pagos, algunos vinculados a sistemas de compensación y liquidación de valores, otros unilaterales; unos para grandes pagos domésticos, otros para pagos internacionales, etc. La caracterización de los sistemas de pagos puede ser amplia. Desde la óptica de la política monetaria, los sistemas de pagos deben ser adecuados para procesar grandes pagos. Por otro lado, en la medida en que se realicen operaciones de política monetaria, con garantías de valores, es conveniente que haya una conexión entre los sistemas de pagos y los sistemas de depósito y de compensación y liquidación de esos valores.

En el marco de la UME, la eficiencia de la política monetaria requerirá que todos los bancos de los países integrantes configuren un mercado interbancario integrado, para lo cual es necesario que exista un sistema de pagos común. La forma de satisfacer esta necesidad ha sido pidiendo a los actuales sistemas de pagos nacionales el cumplimiento de unas ciertas características que les doten de la seguridad y eficiencia necesarias y diseñando un mecanismo de vínculo entre los sistemas.

El mecanismo de pagos o de transferencia de fondos interbancarios que utilizarán los BCN de los países de la UME se denomina Target (*Trans-European Automated Real-Time Gross Settlement Express Transfer*). Este sistema de pagos unificado no sólo facilitará la canalización de las operaciones monetarias, sino que permitirá la integración de los mercados monetarios a nivel europeo de forma que se forme un único tipo de interés monetario.

El Target está formado, por lo tanto, por el conjunto de sistemas de pagos nacionales, relacionados entre sí mediante un sistema de interconexión que traduce los mensajes, las órdenes de pago, desde los formatos nacionales a un formato del sistema. De esta forma se dispone de unos procedimientos, un formato y un lenguaje de comunicación comunes que permiten la transferencia de órdenes de pagos. La comunicación es descentralizada, aunque la liquidación de los pagos sigue realizándose de forma bilateral.

Una condición indispensable para que los sistemas nacionales de pagos fueran aptos para formar parte del Target ha sido que liquidaran los pagos brutos y en tiempo real. Es decir, que cada pago se liquidara y acreditara de forma autónoma, que no se netearan pagos entre sí y que se liquidaran en el momento en que se comunicara la orden, sin retrasar la liquidación a ciertos momentos del día (final de la mañana o de la tarde, por ejemplo). Estas dos características confieren al sistema mayor seguridad y también mayor eficiencia: cada pago es final en sí mismo desde el momento en que se comunica y acepta, con lo cual aumenta la certeza de las posiciones de los participantes. La otra cara de la moneda es que la liquidación individual de cada pago requiere de una disponibilidad de mayor liquidez por parte de las entidades participantes, lo que por otro lado les obligará a realizar una gestión de su tesorería más eficiente.

Los sistemas de pagos nacionales que formar parte del Target también han armonizado otras características, como es el caso de los mecanismos de provisión de liquidez intradía. Efectivamente a lo largo del día pueden producirse desfases entre los cobros y los pagos previstos por las instituciones, de forma que éstas tengan excesos o defectos temporales de liquidez en el sistema. Especialmente problemática sería la escasez de fondos, que supondría el retraso de un pago cuya orden se ha transmitido. Esta situación podría tener repercusiones sistémicas. Así los bancos centrales nacionales han introducido mecanismos que facilitan esta gestión temporal de la liquidez: por una parte las instituciones pueden constituir depósitos previos de fondos en el banco central. También pueden obtener crédito de otras instituciones o del banco central nacional. Éste la proporciona permitiendo que la cuenta de las instituciones muestre saldo negativo durante el día, y también puede proporcionar liquidez temporal mediante operaciones de repos. En todo caso la liquidez proporcionada por el banco central nacional debe ser respaldada por colateral. Las posiciones deudoras que al final del día no hayan conseguido ser saldadas mediante una provisión de fondos por las entidades automáticamente pasan a obtener la facilidad de crédito permanente de los bancos centrales nacionales.

Los bancos centrales de países de la UE que no forman parte de la UME participan en el sistema Target y pueden proporcionar liquidez durante el día a las instituciones de su país que utilicen este sistema de pagos. No obstante, deben saldarse estos créditos con anticipación al cierre diario del sistema Target. Las entidades de países no incluidos en la UME no pueden obtener crédito al final del día. Si las instituciones no pudieran cancelar sus posiciones deudoras al final del día, sufrirían una penalización que actualmente consiste en 5 puntos porcentuales por encima del tipo de interés marginal. Las entidades de países no pertenecientes a la UME también pueden constituir depósitos (pero con un techo fijo para cada institución) con su banco central nacional para ser utilizados en pagos transfronterizos.

El sistema de pagos Target fue diseñado en principio para facilitar los pagos relacionados con la política monetaria, aunque también es adecuado para procesar cualquier tipo de grandes pagos en euros entre los participantes, bien por cuenta propia, bien por cuenta de clientes. Como regla general sólo pueden ser participantes directos las instituciones de crédito. Los bancos centrales nacionales pueden aceptar que participen otras instituciones, que pueden tener cuentas de clientes, siempre que sean entidades supervisadas y que por lo tanto añaden un riesgo limitado al sistema.

Por último, aunque en teoría el sistema Target puede utilizarse para pagos pequeños, parece que para éstos no es tan importante la rapidez en la ejecución y que por lo tanto el mecanismo resulta costoso. La política de precios del Target está pensada para que se recuperen los costes y para que su uso permita la integración del mercado minimizando los riesgos de sistema.

El Target comenzó a funcionar el 4 de enero de 1999 y desde los primeros meses se puede calificar como un éxito. A finales de 1999 participaban en el mismo unas 34.000 instituciones. Al día se realizaban a través de él unas 160.000 transacciones por un valor de unos 900 miles de millones de euros. De las transacciones realizadas, un 20% son transfronterizas (que suponen un 40% del valor de las realizadas). Por otro lado, los pagos procesados a través del Target suponen casi un 70% del valor de los pagos totales procesados a través de todos los sistemas de pagos de los países de la UME. El Target efectivamente es más utilizado para grandes pagos, ya que el valor medio de un pago transfronterizo realizado por Target asciende a unos 12 millones de euros, en comparación con un tamaño medio de 5 millones de euros en los pagos procesados por otros sistemas.

4.3 El modelo de corresponsalía de los bancos centrales

El uso de colateral en todas las operaciones de política monetaria (obligatorio según el artículo 18.1 de los estatutos del BCE) requiere un sistema efectivo de movilización de valores. Este sistema debe asegurar que todos los participantes puedan acceder a todos los valores disponibles, sin que se vea discriminado su acceso por la ubicación de la entidad. Según el esquema de la política monetaria única, las entidades que son contrapartidas de la política monetaria pueden obtener liquidez a través del banco central de su país, aunque el colateral que pueden utilizar como garantía pueda estar localizado en otro país o ser valores emitidos en otros países. Para poder utilizar todos los valores disponibles como colateral en la UME es necesario que existan procedimientos para transferir la propiedad de los valores al banco central nacional o facilitarle el acceso a los mismos.

Se han producido algunas iniciativas privadas para desarrollar sistemas paneuropeos de depósito, compensación y liquidación de valores. Por ejemplo la Asociación Europea de Depositarios Centrales ha desarrollado uno de estos sistemas. Adicionalmente se cuenta con el modelo de corresponsalía de los bancos centrales (CBC), que se articula como una solución temporal hasta que los sistemas privados sean plenamente operativos.

Los principios que deben guiar a estos sistemas son fundamentalmente dos: (i) que utilicen el principio de entrega contra pago y (ii) que permitan la compensación y liquidación transfronteriza. Ambos rasgos permiten un funcionamiento de los sistemas de compensación de valores en línea con los sistemas de pagos.

El modelo de corresponsalía de los bancos centrales conlleva el establecimiento de relaciones entre los depositarios de valores con los bancos centrales nacionales, a través de la apertura de una cuenta del BCN en cada depositario. Cuando una entidad de crédito solicita liquidez de su banco nacional de origen (BCH) mediante la garantía de un valor situado en otro país, solicita al depositario de este país que movilice el valor a la cuenta del banco nacional (BNC) de ese país. Este BNC comprueba la información sobre el valor (que es un valor apropiado y que efectivamente ha sido enviado) y se lo comunica al banco nacional de origen (BCH), actuando así como su corresponsal. El banco nacional de origen obtiene la información que le envía el corresponsal, valora el activo financiero y concede la liquidez a la entidad.

El modelo de corresponsalía de bancos centrales puede utilizarse para la transferencia de todos los valores que son aceptados como garantía en las operaciones de política monetaria, aunque se trate de valores no negociables. En cada país se utilizan para obtención de liquidez del banco central nacional distintos tipos de colaterización (fianzas o repos) y distintos sistemas de tenencia (individual o grupos de valores). En algunos países (Alemania, España, Francia, Holanda, Austria e Irlanda) se pueden utilizar valores no comercializables. En el fondo, se utilizan los procedimientos ya existentes. Correspondería al banco central que concede la liquidez (BCH) elegir el método de colateral, pero con el modelo de correspondencia se elige el método utilizado por el banco corresponsal, de forma que se utiliza el mismo método de colateralización, para uso doméstico de los valores o para uso transfronterizo.

El uso del modelo CBC no es, sin embargo, obligatorio en las operaciones de política monetaria si existen otras vías para transferencias de activos entre países, por ejemplo mediante una conexión directa entre depositarios nacionales. Como se ha dicho, el modelo de CBC se pretende que tenga una vigencia temporal. El modelo desarrollado por la Asociación Europea de Depositarios Centrales consiste en la interconexión bilateral de los depositarios de todos países entre sí («modelo spaghetti»). El problema es que jurídica y técnicamente es complicado porque cada depositario opera con un sistema informático y organizativo diferente. Además un sistema bilateral supone una complejidad excesiva. Otras soluciones que se están desarrollando vienen de la mano de los depositarios internacionales Euroclear y Cedel. El modelo que Euroclear ha anunciado en 1999 y que está desarrollando (modelo centro y radios o *hub & spokes*) supone la interconexión de los depositarios de todos los países con un centro de conexión multilateral. La propuesta de Cedel (junto con el depositario central alemán con el que se ha fusionado) supone la creación de «macro depositario central europeo», de modo que los depositarios centrales de los países se fusionen en una única entidad.

En la actualidad el BCE evalúa los progresos que hacen los depositarios nacionales existentes para poder ser utilizados en la operativa de la política monetaria. Los requisitos imprescindibles para su aptitud es que no trasladen riesgos al banco central nacional y que garanticen el mismo nivel de seguridad en todas las operaciones canalizadas a través de todos los sistemas. Otras características que se examinan son la existencia de procedimientos de entrega contra pago (o si se requiere el depósito previo de los valores), la conexión con el sistema de pagos del banco central, la finalidad de las transferencias de valores, la apertura durante el mismo horario que el sistema Target o la existencia de vínculos con otros depositarios o con otros bancos centrales. A finales de 1999, de los 29 depositarios nacionales de valores 26 habían sido aceptados por el BCE para movilizar el colateral necesario en las operaciones de política monetaria.

5. Los objetivos de la política monetaria: aspectos estratégicos

El objetivo último de la política monetaria está definido en el Tratado de Maastritch (art. 105 [1]): mantener estabilidad de precios. El diseño y articulación de una estrategia monetaria para conseguir dicho objetivo final ha de tener en cuenta cómo se produce la transmisión de las actuaciones del banco central a las entidades financieras y el gasto privado y estimar cuáles son los retrasos con que una actuación monetaria produce su efecto sobre los precios. En el caso de la política monetaria europea este diseño ha estado sometido a una incertidumbre mayor de lo habitual debido a que el marco financiero en el que la política monetaria iba a actuar era desconocido en el momento de su definición, y también debido a que la estimación de la función de demanda de dinero planteaba más dificultades.

Además se pueden considerar otros requisitos importantes que contribuyen a la efectividad del esquema de política monetaria. Así, aparte de que debe formularse con transparencia y claridad para el público, resulta conveniente que suponga una continuidad con el anterior diseño. También es importante tener en cuenta que el BCE es quien la debe aplicar; por lo tanto debe formularse de forma que el BCE pueda responder de sus actos y que sea consistente con su independencia. Todos los principios indican que la política monetaria básicamente debe actuar de forma preventiva y tener consistencia y credibilidad para el público.

La estrategia tiene que tener en cuenta el marco financiero donde las actuaciones de política monetaria van a surtir efecto. Así pues, la consideración del tamaño del área del euro ha aconsejado la articulación descentralizada de las operaciones monetarias del BCE. También, como se ha mencionado, la transmisión de los impulsos monetarios resulta determinada por las relaciones entre las instituciones financieras, que pueden sufrir una transformación importante al operar en euros en un área económica más grande. Por último, dado que el tipo de cambio constituye un condicionante importante de la política monetaria, debe tenerse en cuenta si la unificación monetaria en Europa disminuye la importancia de cualquier efecto monetario sobre el tipo de cambio, ya que el comercio externo de los países integrantes es principalmente intraeuropeo y por tanto no resulta afectado por la paridad del euro.

A la hora de elegir el objetivo intermedio se consideraron cinco alternativas:

— El tipo de interés.
— La renta nominal.
— El tipo de cambio.
— Un agregado monetario.
— El control directo de la inflación.

Las tres primeras se consideraron poco apropiadas, entre otros motivos por la dificultad de determinar claramente un objetivo de referencia. La disyuntiva se centró entre las dos últimas: en ambos casos el objetivo final es la inflación. En los dos casos, además, se pueden utilizar un amplio conjunto de indicadores adelantados. El factor diferencial básico es el papel asignado a los agregados monetarios en la transmisión de las actuaciones del banco central.

A favor de la elección de un agregado monetario jugaba el argumento de que el banco central tiene capacidad de influencia directa sobre los mismos y que por lo tanto su control y seguimiento son sencillos. Otro argumento a su favor es que son fácilmente identificables por la opinión pública y por lo tanto proporcionan un elemento de transparencia a la actuación monetaria.

En contra de un agregado monetario se presenta el hecho de que resulta esencial la estabilidad de la demanda de dinero para que el control del agregado tenga efectividad sobre el objetivo último y para que sean interpretables las desviaciones del nivel o de la senda marcada. Una variabilidad elevada de los agregados monetarios deterioraría su utilidad y dañaría la credibilidad de la estrategia monetaria.

El control directo de la inflación tendría como ventaja el hecho de que nuevamente se enfatizaría la responsabilidad del banco central con el objetivo final y tendría un efecto positivo sobre la formación de expectativas inflacionistas.

La estrategia elegida por el BCE puede considerarse que tiene un enfoque mixto. Se plantea controlar directamente la inflación, pero también tiene en cuenta la evolución de los agregados monetarios. Sin embargo no responde mecánicamente a las desviaciones de estos últimos respecto a su nivel de referencia. Adicionalmente, utiliza un conjunto de indicadores entre los que se incluyen la curva de tipos de interés, los precios de bonos y otros activos, el tipo de cambio y otros indicadores no financieros, como indicadores de costes, el grado de uso del potencial productivo, etc.

6. Marco operativo de la política monetaria

La elección de los instrumentos y procedimientos operativos de la política monetaria tiene que tener en cuenta, en primer lugar, su relación con el objetivo último y con los objetivos intermedios. En segundo lugar debe considerar cuál es la influencia que sobre ellos pueden ejercer los factores exógenos. Adicionalmente los instrumentos tienen que tener unas características que les hagan apropiados para su función: (i) deben poder ser controlados por el SEBC y (ii) deben proporcionar señales precisas sobre la transmisión de las decisiones de la autoridad monetaria. En definitiva, los instrumentos deben constituir un marco operativo a través del cual el BCE pueda realizar con facilidad sus tareas de conceder liquidez al sistema crediticio, o absorberla si fuera necesario.

Como en el caso de los objetivos intermedios, los instrumentos deben cumplir unos requisitos:

— Operar de forma eficaz.
— Responder a los principios de mercado, favoreciendo una asignación eficiente de recursos.
— Proporcionar el mismo trato a todas las instituciones que puedan acceder a ellos.
— Ser sencillos y su funcionamiento transparente.
— Capacidad de ser utilizados de forma descentralizada.
— Proporcionar continuidad con las estructuras operativas existentes anteriormente.

Los instrumentos elegidos por el SEBC son:

— Coeficiente de caja o reservas mínimas.
— Operaciones de mercado abierto.
— Facilidades permanentes.

6.1 Las reservas mínimas

La posibilidad de que el BCE imponga a las entidades de crédito unas reservas mínimas está recogida en el artículo 19.1 de los estatutos del SEBC. Por otra parte, el marco legal de esa capacidad del SEBC se recoge en la legislación comunitaria.

La imposición de un nivel de reservas mínimas a las entidades de crédito determina la creación o la reducción de la liquidez estructural que tienen las entidades de crédito, contribuyendo de esta forma al control de los agregados monetarios y a la estabilidad de los tipos de interés.

Las condiciones de las reservas mínimas son uniformes en todo el área del euro, aunque pueden variar por categoría de instituciones, por tipos de pasivos elegibles o por el vencimiento de éstos. Las reservas mínimas abarcan una amplia categoría de instituciones, incluyendo las sucursales en el área de entidades no registradas en la misma.

Las reservas mínimas han de mantenerse en cuentas de las instituciones en el banco central nacional. Se computa la media diaria de reservas mantenidas durante un mes.

6.2 Operaciones de mercado abierto

Estas operaciones son adecuadas para controlar el nivel de los tipos de interés monetarios y por tanto proporcionan señales de política monetaria. También permiten la gestión de la liquidez del sistema. Pueden dividirse en varios tipos:

— Repos u operaciones temporales.
— Operaciones a vencimiento.
— Emisión de certificados de deuda.
— *Swaps* de tipo de cambio.
— Depósitos a plazo fijo.

Por otro lado también pueden clasificarse las operaciones de mercado abierto según la finalidad a la que responden. En este sentido tenemos:

a. Operaciones principales de refinanciación

Estas operaciones proporcionan el grueso de la liquidez interbancaria. Se realizan mediante subastas semanales de repos (con vencimiento de quince días). Las subastas se resuelven de forma estándar y se ejecutan de manera descentralizada por cada banco central nacional.

b. Operaciones de refinanciación a más largo plazo

Proporcionan liquidez, pero cubren de forma marginal las necesidades de las entidades. Se realizan mediante subastas con periodicidad mensual cuyo vencimiento es trimestral. Mediante estas operaciones no se pretende enviar señales sobre el nivel de los tipos de interés al mercado, por lo que el SEBC suele tener una actitud precio-aceptante.

Tanto en estas subastas como en las subastas semanales pueden tomar parte todas las entidades que hayan sido calificadas como contrapartidas. Los valores utilizados en las operaciones de liquidez pueden ser tanto los incluidos en la lista 1 como en la lista 2 (véase el epígrafe 6.5).

c. Operaciones de ajuste de la liquidez ad hoc

Se utilizan en momentos determinados para suavizar los niveles de los tipos de interés. Pueden ser tanto de absorción como de inyección de liquidez. No tienen una frecuencia determinada. Normalmente se realizan mediante operaciones de repo, aunque también pueden hacerse mediante operaciones a vencimiento, *swaps* o depósitos a plazo fijo.

Normalmente se realizan mediante subastas rápidas o mediante procedimientos bilaterales. Aunque pueden usarse en cualquier sentido, se utilizan principalmente para absorber liquidez del sistema. Se pueden llevar a cabo de forma descentralizada (como las subastas normales) o de forma centralizada por el BCE.

d. Operaciones temporales estructurales

Son operaciones cuya finalidad es modificar la liquidez estructural del sistema. Habitualmente son de inyección de liquidez. Pueden realizarse mediante operaciones de repo, operaciones a vencimiento o emisión de certificados de deuda. Estas operaciones se llevarían a cabo mediante subastas estándares, sin periodicidad determinada.

Aparte de las operaciones de mercado abierto con carácter temporal, también pueden realizarse operaciones de mercado abierto con carácter en firme. Estas operaciones suponen una compra o venta en firme de activos en el mercado. Su propósito es llevar a cabo un ajuste estructural de la liquidez del sistema. No tienen una frecuencia establecida. Se suelen llevar a cabo de forma descentralizada mediante procedimientos bilaterales. En estas operaciones sólo pueden utilizarse los activos incluidos en la lista 1.

Las operaciones en firme pueden ser:

a. Emisión de certificados de deuda del BCE

Estas operaciones modifican la posición estructural del SEBC frente al sistema financiero, al cual drena liquidez. Los certificados son en forma de anotaciones en cuenta en entidades depositarias situadas en el área euro y tienen carácter transferible.

Estos certificados se colocan mediante subasta, sin regularidad fija, a la que pueden acceder todas las entidades de contrapartida. Se ejecutan y liquidan de forma descentralizada.

b. *Swaps* de divisas

Se pueden utilizar o para ajustar la liquidez del mercado o para controlar los tipos de interés. Se realizan siguiendo las prácticas del mercado, con base en monedas que tengan una amplia circulación. Se pueden realizar o mediante subastas rápidas o mediante procedimientos bilaterales con entidades elegidas de forma restringida por su volumen de actividad en los mercados de divisas.

c. Captación de depósitos a plazo fijo

Su finalidad es absorber liquidez del sistema. Son depósitos con plazo y remuneración establecidos. No se usan regularmente, y el procedimiento para llevarlos a cabo puede ser subastas normales o por acuerdos bilaterales. Son invitadas a participar un número restringido de entidades. Su ejecución se realiza de forma descentralizada.

6.3 Facilidades permanentes

Además de las reservas mínimas y las operaciones de mercado abierto, el SEBC dispone de unas facilidades permanentes. El fin de estas operaciones es proporcionar liquidez (o drenarla) a un día, así como fijar límites (máximo y mínimo) a los tipos de interés.

Las entidades crediticias tienen a su disposición dos facilidades permanentes en el SEBC a las que pueden acceder por su propia iniciativa.

a. Facilidad de crédito

Las entidades pueden obtener crédito diario, al tipo de interés establecido, en base a la garantía de ciertos activos. Formalmente pueden ser préstamos a un día garantizados o compraventa de activos con pacto de recompra. El límite de liquidez a obtener lo proporciona la disponibilidad de activos. Todas las posiciones deudoras con el BCN de las entidades que permanezcan abiertas al final del día se consideran peticiones de la facilidad de crédito.

b. Facilidad de depósito

Permite que las entidades constituyan depósitos diarios a un tipo de interés prefijado. Este tipo forma el límite inferior a los tipos interbancarios.

Las dos facilidades se administran de forma descentralizada por cada banco central nacional del SEBC, aunque las condiciones y los términos están fijados por el BCE y son generales para toda el área. Todas las entidades que cumplan los requisitos pueden acceder a ellas.

6.4 Entidades con las que opera el SEBC

El SEBC ha aceptado un conjunto amplio de entidades como contrapartida, con las que se relaciona de forma descentralizada a través de cada banco central nacional. La participación de un número elevado de entidades también facilita el funcionamiento del sistema de pagos.

La operativa con el SEBC comprende el acceso a las facilidades permanentes y la participación en operaciones de mercado abierto. Como criterio general, todas las entidades que están sujetas al criterio de reservas mínimas son elegibles; sólo en algunos casos de operaciones de ajuste se restringen las entidades con las que opera el SEBC. Además de ese requisito, las entidades deben cumplir:

— Ser solventes.
— Localizadas en el área euro.
— Estar sujetas al menos a una forma de supervisión armonizada (aunque en otro caso también cabría la posibilidad de ser aceptadas).

Las contrapartidas pueden verse revocadas de tal carácter si no cumplen algunos de los requisitos que tengan impuestos o si se considera necesario por motivos prudenciales.

Para poder llevar a cabo algunas de las operaciones realizadas por el SEBC, puede ser necesario que cumplan requisitos adicionales. Así, para ser contrapartida en operaciones de *swaps* de divisas, las entidades tienen que tener capacidad de realizar operaciones en divisas por volúmenes importantes y en cualquier situación de mercado. También deben estar localizadas en el área euro. Para tomar parte en subastas rápidas o en procedimientos bilaterales, el criterio de acceso será la actividad realizada, la eficiencia en la negociación en los mercados monetarios y de capitales y el potencial de demanda.

6.5 Activos elegibles como garantía en la política monetaria

Todas las operaciones del SEBC necesitan estar respaldadas por un colateral adecuado. Los activos utilizados pueden inmovilizarse para constituir la garantía de la liquidez recibida del SEBC mediante la constitución de fianzas o mediante transferencia de su propiedad al SEBC.

Los activos elegibles pueden haber sido emitidos por autoridades públicas (deuda pública) o por entidades privadas. El BCE ha clasificado los activos en dos grupos o listas, 1 y 2. Los activos de la lista 1 cumplen los criterios de elegibilidad en toda el área del euro, y los de la lista 2 sólo cumplen los criterios de elegibilidad establecidos por un determinado banco central nacional (siguiendo en todo caso las líneas marcadas por el BCE).

Así los activos incluidos en la lista 1 deben cumplir:

— Ser activos de renta fija de alta calidad crediticia.
— Estar cotizados en un mercado regulado (o no regulado, si lo especifica el BCE).

— Deben tener liquidez.
— Estar denominados en euros.
— Transferibles en forma de anotaciones.
— Emitidos o garantizados por entidades localizadas en el área económica europea (EEA).
— Localizados en el área euro.
— Depositados en el banco central nacional o en un depositario que cumpla los estándares definidos por el BCE.

Los activos de la lista 2:

— Son importantes para los mercados financieros nacionales.
— Pueden ser activos negociables o no negociables.
— En el caso de acciones, deben ser negociadas en mercados regulados.
— Emitidos por entidades solventes.
— Denominados en euros.
— Localizados en el área euro.
— Emitidos (garantizados) por entidades localizadas en el área euro (aunque podrían incluirse activos emitidos por entidades fuera del área euro pero dentro de la EEA).

Todos estos activos se utilizan para operaciones de política monetaria y como colateral en los créditos intradía del sistema Target. Los activos de la lista 1 pueden utilizarse para todo tipo de operaciones de política monetaria y de forma transfronteriza. Los de la lista 2 no se utilizan para operaciones a vencimiento y sólo los acepta el banco central que los ha incluido en su lista.

Además de los principios establecidos para que un activo pueda ser utilizado como colateral, también se aplican medidas de control de riesgo, que son necesarias para proteger el SEBC de pérdidas financieras si los activos tuvieran que ser liquidados. Estas medidas de control de riesgo comprenden:

— Depósito de márgenes iniciales, diferentes según el vencimiento de la operación de política monetaria y de la duración del instrumento de deuda.
— Recortes sobre la valoración del mercado del activo.
— Márgenes variables, según el valor de mercado, que pueden hacer necesario el aumento de garantías a proporcionar o provocar la devolución de parte de ellas.
— Aplicación de límites por emisor o garantía del activo.
— El SEBC puede exigir garantías adicionales o revocar a los activos de la condición de elegibilidad.

7. El euro: aspectos cambiarios de la política monetaria [4]

El euro es la moneda única europea; se adoptó en el comienzo de la tercera etapa de la UME: el 1 de enero de 1999. En esa fecha se fijaron irrevocablemente las paridades de las monedas integrantes frente al euro. Ese tipo de cambio fijo, o factor de conversión, asegura la indiferencia en el uso de una u otra moneda.

Las monedas nacionales permanecen aún como expresiones no decimales del euro durante el período de transición que se extiende desde el 1 de enero de 1999 hasta el 31 de diciembre de 2001. Durante este período el euro sólo existe como dinero escritural (en forma de anotaciones bancarias). Los billetes y monedas en euros se emitirán el 1 de enero de 2002 y se pondrán en circulación en un período de tiempo tras dicha fecha, que intentará ser lo más breve posible para evitar problemas por la doble circulación monetaria.

Las monedas de Estados miembros de la UE que no se han integrado en la UME al comienzo de la tercera etapa pueden unirse en fechas posteriores. El Consejo europeo en su reunión en Amsterdam en junio de 1997 estableció que el antiguo mecanismo de cambios del SME (MC) fuera sustituido por otro mecanismo (MC II) que vincula a las monedas no participantes con el euro. Estos países también pueden participar en el mecanismo de pagos de la UME, el Target.

7.1 El nuevo mecanismo de cambios (MC II)

El mecanismo de cambios en la tercera etapa de la UME se definió en el artículo 1.2 del Acuerdo del BCE del 1 de septiembre de 1998. Este nuevo mecanismo ofrece a los Estados miembros de la UE no participantes en la UME la oportunidad de vincular voluntariamente sus monedas al euro.

Con el MC II se definen unos tipos de cambios bilaterales de las monedas frente al euro. Alrededor del mismo se fijan unas bandas de fluctuación del 15%, aunque podrían definirse unas bandas más estrechas en algunos casos. El BCE y el BCN del país de la moneda pueden intervenir automáticamente para defender la permanencia de la moneda dentro de los límites y también hacer uso de la facilidad de financiación a muy corto plazo para contribuir a amortiguar fluctuaciones no deseadas del tipo de cambio. Estas intervenciones nunca deben poner en peligro la estabilidad de precios de área.

Desde la introducción del MC II del SME han participado el dracma griego y la corona danesa. No han participado ni Suecia ni Reino Unido. Las paridades han sido:

tipo vs. euro	superior	central	inferior
Corona danesa	7,62824	7,46038	7,29252
Dracma griego	406,075	353,104	500,143

7.2   El futuro del euro

Durante los primeros meses de funcionamiento de la UME el euro se ha ido depreciando frente al dólar. Sin embargo, las perspectivas para el futuro del euro son positivas, ya que la base económica del área y de las políticas económicas es sólida, lo que contribuirá a la credibilidad y confianza de los ciudadanos europeos e inversores en general en la estabilidad de la moneda europea.

Una moneda adquiere dimensión internacional en la medida en que los agentes económicos privados y las instituciones públicas la usen fuera de su propia jurisdicción, en cualquiera de sus funciones: fijación de los precios de bienes y servicios en el comercio internacional, vehículo para las transacciones financieras y comerciales y depósito de valor. También es indicativo de su importancia internacional su uso como referencia para fijar el tipo de cambio de otras monedas, para intervenciones cambiarias o como materialización de las reservas oficiales de divisas. No obstante, la internacionalización del euro no ha tenido lugar a la vez en todas sus funciones.

Hay que tener en cuenta también que el estatus internacional de una moneda depende de un factor escala y de un factor diversificación del riesgo. Las economías de escala y las externalidades son más importantes para las funciones de unidad de cuenta y de medio de cambio, y en ambas la primacía del dólar es indiscutible. Para la función de depósito de valor es más importante el factor de riesgo, que impulsa a la diversificación de las inversiones y por lo tanto puede impulsar la compra de euros.

Actualmente el euro es la segunda moneda más ampliamente utilizada en el mundo, por detrás del dólar y por delante del yen. Esto en gran medida es resultado del papel que ya jugaban las monedas que se sustituyen por el euro, especialmente el marco alemán, aunque también refleja la importancia de la economía europea en el mundo. El PIB europeo representa alrededor del 15% del PIB mundial, en segundo lugar tras el PIB norteamericano, que supera el 21% del mundial. La economía japonesa sólo representa el 7% de la mundial.

Respecto al uso del euro en la fijación de los precios de las materias primas internacionales y en el comercio, hay que destacar que el predominio del dólar es muy superior al de su cuota de comercio y que es posible que la inercia en su uso contribuya a que se mantenga su primacía. En cuanto a la actividad en los mercados de divisas internacionales, no es de extrañar que la actividad del euro frente al dólar sea menor que la actividad previa existente entre las diversas monedas europeas frente al dólar, dada la reducción general de la actividad cambiaria en Europa tras la introducción del euro.

Un factor positivo para el uso del euro, especialmente como depósito de valor, tiene que ver con la estructura económica del área euro. El hecho de que su tamaño y su apertura comercial sea inferior a la de los países integrantes, reduce la vulnerabilidad de la economía y de los mercados financieros a posibles *shocks* externos, de forma que el área estará menos correlacionada con otros países, lo que ofrece la posibilidad de reducir el riesgo al incorporar el euro a las carteras de inversiones.

Es importante señalar el uso del euro como moneda de referencia oficial. En la actualidad alrededor de 30 países utilizan el euro, o algunas de las monedas integrantes, como referencia única o compartida para fijar el tipo de cambio de sus monedas nacionales. En primer lugar, el MC II vincula las monedas danesa y griega con el euro. Aparte de ellas hay monedas con acuerdos de cambio vinculados al euro (*currency boards* de Bosnia-Herzegovina, Bulgaria y Estonia); hay acuerdos de fijación con él (Chipre, la República de Macedonia y 16 Estados africanos, referenciados al franco); o con cestas de monedas en las que el euro tiene un papel preponderante (Hungría, Islandia, Polonia y Turquía). También hay países con regímenes flexibles de cambio pero que han adjudicado al euro el papel de ser la moneda de referencia (República Checa, Eslovenia y Eslovaquia).

Es pronto aún para evaluar el uso del euro como moneda de reserva internacional. Los datos de 1998 mostraban que el dólar suponía el 71% de la denominación de las reservas internacionales, comparado con un 17% de las monedas del área del euro.

Es muy probable que el papel internacional del euro avance sólo de forma gradual. No obstante, dada la naturaleza extraordinaria de la creación de la UME, es posible que el afianzamiento del euro requiera menos tiempo que en el caso del dólar.

Existen varios factores que ayudarán a que el uso del euro se extienda. En primer lugar, es importante la confianza en la estabilidad de la moneda y en el mantenimiento de su poder adquisitivo. La estrategia de la política monetaria del eurosistema contribuirá a ello. Un segundo factor es la ampliación del área euro. Hay cuatro países de la UE que aún no han adoptado el euro; su incorporación dará un nuevo impulso a la moneda. Es importante la incorporación de nuevos países; actualmente hay negociaciones con seis países y pronto comenzarán con otros seis. Estos países, cuando se incorporen a la UE, también podrán adoptar el MC II y, en última instancia, el euro.

En los mercados financieros el euro también es la segunda moneda más utilizada. Aunque las emisiones internacionales de bonos e instrumentos monetarios en euros han superado con creces las que precedentemente se hacían en las monedas nacionales, el euro aún sigue ocupando el segundo lugar. A finales de 1999, el 46% de las emisiones internacionales existentes estaban denominadas en dólares, seguidas por un 29% en euros y un 10% en yenes. La utilización del euro por los mercados financieros puede estar influida por el superior desarrollo de los mercados de capitales en Estados Unidos en relación con los de Europa. Por ejemplo, la capitalización de las bolsas en el área euro sólo suponía un 63% del PIB al final de 1998, muy por debajo del 155% que suponían los mercados americanos respecto a su PIB. Evidentemente, la eficiencia e integración de los mercados monetarios y de capitales del área euro juega un papel importante en el uso del euro. Actualmente ya se está avanzando en la integración de los mercados, en gran medida impulsados por los mecanismos utilizados en la política monetaria.

No se puede dejar de mencionar que el mayor uso internacional del euro puede suponer algunos retos para la política monetaria. Su estabilidad puede verse afectada por cambios en las decisiones de cartera de los inversores internacionales. Adicionalmente puede cambiar el contenido informativo de los agregados monetarios, e incluso de la curva de rendimientos. También para el sistema monetario internacional el mayor papel del euro supone un cambio profundo. Con un marco internacional donde hay tres monedas principales la cooperación será mayor, como también lo será la responsabilidad de cada una de las autoridades monetarias en mantener la estabilidad cambiaria mundial.

8. El primer año de funcionamiento de la política monetaria

Como se ha explicado, para conseguir el objetivo de estabilidad de precios, definido como una tasa de crecimiento anual inferior al 2%, el BCE analiza la información proporcionada por un conjunto amplio de indicadores, entre los que asigna un papel especial al crecimiento monetario. El Consejo de Gobierno del BCE anunció en octubre de 1998 que la referencia para el crecimiento de M3 iba a ser una tasa interanual del 4,5%. Esta referencia ha sido revisada a finales de 1999 y se ha decidido mantener invariable hasta finales del año 2000.

La introducción del euro se produjo en un contexto de estabilidad de precios, pero de desaceleración del crecimiento económico en el área europea. Los efectos de las crisis de los países asiáticos y de Rusia estaban siendo más negativos de lo previsto sobre los países europeos. Las perspectivas económicas hacían revisar a la baja las proyecciones de inflación. Por otro lado el crecimiento de M3 se encontraba sesgado al alza como resultado de la entrada en vigor de la UME.

Así que al inicio de 1999 no parecía que la M3 reflejara riesgos para la estabilidad de precios, especialmente cuando los indicadores no monetarios advertían de que se podría anticipar una mayor desaceleración económica. El Consejo de Gobierno del BCE evaluó la situación y decidió en abril de 1999 reducir el tipo de interés de las principales operaciones de refinanciación 50 puntos básicos, situándolo en el 2,5%.

A lo largo del verano de 1999 la situación económica mejoró significativamente, y se empezó a considerar la posibilidad de que se desviara al alza la inflación. El crecimiento monetario se aceleró, de forma que la tasa anualizada de crecimiento entre marzo y septiembre se elevaba al 6,1%. El marco económico había cambiado tan radicalmente que el BCE decidió a principios de noviembre elevar el tipo de interés básico en 50 puntos, que se volvió a situar en un 3%.

Los precios de consumo se habían acelerado desde una tasa interanual del 0,9% en junio hasta un 1,2% en agosto. La explicación de esta aceleración se encontraba tanto en los efectos derivados de la depreciación del euro a principios de año como en las subidas del precio del petróleo. Estos factores podrían hacer que a corto plazo la inflación tendiera a aumentar, aunque permanezca por el momento por debajo del 2%. También habría que considerar cierto riesgo procedente del efecto del crecimiento monetario y crediticio.

El crecimiento del M3 ha continuado acelerándose a finales de 1999, reflejando una demanda fuerte de los activos más líquidos incluidos en la misma. Su crecimiento en diciembre se cifra en un 6,4%, por encima del aumento medio de los últimos tres meses del año (6,1%) y por encima también del objetivo del 4,5%. Aunque este hecho puede venir explicado por su bajo coste de oportunidad, también recoge el fortalecimiento de la economía. El crecimiento del crédito al sector privado también confirma esta impresión, al mostrar una tasa elevada, alrededor del 10%. La demanda de crédito responde a diversos motivos, desde la mayor actividad residencial y adquisición de viviendas hasta los procesos de reestructuración empresarial.

El BCE ha realizado un diagnóstico de la situación económica en el que enfatiza la necesidad de que otras políticas colaboren en el objetivo de dotar a las economías de mayor flexibilidad. Lograr que se reafirme un escenario de crecimiento económico sostenido sin amenazas inflacionistas requiere mayores avances en la reforma de las estructuras de mercado que permanecen inflexibles, como es el caso del mercado laboral, así como avances en la consolidación de las finanzas públicas incluyendo la reforma de los sistemas de la Seguridad Social. En el caso de la política fiscal, muchos Estados miembros se encuentran aún lejos de registrar un superávit en sus finanzas o incluso del equilibrio presupuestario, a pesar de los compromisos adquiridos en el Pacto por la Estabilidad y el Empleo. El saneamiento de las finanzas públicas parece pues el reto más importante que tendrán que abordar los países europeos, ya dentro de la disciplina de la UME. También señala la importancia de la moderación de las negociaciones salariales para la estabilidad de precios. Parece, sin embargo, que los salarios están registrando un aumento del orden del 2,5% generalizado en el área, algo superior al 2,3% de 1999 pero compatible con un objetivo de inflación del 2%.

Los riesgos se concretan en el peligro de que las subidas de precio del petróleo se trasladen a todos los componentes del IPC. En realidad ya existen dos factores que pueden presionar al alza, como son la subida del precio de las materias primas industriales, que ha sido de un 14% medido en dólares, que se convierte en un 28% cuando se mide en euros y el deslizamiento a la baja del euro frente al dólar, que se cifra en alrededor de un 12%. La tasa de crecimiento interanual del índice armonizado de precios de consumo se situó en un 1,7% para el área, casi un punto superior al nivel registrado al inicio de la UME. La contrapartida positiva ha sido el afianzamiento del crecimiento económico, ya que el PIB de la zona ha crecido en 1999 alrededor del 2,5%, apoyado principalmente en la demanda externa. La economía española ha mostrado un comportamiento mucho más dinámico que la media, al crecer el PIB a una tasa del orden del 3,7% (basado en un vigor relativo mayor de la demanda interna) y al registrar los precios de consumo un aumento interanual del 2,8% (en el índice armonizado).

Con la consolidación y generalización del crecimiento económico, el BCE deberá llevar la situación de la liquidez a una posición o menos acomodaticia o directamente más restrictiva. Un avance de estas intenciones se produjo en noviembre de 1999, cuando el BCE aumentó los tipos de interés básicos en 0,5 puntos porcentuales. En febrero del año 2000 ha vuelto a subir los tipos de interés (en 0,25 puntos, situándolo en el 3,25%) y es posible que se repitan las subidas. Es difícil determinar cuál es el nivel adecuado a la situación económica, de forma que se prevengan aceleraciones de la inflación pero no se agote el crecimiento. Éste será el primer reto de la política monetaria europea.

9. Conclusiones

Resulta difícil ofrecer unas conclusiones que proporcionen una panorámica de la política monetaria a lo largo de esta última década, dados los numerosos cambios estructurales que ha registrado la economía española. El marco económico ha cambiado sustancialmente y la política monetaria se ha modificado en consecuencia. Más aún, en los últimos cuatro años, la política monetaria española ha estado plenamente dirigida por el horizonte de la UME. Desde 1999 la política monetaria ha pasado a ser responsabilidad de una institución paneuropea, el SEBC, y se guía por la situación global de los países que integran la UME.

El resultado combinado de la política monetaria, de otras políticas y de las condiciones económicas internacionales ha sido una reducción casi continuada de la inflación española (gráfico 3.1), que ha sido el objetivo prioritario de la política monetaria en sus diferentes formulaciones a lo largo del período analizado.

En la evolución de las magnitudes monetarias (gráfico 3.2), del tipo de interés (gráfico 3.4) y del tipo de cambio (gráfico 3.5) quedan reflejadas, sin embargo, las distintas etapas en que se puede dividir la actuación de las autoridades monetarias. Las diversas fases han respondido a la influencia de factores exógenos y a la respuesta que han provocado en la política monetaria; respuesta que ha supuesto, según las ocasiones, la modificación de la estrategia operativa (durante los años ochenta), la combinación de varios objetivos intermedios (desde 1987, pero especialmente desde la introducción de la peseta en el SME en 1989) o finalmente la asunción del control directo de la inflación (desde 1994).

Si ha sido una constante la petición de las autoridades monetarias de que las demás políticas económicas deberían ser colaboradoras con el objetivo de reducir la inflación, la pertenencia a la UME hace más necesario que nunca este postulado. La política monetaria única que hace el SEBC se formula teniendo en cuenta la situación global del área. Es tarea de cada país el logro de objetivos propios que van desde la reducción del diferencial de inflación con la media a la reducción de la diferencia en el PIB per cápita. Sin política ni monetaria ni cambiaria, y con un margen muy reducido para la política fiscal, el enfoque de las autoridades económicas se centrará en las políticas de naturaleza microecnómica. El énfasis en la actividad empresarial, en la orientación industrial y en la regulación sectorial y financiera contribuirá a modular el perfil económico de los países europeos en los años venideros. La política monetaria tendrá un papel menos activo pero no por ello secundario: asegurar que las condiciones monetarias sean las adecuadas es una tarea difícil, especialmente cuando se refiere a un área económica cuya integración económica aún no es plena.

Notas

1 Nota del Coordinador (en adelante N. del C.). Véase también el capítulo 1, cuadro 1.1.

2 Los tipos de conversión son cifras de seis dígitos que expresan el valor del euro en cada moneda. Los tipos de conversión no se pueden redondear ni truncar y se utilizan para conversiones de las monedas al euro y viceversa; no se utiliza nunca la inversa de los tipos de conversión. La conversión entre dos monedas nacionales se realiza a través de la conversión en euros, redondeando la cifra al tercer decimal, para luego convertirla a la segunda moneda. Tras la conversión al euro, la cifra debe redondearse al tercer decimal (cént. o céntimo); la conversión a una unidad monetaria nacional debe redondearse a la unidad.

3 El propósito de la misma no ha sido sino adaptar la Ley Orgánica 8/1980 de Financiación de las Comunidades Autónomas para señalar que las emisiones en euros no son financiación exterior, y también para resaltar que las referencias en leyes orgánicas a pesetas y a ecus se deben entender referidas a euros.

4 N. del C.: sobre este tema, véase también el capítulo 5.

Referencias

Banco Central Europeo/Instituto Monetario Europeo:
— *The single monetary policy in Stage Three: General documentation on ESCB monetary policy instruments and procedures*, septiembre 1997.
— *The single monetary policy in Stage Three: General documentation on ESCB monetary policy instruments and procedures*, septiembre 1998.
— *TARGET: the Trans-European Automated Real-Time Gross settlement Express Transfer system*, julio 1998.
— *Hird progress report on the TARGET project*, noviembre 1998.
— *TARGET: facts, figures, future*, septiembre 1999.
— *Correspondent central banking model*, noviembre 1999.
— *Standards for the use of EU securities settlement systems in ESCB credit operations*, enero 1998.
— *EU securities settlement systems: Issues related to Stage Three of EMU*, febrero 1997.
Carbó Valverde, S., y García Cabell, M. (1997): «La adaptación de los Bancos Centrales Europeos a la moneda única», *Perspectivas de Sistema Financiero*, núm. 58, 1997.
Fuentes Quintana, E. (1998): «España y su ingreso en la Unión Monetaria Europea: algunas consideraciones sobre el examen de convergencia de 1998», *Perspectivas del Sistema Financiero,* núm. 61.
Gil, G. (1998): «La Unión Monetaria Europea: el papel del Banco de España», *Perspectivas de Sistema Financiero*, núm. 61.
Issing, O.: *The Ecb´S Monetary Policy In The Context Of Globalisation*, discurso pronunciado el 11 de noviembre de 1999.
— (1998): *The Monetary Policy If The ECB In A Word Of Uncertainty*, discurso pronunciado el 3 de diciembre de 1999.
Krugman, P.: «La Unión Monetaria Europea: una visión desde el otro lado del Atlántico», *Perspectivas de Sistema Financiero*, núm. 61.
García de Paso, J. I. (1999): «Instrumentación de la política monetaria: perspectivas de futuro», *Perspectivas del Sistema Financiero,* núm. 66.
Noyer, C.: *The International Role Of The Euro: Trends, Advantages And Risk,* discurso pronunciado el 26 de noviembre de 1999.
— *The Short Past And Long Future Of The Euro,* discurso pronunciado el 6 de diciembre de 1999.
Malo de Molina, J. L.; Viñals, J., y Gutiérrez, F. (eds.) (1998): *Monetary Policy and inflation in Spain*, Mc Millan Press.
Padoa-Schioppa, T.: *The external value of the euro*, discurso pronunciado el 3 de diciembre de 1998.
— *Emu and the launch of the euro*, discurso pronunciado el 2 de abril de 1999.
— *Eurosystem: new challenges for old missions*, discurso pronunciado el 15 de abril de 1999.
Tur Hartmann, F. (1998): «El sistema TARGET», *Perspectivas de Sistema Financiero*, núm. 61.

Anexo

Gráfico 3.1 Índice de precios al consumo. España

Gráfico 3.2 Agregados monetarios en España

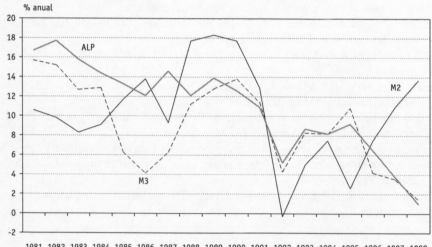

Gráfico 3.3 Agregados monetarios en la zona euro

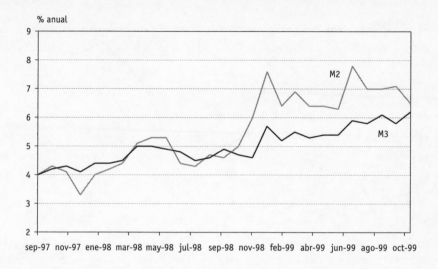

Gráfico 3.4 Tipo de interés de intervención del Banco de España

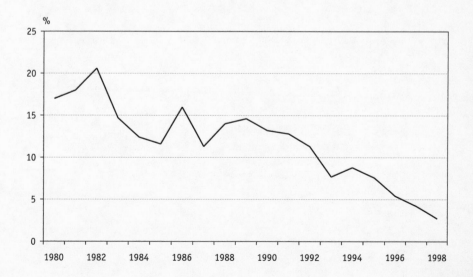

Gráfico 3.5 Tipo de cambio de la peseta en relación al marco alemán

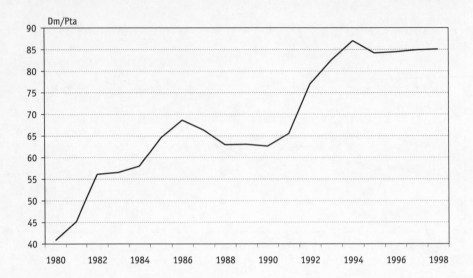

4. Política de financiación

Yolanda Fernández y
Nieves García Santos

1. Introducción: la financiación de las empresas españolas

El análisis de la política de financiación en el período 1989-1999 refleja la profunda transformación que ha registrado la economía española. España se ha beneficiado significativamente en estos años del gradual proceso de desregulación y de apertura internacional que venía produciéndose desde la década anterior. A lo largo de estos diez últimos años España se ha integrado totalmente en el ámbito comunitario y se ha incorporado a la tercera fase de la Unión Económica y Monetaria. Este proceso de apertura exterior de la economía española ha exigido cambios importantes en la política económica. En particular, para lograr alcanzar el objetivo de integración europea ha sido necesario transformar nuestra legislación y adaptarla a las Directivas de la Unión, modificar profundamente nuestro sistema financiero, reajustar la actividad financiera de las Administraciones públicas y, sobre todo, ser conscientes de la necesidad de internacionalización de la economía española.

A su vez, los agentes económicos privados, familias pero sobre todo empresas, han ido modificando sus pautas de comportamiento, adaptándose también al hecho de que el entorno donde toman las decisiones de gasto, de inversión y de producción ha dejado de ser el ámbito doméstico y que operar en un entorno internacional supone retos para la competitividad pero también oportunidades.

Cuadro 4.1   Cuentas financieras: flujos (millones de euros)

	1989	1990	1991
Cap. (+) Nec. (–) financ.	–8.187	–10.597	–10.238
Instituciones de crédito	5.052	4.642	4.731
Empresas seguros	–697	–329	–414
Administraciones públicas	–9.950	–13.036	–14.818
Empr. no financieras y familias	–2.592	–1.874	262
—Empresas no financieras	–5.756	–9.736	–11.753
—Familias	3.164	7.862	12.015

FUENTE: Cuentas financieras anuales de la economía española 1989-1998. Banco de España.

Cuadro 4.2   Cuentas financieras: flujos (% sobre el PIB)

	1989	1990	1991
Cap. (+) Nec. (–) financ.	–3,0	–3,5	–3,1
Instituciones de crédito	1,9	1,5	1,4
Empresas seguros	–0,3	–0,1	0,1
Administraciones públicas	–3,7	–4,3	–4,5
Empr. no financieras y familias	–1,0	–0,6	0,1
—Empresas no financieras	–2,1	–3,2	–3,6
—Familias	1,2	2,6	3,6

FUENTE: Cuentas financieras anuales de la economía española 1989-1998. Banco de España.

Una de las áreas donde habitualmente antes se refleja la apertura y modernización de la economía es la referente a las decisiones financieras. Así, podríamos caracterizar esta última década del siglo XX por la ampliación de las fuentes de financiación con que han contado las empresas españolas y por la mayor diversidad de posibilidades de colocación de ahorro de las familias.

Las decisiones financieras empiezan a responder a patrones diferentes a los existentes en el pasado. Ya no se puede considerar que España sea importadora de capitales como consecuencia de una posición deficitaria de su balanza comercial o como consecuencia de unos tipos de interés diferencialmente elevados. Las cuentas financieras de la economía española son más complejas, como corresponde a una economía más desarrollada.

En este capítulo se van a analizar las transformaciones registradas en las fuentes de financiación de la economía española como resultado del proceso de apertura y desregulación que ha tenido su culminación en estos últimos años. Y específicamente se va profundizar más en la importancia que todas estas alteraciones ha tenido para el sector empresarial español, que, en definitiva, debe ser el gran motor de cualquier economía.

1992	1993	1994	1995	1996	1997	1998
−10.727	−1.659	−3.482	4.806	5.890	7.291	4.650
6.208	1.665	4.130	6.285	4.334	3.827	3.985
−489	−60	189	102	1.188	513	329
−14.727	−25.700	−24.870	−30.796	−20.729	−12.284	−9.002
−1.719	22.436	17.069	29.215	21.097	15.237	9.339
−11.851	2.585	4.048	7.656	5.096	1.333	−2.818
10.131	19.850	13.021	21.558	16.000	13.904	12.157

1992	1993	1994	1995	1996	1997	1998
−3,2	−0,5	−1,0	1,2	1,4	1,6	1,0
1,9	0,5	1,1	1,6	1,0	0,9	0,9
0,1	−0,1	—	—	—	0,3	0,1
−4,5	−7,2	−6,8	−7,9	−4,9	−2,8	−1,9
−0,5	6,3	4,7	7,5	5,0	3,4	2,0
−3,6	0,7	1,1	2,0	1,2	0,3	−0,6
3,1	5,6	3,6	5,5	3,8	3,1	2,6

2. Cuentas financieras de la economía española: cuentas de capital

2.1 Evolución general de la capacidad de financiación de la economía española

Aunque desde la década de los años setenta se venían potenciando las relaciones financieras con el exterior para compensar los desequilibrios financieros internos, desde la integración de España en la Comunidad Económica Europea y la posterior aceptación del Acta Única y del Tratado de Maastricht, España inicia un claro proceso de transformación destinado a mejorar su situación financiera en un entorno de paulatina liberalización en los movimientos de capitales entre países.

Como se puede observar en los cuadros 4.1 y 4.2, España tiene una creciente necesidad de financiación hasta 1992 pero, a partir de ese momento disminuye gradualmente dicha necesidad, e incluso se pasa a cierta capacidad de financiación desde 1995. Aunque en el período analizado las instituciones de crédito siempre presentaban una capacidad financiera favorable, el resultado global de la economía se veía negativamente afectado por la evolución de las empresas no financieras y familias y por la importante necesidad de financiación de las Administraciones públicas. En cuanto estos dos sectores mejoran su capacidad financiera, España es capaz de pasar de una situación de falta de fondos a una posición de ahorro financiero.

Desde 1993, el sector de empresas no financieras y familias experimenta una importante mejoría en su situación financiera dejando de tener necesidad de financiación para pasar a un ahorro financiero positivo. El crecimiento de la economía española, la mejora de las expectativas empresariales, el aumento de los beneficios... son factores que favorecen claramente este cambio de tendencia.

Por otro lado, desde 1996 el nuevo Gobierno del Partido Popular realiza una fuerte apuesta por la reducción del déficit público en la Administración central, lo que, entre otras cosas, está claramente influido por el interés que tienen las autoridades por cumplir los requisitos de Maastricht y alcanzar en 1998 la incorporación de España en la tercera fase de la UEM. En la medida en que se logra reducir la necesidad de financiación de la Administración central, el volumen global de necesidad de financiación de las Administraciones públicas se reduce y, con ello, mejora la holgura financiera de la economía.

También conviene analizar la alteración en las relaciones financieras con el exterior. De forma tradicional, la economía española había utilizado el recurso a la financiación exterior como un mecanismo complementario para compensar la falta de ahorro interno y corregir los tradicionales desequilibrios en el saldo exterior; no obstante, como desde 1995 España posee un ahorro financiero neto positivo, resulta evidente que los movimientos internacionales de capital que se están realizando en los últimos años ya no se deben a la incapacidad de la economía española para solucionar algunos de sus problemas, sino, más bien, al importante proceso de internacionalización que España ha registrado desde principios de los años noventa. El desarrollo de la legislación adecuada, el acercamiento de la economía española al contexto europeo, la expansión económica de España en el último lustro y las favorables perspectivas de futuro existentes en el país son algunos de los factores que explican este cambio.

Como hoy en día es imposible hablar de España y de su política financiera sin tener presentes las relaciones con el ámbito comunitario y con terceros países, se ha considerado adecuado exponer de forma más detallada la transformación que España ha realizado en cuanto a movimientos de capital con otros países.

2.2 Evolución de los movimientos de capitales con otros países

Desde 1989 hasta 1999 se han producido importantes cambios legislativos que afectan a estos movimientos de capital y ciertas transformaciones de tipo cualitativo y cuantitativo que conviene considerar.

2.2.1 Legislación sobre movimientos de capital

Aunque ya desde principios de la década de los años ochenta se había emprendido un proceso liberalizador con respecto a estos movimientos de capital (Reales Decretos 622/81 y 623/81, de 27 de marzo), el verdadero cambio hacia la liberalización se produce debido a la necesidad de adaptar la normativa española a la legislación europea. De hecho, la Ley de Inversiones Extranjeras (Real Decreto 2077/1986, de 25 de septiembre) y la Orden Ministerial de 4 de febrero de 1990 que la complementaba son normativas claramente liberalizadoras, aunque siguen manteniendo algunas restricciones en función del sector afectado por la inversión y del tipo de inversor.

Como España estaba integrada desde 1986 en la CEE, se vio obligada a adaptar su normativa de movimiento de capital a la **Directiva 88/361/CEE**, de 24 de junio de 1988. En esta directiva, con plena efectividad desde el 1 de julio de 1990, se exigía a los Estados miembros la supresión de las diversas restricciones aplicadas a los movimientos de capital que pudieran tener lugar entre las personas residentes en los Estados miembros; no obstante, se permitía mantener cierto control en el caso de que los movimientos de capitales a corto plazo provocaran fuertes tensiones sobre los mercados de cambios o en la dirección de la política monetaria de un Estado.

Esta directiva determinaba la plena libertad de los movimientos de capital entre los Estados miembros para el 31 de diciembre de 1990 y, con respecto a terceros países, el 31 de diciembre de 1992. De todas formas, las autoridades comunitarias eran conscientes de que no todos los países comunitarios estaban igual de preparados para afrontar este proceso de liberalización, por lo que ampliaron los plazos de adaptación para algunos países. Aunque España estaba entre estos países a los que se les amplió el período de ajuste para la liberalización respecto a países miembros hasta el 31 de diciembre de 1992, la situación económica española aconsejó adelantar el calendario de liberalización y, de hecho, dicha liberalización se produjo el 1 de febrero de 1992.

Con el **Real Decreto 1816/1991**, de 20 de diciembre, sobre transacciones económicas con el exterior, que entró en vigor el 1 de febrero de 1992, España comenzó su total proceso de liberalización. Esta normativa liberalizó con carácter general los actos, negocios, transacciones y operaciones de toda índole que supusieran, o de cuyo cumplimiento se derivaran o pudieran derivarse, cobros y pagos entre residentes y no residentes y transferencias al o del exterior. De todas formas, aunque supuso la eliminación de la autorización administrativa previa para todas las operaciones con el exterior (salvo para la exportación de billetes de banco y cheques bancarios al portador por frontera superior a cinco millones de pesetas) y afectó tanto a las transacciones realizadas con países comunitarios como a las realizadas con terceros Estados, conviene aclarar que, en realidad, las autoridades españolas no realizaron una renuncia completa al control sobre estas operaciones, ya que en esta normativa se especificaba la necesidad de que todos los cobros, pagos y transferencias se tenían que realizar a través de una «entidad registrada» y, además, se mantenía la posibilidad de que el Gobierno adoptara temporalmente ciertos controles o restricciones en función de las cláusulas de salvaguardia utilizables en situaciones excepcionales.

Con el objetivo de consolidar el cambio establecido por el Real Decreto 1816/1991, durante 1992 se publicaron una serie de normativas complementarias:

— **Circular 2/1992,** de 15 de enero, donde se establecieron las obligaciones concretas de información para las operaciones reflejadas en el RD 1816/1991. Esta circular fue actualizada por la **Circular 11/1992**, de 26 de junio, y definitivamente sustituida con efecto del 1 de enero de 1993 por la Circular 23/1992, de 18 de diciembre.

— **Circular 15/1992**, de 22 de julio, y **Resolución de 21 de septiembre de 1992** de la Dirección General de Transacciones Exteriores en las que se regulaban los cobros y pagos entre residentes y no residentes y las transferencias al y del exterior relativas a inversiones extranjeras en España y a inversiones españolas en el exterior a partir del 1 de enero de 1993.

— **Ley 18/1992**, de 1 de julio, y **Real Decreto 671/1992**, de 2 de julio. Ambas normativas determinan ciertas condiciones sobre las inversiones extranjeras en España. Aunque mantienen un régimen general de libertad para las inversiones extranjeras en España, se regula un régimen de autorización administrativa previa para: las inversiones extranjeras no comunitarias realizadas en los sectores sujetos a regulación especial (juego, televisión, radio, transporte aéreo y actividades relacionadas con defensa); las efectuadas por sujetos públicos distintos de los Estados miembros de la CEE; las procedentes de países no comunitarios y que puedan considerarse perjudiciales para los intereses del Estado español; las participaciones que superen el 25% del capital en concesionarios de servicios finales o portadores de telecomunicaciones; y las procedentes de los paraísos fiscales (por la especial problemática fiscal y de control de cambios que plantean las operaciones de dichos territorios).

— Por último, el **Real Decreto 672/1992**, de 2 de julio, sobre inversiones españolas en el exterior, ha determinado hasta 1999 cómo se debían realizar este tipo de operaciones.

Este proceso de liberalización iniciado desde 1991 se ha ido perfeccionando en la medida en que España se ha ido adaptando a los cambios producidos desde 1992 en la UE. La firma del Tratado de Maastricht, de 7 de febrero de 1992, del Acuerdo sobre el Espacio Económico Europeo, de 17 de marzo de 1993, del Tratado de Amsterdam, de 2 de octubre de 1997, y el proceso de transformación de la economía española para su integración a la tercera fase de la UEM en 1999 exigieron nuevas matizaciones en las normativas relacionadas con el movimiento de capitales.

El **Tratado de Maastricht** determinó la prohibición de todas las restricciones a los movimientos de capitales entre Estados miembros y entre Estados miembros y terceros países, aunque, en este último caso, se matizaba que se podían aplicar a terceros países las restricciones existentes al 31 de diciembre de 1993 (antiguo art. 73 C, actual art. 56 en función de la modificación realizada con el Tratado de Amsterdam).

Con el objetivo de evitar posibles tensiones internas, el propio Tratado determinaba la posibilidad de establecer restricciones a dicha liberalización; es más, se permitía a los países mantener restricciones a dichos movimientos hasta el 31 de diciembre de 1995, en caso de que se hallaran acogidos a excepciones conforme al derecho comunitario y a establecer medidas restrictivas de urgencia contra terceros países si las condiciones lo exigían. La única condición que se establecía es que dicha restricción se notificara a la Comisión y a los demás Estados miembros a más tardar en la fecha de entrada en vigor de la medida.

Por otro lado, cuando España aceptó el Protocolo por el que se adopta **el Acuerdo sobre el Espacio Económico Europeo**, del 17 de marzo de 1993, se comprometió, según se establece en los artículos 40-45, a no establecer limitaciones a los movimientos de capital con los Estados miembros de la Asociación Europea de Libre Comercio (EFTA).

Por último, en el **Tratado de Amsterdam**, 2 de octubre de 1997, se insistía en prohibir las restricciones a los movimientos de capital entre los Estados miembros y en alcanzar el objetivo de la libre circulación de capitales entre Estados miembros y terceros países en el mayor grado posible dando capacidad al Consejo, por mayoría cualificada y a propuesta de la Comisión, para adoptar medidas relativas sobre este tipo de movimientos; de hecho, con unanimidad se podían incluso aplicar medidas de retroceso en la liberalización en caso de problemas cambiarios o de balanza de pagos, y si la situación era realmente grave se podían adoptar medidas respecto a terceros países por parte del Consejo con una mayoría cualificada.

De las normativas españolas que se han ido aprobando a raíz de la aceptación de estos acuerdos y tratados europeos conviene destacar específicamente el **Real Decreto 664/1999**, de 23 de abril, en el que se derogan (RD 671/1992 y RD 672/1992) y modifican (RD 1392/1993 y RD 1884/1996) determinadas normativas anteriores.

Una de las principales aportaciones de este Real Decreto ha sido la eliminación de la superposición legal y competencial existente hasta ese momento. Desde la entrada en vigor de dicho Real Decreto se estableció, con carácter general, la libertad de movimientos de capitales tanto para las inversiones extranjeras en España como para las inversiones españolas en el exterior.

Con respecto a las inversiones extranjeras en España, capítulo I de la normativa, se establece un mecanismo de declaración *ex post* de operaciones que permite tener constancia de las inversiones exteriores, aunque se mantiene un control previo para las inversiones procedentes de paraísos fiscales y las realizadas en sectores con normativa especial. Por otro lado, se conserva la posibilidad de la suspensión del régimen de liberalización en caso de problemas de orden y seguridad pública.

Por otro lado, en el capítulo II del mismo Real Decreto se establecen todas las cuestiones relacionadas con el régimen de las inversiones españolas en el exterior, determinándose el sujeto de dichas operaciones, el objeto de las mismas y la obligatoriedad de declaración con una finalidad administrativa, estadística o económica.

Por último, en esta normativa se definen todas las funciones que competen a la Junta de Inversiones, órgano colegiado interministerial adscrito a la Dirección General de Política Comercial e Inversiones Exteriores, con respecto a los movimientos de capitales, así como las condiciones y requisitos para realizar una suspensión del régimen de liberalización.

En definitiva, desde el punto de vista legislativo, España se ha ido adaptando a las condiciones establecidas desde el ámbito de la UE teniendo siempre presente la importancia que para la nación tiene la progresiva internacionalización de su economía.

2.2.2 Evolución de los movimientos de capital

Antes de analizar la evolución de los movimientos de capital que se han producido en España en el período analizado conviene aclarar ciertas cuestiones metodológicas que pueden dar lugar a errores en la valoración temporal 1989-1999 y que, por tanto, condicionan el período del análisis cuantitativo.

Desde 1993 España utiliza para la elaboración de la balanza de pagos el *V Manual de Balanza de Pagos* del Fondo Monetario Internacional, aunque hasta 1995 no estaba realmente obligado a hacerlo. Este quinto manual incorpora importantes cambios en el registro de las operaciones con el objetivo de acercar los datos de la balanza de pagos a los de la cuenta del sector resto del mundo de las cuentas nacionales.

Según esta nueva forma de registro, la balanza se divide en tres grandes balanzas: corriente, capital y financiera. En la **balanza de capital** se integran las transferencias de capital y todas las compraventas de activos inmateriales, mientras que en la **balanza financiera** se recogen los movimientos de capital entre residentes y no residentes, aproximándose, de esta forma, a la cuenta financiera del sector resto del mundo de las cuentas nacionales.

Con la aplicación de este quinto manual se han producido algunas alteraciones en la contabilización de determinadas operaciones. En primer lugar, ciertas operaciones que antes se registraban como préstamos, por ejemplo las euronotas y el papel comercial, han pasado a registrarse como inversiones en valores negociables, y, en segundo lugar, las inversiones extranjeras en España se han dividido entre inversiones en cartera e inversiones directas en lugar de inversiones en valores negociables y no negociables.

Para poder realizar un adecuado estudio de la posición financiera de España frente al exterior conviene establecer dos tipos de análisis: en primer lugar, ver la evolución general mediante la utilización de las cuentas financieras con respecto al resto del mundo (cuadro 4.3); en segundo lugar, para conocer con más detalle cómo se han materializado dichos movimientos de capital y a qué sectores les ha afectado utilizar los datos de la balanza de pagos. Para no distorsionar el análisis por los cambios metodológicos, se ha decidido utilizar una serie homogénea entre 1990-1999 (cuadros 4.4, 4.5 y 4.6).

Desde un punto de vista general y mediante el análisis de las cuentas de operaciones financieras del resto del mundo, se puede observar (cuadro 4.3) que mientras que España ha tenido una importante necesidad de financiación a nivel interno, hasta 1994, el sector exterior ha sido la forma habitual de cubrir esa necesidad, pero, desde 1995, la mejor situación de la economía española, la tendencia a la reducción de las necesidades de financiación de las Administraciones públicas y, sobre todo, la tendencia a la internacionalización de las empresas españolas cambian la posición de nuestro país frente al resto del mundo.

Aunque, desde el punto de vista global, la situación ha mejorado de forma considerable, conviene entrar en un análisis detallado, ya que lo más destacable en el período 1989-1999 es el cambio que se ha producido en el tipo de movimiento de capital con el exterior y en la importancia relativa de los diferentes agentes económicos.

a) Evolución de las inversiones directas y en cartera

Entre 1985 y 1990 España era un país muy atractivo para la inversión extranjera directa, siendo éste el principal componente en nuestra relación

Cuadro 4.3   Cuentas operaciones financieras. Resto del mundo (millones de eur

	1989	1990	1991
Ahorro financiero neto del resto del mundo	8.187	10.597	10.238
Instituciones de crédito	276	3.016	−5.836
Empresas de seguro	−38	97	109
Administraciones públicas	2.167	2.513	10.649
Empresas no financieras y familias	5.783	4.971	5.317
—Empresas no financieras	6.147	5.513	7.335
—Familias	−365	−542	−2.018

FUENTE: Cuentas financieras anuales de la economía española 1989-1998. Banco de España.

con el exterior. En estos años, este fenómeno era normal, ya que España disponía de unas infraestructuras adecuadas, mano de obra cualificada a un coste razonable y un amplio mercado interno con un gran potencial debido a la incorporación de España en la CEE, lo que convertía a nuestro país en muy atractivo para los inversores extranjeros. Durante esta etapa se produjeron importantes inversiones en el sector industrial (especialmente en los subsectores: químico, maquinaria, material de transporte, alimentación y productos minerales no metálicos), inmobiliario y en el sector servicios (instituciones de crédito, seguros y comercio). Con respecto a los países de procedencia de dichas inversiones, se puede destacar que los principales inversores eran los países de la OCDE (Alemania, Francia, Gran Bretaña, Estados Unidos y Japón).

A partir **de 1990 y hasta 1995** la situación fue cambiando. Entre 1990 y 1993 España atravesó una importante crisis que afectó a la demanda interna, empeoró la situación de los mercados, los beneficios empresariales se vieron negativamente afectados y, en consecuencia, se deterioraron las expectativas empresariales. Este proceso culminó con la crisis registrada por el SME entre 1992 y 1993 en la que la peseta sufrió varias devaluaciones (dos en 1992 y una en 1993). Si bien las circunstancias internas eran muy diferentes de las que habían atraído la inversión extranjera directa, también es cierto que se había producido un cambio de estrategia empresarial en las multinacionales. Desde el 1 de enero de 1993, con ciertas matizaciones, ya estaba en vigor el Mercado Único Europeo, por lo que las empresas podían reestructurar su negocio con una óptica de dimensión europea, cerrando algunas plantas y concentrando el negocio en otras. Es una realidad que entre 1992 y 1994 algunas multinacionales cerraron sus plantas en nuestro país y las trasladaron a otras zonas; de hecho, en este período se producen importantes desinversiones por parte de Olivetti en 1992, Rank Xerox, SKF y Colgate Palmolive en 1993 y Kubota, Gillette, Philips, Valeo, Triumph y General Electric en 1994.

1992	1993	1994	1995	1996	1997	1998
10.727	1.659	3.482	−4.806	−5890	−7.291	−4.650
2.694	−32.108	19.186	−14.017	1.799	7.905	11.556
384	−223	−621	−1.042	−2.349	−5.237	−4.723
3.196	35.868	−14.675	15.171	2.631	9.681	6.169
4.4.53	−1.877	−408	−4.919	−7.972	−19.639	−17.652
6.874	2.165	−646	−3.131	−7.658	−16.927	−12.575
−2.420	−4.042	238	−1.788	−314	−2.712	−5.077

Frente a esta situación de paulatina disminución de la inversión extranjera directa, se observa cómo las empresas españolas también han cambiado su posición con respecto al exterior y tienen una clara tendencia a invertir fuera de nuestras fronteras. El proceso de integración en los mercados exigía una importante transformación en la estrategia empresarial española, y las empresas tuvieron que reconsiderar su posición internacional; de hecho, desde 1994 las empresas españolas salen cada vez más al exterior aprovechando operaciones de ampliación de capital en sociedades o establecimientos en los que ya existía una cierta presencia española previa (Derbi, Chupa Chups, Fagor...). Para nuestras empresas resultaba algo difícil expandirse por Europa, pero sí que podían encontrar, de forma cómoda, una buena posición en el mercado iberoamericano, y ésa fue la principal dirección que se decidió emprender, ya que esta actuación se ha visto claramente favorecida por la creación de centros especializados de apoyo a las inversiones en estos países, como, por ejemplo, el Centro de Promoción de Inversiones para Iberoamérica.

Como consecuencia de este cambio de estrategia, en el período de **1995 a 1999** (cuadros 4.4 y 4.5) España se ha convertido en un país en el que las empresas nacionales han tenido una fuerte actividad inversora en el exterior, especialmente desde 1997. De hecho, en esta época España se ha situado en el grupo de cabeza dentro de la UE en volumen de inversión en el exterior junto con Alemania, Gran Bretaña, Francia y Países Bajos.

Esta posición se ha logrado porque las empresas españolas se han convertido en el principal inversor europeo en el ámbito iberoamericano. Estas inversiones en Iberoamérica han sido realizadas por empresas de muy diversas ramas productivas, pero se pueden destacar las efectuadas por el sector bancario (Banco Santander, Central Hispano y el Banco Bilbao Vizcaya), el energético (Repsol, Endesa, Gas Natural, Iberdrola y Unión Fenosa), el de telecomunicaciones (Telefónica) y el de transporte (Iberia), ya que han sido las más llamativas. Con respecto a los países de destino, se puede

Cuadro 4.4   Inversiones de España en el exterior (millones de euros)

	Directas				
	Total	Acciones	Otras formas de partici- pación	Financiación a empresas relacionadas	Inmuebles
1993	2.330	1.321	598	245	167
1994	3.178	1.784	1.581	−278	91
1995	3.096	1.768	817	445	66
1996	4.202	3.761	−45	389	97
1997	10.970	8.016	1.614	1.256	83
1998	16.509	11.970	1.718	2.657	163
1999 (en-mayo)	8.591	7.848	877	−213	79

FUENTE: Boletín Estadístico del Banco de España, agosto 1999.

Cuadro 4.5   Inversiones del exterior en España (millones de euros)

	Directas [a]				
	Total	Acciones no cotizadas	Otras formas de partici- pación	Financiación a empresas relacionadas	Inmuebles
1993	7.346	4.070	618	2.116	542
1994	7.555	4.942	1.064	651	898
1995	5.125	2.299	657	1.081	1.088
1996	5.125	1.931	1.086	840	1.269
1997	5.621	2.737	1.077	98	1.709
1998	10.152	1.439	2.629	3.890	2.195
1999 (en-mayo)	2.958	499	674	699	1.087

(a) En inversiones directas se incluyen las inversiones de cartera en acciones no cotizadas.
(b) Incluye inversiones directas en acciones cotizadas; no recoge las inversiones de cartera en accio- nes no cotizadas.

FUENTE: Boletín Estadístico del Banco de España, agosto 1999.

destacar que la mayor parte de estas inversiones, aunque con algunas mati- zaciones, se han dirigido especialmente a Argentina, Colombia, Brasil, Perú, Chile, México y Venezuela. Por último, el mecanismo normalmente utilizado por estas empresas ha sido, a diferencia del período anterior, la

	Cartera			TOTAL
Total	Acciones y participación en fondos de inversión	Bonos y obligaciones	Instrumentos del mercado monetario	
5.108	574	4.500	35	9.493
1.238	860	374	4	4.303
328	398	81	−152	3.858
2.806	604	2.165	37	7.675
14.374	4.630	9.618	125	25.328
38.600	9.071	28.017	1.512	57.293
26.546	5.644	20.531	371	36.366

	Cartera [b]			TOTAL
Total	Acciones cotizadas y participación en fondos de inversión	Bonos y obligaciones	Instrumentos del mercado monetario	
41.482	5.028	36.232	221	48.828
−16.997	900	−17.057	−839	−9.442
15.875	3.109	11.425	1.340	20.999
2.356	73	1771	511	7.481
11.068	−171	11.332	−93	16.689
15.353	9.265	7.879	−1.791	25.506
14.591	1.977	12.157	457	17.549

adquisición de acciones de empresas de dichos territorios (cotizadas y no cotizadas); no obstante, también se han seguido utilizando las ampliaciones de capital como mecanismo complementario para mantener el control de las empresas en las que se estaba invirtiendo.

149

Cuadro 4.6   Otras inversiones (millones de euros)

	De España en el exterior							
	Total	**AA.PP.**		**Otros sectores residentes**		**Sistema crediticio**		
		L.P.	**C.P.**	**L.P.**	**C.P.**	**L.P.**	**C.P.**	
1993	54.027	524	–32	201	5.750	544	47.041	
1994	–8.136	503	–	233	3.549	1.452	–13.874	
1995	27.693	299	10	785	6.423	1.648	18.491	
1996	–1.842	329	50	1.419	3.846	–626	–6.860	
1997	1.555	295	37	2.042	10.350	1.945	–13.113	
1998	21.625	291	97	961	16.707	1.117	2.452	
1999 (en.-mayo)	20.473	82	3	–179	1.079	5.197	14.291	

AA.PP.: Administraciones públicas; L.P.: largo plazo; C.P.: corto plazo.

FUENTE: Elaboración propia con datos del Boletín Estadístico del Banco de España, agosto 1999.

Sin perjuicio del interés que poseen las inversiones españolas en Iberoamérica, conviene resaltar que las empresas españolas también han buscado tomar posiciones en otros territorios. En concreto, también se han realizado ciertas inversiones en el norte de África, especialmente Marruecos, aunque éstas se han caracterizado por ir dirigidas a sectores muy concretos: sector textil, agroalimentario, turismo y servicios financieros.

En definitiva, la evolución de las inversiones directas y en cartera durante los últimos años indica que la economía española tiene una clara tendencia a aumentar su internacionalización, lo que demuestra una nueva estrategia empresarial basada en un contexto de mayor globalización y con mayores perspectivas de futuro.

b)   Otras inversiones: préstamos y depósitos

Aunque desde 1985 en España se había acelerado mucho el proceso de transformación del sector financiero, con nuevos instrumentos, mejora de los mercados y aumento de las instituciones, realmente es a partir de 1995 cuando se pueden observar claramente las repercusiones que todas estas transformaciones tienen en nuestras relaciones financieras con otros países (cuadro 4.6). Además del propio proceso de cambio en el sistema financiero, las autoridades habían establecido desde principios de la década de los

	Del exterior en España					
Total	AA.PP.		Otros sectores residentes		Sistema crediticio	
	L.P.	C.P.	L.P.	C.P.	L.P.	C.P.
14.428	998	−292	3.387	400	1.216	8.719
9.624	1.466	960	−610	425	447	7.787
4.647	718	459	−184	546	4.214	−1.106
13.642	499	−657	−1.330	606	3.912	10.612
17.790	−119	139	291	252	3.090	14.135
40.176	529	337	2.763	1.557	11.462	23.528
23.896	285	−122	1.769	2.859	6.990	12.114

años noventa una serie de medidas favorecedoras para este otro tipo de movimiento de capital. Sin embargo, la situación de la economía española no favoreció durante el período **1992-1995** una adecuada evolución del mismo. Durante esta etapa se produjo una clara tendencia a la reducción a la entrada de inversiones en préstamos y depósitos en los sectores crediticio y otros sectores residentes, mientras que todavía se mantienen importantes entradas de préstamos a largo plazo destinados a las Administraciones públicas.

Desde 1995, una vez que España entra en un claro proceso de recuperación económica, consigue estabilizar su moneda (tras la cuarta devaluación) y se acerca en tipos de interés al resto de los países de la UE; se ha producido un aumento en la entrada de fondos extranjeros esencialmente a corto plazo y dirigidos a depósitos en el sistema crediticio. Un factor que explica el destino tan concreto de este tipo de inversiones es la importante alteración que se ha producido en las preferencias de los ahorradores españoles: las familias han tendido a reducir sus depósitos en pesetas y colocar sus ahorros en fondos de inversión, lo que ha obligado a las instituciones del sistema crediticio a financiarse en moneda extranjera. En principio, es previsible que este tipo de inversiones del exterior se sigan manteniendo en un futuro con las mismas características detectadas a partir de 1998, ya que para que se produjera una nueva modificación sería necesario que se alterasen las preferencias de los ahorradores españoles o la tendencia al recurso al exterior de las instituciones de depósito.

En líneas generales, se puede afirmar que la financiación de la economía mediante préstamos y depósitos exteriores ha estado condicionada por la capacidad de financiación que ha tenido la propia economía española; de hecho, este mecanismo de financiación ha sido muy utilizado cuando se han presentado circunstancias extraordinarias que han provocado una importante falta de financiación a nivel interno. En definitiva, se puede decir que es una vía complementaria de captación de fondos que se utiliza debido a nuestra propia incapacidad para obtener financiación interna en determinadas situaciones.

Con respecto a las otras inversiones realizadas por España en el exterior, se puede destacar cómo los sectores residentes que no son Administraciones públicas ni sistema crediticio han ido paulatinamente aumentando sus préstamos y depósitos a corto plazo convirtiéndoles en el sector más activo en este tipo de operaciones. Este fenómeno está, en parte, explicado por el mayor nivel de préstamos entre empresas, lo cual es lógico teniendo en cuenta el claro proceso de internacionalización que han demostrado tener las empresas españolas en los últimos años.

En definitiva, cuando se analizan los movimientos de capitales realizados con otros países en el período 1985-1999 se observa un importante cambio tanto en el tipo de inversiones como en los sectores a los que se dirigen. De hecho, si bien hasta principios de la década de los años noventa España era un buen receptor de inversiones extranjeras directas, a lo largo de dicha década se ha ido convirtiendo en una economía mucho más internacionalizada en la que las inversiones hacia el exterior han crecido de forma espectacular y en donde el funcionamiento de los mercados financieros y la diversificación de los activos financieros ofrecidos han permitido ir captando más fondos tanto en activos de renta variable como en activos de renta fija.

3. Financiación crediticia

En España la financiación crediticia ha tenido tradicionalmente un papel primordial dentro de la política financiera de la economía debido al tardío desarrollo de los mercados de capitales y a la dificultad de financiación exterior. Y si bien las Administraciones públicas han recurrido a la financiación mediante emisión de deuda negociable con carácter general desde 1984, la empresa española ha seguido dependiendo principalmente de la financiación bancaria. Las empresas españolas cubren más de un 50% de sus necesidades financieras externas mediante préstamos y créditos bancarios, situación muy diferente al caso de las empresas americanas, donde menos de un 10% de la financiación externa procede del sector crediticio.

3.1 Evolución general

Al analizar la evolución de la financiación crediticia en nuestro país es imprescindible destacar las fluctuaciones que la misma ha tenido desde 1987. En el período 1987 a 1989 se produjo un importante aumento en la demanda de dinero y el Banco de España se vio obligado a imponer límites a los créditos con el objetivo de evitar una subida excesiva en los tipos de interés. Una de las consecuencias más claras de esta medida fue el relativo crecimiento que, en 1988, lograron los pagarés de empresa como mecanismo de financiación a corto plazo de las empresas.

Por otro lado, desde que España entró en 1989 en el SME hasta la crisis del sistema en 1992 nuestro país tuvo claras dificultades para controlar el tipo de cambio de cambio en la banda establecida. Estas tensiones de tipo de cambio tuvieron repercusiones en la liquidez interna y provocaron en más de una ocasión medidas correctoras por parte del Banco de España con las consiguientes tensiones en tipos de interés y en la financiación crediticia; de hecho, aunque los tipos de interés tendieron a la baja, no lo hicieron de forma pronunciada, manteniéndose todavía a niveles relativamente elevados. En 1989 el tipo de interés en las subastas de préstamos del Banco de España era del 14%, y el tipo de interés interbancario a un año se situó en el 15,1%, mientras que en 1992 estos tipos de interés estaban en el 12,8% y el 13,3% respectivamente.

Desde finales de 1992 hasta principios de 1995, gracias a las devaluaciones efectuadas, se pudieron bajar los tipos de interés y se mejoraron las condiciones de los créditos (en 1995, los tipos de interés de las subastas de préstamos del Banco de España ya habían bajado hasta el 8,8%, y el interbancario a un año había descendido al 10%); sin embargo, la situación de crisis existente en España aumentó el riesgo asociado a los mismos, y esto, unido al aumento de la morosidad, provocó una clara disminución en la concesión de créditos al sector privado.

A partir de 1995, a medida que se ha ido recuperando la economía española, han mejorado las expectativas de renta y se ha mantenido una política de moderación en los tipos de interés, como consecuencia de nuestro proceso de convergencia hacia los otros países de la UE; el nivel del crédito dirigido hacia el sector privado de la economía ha aumentado, entre otras cosas por la fuerte demanda de crédito que este sector ha demostrado.

Esta favorable situación ha provocado ciertas alteraciones a considerar. En primer lugar, ha incentivado en los últimos años la actividad crediticia de determinadas entidades financieras de crédito; no obstante, los bancos y las cajas de ahorro siguen siendo la principal fuente de financiación crediticia a nivel nacional. Este hecho puede explicarse debido a la importante relación que mantienen los bancos con la industria y a que ambas instituciones pueden acceder fácilmente a la clientela gracias a su amplia red de sucursales, lo que les permite tener una posición impor-

Cuadro 4.7   Crédito en las empresas no financieras (millones de euros)

	1990	1991	1992
Total pasivos financieros	347.128	382.143	410.154
Total de créditos	209.853	238.716	256.243
1. **Créditos en pesetas**	190.816	212.386	216.618
1.1 Instituciones de crédito	119.844	133.908	136.969
1.1.1 Otras instituciones monetarias	93.974	112.639	115.589
1.2 Empresas no financieras y familias	64.705	71.899	73.429
1.2.1 Empresas no financieras	52.800	58957	60.212
2. **Créditos en moneda extranjera**	19.036	26.330	39.625

FUENTE: Cuentas financieras anuales de la economía española 1989-1998. Banco de España.

tante en el crédito de consumo a las familias y a las pequeñas y medianas empresas.

En segundo lugar, gran parte del aumento del crédito se materializó en una evolución muy favorable del crédito con garantía real, lo cual se puede explicar por la necesidad que tenían las entidades de crédito, las más activas en esta cuestión, de adaptar sus balances a las normativas existentes sobre recursos propios y supervisión y de control de riesgos (recuadro 4.2 del Anexo). En realidad, este tipo de operaciones resultan más adecuadas para las entidades de crédito, ya que están menos penalizadas en riesgo en el cómputo del coeficiente de recursos propios, lo que incentiva su utilización.

Por último, se ha producido cierta transformación en el peso de cajas de ahorro y bancos dentro del mercado crediticio. El aumento en la demanda de crédito se ha producido en un contexto en el que existe una clara tendencia a un cambio en la composición de la cartera de los ahorradores. De forma tradicional, gracias a su extensa red de sucursales, tanto bancos como cajas de ahorro estaban acostumbrados a captar gran parte de sus fondos a través de los depósitos; sin embargo, desde mediados de la década de los noventa, el ahorro privado ha manifestado una mayor preferencia por los fondos de inversión en lugar de por los depósitos, fenómeno que ha afectado esencialmente a los bancos. Esta situación es lo que explica que desde mediados de los noventa las cajas de ahorro españolas hayan ido aumentando su posición en el mercado crediticio, ya que sus depósitos se han visto mucho menos afectados y, por tanto, han tenido más posibilidades para la concesión de créditos en unas condiciones bastante favorables para los demandantes.

En líneas generales, se puede afirmar que la recuperación de la economía española en los últimos años, la tendencia a la baja en los tipos de interés y la mayor internacionalización de la economía son factores que están incentivando la financiación crediticia en España, pero se están producien-

1993	1994	1995	1996	1997	1998
438.165	462.801	486.845	539.924	609.144	721.740
262.672	279.707	295.942	307.746	343.088	386.083
216.150	233.119	250.455	261.661	292.270	329.356
131.528	135.847	145.314	152.301	170.892	195.934
113.350	122.608	132.267	139.006	156.766	180.233
78.249	90.336	98.562	102.947	115.181	126.680
64.086	76.696	85.355	92.652	104.469	116.292
48.522	46.587	45.488	46.085	50.818	56.728

do ciertas modificaciones en sus características: tanto en el tipo de crédito que se concede como en los agentes que participan en este tipo de operaciones (está aumentando el nivel de participación de otras entidades financieras de crédito y del resto del mundo).

3.2 Financiación crediticia en las empresas no financieras

Durante mucho tiempo el crédito ha sido uno de los mecanismos habituales para la financiación de las empresas españolas tanto para solucionar problemas de tesorería, típico crédito a corto plazo, como para la realización de sus inversiones productivas, crédito a medio y largo plazo. En el período 1990-1998 (véase el cuadro 4.7) el recurso al crédito como un mecanismo de obtención de fondos ha sido muy claro, superando hasta 1995 el 60% de los pasivos financieros de las empresas no financieras; sin embargo, aunque desde esa fecha sigue representando más del 50%, se observa cierta tendencia a su disminución. Evidentemente, el aumento de la autofinanciación y la favorable evolución experimentada en otras formas de captación de recursos son factores que incentivan dicha disminución. Pese a esta nueva tendencia, conviene destacar que algunos de los aspectos tradicionalmente asociados a la financiación crediticia del sector de empresas no financieras (las operaciones dentro del propio sector y las relaciones con las instituciones de crédito) apenas han sufrido alteración a lo largo del período.

Las instituciones de crédito, especialmente los bancos y cajas de ahorro, siguen siendo la principal fuente de créditos para el sector empresarial no financiero ya que ellas cubren más del 50% de los créditos en pesetas que obtiene este sector. Por otro lado, el crédito concedido por otras empresas no financieras dentro del pasivo financiero de este tipo de empresas continúa en segundo lugar de importancia, aunque conviene destacar que su porcentaje fue creciendo hasta alcanzar en 1998 el 35% sobre el total de créditos obtenidos en pesetas.

En donde sí se ha producido un cambio considerable es en la importancia del sector exterior y en el nivel de créditos en moneda extranjera. Los pasivos financieros en moneda extranjera pasan de 19.036 millones de euros en 1990 a 56.728 millones en 1998. Este crecimiento se debe a la mayor relación con el resto del mundo, lo que es una prueba más del proceso de internacionalización que las empresas españolas han realizado a lo largo de la década de los noventa.

4. La autofinanciación empresarial

4.1 Recursos generados, dividendos y autofinanciación

La capacidad de las empresas para generar recursos se resintió fuertemente durante los primeros años noventa por el agotamiento de la fase expansiva de la economía iniciada a mediados de la década anterior. El panorama cambió sustancialmente a partir de 1994, como puede apreciarse en el gráfico 4.1, que muestra la evolución de la tasa de crecimiento de los recursos generados netos de impuestos [1] para las empresas que remiten información a la Central de Balances del Banco de España (CB). En efecto, desde ese año las empresas han generado en cada ejercicio más recursos que en el anterior, permitiendo de ese modo tanto el crecimiento de los dividendos como el de los fondos destinados a autofinanciación.

Gráfico 4.1   Recursos generados, autofinanciación y dividendos.
Tasas de cto. sobre las mismas empresas del año anterior

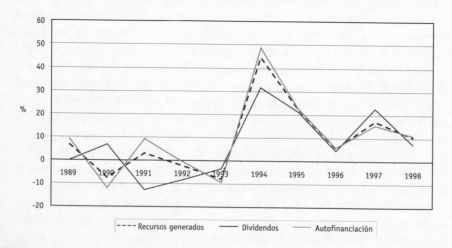

Entre 1994 y 1998 los recursos generados por las empresas de la CB crecieron a un promedio anual del 20,1%, los dividendos al 17,4% y la autofinanciación al 20,9%. La variabilidad ha sido, sin embargo, notable, reflejando en líneas generales la evolución económica general. Los años de mayor crecimiento fueron los dos inmediatos tras la salida de la recesión, sobre todo 1994. En 1996, la desaceleración de la economía durante algunos trimestres redujo notablemente el crecimiento de estas variables, que volvió a recuperarse en 1997.

La distribución de los recursos generados entre dividendos y autofinanciación se ha mantenido dentro de una pauta bastante estable. Desde 1994 los dividendos han oscilado entre el 20% y el 23% de los citados recursos, liberando para la autofinanciación entre el 77% y el 80% restante.

4.2 La autofinanciación en el cuadro general de la financiación de la empresa

Para comparar la autofinanciación con el resto de las fuentes de financiación empresarial se puede utilizar la información sobre operaciones patrimoniales de recursos propios y pasivo de las empresas de la CB. Las operaciones patrimoniales miden las variaciones entre el balance inicial y el final de cada ejercicio que resultan de operaciones reales. Se excluyen, por lo tanto, las variaciones que tienen un origen meramente contable o, como en el caso de las pérdidas y ganancias de capital para los recursos propios, no proceden de verdaderas transacciones. Las operaciones patrimoniales de pasivo, incluyendo en este concepto las operaciones de recursos propios, permiten aislar, de este modo, los flujos que financian de una manera más genuina a las empresas.

El cuadro 4.8 presenta un desglose de las operaciones de pasivo para el período 1991-1998. En él puede apreciarse que la autofinanciación es el principal recurso financiero de las empresas de la CB y que su peso en el total aumentó significativamente durante los años centrales de la década. Lo mismo puede decirse de los recursos netos aportados por los accionistas, lo que pone de manifiesto que durante el período de recuperación tras la recesión de 1992-1993 se acentuó el predominio de los recursos propios sobre los recursos ajenos en la financiación de las empresas. Para explicar este comportamiento hay que tener en cuenta que, tras la recesión, las incertidumbres sobre la evolución económica limitaron la adopción de planes de inversión, con la consiguiente reducción de la demanda de fondos ajenos (y propios, pero éstos en menor medida por las amortizaciones), y que, además, tras la recesión, la mayoría de las empresas adoptaron políticas de reducción de deuda para aliviar la carga financiera.

Los datos referentes a los dos últimos años del período (1997 y 1998) indican que, si bien la autofinanciación sigue siendo el principal recurso fi-

Cuadro 4.8   Operaciones patrimoniales de las empresas. Pasivo (porcentajes sobre el total)

Bases Central de Balances*	1991	1992
N.º empresas	7.206	7.178
Años	1991	1992
Total operaciones patrimoniales	100,0	100,0
Autofinanciación	35,1	46,6
Accionistas (neto)	17,4	12,6
Subv. de capital y otras aport. de r. propios	2,4	−6,6
Entidades de crédito	15,2	19,6
Valores (empréstitos)	3,4	5,5
Proveedores y otros acreedores comerciales	12,1	−3,2
Otros acreedores no comerciales	1,9	0,2
Otras aportaciones de recursos ajenos	9,8	19,6
Provisiones riesgos y gastos	2,7	5,8
Pro memoria:		
Total operaciones patrimoniales (M.M. ptas.)	5.535,6	4.039,2
Recursos propios (%)	54,9	52,6
Recursos ajenos (%)	42,4	41,6
Prov. riesgos y gastos (%)	2,7	5,8

(*) Las empresas disponen de dos años para remitir la información referida a cada ejercicio. La «base de datos» indica el año en el que remitieron la información utilizada en el cuadro.

FUENTE: Central de Balances (Banco de España).

nanciero de las empresas, se está produciendo una recuperación de la financiación ajena, sobre todo de la bancaria, sin duda apoyada por el descenso de los tipos de interés. Todos estos movimientos se están produciendo en un contexto de fuerte aumento del total de los fondos aplicados a la financiación empresarial, consistente con el afianzamiento de favorables expectativas económicas.

5.   Financiación mediante instrumentos negociables

Hasta la segunda mitad de los años noventa, las empresas españolas no han utilizado los mercados de capitales para financiarse de forma habitual. Diversas razones pueden explicar esta falta de apelación directa al ahorro:

1993	1994	1995	1996	1997	1998
7.336	7.838	8.111	8.019	7.716	5.877
1993	1994	1995	1996	1997	1998
100,0	100,0	100,0	100,0	100,0	100,0
45,5	65,9	64,7	96,2	62,9	52,0
28,6	26,6	30,2	30,4	13,4	8,0
−2,1	1,6	−0,8	−9,3	−5,0	−2,5
−6,4	−5,6	3,1	−33,9	10,7	11,5
−1,6	−12,0	−10,5	−9,5	−2,5	−1,0
10,4	15,0	10,6	13,0	9,3	11,4
7,7	7,8	3,7	4,5	3,4	3,0
16,2	0,1	−1,1	5,3	6,6	17,2
1,8	0,7	0,1	3,2	1,3	0,3
3.701,8	3.910,8	5.084,9	3.622,4	6.139,3	7.531,3
72,0	94,0	94,1	117,4	71,2	57,5
26,2	5,3	5,8	−20,5	27,5	42,2
1,8	0,7	0,1	3,2	1,3	0,3

— Vínculo entre las entidades crediticias y la industria.
— Facilidad de financiación crediticia, sobre todo en términos de accesibilidad más que de coste.
— Moderado dinamismo inversor y falta de proyectos empresariales.
— Falta de cultura empresarial de acceso al mercado.
— Falta de agentes comercializadores de valores.

Estas razones se unen a la falta de interés de las familias españolas por colocar su ahorro en este tipo de valores, debido a:

— Preponderancia de los depósitos bancarios.
— Elevada aversión al riesgo, en la que ha influido el escenario de elevada tasa de inflación.

— Inversión en valores, centralizada en la deuda pública.
— Inversión en vivienda como alternativa al ahorro financiero.

Bien fuera por causas atribuibles a la falta de oferta de valores o a la demanda de los mismos, lo cierto es que los mercados de capitales en España no se desarrollaron hasta que la Ley del Mercado de Capitales de 1988 proporcionó un marco de regulación moderno. A pesar de ello, sólo recientemente las empresas han utilizado los mercados de capitales como fuente de financiación. Dos factores han resultado fundamentales para su despegue. En primer lugar, el desarrollo de los fondos de inversión. Este producto de ahorro ha alcanzado tal popularidad a partir de 1991, debido a su favorable tratamiento fiscal, que ha llegado a desplazar a los depósitos bancarios como ahorro principal de las familias. En principio, los fondos de inversión se colocaron casi exclusivamente en deuda pública, pero la reducción intensa de los tipos de interés y la reducción de la oferta de deuda pública, como resultado de la reducción del déficit público español, han ido dirigiendo la cartera de los fondos de inversión hacia valores de renta variable y de renta fija privada.

El segundo factor que ha contribuido a favorecer el mercado bursátil ha sido la política de privatizaciones, especialmente en el trienio 1997-1999[2]. La oferta de acciones de grandes empresas públicas con beneficios, normalmente con un descuento sobre el precio de salida, ha constituido una ocasión importante para fomentar el interés de los pequeños ahorradores por este mercado. No hay que dejar de señalar que habitualmente las ofertas públicas de valores se hacen con mucha publicidad, que precisamente pretende captar la atención de la gente. En el trienio mencionado las familias españolas han pasado de poseer un 5% de las acciones cotizadas en Bolsa a tener más de un 30%.

5.1 El *big-bang* de los mercados de capitales

Aunque hubo intentos a lo largo de la década de los años setenta[3] para impulsar los mercados de valores españoles, las iniciativas no fraguaron en un desarrollo efectivo del mercado, y hay que esperar hasta la entrada en vigor de la Ley 24/1988, de 28 de julio, del Mercado de Valores (LMV). Esta ley supuso una radical transformación de nuestros mercados, facilitando la emisión de valores y mejorando la eficiencia de las bolsas, tanto en términos de tecnología como en la profesionalización de los intermediarios. El objetivo de la reforma de la regulación de los mercados de valores fue impulsar un mercado de capitales eficaz. Así el desarrollo del mercado español resultó favorecido por el marco de una legislación moderna y por la existencia de un sistema de negociación electrónica.

Son muchos los puntos en los que la ley de 1988 supuso novedades respecto a la situación anterior. Entre otros temas se puede destacar que la ley reconoció la desmaterialización de los valores, que ya no necesitarían de un soporte físico, como era el caso de los títulos, se profesionalizaron los intermediarios que intervienen en las transacciones de los mercados de valores[4], se reconoció el carácter de mercados oficiales a las bolsas de valores[5], se adoptó un sistema de negociación electrónica de valores (SIB) y también se introdujeron los principios de la llevanza del registro, compensación y liquidación de valores que se encomendó a una institución de nueva creación, el Servicio de Compensación y Liquidación de Valores (SCLV)[6]. Por último, la LMV creó la Comisión Nacional del Mercado de Valores (CNMV) como órgano regulador y supervisor de los mercados de valores y de las instituciones que en ellos operan[7].

En toda la reforma del mercado de valores subyacían dos principios fundamentales: la protección del inversor y la integridad de los mercados. La transparencia informativa se declaraba fundamental para su logro, aparte del cumplimiento de ciertos requisitos técnicos y de solvencia por los mercados y por los intermediarios.

Uno de los principios generales establecidos en la ley fue el de libertad para los emisores, quienes podían desde entonces emitir sin necesidad de autorización administrativa previa. También podían elegir las características de las emisiones, el procedimiento de colocación y el colectivo a quien fuera dirigido. Las empresas que quisieran emitir deberían enviar a la CNMV una comunicación previa de sus intenciones y la documentación acreditativa del acuerdo de emisión tomado por la empresa y registrar en la CNMV un folleto de emisión.

Es decir, el nuevo marco regulador reducía la responsabilidad del control público de la emisión y la transfería al control ejercido por los propios inversores, a los que se debería informar de todas las características y circunstancias que rodearan el negocio. El Estado dejaba de tener responsabilidad en la autorización de las emisiones a tener responsabilidad en el establecimiento de los requisitos de información. Serían los inversores los que deberían juzgar la calidad de las emisiones y de las empresas emisoras.

La información necesaria que acompaña a la decisión de la emisión, y que continúa durante la vida de ésta, se divide en tres tipos:

— *Información de la emisión*: es necesario realizar una comunicación previa de la decisión de emitir, y posteriormente es necesario enviar a la CNMV el acuerdo de emisión por los órganos gestores de la empresa y el registro de un folleto de emisión. Este documento contiene toda la información relevante de las características concretas de la emisión y de la empresa emisora, de la que se incluyen, además, los estados financieros y las cuentas anuales auditadas.

— *Información periódica*: con carácter trimestral, semestral y anual, las empresas que hayan emitido valores han de remitir información sobre la marcha del negocio y sobre los estados financieros de las mismas. Además, las empresas están obligadas a depositar en la CNMV las cuentas anuales auditadas junto con el informe de gestión y otros documentos que compongan el informe anual.

— *Información de carácter puntual*: es obligatorio publicar aquellos hechos relevantes que pudieran influir sobre la marcha del negocio y por tanto sobre la valoración de los activos emitidos por las empresas. Éste puede ser el caso de decisiones de planes empresariales, fusiones, acuerdos con otras empresas, etc. Otra información de carácter puntual que se debe remitir al mercado son las participaciones significativas, o acciones poseídas por los miembros del gobierno de las empresas, y la autocartera de las compañías. Estas dos comunicaciones son importantes porque proporcionan transparencia sobre las decisiones de tenedores de acciones (miembros del consejo o directivos, o la propia empresa), que están mejor informados que el resto de los accionistas.

La CNMV es depositaria de la información suministrada por los emisores, verifica que sus contenidos, plazos y formatos se ajusten a los requisitos legales de transparencia y facilita su difusión para que el inversor pueda tomar sus decisiones con pleno conocimiento de causa. El folleto es la pieza principal de la información al mercado de las emisiones y debe indicar el precio, la rentabilidad y sobre todo el riesgo asociado a la inversión. Hay que señalar que la CNMV no verifica la veracidad de la información allí contenida, que corresponde a los órganos de administración de la empresa y a los auditores, sino que comprueba el cumplimiento de los requisitos legales. De todas formas, la CNMV puede denegar el registro del folleto, y por tanto la emisión, si percibe que la información proporcionada es insuficiente, y también puede sancionar si la información fuera inexacta, engañosa o sesgada.

La LMV fue modificada por la Ley 37/1998, de 16 de noviembre, de reforma de la Ley 24/1988 del Mercado de Valores. La Ley de Reforma de la LMV (LRLMV) básicamente ha introducido cambios necesarios para trasponer a la normativa española la Directiva Europea de Servicios de Inversión, que entró en vigor en 1996. Adicionalmente la LRLMV adapta ciertos preceptos de la LMV a una sentencia del Tribunal Constitucional (16 de julio de 1997) que reconoce las competencias de algunos Gobiernos autonómicos en materia de mercados de valores ubicados en su territorio. Por último la LRLMV introduce algunas otras reformas importantes. Entre las referidas a los mercados primarios de emisión se destaca la regulación de nuevos instrumentos de financiación empresarial, como la posibilidad de emitir participaciones preferentes, acciones sin voto y acciones rescatables.

También se flexibilizaron los requisitos para el ejercicio de los derechos de suscripción preferente y para su exclusión, medida que se dirige a incentivar las ampliaciones de capital.

5.2 La financiación empresarial mediante renta variable

La decisión de las empresas entre financiarse mediante endeudamiento o por toma de capital depende de múltiples factores. Así por ejemplo las empresas tendrán en cuenta sus objetivos sobre la estructura de su accionariado, el grado de exposición deseado a las fluctuaciones en los tipos de interés (según cual sea la actividad productiva de la empresa), la prima de riesgo de la empresa si acude al endeudamiento, el tratamiento fiscal relativo entre una u otra vía de financiación, etc.

Hasta 1998 la financiación mediante toma de capital accionarial ha sido casi insignificante para las empresas españolas. Las causas se encuentran tanto del lado de la propia actividad empresarial como de la mayor facilidad relativa de acudir a otras vías de financiación. En realidad la falta de utilización de los mercados de capitales ha sido una constante en España. Así, el número de empresas cuyas acciones se encuentran cotizando en Bolsa es muy reducido en comparación con otros mercados europeos. De las empresas que ya están listadas en las bolsas españolas, sólo muestran una cierta actividad de negociación las que se encuentran en el mercado continuo, y de ellas, sólo un 25% de las mismas han acudido a tomar fondos vía ampliaciones de capital.

Cuadro 4.9   Empresas cotizadas en Bolsa

Número	1995	1996	1997	1998	1999
Total	306	284	279	259	279
en el mercado continuo (SIB)	127	134	143	149	148

Nota: Se han eliminado las SIM y sociedades de cartera listadas en los corros de bolsas.

FUENTE: CNMV.

Cuadro 4.10   Empresas cotizadas. Financiación

Número de emisores	1995	1996	1997	1998
Ampliando capital	52	21	36	44
Reduciendo capital	10	15	18	23

FUENTE: CNMV.

Cuadro 4.11   Ampliaciones de capital

Millones de euros	1990	1991	1992
Total importes registrados	1.090,8	1.047,6	1.527,8
por emisión de nuevas acciones	1.090,8	1.047,6	1.527,8
por elevación del nominal	0,0	0,0	0,0
Total importes colocados	873,3	1.072,4	981,6

FUENTE: CNMV.

El relativo dinamismo que se registra en la segunda mitad de los años noventa responde a una época de bonanza económica, especialmente tras la recesión de 1992-1993. En esta nueva etapa se ha asistido a un mayor interés de los inversores por la renta variable, lo que puede haber animado la oferta de valores. Es un hecho aceptado que existe una correlación positiva entre las emisiones de acciones y la actividad bursátil. Esta relación puede explicarse porque en etapas de mayor animación del mercado las empresas tienen que pagar un menor precio por salir al mercado. La demanda resulta animada por las perspectivas de revalorización bursátil y la prima exigida a la renta variable disminuye.

Los importes de financiación mediante renta variable, en cualquier caso, siguen siendo muy reducidos hasta 1996, a pesar de que la economía había remontado en 1994 los peores momentos de la crisis. Es a partir de 1997 cuando la reactivación de la actividad se empieza a reflejar en las emisiones, y especialmente en 1998 y 1999. Gran parte de la demanda de capital en estos años está relacionada con procesos de restructuración de negocios (por ejemplo fusiones de empresas), reestructuración de las finanzas (sustitución del endeudamiento por capital) o planes de expansión geográfica o de nuevas líneas de negocio. En estos casos las ampliaciones de capital pueden estar combinadas con otras operaciones, como una oferta pública de venta de las acciones (OPV) si se quiere aprovechar para dar salida o entrada a ciertos socios.

Las ampliaciones de capital registraron en 1997 un aumento del 74% sobre las cifras del ejercicio precedente, y las cifras de 1998 fueron espectaculares, 1,5 billones de pesetas. No obstante, se produjeron dos operaciones extraordinarias [8] que distorsionan la imagen proporcionada por las cifras. Pero incluso descontando las operaciones extraordinarias, las ampliaciones de capital más que triplicaron la cifra de 1997. Además también aumentó tanto el número de empresas que se deciden por esta vía de obtención de recursos como el importe de las emisiones.

El concepto de oferta pública puede equipararse al de emisión, dado que implica la decisión de acudir al mercado ofreciendo a potenciales inversores la posibilidad de entrar en el capital de la empresa compran-

1993	1994	1995	1996	1997	1998	1999
2.154,0	3.211,8	911,1	456,8	792,7	8.792,8	7.941,6
2.152,8	3.189,6	911,1	456,8	792,7	8.792,8	7.941,6
1,2	22,2	0,0	0,0	0,0	0,0	0,0
1.765,1	2.718,9	842,9	370,5	793,1	5.782,4	8.269,1

do acciones nuevas (OPS) o viejas en manos de un accionista que desea desprenderse de ellas (OPV). Las OPV pueden tener lugar en empresas que ya estaban cotizando en bolsa, pero también pueden conllevar la decisión de la empresa de acudir a los mercados bursátiles por primera vez [9].

En España las OPV han sido muy voluminosas en los años 1997 y 1998 debido al proceso privatizador de empresas públicas. En ambos años, las OPV han superado el billón de pesetas, lo que resulta extraordinario en el ámbito español, donde las cifras de emisiones de renta variable raramente han alcanzado importes de 100,000 millones de pesetas. El récord de volumen de ofertas públicas de valores se alcanzó en 1997, con 1,3 billones de pesetas de importe ofertado en España. En ese año el Estado español ofreció al público parte de sus participaciones en empresas tales como Endesa, Telefónica, Repsol, Aceralia o Aldeasa. En 1998 también se produjeron importantes privatizaciones, como fue el cuarto y último tramo de la privatización de Endesa (por un importe superior al billón de pesetas), la cuarta privatización de Argentaria y la privatización de más de la mitad del capital (52,4%) de Tabacalera.

También 1997 fue un buen año para las OPV privadas. Aparte de registrarse ofertas de un cierto importe, destacaron las ofertas (que en muchos casos eran parejas a la salida a Bolsa) de empresas que alcanzaron popularidad entre la comunidad inversora. En 1997 se realizó la OPV de Telepizza, como paso previo a su salida a Bolsa, y la OPV y salida a Bolsa de Adolfo Domínguez; en 1998 tuvo lugar la de Hoteles Meliá. En estos años se produjeron otras OPV y salidas a Bolsa por importes superiores a los de las empresas mencionadas, pero lo importante de los nombres señalados es que captaron el interés del público ahorrador quizá porque estaba familiarizado con las mismas. Las OPV privadas se paralizaron algo durante 1998 por el freno registrado en la tendencia alcista de los mercados bursátiles, en gran medida debido a la incertidumbre sobre la política monetaria norteamericana. Sin embargo, a finales de 1998 existían muchos planes de ofertas de valores por empresas privadas que han esperado a poder realizarse a lo largo de 1999.

Cuadro 4.12   Ofertas públicas

Número	1995	1996	1997	1998	1999
Total	7	11	23	27	20
Ofertas públicas de venta	6	10	20	24	16
Ofertas públicas de suscripción	1	1	3	3	4

FUENTE: CNMV.

Cuadro 4.13   Ofertas públicas: importes registrados (miles de millones de euros)

	1995	1996	1997	1998	1999
Total	2.543,6	2.450,2	11.272,4	11.199,4	61.176,9
en el mercado nacional	1.575,4	1.472,8	8.099,2	9.092,2	59.202,1
Ofertas públicas de venta	2.543,6	2.206,8	11.101,4	10.820,6	56.835,7
en el mercado nacional	1.575,4	1.375,5	7.928,1	8.857,8	54.973,0
Ofertas públicas de suscripción	0,0	243,4	171,0	378,8	4.341,2
en el mercado nacional	0,0	97,4	171,0	234,4	4.229,1

FUENTE: CNMV.

5.3   El endeudamiento privado: las emisiones de renta fija

Alternativamente, las empresas también pueden recurrir al endeudamiento. Esta fuente de financiación ha sido utilizada en mayor medida que la renta variable, aunque tampoco su volumen ha sido sustantivo. Grosso modo se puede afirmar que las emisiones de renta fija privadas han representado alrededor de una décima parte de las emisiones realizadas por las Administraciones públicas, aunque la diferencia entre las emisiones realizadas por el sector público y por el sector privado disminuye en 1998 y 1999 como consecuencia de fuerzas en ambos sentidos: por una parte la reducción de las necesidades de endeudamiento público, y por otra parte la promulgación de normas que favorecen la emisión de valores de renta fija.

Así durante 1998 se produjeron diversas iniciativas que contribuyeron a impulsar los mercados de renta fija [10]. Entre estas medidas se pueden destacar el abaratamiento del coste de la emisión al ajustarse las tasas de registro y de admisión a cotización, la eliminación del requisito de escritura pública en las emisiones de pagarés, la simplificación de los folletos de emisión o la mejora del tratamiento fiscal de la renta fija privada, especialmente cuando se adquiere por personas jurídicas. Junto con estas medidas que están orientadas a facilitar la oferta de valores por las empresas, hay que mencionar la posibilidad de utilizar los valores de renta fija por los bancos como garantía para obtener liquidez del SEBC, lo cual supone un importante incentivo a su demanda.

Cuadro 4.14   Emisiones de renta fija privada registradas en la CNMV

Miles de millones de euros	1990	1991	1992	1993	1994	1995	1996	1997	1998
Cédulas hipotecarias	1.639	1.834	1.670	2.601	1.943	2.959	2.042	2.209	3.093
Bonos y obl. no convertibles	3.482	4.291	3.575	6.660	7.549	3.773	4.886	5.707	6.026
Bonos y obl. convertibles	691	730	633	69	129	6	107	163	452
Bonos de titulización	0	0	0	241	239	129	1.293	239	3.245
Pagarés	5.514	10.408	14.614	12.788	9.691	6.010	5.415	4.640	5.061

FUENTE: CNMV.

En este segmento del mercado primario se reproducen las características comentadas para la renta variable. La falta de desarrollo se explica por la falta de interés del ahorrador, que encontraba en la deuda pública una alternativa de inversión que le ofrecía una combinación de rentabilidad y riesgo más atractiva que la renta fija privada. Han sido los emisores de empresas públicas, o de organismos autónomos, o pertenecientes a sectores regulados los que han acudido al mercado con asiduidad, ayudados por el hecho de que su riesgo era asimilado, aunque sin base jurídica para ello, al del Estado, y por lo tanto la prima de riesgo crediticio demandada no era muy elevada. Estos emisores eran lo suficientemente grandes como para poder realizar emisiones de una cuantía aceptable, que permitiera que los valores pudieran estar distribuidos entre un colectivo más o menos amplio y gozaran de liquidez. El problema ha sido que los emisores que cumplían con esos requisitos eran pocos: escasamente nueve emisores concentran el grueso de las emisiones.

Las empresas pueden contar con diversos tipos de valores de renta fija para su financiación. No obstante los más utilizados han sido tradicionalmente los bonos y obligaciones, simples o no convertibles, y los pagarés de empresa. No obstante, los pagarés de empresa casi no cuentan con negociación en un mercado secundario, puesto que lo más frecuente es que los pagarés se emitan por ventanilla, con un plazo y con una cuantía diseñadas ad hoc según las necesidades del demandante (generalmente bancos o inversores mayoristas). Esta circunstancia hace que estas emisiones respondan a características no estándares que las hacen poco idóneas para su transmisión posterior.

Cuadro 4.15 Renta fija privada. Principales emisores, 1998 (%; total en miles de millones de pesetas)

Pagarés de empresa		Bonos y obligaciones no convertibles		Total renta fija	
Emisor	%	Emisor	%	Emisor	%
Endesa, S.A.	17,8	Instituto de Crédito Oficial	27,0	Caja de Ahorros y Pensiones de Barna	13,4
Iberdrola, S.A.	17,8	Caja de Ahorros y Monte de Piedad de Madrid	14,0	Instituto de Crédito Oficial	10,8
Unión Eléctrica Fenosa, S.A.	11,9	Ente Público RTVE	8,4	Iberdrola, S. A.	7,4
Bansander de Leasing, S.A.	8,9	Telefónica, S.A.	6,5	Hipotecario 2 FTH	5,9
Red Nacional de los Ferrocarriles Españoles	8,9	Iberdrola, S.A.	7,0	Tda 5, FTH	5,5
Telefónica, S.A.	8,9	Caja de Ahorros de Valencia, Castellón y Alicante	4,0	Endesa, S.A.	5,0
Instituto de Crédito Oficial	3,6	Caja de Ahorros del Mediterráneo	3,0	Caja de Ahorros y MP de Madrid	5,0
Red Eléctrica de España	3,3	Bankinter, S.A.	2,5	Telefónica, S.A.	4,9
Hidroeléctrica del Cantábrico	3,0	Diputación Foral de Vizcaya	2,5	Unión Eléctrica Fenosa, S.A.	3,4
9 principales emisores	**84,1**	**9 principales emisores**	**78,6**	**9 principales emisores**	**61,3**
Resto (11)	15,9	Resto (26)	21,4	Resto (61)	38,7
Total (miles de millones ptas.)	**842**	**Total (miles de millones ptas)**	**1.005**	**Total (miles de millones ptas.)**	**2.976**

FUENTE: CNMV.

Como se ha comentado, los mercados de renta fija experimentan una importante transformación a lo largo de 1998 con la publicación de diversas medidas dirigidas a aumentar su atractivo para los inversores, especialmente para los inversores institucionales. El resultado ha sido un aumento espectacular en la negociación de valores de renta fija en el mercado AIAF[11].

5.4 Otros instrumentos de financiación negociables

Además de los valores de renta fija y de renta variable, existen posibilidades de financiarse mediante valores que en alguna medida participan de características de ambos tipos de instrumentos.

Desde 1989 se vienen emitiendo *warrants*, o instrumentos que incorporan una opción de compra de valores. Existen *warrants* sobre acciones, sobre renta fija, sobre activos monetarios y sobre índices bursátiles. Pero si durante los primeros años de la década de los años noventa las emisiones de este tipo de instrumento eran más o menos significativas, durante los últimos años su utilización ha quedado concentrada en un número muy reducido de emisores; es decir, alrededor del 80% de las emisiones están concentradas en un único emisor[12].

A partir de 1998 se posibilita la emisión en España de las participaciones preferentes. Este instrumento existía en otros mercados extranjeros con el nombre de *preferente shares* y muchas filiales de empresas españolas las utilizaron para obtener fondos. A pesar de suponer una participación en el capital de una empresa, su remuneración es fija (si no completamente, al menos sí una cierta cuantía). Las empresas las encuentran atractivas porque se comportan cómo una deuda pero computan como capital. Su introducción en España tuvo lugar a través de un acuerdo del consejo del mercado AIAF para admitirlas a cotización en su ámbito, con el nombre de «participaciones preferentes». A lo largo de 1998 ya dos filiales de bancos españoles recurrieron a ellas.

Otra posibilidad que se puede utilizar para la financiación nace de la titulización de activos. La regulación de la misma es de 1998[13], que supone una ampliación de la normativa existente desde 1992 sobre titulización hipotecaria[14]. La titulización de activos permite a una empresa dar de baja de su balance créditos y cederlos a un fondo constituido a tal efecto que emite bonos en base a dichos créditos. Durante 1998 se constituyó el primer fondo de titulización de activos no hipotecarios emitiendo bonos por unos 200 mil millones de pesetas. De todas formas, es una fuente de financiación que no es barata, ya que la constitución del fondo, el análisis de los riesgos de los créditos a titulizar y la agrupación de los mismos con criterios de homogeneidad suponen un coste no pequeño. Esta figura requiere ciertos requisitos para poder utilizarse regularmente como vía para obtener fondos, entre los cuales no es el menor la familiarización de la empresa con el mis-

Cuadro 4.16   Mercado de AIAF. Contratación nominal

Millones de euros	1993	1994	1995
Total	23.709,9	26.251,0	15.718,3
Pagarés de empresa	10.635,5	8.258,5	5.101,4
Cédulas hipotecarias	2.469,0	1.718,3	1.012,7
Obligaciones y bonos	8.324,6	15.692,4	7.924,3

(*) Cambio de criterio de contabilización.

FUENTE: Informes Anuales CNMV y nuevos criterios 1998-1999: estadísticas AIAF (www.aiaf.es).

mo. Una prueba de que su utilización no será masiva ha sido la evolución de los fondos de titulización hipotecaria. Estos fondos emiten bonos en base a créditos hipotecarios que se dan de baja de los balances bancarios. A pesar de que el *stock* de créditos hipotecarios en España es elevado y de que sus características les hacen fácilmente homogéneos, la emisión de bonos de titulización hipotecaria ha sido reducida.

Cuadro 4.17   Otros instrumentos

Millones de euros	1993	1994	1995	1996	1997	1998
Warrants	3,69	36,79	36,80	85,42	178,22	562,09
Bonos de titulización	240,74	573,67	570,96	13.10,21*	705,29	5.072,07**
Participaciones preferentes	nd	nd	nd	nd	nd	35,94

(*) 1.293 son bonos de titulización de activos procedentes de la moratoria nuclear, cuya emisión se posibilita por la Ley 3/1994 del 14 de abril y por la Ley 40/1994 del 30 de diciembre, que declara la paralización del la construcción de las plantas nucleares de Lemóniz, Valdecaballeros y Trillo II y que reconoce a las empresas eléctricas el derecho a recibir una compensación por los costes incurridos y a titulizar esos derechos.
(**) 1.202 millones de euros (200 mm. pts.) son bonos de titulización de activos.

FUENTE: CNMV.

6.   Conclusiones

Las relaciones financieras de la economía española se han modificado sustancialmente a lo largo de los últimos diez años. Este cambio ha ido de la mano de la apertura de la economía española al exterior y del desarrollo de los mercados financieros. Ambos hechos han sido fruto de una política económica que ha tomado consciencia de que el futuro de la economía española sólo podía tener el camino de su integración en Europa y, por lo tan-

170

1996	1997	1998		1998*	1999*
14.923,7	15.842,7	36.363,6		41.083,2	85.766,2
3.473,8	3.365,7	6.165,2		8.014,4	25.577,5
1.816,9	1.220,1	308,3		308,5	1.738,4
7.003,0	7.452,6	24.765,9		26.810,1	56.232,3

to, las barreras comerciales y los flujos financieros deberían desaparecer. La integración sólo tiene sentido y produce efectos positivos si se dejan sentir los efectos de la competencia.

Dos características pueden definir la posición financiera española en la década de los años ochenta: la necesidad de recibir financiación exterior y la primacía de los bancos españoles en la financiación interna. Durante los últimos años ochenta, las entradas de capital en España modificaron su carácter; a partir de que España pasa a formar parte de la CEE, muchas empresas españolas alcanzaron un especial atractivo para inversores extranjeros, que se podían posicionar en España para satisfacer al mercado europeo y al propio mercado español.

Del atractivo estratégico de finales de los ochenta, los flujos de capitales pasaron a resultar explicados por factores puramente financieros en la transición de los años ochenta a los noventa. La pertenencia de la peseta al mecanismo de cambios del SME implicaba un límite de fluctuación para la peseta que, debido a los altos tipos de interés necesarios por motivos de coyuntura interna, suponía un fuerte atractivo para capitales a corto plazo. Los capitales extranjeros se canalizaron a los bancos españoles, pero también a los mercados de valores. La deuda pública española ofrecía unas rentabilidades atractivas y la Bolsa española se veía favorecida por la coyuntura económica y por el despegue de un mercado bursátil que desde el inicio de su nueva andadura (tras aprobarse la Ley del Mercado de Valores de 1988) ofrecía un sistema de negociación electrónico, característica no muy común en otros ámbitos más desarrollados.

La crisis del SME en 1992-1993 fue acompañada en Europa y en España por la crisis económica. Las condiciones financieras cambiaron radicalmente a partir de entonces: ni la peseta ni los tipos de interés continuaron ejerciendo una influencia restrictiva. Por otra parte, el Tratado de Maastricht planteó a los gobiernos de los países europeos la necesidad de dedicar serios esfuerzos a cumplir los criterios de convergencia.

El saneamiento de la economía, la holgura financiera y unas buenas perspectivas han resultado en un dinamismo espectacular de la actividad económica, en particular empresarial en la segunda mitad de la década de los años noventa. El cambio de la situación se ha traducido en que España no tiene necesidad de fondos de forma permanente para cubrir el déficit externo, sino que la generación de fondos internos ha hecho que España ocupe un lugar importante entre los países con capacidad de invertir en el exterior. Las empresas españolas han tomado posiciones en empresas de diversos sectores en países latinoamericanos y europeos. A la vez, han diversificado sus fuentes de financiación: han disminuido la apelación a los recursos generados internamente o al crédito bancario y han comenzado a utilizar los mercados de capitales.

Las posibilidades de obtención de fondos mediante la emisión de valores, sin embargo, aún están lejos de usarse plenamente. España tiene una tasa de ahorro privado elevada, y su colocación en fondos de inversión implica una demanda potencial elevada de valores. La fase expansiva por la que actualmente pasa la economía española puede tener una duración larga, de forma similar al ciclo de la economía americana. Si las empresas siguen la pauta de lo ocurrido en Estados Unidos, la renovación de los equipos productivos y la reestructuración y la expansión de los negocios supondrán una importante demanda de financiación en los años próximos.

Notas

1 Siguiendo la metodología de la Central de Balances, se utiliza una definición restrictiva de los recursos generados por las empresas, teniendo en cuenta sólo los que se derivan de operaciones reales y no los meramente contables o los derivados de ganancias netas de capital. Este enfoque permite un perspectiva más ajustada sobre la capacidad real de las empresas para generar recursos y autofinanciarse.

2 N. del C.: La materia de privatizaciones se estudiará en detalle en el capítulo 11.

3 Se trata de la Comisión Sardá establecida en 1974 para la Reforma del Mercado de Valores.

4 Pasando de los antiguos agentes de cambio y bolsa a las sociedades y agencias de valores, con fuertes requisitos de profesionalidad y de solvencia financiera.

5 Posteriormente se reconoce este carácter también al mercado AIAF y a los mercados de productos derivados MEFF RV y MEFF RF.

6 Los principios son la universalidad del sistema, la entrega contra pago, la neutralidad financiera y el aseguramiento de la entrega en la fecha de liquidación.

7 N. del C.: sobre este punto véase también el capítulo 10, política de regulación y liberalización económica.

8 Se produjo una ampliación de capital del Banco de Santander para poder llevar a cabo la OPA sobre Banesto, y otra ampliación de capital por parte de Telefónica para llevar a cabo proyectos de inversión internacional.

9 En este caso nos encontramos ante ofertas iniciales de venta, o IPO en terminología anglosajona.

10 Véase *Memoria de la CNMV 1998.*

11 Los valores de renta fija privada también se negocian en el ámbito de las bolsas de valores, aunque en mucha menor proporción. Por otro lado el grueso de la negociación de la deuda pública se negocia en el Mercado de Deuda Anotada, quedando únicamente alguna deuda autonómica en las bolsas radicadas en las respectivas Comunidades Autónomas.

12 Citibank concentró 46 de las 57 emisiones realizadas en 1998, y Citibank en exclusiva realizó 36 de las 42 emisiones de 1997 y 31 de las 33 emisiones que se realizaron en 1996.

13 RD 920/1998 de 14 de mayo.

14 Ley 19/1992 de 7 de julio.

Referencias

AIAF: Disposiciones y acuerdos relativos al desarrollo del mercado.

Alonso Espinosa, Francisco José (1994): *Mercado primario de valores negociables: un estudio en torno al R.D. 291/1992, de 27 de marzo,* Madrid, Jose María Bosch.

Arthur Andersen (1993): «La banca y los mercados de capitales en España y en Europa», *Banca española*, núm. 261.

Banco de España (1999): *Boletín Estadístico*, Madrid, Banco de España.

— (1999): *Cuentas Financieras de la economía española. 1989-1998*, Madrid, Banco de España.

Berges Lobera, Ángel (1987): «Mercados de capitales: nuevas formas de financiacion empresarial», *Información Comercial Española*, núm. 643, marzo 1987, pp. 135-151.

Bestué Cardiel, Pilar (1997): «Inversiones directas españolas en el exterior», *Economistas*, núm. 74, pp. 120-128.

Carmena, Ana (1998): «La Balanza de Pagos de España en 1997», *Cuadernos de Información Económica,* núm. 135, junio 1998, pp. 121-125.

CNMV: *Informe Anual 1989, 1990, 1991, 1992, 1993, 1994, 1995, 1997 y 1998*, Madrid, Comisión Nacional del Mercado de Valores.

— *Memorias 1997 y 1998*, Madrid, Comisión Nacional del Mercado de Valores.

— (1999): *Una década de los mercados de valores en transición. 1999.* Libro conmemorativo del X aniversario, Madrid, Comisión Nacional del Mercado de Valores.

Dirección General de Política Comercial e Inversiones Exteriores (1996): *Posición de España frente al exterior: valores negociables, 1996*, Madrid, Ministerio de Economía y Hacienda, Dirección General de Política Comercial e Inversiones Exteriores.

Donoso, Vicente (1995): «La nueva balanza de España: contenido y evolución», *Economistas*, núm. 69, pp. 179-182.

Durán Herrera, Juan José (1992): «La multinacionalización de la empresa española», *Economistas*, núm. 55, pp. 457-531.

FIRA de Barcelona. Departamento de estudios (1989): *Los mercados de inversión y financiación. Fira de Barcelona.*

Garcia Delgado, José Luis (dir.) (1999): *España, Economía: ante el siglo XXI*, Madrid, Espasa Calpe.

Herce, José A.; Sosvilla Rivero, Simón, y Jimeno, Juan F. (1998): *Flujos de capital e integración financiera: el caso de España, 1985-1995,* Madrid, FEDEA.

Instituto Superior de Técnicas y Prácticas Bancarias (1999): *Agenda Bancaria y de Costes Financieros (publicación actualizable)*, Madrid, ISTP.

Inter-American Development Bank & Institute for European-Latin American Relations (1998): *Foreign Direct Investment in Latin America: Prespectives of the major investors,* IDB/IRELA.

INTERMONEY: *XXV Jornadas de Mercado Monetario.*

Martín, Carmela, y Velázquez, Francisco J. (1996): «Una estimación de la presencia de capital extranjero en la economía española y de algunas de sus consecuencias», *Papeles de Economía Española*, núm. 66, pp. 160-175.

Martínez-Pardo, Ramiro (1998): «Los mercados de valores y la financiación empresarial». Series: Perspectivas del sistema financiero, *Perspectivas del sistema financiero*, núms. 63/64.

Menéndez Lara, Miguel Ángel (1995): «Las estadísticas de los mercados de valores en las cuentas financieras españolas», *Fuentes estadísticas*, núm. 10, noviembre 1995.

Ontiveros Baeza, Emilio, y Valero López, Francisco José (1997): *El mercado de capitales: renta fija y renta variable*, Madrid, Biblioteca Nueva.

Ortega Díaz, M.ª Isabel (1998): «Nuevas tendencias en la internacionalización del mercado bursátil español», *Cuadernos de Información Económica*, núms. 136/137, pp. 169-177.

Rodríguez, Francisco, y Carbó, Santiago (1999): «La actividad crediticia en España (1992-1999). El papel de las Cajas de Ahorro», *Cuadernos de Información Económica*, núms. 144/145, pp. 131-137.

Roldán, José M.ª (1998): «La revolución silenciosa de los mercados de renta fija: nueva normativa y evolución, *Economistas,* núm. 80. *España 1998: un balance.*

Sarmiento, Teresa María, y Arahuetes, Alfredo (1999): *Libertad de Circulación de Capitales. Enciclopedia Unión Europea,* Valencia, Editorial CISS, S. A.

Valero López, Francisco José (1993): «El papel de los mercados de valores en la financiacion de la empresa española», *Economía industrial*, núm. 294, nov.-dic.

Vera Santana, Francisco (2000): *Una guía para los mercados de valores*, Madrid, Cívitas.

Zamora, José A. (1992): «Las inversiones internacionales: evaluación y perspectivas de la inversión directa», *Economistas,* núm. 55, pp. 119-124.

Anexo

Recuadro 4.1   Principales normativas sobre movimientos de capital, 1991-1999

Real Decreto 1816/1991, 20 de diciembre. Sobre transacciones económicas con el exterior. Liberaliza movimientos de capitales con fecha 1 de febrero de 1992.

Ley 18/1992, de 1 de julio, y **Real Decreto 671/1992**, de 2 de julio. Establecen determinadas normas en materia de inversiones extranjeras en España.

Real Decreto 672/1992, de 2 de julio. Regula las normas de las inversiones extranjeras en el exterior.

Real Decreto 42/1993, de 15 de enero. Modifica el RD 1816/1991, sobre transacciones económicas con el exterior.

Real Decreto 1593/1997, de 17 de octubre, por el que se crea el Consejo Asesor de Comercio e Inversiones Exteriores.

Real Decreto 664/1999, de 23 de abril, que establece el régimen jurídico de inversiones exteriores.

Recuadro 4.2   Principales normativas sobre recursos propios y riesgos

Ley 13/1992, de 1 de junio. De recursos propios y supervisión en base consolidada de las entidades financieras.

Real Decreto 1343/1992, de 6 de noviembre. Desarrolla la ley 13/1992.

Orden Ministerial de 30 de diciembre de 1992. Sobre límites a los grandes riesgos.

Circular 5/1993, de 26 de marzo, del Banco de España. Introduce modificaciones sobre requisitos mínimos de recursos de las entidades de crédito, coeficiente de solvencia y limitaciones a los riesgos en función de normativas comunitarias.

Circular 12/1993, de 17 de diciembre, del Banco de España. Actualiza límites de grandes riesgos.

Circular 3/1995, de 25 de septiembre, del Banco de España. Regula el funcionamiento de la Central de Información de Riesgos.

Circular 2/1994, de 4 de abril, del Banco de España. Sobre requerimientos exigidos a los recursos propios.

Real Decreto 1572/1996, de 28 de junio. Modifica parcialmente el Real Decreto 1343/1992.

Circular 12/1996, de 29 de noviembre, del Banco de España. Actualización de límites de grandes riesgos.

Circular 3/1997, de 29 de abril, del Banco de España. Establece las obligaciones de información de los grupos mixtos y la determinación de los recursos propios mínimos.

FUENTE: Elaboración propia.

Recuadro 4.3   Disposiciones sobre el mercado primario de valores

A) Disposiciones generales:

RD 291/1992, de 27 de marzo, sobre emisiones y ofertas públicas de venta de valores.

RD 2590/1998, de 7 de diciembre, sobre modificaciones del régimen jurídico de los mercados de valores.

Orden de 14 de noviembre de 1989, por la que se desarrolla el art. 25 de la LMV.

Orden de 18 de diciembre de 1992, sobre emisiones de valores por no residentes.

Orden de 12 de julio de 1993, sobre folletos informativos y otros desarrollos del RD 291/1992, de 27 de marzo, sobre emisiones y ofertas públicas de venta de valores.

Orden de 23 de abril de 1998, por la que se modifica la orden de 12 de julio de 1993, sobre folletos informativos y otros desarrollos del Real Decreto 291/1992, de 27 de marzo, sobre emisiones y ofertas públicas de venta de valores.

Orden de 28 de mayo de 1999, por la que se desarrolla el artículo 25 de la Ley 24/1988, de 28 de julio, del Mercado de Valores.

Circular 2/1999, de 22 de abril, de la Comisión Nacional del Mercado de Valores, por la que se aprueban determinados modelos de folletos de utilización en emisiones y ofertas públicas de valores.

Carta Circular* 4/1998, de 30 de marzo, sobre acuerdo entre las Sociedades Rectoras de las Bolsas de Valores y la CNMV para simplificar los procedimientos de comunicación de participaciones significativas, presentación de expedientes de admisión a cotización en Bolsas de Valores, comunicación de hechos relevantes y remisión de cuentas anuales e informes de auditoría de entidades emisoras de valores admitidos a cotización.

Carta Circular* 6/1998, de 4 de mayo, sobre emisión de valores de renta fija por residentes y no residentes y admisión a cotización.

Carta Circular* 8/1998, de 18 de junio, sobre verificación de emisiones y/o admisiones de *warrants* en la Comisión Nacional del Mercado de Valores.

Carta Circular* 10/1998, de 24 de noviembre de 1998, sobre normas de conducta aplicables a la actividad de análisis y asesoramiento *(research)*.

Carta Circular* 11/1998, de 17 de diciembre de 1998, sobre información al mercado sobre la asunción del Código de Buen Gobierno.

(sigue →)

Recuadro 4.3   (Cont.)

B) Información periódica de entidades emisoras:

Orden de 18 de enero de 1991, sobre información pública periódica de las entidades emisoras de valores admitidos a negociación en Bolsas de Valores.

Orden de 14 de junio de 1995, por la que se aprueba el modelo obligatorio de documento informativo de las sociedades anónimas en relación a los negocios realizados sobre sus propias acciones.

Circular 3/1994, de 8 de junio, de la CNMV, por la que se modifican los modelos de información pública periódica de las entidades emisoras de valores admitidos a negociación en Bolsas de Valores.

Circular 2/1996, de 24 de julio, de la CNMV, por la que se modifican los modelos de información pública semestral de las entidades de crédito, con valores admitidos a negociación en Bolsas de Valores.

Circular 4/1998, de 22 de septiembre, de la CNMV, por la que se modifican los modelos de información pública periódica semestral de las entidades de seguro, con valores admitidos a negociación en Bolsas de Valores.

C) Participaciones significativas:

RD 377/1991, de 15 de marzo, sobre comunicación de participaciones significativas en sociedades cotizadas y de adquisiciones por éstas de acciones propias.

RD 2590/1998, de 7 de diciembre, sobre modificaciones del régimen jurídico de los mercados de valores.

Orden de 23 de abril de 1991, de desarrollo del RD 377/1991.

Circular 2/1991, de 24 de abril, de la CNMV, por la que se aprueban los modelos de las comunicaciones de participaciones significativas en sociedades cotizadas y de adquisiciones por éstas de acciones propias.

Carta Circular* 12/98, de 17 de diciembre de 1998, sobre criterios para la gestión de órdenes de autocartera en el mercado.

D) Hechos relevantes:

Carta Circular* 9/1997, de 7 de julio, sobre hechos relevantes y su comunicación.

Carta Circular* 14/1998, de 28 de diciembre de 1998, sobre hechos relevantes y su comunicación a la CNMV y al mercado.

* Las cartas circulares se incluyen a título informativo y no tienen carácter normativo.

5. Política de tipo de cambio de la peseta y el euro

Vicente Javier Fernández

1. Introducción

El día primero de enero de 1999 el euro ha sido introducido como la moneda única en once países de la UE, incluida España. El euro es ya nuestra moneda nacional, siendo la peseta una mera fracción del euro. Con esta decisión política y económica nuestro tipo de cambio ha dejado de ser un instrumento de política económica en manos de las autoridades españolas, y todo ello con independencia de que los billetes y monedas en euros no empiecen a circular hasta el primero de enero de 2002.

En principio, el tipo de cambio puede ser un instrumento más de política económica, empleándose, junto con las restantes políticas disponibles (política presupuestaria, política monetaria, etc.), para la consecución de determinados objetivos macroeconómicos (esto es, para alcanzar el equilibrio interno y externo de la economía). Sin embargo, la utilización del tipo de cambio como instrumento de política económica está sujeta a importantes limitaciones en cuanto a las posibilidades de su uso y a su eficacia en el contexto actual de libertad de movimientos de capital y de mercados financieros nacionales e internacionales altamente eficientes e integrados. Las devaluaciones competitivas han pasado a la historia, y los ajustes en los tipos de cambio se realizan para poner en línea la relación entre precios y tipos de interés nacionales e internacionales. Es decir, para corregir desviaciones, que siempre serán temporales, de la paridad del poder adquisitivo y de la paridad de intereses, la mayoría de las veces provocadas por políticas económicas incoherentes.

Por otra parte, el tipo de cambio puede ser un objetivo de política económica, pero a menos que se segmenten por completo los mercados financieros nacionales de los exteriores, será inútil cualquier intento de conseguir simultáneamente el objetivo de tipo de cambio por un lado y otros objetivos monetarios (de tipo de interés o de agregados monetarios) por otro. Fijado el tipo de cambio, el resto de variables monetarias de la economía las determinan los mercados, no las autoridades, como se ha puesto de manifiesto con la crisis del SME. El tipo de cambio no es sino un precio relativo de equilibrio en los intercambios de bienes y servicios y de activos financieros entre residentes y no residentes. En este sentido, los determinantes en última instancia de la evolución a largo plazo del tipo de cambio estarán dados por características básicas de la economía (la evolución de la productividad, las posibilidades de inversión productiva y el comportamiento de las tasas de ahorro nacional) y no por un régimen cambiario u otro. Finalmente, es el tipo de cambio real (esto es, el que toma en cuenta las variaciones de precios relativos) y no el tipo de cambio nominal el que puede afectar a la posición del sector de bienes comerciables y el que determina la competitividad de una economía.

A corto y medio plazo las posibilidades de afectar al tipo de cambio real con devaluaciones o revaluaciones del tipo de cambio nominal son relativamente reducidas, dependiendo de las condiciones de la demanda y del grado de credibilidad del ajuste fiscal asociado, y prácticamente inexistentes en economías indiciadas (es decir, con objetivos de variación de precios y salarios nominales), ya que tales manipulaciones del tipo de cambio se trasladan casi inmediatamente a salarios y precios. Por estas razones la utilidad de mantener la autonomía nacional de la política de tipo de cambio de la peseta es muy reducida desde el punto de vista económico. De hecho los objetivos de estabilidad monetaria y financiera, de crecimiento económico y de empleo, en una economía con un historial de altas y variables tasas de inflación como la española, con frecuentes devaluaciones de la peseta, se alcanzarán de mejor manera con la adopción de una moneda fuerte y estable como el euro, en cuya política nos permitimos el lujo además de participar. Los beneficios de la desaparición de la peseta para la economía española en el siglo XXI serán claramente mayores que habiendo permanecido al margen del euro, a la inglesa.

Hechas estas consideraciones generales previas, el objeto de este trabajo es examinar la evolución de la política cambiaria de la peseta en el período 1982-1999. Es decir, de describir el proceso a través del cual la peseta desaparece y llegamos a la moneda única. Se pueden distinguir cuatro fases diferenciadas: la fase de ajuste y preparación para la entrada en las Comunidades Europeas (1982-1985), la fase de la apertura al exterior y de la incorporación al SME (1986-1992), la fase de las turbulencias cambiarias y de las devaluaciones de la peseta (1992-1995) y, por último, la fase de estabilidad cambiaria y preparación para la UEM (1996-1998). Estos períodos no se suceden sólo cronológicamente, sino que son cuatro etapas de progreso y maduración de las políticas económicas y cambiarias de España y Europa que culminan con la adopción del euro. En efecto, incluso la dramática crisis del SME en septiembre de 1992 (cuando salen del sistema la libra y la lira y se devalúa la peseta) y su continuación con la ampliación de las bandas del SME al 15%, el 2 de agosto de 1993, han supuesto una experiencia que reforzó las voluntades para culminar el proceso hacia la UEM y el euro, decidido por el Consejo europeo de Madrid en 1989 sobre la base del informe Delors (véase en el Anexo una cronología de acontecimientos que han llevado a la UEM y al euro) y ratificado en el Tratado de Maastricht en diciembre de 1991.

2. 1982-1985: de la estabilización a la entrada en la CEE

El objetivo general de la política cambiaria en esta primera parte del período considerado se orientaba, aunque en general no de forma explícita, a estabilizar a medio plazo el tipo de cambio efectivo real frente al resto de los países desarrollados mediante una depreciación nominal que contrarrestara el diferencial de inflación, con una especial atención al tipo de cambio efectivo real frente a los países de la CEE (permitiéndose desde principios de los ochenta que la cotización frente al dólar USA se comportara de forma más libre), grupo de países al que se va prestando una mayor atención a medida que avanza el período. Existía un sistema de controles de cambios y restricciones a los movimientos de capital bastante generalizado, que aislaba en buena medida a los mercados financieros españoles de los exteriores. Ello permitía una esterilización relativamente eficaz de los efectos monetarios de una política de intervención cambiaria de ir «contra el viento».

Tras las elecciones generales del otoño de 1982 en las que el PSOE consigue una confortable mayoría parlamentaria, el Gobierno aborda la estabilización macroeconómica del país con una combinación ortodoxa de políticas de reducción de la absorción interna, que incluyen una devaluación nominal de la peseta acompañada de una política monetaria restrictiva y una política fiscal de reducción del déficit público. La evolución del sector exterior y la caída del nivel de reservas internacionales de los meses anteriores a este ajuste de la peseta, realizado en diciembre de 1982, había evidenciado la necesidad de una depreciación drástica que corrigiera algunos de los desequilibrios existentes. La mencionada devaluación no fue de la intensidad necesaria, como demostró la persistencia de la presión depreciadora, manifestada en una combinación de pérdida de reservas exteriores y de depreciación del tipo de cambio efectivo nominal hasta mediados de 1983, a la vez que los tipos de interés de la peseta superaban el nivel del 20%.

A partir del segundo semestre de 1983, la situación cambia de signo. El mercado juzga que la peseta ha alcanzado por entonces un nivel de depreciación suficiente y empiezan a realizarse las ganancias de capital acumuladas vendiéndose divisas contra pesetas. Los tipos de interés comienzan su descenso. Como resultado de la política (ahora de signo contrario) de «ir contra el viento» de las autoridades, esta presión compradora sobre la peseta se tradujo, en parte, en una apreciación nominal frente a las monedas comunitarias, y, en parte, en acumulación de reservas. La depreciación frente al dólar USA fue intensa, no obstante, debido a que esta moneda estaba en su fase de subida iniciada en 1980, pero este fenómeno ya preocupaba menos. Este comportamiento continuó reforzándose a lo largo de 1984. Además, continuó mejorando la balanza corriente hasta llegar a hacerse superavitaria, reflejando el proceso depreciador resultados favorables sobre el sector de bienes comerciables en un contexto de rápido crecimiento del comercio mundial y de atonía de la actividad económica nacional. Además, el programa de ajuste redujo las necesidades de financiación exterior de nuestra economía, en buena medida por la caída del déficit público.

El tipo de cambio real frente a los países desarrollados y, de forma aún más marcada, frente a la CEE se venía apreciando desde mediados de 1983, al sumarse los efectos del diferencial de precios desfavorable para España con la apreciación nominal frente a las monedas comunitarias. Ello condujo a un nuevo cambio de orientación de la política cambiaria en 1985 cuando se habían más que agotado los efectos de la depreciación de 1982 sobre el tipo de cambio efectivo real (véase el gráfico 5.1). Para recuperar la competitividad perdida por la economía española se llevó a cabo una política de depreciación de la peseta con la finalidad de afrontar la adhesión a la CEE (con la consiguiente liberalización comercial asociada) prevista para 1986 en las mejores condiciones competitivas posibles (se trataba de compensar con la depreciación la reducción de aranceles y contingentes derivada de la entrada de España en el Mercado Común Europeo). Resultado de este cambio de orientación es la depreciación nominal y real de la peseta a partir del segundo trimestre de 1985, que se prolonga casi ininterrumpidamente hasta principios de 1987. En este período, las condiciones del mercado monetario interno (moderación de los tipos de interés debido a la reducción de la demanda pública y privada de crédito) y la política de endeudamiento exterior seguida por las autoridades (amortizaciones anticipadas y reducción del endeudamiento exterior), junto con un extendido sistema de control de cambios, coayudaron a que se cumpliera con éxito la voluntad depreciadora.

La primera parte del año 1986 fue de relativa estabilidad en el valor de la peseta en términos nominales, aunque el diferencial de inflación induciría a una ligera apreciación en términos reales. La presión apreciadora se hizo notar especialmente en los primeros meses del año, lo que llevó a buscar la depreciación nominal de la peseta en la última parte del mismo, La balanza corriente alcanzó en este año el superávit histórico del 1,7% del PIB, a impulsos sobre todo del cambio favorable en la relación real de intercambio que supuso la caída del dólar y el abaratamiento del precio internacional del petróleo.

3. 1986-1989: la liberalización económica y la incorporación de la peseta al SME

La política de tipo de cambio se reorienta en este segundo período hacia un objetivo de tipo de cambio frente a las monedas comunitarias y, en especial, frente al marco alemán como moneda ancla del SME. En este sentido, la entrada de la peseta en el mecanismo de cambios del SME en junio de 1989 fue un paso natural en este proceso y la culminación del mismo. El esquema de funcionamiento tradicional de la política cambiaria española se modifica a partir de la espectacular entrada de inversión extranjera en España que empieza a producirse desde 1986 como consecuencia de la liberalización de los movimientos de capital y del efecto favorable que para la inversión extranjera en España supuso la adhesión de nuestro país a la CEE. El desarrollo de los mercados financieros (mercado de anotaciones en cuenta de deuda pública, mercado de bonos «matador», mercados de productos derivados, mercado continuo de acciones), al dotar de mayor profundidad y liquidez a los mercados de capitales nacionales, ha contribuido también a canalizar hacia los mismos un mayor volumen de inversión extranjera.

Como consecuencia, y como predecía la literatura académica de la liberalización económica y de balanza de pagos, a partir del segundo trimestre de 1987 se empiezan a sentir fuertes presiones apreciadoras sobre la peseta, cuya fuerza se trató de contrarrestar mediante la intervención en el mercado de divisas (acumulando reservas internacionales) e incluso mediante la reimposición temporal de controles de cambios para impedir la entrada de capital por algunos conceptos de balanza de pagos, dado el objetivo de mantener la peseta estable frente al marco alemán, a la vez que la economía española se liberalizaba. Uno de los resultados de esta situación fue la apreciación de la peseta en términos nominales. Dado el constante desfavorable diferencial de inflación de nuestra economía respecto al resto de países industriales (ya se trate de la CEE o de toda el área OCDE), la apreciación en términos reales fue aún mayor. De hecho, la mayor parte de la pérdida de competitividad de nuestra economía es atribuible a la evolución de los precios y costes (ya se midan éstos por los precios al consumo, los precios al por mayor, los precios a la exportación o los costes laborales unitarios).

La peseta se incorporó al SME en junio de 1989. Entre los argumentos de tipo económico que apoyaban la entrada de la peseta en el SME están los relativos a la disciplina y credibilidad de la política económica, estabilizando a la vez el tipo de cambio respecto a los países comunitarios, con los que tienen lugar la mayor parte de nuestras transacciones por cuenta corriente y por cuenta de capital. El momento de la entrada coincidió con la reducción del diferencial de inflación con Alemania, similar al logrado por Italia (en la banda ancha del SME por entonces), y cuando se había llevado a cabo buena parte del programa de liberalización comercial asociado a la adhesión a la CE. El tipo de paridad central de entrada de 65 pesetas por marco con bandas del +/–6% se acordó prestando especial atención a la situación de los mercados de capital en los que la peseta estaba presionada al alza, por el diferencial de tipos de interés, y teniendo en cuenta que el intento de lograr artificialmente una mayor competitividad vía un tipo de entrada más devaluado no hubiera conseguido su objetivo, dado el alto grado de indicación de la economía española. Varios autores piensan que la peseta entró sobrevaluada, pero éste es un juicio ex post que incorpora la inapropiada política fiscal y salarial que siguió a la incorporación de la peseta al SME.

Desde la entrada en el mecanismo de cambios del SME la peseta se mantuvo siempre en la parte alta de la banda, por los efectos de la liberalización sobre la balanza de pagos (elemento estructural) pero también por un déficit público muy elevado y elevadas tasas de inflación que requerían tipos de interés altos. Así la peseta se posicionó al límite de apreciación frente a alguna de las monedas del sistema en diversas ocasiones (frente a la corona danesa en el verano de 1989, frente al marco alemán y a otras monedas en el verano de 1990 y, de forma persistente, durante la primera mitad de 1991, frente al franco francés). La fortaleza de la peseta en el SME estuvo acompañada por un espectacular aumento de las reservas de divisas, que situó a España con un alto nivel de reservas, no muy por debajo de Estados Unidos, Alemania y Japón (el nivel de reservas en divisas cayó por debajo de los 10.000 millones de dólares en el primer trimestre de 1983, y a partir de entonces se recupera hasta el entorno de los 15.000 a finales de 1984 y se mantiene en este entorno hasta fines de 1986, produciéndose el despegue a partir del primer trimestre de 1987: más de 30.000 al final del año, más de 40.000 a finales de 1988, más de 50.000 en 1990 hasta que en 1991 se superan los 60.000 millones). En consecuencia, se puede decir que de no haber estado la peseta en el SME, su apreciación nominal hubiera sido mayor, ya que la acumulación de reservas es un indicador de presión apreciadora.

Este fenómeno resulta tanto más notable por cuanto que fue simultáneo con un persistente y marcado empeoramiento de la balanza por cuenta corriente. Ello era síntoma de un cambio en los determinantes fundamentales del tipo de cambio en España, siendo la balanza de capitales un elemento decisivo a partir de la liberalización financiera. En España, como previamente ha sucedido en otros países, la liberalización empujó al alza la cotización de la peseta. Una economía que se abre al exterior tiene por definición sus activos reales y financieros infravalorados a precios internacionales. Éste fue un elemento de fortaleza estructural de la peseta. Pero la paradoja de persistencia de la fortaleza de la peseta con déficit corrientes de casi el 4% del PIB se explica por una forzada política monetaria de tipos de interés muy altos ante déficit públicos insostenibles y altas tasas de inflación.

En la fase anterior (1982-1986) una serie de controles de cambios y factores institucionales aislaban significativamente a los mercados monetarios y de capital españoles de la economía internacional. Entre ellos estaban la dificultad de invertir en el mercado de renta fija español por los no residentes (debido no sólo a barreras legales, sino a la ausencia de un mercado organizado moderno), la prácticamente total prohibición de préstamos financieros entre residentes y no residentes y las limitaciones a las operaciones en divisas de las entidades de crédito. Uno de los principales hitos en la liberalización de los controles de cambio fue la ley de inversiones extranjeras de 1986, que liberalizó de forma casi completa las inversiones directas, de cartera y en inmuebles de no residentes en España. La financiación en divisas de las empresas españolas también se permite desde 1987, aunque transitoriamente se reintrodujo en 1989 un control de cambios para evitar la continua presión apreciadora de la peseta consistente en un depósito previo no remunerado en el Banco de España del 30% del valor declarado de la nueva financiación neta en el exterior, restricción que fue eliminada en marzo de 1991. El Banco de España amplió notablemente en 1987 las operaciones en divisas permitidas a las instituciones financieras. En 1990 se eliminaron las restricciones a las operaciones repo en deuda pública realizadas por no residentes. A partir de 1991 se liberalizó asimismo la apertura de cuentas corrientes en divisas en entidades de crédito residentes. Antes de la crisis del SME en 1992 se completó la liberalización total de los movimientos de capital requerida por la Directiva correspondiente, con la libertad para abrir cuentas corrientes en el exterior por los residentes.

La balanza de pagos por cuenta corriente experimentó un deterioro creciente en estos años (déficit entre el 3% y 3,5% del PIB anual entre 1989 y 1992) de fuertes entradas de capitales. Este deterioro de la balanza corriente se debió fundamentalmente, hasta 1990, al incremento de las importaciones de bienes de capitales e intermedios, ligadas al rápido crecimiento de la inversión interna, y se explica por las necesidades de reequipamiento productivo y de desarrollo de infraestructuras básicas de la economía española. La insuficiencia de la tasa de ahorro interno para financiar este proceso inversor originó el déficit corriente. El recurso al ahorro externo fue apropiado para suplementar el interno en la capitalización de la economía.

Sin embargo, a partir de 1991 y en 1992 se produjo un deterioro de la calidad de la estructura de la importación, con un incremento relativo más rápido de la importación de bienes de consumo. La forma en que se financiaron estos déficit corrientes, al menos hasta 1990, fue ortodoxa y sostenible. El déficit corriente se compensó por superávits en los componentes más estables y menos especulativos de la balanza de capital; inversiones directas, inversiones en inmuebles y buena parte de inversiones en cartera a medio y largo plazo. Posteriormente, la calidad de esta financiación se deterioró al basarse más en movimientos de capitales que buscaban la rentabilidad a corto en base al diferencial de tipos de interés positivos para la peseta. Lo anterior es un reflejo del deterioro progresivo de los fundamentos de la economía española a medida que maduraba el ciclo de crecimiento económico desencadenado a partir de 1986. El gasto público no productivo se expandió a un ritmo extraordinario y el déficit público se mantuvo siempre por encima del 3% del PIB, incluso en el período de crecimientos anuales de éste del 5% o más en términos reales (1987-1989). La pertenencia de la peseta al SME fue una tapadera para generar déficit público e incrementos del nivel de deuda pública, por un tiempo sin aparente penalización por los mercados cambiarios, aunque con el coste de altos tipos de interés para la economía.

El dilema que se le plantea a las autoridades económicas en una economía abierta cuando se persiguen objetivos monetarios y de tipo de cambio incompatibles pasó así al primer plano al día siguiente de la entrada de la peseta en el SME. Este conflicto se puede ejemplificar con las tensiones cambiarias en el seno del SME entre el franco francés y la peseta producidas a lo largo de 1991, y fruto del mantenimiento por parte de las autoridades españolas y francesas de objetivos divergentes. Las autoridades francesas deseaban proceder a una reducción de los tipos de interés para lograr el objetivo de reactivar su economía, mientras que las autoridades españolas tenían que mantener los tipos de interés altos para lograr el objetivo de restringir la demanda interna y estabilizar los precios. La relación de arbitraje que se conoce como paridad de los tipos de interés significa que el intento de conseguir estos objetivos en ambos países traería consigo presiones depreciadoras sobre el franco francés y apreciadoras sobre la peseta. Llegadas ambas monedas a su límite máximo de fluctuación permitido dentro del SME, el objetivo de tipos de interés en Francia debe plegarse al objetivo de tipo de cambio nominal del franco. Por ello se hablaba en medios financieros de que la «política monetaria de Europa se hacía en Madrid», al ser los tipos de interés españoles los más altos en el SME, atraer capital extranjero a corto plazo y ser la peseta la moneda más fuerte del sistema. El fuerte aumento de reservas, en lugar de incrementar la base monetaria, trataba de neutralizarse contrayendo el crédito del Banco de España a las entidades financieras (esterilización), lo que mantenía los tipos de interés en permanente tensión, creándose así un círculo vicioso.

4. Crisis del SME y devaluaciones de la peseta 1992-1995

En el primer semestre de 1992 continúa la tónica de la peseta como moneda fuerte del SME. La estabilidad aparente del SME (a pesar de la diferente fase del ciclo económico en el Reino Unido, Italia y Francia respecto a Alemania y la consiguiente tensión sobre los tipos de interés) hizo pensar a algunos expertos que se estaba alcanzando por la vía de los hechos una especie de unión monetaria de facto. En el gráfico 5.2 puede apreciarse la relativa estabilidad del tipo de cambio efectivo nominal de la peseta frente al SME (y también frente al conjunto de países desarrollados) en el año y medio anterior a la crisis de 1992.

Esta ilusión de anticipar la unión monetaria mediante el estrechamiento progresivo de las bandas del SME (+/–2,25%, +/–6% para la peseta) quedó en un intento fallido de anticipar la UEM empezando por el tejado. En efecto, a pesar de los progresos en la liberalización total de movimientos de capitales en julio de 1990 (a la que se sumó España en 1992) y la progresiva consecución del mercado único europeo de bienes y servicios a partir de 1986, la falta de convergencia nominal y del ciclo económico entre los miembros del SME era patente en la primera mitad de 1992, y el no del referéndum danés al Tratado de Maastricht, acordado por el Consejo europeo en diciembre de 1991, desencadena, en el verano de 1992, todos los truenos latentes en los mercados monetarios. Los países con políticas económicas inconsistentes con la regla cambiaria del SME sufrieron movimientos especulativos contra sus monedas. El 13 de septiembre la lira devalúa su paridad central del SME en el 3,5%. En el Reino Unido el pulso de la actividad económica era muy bajo (crecimiento negativo del PIB del –1,5% en 1991 y del 0% en 1992), y el paro estaba creciendo rápidamente. La libra, sin embargo, cotizaba al límite de su depreciación en el SME. Ante la crisis de confianza en el SME, provocada por la causa inmediata del referéndum danés que parecía poner en cuestión el calendario de la UEM, el apoyo a la libra requería subidas significativas de los tipos de interés británicos. La coyuntura económica, sin embargo, requería todo lo contrario. Políticamente esta situación se hizo insostenible y se resolvió con la salida de la libra del SME, con unas consecuencias socioeconómicas y políticas que pesaron y pesan aún para mantener al Reino Unido fuera del euro. La lira italiana también tuvo que salirse del SME el día 16 de septiembre debido a una situación de las finanzas públicas italianas muy deteriorada (déficit del 10% de PIB y nivel de deuda por encima del 100%); el Budesbank respondió a las peticiones de apoyo a la lira de las autoridades italianas, pero, como cabía esperar, no intervino ilimitadamente los tipos de cambio marginales, lo que hubiera distorsionado su programa monetario para ayudar a un tipo de cambio de la lira sobrevaluado.

Desatada la crisis de confianza en el SME, los mercados centraron su atención en los fundamentos económicos de los miembros del SME, y, como ya se ha indicado, los de España eran muy débiles (véase el cuadro 5.1): inflación del 6,4% muy superior a la de Alemania y Francia, déficit público por encima del 4% del PIB a pesar de un crecimiento económico vigoroso y un déficit de balanza por cuenta corriente que se acercaba al 4% del PIB y con una estructura y una financiación cada vez de peor calidad (más importaciones de consumo y financiado con capital a corto plazo). La peseta, artificialmente fuerte en el SME sobre la base de la atracción de capitales a corto plazo basados en los diferenciales de tipos de interés, no sólo dejó de ser la moneda más fuerte del sistema, sino que vio devaluada su paridad central en un 5% en septiembre de 1992 y en un 6% adicional el 22 de noviembre de 1992. Ante la falta de las necesarias medidas de acompañamiento de estas devaluaciones, entre otros factores por la proximidad de las elecciones generales, la peseta ha de devaluar su paridad central una tercera vez en menos de un año en mayo de 1993.

En resumen, la regla de tipo de cambio no fue una panacea. Al contrario, fue un elemento perverso que encubrió por un tiempo políticas erróneas que terminaron en salidas traumáticas. Otros países tienen un buen ejemplo en el caso español de las políticas que no se deben practicar en un contexto de completa liberalización de movimientos de capitales a los que se añade una regla de tipo de cambio. En España tal disciplina proveniente del tipo de cambio fijo no existió, sino todo lo contrario. La economía se escudó hasta el verano de 1992 detrás de una especie de unión monetaria de facto derivada de la credibilidad del SME, tomada a préstamo de Alemania. Pero cuando la perspectiva de continuidad de la póliza de seguro extendida por el Bundesbank se cuestionó con el referéndum danés y el francés, las economías se vieron solas en su desnudez y pagaron por las incoherencias cometidas. La peseta no entró sobrevaluada en el mecanismo de cambios del SME en 1989. Las políticas fiscales y de rentas posteriores sí determinaron ex post que la peseta estuviera sobrevaluada en el sistema, atendiendo a los débiles fundamentos de la economía española, políticas inconsistentes, ausencia de reformas estructurales y elevadísima tasa de paro.

Un juicio hoy de que entramos sobrevaluados indica, más bien, que el momento de la entrada no fue el apropiado y que las decisiones adecuadas de política económica no se consideraron simultáneamente con la entrada. En el corto plazo, sin embargo, el encaje de bolillos se produjo por un diferencial de intereses con otros países del SME muy elevado que perjudicaba a las empresas y consumidores y encarecía el coste de financiación del Tesoro, manteniendo de manera «antinatural» a la peseta como la moneda más fuerte del SME. La entrada de la peseta en el SME no quebró las expectativas de alta inflación de los agentes económicos y no modificó su comportamiento. A pesar de una cierta estabilidad nominal de la peseta en el período 1989-verano 1992, el tipo de cambio efectivo real se aprecia intensamente en 1989 y 1990, alcanzando en los meses anteriores a la crisis de septiembre de 1992 índices máximos (véase el gráfico 5.3), es decir, deterioros máximos de nuestra competitividad medida por precios al consumo y costes laborales (el deterioro con precios industriales o a la exportación fue mucho menor al estar estos precios sometidos a la competencia internacional).

También es cierto que la manera en que el gobierno alemán llevó a cabo la reunificación económica, a partir de 1990, supuso una perturbación real de primera magnitud sobre el SME que éste no pudo sobrellevar. Primero la crisis de septiembre de 1992, ya mencionada, y después la crisis de julio de 1993 tienen su raíz en una política monetaria muy restrictiva del Bundesbank como respuesta a la financiación de las masivas transferencias a la Alemania del Este a cargo del presupuesto de la Alemania occidental. En lugar de incrementar los impuestos para financiar estas transferencias y subvenciones, el Gobierno alemán generó un déficit fiscal creciente. Esta política fiscal expansiva en una coyuntura de crecimiento alto tuvo como respuesta unos tipos de interés muy elevados por parte del Bundesbank para preservar la estabilidad de precios en Alemania. La reducción de tipos era también lo apropiado para la economía francesa en el verano de 1993. El mantenimiento de los tipos de interés en una reunión del Consejo del Bundesbank a finales de julio, cuando la expectativa de los mercados era de reducción, generó unos movimientos especulativos muy fuertes de venta de francos franceses por marcos alemanes, forzando la cotización entre estas dos monedas al límite de las bandas del +/–2,25% del SME el viernes 30 de julio de 1993. Durante el fin de semana siguiente el Comité Monetario y el Consejo Ecofin se reúnen en Bruselas y deciden ampliar las bandas de fluctuación al +/–15%.

Como ya se ha señalado, esta crisis del SME de los doce meses que van de septiembre de 1992 a agosto de 1993, más que retrasar el gran proyecto de Maastricht, ratificó su necesidad y conveniencia. Fue una experiencia de maduración que confirmó la necesidad de ir hacia una moneda común. En efecto, mientras que hoy en día el BCE tiene en cuenta para su política de tipo de interés la situación general de la zona euro, y en sus órganos de decisión estamos todos representados, el Bundesbank en el período que nos ocupa tenía como objetivo estabilizar la economía alemana, que requería tipos de interés altos y, en todo caso, una reducción gradual de éstos, con independencia de la coyuntura económica en otros países. Una segunda lección que sacamos es que a pesar de todas las convulsiones y crisis los países que mantenían sólidos fundamentos económicos —Francia, Holanda— han mantenido unas fluctuaciones mínimas de sus monedas con el marco. El núcleo duro del SME, a pesar de las crisis y los movimientos especulativos, se ha mantenido desde que los franceses apostaron definitivamente por el franco fuerte dentro de la banda estrecha. Alemania, Francia y el Benelux son una unión monetaria de facto desde principios de 1987 hasta el 1 de enero de 1999 en que se crea el euro. En la crisis de julio de 1993 Francia tenía unos fundamentos económicos mejores que los alemanes, si bien es verdad que el SME giró siempre en torno al prestigio y credibilidad del Bundesbank, cuyos tipos de interés eran el suelo para todos (no del Gobierno alemán, que forzó al Bundesbank a aceptar la paridad uno por uno con la moneda de la Alemania oriental y no subió impuestos para financiar la reunificación).

La decisión de ampliar las bandas al +/–15%, sin cambiar las paridades centrales, fue la mejor solución para quebrar la especulación entre las monedas del núcleo duro. El Ecofin ratificó simultáneamente con tal decisión proseguir con los objetivos de Maastricht. El Bundesbank tuvo razón en rechazar otras alternativas a la ampliación de las bandas en las dramáticas negociaciones de la noche del 31 de julio al 1 de agosto de 1993. Ni la salida temporal del marco del SME (propuesta por Delors y defendida con convicción por los representantes franceses y que suponía reeditar la unión monetaria latina, pues Holanda siempre dijo que se saldría del SME con Alemania), ni un realineamiento con una apreciación del marco (que rechazó Francia en su momento evitando que por esta vía el SME absorbiera la perturbación de la reunificación y que ahora le sería aún más humillante) ni la flotación generalizada (que es lo que habría puesto contentos a los ingleses retrasando indefinidamente el calendario de Maastricht para la UEM) fueron aceptados por los alemanes.

La peseta no fue objeto directo de la especulación de finales de agosto de 1993. Por un lado, se había devaluado su paridad central, por tercera vez, en un 8% apenas dos meses antes; por otro, el nuevo ministro de Economía tenía un margen de credibilidad de los mercados al comienzo de su gestión; y por último, y principalmente, el episodio especulativo del verano de 1993 se dirigió a la ruptura del propio SME atacando su columna vertebral, la paridad franco/marco. A mediados del 1993 se producen dos acontecimientos importantes que marcan el devenir de la política económica en España. El primero es la pérdida de la mayoría absoluta por el PSOE en las elecciones generales y el nombramiento de un nuevo ministro de Economía. El segundo es la ya mencionada crisis definitiva del SME como instrumento que conduciría a la unión monetaria mediante el estrechamiento paulatino de las bandas de fluctuación. En primer lugar, la política presupuestaria, y, en general, la económica, necesitan ser pactadas, por primera vez, con otra fuerza política. La política fiscal y salarial (mercado de trabajo) comenzó a moverse en la dirección adecuada: consolidación fiscal y reforma del mercado de trabajo. Sin embargo, estas políticas no tuvieron la intensidad necesaria para mejorar nuestra convergencia con Europa. El pacto postelectoral de política económica dio pocos frutos en la mejora del funcionamiento de los mercados de servicios; incluso hubo algunos pasos atrás (horarios comerciales, alquileres).

El segundo Programa de Convergencia español presentado en Bruselas en el otoño de 1994 fue un ejemplo del tono descrito de las políticas. Desde luego, se consideró más serio y consistente que el primer programa presentado en la primera mitad de 1992, que quedó sobrepasado por los acontecimientos al poco de presentarse y que ya entonces fue considerado voluntarista e irrealizable. La valoración comunitaria del segundo programa marco de la política económica para el período 1995-1997 se realizó sobre la base de constatar una mejora cualitativa apreciable en la política presupuestaria para el año 1994, en la que, por primera vez en los últimos años, la ejecución presupuestaria se atenía a lo presupuestado. Sin embargo, los objetivos del programa se consideraron poco ambiciosos, aunque bien orientados en cuanto a la reducción del déficit y las reformas estructurales. Los objetivos anuales de déficit de las Administraciones públicas de 6,7, de 5,9, de 4,4 y del 3% del PIB para los años 1994 a 1997, respectivamente, fueron considerados como mínimos, siendo deseable un ajuste más intenso, especialmente si el crecimiento fuera mayor que el esperado. En particular, los objetivos de 1994 y 1995 se consideraron fáciles de alcanzar, por lo que hubiera sido conveniente un ajuste más intenso en esos dos primeros años.

Para conseguir los objetivos en 1996 y 1997 no bastarían ya meras medidas de contención del gasto, sino que serían precisas modificaciones legislativas que afectasen ineludiblemente al gasto social (pensiones, sanidad, seguro de desempleo) si se crecía sólo moderadamente. El segundo gran capítulo de reducciones importantes del gasto era el de la empresa pública, en el que los organismos internacionales nos aconsejaban una política decidida de reducción de transferencias públicas y privatizaciones. Aun cumpliéndose el programa en su senda de ajuste fiscal, apenas se reduce en 1997 el nivel global de deuda pública, que se dejó elevar rápidamente en el período 1989-1993, cruzándose el umbral de una dinámica razonable de la deuda. Esta circunstancia nos situaba en una difícil posición para pasar el examen de convergencia en materia fiscal, incluso alcanzando el 3% de déficit en 1997. En cuanto a la política salarial, en este período se llevó a cabo una reforma del mercado de trabajo global calificada por el FMI y otros organismos internacionales como una reforma en la dirección adecuada aunque insuficiente. En este período se produce una mayor moderación salarial y una mayor generación de empleo con tasas de crecimiento más bajas que con anterioridad. En 1994 se aprueba la ley de autonomía del Banco de España.

Antes de estabilizarse definitivamente el SME como antesala del euro, se produce un nuevo episodio especulativo en febrero de 1995. De nuevo una modalidad de unión monetaria sólo sobre la base del SME se mostró vulnerable a las turbulencias monetarias internacionales. A principios de 1995 el dólar se muestra débil y el papel del marco como moneda de reserva internacional incrementa de nuevo su demanda desproporcionadamente frente al franco francés, y, por su puesto, respecto a otras monedas con peores fundamentos económicos, como la peseta. La ampliación de las bandas al +/–15% evitó referencias prácticas a la especulación, y aunque el franco se depreció respecto al marco más allá de las bandas estrechas anteriores del +/–2,25%, la relación franco-marco no fue causa de una crisis en 1995 como la de 1993. La peseta, moneda de una economía sobre la que pesaban dudas más que razonables de que estuviera en el primer grupo de la UEM, hubo de ver devaluada de nuevo a su paridad central, aunque la cotización dentro de las bandas volvió a estabilizarse a principios de 1996, si bien a niveles algo más depreciados que en 1994 (véase el gráfico 5.4).

En otoño de 1995 el ciclo político tiene que ver una vez más con la evolución de la política presupuestaria. Después de dos años de una mejora cualitativa en la gestión de la política fiscal, 1994 y 1995, el rechazo del presupuesto para 1996 por el Congreso, debido a la debilidad del gobierno, supuso un paréntesis en una coyuntura de cumplimiento del segundo Programa de Convergencia particularmente crítica, pues según la opinión de los organismos internacionales con el presupuesto de 1996 llegaba la hora de la verdad, es decir, la hora de alcanzar el objetivo del 4,4% de déficit, posicionando a la vez a la economía para alcanzar un déficit por debajo del 3% en 1997. Éste sería el reto fundamental para la política económica del nuevo Gobierno que surgió de las elecciones de marzo de 1996.

5. 1996-1998: estabilidad cambiaria y preparación para el euro

Ganadas las elecciones generales de 1996 por el Partido Popular, con el apoyo nacionalista, se apuesta decididamente por el cumplimiento de los criterios de Maastricht y la participación en la moneda única a partir del 1 de enero de 1999 (toda vez que para alcanzar la UEM el 1 de enero de 1997 no hubo un número suficiente de países que cumplieran los criterios de Maastricht). En el SME, y dentro de las bandas del +/–15%, la peseta se mueve en una banda efectiva del 2,25% siempre de apreciación respecto a su tipo de cambio central, como se ve en el gráfico 5.4. Esta consecución del objetivo del tipo de cambio se debe a la alta credibilidad de la política económica española en el marco de los criterios de convergencia, cuyo cumplimiento, con datos estadísticos del año 1997, constata la Comisión y el Instituto Monetario Europeo.

En el informe de la Comisión sobre convergencia de marzo de 1998 se recomienda la participación de España en la UEM, y en mayo de dicho año el Consejo europeo decide que once Estados miembros de la UE, incluido el español, están preparados para formar parte de la UEM y del euro. El Consejo a la vez anuncia los tipos de cambio bilaterales irrevocables que estarán vigentes el 31 de diciembre de 1998, eligiéndose las paridades centrales del SME. Sin embargo el tipo de conversión de pesetas en euros no se podía determinar hasta conocer el valor de mercado del ecu el 31 de diciembre, ya que en esa fecha el valor de un ecu se igualaría a un euro, pero el valor del ecu no se podía determinar en mayo de 1998 al formar parte de la cesta ecu monedas que no serían después parte del euro. A 31 de diciembre de 1998 el valor del euro resultó ser de 136,386 pesetas, valor que permanecerá fijo hasta que con la propia desaparición de las monedas y billetes en pesetas existan sólo euros. En el cuadro 5.2 se ofrecen los tipos de cambio fijos de conversión de cada moneda con el euro y los tipos fijos con la peseta de cada moneda.

Afirmar tajantemente que estos tipos nominales de la peseta estaban sobrevaluados o devaluados no es fácil, pues habría que especificar cuál era su valor de equilibrio. Es un hecho que a tipos de cambio nominales de la peseta muy cercanos a los tomados para las paridades irrevocablemente fijas la balanza de pagos por cuenta corriente ha estado en equilibrio en los cinco últimos años, y a esos tipos se ha producido el cumplimiento de los criterios de Maastricht sin tensiones cambiarias. Como la evolución de nuestros índices de precios y costes ha sido diferente, la estabilidad de la peseta en el SME desde 1996 ha dado lugar, dentro de una posición competitiva aceptable de la economía española frente a los países desarrollados, mejorada a partir de 1999 por la depreciación del euro respecto al dólar, a una pérdida de competitividad moderada frente a los países de la UEM a partir de mediados de 1998 (véase el gráfico 5.5), al mantener España desde entonces una tasa de inflación casi el doble que la media del euro-11. La reconducción de esta situación requerirá ser muy exigentes con la política presupuestaria, acelerar las reformas estructurales liberalizadoras pendientes y la continuidad de la moderación salarial.

El valor de la peseta en el SME fluctuaba y, ahora a través del euro, fluctúa libremente con el dólar USA, el yen y otras monedas. La política del tipo de cambio del euro la decide el Consejo Ecofin. La gestión diaria de tal política la realiza el Banco Central Europeo. La evolución de la cotización euro/dólar es un elemento informativo más a la hora de llevar a cabo la política monetaria del BCE con el fin de mantener la tasa de inflación estable y a un nivel en torno al 2% o inferior. El BCE no tiene objetivos de tipo de cambio. El impacto futuro de perturbaciones en la cotización del dólar, debilidad o fortaleza extremas de éste, no tendrá las negativas consecuencias sobre la estabilidad monetaria y cambiaria de la zona euro-11 (antiguo SME) que se han descrito en este capítulo. De hecho el euro se crea, entre otras razones, para neutralizar la dependencia del SME de las fluctuaciones del dólar USA.

El euro es una moneda nueva y diferenciada, no una cesta como el ecu, que ha nacido el 1 de enero de 1999. El 1 de enero de 2002 comenzarán a circular monedas y billetes en euros, conjuntamente con las monedas y billetes nacionales existentes. Esta coexistencia está limitada a un período máximo de seis meses, de modo que a partir del 1 de julio de 2002 sólo circularán monedas y billetes en euros, habiéndose retirado totalmente de la circulación los billetes y monedas nacionales en esta última fecha. En los tres años 1999-2001 rige el principio de no prohibición/no obligación en el uso del euro. Así en el mundo financiero la adopción del euro se está produciendo de manera muy rápida, y el éxito de su introducción ha sobrepasado las expectativas. Las emisiones internacionales de bonos en euros están ya a la par o superan en volumen las denominadas en dólares. Deuda pública, acciones, etc., se cotizan ya en euros. Sin embargo, para las personas físicas y las pequeñas empresas no parecen existir incentivos evidentes para transacionar en euros como tales, frente a hacerlo en monedas nacionales al tipo fijo con el euro. Al fin y al cabo estas monedas son meras fracciones no decimales del euro.

El nacimiento del euro implica la necesidad de reforzar la coordinación de otras políticas económicas diferentes a la monetaria (que es común y está dirigida por el BCE de manera autónoma); por ello se creó el euro-11, grupo de países de la UE que forman parte de la UEM, que se reúne regularmente. Esta necesidad de coordinación y de consistencia de la política fiscal con la monetaria dió lugar al Pacto de Estabilidad y Crecimiento, que obliga a los miembros del euro-11 a tener un presupuesto público equilibrado a lo largo del ciclo económico y nunca superior al 3% del PIB (incluyendo de manera consolidada los presupuestos del Estado, Comunidades Autónomas y corporaciones locales). El Pacto obliga también a presentar y actualizar anualmente los Programas de Estabilidad, verdaderos programas presupuestarios plurianuales, que han de ser aprobados por el Consejo Ecofin.

La participación española en el euro supone la graduación de España como uno de los pocos países de la más alta calidad a nivel mundial en términos económicos. Nuestra moneda nacional, el euro, estará a la altura del dólar y el yen. La mayor parte del negocio comercial y financiero internacional de nuestras empresas se hará en nuestra propia moneda, privilegio sólo de dos o tres grandes potencias en el mundo. España compartirá soberanía a través del BCE con otros países en el manejo de la política monetaria; en absoluto es una cesión, pues no se puede ceder lo que no se tenía. Participando en el euro tendremos unos niveles más bajos de tipos de interés nominales y reales, ya que nuestra tasa media de inflación en los últimos veinte años (cerca del 10%) ha sido más de un 300% más alta que la de Alemania (3%) y un 50% más alta que la media de la UE (7%). La política macroeconómica de la estabilidad será más creíble y predecible, lo que contribuirá a que el sector privado pueda planear con menor incertidumbre el futuro, con independencia de cambios políticos o resultados electorales de complicada aritmética. En este sentido, el euro contribuye no sólo a la estabilidad económica sino también política de España.

El euro es la respuesta estratégica europea (y española) al reto de la competitividad del área norteamericana y asiática. Las reformas estructurales que el euro requiere para la economía española, y europea, son necesarias en cualquier caso para mantener e incrementar la competitividad de nuestra economía. El euro tiene la virtud de hacer más explícita para los agentes sociales (empresas y sindicatos), Gobierno y público en general, la necesidad de la cultura de la competencia, la calidad y el esfuerzo de mejora individual y colectiva. Con el euro se elimina el riesgo cambiario y los costes de operar en divisas del comercio exterior, de la inversión extranjera en España y de España en el exterior y del endeudamiento exterior de nuestras empresas y Administraciones públicas. En efecto, un porcentaje cercano al 90% de nuestras transacciones exteriores (comercio, inversión, endeudamiento) pasará a denominarse en euros, nuestra moneda. Los mercados financieros en euros se harán progresivamente más profundos y líquidos. Las empresas y particulares tendrán un acceso más fácil a la financiación.

Los países que forman la UEM deben realizar reformas estructurales para rebajar las elevadas tasas de paro existentes. No cabe duda de que la experiencia de Estados Unidos, con una tasa de paro por debajo del 5% (es decir, menos de la mitad de la UEM), es interesante a este respecto. Sin embargo, a pesar de la buena marcha de la economía de los Estados Unidos, el déficit de la balanza de cuenta corriente de este país, cercano al 4% del PIB, hace al dólar vulnerable. La insuficiencia del ahorro interno privado en los Estados Unidos para financiar su consumo e inversión determina un constante endeudamiento de su economía con el exterior. En presencia de una segunda moneda de reserva como el euro los inversores tendrán una alternativa a un dólar USA excesivamente abundante (por los déficit crónicos de la balanza corriente estadounidense). Los puntos fuertes de la economía estadounidense son muchos, como destaca el cuerpo de literatura de la *new economy*, y el ciclo económico viene jugando a favor del dólar en los últimos años frente al ecu y en el último año frente al euro. No obstante, la economía estadounidense perderá su tradiconal asimetría en el ajuste de sus desequilibrios en el Sistema Monetario Internacional (SMI) y habrá de preocuparse más que hasta ahora por el valor del dólar. Los Estados Unidos habrán de colaborar de una manera más equilibrada con las autoridades del euro de como lo hacían con el SME. El Consejo europeo de Viena decidió que el grupo de países euro-11 se expresen con una sola voz en el SMI (FMI, G-7, G-20, etc.).

Existe una opinión que mantiene que el dólar será siempre más fuerte que el euro al estar el euro-11 constituido por un gran número de países y asumir que el BCE no cumplirá con su mandato de velar por la estabilidad de precios. La debilidad del euro no residirá ni en el número de países que lo crearon ni en la politización del BCE, sino en el menor dinamismo de la economía de la UE en el caso de que no se pongan en práctica las reformas estructurales que el anquilosado sistema de relaciones laborales y de Seguridad Social demandan en la Europa continental, así como si no se generaliza de manera rápida y eficiente la incorporación de las nuevas tecnologías. Otro argumento a favor de un euro débil es el de la falta de instrumentos fiscales de la zona euro-11 para absorber perturbaciones asimétricas, políticas o económicas sobre los diferentes países que la componen, lo que, predicen, creará tensiones políticas en torno al euro en un momento dado. Esta predicción la suelen realizar los mismos que siempre fueron escépticos respecto al propio nacimiento del euro y subestiman el hecho de que la UEM se construyó y se mantendrá en base a un proceso consesuado de resolver los problemas sobre la marcha, en base a la voluntad política de hacerlo. El análisis se traslada así a descifrar los costes y beneficios para los países del euro de quebrar tal voluntad política.

Desde el comienzo de la cotizacion del euro el 4 de enero de 1999 su valor ha pasado de 1,18 dólares a rozar, e incluso a estar por debajo, la paridad uno por uno, desde diciembre de 1999 (véase el gráfico 5.6). Dado que la voluntad política de euro-11 se mantiene firme sobre las ventajas del euro para los países participantes, en la perspectiva histórica que ha adoptado este capítulo la paridad de valor euro/dólar no es más que una anécdota. A principios del año 2000, el FMI, OCD, BCE, Comisión Europea, etc., piensan que los desequilibrios de la economía estadounidense no se pueden perpetuar, y que el dólar está más bien sobrevaluado al valor de paridad uno por uno con el euro que lo contrario. Pero como es sabido, el acierto en la predicción de la evolución futura de precios de activos, como las acciones o los tipos de cambio, es harto difícil (ya ha pasado a los libros de texto la opinión del presidente de la FED, el señor Greenspan, cuando dijo, en diciembre de 1996, que en la Bolsa de Nueva York había una burbuja financiera, habiéndose duplicado su índice tres años después por las mismas fechas, en las que ha sido elegido para seguir como presidente de la FED otro mandato más).

Referencias

Alzola, J. L. (1991): *La evolución del tipo de la peseta en el período 1986-90: Causas y efectos* (documento de trabajo 91-22), Fedea.

Argandoña, A. (1986): «Política de tipo de cambio y política de la peseta en España, 1974-85», *Información Comercial Española*, noviembre.

De la Dehesa, G., y Fernández, V. J. (1986): «Balanza de pagos y tipo de cambio de la peseta», *Economistas,* núm. 17.

Feito, J. L. (1997): «Costes y beneficios de la desaparición del tipo de cambio de la peseta frente a otras divisas europeas», *Información Comercial Española*, diciembre.

Fernández, V. J. (1986): *Intervención en el mercado de divisas y política del tipo de cambio de la peseta,* Series Tesis Doctorales, Editorial de la Universidad Complutense.

— (1990): «La insuficiencia de la tasa de ahorro interno y el futuro de la balanza de pagos en España», *Información Comercial Española*, diciembre.

— (1995): «Política económica de España: 1989-2002: ¿Hacia la Unión Monetaria?», Círculo de Empresarios, *Libro marrón*, diciembre.

González-Ibán, R., y Ahijado, M. (1999): *El Banco Central Europeo y la política monetaria común*, Madrid, Pirámide.

Guitián, M. (1997): «Los in, los out y las perspectivas actuales de participación en la UEM», *Información Comercial Española*, diciembre.

Mañas, L. A. (1997): «El euro y la empresa española: consecuencias estratégicas y operativas», *Información Comercial Española*, diciembre.

Montoro, C. (1997): «La política económica española y la Unión Económica y Monetaria europea», *Información Comercial Española*, diciembre.

Palla, E. (1988): «España y el Sistema Monetario Europeo», *Información Comercial Española*, mayo.

Pérez-Campanero, J. (1991): «La peseta y el SME», *Papeles de Economía Española*, núm. 49.

— (1993): *La crisis del SME*, Fedea.

Solchaga, C. (1997): *El final de la edad dorada*, Madrid, Taurus.

Toribio, J. J. (1995): «España en la UE: lecciones para la política económica», Círculo de Empresarios, *Libro marrón*, diciembre.

Varela, F.; Hinarejos, M., y Varela, J. E. (1997): «El euro como futura moneda internacional», *Información Comercial Española*, diciembre.

Viñals, J. (1990): «Los riesgos de la libre circulación de capitales», *Papeles de Economía Española*, núm. 43.

Anexo

El camino de la peseta hacia la UEM y el euro, 1969-2002

Diciembre 1969	Creación por los Jefes de Estado o de Gobierno de los seis Estados miembros de un grupo de alto nivel presidido por Pierre Werner, primer ministro de Luxemburgo. Misión del grupo: preparar un informe sobre la puesta en marcha de la UEM en diez años.
Octubre 1970	El informe Werner recomienda un enfoque en tres etapas hasta llegar a tipos de cambio irrevocablemente fijos entre Alemania, Francia y Benelux y una federación de bancos centrales.
Marzo 1971	Fracaso de la primera tentativa de los Seis para limitar las fluctuaciones de los tipos de cambio, a causa de la inestabilidad de los mercados después de la decisión americana de dejar flotar el dólar.
Marzo 1972	Los Seis crean la «serpiente en el túnel» para limitar las fluctuaciones de sus monedas en relación con el dólar. En 1974, los acontecimientos reducen la serpiente a una «zona marco», a un acuerdo entre Alemania, Dinamarca y Benelux.
Marzo 1979	Lanzamiento del Sistema Monetario Europeo (SME), creando una zona de estabilidad monetaria.
Abril 1985	Acuerdo sobre el Acta Única Europea: creación de un Mercado Único de bienes, servicios y capitales para finales de 1992.

Enero 1986	Incorporación de España a las Comunidades Europeas.
Junio 1988	Puesta en marcha por el Consejo europeo de Hanover del «Comité de estudios de la Unión económica y monetaria» presidido por Jacques Delors, presidente de la Comisión.
Abril 1989	Haciéndose eco del informe Werner, el informe Delors recomienda un enfoque de la UEM en tres etapas, partiendo de una coordinación económica y monetaria más grande para llegar a una moneda única y a un banco central europeo.
Junio 1989	Incorporación de la peseta al SME con banda +/–6%.
1 julio 1990	Comienzo de la primera fase de la UEM (libre circulación de capitales).
Diciembre 1991	El Consejo europeo de Maastricht decide la UEM.
Mayo 1992	Dinamarca rechaza el Tratado de Maastricht por referéndum.
Septiembre 1992	Crisis del SME: la libra y la lira salen del SME. Primer realineamiento de la peseta, 5% devaluación de la paridad central.
Noviembre 1992	Segundo realineamiento de la peseta del 6%.
Mayo 1993	Tercer realineamiento de la peseta del 8%.
Agosto 1993	Ampliación de las bandas del SME al +/–15%, manteniéndose las paridades centrales y reconfirmando el objetivo de Maastricht.
1 noviembre 1993	Entrada en vigor del Tratado de la UE que incluye la creación de la UEM y la moneda única el 1 de enero de 1997 o el 1 de enero de 1999.
Enero 1994	Comienzo de la segunda fase de la UEM: puesta en marcha del Instituto Monetario Europeo (IME).
Junio 1994	Ley de Autonomía del Banco de España.
Febrero 1995	Cuarto realineamiento de la peseta en el SME, 8% de devaluación de la paridad central.
Diciembre 1995	El Consejo europeo de Madrid bautiza la moneda única «euro» y decide la puesta en circulación de las piezas y los billetes en euros el 1 de enero de 2002.
Junio 1997	El Consejo europeo de Amsterdam acuerda el Pacto de Estabilidad y de Crecimiento y el SME II, destinado a garantizar la estabilidad entre el euro y las monedas de los Estados miembros no participantes.
Marzo 1998	La Comisión publica su informe de convergencia y recomienda la participación de once Estados miembros en la UEM.
Mayo 1998	El Consejo decide que 11 Estados miembros formen la zona del euro; anuncia los tipos de cambios bilaterales

199

entre las monedas participantes; adopta el texto jurídico haciendo del euro la moneda única de los Estados
miembros participantes; adopta la legislación instituyendo el Banco Central Europeo (BCE) y nombra los
miembros del directorio del BCE.

Junio 1998   Se crea oficialmente el BCE.

31 diciembre 1998   El Consejo Ecofin adopta los tipos de conversión irrevocables entre el euro y las monedas participantes. Un
euro son 166,386 pesetas.

1 enero 1999   Nacimiento del euro moneda única de 11 Estados. El
BCE pasa a ser responsable de la política monetaria
única, la cual es definida y ejecutada en euros.

1 enero 2002   Puesta en circulación de las piezas y billetes en euros.

Cuadro 5.1   Crecimiento económico

	E	A	F	I	RU	EU-15	EUR-11	US
1990	3,7	5,7	2,7	2,2	0,6	3,0	3,7	1,7
1991	2,3	5,0	1,0	1,4	−1,5	1,7	2,4	−0,2
1992	0,7	2,2	1,5	0,8	0,1	1,2	1,5	3,3
1993	−1,2	−1,1	−0,9	−0,9	2,3	−0,4	−0,8	2,4
1994	2,3	2,3	2,1	2,2	4,4	2,8	2,4	4,1
1995	2,7	1,7	1,7	2,9	2,8	2,4	2,3	2,7
1996	2,3	0,8	1,1	0,9	2,6	1,6	1,4	3,7
1997	3,8	1,5	2,0	1,5	3,5	2,5	2,3	4,5
1998	4,0	2,2	3,2	1,3	2,2	2,7	2,7	4,3

FUENTE: Eurostat, diciembre de 1999.

Cuadro 5.2   Inflación: deflactor del consumo privado

	E	A	F	I	RU	EU-15	EUR-11	US
1990	6,5	2,7	3,0	6,2	7,7	5,4	4,3	4,6
1991	6,4	3,7	3,5	7,0	7,9	5,8	4,8	3,5
1992	6,4	4,4	2,5	5,5	4,7	4,6	4,4	2,7
1993	5,6	3,8	2,4	5,5	3,5	4,1	4,0	2,7
1994	4,9	2,6	2,1	4,9	2,2	3,3	3,3	2,0
1995	4,7	1,9	2,0	6,0	2,9	3,2	3,1	2,2
1996	3,4	1,9	1,9	4,4	3,1	2,8	2,6	2,0
1997	2,5	1,7	1,4	2,6	2,5	2,2	2,0	1,7
1998	2,0	0,9	0,9	2,3	2,0	1,6	1,5	0,9

Cuadro 5.3   Déficit de las Administraciones Públicas (% del PIB)

	E	A	F	I	RU	EUR-15	EUR-11	US
1990	–4,1	–2,1	–1,5	–11,0	–1,5	–3,6	–4,2	–4,4
1991	–4,3	–2,9	–2,0	–10,0	–2,8	–4,1	–4,4	–5,0
1992	–4,0	–2,5	–4,2	–9,5	–6,5	–5,1	–4,7	–5,9
1993	–6,7	–3,2	–6,0	–9,4	–8,0	–6,1	–5,5	–5,0
1994	–6,1	–2,5	–5,5	–9,1	–6,8	–5,4	–4,9	–3,7
1995	–6,9	–3,3	–5,5	–7,7	–5,8	–5,1	–5,0	–3,1
1996	–5,0	–3,4	–4,2	–7,0	–4,4	–4,2	–4,2	–2,2
1997	–3,1	–2,6	–3,0	–2,8	–2,0	–2,4	–2,6	–0,9
1998	–2,3	–1,7	–2,7	–2,7	0,2	–1,5	–2,0	0,4

Cuadro 5.4   Deuda pública bruta (% del PIB)

	E	A	F	I	RU	EUR-15	EUR-11
1990	43,2	43,8	34,8	97,3	—	—	58,0
1991	43,9	40,3	35,2	100,6	35,1	54,8	57,8
1992	46,3	43,0	39,0	107,7	41,1	59,1	61,1
1993	57,9	46,9	44,3	118,1	47,8	64,5	66,0
1994	60,4	49,3	47,6	123,8	49,8	66,6	68,3
1995	63,2	57,0	51,9	123,2	52,0	69,4	71,4
1996	67,4	59,7	54,8	122,5	52,6	71,4	73,9
1997	66,0	60,8	57,1	120,2	51,0	70,4	73,8
1998	64,1	60,7	57,7	116,8	48,3	68,5	72,4

Cuadro 5.5   Tipos de interés nominal a corto plazo

	E	A	F	I	RU	EU-15	ECU	US
1990	15,2	8,4	10,3	12,3	14,8	11,2	10,4	7,8
1991	13,2	9,2	9,6	12,2	11,5	10,7	9,9	5,5
1992	13,3	9,5	10,4	14,0	9,6	11,0	10,5	3,5
1993	11,7	7,2	8,6	10,2	5,9	8,4	8,1	3,1
1994	8,0	5,3	5,9	8,5	5,5	6,4	6,0	4,7
1995	9,4	4,5	6,6	10,3	6,7	6,7	6,0	6,0
1996	7,5	3,3	3,9	8,7	6,0	5,1	4,4	5,5
1997	5,4	3,3	3,5	6,8	6,8	4,7	4,2	5,7
1998	4,3	3,5	3,6	4,9	7,3	4,5	4,2	5,5

Cuadro 5.6   Balanza por cuenta corriente (% PIB)

	E	A	F	I	RU	US
1990	−3,7	3,5	−0,9	−1,6	−3,5	−1,2
1991	−3,6	−1,0	−0,5	−2,1	−1,4	0,3
1992	−3,6	−0,7	−0,4	−2,5	−1,7	−0,6
1993	−1,0	−0,5	0,7	0,8	−1,7	−1,1
1994	−1,3	−1,2	0,2	1,2	−0,2	−1,5
1995	−0,1	−0,7	0,3	1,0	−0,5	−1,3
1996	0,1	−0,3	0,9	2,1	−0,1	−1,4
1997	0,3	0,0	2,3	1,7	0,8	−1,5
1998	−0,4	−0,2	2,1	0,8	0,0	−2,3

Cuadro 5.7   Tipo de cambio fijo del euro

Pesetas	166,386
Marcos alemanes	1,95583
Francos franceses	6,55957
Libras irlandesas	0,787564
Liras italianas	1936,27
Francos belgas	40,3399
Florines	2,20371
Chelines australianos	13,7603
Escudos	200,482
Marcos finlandeses	5,94573

Cuadro 5.8   Tipo de cambio fijo de la peseta

Marco alemán	85,0718
Franco belga	4,12460
Franco luxemburgués	4,12460
Franco francés	25,3654
Libra irlandesa	211,266
100 liras italianas	8,59311
Florín	75,5026
100 escudos	82,9929
Chelín austríaco	12,0917
Marco finlandés	27,9841

Gráfico 5.1   Índices de tipo de cambio efectivo de la peseta frente a la CEE (base 1985 = 100)

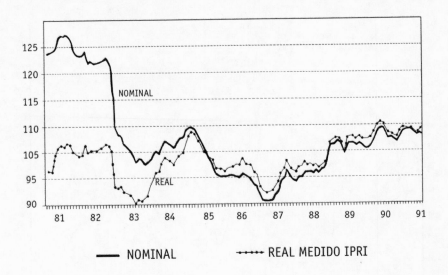

Gráfico 5.2   Índices del tipo de cambio efectivo nominal (base 1990 = 100)

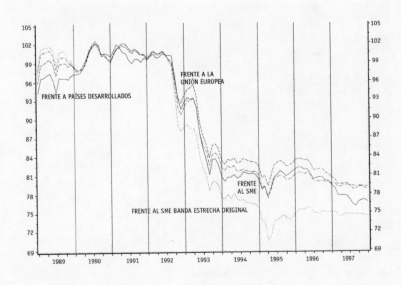

FUENTE: Banco de España, *Boletín Económico*, enero 1998, pág. 164.

Gráfico 5.3   Tipo de cambio efectivo real frente a países desarrollados (base 1990 = 100)

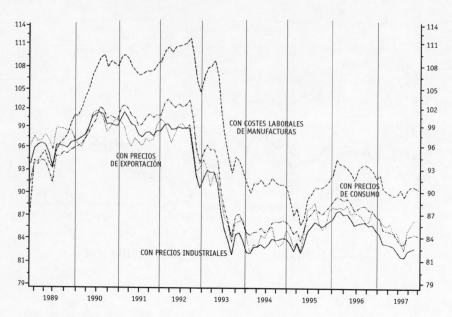

FUENTE: Banco de España, *Boletín Económico*, febrero 1998, pág. 132.

Gráfico 5.4   Posición de la peseta frente al marco (bandas de fluctuación)

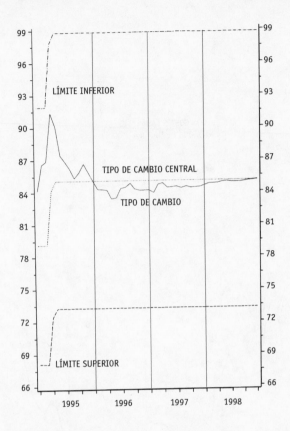

FUENTE: Banco de España, *Boletín Económico*, enero 1999, pág. 186.

Gráfico 5.5 Índices de competitividad frente a la UEM (base 1990 = 100)

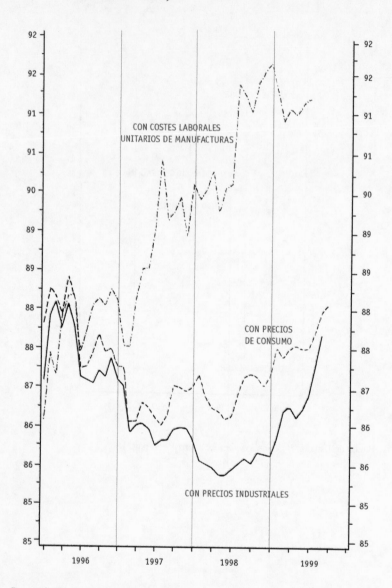

FUENTE: Banco de España, *Boletín Económico*, enero 1999, pág. 186.

Gráfico 5.6   Dólares por euro

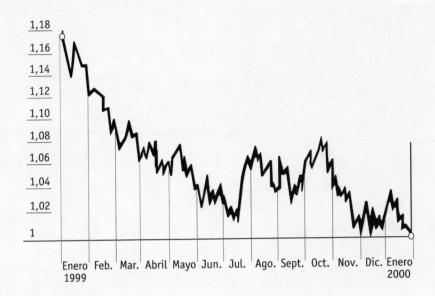

6.   Política fiscal

Á. L. López Roa

Una revisión de la política fiscal en España (PF en adelante) requiere —especialmente cuando se inserta en un libro que está orientado preferentemente a ser de texto— enmarcarla dentro de las coordenadas de la política económica del período que se considera y «conectarla» con lo señalado en las ediciones precedentes.

El esquema que se va a seguir es el siguiente:

1. Orientaciones de la política fiscal.
2. El ordenamiento impositivo en España.
3. Objetivos e instrumentos de la política fiscal.
4. Las referencias de ingresos y gastos.
5. Política fiscal y ciclo económico.

1.   Introducción: orientaciones de la política fiscal

Este capítulo se centró, en la anterior edición (1993), en el análisis del período 1980-1991, con referencias de cierre para 1992 y apuntes de las orientaciones que debería seguir la PF, así como los condicionantes del proceso de convergencia de la economía española.

Ahora, una visión retrospectiva de la política económica (PE en adelante) de las últimas tres décadas podría sintetizarse en función de las líneas básicas de la misma (que es lo que ha condicionado fundamentalmente tanto las políticas instrumentales, entre las que se encuentra la PF, como las sectoriales) en:

a) Los últimos setenta y primeros años de los ochenta iue el objetivo de estabilidad el que requirió una atención específica por parte de las autoridades económicas. Los Pactos de la Moncloa son un buen ejemplo.

b) Pero desde el punto de vista fiscal —para ese mismo período— el objetivo de estabilidad se complementó con un amplio proceso que abordó una profunda reforma que trascendió los límites meramente instrumentales típicos de la PF. Se trataba de adaptar el sistema fiscal en su conjunto a las transformaciones que exigía la estabilidad, la equidad y la modernización de la economía y del propio sistema fiscal. Referencias al respecto son:

- la desaparición del secreto bancario [1];
- la tipificación del delito fiscal [2];
- la introducción del Impuesto sobre el Patrimonio [3];
- los desarrollos normativos de impuestos clave como el de la Renta de las Personas Físicas [4], de Sociedades [5], los Indirectos [6] y los Especiales [7], así como la regulación jurídica del de Transmisiones y Actos Jurídicos Documentados [8];
- la financiación de las Comunidades Autónomas [9], la regulación de la cesión de tributos del Estado [10];
- el saneamiento y regulación de las Haciendas Locales [11, 12];
- la Reforma del Procedimiento Tributario [13], y parcialmente la propia Ley General Tributaria [14];
- el Régimen Fiscal de las Fusiones de Empresas [15] y de Agrupaciones y Uniones Temporales de Empresas y de Sociedades de Desarrollo Industrial Regional [16];
- el Régimen Fiscal de determinados Activos Financieros [17];
- la lucha contra el fraude, incluyendo la reforma del Código Penal en materia de delitos contra la Hacienda Pública [18].

c) Desde mediados de los ochenta hasta la segunda mitad de los noventa la PF profundiza en el desarrollo normativo.

- Entra en vigor el Impuesto sobre el Valor Añadido [19].
- Se reforma parcialmente el Impuesto sobre la Renta de las Personas Físicas [20], adaptado posteriormente [21] como consecuencia directa de una sentencia del Tribunal Constitucional [22] que declaraba inconstitucionales y nulos determinados preceptos de la Ley del IRPF, y se cierra con la promulgación de una nueva ley en 1991 [23].
- Se modifican los Impuestos Especiales [24].

- Entra en vigor el Impuesto sobre Sucesiones y Donaciones[25].
- Se promulga una Ley del Impuesto sobre el Patrimonio[26].
- Se regula el Régimen Fiscal de las Haciendas Locales[27].
- Se modifica parcialmente el Impuesto sobre Actividades Económicas[28], aplicándose desde comienzos de 1992.

d) Hay una prioridad del objetivo redistribución en la mayor parte de la década de los ochenta hasta mediados de los noventa. Se manifiesta en una preferencia del gasto público en transferencias y gastos sociales, acompañada de una aportación apreciable de inversión pública en infraestructuras.

e) Esto tendrá un coste elevado desde el punto de vista del ajuste obligado por el proceso de convergencia que acometerán las autoridades económicas en la segunda mitad de los noventa. En efecto, el déficit público, medido en términos de PIB, había alcanzado el 7,30% en 1995, los niveles de deuda pública se aproximaron al 70% del PIB y la carga de intereses efectivos se había acercado hasta casi representar una cuarta parte del total de empleos de las Administraciones públicas. La PF, en la segunda mitad de los noventa, atacará los tres objetivos clásicos de la PE (crecimiento, redistribución de la renta y estabilidad) bajo el condicionante de la convergencia nominal y la necesidad de apoyar las políticas de empleo (véanse los capítulos 1 y 9).

2. El ordenamiento impositivo en España

Las sucesivas reformas han llevado a que el ordenamiento fiscal[29] —limitado a su expresión general[30]— en España se configure, dentro de un enfoque «clásico» (instrumental de la PF), de la siguiente forma:

- Impuestos directos:

  — Impuesto sobre la Renta de las Personas Físicas[31,32,33].
  — Impuesto sobre la Renta de no Residentes[34,35,36].
  — Impuesto sobre Sociedades[37,38,39].
  — Impuesto sobre el Patrimonio[40].
  — Impuesto sobre Sucesiones y Donaciones[41,42].

- Impuestos indirectos:

  — Impuesto sobre Transmisiones Patrimoniales y Actos Jurídicos Documentados[43,44].
  — Impuesto sobre el Valor Añadido[45,46].
  — Impuestos Especiales[47,48].

    → Alcohol y bebidas alcohólicas.
    → Cerveza.
    → Vino y bebidas fermentadas.
    → Productos intermedios [49].
    → Alcohol y bebidas derivadas.
    → Hidrocarburos.
    → Labores de tabaco.
    → Electricidad.
    → Determinados medios de transporte [50].
    → Primas de Seguros [51].

— Aduanas [52, 53].

• Régimen para Canarias [54].

Desde el punto de vista de la PF —como política instrumental dentro de la PE—, este ordenamiento, si se atiende a las medidas, agentes, normativas y efectos ordinarios que están directamente relacionadas con su:

a)   propia instrumentación,
b)   grado de eficacia y
c)   articulación normativa, vigente, de efectos macroeconómicos,

puede sintetizarse en los siguientes puntos.

2.1 La regulación imperativa contenida en la Ley General Tributaria [55] que recoge los principios básicos del ordenamiento fiscal

2.2 La gestión de la PF

La definición, ejecución y coordinación de la PF son competencia propia de las autoridades económicas, pero se apoya —y en ello radica buena parte de su eficacia— en sistemas de gestión que han registrado sustanciales modificaciones en la segunda mitad de los noventa. Previamente, en la década anterior, fueron aplicados y desarrollados sistemas informáticos que modernizaron notablemente el aparato operativo de la Hacienda Pública.

• Una parte fundamental de esta gestión radica en la Agencia Estatal de Administración Tributaria. Su estructura es desarrollada [56] para adaptarse a los profundos cambios registrados hasta mediados de los noventa.
• Respecto a la vinculación de las Comunidades Autónomas en los órganos de gestión de la Administración Tributaria del Estado, con la cesión de

tributos del Estado a las Comunidades Autónomas se regula la participación de las mismas [57].

- Desde el punto de vista de la equidad fiscal (por aproximación) y de los derechos de los contribuyentes,

    — se crea, en 1996, el Consejo para la Defensa del Contribuyente en la Secretaría de Estado de Hacienda [58],
    — se regulan —por ley— sus derechos y garantías [59] y
    — se establece el régimen aplicable a las consultas cuya contestación deba tener carácter vinculante para la Administración Tributaria [60].

- Y, en cuanto a la simplificación y ordenación administrativa, al margen de los contenidos propios de cada figura fiscal incorporados en las sucesivas modificaciones de las mismas, pueden destacarse algunas modificaciones en el procedimiento tributario [61] y simplificaciones/obligaciones en ciertas declaraciones y referencias [62].

2.3   Inspección

En ella ha radicado parte del éxito de los instrumentos complementarios a la instrumentación recaudatoria ordinaria. Ciertamente ello ha sido posible, en buena medida, por la inversión realizada —más intensamente desde comienzos de los ochenta pero actualizada recientemente— en sistemas informáticos y de gestión. Esto ha representado un apoyo operativo básico y ha incrementado sensiblemente la eficiencia de la instrumentación de la PF.

Los esfuerzos se han orientado tanto al afloramiento de bolsas de fraude —apoyado desde otros órganos de la Administración— como al seguimiento de líneas específicas sectorizadas [63].

2.4   Recaudación

Los mecanismos ordinarios de recaudación, los sistemas informáticos y de gestión, la inspección y las específicas reordenaciones normativas de las figuras impositivas podría decirse que no han tenido tanto éxito recaudatorio como el que ha supuesto, en la actual fase expansiva del ciclo económico, la adopción de medidas para aprovechar la misma.

En efecto, uno de los activos más importantes de las autoridades económicas, en este período, ha sido instrumentar la PF coordinadamente con otras políticas tanto instrumentales —la monetaria especialmente hasta la entrada en la UEM— como no instrumentales a los efectos de «aprovechar el impulso de la ola» de esta fase de vigor en la actividad económica.

El uso selectivo de las retenciones en origen, incentivos, deducciones, desgravaciones, etc., para obtener beneficios del aumento de la demanda —o frenar la misma, según los casos— y orientar los flujos hacia el consumo privado, el ahorro o la exportación, el aprovechamiento del aumento de las importaciones (vía imposición indirecta), etc., se han mostrado extraordinariamente eficaces para atender no sólo al objetivo de incrementar los ingresos públicos —y alcanzar mejoras significativas en la convergencia— sino para incrementar la competencia y hacer más flexible el sistema productivo en su más amplio sentido.

2.5 Infracciones y delitos

Finalmente hay que destacar, en este apartado relativo al ordenamiento tributario, los puntos más relevantes que atienden a las infracciones y delitos.

El principal de ellos es la consideración, en el Código Penal[64], de los:

— Delitos contra el patrimonio y el orden socioeconómico, y especialmente el tratamiento en las defraudaciones de la apropiación indebida.
— Los delitos contra la Hacienda Pública y la Seguridad Social.

En segundo lugar, habría que considerar la represión del contrabando, especialmente a través de:

— La normativa general de Represión del Contrabando de 1995[65].
— Su desarrollo posterior relativo a las infracciones administrativas de contrabando[66].

Y, en tercer lugar, el desarrollo del régimen sancionador tributario y las modificaciones, al respecto, en el Reglamento General de la Inspección de los Tributos[67].

3. Objetivos e instrumentos de la política fiscal

Los objetivos generales perseguidos por las autoridades económicas —como se ha apuntado líneas arriba: crecimiento económico, distribución de la renta y estabilidad— han sido desigualmente «priorizados» hasta la segunda mitad de los noventa y específicamente con aceptación del compromiso de convergencia.

Dentro de la discusión académica que habitualmente se genera sobre los efectos que la PF tiene en las principales variables económicas —ahorro, consumo, inversión, etc.— y sobre los mecanismos de asignación de recursos y distribución de la renta, los diferentes estudios al respecto ofrecen conclusiones, en ocasiones, aparentemente contrapuestas pero que, en todo caso, para ser tenidas en cuenta han de ser contempladas cuidando escrupulosamente las referencias bajo las que se han realizado [68, 69].

Desde el punto de vista de la eficacia de la PE es más relevante identificar cuándo las autoridades económicas han actuado haciendo uso coherente y coordinado del «arsenal» de instrumentos de todas las políticas —instrumentales y sectoriales— que en qué momentos se han obtenido éxitos parciales manteniéndose determinados desequilibrios. En este contexto, la aplicación de la PF puede decirse que ha alcanzado los objetivos perseguidos —sin elevados costes adicionales— cuando ha sido aplicada coordinadamente con otras políticas y con el aprovechamiento de las «economías coyunturales» que la situación del ciclo económico sugería. Éste es el caso de la más reciente fase de la PF, la que va desde 1996 hasta la actualidad.

Debe citarse, al respecto, la opinión del propio Banco de España. «Durante toda la fase expansiva del ciclo económico anterior, que se inició en torno a 1987, la política fiscal tuvo un carácter procíclico que descargó sobre la política monetaria la responsabilidad de encauzar los desequilibrios macroeconómicos, por lo que ésta tuvo que adoptar un tono muy restrictivo. Las dificultades para regular el ritmo de expansión de la demanda agregada, con una *combinación descompensada de los instrumentos de política económica* [70], se saldaron con desviaciones significativas al alza de la inflación respecto de las referencias anuales contenidas en los presupuestos del Estado y con un patrón de crecimiento económico sesgado en contra de la inversión privada y del sector exportador. Esto propició que al agotarse la fase expansiva del ciclo económico la recesión fuera particularmente severa a comienzos de los años noventa. En este período, el alto componente estructural del déficit presupuestario y el elevado endeudamiento público acumulado [...] limitaron considerablemente la capacidad de la política fiscal para estimular la economía» (Banco de España, 1998, p. 81).

Así, la PF va a atender conjuntamente, en el subperíodo 1996-1999 (conexión del Programa de Convergencia con el Programa de Estabilidad), los tres objetivos citados.

- Se habilitan mecanismos para facilitar el crecimiento económico que permitirán

    a) contribuir al «efecto denominador», es decir, al incremento del PIB que mejora las ratios de referencia para variables objetivo (déficit público, nivel de deuda, etc.),

    b) aumentar los niveles de ingresos por la vía de aplicación de tipos (incluso reduciéndose algunos de ellos) a sumatorios de bases imponibles más amplias,

c) reducir el gasto en capítulos tan significativos como las prestaciones por desempleo (el aprovechamiento de la fase expansiva ha permitido, al generarse más empleo, aumentar los ingresos por cotizaciones y minorar los volúmenes de prestaciones),

d) incrementar los flujos de fondos prestables hacia el sector privado como primera derivada de la menor necesidad impuesta por los niveles de endeudamiento público.

- Se instrumentan medidas para mejorar la distribución de la renta

a) por la vía de mejorar la eficiencia de los mercados y la asignación de recursos productivos —financieros y no financieros—,

b) a través de liberalizar sectores,

c) mediante la agilización de procedimientos,

d) aumentando, en términos porcentuales y/o absolutos, las dotaciones de transferencias y prestaciones (al liberarse otros destinos y disponerse de mayores fondos relativos) entre las que cabe destacar las correspondientes a pensiones.

- Se articulan instrumentos para sostener la estabilidad conseguida y mantener los equilibrios básicos, mediante, entre otras políticas (la PM hasta el ingreso en la UEM):

a) La utilización beligerante de las posibilidades que ofrecen las distintas figuras tributarias —y la combinación de las mismas— para:

— sostener los niveles de precios,
— reducir el déficit público,
— reducir el nivel de endeudamiento.

b) La aplicación de instrumentos de «contrapeso» para reequilibrar el mercado de trabajo a través de:

— la canalización del flujo de recursos adicionales que facilitan los mayores niveles de actividad económica —vía imposición directa— traducidos en procesos generadores de empleo,
— *ibidem* —vía cotizaciones sociales— por mayores volúmenes salariales.

Por el lado de los instrumentos de la PF, su uso, en el subperíodo considerado, está estrechamente vinculado a, como se ha señalado líneas arriba, su combinación con otros instrumentos de política económica que tratarán de aprovechar eficazmente la fase expansiva del ciclo económico. Esta instrumentación:

a) contribuirá a formar, como se citará más adelante, una «simetría» invertida en la ponderación estructural de los ingresos y gastos elementales, en este subperíodo frente a anterior (con autoridades económicas de signo político contrario) y frente a lo que «cabría esperar» al respecto (sesgo político);

b) se caracteriza por tener una composición más equilibrada —respecto al conjunto de los instrumentos de las otras políticas económicas— que la del subperíodo inmediatamente anterior.

Los objetivos citados están apoyados en una voluntad de transmisión de confianza a los agentes económicos [71]. Quizá sea ésta la característica más importante del período que se inicia en 1996. El esquema «operativo» de la PE —aplicable a la PF— se articula en:

a) Definición clara de los objetivos a perseguir (especificados en el Programa de Convergencia): estabilidad de precios, crecimiento económico, redistribución de la renta (vía fiscal especialmente).

b) Lanzamientos sistemáticos, a los agentes y mercados, de mensajes apoyados [72] en la firmeza de la PE para conseguir:

— modificar las expectativas empresariales y orientarlas hacia escenarios a veces nuevos e incluso desconocidos [73],
— estabilizar los mercados [74],
— cambiar el sentido de la presión que agentes y/o variables ejercían sobre los mercados [75].

c) Ordenación de instrumentos primando una estructura de «efectos combinados». Esta estructura ha sido cambiante en función de las modificaciones exigidas por el ciclo económico [76].

d) Establecimiento de un horizonte amplio, cual fue el Programa de Convergencia [77], que permite el proceso de unión monetaria y define el escenario 1997-2000.

Los instrumentos de PF —articulados en la estructura presupuestaria y apoyados por las acciones de otras políticas, especialmente la PM hasta la «traslación de soberanía» al BCE— se pueden agrupar en:

a) Reforma de los ingresos públicos:

— Actualizaciones [78] de figuras como el IRPF, el Impuesto de Sucesiones, el del Patrimonio y el de Transmisiones Patrimoniales y Actos Jurídicos Documentados.
— Modificaciones en la estructura de impuestos sobre el consumo para mejorar y aprovechar la renta disponible y activar la demanda.

— Establecimiento de nuevos impuestos, como el de operaciones de seguro y capitalización[79] y el especial sobre la electricidad[80].

b) Reducción del gasto público:

— Incluida la inversión pública[81].
— Con especial énfasis en la reducción del consumo público.
— Recortes en los gastos corrientes[82].
— Atención a las minoraciones de transferencias a las empresas públicas[83].
— Estableciendo que su crecimiento fuera inferior a la inflación esperada[84].

c) Utilización combinada de figuras fiscales con incentivos sobre el ahorro (especialmente con el IRPF y el tratamiento de los dividendos y plusvalías en el Impuesto de Sociedades) dentro de paquetes de medidas liberalizadoras y reactivadoras de la economía[85].

d) Aprovechamiento recaudatorio[86] directo.

— Incremento de tasas y creación de otras nuevas[87].
— A través de establecimiento de nuevos impuestos como los *ut supra* citados.

O indirecto

— Como el aumento de la retención a cuenta del Impuesto de Sociedades en función de los beneficios obtenidos[88].

e) Acentuamiento de la instrumentación fiscal por el lado de la oferta frente a la actuación por el lado de la demanda (políticas de oferta frente a política de demanda).

f) Definición de acuerdos generales como:

— El compromiso[89] del mantenimiento del porcentaje, sobre el PIB, del Gasto en Programas (con la excepción de los destinados a los programas de agricultura y de Administraciones Territoriales)[90].
— El Acuerdo sobre la Financiación de la Sanidad[91] (Consejo de Política Fiscal y Financiera) que vinculó el crecimiento del gasto sanitario a como lo hiciera el crecimiento nominal del PIB.
— El acuerdo para el equilibrio presupuestario en el 2001 entre el Gobierno central y las Comunidades Autónomas[92].

4. Las referencias de ingresos y gastos

Los cuadros que se presentan siguen el esquema de la edición anterior, a fin de facilitar el seguimiento de series históricas, si bien, en este período (1989-1998), los valores absolutos de las variables referidas están expresados en euros[93, 94].

En ellos se pueden encontrar contrastaciones de apuntes recogidos en líneas precedentes[95]. Con todo, cabe destacar, de los mismos, algunas notas significativas.

4.1 Impuestos

4.1.1 Dentro de los impuestos ligados a la producción y a la importación (cuadros 6.1 a 6.8)

- Importancia del IVA, que representa, sistemáticamente, más de la mitad del total de dichos impuestos.
- Aumento en casi diez puntos porcentuales (del 38,75% en 1989 al 47,06% en 1998) del peso de los impuestos ligados a la producción (excepto IVA) sobre el total, en el mismo período.

En éstos (sobre el total de impuestos ligados a la producción excepto IVA):

— Pierde importancia relativa el Impuesto de Transmisiones Patrimoniales y Actos Jurídicos Documentados (caída de su peso relativo en cinco puntos porcentuales).

— Carecen de significación comparada —por desaparición práctica de las figuras correspondientes— los de tráfico de empresas, monopolios fiscales y licencia fiscal.

— Objeto, este último, que es asumido por el Impuesto de Actividades Económicas, que representa, en 1998, casi el 10% del total considerado.

— Incrementa su función protagonista el conjunto de impuestos sobre el consumo de bienes nacionales (especiales y lujo), que crece casi diez puntos porcentuales en el período, representa un instrumento recaudador eficaz (llegó a niveles del 58% sobre el total en 1996) y ha sido utilizado «ágilmente» al amparo de los movimientos de la coyuntura.

- Retroceso «simétrico» al anterior (impuestos ligados a la producción excepto IVA) de los impuestos ligados a la importación (excepto IVA) —por efecto directo de la vinculación a la UE, con protagonismo casi exclusivo, dentro de ellos, de la Tarifa Exterior Común.

- Por instituciones perceptoras (cuadros 6.7 y 6.8), el peso del Estado, en los impuestos ligados a la producción e importación, se sitúa en torno al 68%, al final del período, y el de las Comunidades Autónomas y Corporaciones Locales en el 13%, cada uno, resultado, fundamentalmente, de los procesos de transferencias.

4.1.2 Dentro de los Impuestos sobre la Renta y el Patrimonio, y sobre el Capital, pagados por las unidades residentes (cuadros 6.9 y 6.10)

- Importancia del IRPF como figura impositiva clave en el sistema de imposición directa. Al final del período considerado representa el 64% del total de este conjunto de impuestos, pero hay que resaltar, por significativa, la evolución en el período como signo de su diferente utilización como instrumento fiscal.
- Adquiere un peso creciente en el subperíodo que finaliza en 1995 y es a partir de 1996 cuando inicia una senda de decrecimiento en su ponderación (más de cinco puntos porcentuales).
- Descenso importante de la ponderación del Impuesto sobre Sociedades en el período 1989-1994 (casi diez puntos porcentuales, del 24,86% al 15,36%) para, a continuación, recuperar, en 1998, casi el nivel de 1989.
- Estos movimientos son, lógicamente, seguidos por las ponderaciones respectivas de dichos impuestos cuando —para el caso del Estado— se repasa la estructura impositiva por instituciones perceptoras.
- Se subraya este hecho no evidentemente por su lógica, sino por la relativa «paradoja» que significa que en un período de «gobierno de izquierdas» el peso recaudatorio recaiga crecientemente sobre las personas físicas mientras que en el período siguiente («gobierno de derechas») la ponderación del IRPF caiga y se vea incrementado el peso recaudatorio correspondiente al Impuesto de Sociedades.
- Una de las explicaciones a esta «simetría» invertida está en el distinto uso que unas autoridades y otras hacen del arsenal de instrumentos fiscales y su adecuación al ciclo económico.

4.2 Prestaciones sociales (cuadros 6.11 y 6.12)

Son notas a destacar:

- El fuerte incremento que en el período representan las prestaciones en forma de pensiones.
- La notable caída de la ponderación de las prestaciones por desempleo, a partir de 1994.

- El apreciable crecimiento que en el total de las prestaciones sociales representan las prestaciones sanitarias en el último quinquenio[96].

4.3 Subvenciones

- Fuerte crecimiento de las subvenciones en el período 1992-1995 y posterior retraimiento relativo de las mismas.
- Por fuentes:

  En las subvenciones se produce un «efecto sustitución de fuente»

  — perdiendo peso el Estado (que pasa del 45% sobre el total, en 1989, al 24% en 1998)
  — a favor de la UE (que llega a alcanzar el 41% en 1997)[97], y
  — la asunción de mayor protagonismo de las Corporaciones Locales y la Seguridad Social
  — Las Comunidades Autónomas mantienen, a lo largo de todo el período, una ponderación sobre el total en torno al 23% (cifra similar a la del Estado) y recogen buena parte del «efecto transferencias del Estado».

- Por receptores:

  — con la excepción de Renfe, que sigue representando más de un tercio de las subvenciones del Estado,
  — son los centros privados de enseñanza los que absorben los mayores volúmenes de estos fondos: el 20%, en 1998, de las subvenciones del Estado, con «acento» creciente en su serie histórica, y el 42% de las correspondientes a las Comunidades Autónomas —aquí con tendencia decreciente—,
  — y conviene destacar, por su importancia como «transferencia de recursos», el peso que las subvenciones a las empresas públicas representan en las Comunidades Autónomas (una media del 38% del total de las CCAA, en el período).

5. Política fiscal y ciclo económico

Con lo expuesto, cabe hacer, a modo de conclusión, dos conjuntos de observaciones:

a) el aprovechamiento, por parte de las autoridades económicas, de la evolución del ciclo económico para mejorar el impulso del mismo sobre la evolución de las principales macromagnitudes y minorar —con idéntico tipo de inercia— sus impactos indeseables,

b)   la evolución previsible en el inmediato futuro (2001) sobre las medidas adoptadas hasta 1999 y a la vista de los compromisos adquiridos.

5.1 Principales relaciones de apoyo de la PF con el ciclo económico

Partiendo de los compromisos

a)   exigidos por los principios de convergencia —especialmente reducción del déficit en términos de PIB y de la deuda pública en términos de PIB—,

b)   otros compromisos genéricos —lucha contra el fraude, mejora de la gestión y rigor presupuestario (cumplimiento de las previsiones presupuestarias)—,

los resultados de la PF aplicada (véanse los cuadros 6.15 a 6.17) se han visto potenciados por los resultados combinados de distintas políticas y los efectos de la evolución de determinadas variables.

Sintéticamente puede hacerse la siguiente agrupación:

• La caída sistemática de los tipos de interés —permitida por los resultados obtenidos en la política antiinflacionista— fue

— reduciendo, sensiblemente, el capítulo de pagos por intereses en los presupuestos,
— permitiendo la minoración del volumen de deuda pública y, consiguientemente,
— disminuyendo la presión de los mismos (la carga de intereses) en el gasto público,
— lo que ha venido facilitando la liberación de recursos para otros destinos, tanto redistributivos como estrictamente de inversión.

• La moderación del comportamiento de los salarios públicos (evolución en absoluto ajena a la de la inflación y a la política de la Administración pública) facilitó también la reducción relativa del consumo público.
• El aumento de actividad económica (medido en términos de crecimiento del PIB) ha contribuido a [98] aumentar las recaudaciones tributarias (al materializarse un efecto volumen de las bases)

— por imposición indirecta: impuestos sobre el consumo y las importaciones,

— por imposición directa: impuestos sobre la renta de las personas físicas y sociedades.

• El mayor dinamismo de la economía, cuando se ha traducido en mayores niveles de empleo (facilitado por políticas activas de empleo, liberalización de sectores específicos e inducción de flujos hacia inversión creadora de empleo),

— ha permitido una mayor aportación de fondos en forma de aumento de cotizantes a la Seguridad Social y de cotizaciones totales y

— ha contribuido a minorar las cargas de prestaciones por desempleo.

• El efecto combinado de liberación de «compromisos comparados» (con los de ejercicios fiscales previos) de gasto público y de aportaciones adicionales en los ingresos públicos ha venido permitiendo

— mantener, e incluso incrementar, partidas de gasto especialmente de naturaleza redistributiva (pensiones, por ejemplo),

— aumentar dotaciones presupuestarias de «efecto riqueza» y sostenedoras de los niveles de inversión total (como la inversión pública en infraestructuras) y

— mantener, sin fuertes variaciones, los niveles de presión fiscal.

5.2   El horizonte fiscal a medio plazo

La PE en general, y la PF en particular, están condicionadas por el Programa de Estabilidad hasta el 2002. Este programa exige:

a)   El alcance del equilibrio presupuestario.
b)   Lograr que el nivel de deuda pública sea inferior al 60% del PIB.
c)   Hacer todo ello compatible con un descenso de la presión fiscal.

Se cuenta con acuerdos previos —como los relativos a financiación de la sanidad y de Comunidades Autónomas—, que condicionarán el resto de transferencias y recursos, así como con el compromiso del logro del equilibrio presupuestario.

Al no poderse recurrir a la política monetaria —y ser ésta exógena al instrumental de la PE interna—, la acción de la *Policy mix*[99] (que adquirió notable importancia a partir de 1995) pivotará sobre la PF, en la que deberá recaer un mayor peso de la política de ajuste y corrección de desequilibrios.

Los compromisos del Pacto de Estabilidad y Crecimiento contemplan:

* Por la vía de los ingresos, reforma del IRPF atendiendo a:

  — Reducciones de la carga impositiva a las familias que, por término medio, deberá ser del 11%.
  — Simplificaciones de los tramos y deducciones.

* Por el lado de los gastos:

  — Reducción del gasto corriente, que contribuirá a «compensar» el aumento de la inversión pública.

* Por el lado de la gestión:

  — Mejora del control presupuestario.
  — Mejora de la eficacia del gasto público.
  — Avance en el proceso de racionalización de la Seguridad Social.
  — Reforma de la Ley General Presupuestaria.

Y están apoyados, ya, por la aprobación de los Presupuestos Generales para el 2000, que definen la PF. Se caracterizan por:

* Explicitar la continuidad de PF.
* Continuar con la reducción del déficit público, que deberá situarse en el 0,8% del PIB.
* Comprometer el saneamiento de las finanzas públicas.
* Aplicar una PF redistributiva vía desarrollo de prestaciones y servicios públicos.
* Fomentar el empleo.
* Utilizar instrumentos para incrementar la competitividad del sistema productivo.
* Aprovechar (como se ha venido apuntando) la evolución del ciclo económico y «acomodar» las acciones de la PE, y concretamente de la PF, al mismo.

En este sentido se especifica que:

— El gasto público deberá tener un crecimiento inferior al previsto por el PIB nominal, debiendo situarse en el 34,4% del PIB.
— A ello deberá contribuir la caída de los gastos financieros —por menores pagos por intereses—.
— Se realizarán dotaciones que suponen un crecimiento apreciable de la inversión real (acelerador).

- En la misma tendencia apuntada (y recogida por las series históricas adjuntadas), las pensiones seguirán representando el mayor peso dentro del presupuesto (casi el 28% del total y el 9,5% del PIB con un crecimiento del 5,5%).
- Lo mismo puede decirse de los gastos en sanidad (representarán el 14% del presupuesto, el 4,7% del PIB, y registrarán un crecimiento del 6,8%).
- En suma, la «redistribución» en forma de pensiones, sanidad y financiación a las Administraciones Territoriales llegará al 55% del total de los Presupuestos Generales.
- Esta PF se apoya en un incremento de los ingresos públicos del 7%, con mayor dinamismo de la imposición indirecta (sobre el consumo y especiales) que la directa.
- Llevan la presión fiscal total (cotizaciones de la Seguridad Social más impuestos) hasta el 29,8%[100].
- Y, como nota a destacar, hay que citar que los «beneficios fiscales»[101] son equivalentes al 35,5% de los ingresos públicos.

Por último, junto con la reforma del IRPF, y los presupuestos del 2000, hay —Ley de Acompañamiento— una serie de medidas fiscales complementarias que afectan, básicamente, a:
— Los impuestos sobre el patrimonio, sociedades, sucesiones y donaciones, IVA y locales (reducciones de bases imponibles y tipos, modificaciones de coeficientes y actualizaciones y deducciones importantes en el de Sociedades, que afectan a inversiones en I+D, fundamentalmente).
— Las cuotas de la Seguridad Social (bonificaciones).
— El tipo de interés legal y de demora.

6. A modo de conclusión

En la anterior edición se apuntaban lo que deberían ser algunas de las orientaciones de la PF.

- Se indicaba la reordenación de la política de subvenciones y ayudas a empresas y sectores sin capacidad de competencia.
- Se planteaba la exigencia de criterios de rentabilidad a empresas públicas.
- Se sugería una mayor coordinación de las políticas monetaria y fiscal.
- Se instaba a una utilización beligerante del volumen y estructura de los capítulos presupuestarios como instrumentos de aprovechamiento del ciclo.

La síntesis de resultados de la PF, a partir de la segunda mitad de los noventa, es positiva. Hay bases razonables para pensar que la tendencia puede continuar[102].

Notas

1 Ley 50/1977 de 14 de noviembre.
  2 *Idem*.
  3 *Idem*.
  4 Ley 44/1978 de 8 de septiembre.
  5 Ley 61/1978 de 27 de diciembre.
  6 Ley 6/1979 de 25 de septiembre.
  7 Ley 39/1979 de 30 de noviembre.
  8 Ley 32/1980 de 21 de mayo.
  9 Ley 8/1980 de 22 de septiembre.
  10 Ley 30/1983 de 28 de diciembre.
  11 Ley 24/1983 de 21 de diciembre.
  12 Ley 7/1985 de 2 de abril.
  13 Ley 34/1980 de 21 de junio.
  14 Ley 10/1985 de 29 de abril.
  15 Ley 76/1980 de 26 de diciembre.
  16 Ley 18/1982 de 26 de mayo.
  17 Ley 14/1985 de 29 de mayo.
  18 Ley Orgánica 2/1985.
  19 Ley 30/1985 de 2 de agosto.
  20 Ley 48/1985 de 2 de agosto.
  21 Ley 20/1989 de 28 de julio.
  22 Ley 45/1989 de 20 de febrero.
  23 Ley 18/1991 de 6 de junio.
  24 Ley 45/1985 de 23 de diciembre.
  25 Ley 29/1987 de 18 de diciembre.
  26 Ley 19/1991 de 6 de junio.
  27 Ley 39/1988 de 28 de diciembre.
  28 Ley 6/1991 de 11 de marzo.
  29 Véase Albi y Ariznavarreta (1999).
  30 No se consideran aquí los Regímenes Fiscales Territoriales —régimen común, régimen foral y regímenes especiales—, así como el Sistema Impositivo de las Haciendas Locales, la doble imposición internacional y los Recursos de la Seguridad Social.
  31 Ley 40/1988 de 9 de diciembre.
  32 Reglamento: Real Decreto 214/1999 de 5 de febrero.
  33 Real Decreto 2717/1998 de 18 de diciembre por el que se regulan los pagos a cuenta en el Impuesto sobre la Renta de las Personas Físicas y en el Impuesto sobre la Renta de no Residentes y se modifica el Reglamento del Impuesto sobre Sociedades en materia de Retenciones e Ingresos a cuenta.
  34 Ley 41/1988 de 9 de diciembre.
  35 Reglamento: Real Decreto 326/1999 de 26 de febrero.
  36 Véase Real Decreto 2717/1998 *ut supra* citado.
  37 Ley 43/1995 de 27 de diciembre.
  38 Reglamento: Real Decreto 537/1997 de 14 de abril.
  39 Véase Real Decreto 2717/1998 *ut supra* citado.
  40 Ley 19/1991 de 6 de junio.
  41 Ley 29/1987 de 18 de diciembre.

42 Reglamento: Real Decreto 1629/1991 de 8 de noviembre.

43 Real Decreto Legislativo 1/1993 de 24 de septiembre por el que se aprueba el Texto Refundido de la Ley del Impuesto sobre Transmisiones Patrimoniales y Actos Jurídicos Documentados.

44 Reglamento: Real Decreto 828/1995.

45 Ley 37/1992 de 28 de diciembre.

46 Reglamento: Real Decreto 1624/1992 de 29 de diciembre.

47 Ley 38/1992 de 28 de diciembre.

48 Reglamento: Real Decreto 1165/1995 de 7 de julio.

49 Con grado alcohólico volumétrico adquirido, superior a 1,2% vol. e inferior o igual a 22% vol. y no comprendidos en los anteriores.

50 Los de primera matriculación definitiva en España —con las excepciones señaladas en el artículo 65 de la Ley— .

51 Ley 13/1996 de 30 de diciembre de Medidas Fiscales, Administrativas y del Orden Social. Capítulo I, Sección 7.ª, art. 12.

52 Reglamento (CEE) 2913/1992 del Consejo, de 12 de octubre, por el que se aprueba el Código Aduanero Comunitario.

53 Texto Refundido de los Impuestos integrantes de la Renta de Aduanas: Real Decreto 511/1977 de 18 de febrero, modificado por el Real Decreto Legislativo 1299/1986 de 28 de junio.

54 Arbitrio sobre la Producción e importación en las Islas Canarias, Impuesto General Indirecto Canario y modificaciones de los aspectos fiscales del Régimen Económico Fiscal de Canarias (Ley 20/1991 de 7 de junio y Ley 19/1994 de 6 de julio).

55 Ley 230/1963.

56 Orden de 2 de junio de 1994.

57 Ley 14/1996 de 30 de diciembre.

58 Real Decreto 2458/1996 de 2 de diciembre.

59 Ley 1/1998 de 26 de febrero.

60 Real Decreto 404/1997 de 21 de marzo.

61 Real Decreto 803/1993 de 28 de mayo.

62 Real Decreto 2027/1995 de 22 de diciembre que regula la declaración anual de operaciones con terceras personas, Orden de 11 de mayo de 1998 por la que se aprueban nuevos modelos de declaración censal del comienzo, modificación o cese de actividad, que han de presentar, a los efectos fiscales, los empresarios, los profesionales y otros obligados tributarios y puntos contenidos en la Ley 13/96 de 30 de diciembre de Medidas Fiscales, Administrativas y del Orden Social (especialmente los artículos 50 a 57 de la referencia catastral).

63 Véase también el punto relativo al régimen de infracciones y delitos.

64 Títulos XIII y XIV.

65 Ley Orgánica 12/1995 de 12 de diciembre.

66 Real Decreto 1649/1998 de 24 de julio que desarrolla el Título II de la Ley *ut supra* citada.

67 Real Decreto 1930/1998 de 11 de septiembre.

68 Recuérdese la referencia hecha en la introducción sobre el enfoque «de texto» que este libro tiene.

69 En la bibliografía se citan algunos de estos trabajos aplicados a España; consideran períodos distintos y situaciones cíclicas diferentes, aplican metodologías heterogéneas, desarrollan modelos con alta diversificación de variables. Otros, no cuantitativos,

llegan a conclusiones basadas en contrastaciones de «modelización causa-efecto» con acentos importantes en juicios de valor, declaración de intereses, etc. Es importante, con ellos, formar una opinión de conjunto, intentar definir los objetivos generales de la PF, dentro de la PE, las prioridades que se han ido estableciendo, los *trade-off* existentes, la instrumentación para lograrlos, etc.

70 El subrayado es mío.

71 Los enfoques positivos de la PE subrayan sistemáticamente esta característica «no regulada» como una de las vías para reforzar la eficacia de la PE. No todas las autoridades económicas consiguen la transmisión de sus intenciones, con lo que la «máquina» operativa de la PE, en algunos casos, trabaja «en vacío»; no puede conseguir la eficacia perseguida, incluso con una buena instrumentación, porque los mercados y agentes no son tan permeables —como quisieran las autoridades económicas— a los mecanismos instrumentados y presentan resistencias al cambio de sus expectativas.

72 La aplicación de instrumentos se acompañaba de descripciones de los objetivos a alcanzar y se iba presentando con resultados obtenidos: precios, crecimiento, empleo, reducción del déficit público y de la deuda pública; y especialmente de aquellos que llegan más directamente a los agentes: reducción de costes (por bajadas de tipos), mejoras en la renta disponible, etc.

73 Éste es el caso de la inflación. En la historia reciente —últimos treinta años (implica que un empresario que iniciara en los setenta su negocio con treinta años de edad habría superado ya los sesenta)— no se habían registrado tasas tan bajas de inflación.

74 De bienes, de servicios, de trabajo, financieros, etc.

75 Por ejemplo, el sector público sobre los mercados de fondos prestables (vía reducción del déficit público y de la deuda) al liberar recursos y reducir compromisos.

76 Se combinaban reducciones de tipos porque las bases imponibles (agregadas) aumentaban, reducciones de retenciones, aumentos en recaudaciones por imposición indirecta (combustibles), reducciones de precios de energía y tarifas, etc.

77 Abril 1997.

78 PPPGG de 1996 (prórroga de los de 1995).

79 PPGG de 1997.

80 PPGG de 1998.

81 PPGG de 1996.

82 PPGG 1997 y otros.

83 PPGG de 1996 y siguientes.

84 PPGG de 1997 y otros.

85 Reales Decretos-Ley 5, 6, 7 y 8/1996 de 7 de junio y 1377/1996 de 7 de junio.

86 Los derivados del propio crecimiento económico y los afectados por actualizaciones monetarias de valores contables sin carga fiscal; parte de las disminuciones de ingresos se compensaron por los efectos fiscales recaudatorios (bases) del crecimiento económico.

87 PPGG de 1997.

88 Evidentemente, este instrumento no es recaudatorio per se, pero tuvo efectos al respecto; se aplicó en el ejercicio corriente a aquellas empresas que tuvieron beneficios superiores a los 1.000 millones de pesetas.

89 Acuerdo en términos presupuestarios.

90 PPGG de 1997.

91 PPGG de 1997.

92 De 1998, aunque no todas las CCAA.

93 Las series están expresadas en euros. Véase Banco de España (1998 b), p. 20.

94 En estos cuadros se han seleccionado conceptos y hecho agrupaciones ad hoc, con lo que algunos «totales» no reflejan las sumas de los desagregados que se presentan.

95 Se han seleccionado las distintas ponderaciones que en los conjuntos de ingresos y gastos —así como en sus desagregados principales— tienen las partidas más significativas. La intención está en destacar las tendencias o pesos más relevantes en la estructura de las variables presupuestarias. No se tocan evoluciones de convergencia (déficit público y deuda pública) que ya son tratadas en el capítulo al respecto.

96 Después de la «U» invertida del período 1989-1993.

97 En el futuro, posiblemente, este peso se verá sensiblemente reducido.

98 Además del ya citado «efecto denominador»: el aumento mayor del PIB que de la deuda pública y del déficit público haría por sí mismo mejorar el ratio de ambas variables.

99 Véase BBV (1999), pp. 56-57.

100 Si no se considera la Seguridad Social, la presión fiscal permanece casi invariable (18,9%).

101 Pérdida de capacidad recaudatoria por existencia de deducciones (Caixa, 1999, p. 76).

102 Nota del Coordinador: el Partido Popular, ganador de las elecciones generales de marzo de 2000, proponía en su programa continuar con la disminución del IRPF producida en la anterior legislatura (que había supuesto el descenso de los tipos marginales máximos del 56% al 48% y de los mínimos del 20% al 18%). Dicho programa establece que el tipo marginal máximo se reducirá al 46%, y el mínimo al 15%, se mejorará el tratamiento de los trabajadores con menor renta y de los pensionistas y se incrementarán las reducciones por hijos. Todo ello supondrá un descenso medio del IRPF del 8%. Por otra parte, se buscará un acuerdo con los Ayuntamientos que permita que el 90% de las pymes y autónomos no tengan que tributar por el IAE.

103 Excepto IVA.

104 Excepto IVA.

105 Excepto IVA.

106 Excepto IVA.

107 En negrita: porcentaje sobre el total. Resto: porcentaje sobre el epígrafe precedente en negrita.

108 En negrita: porcentaje sobre el total. Resto: porcentaje sobre el epígrafe precedente en negrita.

109 En negrita: porcentaje sobre el total. Resto: porcentaje sobre el epígrafe precedente en negrita.

110 Se recoge, en recursos y empleos, una «selección» de los conceptos mas relevantes.

111 Recursos menos empleos.

112 Consumo final nacional. «Empleos» en la cuenta de utilización de renta.

113 En la cuenta de utilización de renta: recursos (renta bruta disponible) menos empleos.

114 «Recursos» dentro de la cuenta de capital.

115 «Empleos» dentro de la cuenta de capital.

116 Se recoge, en recursos y empleos, una «selección» de los conceptos mas relevantes.

117 Recursos menos empleos.

118 Consumo final nacional. «Empleos» en la cuenta de utilización de renta.

119 En la cuenta de utilización de renta: recursos (renta bruta disponible) menos empleos.

120 «Recursos» dentro de la cuenta de capital.

121 «Empleos» dentro de la cuenta de capital.

122 Se recoge, en recursos y empleos, una «selección» de los conceptos más relevantes.

123 Recursos menos empleos.

Referencias

Albi, E., y García Ariznavarreta, J. L. (1999): *Sistema Fiscal Español,* 14.ª edición, Barcelona, Ariel Economía.

Banco de España (1998a): *Informe anual,* años 1975 a 1998.

Banco de España (1998b): *Cuentas financieras de la economía española (1989-1998),* y las que acompañan a los *Informes anuales* para el período 1975 a 1988.

Barea, J., y Gómez Ciria, A. (1994): *El problema de la eficiencia del sector público en España,* Madrid, Instituto de Estudios Económicos.

Barea, J. (dir.) (1997): *Déficit Público y convergencia europea*, Madrid, Price Waterhouse.

BBV (1999): *Situación*, diciembre 1999, pp. 56-57.

Caixa (1999): *Informe mensual,* noviembre 1999.

Comín, F. (1996): *Historia de la Hacienda Pública. II. España*, Barcelona, Crítica.

Gámir, L. (dir.) (1999): *La convergencia real de la economía española*, Madrid, Price Waterhouse.

García Delgado, J. L. (dir.) (1999): *Lecciones de Economía Española*, 4.ª edición, col. Economía, Tratados y Manuales, Madrid, Cívitas.

González-Páramo, J. M. (1997): «Presupuestos Generales del Estado para 1998: del examen de Maastricht al Plan de Estabilidad», *Cuadernos de Información Económica,* Fundación FIES, noviembre 1997.

Instituto de Estudios Económicos (1999): «Los Presupuestos Generales del Estado», *Opinión*, Madrid.

Marín Arcas, J. (1997): «Efectos estabilizadores de la Política Fiscal», *Serie de Estudios Económicos*, núm. 58. Servicio de Estudios, Banco de España.

Monasterio, C. (1997): «El sistema de financiación autonómica para el periodo 1997-2001: una reforma incompleta», *Economistas,* núm. 74, pp. 24-250.

Zubiri, I. (1996): «La crisis del modelo actual de fiscalidad», *Economistas,* núm. 69, pp. 252-259.

Anexo

Cuadro 6.1   Impuestos ligados a la producción y a la importación y subvenciones de explotación y a la importación (millones euros)

Concepto	Años		
	1989	1990	1991
IVA	15.581	16.638	18.372
I. ligados a producción[103]	11.438	13.293	15.148
I. ligados a la importación [104]	2.493	2.261	2.115
Subvenciones	6.904	7.629	8.729
TOTAL	**29.511**	**32.192**	**35.393**
Total neto de subvenciones	22.607	24.562	26.664

FUENTE: Banco de España. *Cuentas financieras de la economía española (1989-1998).*

Cuadro 6.2   Impuestos ligados a la producción y a la importación y subvenciones de explotación y a la importación (estructura %)

Concepto	Años		
	1989	1990	1991
TOTAL	**100**	**100**	**100**
IVA	52,80	51,68	51,92
I. ligados a producción [105]	38,75	41,30	42,80
I. ligados a la importación [106]	8,45	7,02	5,98
Subvenciones	23,39	23,70	24,66
Total neto de subvenciones	76,61	76,30	75,34

FUENTE: Banco de España. *Cuentas financieras de la economía española (1989-1998).*

			Años			
1992	**1993**	**1994**	**1995**	**1996**	**1997**	**1998**
21.561	20.023	22.434	23.506	25.580	27.815	30.344
16.746	17.805	19.482	20.740	21.907	23.865	27.772
1.711	804	793	846	696	780	905
9.182	11.860	12.442	13.220	12.893	13.284	15.165
40.018	**38.632**	**42.709**	**45.091**	**48.184**	**52.461**	**59.020**
30.837	26.772	30.267	31.871	35.290	39.177	43.855

			Años			
1992	**1993**	**1994**	**1995**	**1996**	**1997**	**1998**
100	**100**	**100**	**100**	**100**	**100**	**100**
53,88	51,83	52,53	52,13	53,09	53,02	51,41
41,85	46,09	45,62	46,00	45,47	45,49	47,06
4,28	2,08	1,85	1,878	1,44	1,49	1,53
22,94	30,70	29,13	29,32	26,76	25,32	25,69
77,06	*69,30*	*70,87*	*70,68*	*73,24*	*74,68*	*74,31*

Cuadro 6.3   Impuestos ligados a la producción (excepto IVA) (millones euros)

Concepto	Años		
	1989	1990	1991
Tráfico de empresas	277	251	174
Transm. Patrimoniales y AJD	2.395	2.636	2.669
Consumo	5.034	5.884	7.367
Juego	1.112	1.413	1.612
Monopolios fiscales	596	546	86
Licencia fiscal	693	767	817
Imp. Actividades Económicas			
Otros	1.331	1.796	2.181
TOTAL	11.438	13.293	14.906

FUENTE: Banco de España. *Cuentas financieras de la economía española (1989-1998).*

Cuadro 6.4   Impuestos ligados a la producción (excepto IVA) (estructura %)

Concepto	Años		
	1989	1990	1991
Tráfico de empresas	2,42	1,89	1,17
Transm. Patrimoniales y AJD	20,94	19,83	17,91
Consumo	44,01	44,26	49,42
Juego	9,72	10,63	10,81
Monopolios fiscales	5,21	4,11	0,58
Licencia fiscal	6,06	5,77	5,48
Imp. Actividades Económicas	0,00	0,00	0,00
Otros	11,64	13,51	14,63
TOTAL	100	100	100

FUENTE: Banco de España. *Cuentas financieras de la economía española (1989-1998).*

Años						
1992	**1993**	**1994**	**1995**	**1996**	**1997**	**1998**
166	74	32	19	19	13	13
2.820	2.777	3.160	3.212	3.317	3.579	4.179
8.475	9.645	11.009	11.849	12.763	12.962	14.893
1.547	1.508	1.512	1.517	1.549	2.009	2.441
81	84	13	15	5		
29	12	3	4	4	4	4
1.276	1.466	1.413	1.516	1.470	2.133	2.734
2.352	2.239	2.340	2.608	2.780	3.156	3.508
16.746	17.805	19.482	20.740	21.907	23.856	27.772

Años						
1992	**1993**	**1994**	**1995**	**1996**	**1997**	**1998**
0,99	0,42	0,16	0,09	0,09	0,05	0,05
16,84	15,60	16,22	15,49	15,14	15,00	15,05
50,61	54,17	56,51	57,13	58,26	54,33	53,63
9,24	8,47	7,76	7,31	7,07	8,42	8,79
0,48	0,47	0,07	0,07	0,02	0,00	0,00
0,17	0,07	0,02	0,02	0,02	0,02	0,01
7,62	8,23	7,25	7,31	6,71	8,94	9,84
14,05	12,58	12,01	12,57	12,69	13,23	12,63
100	**100**	**100**	**100**	**100**	**100**	**100**

Cuadro 6.5   Impuestos ligados a la importación (millones euros)

Concepto	Años		
	1989	1990	1991
Tarifa Exterior Común	359	371	452
Derechos Arancelarios	1.816	1.535	1.119
Derechos Compensatorios	101	115	177
Arbitrios Canarios s/b Impor.	34	25	65
Apremios y otros imp.	183	215	301
TOTAL	2.493	2.261	2.114

FUENTE: Banco de España. *Cuentas financieras de la economía española (1989-1998).*

Cuadro 6.6   Impuestos ligados a la importación (estructura %)

Concepto	Años		
	1989	1990	1991
Tarifa Exterior Común	14,40	16,41	21,38
Derechos Arancelarios	72,84	67,89	52,93
Resto Der., Arb. y Otros	12,76	15,70	25,69
TOTAL	**100**	**100**	**100**

FUENTE: Banco de España. *Cuentas financieras de la economía española (1989-1998).*

Cuadro 6.7   Impuestos ligados a la producción y a la importación. Instituciones perceptoras (millones euros)

Concepto	Años		
	1989	1990	1991
Estado	22.030	22.401	24.071
Comunidades Autónomas	2.998	3.879	4.189
Corporaciones Locales	2.963	3.628	4.196
Organismos Admón. Central			
Unión Europea	1.520	2.284	2.936
TOTAL	29.511	32.192	35.392

FUENTE: Banco de España. *Cuentas financieras de la economía española (1989-1998).*

Años						
1992	1993	1994	1995	1996	1997	1998
480	446	498	598	564	674	799
595	61	5	2	1	3	1
156	104	67	133	33	10	8
85	60	57	62	65	93	96
396	133	166	50	33		
1.712	804	793	845	696	780	904

Años						
1992	1993	1994	1995	1996	1997	1998
28,04	55,47	62,80	70,77	81,03	86,41	88,38
34,75	7,59	0,63	0,24	0,14	0,38	0,11
37,21	36,94	36,57	28,99	18,82	13,21	11,50
100	100	100	100	100	100	100

Años						
1992	1993	1994	1995	1996	1997	1998
27.178	25.381	29.134	31.017	33.460	35.621	40.184
4.375	4.476	5.012	5.249	5.449	6.424	7.598
5.064	5.248	5.326	5.859	6.111	6.942	7.776
			12	14	19	22
3.402	3.527	3.237	2.954	3.150	3.454	3.440
40.019	38.632	42.709	45.091	48.184	52.460	59.020

Cuadro 6.8   Impuestos ligados a la producción y a la importación. Instituciones perceptoras (estructura %)

Concepto	Años		
	1989	**1990**	**1991**
Estado	74,65	69,59	68,01
Comunidades Autónomas	10,16	12,05	11,84
Corporaciones Locales	10,04	11,27	11,86
Unión Europea	5,15	7,09	8,30

FUENTE: Banco de España. *Cuentas financieras de la economía española (1989-1998).*

Cuadro 6.9   Impuestos sobre la Renta y el Patrimonio y sobre el Capital pagados por las unidades residentes (millones euros)

Concepto	Años		
	1989	**1990**	**1991**
TOTAL	**33.268**	**36.872**	**40.334**
IRPF	21.596	23.072	27.088
I. Sociedades	8.271	9.520	9.003
I. Patrimonio	217	584	466
I. Capital	630	703	641
ESTADO	**28.200**	**30.638**	**33.825**
IRPF	20.038	21.317	25.027
I. Sociedades	7.816	8.976	8.443
I. Patrimonio	98	114	121
I. Capital	104	9	5
CCAA	**723**	**1.303**	**1.194**
IRPF	234	307	347
I. Sociedades	53	92	81
I. Patrimonio	96	439	316
I. Capital	340	465	450
C. LOCALES	**4.345**	**4.932**	**5.314**
IRPF	1.325	1.448	1.714
I. Sociedades	403	452	479
I. Patrimonio	22	31	29
I. Capital	186	230	185
Otros	1.764	2.251	2.579

FUENTE: Banco de España. *Cuentas financieras de la economía española (1989-1998).*

Años						
1992	1993	1994	1995	1996	1997	1998
67,91	65,70	68,22	68,79	69,44	67,90	68,09
10,93	11,59	11,74	11,64	11,31	12,25	12,87
12,65	13,58	12,47	12,99	12,68	13,23	13,18
8,50	9,13	7,58	6,55	6,54	6,58	5,83

Años						
1992	1993	1994	1995	1996	1997	1998
44.914	**44.655**	**45.678**	**49.115**	**52.674**	**57.016**	**59.045**
31.426	31.358	32.731	34.447	36.470	36.502	37.954
8.588	7.807	7.016	8.417	9.546	13.561	13.529
527	586	662	642	669	734	806
775	901	1.126	1.064	1.189	1.359	1.542
37.822	**36.824**	**37.466**	**40.332**	**43.231**	**43.472**	**44.334**
29.367	29.097	30.428	31.853	33.715	29.980	30.930
8.011	7.263	6.589	7.908	8.896	12.852	12.753
132	155	170	167	169	205	241
10		2	1	1	1	3
1.393	**1.622**	**1.810**	**1.865**	**2.046**	**5.904**	**6.525**
360	379	399	457	477	4.118	4.500
102	113	82	132	165	198	234
362	395	450	433	453	481	511
569	734	879	844	951	1.106	1.280
5.699	**6.210**	**6.403**	**6.917**	**7.397**	**7.641**	**8.183**
1.699	1.882	1.904	2.137	2.279	2.404	2.524
474	432	345	377	484	511	541
33	35	42	42	47	48	54
195	167	245	218	237	251	258
2.987	3.376	3.499	3.744	3.909	3.946	4.288

Cuadro 6.10   Impuestos sobre la Renta y el Patrimonio y sobre el Capital pagados por las unidades residentes (estructura %)

Concepto	Años		
	1989	1990	1991
TOTAL [107]	**100**	**100**	**100**
IRPF	64,92	62,57	67,16
I. Sociedades	24,86	25,82	22,32
I. Patrimonio	0,65	1,58	1,16
I. Capital	1,89	1,91	1,59
ESTADO	**84,77**	**83,09**	**83,86**
IRPF	71,06	69,58	73,99
I. Sociedades	27,72	29,30	24,96
CCAA	**2,17**	**3,53**	**2,96**
IRPF	32,37	23,56	29,06
I. Sociedades	7,33	7,06	6,78
I. Patrimonio	13,28	33,69	26,47
I. Capital	47,03	35,69	37,69
C. LOCALES	**13,06**	**13,38**	**13,17**
IRPF	30,49	29,36	32,25
I. Sociedades	9,28	9,16	9,01
I. Capital	4,28	4,66	3,4
Otros	40,60	45,64	48,53

FUENTE: Banco de España. *Cuentas financieras de la economía española (1989-1998).*

Años						
1992	**1993**	**1994**	**1995**	**1996**	**1997**	**1998**
100	**100**	**100**	**100**	**100**	**100**	**100**
69,97	70,22	71,66	70,14	69,24	64,02	64,28
19,12	17,48	15,36	17,14	18,12	23,78	22,91
1,17	1,31	1,45	1,31	1,27	1,29	1,37
1,73	2,02	2,47	2,17	2,26	2,38	2,61
84,21	**82,46**	**82,02**	**82,12**	**82,07**	**76,25**	**75,09**
77,65	79,02	81,21	78,98	77,99	68,96	69,77
21,18	19,72	17,59	19,61	20,58	29,56	28,77
3,10	**3,63**	**3,96**	**3,80**	**3,88**	**10,35**	**11,05**
25,84	23,37	22,04	24,50	23,31	69,75	68,97
7,32	6,97	4,53	7,08	8,06	3,35	3,59
25,99	24,35	24,86	23,22	22,14	8,15	7,83
40,85	45,25	48,56	45,25	46,48	18,73	19,62
12,69	**13,91**	**14,02**	**14,08**	**14,04**	**13,40**	**13,86**
29,81	30,31	29,74	30,89	30,81	31,46	30,84
8,32	6,96	5,39	5,45	6,54	6,69	6,61
3,42	2,69	3,83	3,15	3,20	3,28	3,15
52,41	54,36	54,65	54,13	52,85	51,64	52,40

Cuadro 6.11   Prestaciones Sociales pagadas por las Administraciones Públicas (millones euros)

Concepto	Años		
	1989	1990	1991
Prestaciones económicas	**34.385**	**39.345**	**45.406**
Por AAPP (exc. SS)	3.874	4.378	5.070
De las que a Funcionarios	2.774	3.164	3.605
Por SS	30.512	34.967	40.336
De las que exc. INEM	22.358	25.504	28.761
De las que Pensiones	20.007	22.722	25.420
Por INEM	7.328	8.524	10.533
Contrib.: Prest. Desemp.	4.508	5.344	6.936
No Contributivas	2.116	2.423	2.765
De las que Desemp.	1.596	1.857	2.189
Prestaciones sanitarias	**3.005**	**3.468**	**4.147**
TOTAL	**37.723**	**43.400**	**50.307**

FUENTE: Banco de España. *Cuentas financieras de la economía española (1989-1998).*

Cuadro 6.12   Prestaciones Sociales pagadas por las Administraciones Públicas (estructura %)

Concepto [108]	Años		
	1989	1990	1991
Prestaciones económicas	**91,15**	**90,66**	**90,26**
Por AAPP (exc. SS)	11,27	11,13	11,17
De las que a Funcionarios	71,61	72,27	71,10
Por SS	88,74	88,87	88,83
De las que exc. INEM	73,28	72,94	71,30
De las que Pensiones	89,48	89,09	88,38
Por INEM	24,02	24,38	26,11
Contrib.: Prest. Desemp.	61,52	62,69	65,85
No Contributivas	28,88	28,43	26,25
De las que Desemp.	75,43	76,64	79,17
Prestaciones sanitarias	**7,97**	**7,99**	**8,24**
TOTAL	**100**	**100**	**100**

FUENTE: Banco de España. *Cuentas financieras de la economía española (1989-1998).*

Años						
1992	**1993**	**1994**	**1995**	**1996**	**1997**	**1998**
51.692	**56.351**	**58.616**	**60.414**	**63.563**	**65.417**	**67.418**
5.914	5.875	5.788	5.940	6.094	6.051	6.144
4.325	4.496	4.613	4.868	5.073	5.131	5.285
45.778	50.475	52.828	54.475	57.475	59.366	61.274
32.874	36.366	39.223	42.629	46.220	48.391	50.948
28.720	32.148	35.050	38.172	41.489	43.767	46.401
11.953	13.422	12.795	10.885	10.330	9.930	9.204
8.091	8.532	8.183	6.756	6.284	6.273	5.645
3.255	4.303	4.059	3.472	3.135	2.700	2.619
2.695	3.697	3.425	2.740	2.378	1.926	1.793
4.783	**4.928**	**5.022**	**5.354**	**5.776**	**6.092**	**6.520**
57.150	**61.865**	**64.084**	**65.994**	**69.520**	**71.881**	**74.233**

Años						
1992	**1993**	**1994**	**1995**	**1996**	**1997**	**1998**
90,45	**91,09**	**91,47**	**91,54**	**91,43**	**91,01**	**90,82**
11,44	10,43	9,87	9,83	9,59	9,25	9,11
73,13	76,53	79,70	81,95	83,25	84,80	86,02
88,56	89,57	90,13	90,17	90,42	90,75	90,89
71,81	72,05	74,25	78,25	80,42	81,51	83,15
87,36	88,40	89,36	89,54	89,76	90,44	91,08
26,11	26,59	24,22	19,98	17,97	16,73	15,02
67,69	63,57	63,95	62,07	60,83	63,17	61,33
27,23	32,06	31,72	31,90	30,35	27,19	28,46
82,80	85,92	84,38	78,92	75,85	71,33	68,46
8,37	**7,97**	**7,84**	**8,11**	**8,31**	**8,48**	**8,78**
100	**100**	**100**	**100**	**100**	**100**	**100**

Cuadro 6.13   Subvenciones (millones euros)

Concepto	Años		
	1989	1990	1991
Estado	**3.083**	**3.168**	**2.942**
Renfe	1.126	1.106	1.068
Centros privados de enseñanza	457	496	522
Hunosa	266	268	268
Empresas de autopistas	49	58	85
Minería hulla y carbón	8	14	63
Correos y Telégrafos	196	212	171
Familias (incluye emp. indiv.)	360	336	329
Comunidades Autónomas	**1.457**	**1.815**	**2.044**
Empresas públicas	519	768	805
Centros privados de enseñanza	792	863	1.022
Corporaciones Locales	**327**	**300**	**463**
Organismos Admón. Central	**89**	**115**	**118**
Seguridad Social	**387**	**376**	**396**
UE	**1.561**	**1.856**	**2.766**
TOTAL	**6.904**	**7.629**	**8.729**

FUENTE: Banco de España. *Cuentas financieras de la economía española (1989-1998).*

Años						
1992	1993	1994	1995	1996	1997	1998
2.769	**3.687**	**3.848**	**4.064**	**3.408**	**2.967**	**3.578**
1.037	1.112	1.244	1.190	1.060	856	1.026
521	642	602	661	676	673	725
226	336	291	276	301		
87	161	181	193	141	117	197
24	18	20	18	18	35	297
65	84	331	161	220	169	137
267	364	332	555	325	506	458
2.302	**2.609**	**2.640**	**2.800**	**2.954**	**3.195**	**3.491**
951	1.056	1.045	1.143	1.156	1.172	1.202
1.097	1.277	1.271	1.318	1.360	1.412	1.472
557	**760**	**606**	**627**	**827**	**986**	**1.031**
120	**128**	**138**	**134**	**166**	**103**	**460**
439	**523**	**531**	**522**	**523**	**626**	**1.195**
2.994	**4.153**	**4.679**	**5.074**	**5.015**	**5.407**	**5.411**
9.182	**11.860**	**12.442**	**13.220**	**12.893**	**13.284**	**15.165**

Cuadro 6.14   Subvenciones (estructura %)

Concepto [109]	Años		
	1989	1990	1991
Estado	**44,66**	**41,53**	**33,70**
Renfe	36,52	34,91	36,30
Centros privados de enseñanza	14,82	15,66	17,74
Hunosa	8,63	8,46	9,11
Empresas de autopistas	1,59	1,83	2,89
Minería hulla y carbón	0,26	0,44	2,14
Correos y Telégrafos	6,36	6,69	5,8
Familias (incluye emp. indiv.)	11,68	10,61	11,18
Comunidades Autónomas	**21,10**	**23,79**	**23,42**
Empresas públicas	35,62	42,31	39,38
Centros privados de enseñanza	54,4	47,5	50,0
Corporaciones Locales	**4,74**	**3,93**	**5,30**
Seguridad Social	**5,61**	**4,93**	**4,54**
Organismos Admón. Central	**1,29**	**1,51**	**1,35**
UE	**22,61**	**24,33**	**31,69**

FUENTE: Banco de España. *Cuentas financieras de la economía española (1989-1998).*

			Años			
1992	**1993**	**1994**	**1995**	**1996**	**1997**	**1998**
30,16	**31,09**	**30,93**	**30,74**	**26,43**	**22,34**	**23,59**
37,45	30,16	32,33	29,28	31,10	28,85	28,68
18,82	17,41	15,64	16,26	19,84	22,68	20,26
8,16	9,11	7,56	6,79	8,83	0,00	0,00
3,14	4,37	4,70	4,75	4,14	3,94	5,51
0,87	0,49	0,52	0,44	0,53	1,18	8,30
2,35	2,28	8,60	3,96	6,46	5,70	3,83
9,64	9,87	8,63	13,66	9,54	17,05	12,80
25,07	**22,00**	**21,22**	**21,18**	**22,91**	**24,05**	**23,02**
41,31	40,48	39,58	40,82	39,13	36,68	34,43
47,7	48,9	48,1	47,1	46,0	44,2%	42,2
6,07	**6,41**	**4,87**	**4,74**	**6,41**	**7,4**	**6,80**
4,78	**4,41**	**4,27**	**3,95**	**4,06**	**4,71**	**7,88**
1,31	**1,08**	**1,11**	**1,01**	**1,29**	**0,78**	**3,03**
32,61	**35,02**	**37,61**	**38,38**	**38,90**	**40,70**	**35,68**

Cuadro 6.15   Capacidad o necesidad de financiación de las Administraciones Públicas (millones euros)

Concepto [110]	Años		
	1989	1990	1991
Recursos	**105.860**	**118.199**	**132.272**
I. Producción e import.	27.991	29.908	32.457
I. S/ Renta y patrimon.	32.638	36.169	39.693
Cotizac. sociales	33.102	37.712	42.272
Suma anterior	93.731	103.789	114.422
Otros	12.129	14.410	17.850
Empleos	**58.556**	**65.982**	**74.727**
Subvenc. explotación	5.343	5.774	5.963
Intereses efect.	10.997	15.163	12.799
Prestaciones sociales	37.723	43.401	50.307
Suma anterior	54.063	64.338	69.069
Otros	4.493	1.644	5.658
Renta b. disponib. [111]	**47.304**	**52.217**	**57.545**
Consumo público [112]	41.057	46.967	53.381
Ahorro bruto [113]	**6.247**	**5.250**	**4.164**
Transf. capital [114]	1.982	2.058	2.681
F.B.C.	**11.871**	**14.626**	**15.894**
Transf. capital [115]	6.170	5.175	5.393
C/N Financ.	**−9.950**	**−13.036**	**−14.818**

FUENTE: Banco de España. *Cuentas financieras de la economía española (1989-1998).*

			Años			
1992	1993	1994	1995	1996	1997	1998
148.090	**153.542**	**158.431**	**164.802**	**177.798**	**190.610**	**204.177**
36.617	35.106	39.472	42.137	45.034	49.006	55.580
44.139	43.754	44.552	48.051	51.486	55.657	57.503
48.329	51.091	53.035	53.366	57.854	61.336	64.938
129.085	129.951	137.059	143.554	154.374	165.999	178.021
19.005	23.591	21.372	21.248	23.424	24.611	26.156
84.808	**95.536**	**98.633**	**104.989**	**108.053**	**110.285**	**114.812**
6.187	7.707	7.763	8.146	7.878	7.877	9.755
15.703	19.203	19.011	23.305	22.509	20.985	20.121
57.150	61.865	64.084	65.994	69.521	71.881	74.233
79.040	88.775	90.858	97.445	99.908	100.743	104.109
5.768	6.761	7.775	7.544	8.145	9.542	10.703
63.282	**58.006**	**59.798**	**59.813**	**69.745**	**80.325**	**89.365**
60.661	64.311	65.890	70.019	73.659	75.635	78.306
2.621	**−6.305**	**−6.092**	**−10.206**	**−3.914**	**4.690**	**11.059**
3.207	3.306	4.191	5.679	6.187	5.833	6.071
14.361	**14.889**	**15.253**	**15.117**	**13.774**	**14.071**	**16.375**
5.850	7.051	7.109	10.239	8.898	7.977	9.138
−14.727	**−25.700**	**−24.870**	**−30.796**	**−20.749**	**−12.284**	**−9.002**

**Cuadro 6.16   Capacidad o necesidad de financiación de las
Administraciones Públicas (tasas anuales %)**

Concepto [116]	Años		
	1989	1990	1991
Recursos		11,7	11,9
I. Producción e import.		6,8	8,5
I. S/ Renta y patrimon.		10,8	9,7
Cotizac. sociales		13,9	12,1
Suma anterior		10,7	10,2
Otros		18,8	23,9
Empleos		12,7	13,3
Subvenc. explotación		8,1	3,3
Intereses efect.		37,9	−15,6
Prestaciones sociales		15,1	15,9
Suma anterior		19,0	7,4
Otros		−63,4	244,2
Renta b. disponib. [117]		10,4	10,2
Consumo público [118]		14,4	13,7
Ahorro bruto [119]		−16,0	−20,7
Transf. capital [120]		3,8	30,3
F.B.C.		23,2	8,7
Transf. capital [121]		−16,1	4,2
C/N Financ.		31,0	13,7

FUENTE: Banco de España. *Cuentas financieras de la economía española (1989-1998).*

			Años			
1992	**1993**	**1994**	**1995**	**1996**	**1997**	**1998**
12,0	**3,7**	**3,2**	**4,0**	**7,9**	**7,2**	**7,1**
12,8	−4,1	12,4	6,8	6,9	8,8	13,4
11,2	−0,9	1,8	7,9	7,1	8,1	3,3
14,3	5,7	3,8	0,6	8,4	6,0	5,9
12,8	0,7	5,5	4,7	7,5	7,5	7,2
6,5	24,1	−9,4	−0,6	10,2	5,1	6,3
13,5	**12,6**	**3,2**	**6,4**	**2,9**	**2,1**	**4,1**
3,8	24,6	0,7	4,9	−3,3	0,0	23,8
22,7	22,3	−1,0	22,6	−3,4	−6,8	−4,1
13,6	8,3	3,6	3,0	5,3	3,4	3,3
14,4	12,3	2,3	7,2	2,5	0,8	3,3
1,9	17,2	15,0	−3,0	8,0	17,2	12,2
10,0	**−8,3**	**3,1**	**0,0**	**16,6**	**15,2**	**11,3**
13,6	6,0	2,5	6,3	5,2	2,7	3,5
−37,1	−340,6	−3,4	67,5	−61,7	−219,8	135,8
19,6	3,1	26,8	35,5	8,9	−5,7	4,1
−9,6	**3,7**	**2,4**	**−0,9**	**−8,9**	**2,2**	**16,4**
8,5	20,5	0,8	44,0	−13,1	−10,4	14,6
−0,6	**74,5**	**−3,2**	**23,8**	**−32,6**	**−40,8**	**−26,7**

Cuadro 6.17   Capacidad o necesidad de financiación de las
Administraciones Públicas (estructura %)

Concepto [122]	Años		
	1989	1990	1991
Recursos	**100**	**100**	**100**
I. Producción e import.	26,44	25,30	24,54
I. S/ Renta y patrimon.	30,83	30,60	30,01
Cotizac. sociales	31,27	31,91	31,96
Suma anterior	88,54	87,81	86,51
Otros	11,46	12,19	13,49
Empleos	**100**	**100**	**100**
Subvenc. explotación	9,12	8,75	7,98
Intereses efect.	18,78	22,98	17,13
Prestaciones sociales	64,42	65,78	67,32
Suma anterior	92,33	97,51	92,43
Otros	7,67	2,49	7,57
Renta b. disponib. [123]	**100**	**100**	**100**
Consumo público	86,79	89,95	92,76
Ahorro bruto	13,21	10,05	7,24
DEF/PIB	**−3,70**	**−4,30**	**−4,50**

FUENTE: Banco de España. *Cuentas financieras de la economía española (1989-1998).*

			Años			
1992	**1993**	**1994**	**1995**	**1996**	**1997**	**1998**
100	**100**	**100**	**100**	**100**	**100**	**100**
24,73	22,86	24,91	25,57	25,33	25,71	27,22
29,81	28,50	28,12	29,16	28,96	29,20	28,16
32,63	33,27	33,48	32,38	32,54	32,18	31,80
87,17	84,64	86,51	87,11	86,83	87,09	87,19
12,83	15,36	13,49	12,89	13,17	12,91	12,81
100	**100**	**100**	**100**	**100**	**100**	**100**
7,30	8,07	7,87	7,76	7,29	7,14	8,50
18,52	20,10	19,27	22,20	20,83	19,03	17,53
67,39	64,76	64,97	62,86	64,34	65,18	64,66
93,20	92,92	92,12	92,81	92,46	91,35	90,68
6,80	7,08	7,88	7,19	7,54	8,65	9,32
100	**100**	**100**	**100**	**100**	**100**	**100**
95,86	110,87	110,19	117,06	105,61	94,16	87,62
4,14	−10,87	−10,19	−17,06	−5,61	5,84	12,38
−4,10	**−7,00**	**−6,40**	**−7,30**	**−4,70**	**−2,60**	**−1,80**

7. Política de convergencia e integración en la Unión Monetaria (1999-2002)

José Vallés Ferrer

1. Preámbulo

La política económica española en este fin de siglo XX y principios del XXI tiene un doble compromiso: mantener la convergencia nominal, es decir, la estabilidad macroeconómica, y crear las condiciones para su expansión productiva, para su acercamiento a la convergencia real, hoy por hoy bastante lejana. Y todo ello sin olvidarnos de la convergencia social, necesariamente compatible con la convergencia nominal y real [1]. En este capítulo nos vamos a referir solamente a la política de convergencia nominal, o mejor dicho, a la política de mantenimiento de la economía española en la convergencia nominal como condición previa (condición necesaria, pero no suficiente) para la convergencia real. En el último capítulo de esta obra colectiva se abordará la política de convergencia real en su más amplio sentido.

El proceso de convergencia nominal ha sido complejo y ha implicado elevados costes sociales. Pero entendemos que ha valido la pena. La apertura de la economía española al exterior ha sido tardía y lenta y ha estado condicionada por factores extraeconómicos, fundamentalmente por razones políticas derivadas de la ausencia de libertades. Esa larga historia tiene varios eslabones, algunos de los cuales conviene recordar: El Plan de Estabilización Económica de 1959, la planificación del crecimiento de la década de los sesenta, las políticas de ajuste a la crisis aplicadas de 1974 a 1982, la integración en Europa, sancionada en 1985 y 1986 (Tratado de Adhesión y firma del Acta Única Europea), y nuestro ingreso en el mecanismo de cambios del Sistema Monetario Europeo (SME) en 1989. En la primavera de 1998 España por méritos propios consigue entrar en la tercera fase de la Unión Económica y Monetaria (UEM).

También la globalización de los mercados y la internacionalización de las economías exigen la actuación rápida por parte de los distintos Estados. España, por razones históricas de carácter político, no entró en la dinámica de la integración económica hasta la llegada de la democracia[2]. Por otro lado, este proceso de integración económica no es reciente, sino que por el contrario empieza a desarrollarse en la década de los cincuenta, aunque su relevancia como parte del proceso de mundialización se manifiesta con mayor claridad en la actualidad[3].

La rápida evolución de la economía mundial en la década de los ochenta, así como sus perspectivas de futuro, no permitía que nuestra economía quedase en una situación de estancamiento y que no se enfrentara a los retos que el propio proceso de globalización conlleva.

Los rectores de la economía española tenían que dar respuesta, al igual que las demás economías occidentales, por lo menos a los siguientes retos[4]:

- Primero, la necesidad de reforzar y afianzar el crecimiento económico, tanto a corto como a largo plazo, al mismo tiempo que se consoliden —lo que está implícito— los avances obtenidos en la reducción de la inflación.
- Segundo, la necesidad de una fuerte reducción del desempleo global, y en concreto del paro de corte estructural.
- Tercero, la necesidad de lograr la compatibilidad entre un crecimiento sostenido y la solidaridad, mediante la reducción de los niveles de pobreza y el afianzamiento de niveles de bienestar.
- Cuarto y último, la necesidad de asegurar mejoras en los niveles de productividad y competitividad que toda economía abierta necesita.

Todo este proceso de acomodación de la economía española a Europa supone, en primer lugar, grandes transformaciones de la misma, con sus correspondientes costes y sacrificios. El envejecimiento de determinados sectores productivos, verbigracia, el industrial, el dislocamiento de la agricultura española, la falta de capital estructural, por citar algunos problemas históricos, implicaban la necesidad de cambios en nuestra política económica a partir de 1985, con los subsiguientes costes directos e indirectos (sociales) de los mismos. El camino de Europa no era fácil, como tampoco lo es en los actuales momentos[5]. La sociedad española en general y los mercados en particular lo sabían. El objetivo número uno de la política económica no era otro, no podía ser otro, que el de Europa.

Objetivo Europa implicaba ir deprisa, quemar etapas, hacer las transformaciones necesarias. La conducción de la economía española tenía que acelerarse, pues había poco tiempo. Maastricht impone muchas cosas, pero también los tiempos. Nuestra fecha de examen prevista para la primera parte del año 1998 suponía acelerar al máximo todas las políticas de ajuste para el cumplimiento de las condiciones de convergencia establecidas, que nos han permitido entrar en la Europa de la primera velocidad sin tener que esperar hasta el año 2001 [6].

Pero el camino de Europa suponía también la construcción del estado del bienestar, trabajar a favor de la solidaridad y de la atenuación de los costes que nuestro proceso de integración europea implicaba. La política fiscal y presupuestaria del Gobierno de España había que cambiarla. Se necesitaban recursos para elevar los niveles de gasto social, al igual que sucedía en los demás países de las Comunidades Europeas.

Finalmente había que esforzarse en mejorar la productividad y, por tanto, la competitividad de nuestra economía. Hacía falta a principios de los ochenta (todavía hoy) fama, garra y maña para vender, para ganar mercados, para consolidar nuestra balanza comercial, históricamente deficitaria. La restricción exterior que supone nuestra balanza comercial es, fundamentalmente, un problema de competitividad, de crisis de competitividad. Sigue siendo uno de nuestros principales inconvenientes.

En cualquier caso, la apertura negociadora tras el restablecimiento de la democracia en España abrió nuevos horizontes a la economía española. Hay que reconocer, intentando ser lo más objetivo posible, que ya en 1977 el presidente Adolfo Suárez pidió formalmente la entrada de España en las Comunidades. Desde entonces hasta 1985 el proceso negociador no cesó, culminando en este año nuestra entrada en la Comunidad Económica Europea. El resto de España en su primera fase había concluido, apuntándose la sociedad española, toda la sociedad, el éxito de esta empresa. En mayo de 1998, la economía española ha entrado en la tercera fase de la UME, cerrando un ciclo histórico de política económica.

La construcción de la política económica durante estos últimos años ha sido importante en el proceso de creación de las condiciones objetivas de la UME. El ejercicio de 1997 ha sido vital, ya que los resultados macroeconómicos alcanzados han permitido que España pueda pilotar el nacimiento de la Europa de los once (UE-11), dando carta de pleno derecho a la tercera fase de la Unión Económica y Monetaria.

España, de este modo, ha alcanzado el objetivo de estar entre el grupo de países participantes en la Unión Monetaria Europea (UME) desde su inicio. Como muy bien reflejara el Banco de España, la economía española ha realizado sus deberes y se sitúa ahora entre el núcleo de países que darán un impulso decisivo al proceso de construcción europea.

Los últimos veinte años, los de la España democrática, han sido decisivos para la consecución de este objetivo. En el cuadro 7.1 puede observarse la evolución de las principales variables macroeconómicas del período 1990-1997 que han permitido cumplir las condiciones establecidas por el Tratado de Maastricht para la integración en el euro.

Cuadro 7.1 Principales variables macroeconómicas

	1990	1991
Demanda y producto a precios constantes [a]:		
Consumo privado	3,6	2,9
Consumo público	6,6	5,6
Formación bruta de capital	6,5	1,1
Exportaciones de bienes y servicios	3,2	7,9
Importaciones de bienes y servicios	7,8	9,0
Producto interior bruto	3,7	2,3
Empleo, salarios, costes y precios [a]:		
Empleo total	3,6	1,0
Remuneración por asalariado	9,5	9,5
Costes laborales unitarios	9,3	8,1
Deflactor del PIB	7,3	7,1
Índice de precios de consumo (media anual)	6,7	5,9
Índice de precios de consumo (DIC-DIC)	6,5	5,5
Ahorro, inversión y saldo financiero [b]:		
Ahorro de los sectores residentes [c]	22,0	21,6
Administraciones públicas [c]	*0,5*	*0,3*
Inversión de los sectores residentes	25,4	24,6
Administraciones públicas	*4,9*	*4,8*
Capacidad (+) o necesidad (–) de financiación nacional sec. res.	–3,4	–3,0
Administraciones públicas	*–4,3*	*–4,5*
Deuda bruta de las AA.PP. [d]	44,8	45,6
Agregados monetarios y crediticios [a]:		
ALP	12,7	11,8
ALPF [e]	11,2	12,9
M2	14,0	15,3
Crédito interno a empresas y familias	12,4	11,1
Crédito interno a Administraciones públicas	14,8	5,5
Financiación total a Administraciones públicas [f]	12,9	13,9
Tipos de interés y tipos de cambio [g]:		
Tipo de intervención del Banco de España	14,6	13,2
Tipo de la deuda pública a diez años	—	—
Tipo sintético de crédito bancario	17,0	16,2
Tipo de cambio peseta/marco	63,1	62,6
Tipo de cambio efectivo nominal (países desarrollados)	100,0	100,2
Tipo de cambio efectivo real (países desarrollados)	100,0	101,5

(a) Tasas de variación.
(b) Niveles en porcentajes del PIB.
(c) Incluye transferencias netas de capital recibidas.
(d) En porcentaje del PIB fiscal.
(e) Incluye todos los ALP —excepto los emitidos por las AA.PP.— más la parte del patrimonio de los fondos de inversión que no está incluida en ALP.

FUENTES: Datos tomados del Banco de España. Informe de 1997, Madrid, 1998, en base a estadísticas de: Instituto Nacional de Estadística, Intervención General de la Administración del Estado y Banco de España.

1992	1993	1994	1995	1996	1997
2,2	–2,2	0,9	1,6	1,9	3,1
4,0	2,4	–0,3	1,8	0,1	0,7
–3,9	–14,0	3,7	8,9	0,7	3,1
7,4	8,5	16,7	10,0	9,9	12,9
6,9	–5,2	11,3	11,0	6,2	10,1
0,7	–1,2	2,2	2,7	2,3	3,4
–1,5	–2,9	–0,5	1,6	1,5	2,6
10,4	6,8	2,8	2,9	3,8	2,7
8,0	4,9	0,0	1,9	2,9	1,9
6,9	4,3	4,0	4,8	3,1	2,2
5,9	4,6	4,7	4,7	3,6	2,0
5,3	4,9	4,3	4,3	3,2	2,0
19,7	19,5	19,2	22,3	21,9	22,0
–0,1	*–3,0*	*–2,5*	*–3,7*	*–1,7*	*0,3*
22,6	19,9	20,1	21,1	20,6	20,5
4,0	*4,1*	*3,9*	*3,6*	*2,9*	*2,9*
–3,0	–0,4	–0,8	1,2	1,3	1,5
–4,1	*–7,0*	*–6,4*	*–7,3*	*–4,7*	*–2,6*
48,0	60,1	62,6	65,5	70,1	68,8
6,3	7,7	7,6	10,0	7,2	5,1
9,6	7,6	10,2	7,3	9,1	9,1
5,6	0,1	8,2	4,0	4,9	10,8
8,1	4,6	2,9	6,9	7,9	11,2
3,6	10,8	10,4	22,8	7,1	2,2
15,1	15,4	16,8	15,9	12,1	9,6
12,8	11,3	7,7	8,8	7,5	5,4
11,7	10,2	10,0	11,3	8,7	6,4
15,6	14,5	10,7	11,5	9,7	7,2
65,6	76,9	82,6	87,0	84,2	84,5
98,0	86,6	80,8	80,3	80,9	77,2
101,2	90,6	86,3	87,5	89,3	85,4

(f) Incluye el crédito interno a AA.PP. Las colocaciones de deuda pública entre el público residente y no residente y la financiación exterior directa.
(g) Niveles.

El ejercicio de 1997, como puede apreciarse, ha sido el de la consolidación de una tendencia de crecimiento con estabilidad y creación de empleo. Esta tendencia se ha prolongado en 1998. El ritmo de crecimiento del PIB se ha intensificado debido al fortalecimiento de la demanda interna, mientras que la aceleración de las importaciones ha ampliado la aportación negativa de la demanda exterior, ya observada en los últimos meses de 1997.

En cualquier caso es importante combinar políticas a favor de la estabilidad con políticas que impulsen la capacidad de crecimiento. Hay que acometer un esfuerzo inversor importante, estimulando tanto la inversión interior como exterior. La aproximación de la renta por habitante español a la media europea dependerá en buena parte de este supuesto [7]. La política económica española no puede perder de vista nuestra situación de divergencia real (y convergencia nominal) y tiene que hacer todo lo posible por crear las condiciones que permitan acercar nuestra producción real a la potencial, dentro de la estabilidad económica y cohesión social [8].

2. La política económica de convergencia con Europa [9]

El proceso de integración económica europea se acelera con la aprobación del Tratado de Maastricht en diciembre de 1991. En él se desarrolla la política de convergencia a seguir con vistas a homogeneizar las políticas de los Estados comunitarios, con parámetros a respetar de cara al gran objetivo de la UEM. El Objetivo Europa tenía una exigencia previa: aceptar y cumplir indicadores fiscales y monetarios a lo preceptuado por el Tratado de la Unión Europea. Era necesaria una política reforzadora de los equilibrios interno y externo.

2.1 La convergencia nominal de la economía española en 1998

El Gobierno de la nación justificó en primavera de 1992 el Plan de Convergencia 1992-1996 no sólo como una necesidad inaplazable de cara al cumplimiento de las condiciones establecidas en Maastricht para acceder a la tercera fase de la UEM, sino además como medio indispensable para mantener una estabilidad a medio plazo que permitiera conseguir un mayor nivel de bienestar y alcanzar nuevos objetivos de política social [10].

El contenido del Plan de Convergencia está estructurado fundamentalmente en torno a tres grandes frentes [11]:

• Política macroeconómica.
• Reforma del mercado de trabajo.

260

- Mayor desregulación de la economía y mejora de la calidad de los servicios públicos.

El reto de Europa exigía a la economía española una mayor rigurosidad y celeridad. Precisamente por ello el Programa de Convergencia tuvo una aplicación inmediata al mercado de trabajo, con la aprobación del Real Decreto Ley sobre Medidas Urgentes de Fomento del Empleo y Protección por Desempleo, si bien su finalidad última era limitar el desbordamiento del gasto en el sistema de protección por desempleo, pero, sobre todo, fomentar e incentivar la presencia de los parados, fundamentalmente jóvenes y mayores de cuarenta y cinco años, en el mercado de trabajo.

También este Plan recoge algunas de las propuestas contenidas en los últimos informes de la OCDE sobre la economía española, tales como disminuir el mayor protagonismo de la política presupuestaria, congelar el crecimiento del sector público o flexibilizar el mercado de trabajo. No obstante, con relación al último punto no se considera el coste de despido como uno de los factores clave, tal como propugna la OCDE, sino que se centra en eliminar las rigideces en la búsqueda de empleo y en la reforma del sistema de protección al desempleo.

La desaceleración de la economía española de 1992 y la recesión de 1993 obligó a los rectores de la política económica española a modificar el plan inicial. En efecto, en julio de 1994 se presentó una Actualización del Programa de Convergencia que extendió su alcance temporal al período 1994-1997, además de modificar algunos de los indicadores contenidos en el documento inicial.

Una vez más quedaba plasmada la voluntad del ejecutivo español en coordinar las distintas políticas económicas, tanto por el lado de la oferta como de la demanda, con un horizonte claro: primavera de 1998, fecha del examen para la selección de las economías que pueden pasar a la tercera fase de la UEM, con datos de 1997.

Conseguida prácticamente la convergencia nominal de la economía española, el objetivo siguiente es mantenerlo. El ejercicio de 1997 ha sido el último amparado por la actualización, lo que ha determinado la elaboración por parte del Gobierno español de un nuevo Programa de Convergencia, que cubre el período 1997-2000. En dicho programa se pone de manifiesto el nuevo modelo de crecimiento que está experimentando la economía española[12], definido por su carácter sostenido y no inflaccionario y por su capacidad de generar empleo. El actual patrón de crecimiento es fruto de una nueva política económica que persigue los siguientes objetivos básicos:

- Garantizar un marco de estabilidad macroeconómica que permita reducir la inflación, disminuir los tipos de interés y mejorar las expectativas de los agentes económicos, cumpliendo simultáneamente los criterios de convergencia nominal en la fecha prevista.

• Profundizar en el proceso de flexibilización y de reformas estructurales de la economía española.

Cuadro 7.2   Escenario macroeconómico 1997-2000 (tasas de variación reales)

	1997	1998	1999	2000	Media 1997-2000
PIB y agregados					
(% Variación real)					
Consumo privado nacional	2,7	2,7	2,8	3,0	2,8
Consumo público	0,3	1,0	?,0	1,0	0,7
Formación bruta del capital fijo	4,0	7,1	7,8	5,6	6,1
Demanda nacional	2,5	3,4	3,7	3,3	3,2
Exportación de bienes y servicios	9,9	9,5	9,7	8,8	9,5
Importación de bienes y servicios	8,1	9,6	10,0	8,9	9,1
Saldo exterior (contribución al crecimiento PIB)	0,4	–0,2	–0,3	–0,2	–0,1
PIB	3,0	3,2	3,4	3,2	3,2
Otras variables					
Deflactor del consumo privado (% variación)	2,5	2,3	2,2	2,2	2,3
Empleo (% variación)	2,0	2,2	2,3	2,?	2,3
Cap. (+) rec. (–) finan. Resto mundo (% PIB)	1,9	1,7	1,5	1,5	1,6

FUENTE: Ministerio de Economía y Hacienda, 1997.

En consecuencia, la política económica combina políticas de demanda, con especial hincapié en una política presupuestaria rigurosa enmarcada en un claro proceso de consolidación fiscal, con la aplicación de las políticas de oferta necesarias para mejorar el comportamiento de los mercados, liberalizando su funcionamiento e introduciendo un mayor grado de competencia. De esta forma se alcanzará el objetivo último de lograr un crecimiento económico estable, sostenido y con elevada capacidad de generación de empleo.

La presentación de este Programa de Convergencia 1997 viene a ratificar el compromiso de España con el cumplimiento de los criterios para acceder a la tercera fase de la UME, la disposición del Gobierno a tomar las medidas que fueran necesarias para evitar toda desviación de los objetivos planteados y su voluntad de cumplir con los criterios de disciplina fiscal, aún más rigurosos, que se aplicarán a partir de 1999 en virtud del Pacto de

Estabilidad y Crecimiento acordado en Dublín en diciembre de 1996. Por ello, este Programa de Convergencia 1997 recoge el marco plurianual de referencia para el seguimiento de la economía española hasta el año 2000 y presta especial atención a la evolución de las finanzas públicas con objeto de lograr una consolidación fiscal sólida y duradera. La reducción de los ratios de deuda y déficit de las Administraciones públicas respecto de la ejecución presupuestaria y el establecimiento de mecanismos que permitan corregir cualquier desviación respecto a los objetivos previstos [13].

Los escenarios macroeconómicos horizonte 2000 pueden observarse en los cuadros 7.2 y 7.3. El crecimiento medio del PIB estimado para el período 1997-2000 es del 3,2%. Este crecimiento permitirá cerrar la actual brecha entre el PIB potencial y el real en 1999. La aceleración del PIB se basará en la demanda interna, ya que la actual aportación positiva del sector exterior se hará ligeramente negativa a partir de 1998. Se proyecta un crecimiento relativamente fuerte de las exportaciones, basado, por un lado, en la expansión del comercio internacional anteriormente aludida y, por otro, en el mantenimiento de una buena posición competitiva de la economía española como consecuencia de la moderación de los costes y precios y de la modernización del aparato productivo. Se han tenido en cuenta, además, los crecientes lazos interindustriales con las economías de la UE, que hacen prever tasas de crecimiento del comercio intraeuropeo superiores a las observadas históricamente, tal como viene sucediendo en los años más recientes. Este factor y el crecimiento previsto para la inversión en equipo hacen también prever tasas de aumento elevadas para las importaciones. El resultado de todo ello es una aportación ligeramente negativa (en torno a –0,2 puntos porcentuales cada año a partir de 1998) al crecimiento del PIB.

El empleo mantiene un comportamiento positivo en el escenario macroeconómico previsto para los próximos años, en línea con los resultados de 1996. Esta previsión se fundamenta, en primer lugar, en la evolución de la remuneración por asalariado cuyo crecimiento real es inferior al de la productividad, lo que se traduce en una disminución de los costes laborales unitarios reales; en segundo lugar, en el fuerte crecimiento de la inversión; y por último, en una mejora del marco institucional del mercado laboral. Teniendo en cuenta estos factores, el crecimiento del empleo se acelera hasta el año 1999, siguiendo el ciclo de la producción. Su crecimiento en media anual para el período 1997-2000 se prevé en el 2,1% tasa que, comparada con la del PIB (3,2%), supone una mejora en la relación empleo/producto y una disminución del umbral de creación de empleo.

Para la población activa, se prevé un crecimiento durante todo el período (0,8% en media anual) por encima del de la población en edad de trabajar, es decir, un aumento de la tasa de participación como consecuencia, fundamentalmente, de la mejora de las expectativas de empleo. A pesar de ello, el crecimiento del empleo señalado superará al de la población activa, por

Cuadro 7.3   Administraciones Públicas (Contabilidad nacional: % del PIB)

	1997	1998	1999	2000
Total ingresos	40,7	40,7	40,5	40,3
Total gastos	43,7	43,2	42,5	41,9
Gastos corrientes	39,4	38,8	38,0	37,4
Gastos de capital	4,3	4,4	4,5	4,5
Cap. (+) nec. (–) finan. AA.PP.	**–3,0**	**–2,5**	**–2,0**	**–1,6**
Administración Central	–2,7	–2,3	–1,8	–1,4
Estado	–2,5	–2,1	–1,7	–1,4
Seguridad Social	–0,2	–0,2	–0,1	0,0
AA.PP. Territoriales	–0,3	–0,2	–0,2	–0,2
Deuda bruta	**68,2**	**67,7**	**66,7**	**65,3**
Superávit primario	1,9	2,1	2,3	2,6

FUENTE: Programa de Convergencia de España 1997-2000, Ministerio de Economía y Hacienda, 1997.

lo que se producirá una disminución de la tasa de paro de cerca de cuatro puntos porcentuales.

Por otro lado, el déficit público al final del período se prevé que quede reducido al 1,6%, y el endeudamiento, al 65,3%. No solamente se mantiene la convergencia nominal de los parámetros fiscales, sino que se mejora. No obstante el superávit primario aumenta, pasando del 1,9% del PIB en 1997 al 2,6% en el año 2000.

2.2   El programa de estabilidad 1998-2002

Durante la transición a la tercera fase de la UEM los Estados miembros tienen la obligación de presentar, periódicamente, programas de convergencia que incluirán sus objetivos de convergencia, así como las medidas destinadas a alanzarlo [14]. El Gobierno de España ha cumplido al milímetro esta exigencia.

Los programas de estabilidad, por otro lado, se encuentran dentro del propósito principal del Pacto de Estabilidad y Crecimiento de garantizar la disciplina presupuestaria de los países que acceden a la tercera fase de la UEM: es decir, de mantener la convergencia nominal. Estos países tendrán que presentar estos programas de estabilidad, que deberán incluir los objetivos de deuda y de déficit públicos a medio plazo y las medidas que se establezcan para poder conseguirlos [15].

El Pacto de Estabilidad y Crecimiento tiene como objetivo garantizar la disciplina presupuestaria de los países participantes de la tercera fase de la UEM. La importancia de este pacto radica, fundamentalmente, en que la consecución de unas finanzas públicas saneadas incidirá de una forma clara en la estabilidad del euro y ayudará a alcanzar la estabilidad de precios.

En el Consejo Europeo de Dublín (diciembre, 1996) se aprueba el estatuto jurídico del Pacto de Estabilidad y Crecimiento con el fin de mantener la continuidad en la convergencia después del inicio de la tercera fase de la UEM. En el Consejo Europeo de Amsterdam (junio, 1997) se aprueba el Pacto de Estabilidad y Crecimiento. El Programa de Estabilidad de España respeta, por tanto, los compromisos de política económica asumidos por el Pacto de Estabilidad y Crecimiento.

Con la introducción de este nuevo reto, no puede olvidarse que la propia pertenencia a la UEM provoca necesariamente un cambio sustancial en el papel de los instrumentos tradicionales de política económica, otorgando mayor protagonismo a la consolidación fiscal y a las reformas estructurales como medio para garantizar el mantenimiento de la convergencia nominal.

En efecto, por un lado, el diseño de la política monetaria pasará a ser responsabilidad del Banco Central Europeo (BCE), al que se le concede la independencia estatutaria y se le asigna el objetivo del control de precios. Por otro lado, desaparece la posibilidad de utilizar el tipo de cambio como medio para corregir las diferencias de competitividad con los principales socios comerciales.

Frente a ello, la política fiscal seguirá siendo una responsabilidad nacional, si bien vendrá marcada por el respeto a las reglas de disciplina financiera y de coordinación con el resto de los socios de la UEM recogidas en el *Tratado de la Unión Europea* y en el *Pacto de Estabilidad y Crecimiento*, que afectan al conjunto de las Administraciones públicas. Tales reglas pueden resumirse en la necesidad de situar el saldo presupuestario, en condiciones normales, próximo al equilibrio. Sólo de esta forma se podrá mantener el margen necesario para que, en épocas de desaceleración del crecimiento, la política fiscal pueda jugar su tradicional papel estabilizador.

Por ello, el Gobierno español pretende continuar en los próximos años con el esfuerzo de reducción del déficit público. Así, teniendo en cuenta la previsible evolución de la economía española y dadas las medidas a adoptar con implicación presupuestaria, se propone alcanzar, en el año 2002, una situación de superávit presupuestario.

Las proyecciones presupuestarias reflejadas en este programa están basadas en unos supuestos económicos prudentes y facilitarán la estabilidad macroeconómica en los próximos años. Asimismo, en la medida en la que estén acompañadas de una evolución salarial adecuada, se podrá consolidar el proceso de creación de empleo y de reducción de la tasa de paro que ha caracterizado la evolución reciente de la economía española.

Además, en el diseño de la política presupuestaria se otorga un papel preponderante a la inversión pública, que incrementará su peso en el PIB y se configurará como un elemento básico para que continúe el avance en la convergencia real.

Paralelamente, para hacer frente a la pérdida de instrumentos de política de demanda nacional y para apoyar a la política fiscal en sus objetivos, el Gobierno español mantendrá el papel relevante que se ha concedido, en los últimos años, a las políticas de oferta o políticas de reforma estructural de los mercados de factores y productos. Con ellas se pretende garantizar el funcionamiento eficiente de los mercados de trabajo, de bienes y servicios de capitales. Esta mayor eficiencia es especialmente necesaria para poder competir en el Mercado Único Europeo, cuya culminación se produce con el lanzamiento del euro.

Estas reformas, recogidas en el *Plan de Acción Nacional sobre el Empleo* y en *el Informe de Progreso sobre las Reformas de los Mercados de Bienes, Servicios y de Capitales*, configuran, junto con el *Programa de Estabilidad*, los elementos principales del diseño de la política económica del Gobierno en el medio plazo (1998-2002).

El presente *Programa de Estabilidad* de España se ha elaborado respetando las obligaciones formales establecidas por la Comisión Europea, relativas al reforzamiento de la supervisión de las situaciones presupuestarias, y las acordadas en el Consejo ECOFIN del 12 de octubre de 1998. Igualmente, se respetan los compromisos políticos asumidos en el *Pacto de Estabilidad y Crecimiento* y en la declaración del Consejo ECOFIN de 1 de mayo de 1998.

Por todo ello la política económica a partir de 1999 se diseñará en el contexto de la moneda única y estará caracterizada por la profundización en la línea marcada en *el Programa de Convergencia de 1997* y el respeto de los compromisos y disposiciones del *Pacto de Estabilidad y Crecimiento*, con la finalidad de conseguir la convergencia real de renta y empleo. En los cuadros 7.4 y 7.5 pueden observarse las principales directrices de política económica, tanto en política de crecimiento como en política fiscal.

Como puede apreciarse en el cuadro 7.4, la ambiciosa senda de expansión de la inversión está previsto que se financie con ahorro interno. Así, el mantenimiento del ahorro de las familias junto con el previsto aumento del ahorro público permitirán aprovechar las oportunidades de inversión existentes en la economía sin necesidad de recurrir a la financiación del resto del mundo.

Por su parte, el consumo privado mantendrá unas tasas de variación elevadas, tomando paulatinamente el relevo de la inversión como motor del crecimiento. En contraposición a lo observado en anteriores ciclos económicos, el aumento del consumo se mantendrá por debajo del incremento del PIB, lo que evitará el surgimiento de tensiones inflacionistas.

Cuadro 7.4   **Escenario macroeconómico 1997-2002 (tasas medias de variación anual a precios constantes de 1986, en %)**

	1997	1998	1999	Media 2000-2002
PIB y agregados				
Consumo privado	3,1	3,6	3,8	3,1
Consumo público	1,4	1,2	1,2	1,2
Formación bruta de capital fijo	5,1	9,1	10,0	5,9
—Equipo	11,0	13,0	12,0	5,1
—Construcción	1,3	6,5	8,5	6,5
Demanda nacional	2,9	4,6	5,0	3,5
Exportación de bienes y servicios	14,8	10,6	9,8	8,5
Importación de bienes y servicios	12,2	12,4	12,4	8,6
Saldo exterior (contrib. al crec. del PIB)	3,5	3,8	3,8	3,3
Precios y costes				
Deflactor del PIB	2,0	2,4	2,1	1,9
Deflactor del consumo privado	2,5	2,0	1,9	1,7
Mercado de trabajo (EPA)				
Empleo: → variación en %	2,9	3,5	2,8	2,3
→ variación en miles [a]	357,0	450,0	370,0	959,0
Tasa de paro (% población activa) [b]	20,8	18,7	17,1	12,8
Otras variables (en % sobre el PIB)				
Cap. (+) nec. (−) financ. resto del mundo	1,5	0,9	0,0	0,0

(a) La creación de empleo que se incluye como media 2000-2002 es la variación entre la ocupación media del 2002 y la de 1999.
(b) La tasa que figura como media 2000-2002 es la correspondiente al año 2002.

FUENTE: INE, 1997, y Ministerio de Economía y Hacienda, 1998-2002.

Los resultados son también bastante claros: crecimiento sostenido y generación de empleo durante el próximo trienio 2000-2002. Más adelante volveremos sobre estos datos.

En el cuadro 7.5 se presenta la contabilidad nacional de las Administraciones públicas con horizonte 2002. Es indudable el esfuerzo realizado en la búsqueda del equilibrio presupuestario (superávit en el horizonte de 2002), tanto por parte de la Administración central como por parte de las Administraciones territoriales.

Cuadro 7.5   Administraciones Públicas (Contabilidad nacional: % del PIB, según directiva PNB)

	1997	1998	1999	2000	2001	2002
Total ingresos	41,7	41,6	41,4	41,2	41,2	41,2
Total gastos	44,4	43,5	43,0	42,2	41,6	41,2
—Gastos corrientes	39,5	38,6	38,0	37,2	36,5	35,9
—Carga financiera	4,5	4,9	5,0	5,0	5,2	5,3
—Gastos de capital	4,8	4,9	5,0	5,0	5,2	5,3
—Formación bruta capital fijo	3,2	3,2	3,3	3,4	3,6	3,8
Cap. (+) nec. (–) financ. AA.PP.	**–2,6**	**–1,9**	**–1,6**	**–1,0**	**–0,4**	**0,1**
Administración central	–2,3	–1,6	–1,4	–0,9	–0,4	0,1
—Estado	–2,1	–1,5	–1,3	–0,9	–0,4	0,1
—Seguridad Social	–0,2	–0,2	–0,1	0,0	0,0	0,0
AA.PP. territoriales	–0,3	–0,2	–0,2	–0,1	0,0	0,0
Deuda bruta	**68,9**	**67,4**	**66,4**	**64,3**	**61,9**	**59,3**
Superávit primario	1,8	2,2	2,5	2,8	3,2	3,5
Ahorro bruto	1,0	1,8	2,2	2,9	3,6	4,2

FUENTE: Ministerio de Economía y Hacienda. Distintos años.

Como consecuencia de la positiva evolución del superávit primario, así como de la prevista moderación del tipo de interés efectivo de la deuda pública y del crecimiento proyectado del PIB nominal, también se produce una disminución continua del volumen de deuda pública en relación con el PIB, hasta situarse por debajo del 60% en el año 2002. Esperemos que la cohesión social, compañera inseparable de la convergencia nominal y real, no se resienta en el cumplimiento de estas proyecciones de política fiscal.

3.   La economía española ante el horizonte del año 2002

Hasta ahora nos hemos centrado en los efectos nominales de la política de convergencia. También hemos de hablar —es básico y fundamental— de convergencia real. El planteamiento de la convergencia como un esfuerzo a fecha fija ha debilitado la atención prestada a horizontes más dilatados y a los problemas más difíciles y de resolución ingrata; y, al mismo tiempo, ha llevado en muchos casos a los ciudadanos a atribuir a las políticas de convergencia males de las economías europeas —al frente de ellos, el desempleo— que responden principalmente a otros orígenes [16]. De todas maneras entiendo que el empeño de los Gobiernos de España desde 1992 hasta ahora en situar a nuestra economía en el grupo de cabeza de los países ha sido una tarea excelente, hoy recompensada por los resultados obtenidos. Ni el mejor de los diagnósticos hace veinte años sobre la evolución de nuestra economía se acercaba, ni de lejos, a este horizonte real de 1999. A partir de ahora hay que trabajar pensando en la convergencia real de la economía ante el año 2002, fin del período transitorio e inicio de la circulación de billetes y monedas en euros. Y por supuesto manteniendo los equilibrios interno y externo y consolidando las variables sociales.

Hemos defendido como opción de política económica más pragmática y realista para los próximos años (1999-2002) aquella que conjugue los principios del modelo social con las exigencias de concluir el proceso de reformas estructurales en España. Otras opciones, más ideológicas o doctrinales, no las consideramos válidas para la conducción de la economía real en este final de siglo. La necesidad de un mayor y mejor crecimiento, con estabilidad y empleo, que lleve los desequilibrios actuales a la convergencia con Maastricht tanto nominal como real conforma el paquete fundamental de objetivos.

Sobre la base de comportamientos macroeconómicos recientes, estimaciones a corto y medio plazo de instituciones internacionales, evolución de los mercados y opiniones de expertos, preconizar una política de crecimiento sostenido con tasas de crecimiento en torno al 3-3,5% del PIB en los próximos años parece posible y alcanzable, así como también la disminución de un punto anual de la tasa de paro de la economía española, dado un aumento de la elasticidad crecimiento-empleo.

Pronosticar una tasa de desempleo del 12 o 13% en el año 2002 entra dentro de las posibilidades reales y no solamente desde los enunciados de una opción económica. Otras voces autorizadas van también a esa dirección [17, 18].

Los ingredientes de este crecimiento tienen que ser distintos, como diferentes han de ser las medidas de reforma. Sin políticas mixtas (de oferta y de demanda) pero sobre todo sin reforzamiento de la economía real (industrialización), algunas debilidades de la economía española no desaparecerán. La economía del tercer milenio tiene una prioridad clara: el empleo. Empleo y productividad se han convertido en los temas centrales del debate económico y político en España y Europa [19]. El paro contiene implicaciones no sólo económicas sino también sociales, de especial agudeza debido a su naturaleza básicamente estructural. El cambio tecnológico, las adaptaciones estructurales, pero sobre todo la opción a favor de una estrategia industrial, constituyen las llaves para un crecimiento más estable y seguro. La alternativa al progreso tecnológico es pérdida de competitividad y destrucción de empleo. La convergencia real, sea antes o después, no puede esperar, pues hay que adaptarse a las condiciones cambiantes de la oferta, la demanda y el entorno empresarial que el Mercado Único Europeo está generando. Ante estas circunstancias, y dentro de la Unión Europea, la economía española no tiene otra salida que apostar por un proceso de crecimiento sostenible generador de empleo, alimentado básicamente por los cambios tecnológicos y en la mejora de la competitividad. Sin duda alguna, esta estrategia económica está inspirada en la política de convergencia iniciada en 1992 y que tantos buenos frutos ha dado en materia de estabilización. El próximo futuro, es decir, el año 2002, es el horizonte adecuado para medir los logros en materia de convergencia real, hoy por hoy la asignatura pendiente de la economía de mercado. No cabe otra solución que no sea la defensa de una política de crecimiento que vaya cerrando las diferencias interterritoriales en término de empleo, paro y renta. A nuestro entender ha llegado la hora de la micropolítica que, como verdadera política por el lado de la oferta, debe complementarse con la macropolítica (política de demanda) generando un todo coherente al servicio de la convergencia real, manteniendo la nominal y la social.

Caminar por esta senda de crecimiento sostenido y sostenible, que permite una mayor convergencia real de nuestra economía sin deterioro de la social, supone adaptarse a los nuevos tiempos. La experiencia reciente de las economías anglosajonas demuestra sobradamente que es posible crecer durante mucho tiempo de una manera estable y sostenida cuando se reduce el déficit público y se introduce suficiente flexibilidad en los mercados de factores, bienes y servicios. Ante esta evidencia, los países europeos debemos tomar ejemplo para afrontar con éxito el desafío competitivo actual, en el que, afortunadamente, cada vez participan más países que ya no sólo compiten con mano de obra barata, sino también con tecnología y capital humano cualificado. Para poder adaptarnos a esta nueva situación es necesario, por tanto, insistir en la necesidad de la estabilidad macroeconómica y de la flexibilización de los mercados, que son condiciones indispensables (necesarias, pero no suficientes) para crear un área monetaria óptima.

La respuesta de la economía española a una política fiscal más restrictiva, después de años de fuerte expansión del gasto público, ha sido inmediata. En efecto, la menor expansión del gasto ha facilitado la corrección de la tasa de inflación y, consiguientemente, la disminución de los tipos de interés para todos los plazos. El tono menos restrictivo de las condiciones crediticias, a su vez, ha tenido un efecto expansivo en el crecimiento y en la generación de empleo.

Ante esta situación es de prever que los gastos del Estado deban ser menores que los presupuestados, como consecuencia de la bajada de los tipos de interés, que incide positivamente en la partida de los pagos de intereses por la deuda pública. Asimismo, éstos se deben beneficiar de las amortizaciones anticipadas de deuda que permite el actual proceso privatizador. Sin embargo, es posible que los gastos en sanidad sean superiores a los previstos, por lo que es urgente llevar a cabo una profunda reforma estructural en este ámbito. Pensamos que es necesario utilizar criterios empresariales en su gestión y arbitrar la fórmula del copago, no con objetivo recaudatorio, sino limitativo del consumo, lo que, a su vez, redundará positivamente en la eficacia del servicio.

Por otro lado, la mejora de la competitividad de nuestra economía obliga a profundas transformaciones estructurales, algunas de las cuales ya han empezado a ejecutarse, como la del mercado de trabajo, que tiene el mérito fundamental de que los sindicatos han puesto de manifiesto que existe relación entre las condiciones de este mercado, los costes laborales y la generación de empleo. Asimismo, ha permitido un clima de estabilidad social necesario para las reformas imprescindibles.

La necesidad de mantener en el futuro el control de los desequilibrios básicos —inflación y déficit público— obliga a introducir mayores grados de libertad en los mercados de factores, bienes y servicios, sobre todo en estos últimos. Las medidas deben ser conjuntas para evitar agravios comparativos, con el objetivo de que si un sector pierde su renta de monopolio, se beneficie de la que también pierden los otros y redunde, en general, en una mejor eficiencia que favorezca al conjunto de la economía y, en especial, a los consumidores.

Los países europeos que más flexibilicen sus economías aumentarán sus ventajas competitivas en un auténtico mercado único. Con este fin conviene acometer cuanto antes una profunda reforma de la Administración pública y del conjunto de nuestro sistema fiscal, al objeto de hacer más atractiva la localización de factores en nuestro país. Es necesario, por otra parte, mejorar la eficacia en la asignación de este recurso y urge liberalizar el suelo en beneficio del acceso a la vivienda y de los costes de empresas y negocios.

En definitiva, tal como establece el Programa de Convergencia de 1998-2002, aprobado por el Gobierno recientemente, nos estamos instalando en un modelo de crecimiento más equilibrado y perdurable, pues, en principio, ni el déficit público, ni la inflación ni el déficit exterior lo amenazan. Todo nuevo empleo, a nuestro entender, debe provenir de ese crecimiento diferencial que, a su vez, tiene que ir cerrando brechas en los desequilibrios interterritoriales. Tiene razón el Profesor Luis Á. Rojo cuando afirma que se trata de contemplar los problemas más allá de las restricciones inmediatas que impone el cumplimiento de los criterios de Maastricht. Hay que asegurar la permanencia de la estabilidad fiscal, junto con la estabilidad proporcionada por la política monetaria común, así como el aumento de la flexibilidad de nuestro mercado de factores, todo ello como camino hacia la Unión Monetaria y como proceso tendente a mejorar la productividad, competitividad y, por tanto, la sostenibilidad de nuestro crecimiento. Y, todo ello, sin olvidar la base industrial de esta actividad productiva. El reequilibrio sectorial sobre la base de un reforzamiento de la actividad industrial es también importante para mejorar nuestro proceso de convergencia real, tanto en renta como en empleo y paro. Sin excluir los posibles efectos en el mercado de trabajo de los nuevos yacimientos de empleo, las políticas de reparto del trabajo o los nuevos nichos de mercado, somos partidarios de que el aumento en la convergencia real venga por el crecimiento, a través de la mejora de la elasticidad entre crecimiento y empleo, y por una apuesta firme por los nuevos sectores industriales. El crecimiento desequilibrado, sectorialmente hablando, tampoco ayudará a resolver la encrucijada en que se encuentra el sur de Europa y España en concreto.

4. Algunas conclusiones

El ejercicio de 1998 ha sido muy importante para las economías de la Unión Europea. La elección de los países que han accedido a la tercera fase de la Unión Económica y Monetaria se ha realizado en este ejercicio. También se han fijado los tipos de conversión bilaterales entre las monedas de los países que acceden a la tercera fase, se creó el Banco Central Europeo (BCE) y ello permitirá el establecimiento del Sistema Europeo de Bancos Centrales (SEBC). En 1999 comienza la tercera fase de la UEM y el 1 de julio del 2002 concluirá el período transitorio. Este cuatrienio (1999-2002) lo tiene que aprovechar la economía española para mejorar sus desequilibrios interterritoriales, tanto en términos de empleo y paro como en renta, y todo ello sin bajar la guardia en el cumplimiento de los indicadores nominales (ya logrados) ni permitiendo el desmantelamiento del estado de bienestar.

A lo largo de este trabajo creemos haber apostado por un paradigma de política económica basado en la búsqueda de un crecimiento sostenido y sostenible a medio plazo, que permita cerrar gradualmente pero de forma continuada divergencias en cuanto a la tasa de ocupación y paro de la economía española. Todo nuevo empleo debe venir —creemos que así será— de este crecimiento, convirtiéndose este último en el principal alimento de la generación del empleo y, por tanto, de la disminución de la tasa de paro.

También, y en la misma dirección, la conducción de la política económica debe garantizar el mantenimiento de la convergencia nominal, imprescindible para la obtención de un crecimiento económico diferencial. El cumplimiento del Programa de Convergencia 1998-2002 es necesario para ello. También hay que mantener y garantizar los parámetros sociales: hay que ir meditando sobre el paso del estado de bienestar a la sociedad del bienestar. Eficacia, eficiencia, calidad, seguridad... son algunas de las variables a tener muy presentes en materia de provisión de bienes y servicios públicos.

Finalmente, no podemos olvidarnos del problema de las adaptaciones a realizar por parte de los sectores productivos, de la economía real, ante los impactos del euro. La micropolítica, los procesos de transformación en el ámbito empresarial e institucional son fundamentales. Hay que prepararse para el año 2002. Una política económica racional debe compatibilizar actuaciones tanto por el lado de la oferta como por el lado de la demanda. Macro y micropolítica son necesarias y están enlazadas ante un objetivo básico como es la mejora de los niveles de renta y empleo en la economía española. La transición hacia el euro se presenta compleja, pero superable con planteamientos realistas y pragmáticos por parte de los artífices de la política económica española. Así se desprende de los primeros datos conocidos del Programa de Estabilidad 1999-2003 recientemente aprobado por el Consejo de Ministros.

Notas

1 Vallés Ferrer, J. (coord.) (1997): *Economía Española*, Madrid, McGraw-Hill, capítulos 20 y 21.

2 Hay excepciones: una de ellas, importante, es el acuerdo Ullastres de 1970, por el que España suscribía un acuerdo preferencial con la Comunidad Económica Europea que, sin duda alguna, contribuyó a impulsar las exportaciones españolas a las Comunidades.

3 Villaseca Requena, J. (1995): «La integración económica», en *Economía Mundial,* Madrid, McGraw-Hill.

4 Camdessus, M. (1994): «La Economía mundial: retos y perspectivas», Barcelona, Generalitat de Catalunya.

5 Trece años después de la adhesión se ha realizado un esfuerzo notable, debido tanto al dinamismo de la sociedad española como a la conducción de la política económica. Y sobre todo teniendo en cuenta un período de tiempo tan corto (1985-1998). El comportamiento económico de los años 1996, 1997 y 1998 ha permitido asegurar la incorporación de la economía española al euro en 1999, tras el examen de mayo de 1998.

6 Sobre las transformaciones experimentadas por la economía española, véase el trabajo de Josefa Eugenia Fernández Arufe (coord.), Belén Miranda Escolar y Baudelio Urueña Gutiérrez (1995): *Economía y Sociedad: España y Europa en la década de los noventa*, Valladolid, Consejo Social de la Universidad de Valladolid y Real Academia de Ciencias Morales y Políticas, y el de Vallés Ferrer, J. (coord.) (1997): *Economía española*, Madrid, McGraw-Hill Interamericana.

7 Estas ideas también pueden encontrarse en el trabajo del Profesor J. R. Cuadrado (1996): «Convergencia nominal y convergencia real. El verdadero reto para España», en *España frente a la UEM,* pp. 29-61, Madrid, Cívitas.

8 Hitiris, T., y J. Vallés: *Economía de la Unión Europea*, Madrid, Prentice Hall, capítulo 15.

9 N. de C.: sobre este tema también se hacen referencias en otros capítulos, como en el 1 o el 3.

10 Véase sobre este tema de José Vallés Ferrer y otros (1996): *Orígenes y causas de la crisis de competitividad: soluciones para superarla,* Universidad de Huelva.

11 Para un examen pormenorizado de la política de convergencia, puede verse del Ministerio de Economía y Hacienda (1992): *El Plan de Convergencia*, Madrid. Tam-

bién de José Vallés Ferrer (1994): «España ante los retos europeos de los años 90: el Plan de Convergencia de la economía española», en *Economía Española actual*, Sevilla, Fundación El Monte, núm. 4.

12 A nuestro entender, y sin ánimo de polemizar, no estamos tanto ante un nuevo modelo de crecimiento como ante una situación de mayor crecimiento, mayores expectativas nacionales y mejor coyuntura internacional. La situación de 1992-1993 no es la de 1997-1998: actualmente el crecimiento es mayor y se prevé más duradero.

13 Véase el Programa de Convergencia de España 1997-2000, Ministerio de Economía y Hacienda, 1997. En líneas generales estamos siguiendo la exposición contenida en el citado documento. En cuanto al modelo de política económica, hay pocas novedades respecto al Plan de 1992.

14 Vallés Ferrer, J.: *Economía Española*, op. cit., capítulo 20.

15 El Gobierno de España presentó en tiempo y forma el documento denominado «Programa de Estabilidad del Reino de España 1998-2002». Recientemente el Consejo de Ministros ha aprobado una actualización del mismo (Programa de Estabilidad 1999-2003) y su remisión a la Comisión Europea.

16 Ideas tomadas del prólogo de L. Á. Rojo al libro de Carmela Martín *España y la nueva Europa*, Madrid, Alianza Editorial, 1997.

17 Por ejemplo, es ilustrativa la opinión del Ministerio de Industria y Energía (MINER) en el informe «Una política industrial para España», Madrid, 1994, cuando sitúa el paro estructural entre un 14 y un 17% de la población activa.

18 Hemos definido, y lo reiteramos, que la economía española con un buen funcionamiento en los próximos años (2002, por ejemplo), generadora de crecimiento medio del 3-3,5%, podrá disminuir la tasa de paro en torno a un punto porcentual por año, dada la elasticidad existente. Es decir, el indicador de la tasa de paro, a pleno funcionamiento de la economía, alcanzaría a final de este período un valor entre el 12 o el 13%. Probablemente ésta sea nuestra tasa de paro estructural actual y el mejor nivel de convergencia real con Europa. Los escenarios económicos de España, culminado el proceso de la UEM, serán distintos a partir del año 2003. Los escenarios del Programa de Convergencia van en esta dirección.

19 Línea principal del *Libro Blanco de la Economía Europea. Retos y pistas para entrar en el siglo XXI*, Bruselas, Comisión Europea, 1994, e inspirado por su Presidente J. Delors.

Referencias

Banco de España (1997): *La Unión Monetaria Europea*, Madrid.

Barrada, A. (1999): *El gasto público de bienestar social en España de 1964 a 1995*, Fundación BBV, Bilbao.

Cuadrado, J. R., y Mancha, T. (dirección y coordinación) (1996): *España frente a la Unión Económica y Monetaria,* Madrid, Cívitas.

Fernández Arufe, J. E. (coord.) (1995): *Economía y Sociedad: España y Europa en la década de los noventa*, Valladolid, Consejo Social de la Universidad de Valladolid y Real Academia de Ciencias Morales y Política.

Fuentes Quintana, E. (coord.) (1995): *Problemas Económicos Españoles en la década de los noventa*, Madrid, Real Academia de Ciencias Morales y Políticas.

Hitiris, T., y Vallés, J. (1999): *Economía de la Unión Europea*, Madrid, Prentice Hall.

Martín, C. (1997): *España en la nueva Europa*, Madrid, Alianza Editorial.

Ministerio de Economía y Hacienda (1992, 1994, 1997, 1998, 1999): *El Plan de Convergencia 1992-1996, Actualización del Programa de Convergencia 1994-1997, El Programa de convergencia 1997-2000, El Programa de Estabilidad 1998-2002 y El Programa de Estabilidad 1999-2003*, Madrid.

Vallés Ferrer, J. (1994): «España ante los retos europeos de los años noventa. El Plan de Convergencia de la Economía Española», *Economía Española Actual*, Sevilla, Fundación El Monte.

— (coord.) (1995): Un debate sobe el Estado del Bienestar, *V Congreso Nacional de Economía*, Las Palmas de Gran Canaria.

— (coord.) (1997): *Economía Española*, Madrid, MacGraw-Hill.

Velarde, J.; García Delgado, J. L., y Pedreño, A. (dir.) (1995): *Regulación y competencia en la economía española*, Madrid, Cívitas.

Viñals, J.; Vallés, J., y Canzoneri, M. (1996): «El tipo de cambio como instrumento de ajuste macroeconómico: evidencia empírica y relevancia para la Unión Monetaria Europea», *Boletín Económico del Banco de España*, Madrid.

V.V.A.A. (1994): *Empresas y empresarios en la encrucijada de los noventa*, Madrid, Cívitas.

V.V.A.A. (1996): *España, 1995. Una interpretación de su realidad social*, Madrid, Fundación Encuentro.

8. Política de comercio exterior de España y de la Unión Europea

Josep M.ª Jordán y Víctor Fuentes

1. Introducción

La política de comercio exterior constituye un conjunto de actuaciones de los poderes públicos que pretenden mejorar las relaciones comerciales de una economía con el resto del mundo. Se trata de una política muy relacionada con otras de las estudiadas en este libro y cuyo objetivo fundamental, más allá del equilibrio externo a corto plazo, se centra en el desarrollo económico de un país a medio y largo plazo. La teoría económica ha destacado tradicionalmente el papel que desempeña el comercio como instrumento de promoción del bienestar. Los intercambios permiten que los países se especialicen, desde el punto de vista intersectorial e intraindustrial, en las actividades en que puedan ser más competitivos, proporcionando a las empresas la posibilidad de aprovechar también las economías de escala. Pueden haber así ganancias de eficiencia que se traduzcan en un mayor desarrollo económico y bienestar para los distintos países y el conjunto de la comunidad internacional.

En este capítulo se trata de analizar la política de comercio exterior de España en las dos últimas décadas. Ha sido éste un período caracterizado por un acelerado proceso de globalización económica, en el cual ha participado también nuestro país. Dicho proceso se ha puesto de manifiesto a través de un aumento tanto de los intercambios comerciales a nivel mundial como de los flujos de inversión directa y los movimientos de capital financiero. Ello se ha visto favorecido, entre otras cosas, por la liberalización comercial promovida por instituciones como el GATT y su sucesora la Organización Mundial del Comercio (creada en 1995), así como por las distintas experiencias de integración regional. España, cuyo proceso de internacionalización económica se inició ya en los años sesenta, se sumó plenamente a este fenómeno de la globalización en los ochenta, siendo esencial en ese sentido su adhesión a la Comunidad Europea (CE) en 1986.

El capítulo se halla organizado del siguiente modo. En el epígrafe 2 se reseña el modo en que ha evolucionado la política comercial española en ese contexto de globalización económica. La incorporación de España a la Unión Europea (UE) comportó su pérdida de autonomía en este campo y la adopción como propia de la política comercial exterior común, dedicándose a la misma el epígrafe 3. Los efectos comerciales que han derivado de todo este proceso de apertura externa son el objeto del epígrafe 4. En el siguiente se analiza la política de fomento de exportación, una de las formas de actuación todavía posibles para los ámbitos de gobierno nacional y autonómico. Finalmente, en el epígrafe 6 se llevan a cabo unas reflexiones adicionales a modo de conclusión.

2. Evolución de la política comercial española

En las dos últimas décadas se ha intensificado enormemente, y ha venido a culminar, el proceso de liberalización y de apertura comercial iniciado por la economía española a partir de 1959. En contraste con el régimen autárquico de los años cuarenta y cincuenta, España presenta hoy un sistema de regulación comercial semejante al del resto de los países de la UE, los cuales conforman uno de los bloques comerciales más abiertos del mundo. Este proceso de apertura al exterior ha permitido a la economía española beneficiarse de la división internacional del trabajo, especializándose en aquellas producciones en las que ha dispuesto o ha sabido ganar una ventaja competitiva. Al mismo tiempo, ha facilitado la entrada de capital extranjero que ha fomentado también las potencialidades productivas del país, todo lo cual ha influido muy favorablemente en nuestro proceso de desarrollo económico.

2.1 Etapa previa a la adhesión a la Unión Europea

Tras el compromiso de liberalización de los intercambios comerciales con el exterior que significaron el Plan de Estabilización de 1959 y la aprobación de un nuevo arancel en 1960, que siguió las normas del Consejo de Cooperación Aduanera (nomenclatura de Bruselas), la entrada en el Acuerdo del GATT en 1963 encuadraría a lo largo de los años sesenta y primeros setenta el proceso de liberalización comercial español, el cual avanzó en dos frentes. Por un lado, ampliándose progresivamente los productos sujetos a libre comercio (esto es, no englobados en un régimen de comercio administrado), de manera que en 1974 los mismos representaban ya el 85% de las importaciones españolas. Por otro lado, reduciéndose gradualmente los niveles de protección arancelaria, de modo que el tipo arancelario medio disminuyó hasta un 6,8% en 1974 (aunque era bastante más alto para numerosos productos industriales). Paralelamente, se puso en marcha una política —no siempre ortodoxa— de promoción de las exportaciones, sobre la base de la desgravación fiscal, un generoso régimen de crédito y seguro, un sistema de tráfico de perfeccionamiento activo favorable a las actividades de reexportación y la ordenación y fomento del sector exportador. En este contexto, un elemento fundamental fue la firma del Acuerdo Preferencial con la CE en 1970.

La crisis de mediados de los setenta frenó temporalmente el proceso de liberalización de la economía española, pero el Gobierno surgido tras las primeras elecciones democráticas adoptó nuevas medidas liberalizadoras entre 1977 y 1980, y en particular los llamados Pactos de la Moncloa (de octubre de 1977), importante acuerdo político para encarar el necesario saneamiento y reforma de la economía española. De nuevo se fueron ampliando los productos sujetos a libre comercio (que suponían ya el 91% de las importaciones españolas en 1980) y reduciéndose los niveles de protección arancelaria, situándose el tipo arancelario medio en un 5% en 1981, si bien habría que tener en cuenta la existencia aún de «picos» importantes (tipos superiores al 15%) en algunos epígrafes. Dos acuerdos internacionales suscritos por España en 1979 representaron un notable impulso en el proceso de liberalización: el Acuerdo con la EFTA y las concesiones asumidas en la Ronda Tokio del GATT.

Ahora bien, las dificultades económicas y políticas derivadas de la segunda crisis energética (1979-1981) llevaron a que el proceso de liberalización se detuviese nuevamente. El porcentaje de productos importados sujetos a libre comercio se redujo en más de cinco puntos entre 1981 y 1985, y el tipo arancelario medio se incrementó en cerca de un punto en el mismo período. En materia de exportaciones, en 1982 se creó el Instituto Nacional de Fomento de la Exportación (INFE), y siguió actuándose en esos años a través del crédito a la exportación, en el cual colaboraban tanto las entidades privadas como las entidades oficiales de crédito. La segunda crisis del petróleo sumergió, sin duda, a las economías industrializadas en una nueva fase contractiva. España vivió la misma de una forma particularmente dramática, agudizándose los desequilibrios macroeconómicos en el período 1980-1982.

La política económica aplicada por el nuevo gobierno socialista tuvo entre sus principales objetivos intermedios el de la reducción del déficit de la balanza de pagos por cuenta corriente. Para lograrlo adoptó una estrategia en la que el sector exterior era el motor de la recuperación económica, siendo sus principales instrumentos los siguientes: a) la devaluación de la peseta en un 8% (4-12-1982), seguida de una política del tipo de cambio que permitió una depreciación de la cotización de la peseta; b) la adopción de una política activa de fomento de las exportaciones utilizando los instrumentos existentes (financiero-crediticios, fiscales, promoción comercial), como la Ley 11/83 de 16 de agosto y las normas posteriores que la desarrollan; y c) el incremento de la competitividad, con la introducción de reformas del aparato productivo e institucional (como recogía el Programa Económico a Medio Plazo 1984-1987, publicado por el Ministerio de Economía y Hacienda).

En definitiva, el primer gobierno del PSOE optó por el saneamiento macroeconómico inicial (reducción de la tasa de inflación y del déficit exterior) acompañado por la instrumentación de las reformas económicas (reconversión industrial y ajuste energético) del aparato productivo, con resultados positivos en materia de precios y balanza de pagos, pero fuertemente negativos en el ámbito del empleo, al menos hasta 1985. A partir de mayo de 1985, la política de ajuste seguida hasta entonces (una vez despejada a finales de marzo la entrada de España y Portugal en la CE) dejó paso a una política orientada a activar la demanda interna.

Durante la primera mitad de los años ochenta las exportaciones españolas crecieron más rápido que las importaciones y que el comercio mundial. La tasa de cobertura comercial (exportaciones sobre importaciones) pasó de cerca de un 61% en 1980 a un 80% en 1985, y el crónico déficit comercial se redujo de un 6,3% del PIB a un 3,6% en el mismo período. Por otro lado, la tasa de apertura comercial de la economía española (suma de los flujos comerciales sobre el PIB), que era muy reducida en comparación a la de otras economías europeas, aumentó notablemente, pasando aproximadamente de un 25% en 1980 a un 33% en 1985.

A lo largo de este período continuaron y se aceleraron las negociaciones para la entrada de España en la CE, las cuales se habían iniciado formalmente en 1979 (tras la solicitud oficial de ingreso formulada por nuestro país el 28 de julio de 1977). Las negociaciones fueron largas y difíciles, y culminaron el 12 de junio de 1985 con la firma del Tratado de Adhesión de España y Portugal a la Comunidad. En 1986 pasamos a ser ya miembros de pleno derecho de la misma, con lo que la economía española comenzó una nueva etapa caracterizada por un intenso esfuerzo de desarme proteccionista que completó nuestro proceso de liberalización comercial.

2.2 Tras la entrada de España en la Unión Europea

El 1 de enero de 1986 se produjo el ingreso de España en la CE, y en febrero del mismo año los mandatarios de los Estados miembros firmaban el Acta Única Europea, que entró en vigor en junio de 1987. Es decir, España tuvo que afrontar simultáneamente un doble desafío: por un lado, cumplir con los requisitos estipulados en el Acta de Adhesión; por otro lado, avanzar en la consecución de un Mercado Único para el conjunto de la CE. Todo ello a lo largo de un período que se había de extender hasta el 1 de enero de 1993.

El Tratado de Adhesión significó para la economía española acceder (mediante un calendario transitorio) a un gran mercado desarrollado y con fuerte capacidad adquisitiva, pero a la vez supuso el desmantelamiento progresivo de nuestros niveles de protección, que en promedio eran bastante más elevados que los comunitarios. Entre otros, comportó los siguientes aspectos:

1) La supresión de los regímenes administrados de comercio en beneficio del régimen liberalizado que, con algunas excepciones, rige en la UE.
2) El desarme arancelario gradual con los otros países comunitarios hasta el 1 de enero de 1993 y, paralelamente, la adopción de la tarifa arancelaria común frente al resto del mundo.
3) La introducción del Impuesto sobre el Valor Añadido (IVA) en sustitución de un sistema de imposición indirecta que había permitido la protección de los productos españoles a través de los ajustes fiscales en frontera.
4) La aplicación progresiva de la Política Agraria Común (PAC) hasta 1993 o 1996, según los productos, y la homogeneización de otras políticas (como, por ejemplo, la reconversión industrial o la eliminación de los monopolios nacionales).

Por lo que respecta a la constitución de un Mercado Único en la CE, el Acta Única Europea se propuso su logro a través de la aplicación de cerca de unas trescientas directivas con el fin de eliminar paulatinamente las barreras no arancelarias que lo impedían. Se trataba fundamentalmente del siguiente tipo de obstáculos: a) las *barreras físicas*, centradas en las formalidades administrativas y controles aduaneros; b) las *barreras técnicas*, que comprenden las normativas y regulaciones relativas a las condiciones de seguridad de los productos; c) las *restricciones de acceso a los contratos públicos* para los proveedores de origen extranjero; d) las *barreras fiscales*, referentes a la falta de armonización en la imposición indirecta (el IVA y los impuestos especiales); y e) las *trabas en la provisión de los servicios*.

La meta de la construcción de un Mercado Interior plenamente unificado en la UE se ha alcanzado hoy en buena medida, aunque todavía queda bastante por hacer. En todo caso, lo logrado hasta la fecha ha comportado un gran esfuerzo de liberalización para los distintos países, y más aún para España, y ha generado notables efectos de carácter microeconómico y macroeconómico. Ha sido asimismo un paso muy importante para la consecución de la UEM. Además, la construcción de un mercado único europeo ha exigido el fortalecimiento de una política de competencia y de una política regional, esta última para evitar o compensar posibles desequilibrios generados por aquél.

En lo que concierne a la política de fomento de la exportación, la integración de España en la CE exigió igualmente asimilar la misma a la vigente en el resto de los países comunitarios. En consecuencia, se restringió el uso del crédito de carácter concesional a la exportación y se eliminó plenamente su desgravación fiscal con la introducción del IVA. En contrapartida, ha ganado peso una política más activa de promoción de la exportación, a través del refuerzo de las tareas de formación, asesoramiento y el respaldo a la acción internacional de las empresas. Dada su importancia, se dedicará a esta política el epígrafe 5 del capítulo.

3. La política comercial de la Unión Europea

La integración de España en la CE, en cuanto unión aduanera que ésta era, comportó no sólo la liberalización comercial recíproca con la misma, sino también que nuestro país adoptara la política comercial exterior común, la cual nos ha llevado a su vez a un mayor grado de apertura externa respecto al resto del mundo. En este epígrafe se perfilan los grandes trazos de dicha política.

La política comercial exterior de la UE, ya considerada como política comunitaria en el Tratado de Roma (artículos 110-116), se engloba en dos grandes bloques: la llamada política comercial autónoma y la política comercial convencional. La primera se refiere a las medidas establecidas por la propia UE con carácter unilateral, aunque respetando siempre sus compromisos multilaterales ante la OMC. Por su parte, la denominada política comercial convencional es la que deriva de los diversos acuerdos suscritos por la UE con distintos países o grupos de países. Las decisiones en materia de política comercial exterior se adoptan por mayoría cualificada en el Consejo Europeo.

3.1 La política comercial autónoma

Los principales elementos de la política comercial autónoma son los siguientes: a) el Arancel Aduanero Común, b) un régimen general de importación de carácter liberalizado para los países miembros de la OMC y asimilados, c) un régimen general de exportación de carácter igualmente liberalizado excepto en el caso de productos sujetos a control por motivos de seguridad (acuerdo COCOM), d) unas medidas de defensa comercial ante la competencia desleal de países terceros (como, por ejemplo, los derechos *antidumping* o los derechos antisubvención) y e) un Sistema de Preferencias Generalizadas (SPG).

La UE es la que negocia en representación de todos los Estados miembros en las rondas multilaterales del GATT/OMC (si bien en los casos del GATS [1] y el TRIPS [2] hay una competencia compartida con aquéllos). La entrada de España en la CE aconteció poco antes de que tuviese lugar la llamada Ronda Uruguay, que fue la VIII Ronda de Negociaciones del GATT y que al finalizar en 1995 alumbró la creación de la OMC. Uno de los acuerdos adoptados en la misma fue la reducción de los niveles de protección arancelaria, de manera que el tipo arancelario medio de la UE (y de los países industrializados en general) pasó de un 5% a un 3,5%, avanzándose así en la liberalización comercial a nivel mundial.

Otros acuerdos de la Ronda Uruguay en la misma dirección lo fueron sobre agricultura, medidas sanitarias y fitosanitarias, textiles y vestidos, obstáculos técnicos al comercio, medidas en materia de inversión relacionadas con el comercio, medidas de defensa comercial y de salvaguardia, normas de origen, comercio de servicios y derechos de la propiedad intelectual conectados con el comercio. Por otro lado, se puso en marcha un nuevo sistema integrado de solución de diferencias y un mecanismo de examen de las políticas comerciales.

En el marco de la política comercial autónoma de la UE, cabe destacar el Sistema de Preferencias Generalizadas (SPG), en virtud del cual la UE otorga unilateralmente determinados beneficios arancelarios para ciertos productos procedentes de los países en desarrollo. Estos beneficios afectan actualmente a más de la mitad de esas importaciones, por lo que el SPG ha constituido un importante elemento en la liberalización comercial de la economía española.

El actual esquema SPG de la UE, vigente hasta el año 2004, otorga mayores ventajas a los países menos avanzados. El margen de preferencia se gradúa en función de la sensibilidad de los productos en la UE, y a su vez hay una «cláusula social» y una «cláusula medioambiental» que priman, respectivamente, el cumplimiento de las normas de la Organización Internacional del Trabajo y de la Organización Internacional de los Bosques Tropicales. Aunque el SPG se brinda al conjunto de los países en desarrollo, sólo lo utilizan hoy de hecho los países de Asia, América Latina y la antigua URSS que no tienen otros acuerdos más ventajosos con la UE.

3.2 La política comercial convencional

La política comercial convencional es fruto de los acuerdos firmados por la UE con terceros países, la mayoría de ellos en vías de desarrollo. Entre estos acuerdos hay unos de carácter preferencial y otros de carácter no preferencial. Estos últimos se utilizan esencialmente para reconocer el tratamiento de «nación más favorecida» (NMF) de la OMC, mientras que los primeros otorgan ventajas comerciales que suponen una excepción a dicha cláusula y que son más beneficiosas que las otorgadas por el esquema SPG. Reflejamos a continuación los acuerdos de carácter preferencial, que varían en función de los lazos históricos e intereses geoestratégicos de la UE respecto a los países beneficiarios.

1) *Los acuerdos con los países de la EFTA*

La primera ampliación de la CE en 1973 supuso la adhesión de ciertos miembros de la EFTA (Reino Unido y Dinamarca) y, en virtud de ello, se estableció progresivamente una zona de libre comercio para productos industriales con los restantes países de la EFTA. La realización posterior del Mercado Único llevó a dichos países a buscar fórmulas de participación en el mismo, creándose el llamado Espacio Económico Europeo (EEE) en 1992, el cual entró en vigor en 1994 en todos ellos excepto en Suiza (por voluntad propia). Dado que en 1995 se produjo la cuarta ampliación de la UE, con la incorporación de Suecia, Austria y Finlandia, en la actualidad sólo quedan cuatro países en la EFTA, Islandia, Noruega, Liechtenstein y Suiza, y la UE se halla relacionada con los tres primeros mediante el amplio acuerdo del EEE y con el último a través del más estricto acuerdo relativo a un área de libre comercio para productos industriales. Ello conforma un importante bloque comercial en toda Europa Occidental, dentro del cual participa obviamente la economía española.

2) *Los acuerdos con los países de Europa Central y Oriental*

A partir de 1989, con la caída del muro de Berlín, se produjo un cambio espectacular en las relaciones de la UE con los países de Europa Central y Oriental (PECO). La UE comenzó a instrumentar entonces una serie de acuerdos comerciales y de cooperación financiera (a través del programa PHARE) con cada uno de esos países con el fin de apoyar sus procesos de transición hacia la democracia y la economía de mercado. Dichos acuerdos tomaron muy pronto la forma de acuerdos de asociación, los llamados Acuerdos Europeos, que perseguían en el ámbito comercial el establecimiento de un área de libre comercio entre la UE y esos países. En consecuencia, la paulatina realización de la misma le plantea nuevos retos, y a la vez le ofrece nuevas oportunidades, a la economía española.

En el Consejo Europeo de Copenhague, en 1993, la UE decidió adoptar una estrategia de preadhesión respecto a los PECO, fijándose las condiciones políticas y económicas que éstos habrían de cumplir para llegar a convertirse en su día en Estados miembros. En función del cumplimiento de las mismas, en 1998 comenzaron ya las negociaciones de adhesión con Chipre y con los cinco PECO siguientes: Polonia, Hungría, la República Checa, Eslovenia y Estonia. Con Malta y los otros cinco PECO (Eslovaquia, Rumanía, Bulgaria, Letonia y Lituania) tales negociaciones se iniciarán probablemente a partir del 2000. El calendario de adhesión dependerá del avance de las negociaciones de la UE con los diferentes países, previéndose en la Agenda 2000 que la quinta ampliación de la UE pueda comenzar a producirse a partir del año 2002. Y dicha ampliación supondrá, de nuevo, grandes desafíos y posibilidades para la economía española.

3) *Los acuerdos con los países terceros mediterráneos*

La CE ha llevado a cabo tradicionalmente una política mediterránea con el fin de contribuir al desarrollo económico de los países terceros mediterráneos (PTM). Los instrumentos fundamentales de dicha política han sido dos: las preferencias arancelarias y la cooperación financiera. La entrada de España en la CE despertó muchos temores en estos países y obligó ya a una cierta revisión de dicha política. Por su parte, España reconoció también la existencia de unos intereses comunes con los PTM, por encima de los puntos en conflicto, y pasó a jugar un papel importante en la remodelación de la política mediterránea de la UE y a articular unas relaciones bilaterales más sólidas con dichos países.

A partir de la Conferencia Euromediterránea celebrada en Barcelona en noviembre de 1995 se produjo un cambio radical en la política mediterránea de la UE, acordándose establecer una asociación global que pretende instaurar progresivamente (hasta el año 2010) un área de libre comercio euro-mediterránea, instrumentándose asimismo una cooperación financiera a través del programa MEDA. La instauración del área de libre comercio euro-mediterránea se lleva a cabo mediante unos acuerdos de asociación con cada uno de los PTM. Se está produciendo, así, paulatinamente una mayor liberalización comercial en la región, y ello comporta también importantes retos y oportunidades para la economía española.

4) *El Convenio de Lomé*

Este convenio ha permitido tradicionalmente a los países del África subsahariana, del Caribe y del Pacífico (países ACP) el disfrute de unas amplias preferencias arancelarias unilaterales otorgadas por la CE y el de una cooperación financiera a través del Fondo Europeo de Desarrollo (FED). Sin embargo, sus resultados no se han juzgado demasiado satisfactorios hasta la fecha. Por ello, y por la necesidad de incorporar la reciprocidad exigida por las normas de la OMC, el V Convenio de Lomé a partir de febrero del año 2000 incorpora cambios importantes: el régimen comercial de Lomé IV se prorroga hasta el año 2005, pero después se establecerán unos acuerdos de asociación comercial tendentes a la formación de zonas de libre comercio con distintos grupos de países ACP. A aquellos países que no deseen los acuerdos regionales se ofrece un SPG mejorado, y los países más pobres quedan en todo caso excluidos de la reciprocidad.

5) *La relación con los países de América Latina y Asia*

Con el resto de los países en desarrollo, de América Latina y Asia, no han existido hasta ahora acuerdos comerciales de carácter preferencial (aunque sí de otro tipo), limitándose la UE a conceder a los mismos, como ya se ha dicho, el SPG. Ahora bien, en la actualidad se está avanzando en las negociaciones de unos acuerdos de asociación con Mercosur, México y Chile con el fin de constituir unas áreas de libre comercio. Y, sin duda, dichos acuerdos tendrán también un cierto impacto y ofrecen un gran interés para la economía española.

4. Efectos comerciales del proceso de apertura

El proceso de apertura externa de la economía española referido en los apartados anteriores se ha materializado, así, en primer lugar, en una plena liberalización comercial con los países de la UE (en virtud de su integración en el área) y, en segundo lugar, en una patente reducción de la protección nominal y efectiva frente al resto del mundo (en virtud tanto de las negociaciones multilaterales llevadas a cabo en el seno del GATT/OMC como del SPG y los acuerdos bilaterales de la UE con distintos grupos de países). En consecuencia, se han alterado las condiciones de competencia de nuestro sistema productivo.

Por un lado, han mejorado las posibilidades de acceso de las importaciones al mercado español. Por otro lado, las empresas españolas han podido proveerse de *inputs* importados a menores costes y se han incrementado sus capacidades competitivas, en nuestro propio mercado y en el exterior, en función de una mayor especialización interindustrial o intraindustrial. Todo lo cual ha comportado unos efectos estáticos y dinámicos, microeconómicos y macroeconómicos, que se han manifestado en una determinada evolución de los flujos comerciales españoles.

Desde mediados de los años ochenta se registra un elevado crecimiento de las importaciones y de las exportaciones, de manera que la tasa de apertura de la economía española pasa aproximadamente de un 33% en 1985 a un 45% en 1998. El aumento del peso de ambos flujos comerciales en el PIB se ha debido en gran medida a los intercambios con la UE, como consecuencia de la integración de España en la misma y los efectos de creación de comercio correspondientes. Pero ha habido también un leve incremento del peso de los flujos comerciales con terceros países en el PIB, producto de unos efectos externos de creación de comercio.

La integración de España en la UE ha intensificado las relaciones comerciales con nuestros socios comunitarios, concentrándose en mayor medida en los mismos los flujos de importación y exportación (véanse los cuadros 8.1 y 8.2). Así, las exportaciones españolas dirigidas a la UE pasaron de representar un 52,3% de las exportaciones totales en 1985 a un 69,3% en 1990, y a un 71,6% en 1998. Por su parte, las importaciones españolas procedentes de la UE pasaron de representar un 36,8% de las importaciones totales en 1985 a un 59,1% en 1990, y a un 67,0% en 1998. Entre los países comunitarios, los principales socios comerciales de la economía española son Francia, Alemania, Italia, Reino Unido y Portugal.

Cuadro 8.1   Distribución de las exportaciones españolas por áreas geográficas (%)

Áreas	1980	1985	1990	1995	1998
Unión Europea	52,2	52,3	69,3	69,2	71,6
Estados Unidos	5,3	9,9	5,8	4,1	4,2
Japón	1,4	1,3	1,1	1,4	0,9
Europa del Este	2,8	2,9	1,1	1,7	2,8
América Latina	8,5	5,1	3,4	5,1	6,6
Total	100,0	100,0	100,0	100,0	100,0

FUENTE: Ministerio de Economía y Hacienda.

Cuadro 8.2   Distribución de las importaciones españolas por áreas geográficas (%)

Áreas	1980	1985	1990	1995	1998
Unión Europea	31,4	36,8	59,1	63,1	67,0
Estados Unidos	13,1	10,9	8,4	6,3	5,9
Japón	2,5	3,4	4,4	3,3	3,1
Europa del Este	2,3	2,4	2,1	1,2	2,3
América Latina	8,5	10,6	4,2	3,7	3,9
OPEP	27,6	10,1	7,4	5,7	1,6
Total	100,0	100,0	100,0	100,0	100,0

FUENTE: Ministerio de Economía y Hacienda.

Esta intensificación del comercio de España con la UE ha sido a costa de otras áreas geográficas, que han visto reducir consecuentemente su cuota de exportación e importación con nuestro país. En el caso de las exportaciones, ha disminuido el peso relativo del resto de los países de la OCDE como mercado de destino de las ventas españolas. En cuanto a las economías en desarrollo y en transición, en los años noventa mejora, sin embargo, la posición relativa de América Latina, Europa del Este y algunos países mediterráneos. Y en el caso de las importaciones, ha disminuido el peso relativo de la mayor parte de los proveedores no comunitarios, si bien ha aumentado el de algunas áreas, como el sudeste asiático y China, y en la segunda mitad de los noventa también el de la Europa del Este. En particular, destaca el tremendo descenso de la OPEP, debido a la caída del precio del petróleo a lo largo de esos años, que redujo el valor de las importaciones energéticas.

Por otro lado, cabe señalar que el aumento de las importaciones españolas ha tendido a ser, en general, mayor que el de las exportaciones, con lo que se ha producido en algunos momentos un incremento del déficit comercial, particularmente con los países de la UE (véase el cuadro 8.3). La tasa de cobertura comercial de la economía española pasó de un 80% en 1985 a un 61% en 1989, si bien volvió a incrementarse a partir de entonces hasta alcanzar cerca de un 85% en 1997, situándose en el 82% en 1998. El déficit comercial pasó de un 3,5% del PIB en 1986 a un 7,2% en 1989, para descender paulatinamente desde entonces hasta alcanzar nuevamente un 3,5% en 1997 y situarse en el 4,2% en 1998, aunque dicho déficit ha podido ser compensado generalmente por otras partidas de la balanza de pagos, siendo en particular relevante el saldo de la balanza de pagos por cuenta corriente (desde 1993, con la publicación del Quinto Manual de la Balanza de Pagos del FMI, cesa la referencia a la denominada balanza básica).

En el período 1986-1990, en efecto, el peso de las importaciones creció sensiblemente, mientras que el peso de las exportaciones no lo hacía en igual medida, lo que produjo un desequilibrio exterior, originado tanto por el inicio de una fase alcista del ciclo de crecimiento económico (con un fuerte aumento de la demanda interna) como por el efecto de la integración en la CE (esto es, del desarme arancelario). La apreciación del tipo de cambio de la peseta hasta la crisis del SME de 1992 contribuiría también al fenómeno descrito.

A partir de 1993-1994, tres devaluaciones sucesivas de la peseta (del 5% en septiembre de 1992, del 6% en noviembre de 1992 y del 8% en mayo de 1993) y la recuperación de la economía europea (con la caída de los tipos de interés) permitieron que el sector exterior volviera a ser el motor de la salida de la crisis vivida en 1993 (en que España experimentó un crecimiento económico negativo por primera vez desde 1960), logrando reducir sensiblemente el déficit comercial. A su vez, la progresiva reducción de la

Cuadro 8.3   Indicadores de comercio exterior

	Tasa de cobertura comercial	Saldo comercial en % del PIB del PIB	Saldo bienes y y servicios en %	Capacidad y necesidad de financiación exterior en % del PIB
1985	80,3	−3,6	1,7	1,5
1986	77,0	−3,5	1,9	1,7
1987	69,6	−5,1	0,0	0,0
1988	66,7	−5,8	−1,3	−1,1
1989	61,2	−7,2	−3,4	−3,0
1990	63,3	−6,5	−3,5	−3,4
1991	62,9	−6,5	−3,5	−3,1
1992	65,2	−6,0	−3,1	−3,1
1993	76,5	−3,9	−0,7	−0,5
1994	79,2	−4,0	0,0	−0,9
1995	80,3	−4,1	0,1	1,3
1996	83,0	−3,6	0,6	1,2
1997	84,7	−3,5	0,8	1,7
1998	82,1	−4,2	0,4	0,9

FUENTE: Ministerio de Economía y Hacienda.

inflación ha permitido no perder competitividad exterior, incluso cuando se entró en una nueva fase alcista del ciclo en la segunda mitad de los noventa, dándose una última devaluación de la peseta (del 7%) en marzo de 1995. Precisamente, la estabilidad de precios es una variable fundamental una vez en marcha la UME a partir de 1999, dado que resulta imposible ya modificar el tipo de cambio de la peseta (que no es sino una fracción no decimal del euro hasta que desaparezca plenamente en el año 2002).

En estas circunstancias, resulta crucial asimismo mejorar la competitividad y la capacidad de ajuste de nuestros sectores productivos. Sin duda, en paralelo al proceso de liberalización se ha producido un cambio sensible en la especialización comercial española, pasando gradualmente de unas actividades intensivas en recursos y en mano de obra a otras en que tienen una mayor presencia los factores tecnológicos y productivos (véase el cuadro 8.4). Con ello, ha habido una aproximación del patrón comercial español al de otros países desarrollados. El flujo de inversión extranjera ha impulsado también ese cambio de nuestro sistema productivo y su orientación hacia el exterior, y se va manifestando a su vez un aumento de los niveles de internacionalización de las empresas españolas, sin olvidar el papel relevante que juegan los intercambios comerciales entre distintas filiales de las empresas multinacionales ubicadas en países distintos. De cualquier modo, las políticas sectoriales y de oferta son ahora decisivas, del mismo modo que resulta fundamental una política de fomento a la exportación, la cual pasamos a considerar en el siguiente apartado.

Cuadro 8.4   Ventaja comercial revelada de la economía española

	Saldo comercial relativo (%)		Índice de contribución al saldo	
	1986	1997	1986	1997
Bienes de consumo	33,5	16,4	23,5	15,5
—Alimentos	34,0	22,8	8,2	6,0
—Automóviles	51,6	33,0	7,7	8,1
—Otros	32,3	0,5	7,0	0,3
Bienes de capital	−28,6	−17,1	−4,2	−2,8
— Maquinaria	−33,1	−27,6	−4,0	−3,9
—Material de transporte	15,5	17,9	1,2	2,0
—Otros	−55,5	−35,4	−1,4	−0,9
Bienes intermedios	−28,6	−20,1	−19,1	−12,7
—Agrícolas	−60,7	−31,5	−4,2	−1,2
—Energéticos	−65,3	−62,3	−13,4	−6,4
—Industriales	−14,6	−13,8	−1,4	−5,0
Total	−12,9	−8,1		

FUENTE: Alonso y Donoso (1999).

5.   La política de fomento de la exportación

Tras la entrada de España en la CE, nuestra política comercial exterior perdió, lógicamente, su autonomía. Antes ya nos hemos referido a la supresión de instrumentos tradicionales potentes, como la desgravación fiscal a la exportación o el Impuesto de Compensación de Gravámenes Interiores. A ello cabe añadir, a título de ejemplo, la prohibición por parte de la CE de ayudas a la exportación intracomunitaria, la normativa «regulada» del crédito a la exportación (el *Consenso OCDE* que, para evitar guerras comerciales, regula desde 1977 tipos de interés, volúmenes y plazos máximos de los créditos a la exportación a más de dos años), la eliminación de ciertas modalidades de dicho crédito desde 1987 al incorporar la normativa comunitaria, la desaparición formal del monopolio de contratación del seguro de crédito a la exportación desde 1988 o la entrada en vigor desde 1988 de la regulación comunitaria del Régimen de Perfeccionamiento Activo y Pasivo.

Descartada la posibilidad de frenar discrecionalmente las importaciones, la política comercial española se ha orientado hacia el objetivo del fomento de nuestras exportaciones. Como se ha indicado más arriba, el fomento de la competitividad es una condición importante para el crecimiento económico, pero conseguirlo no es una tarea fácil e inmediata, ya que requiere la confluencia de una serie de elementos (el desarrollo de capacidades y experiencia acumulada, un buen *management*) y unas determinadas actitudes ante el reto exterior. De este último hecho se deriva la importancia de la información sobre los mercados internacionales y su difusión para reducir la incertidumbre, encontrando aquí su papel el sector público con el uso de instrumentos de apoyo institucional.

La discusión sobre el tema de la competitividad externa ha ocupado un puesto relevante en el debate económico. De los distintos estudios realizados al respecto se derivan los siguientes resultados: a) la insuficiencia de considerar como factores determinantes de la competitividad aquellos relacionados con los precios de venta o los costes de producción, aunque dichos factores sigan siendo importantes; b) el efecto limitado de la política de tipo de cambio sobre la competitividad internacional; c) el papel fundamental en la determinación de la competitividad de factores como el contenido tecnológico de los productos, la calidad, el diseño específico y el servicio de posventa; d) la importancia de otros factores como el grado de diferenciación de los productos, el nivel de comercialización, la segmentación de los mercados y la creación de clientelas y marcas; y e) la relevancia de los factores de tipo organizativo e institucional ligados a la configuración del aparato productivo y a la relación entre los diferentes agentes.

En el caso de España se ha planteado especialmente la necesidad de adoptar medidas dirigidas a: a) impulsar la reorientación de la estructura productiva hacia sectores de demanda más dinámica; b) incentivar la incorporación de tecnología y la formación empresarial; c) fomentar la diferenciación de productos, las ventas con diseño propio, la mejora de las prestaciones posventa, los acuerdos con empresas extranjeras y el acceso a redes de distribución propias; y d) facilitar mecanismos más ágiles de financiación de la exportación.

5.1 Etapa de Gobierno socialista

El Gobierno socialista redactó el Plan de Fomento de la Exportación 1987-1991, en el que se crearon nuevos instrumentos y se reforzaron los existentes, ateniéndose a la legislación comunitaria. El sistema institucional de promoción de las exportaciones quedó configurado del siguiente modo:

1) El Instituto Español de Comercio Exterior (ICEX) sustituyó desde 1987 al INFE como principal ente público orientado a programar, coordinar y ejecutar acciones de apoyo a las exportaciones españolas, encomendándosele las tareas siguientes:

a) Información a la empresa exportadora (legal, estudios sectoriales de mercados exteriores, bases de datos, etc.) y difusión de información sobre países y sectores (concursos, proyectos, etc.).

b) Asesoría en materia de transportes, contratos internacionales y arbitraje comercial, reglamentación, etc.

c) Formación, tanto de los propios empresarios como de los técnicos especializados, a través de becas, cursos de comercio exterior, estudios de marketing, etc.

d) Apoyo logístico a las empresas que quieran participar en la promoción de la oferta española en mercados exteriores, a través de ferias, misiones comerciales directas o inversas (compradores extranjeros de visita en España), viajes de prospección, campañas publicitarias, etc.

e) Promoción a través de planes sectoriales en colaboración con asociaciones de exportadores y cámaras de comercio y promoción también de las pymes exportadoras.

f) Apoyo a las inversiones españolas en el exterior (que desde el Decreto 7-11-86 se habían liberalizado).

2) La Compañía Española de Financiación al Desarrollo (COFIDES) se creó en 1988 como una sociedad anónima participada mayoritariamente por el ICEX, con la finalidad de prestar apoyo financiero a las inversiones de empresas españolas en países en vías de desarrollo, bien sea participando minoritariamente en su capital de forma temporal, o concediéndoles préstamos o avales para facilitar su financiación exterior. Ha actuado en más de 40 países y participa también en programas comunitarios (BERD, BEI, ECIP, etc.).

3) La Sociedad de Intercambio y Relaciones Comerciales Exteriores (SIRECOX) se halla desde 1988 participada por el ICEX y dedicada a gestionar las compensaciones de contrapartida a las compras del Estado (como, por ejemplo, la cuota de crudo petrolífero en el exterior). Ha fomentado, así, las exportaciones españolas a países exportadores de petróleo (México, Angola, Irak, etc.).

4) El FOCOEX, empresa participada mayoritariamente por el ICEX y dedicada al asesoramiento administrativo y comercial al exportador, a buscar financiación y coparticipar con empresas españolas en proyectos «llaves en mano» para compradores extranjeros.

Aparte de lo indicado, el Plan de Fomento de la Exportación 1987-1991 incorporó otras medidas de ayuda crediticia. Entre otras, las siguientes: a) a través del ICO (Instituto de Crédito Oficial) se gestiona la subvención de intereses a la exportación española, dentro del Consenso OCDE, a través del sistema CARI (Convenio de Ajuste Recíproco de Intereses), el cual fue ampliado; b) se potenció y mejoró el sistema FAD (Fondo de Ayuda al Desarrollo), de créditos concesionales, a bajo tipo de interés, a través del ICO (el FAD cumple una doble función de ayuda al desarrollo y fomento financiero de la exportación española, dado que los créditos que lo componen están ligados a las exportaciones de bienes y servicios y a la realización de grandes proyectos).

Tras el Plan de Fomento de la Exportación 1987-1991, en 1989 se lanzó la idea de Expotecnia, que perdura hasta la actualidad, con el fin de promocionar la tecnología industrial española mediante una exposición en un país extranjero y con actividades anexas de promoción y difusión comercial. En 1991 se reforzaron y flexibilizaron las ayudas del ICEX a los consorcios de exportación (unión de empresas de un sector para exportar, con lo que se dispone de más poder negociador y se puede ofrecer un número de productos más amplio ante los compradores extranjeros). En 1991 España pasó a ser miembro del Comité de Ayuda al Desarrollo (CAD) de la OCDE. En 1992 se elaboró el Plan de Apoyo a la Internacionalización de la Empresa Española por el Ministerio de Industria, Comercio y Turismo, que comprende un marco de ayudas a la exportación, la prestación de servicios de las instituciones oficiales al sector exportador y la potenciación del capital humano a través de la creación de unos programas de formación a cargo del ICEX. Y en 1992 se produjo la reforma del Consenso OCDE respecto al crédito a la exportación con apoyo oficial, adaptándose a la misma el sistema de crédito oficial español a la exportación.

Como se repetirá en más de una ocasión posterior, las llamadas leyes de acompañamiento de las leyes de presupuestos anuales se aprovecharán por los distintos gobiernos para instrumentar medidas de apoyo a la exportación, como sucedió en 1994. Y en abril de 1995 se lanzó un nuevo plan de medidas de apoyo a la actividad exterior de las empresas españolas que incluía 65 medidas de fomento a la exportación y a la inversión exterior española.

5.2 Etapa de Gobierno popular

Si en el caso del Gobierno socialista, desde 1992 los compromisos de los sucesivos programas de convergencia para la integración de la peseta en el euro (el proceso de creación de la Unión Monetaria) constituyeron, junto con los Presupuestos Generales del Estado, el marco que condicionó en buena medida tanto la política de ajuste macroeconómico como la política de reformas estructurales en ellos contenidos, así sucedió también con el Programa de Convergencia 1997-2000 elaborado y aprobado por el Gobierno popular.

En el ámbito que nos incumbe en este capítulo, las primeras actuaciones de dicho gobierno se centraron en la reorganización administrativa de la Secretaría de Estado de Comercio, Turismo y PYME, dependiente del Ministerio de Economía y Hacienda, y en la aprobación en 1996 de una ley de medidas fiscales que contenía incentivos a la internacionalización de las empresas.

El punto de partida, no obstante, de la política de apoyo a la exportación en este período nació de unas Jornadas de Exportación celebradas en enero de 1997, de las que se desprendería un *Plan Estratégico de la Exportación-2000*, aprobado a mediados de dicho año, que contaba con la colaboración del mundo empresarial (asociaciones de exportadores, cámaras de comercio) y las CCAA y que de nuevo volvía a dar prioridad a la exportación para aumentar el crecimiento. El plan comprendía unas noventa medidas, entre las que destacaban las siguientes:

a) Reforzar los planes sectoriales de exportación iniciados en la etapa anterior (acordados con asociaciones de exportadores).

b) Crear dos fondos de capital-riesgo (el FIEX y el FONPYME) y uno de garantía (el GIEX) para apoyar inversiones en proyectos de empresas españolas en el exterior (a cargo de COFIDES) y que se incorporaron en la Ley de Acompañamiento de los Presupuestos Generales del Estado de 1998.

c) Ratificar la línea ICO-ICEX de apoyo financiero a la exportación de las pymes.

d) Complementar las Expotecnias (dedicadas, como ya se ha dicho, a la promoción de tecnología industrial española en el exterior) con Expoconsumo (referida a las empresas españolas de bienes de consumo), cuya primera edición tuvo lugar en Japón en 1998.

e) Integración del SIRECOX y del FOCOEX para formar una nueva empresa pública, Expansión Exterior Española, dedicada a apoyar a las pymes exportadoras en su penetración en mercados no tradicionales.

f) Reformas en el sistema FAD (flexibilizando su aplicación en apoyo a la exportación española) y en el sistema CARI (de crédito a la exportación).

g) Creación de observatorios en mercados emergentes.

h) Fomentar la iniciación de empresas en el sector exportador (planteándose el objetivo de aumentar en 2.000 el número de empresas exportadoras hasta el año 2000), en colaboración con las cámaras de comercio y las CCAA.

i) Apoyo a las líneas de acción comercial del ICEX, el cual fue dotado en 1999 con un presupuesto de 28.500 millones de pesetas.

El Plan-2000 para la Exportación busca aumentar la competitividad a través de mejoras en aspectos como la calidad del producto, redes comerciales exteriores y condiciones financieras. Parte de considerar los puntos fuertes y débiles del sector exportador español: entre los primeros, la estabilidad macroeconómica que viene de atrás, el mercado único, la integración en el euro y la presencia consolidada de nuestras exportaciones tanto en Europa como en el resto de la OCDE; entre los segundos, la necesidad de mejorar el perfil de especialización sectorial (en favor de los sectores de demanda fuerte), la exigencia de un entorno mejor para la empresa exportadora (I+D, infraestructuras, etc.) y el arrastre de debilidades estructurales (pequeño tamaño de la empresa, concentración de la actividad exportadora en pocas empresas, debilidades organizativas, etc.). A su vez, el plan busca cambiar la orientación de la propia política comercial exterior, dirigiéndola a captar mercados nuevos, ampliar la base de empresas exportadoras españolas y propiciar el reforzamiento de la marca *made in Spain*.

Por otra parte, el Plan de Estabilidad del Reino de España 1998-2002 contempla, entre las reformas estructurales, la internacionalización de la empresa española, lo que exigirá medidas (de carácter fiscal, financiero y de promoción) en favor de dicha opción. Cabría añadir que, al igual que se hizo durante el primer Programa de Convergencia del Gobierno socialista 1992-1996, en que, ante la pérdida o atenuación de resortes de acción en manos del Gobierno para afectar a corto plazo la evolución de la demanda, se adoptaron medidas de reforma institucional con la pretensión de incidir favorablemente sobre la competitividad a medio y largo plazo, así también lo ha hecho el Gobierno popular (con el Plan Nacional sobre el Empleo, el Acuerdo Interconfederal para la Estabilidad en el Empleo de 1997, etc.).

El esfuerzo exportador ha tratado de mantenerse (aunque en los dos últimos años la demanda interna ganara posiciones a la externa como motor del crecimiento); de ahí la iniciativa del verano de 1999 de relanzar las exportaciones con un nuevo Plan de Actuaciones en materia de comercio exterior e internacionalización de la empresa desde la Secretaría de Estado de Comercio.

5.3 Papel de las Comunidades Autónomas

Para terminar, unas breves palabras con el fin de significar el papel de las CCAA en la política de fomento de las exportaciones. Aparte de su colaboración con el Gobierno central en esta materia, a la que se ha aludido ya en algunas ocasiones anteriormente, la gran mayoría de los gobiernos autonómicos españoles han desplegado a lo largo de la década de los noventa diversas iniciativas encaminadas a facilitar, por distintas vías, la salida exterior de los productos de las empresas ubicadas en su territorio. Por ejemplo, creando centros de información con oficinas en el extranjero (en particular Bruselas) u otras instituciones de promoción comercial dirigidas a los exportadores (como la Promotora d'Exportacions Catalanes), o adoptando planes específicos (así, Navarra tiene su Plan de Internacionalización-98).

Nos referiremos más en concreto, a continuación, al caso de la Comunidad Valenciana, la segunda región exportadora de España y desde hace años con una conocida presencia comercial exterior. La importancia concedida al reto exterior de la economía valenciana se materializó con la creación en diciembre de 1988 de la empresa pública y sociedad anónima PROCOVA, con una participación minoritaria en su capital de las cámaras de comercio. Básicamente sus objetivos eran dos: 1) promover las exportaciones de bienes, productos y servicios de la Comunidad Valenciana y 2) atraer capital extranjero a la misma. Respecto al primer objetivo, su campo de acción era el de asesorar a empresas y asociaciones sectoriales en el área del comercio exterior (información, crear marcas y estrategias de acceso en el extranjero, etc.). Además, en el Programa Económico Valenciano a medio plazo (1994-1999) se destacaba que la internacionalización de las empresas era clave para el objetivo de la competitividad.

Posteriormente, en enero de 1996 se acordó cambiar la denominación de PROCOVA por la de IVEX (Instituto Valenciano de la Exportación). Durante todos estos años dicha entidad ha colaborado con el ICEX en sus programas, a la vez que ha venido desplegando su propia política de promoción exterior: servicios individuales a empresas (en particular a las pymes), promoción exterior (misiones comerciales), convenios de financiación y asesoramiento de ventas exteriores, participación en programas europeos, etcétera.

6. Conclusiones

En las dos últimas décadas ha culminado el proceso de liberalización y apertura exterior de la economía española, de manera que España cuenta hoy con un sistema de regulación comercial similar al de cualquiera de los países de la UE. La incorporación de nuestro país a la CE comportó la pérdida de autonomía en el ámbito de la política comercial y la adopción de la política comercial exterior común. Todo ello ha supuesto grandes cambios en los modos de gestión, en los objetivos y en los instrumentos de la política comercial española.

En este capítulo se han descrito las grandes etapas de este proceso y se ha puesto de manifiesto uno de los principales desafíos a que se enfrenta en la actualidad nuestro país: la mejora de la competitividad, en el marco de una unión económica y monetaria europea y ante la perspectiva de una profundización del sistema comercial multilateral con la llamada Ronda del Milenio de la OMC.

El sector exterior español ha sufrido transformaciones sustanciales como consecuencia de la integración de nuestro país en la UE. Dadas la peculiares características del mismo (un déficit comercial estructural y una tendencia al déficit por cuenta corriente), hubo un fuerte ajuste tras la entrada de España en la UE que se prolongó durante casi una década. Hoy se dispone de un sector exterior más sólido, con menos desequilibrios y con un patrón de comercio más similar al de los países europeos. Ahora bien, ello no quiere decir que no persistan notables diferencias con los mismos y muchas de nuestras debilidades tradicionales. De ahí la importancia del objetivo de la competitividad y de la política de fomento de la exportación.

Cabe reconocer que si la meta es exportar más, no debe ponerse el énfasis sólo en la política comercial, ya que jugará en aquella dirección toda política o programa que busque hacer más competitivo el sector industrial, el agrario u otros. En suma, se trata de lograr una mentalidad generalizada (una acción transversal podríamos decir) en la Administración y en todo el tejido económico del país.

Si hacemos un rápido repaso al contenido de los programas de fomento de la exportación que se han venido aplicando en la última década, se detecta que, por un lado, hay elementos de continuidad, y, por otro, rasgos diferenciales de los distintos gobiernos. Entre los primeros, cabe referir los siguientes: mantenimiento de instituciones (ICEX, COFIDES, ICO, CESCE, etc.) e interés por destacar problemas estructurales, de fondo, a resolver para mejorar nuestro saldo exterior (reconversión industrial, ajuste al mercado único, convergencia monetaria, etc.). Los segundos aluden a la cuantía de los fondos destinados a estas políticas y al surgimiento de iniciativas y proyectos concretos nuevos.

Diversos autores han subrayado la escasa internacionalización productiva de la empresa española y la poca utilización que se hace de los programas y medidas que tratan de fomentar la misma, aunque dichos programas merecen, en general, una valoración positiva. Otros analistas consideran que el sistema de fomento de la exportación no es suficientemente adecuado para las pymes.

Sin duda, es necesario ampliar el número de pymes exportadoras. Es uno de los objetivos del Plan Estratégico de la Exportación-2000, pero habría que poner tal vez más énfasis en la importancia de un nuevo *management* empresarial en ese tipo de empresas y en facilitar su acceso a fondos comunitarios (como los programas plurianuales para la internacionalización de las pymes de la UE). Por otra parte, los propios sectores exportadores destacan la necesidad de aliviar cargas fiscales y sociales de las empresas, de forma genérica, en detrimento de la política de subvenciones individualizadas. Aunque bien cierto es que no cabe confiar sólo en la política comercial exterior para compensar las deficiencias sectoriales (elemento micro) o el cambio recesivo del ciclo de crecimiento económico (elemento macro).

Por último, indicar que hay una coincidencia más general en la urgencia de una mayor coordinación entre las diversas instituciones públicas que gestionan los instrumentos de apoyo a la exportación (a pesar de la colaboración y la buena voluntad expresadas en la elaboración de los distintos programas) y en la consignación de mayores recursos financieros y humanos a disposición de los órganos gestores de los programas (como, por ejemplo, el ICEX). Dichos recursos deberían dirigirse hacia líneas de acción horizontales o sectoriales que puedan llegar a un número amplio de pymes potencialmente exportadoras, para iniciarlas o consolidarlas en el exterior, ya que éstas, por lo general, al contrario que las grandes empresas españolas cuasimultinacionales, no disponen *per se* de su propia estrategia hacia afuera.

Notas

1 General Agreement on Trade in Services.
2 Agreement on Trade-Related Aspects of Intellectual Property Rights.

Referencias

Alonso, J. A., y V. Donoso (1994): «Efectos comerciales de la integración: un balance», *Economistas*, n.º 60, extra.
—, y — (1999): «El sector exterior», en J. L. García Delgado (dir.): *Lecciones de Economía Española*, Madrid, Cívitas.
Bataller, F., y J. M. Jordán (1997): «España y su acción mediterránea: ¿abogado o competidor?», *Información Comercial Española*, n.º 759.
—, y — (1999): «La dimensión exterior de la Unión europea», en J. M. Jordán Galduf (coord.), *Economía de la Unión Europea*, Madrid, Cívitas.
Bonete Perales, R. (1999): «La Ronda del Nuevo Milenio de la OMC y la política comercial exterior de la UE», en J. M. Jordán Galduf (coord.), *Economía de la Unión Europea,* Madrid, Cívitas.
Carderera Soler, L. (1997): «La política comercial española: diez años de política comercial común», *Información Comercial Española*, n.º 766.
Hernando Moreno, J. M. (1997): «El comercio exterior español: balance de una década en la Unión Europea», *Información Comercial Española*, n.º 766.
Martín, C. (1998): *España en la nueva Europa*, Madrid, Alianza Editorial.
— (1999): «La integración de España en la Unión Europea», en J. L. García Delgado (dir.), *Lecciones de Economía Española*, Madrid, Cívitas.
Roca, A., y J. M. Jordán (1999): «Los mercados de bienes y servicios: el mercado interior», en J. M. Jordán Galduf (coord.), *Economía de la Unión Europea*, Madrid, Cívitas.

9. Política de empleo

Miguel Ángel González Moreno y
M.ª Dolores Genaro Moya

1. Introducción

Paulatina y progresivamente, a lo largo de la década de los noventa, la economía española ha ido desembarazándose de toda una serie de desequilibrios macroeconómicos que la aquejaban desde hacía décadas. Así, gracias a una política macroeconómica rigurosa, encaminada a insertar a la economía española en la UEM, ha sido posible eliminar o reducir drásticamente problemas como la inflación, el déficit público, la inestabilidad cambiaria, el déficit exterior, etc.

Solamente un problema se ha resistido a ser dominado: el desempleo. Tal vez porque ha sido un problema que ha preocupado mucho pero que en realidad ha ocupado poco a nuestra política económica hasta principios de la década de los noventa. Sin duda, la dificultad para solucionar el problema ha llevado a que en nuestro país haya prevalecido más la cultura del desempleo que la del empleo. No obstante, en los noventa se ha producido un cambio radical en el enfoque del problema del desempleo: se ha pasado de una actitud pasiva a una mucho más activa; en definitiva, se ha abandonado la cultura del desempleo. Hasta tal punto que, a finales de la década, se vislumbra la posibilidad, impensable en otros tiempos no muy lejanos, de alcanzar el pleno empleo en el medio plazo.

El objetivo de este capítulo es el análisis, breve y de aproximación, a la política de empleo desarrollada en España durante la década de los noventa. Para ello la estructura temática adoptada es la siguiente. Tras esta escueta introducción, primeramente abordaremos de manera muy sucinta el marco natural en que se ha desenvuelto la política de empleo: la evolución de las principales variables del mercado de trabajo, esto es, la demanda y oferta de trabajo, así como la resultante de ambas, el desempleo. Una vez diagnosticado el problema, el desempleo, seguidamente se entrará en el estudio de la política de empleo desarrollada en sus diferentes elementos integrantes: las políticas de regulación y las políticas de mercado de trabajo, diferenciando en este último caso entre las pasivas y las activas. Tras sistematizar las diferentes y diversas medidas desplegadas, se enmarcará la política de empleo española en la estrategia de empleo desarrollada por la Unión Europea (UE). Por último, el capítulo finaliza con la exposición de las conclusiones más relevantes que de él se desprenden.

2. El marco de la política de empleo: evolución [1]

Sin duda alguna, el rasgo más característico del mercado laboral español en las últimas décadas ha sido el continuo crecimiento de la tasa de desempleo, que llegó a alcanzar el 24% en 1994. Este aumento del número de desempleados ha determinado, lógicamente, el diseño de las políticas de empleo, dirigidas a frenar el crecimiento de las cifras de paro y a atenuar sus efectos más negativos.

El elevado número de desempleados que tradicionalmente ha registrado la economía española ha sido el resultado de un desajuste entre la oferta y la demanda de trabajo ocasionado por los motivos que trataremos más adelante. Veamos antes cómo han evolucionado estas dos variables, oferta y demanda de trabajo en España, remontándonos a los años setenta para poder explicar adecuadamente algunos hechos posteriores.

La oferta de trabajo [2] en España ha seguido una evolución muy positiva, pasando de 13.077.680 personas en 1976 a 16.265.010 en 1998, es decir, un incremento absoluto de 3.187.330 personas y un aumento relativo del 24,37% (gráfico 9.1). Este comportamiento ha estado en sintonía con el ritmo de la economía española, de forma que en las fases recesivas (1976-1985 y 1992-1994) el crecimiento ha sido más lento y en las etapas expansivas (1985-1992 y 1994-1998) el número de activos ha crecido con más intensidad.

Este aumento de la población activa ha venido motivado por el crecimiento demográfico, más intenso en la década de los setenta y ochenta, y, sobre todo, por el acceso decidido de la mujer al mercado de trabajo. En efecto, la tasa de actividad [3] femenina en España se situaba, a finales de los setenta, en unos niveles muy bajos respecto a Europa, pero el acceso de la mujer a la educación secundaria y superior, la mejora en las técnicas de control de natalidad, el aumento de la productividad en el hogar y los cambios sociales y en la estructura familiar han llevado a un crecimiento muy

Gráfico 9.1   Evolución de las tasas de actividad en España, 1976-1998 (en porcentajes)

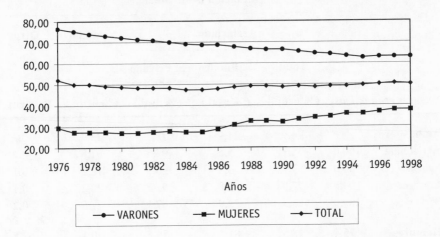

intenso y estable de la actividad femenina. El resultado sigue siendo unas tasas de actividad más bajas que en Europa pero notablemente más elevadas que las observadas anteriormente en España. Esta mayor presencia de la mujer en el mercado de trabajo, sin duda, debe ser tenida muy en cuenta en el diseño y la instrumentación de las políticas de empleo, de forma que se incentive la creación de empleos ocupados por mujeres y que se respete la igualdad de oportunidades en el acceso al puesto de trabajo.

En lo que respecta a la demanda de trabajo, entre 1976 y 1998 ha aumentado en términos netos tan sólo en 722.880 personas, cifra del todo insuficiente para hacer frente a 3.187.330 personas que han accedido al mercado de trabajo buscando un empleo. El resultado final de este desfase crónico entre las personas que buscan activamente un puesto de trabajo y el empleo disponible ha sido el desempleo. Naturalmente, el comportamiento ha sido diferente en las distintas etapas del ciclo. Así, en la fase de crisis 1976-1985 se destruyeron más de un millón de puestos de trabajo, que fueron recuperados durante la expansión de 1985-1992. Entre 1992 y 1994, la recesión tuvo unos efectos devastadores sobre el nivel de empleo, destruyéndose en sólo 3 años más de 600.000 puestos de trabajo. Finalmente, la reactivación económica iniciada en 1994 y que se extiende hasta la actualidad se ha traducido en un incremento muy notable del empleo, que se ha cifrado en 1.474.120 personas. Por tanto, esta evolución pone de manifiesto que en España en las fases recesivas la destrucción de empleo es muy fuerte, esto es, los ajustes en el mercado de trabajo se han producido vía cantidades (descensos en el nivel de empleo) y no vía precios (disminución de los niveles salariales), todo lo cual se ha traducido en un elevado volumen de desempleo sin referente similar en el conjunto de países occidentales.

Cuadro 9.1   Tipificación del ocupado en España en 1998: estructura

		Situación profesional				
		Asalariados			No asalar.	Otros
		Total	S. Público	S. Privado		
Sectores económicos		(% ocup.)	(% asal.)	(% asal.)	(% ocup.)	(% ocup.)
Ambos sexos		76,9	21,9	78,1	22,9	0,2
Agricultura	100,0	38,1	5,5	94,5	61,8	0,1
Industria	100,0	87,7	3,3	96,7	12,2	0,1
Construcción	100,0	77,0	2,8	97,2	22,2	0,1
Servicios	100,0	78,3	32,9	67,1	21,5	0,2
Hombres	75,4	18,5	81,5	24,5	0,1	67,8
Agricultura	100,0	41,1	6,0	94,0	58,8	0,1
Industria	100,0	87,7	3,8	96,2	12,2	0,1
Construcción	100,0	77,6	2,6	97,4	22,3	0,1
Servicios	100,0	74,9	32,8	67,2	25,0	0,1
Mujeres	79,8	27,8	72,2	20,0	0,3	65,3
Agricultura	100,0	29,4	3,4	96,6	70,4	0,2
Industria	100,0	87,4	1,3	98,7	12,4	0,2
Construcción	100,0	80,6	7,2	92,8	19,4	-
Servicios	100,0	82,1	33,1	66,9	17,6	0,3
Tipo de jornada						
Ambos sexos	76,9	21,9	78,1	22,9	0,2	
T. completo	100,0	76,8	22,7	77,3	23,1	
T. parcial	100,0	77,7	12,8	87,2	21,3	
No clasificable	100,0	94,9	7,4	92,6	4,5	
Hombres		75,4	18,5	81,5	24,5	
T. completo	100,0	75,5	18,5	81,5	24,4	
T. parcial	100,0	69,4	18,1	81,9	29,6	
No clasificable	100,0	95,4	5,5	94,4	4,5	
Mujeres		79,8	27,8	72,2	20,0	
T. completo	100,0	79,6	31,2	68,8	20,2	
T. parcial	100,0	80,4	11,4	88,6	18,7	
No clasificable	100,0	94,1	10,9	89,3	4,5	

FUENTE: EPA.INE. Elaboración propia.

ocupacional y de los asalariados

Tipo de contrato			Tipo de jornada		
Asalariados					
Indefinido	Temporal	No clasif.	T. comp.	T. parcial	No clasif.
(% asal.)	(% asal.)	(% asal.)	(% ocup.)	(% ocup.)	(% ocup.)
66,9	33,0	0,1	92,0	7,9	0,1
38,8	60,8	0,4	93,4	6,5	0,1
71,1	28,8	0,0	96,9	3,0	0,0
37,1	62,5	0,4	98,3	1,4	0,3
71,8	28,1	0,1	89,2	10,7	0,1
32,1	0,1	97,0	2,9	0,1	
42,3	57,4	0,4	95,9	4,0	0,2
74,1	25,8	0,1	98,9	1,1	0,1
36,3	63,3	0,4	98,9	0,8	0,3
76,1	23,8	0,1	95,7	4,3	0,1
34,6	0,1	83,1	16,8	0,1	
24,8	74,9	0,3	86,2	13,7	0,1
60,3	39,7	0,0	90,1	9,9	0,0
57,9	42,0	0,1	83,3	16,6	0,1
67,3	32,6	0,1	81,7	18,2	0,1
66,9	33,0	0,1			
0,1	68,8	31,2			
1,0	45,8	54,3			
0,6	-	-	100,0		
0,1	67,8	32,1	0,1		
0,1	68,9	31,1			
1,0	31,4	68,6			
0,4	-	-	99,7		
0,3	65,3	34,6	0,1		
0,1	68,6	31,4	-		
0,9	49,7	50,3	-		
1,0	-	-	100,5		

Llegados a este punto, y de cara al análisis de las políticas de mercado de trabajo aplicadas en nuestro país, resulta interesante profundizar algo más en el análisis de la población ocupada con el fin de conocer cuáles son sus rasgos más característicos. Para ello, nos detendremos en los siguientes aspectos: actividad económica, sexo, situación profesional, tipo de contrato, tipo de jornada.

La demanda de trabajo en los actuales momentos (año 1998) presenta los siguientes rasgos básicos (véase el cuadro 9.1):

— La transformación de la **estructura sectorial** de la economía española hacia una economía de servicios se ha manifestado en un intenso crecimiento del empleo terciario. Así, en 1998, el sector servicios daba empleo al 61,3% de los ocupados, frente al 20,5% del sector industrial, el 8% del agrario y el 9,9% de la construcción. Este predominio del terciario implica una mayor estabilidad del empleo frente a los ciclos económicos y la existencia de una tipología de empleos que es menos factible en otras actividades. En concreto, en los servicios encajan más el empleo femenino, las profesiones no asalariadas, los contratos temporales y el trabajo a tiempo parcial.

— El empleo español es **mayoritariamente masculino**, puesto que un 64,5% de los puestos de trabajo son ocupados por hombres. Además, mientras el empleo masculino se encuentra relativamente distribuido entre los distintos sectores (predominando el sector servicios), el empleo femenino se concentra en un 80% en las actividades terciarias.

— Si nos detenemos en la **situación profesional**, el empleo es predominantemente asalariado (76,9%). Los asalariados desempeñan mayoritariamente su actividad en el sector privado (83%) y, en menor grado, en el sector público (17%). Este dato resulta esencial para la política de empleo: las medidas activas para impulsar la creación de empleo han de dirigirse hacia el sector privado de la economía.

— El **tipo de contrato** se ha visto muy afectado por las sucesivas reformas llevadas a cabo en nuestro mercado laboral. Así, del total de asalariados, un 67% posee un contrato indefinido y el 33% restante tiene un contrato temporal. Esta proporción de contratos temporales es muy elevada respecto al resto de países europeos y lleva a la existencia de una segmentación o dualidad en el mercado de trabajo español: trabajadores con contrato indefinido y, por tanto, estable, frente a trabajadores con contrato temporal en situación laboral precaria.

— El **trabajo a tiempo parcial** ha sido tradicionalmente muy poco relevante en el mercado de trabajo español, lo cual ha podido frenar la creación de determinados tipos de empleos. Actualmente, el 8% de los ocupados posee un contrato de este tipo (16,8% en el caso femenino), si bien se espera el aumento de esta cifra en el futuro, especialmente tras la reforma de este tipo de contratos realizada en 1998.

Lógicamente, todas estas características han de ser tenidas en cuenta en el diseño de las políticas de empleo, pero resulta asimismo fundamental conocer **cuáles son los factores que determinan el elevado nivel de desempleo existente en España**. La enumeración de dichos factores no es tarea fácil, puesto que existen diferentes opiniones al respecto. Por lo tanto, nos detendremos en aquellas causas que con más frecuencia se señalan como el origen del desempleo en España.

En primer lugar, el factor que más frecuentemente se utiliza para explicar el elevado número de desempleados es la **rigidez en el mercado de trabajo**, originada por diferentes motivos:

— Una excesiva generosidad en el sistema de prestaciones por desempleo reduce el coste para los desocupados y podría desincentivar la búsqueda de empleo. De hecho, según el FMI (1999), los problemas de desempleo más graves se observan en los países europeos con sistemas de protección más generosos.
— Una negociación colectiva intermedia entre la centralización y la descentralización que ha mostrado ser la menos eficiente y la más inflacionista, ya que favorece la escasa variación del salario real en respuesta al crecimiento o disminución de la tasa de paro. Además, impide que se tenga en cuenta la realidad de las empresas y trabajadores que van a firmar los acuerdos.
— Unos costes de despido de los trabajadores con contratos indefinidos demasiado elevados, frente a los bajos o nulos costes de despido de los trabajadores temporales. Esto otorga el poder a los primeros e impide el ajuste salarial a la situación del desempleo. Así, esto provoca que se destruya empleo más intensamente en etapas de crisis y que se cree con menos intensidad en fases de crecimiento. También tiende a reducir la demanda de empleo a largo plazo. Además, como hemos comentado, ha ocasionado la segmentación del mercado de trabajo en trabajadores indefinidos y trabajadores temporales.
— Unos salarios reales rígidos ocasionados en gran parte por los factores comentados anteriormente. La rigidez de los costes salariales en España impide que en situaciones de elevado desempleo el salario se ajuste a la baja para propiciar un aumento en la contratación. Por tanto, en las etapas de crisis los empresarios resuelven el problema del empleo ajustando el número de trabajadores (despidos), ya que no es posible ajustar los costes (reducción de salarios). Esta rigidez salarial es la causa más frecuentemente utilizada para explicar las diferencias existentes entre las tasas de paro en Europa y en Estados Unidos.

Como veremos en el siguiente epígrafe, a lo largo de la década de los noventa se han reformado distintos aspectos de la legislación laboral con el objeto de aumentar su flexibilidad eliminando parcialmente las rigideces comentadas.

En segundo lugar, también se ha señalado como causa del elevado desempleo en España el **crecimiento de la población activa**. En efecto, como hemos comentado, el número de activos ha aumentado constante e intensamente en las últimas décadas y no ha podido ser compensado por la creación de empleo. En el caso femenino, el fuerte crecimiento de las activas ha derivado en tasas de desempleo mucho más elevadas que las masculinas.

En último término, la **política macroeconómica restrictiva** parece haber sido, en determinadas etapas, otra causa del desempleo por sus efectos negativos sobre el consumo y la inversión[4]. Sin embargo, algunos autores[5] muestran cómo políticas monetarias restrictivas han tenido efectos opuestos sobre el empleo según el grado de rigor con el que se hayan llevado a cabo.

Por tanto, dada la dificultad de identificar una única causa como responsable del desempleo, resulta asimismo complicado encontrar una única solución. A la anterior dificultad viene a sumarse la restricción que para la política económica española supone el proceso de la UEM. De ahí que las políticas de empleo estén recibiendo una atención creciente por parte de las autoridades competentes, no sólo a nivel nacional, sino también europeo.

Como comprobaremos seguidamente, en la década de los noventa ha tenido lugar este cambio de postura hacia las políticas de empleo, en general, y especialmente hacia las medidas activas.

3. Política de empleo en España durante la década de los noventa

Como es sabido, el mercado de trabajo es un mecanismo de asignación del factor trabajo y, por tanto, de renta; por ello la asignación eficiente de recursos es esencial para evitar situaciones de desigualdad social. Sin embargo, como ocurre en otros mercados, existen determinados fallos que, sobre todo en el ámbito laboral, deben ser corregidos mediante actuaciones públicas.

La política de empleo comprende un conjunto de medidas dirigidas a lograr un funcionamiento eficiente del mercado de trabajo y una mejora en las condiciones laborales de la población. Estas medidas se clasifican en dos grandes grupos:

— Políticas que inciden sobre la regulación del mercado de trabajo.
— Políticas del mercado de trabajo.

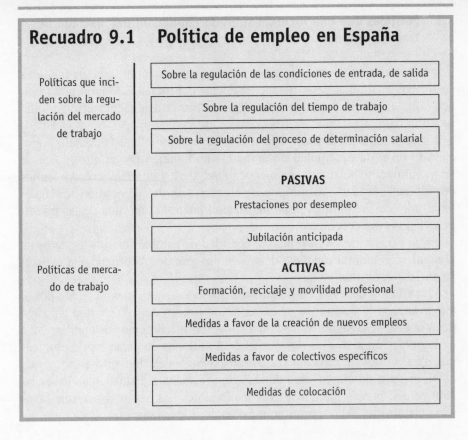

Recuadro 9.1   Política de empleo en España

Políticas que inciden sobre la regulación del mercado de trabajo
- Sobre la regulación de las condiciones de entrada, de salida
- Sobre la regulación del tiempo de trabajo
- Sobre la regulación del proceso de determinación salarial

Políticas de mercado de trabajo

PASIVAS
- Prestaciones por desempleo
- Jubilación anticipada

ACTIVAS
- Formación, reciclaje y movilidad profesional
- Medidas a favor de la creación de nuevos empleos
- Medidas a favor de colectivos específicos
- Medidas de colocación

Las políticas que inciden sobre la regulación del mercado de trabajo pretenden lograr un funcionamiento eficiente del mismo y, por tanto, pueden incidir sobre la creación y destrucción de empleo.

Las **políticas del mercado de trabajo** tratan de mejorar la situación laboral y social de los trabajadores o de los desempleados. Estas políticas pueden tener distinta naturaleza y objetivos, y, así, se clasifican en dos categorías diferentes:

— **Políticas activas**, cuyos objetivos son, entre otros, aumentar la inserción laboral de los desempleados, incidiendo en aquellos colectivos especialmente desfavorecidos; mejorar la cualificación y formación de trabajadores y desempleados y, en definitiva, corregir todas aquellas deficiencias específicas del mercado de trabajo.

— **Políticas pasivas**, que consisten, fundamentalmente, en proporcionar una renta a los desempleados o trabajadores en situaciones especiales.

En el recuadro 9.1 se sintetizan estas políticas, enumerando únicamente aquellas medidas que se han llevado a cabo en España en la última década.

307

3.1 Políticas que han incidido sobre la regulación del mercado de trabajo español

Como comentamos anteriormente, estas políticas comprenden medidas destinadas a cambiar determinados aspectos del mercado laboral que impiden su adecuado funcionamiento y, por tanto, la asignación eficiente del factor trabajo.

En España, las reformas realizadas han venido motivadas no sólo por el elevado nivel de desempleo observado, sino también por el alto índice de temporalidad, y, por tanto, de inestabilidad, de los empleos creados en las dos últimas décadas. Además, desde algunos sectores de opinión se señalaba la falta de flexibilidad de la legislación laboral como una de las principales causas del desempleo.

En la década de los noventa la necesidad de cambiar ciertos aspectos de la regulación laboral española derivó en dos grandes reformas: una realizada en 1994 y otra en 1997.

La **reforma de 1994** vino motivada por el escenario desfavorable por el que avanzaba la economía española desde finales de 1992 y que en 1994 llevó la tasa de desempleo hasta unos niveles difícilmente sostenibles: 24% de la población activa, es decir, más de 3 millones de personas desempleadas. Así, la ley de reforma fue aprobada por el Parlamento en mayo de 1994, aunque sin el consenso de los agentes sociales. Éstos tenían la sensación de que la reforma había sido insuficiente —la patronal— o que favorecía claramente los intereses empresariales —los sindicatos—.

Las grandes líneas de esta reforma fueron[6]:

a) La **flexibilidad** en el desarrollo de la relación laboral a través de:

   — La eliminación de intervenciones o autorizaciones administrativas en materia de movilidad geográfica y de modificación de las condiciones de trabajo.
   — El incremento de las posibilidades de movilidad funcional, introduciendo el concepto de grupo profesional.

b) La **ordenación del tiempo de trabajo**, a través de:

   — La facultad de distribuir de forma irregular la jornada máxima de 40 horas semanales a lo largo del año.
   — La posibilidad de establecer en la negociación colectiva la distribución irregular de las horas en la semana o el año.

c) La supresión de la regulación legal de la **estructura del salario**. Así, dicha estructura puede establecerse en la negociación colectiva.

d) En la **regulación de los despidos** se incluyen las causas económicas, tecnológicas y de producción como causas objetivas de despido, se limita a los despidos colectivos la exigencia de autorización administrativa previa y se reduce la duración de los expedientes de regulación de empleo y en los procedimientos de despido individual.

e) **Cambios en la contratación**. Se suprime el contrato de fomento de empleo introducido en 1984. Asimismo, se introduce el contrato en prácticas, destinado a personas que hayan obtenido una titulación superior o de Formación Profesional en los cuatro años anteriores y se reforma el de aprendizaje introducido en 1992 y dirigido a jóvenes sin titulación. También se cambia el contrato a tiempo parcial para fomentar su uso.

f) La **supresión del monopolio del INEM**, permitiendo la entrada de las agencias privadas de colocación y reconociendo a las empresas de trabajo temporal como intermediarios en el mercado de trabajo.

La reforma de 1994 no contó, como ya sabemos, con la aprobación de los agentes sociales, y sus resultados no se revelaban del todo claros. Así, el cambio de gobierno acontecido en 1996 propició la introducción de una **nueva reforma en 1997**. En esta ocasión, el desempleo se mantenía aún en niveles muy elevados (duplicando la media europea). Pero la preocupación por la necesidad de una reforma no surgió sólo por esta circunstancia, sino que la situación era si cabe más grave que en 1993. En efecto, en 1996 y 1997 la economía española crecía al mismo ritmo que el resto de Europa, pero nuestro mercado de trabajo seguía caracterizándose, entre otros, por dos rasgos muy alarmantes:

— Escasa generación de empleo, a pesar del crecimiento económico.
— Elevada tasa de temporalidad de la contratación —la más alta de Europa—.

Así, la reforma de 1997 fue fruto del **Acuerdo Interconfederal para la Estabilidad en el Empleo** [7] (AIEE) suscrito en el mes de abril por los agentes sociales. Esta reforma no solamente se limitó a cambiar o introducir aspectos concretos de la legislación laboral, sino que además comprendió una serie de cambios en las políticas activas del mercado de trabajo. Los principales objetivos y medidas introducidas son las siguientes:

a) Fomentar la **contratación indefinida**, para lo cual se creó un nuevo tipo de contrato indefinido [8] dirigido a:

• Personas desempleadas:
    — Entre 18 y 29 años.

- — Parados de larga duración.
- — Mayores de 45 años.
- — Minusválidos.

- Trabajadores con contrato de duración determinada o temporal.

b) Favorecer la **flexibilidad** a través de:

- La delimitación y especificación de los supuestos de utilización de los contratos temporales causales (v.g. contratos por obra o servicio, eventuales por circunstancias de la producción, etc.) y el seguimiento de la evolución de los contratos temporales.
- La mejora de las condiciones contractuales de los trabajadores a tiempo parcial, fijo-discontinuo y de relevo. Esto, que quedó como sugerencia en el acuerdo, fue introducido en el Real Decreto Ley de 1998[9] que otorga a los contratados a tiempo parcial derechos que mejoran su estabilidad.

c) Favorecer la **inserción laboral** y la **formación** teórico-práctica de los jóvenes mediante:

- Un nuevo contrato para la formación que sustituyó parcialmente al contrato de aprendizaje.
- El mantenimiento del contrato en prácticas.

d) Enriquecer la **negociación colectiva**, modificando su estructura y designando los convenios sectoriales estatales como eje principal, entre otros cambios.

e) **Reducir los costes laborales no salariales**, a través de propuestas para reducir las cuotas a la Seguridad Social, especialmente en determinado tipo de contratos.

f) Mejorar las **políticas activas** del mercado de trabajo mediante:

- La propuesta de reforma de las empresas de trabajo temporal, en su papel de intermediarias en el ámbito laboral. Dado el importante papel que desempeñan estas empresas en el mercado laboral (sólo en 1998 se realizaron casi 1.800.000 contratos a través de ellas), resultaba necesario garantizar algunos derechos básicos de los trabajadores. Así, en julio de 1999 se hizo efectiva la reforma con la modificación de la Ley 14/1994 por la que se regulan las empresas de trabajo temporal[10].
- La mejora de la formación de los jóvenes para su inserción laboral (ya comentada en el apartado c).
- El aumento de la empleabilidad de colectivos fuertemente afectados por el desempleo, como jóvenes sin formación ni expe-

riencia, minusválidos, mayores de 45 años o parados de larga duración. Así, se proponen incentivos económicos directos vinculados a la contratación de estos colectivos, se introduce el nuevo contrato indefinido ya comentado con costes de despido menores y se proponen medidas relativas a la reducción de las cuotas a la Seguridad Social y a la mejora de la protección social, entre otras.

•   Algunas de las propuestas o sugerencias establecidas en esta reforma de 1997 han dado pie a su vez a cambios parciales de la legislación que han tenido lugar en estos últimos años, como ya hemos comentado.

En conclusión, en España la política dirigida a incidir sobre la regulación del mercado de trabajo se ha centrado en dos reformas laborales significativas: las realizadas en 1994 y 1997. En ambas se ha modificado la legislación con el fin de reducir el elevado índice de temporalidad y para fomentar la creación de empleo a través de cambios en la contratación, en la regulación de los despidos o en la intermediación en el mercado de trabajo.

3.2   Políticas de mercado de trabajo

Como ya se ha apuntado, estas políticas, dirigidas a mejorar la situación laboral y social de los trabajadores y desempleados, pueden clasificarse en dos categorías: políticas activas y pasivas. La base de esta distinción reside en la idea de que las políticas pasivas sólo intentan responder al desempleo manteniendo la renta de los desempleados, sin hacer nada para luchar contra el mismo, mientras que las políticas activas consisten en una lucha contra la situación de paro.

Como observamos en el cuadro 9.2, las políticas pasivas representan el 2,14% del PIB, frente al 0,66% de las políticas activas. Si tenemos en cuenta que las medidas pasivas consisten, básicamente, en prestaciones por desempleo, el 76% del gasto total en políticas de mercado de trabajo se dedica a este tipo de transferencias y no a combatir de forma activa el problema del desempleo. Sin embargo, en el cuadro también podemos comprobar que el peso de las políticas pasivas es cada vez menor, dejando paso a las activas y en especial, dentro de éstas, a las políticas de formación y reciclaje. Este cambio es fruto de las recomendaciones realizadas por la OCDE [11] a los países occidentales y de las orientaciones en política de empleo establecidas por la UE para los Estados miembros.

La cuestión a tratar es la siguiente: **¿Cómo se han desarrollado estas políticas en España en la década de los noventa?**

Cuadro 9.2   Gasto total en políticas del mercado de trabajo en España (en porcentaje del PIB)

	1991	1992	1993	1994	1995	1996
Políticas activas	**0,76**	**0,57**	**0,54**	**0,60**	**0,82**	**0,66**
Formación ocupacional	0,18	0,10	0,12	0,23	0,32	0,35
Subvenciones a la creación de empleo	0,40	0,28	0,2	0,17	0,31	0,14
Servicios públicos de empleo	0,12	0,11	0,11	0,10	0,09	0,08
Medidas a favor de los jóvenes	0,05	0,07	0,1	0,09	0,09	0,08
Medidas a favor de los discapacitados	0,01	0,01	0,01	0,01	0,01	0,01
Políticas pasivas	**2,85**	**3,17**	**3,45**	**3,12**	**2,47**	**2,14**
Prestaciones por desempleo	2,85	3,17	3,45	3,12	2,47	2,14
Participación de las políticas pasivas en el gasto total	**79,2**	**84,5**	**86,7**	**83,9**	**75,1**	**76,2**

FUENTE: Toharia y otros (1998).

3.2.1   Las políticas pasivas de mercado de trabajo en España

Tal y como observamos en el recuadro 9.1, las políticas pasivas comprenden tanto las prestaciones por desempleo como las jubilaciones anticipadas. Sin embargo, nos detendremos solamente en las primeras, ya que las jubilaciones anticipadas no han recibido por parte de los distintos gobiernos españoles ninguna atención significativa. De hecho «puede decirse que no existe ninguna política específica relativa a la jubilación anticipada» (Toharia, 1998, p. 216).

En España el sistema de protección por desempleo tiene dos niveles dentro del régimen general:

— Las prestaciones por desempleo de nivel contributivo, que proporcionan rentas a los trabajadores que han cotizado durante un determinado período de tiempo y se encuentran en situación de desempleo (total o parcial) [12].

— Los subsidios por desempleo de nivel asistencial, que proporcionan una renta cercana al salario mínimo interprofesional (SMI) a los parados que han agotado las prestaciones contributivas mencionadas o que no tienen derecho a ellas por no cumplir el período mínimo de cotización o situaciones similares.

— Además del régimen general, existen subsidios que se otorgan dentro de un régimen especial debido a situaciones específicas que se ob-

Gráfico 9.2   Evolución de los beneficiarios de prestaciones, 1990-1999

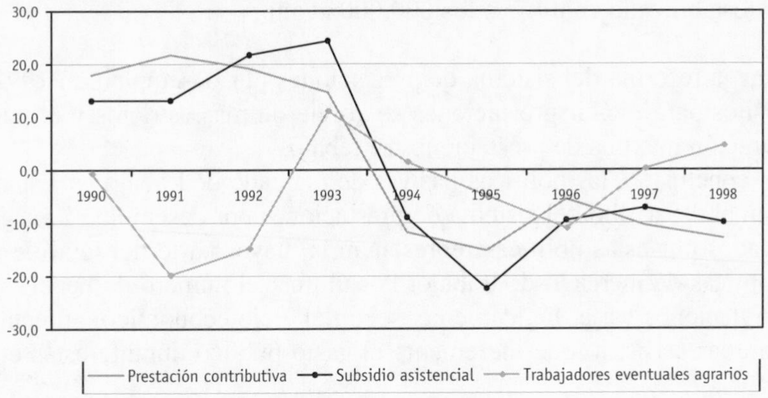

FUENTE: Anuario de Estadísticas Laborales, 1998, MTAS.

servan en los mercados de trabajo de las Comunidades Autónomas de Andalucía y Extremadura. Así, se acogen a estos subsidios por desempleo en régimen especial los trabajadores eventuales agrarios, por las características estacionales de su trabajo y por tener un peso relativo elevado en la población activa de las regiones mencionadas.

En el gráfico 9.2 observamos la evolución del número de beneficiarios de prestaciones por desempleo en España entre 1990 y 1998, diferenciando los tres tipos mencionados anteriormente. Un análisis detallado del gráfico nos lleva a las siguientes conclusiones:

— El número de beneficiarios o perceptores de prestaciones contributivas creció entre 1990 y 1993, año en el que se superó la cifra de 800.000 beneficiarios. A partir de ese año, el número de beneficiarios comienza a disminuir de forma muy intensa como consecuencia de la recuperación y posterior crecimiento económico y de las medidas de reforma adoptadas a lo largo de la década.
— Las prestaciones asistenciales presentan el mismo comportamiento que las contributivas. Así, 1990-1993 constituye una etapa de crecimiento del número de beneficiarios, mientras que desde 1994 a 1998 esta cifra desciende hasta los niveles de 1990.
— El número de beneficiarios de subsidio agrario ha evolucionado de distinta forma, disminuyendo entre 1990 y 1993 y entre 1995 y 1997 y aumentando en 1993 y 1994 y desde 1997. Este distinto comportamiento es lógico, ya que los empleos agrarios no dependen tanto del

ciclo económico como de los factores que determinan las cosechas (por ejemplo, sequías). Desde 1991 el número de beneficiarios se ha estabilizado en torno a los 200.000 al año.

Tras la reforma del sistema de prestaciones por desempleo en 1992, los requisitos para recibir prestaciones se volvieron más estrictos y el período de duración máxima de prestaciones se rebajó.

En conclusión, las políticas pasivas de mercado de trabajo en España se limitan al desarrollo del sistema de prestaciones por desempleo. Los gastos generados por estas políticas representan la mayor parte del total de gasto en políticas de mercado de trabajo. Por último, el número de beneficiarios de prestaciones varía, lógicamente, según el ciclo económico, aumentando durante las crisis, lo que incrementa el gasto público durante estas etapas.

3.2.2　Las políticas activas de mercado de trabajo

Las políticas activas de mercado de trabajo tienen como objetivo combatir el desempleo incentivando la creación de empleo y favoreciendo la empleabilidad de los colectivos más afectados por el problema del desempleo. Como ya hemos comentado estas políticas están cobrando una importancia creciente, ya que numerosos informes y estudios confirman la mayor eficacia de éstas para combatir el desempleo y dado que en el caso de la UE se están constituyendo en uno de los pilares básicos de la política comunitaria de empleo.

¿Cuáles han sido las políticas activas adoptadas en España en esta última década? En síntesis, han sido las siguientes:

Política de formación, reciclaje y movilidad profesional

La falta de formación o una formación no adecuada al tipo de puestos de trabajo que se ofrecen es una de las causas más frecuentes que impiden a un desempleado encontrar trabajo. De ahí la enorme atención que se ha puesto a lo largo de las dos últimas décadas a las políticas de formación como vía de solución al problema del paro, especialmente para determinados colectivos.

Las políticas de formación, reciclaje y movilidad profesional comprenden un conjunto de medidas dirigidas a incrementar el nivel formativo o la cualificación de desempleados (formación ocupacional) y de trabajadores (formación continua).

En España se han elaborado dos planes nacionales de Formación Profesional en la década de los noventa:

— El Plan Nacional de Formación Profesional (PNFP) de 1993.
— El Nuevo Programa de Formación Profesional (1998-2002) de 1998.

El **Plan Nacional de Formación Profesional de 1993** se aprobó con la intención de articular y coordinar los dos subsistemas de formación profesional existentes hasta entonces en España: la Formación Profesional reglada y la Formación Profesional ocupacional. La primera se dirige a los jóvenes en edad escolar, y la segunda, a trabajadores y demandantes de empleo. Centrándonos en este último aspecto, el PNFP incluye el Plan Nacional de Formación e Inserción Profesional (Plan FIP), el Programa de Escuelas-Taller y Casas de Oficio y la formación continua, gestionada por FORCEM[13], entre otras medidas activas.

El **Nuevo Programa de Formación Profesional** (1998-2002) surge por la necesidad de dar un mayor impulso tanto a la Formación Profesional reglada como a la ocupacional y a la continua, ya que constituyen un elemento fundamental en la lucha contra el paro. Los objetivos de este Nuevo Programa de Formación Profesional son[14]:

— Crear el sistema nacional de cualificaciones.
— Facilitar las interrelaciones de los tres subsistemas de formación profesional: inicial o reglada, ocupacional y continua, para que permitan la formación a lo largo de toda la vida.
— Estrechar las relaciones entre empresa y formación mediante la formación en centros de trabajo y los contratos de formación en prácticas.
— Desarrollar un sistema integrado de información y formación profesional.
— Mejorar la calidad, evaluación y seguimiento de los tres subsistemas de Formación Profesional.
— Implantar la dimensión europea de la Formación Profesional al objeto de facilitar la libre circulación de los trabajadores.
— Programar la oferta a segmentos de la población con necesidades específicas y con dificultades de colocación.

La **oferta formativa ocupacional** se instrumenta a través del Plan FIP y se dirige preferentemente a colectivos muy afectados por el desempleo. La financiación proviene del 50% de la cuota de Formación Profesional destinada al Plan FIP, y son programas cofinanciados por el Fondo Social Europeo (FSE). En 1994 se traspasó la gestión de la formación ocupacional a algunas CCAA.

La **Formación Profesional continua** comprende las acciones que realizan las empresas, los trabajadores o sus organizaciones con el fin de mejorar la cualificación de los ocupados para aumentar su adaptabilidad y, por tanto, su empleabilidad. Desde 1993, la Formación Profesional continua en

España es gestionada por FORCEM, fundación en la que participan las organizaciones empresariales y sindicales y el INEM. La financiación de las acciones procede del 50% de la cuota de Formación Profesional y el FSE cofinancia los programas de formación. El INEM gestiona el pago y FORCEM se encarga de la selección y adjudicación de los programas y de su seguimiento.

Los **Programas de Escuelas-Taller y Casas de Oficio** quedan en el Nuevo Programa de Formación Profesional incluidos en lo que se ha denominado *Formación mediante el acercamiento entre el sistema formativo y la práctica en la empresa*. Así, esta denominación abarca toda una serie de medidas de formación, principalmente dirigidas a lograr la alternancia de los jóvenes en el ámbito formativo y laboral. Algunas de estas medidas son:

- Los contratos de prácticas y de formación (antes de 1997 llamados *de aprendizaje*).
- Los cursos de Garantía Social, dirigidos a jóvenes que buscan empleo y no han finalizado su período formativo.
- Las Escuelas-Taller y Casas de Oficio, que también alternan la formación con la práctica laboral.

Este tipo de formación recibe financiación de distintas fuentes: FSE, entidades promotoras, cuotas de Formación Profesional, Presupuestos Generales del Estado.

En definitiva, la atención hacia las políticas de formación, reciclaje y movilidad profesional se revela cada vez mayor, y en su gestión y financiación colaboran diferentes instancias relacionadas con el mercado de trabajo, tanto regionales como nacionales y europeas.

Medidas a favor de la creación de empleo

Estas medidas se dirigen a fomentar la creación de empleo en la economía por diferentes vías: mediante modificaciones legales en los contratos, mediante incentivos o subvenciones directas a las empresas o mediante la creación de empleo por el propio sector público.

Teniendo esto en cuenta, podemos clasificar este conjunto de medidas de la siguiente forma:

1. Medidas de fomento del empleo en el sector privado:
   — Con incentivo económico.
   — Sin incentivo económico.
2. Medidas de fomento del empleo en el sector público.
3. Otras medidas de apoyo a las iniciativas empresariales y a la creación de empleo.

1. Medidas de fomento del empleo en el sector privado

Estas medidas dirigidas a las empresas consisten en modalidades de contratos que pueden tener o no un incentivo económico directo.

Las **medidas sin incentivo económico** directo comprenden los contratos de duración determinada (realización de obra o servicio, por circunstancias de la producción o interinidades), a tiempo parcial, en prácticas, para la formación, de relevo y de sustitución [15].

Cuadro 9.3   Contratos registrados en el INEM como medidas de fomento de empleo

	1990	1998	Tasa de var. porc.	1998 porce. s/total
De duración determinada [1]	1.169.662	7.291.195	523	76,4
A tiempo parcial [2]	409.833	2.007.260	389	21,0
En prácticas	210.128	94.926	−54	0,99
Para la formación	302.240	147.415	−51	1,5
De relevo	2.283	—	—	—
De sustitución	997	2.921	193	0,03
Total	**9.543.717**	**100**		

(1) Incluye contratos por obra y servicio y eventual por circunstancias de la producción.
(2) Incluye contrato de relevo en 1998.

FUENTE: Anuario de Estadísticas Laborales, 1990 y 1998. MTAS.

En el cuadro 9.3 observamos la evolución de estos tipos de contratos en esta década. Así, los contratos de duración determinada o temporales son los utilizados más frecuentemente y han experimentado un fuerte crecimiento. El contrato a tiempo parcial también ha evolucionado de forma positiva y su participación en estas medidas de fomento de empleo es de una quinta parte. Resulta destacable asimismo el descenso en el número de contratos en prácticas y para la formación.

Por último, hemos de mencionar en esta categoría el contrato temporal para el fomento del empleo, que fue creado en la Reforma de 1984 y que ha sido ampliamente utilizado por las empresas españolas hasta su definitiva abolición en la Reforma de 1997.

Las **medidas con incentivo económico** incluyen contratos que llevan asociada una subvención, deducción fiscal, etc., con el objetivo de incentivar su uso por parte de los empresarios.

Para aumentar el número de trabajadores con contrato indefinido y, de este modo, disminuir la temporalidad en el mercado laboral español, este contrato tiene incentivos económicos para el empresario. Así, se aplican rebajas en las cuotas a la Seguridad Social y, en algunos casos, se conceden subvenciones por la contratación indefinida de los colectivos contemplados en la norma [16]. Además, en la reforma de 1997 se crea el nuevo contrato indefinido, que, junto a los incentivos mencionados, presenta un menor coste de despido para el empresario. Sólo en 1998 se realizaron 325.295 contratos indefinidos acogiéndose al RD de 1997.

Otra medida con algún beneficio económico para la empresa es la utilización de contratos temporales con colectivos de minusválidos desempleados con contratos de duración superior a 12 meses e inferior a 3 años. Asimismo, se incentivan los contratos formativos para este colectivo.

2. Medidas de fomento del empleo en el sector público

Estas medidas consisten en la creación de empleo directo en el sector público con el objeto de que la experiencia adquirida o el contacto laboral mejoren las posibilidades de empleo de ciertos colectivos. En España los programas desarrollados han sido de dos tipos:

— Los **convenios del INEM con Administraciones públicas** locales, regionales y nacionales, universidades e instituciones sin ánimo de lucro, con el objetivo de dar trabajo, en actividades de interés social, a los parados inscritos. Estos convenios se han realizado principalmente con ayuntamientos, y los parados que perciben prestaciones deben aceptar el contrato temporal que le ofrece el INEM o de lo contrario perderían el derecho a la prestación. Este organismo gestiona y financia los convenios.

— El **Programa de Empleo Rural** o de fomento del empleo agrario comprende una serie de inversiones públicas en proyectos dirigidos a generar empleo en el medio rural. El objetivo es complementar la protección por desempleo que se da a los trabajadores temporales agrarios en Andalucía y Extremadura y propiciar la inserción laboral de los desempleados agrarios en actividades generadoras de empleo en cualquier sector. En 1997, se modificó el programa que ahora se denomina Programa de Fomento del Empleo Agrario y que adopta un enfoque más integral. Así, las actuaciones comprenden también formación, orientación, información y la realización de itinerarios de inserción en el mercado laboral.

3. *Otras medidas de apoyo a las iniciativas empresariales y a la creación de empleo*

Esta categoría incluye medidas que pretenden fomentar la creación de empleo a través de ayudas o incentivos económicos diversos dirigidos a trabajadores o desempleados que tengan la intención de ser empresarios autónomos o socios de una cooperativa. Una gran parte de estas medidas se incluye en el Pilar 2 del Plan de Acción para el Empleo en España en 1999 (recuadro 9.2) «Desarrollo del espíritu de empresa», y de ahí la creciente atención que se le está prestando dentro de la política de empleo. Los programas que se han desarrollado a lo largo de la década de los noventa en España han sido:

— La **capitalización de prestaciones por desempleo**, que consiste en pagar por adelantado a los parados con derecho a prestación todas sus prestaciones con el objeto de que pongan en marcha su propio negocio como socios de una cooperativa o de una sociedad anónima laboral. Desde 1992, el número de personas acogidas a este programa pasó a ser la cuarta parte respecto a años anteriores, debido a que se dejaron de capitalizar las prestaciones a parados que deseasen iniciar un trabajo por cuenta propia o autónomo.
— **Promoción del trabajo por cuenta propia o empleo autónomo.** El objetivo perseguido es incentivar el empleo autónomo entre los desempleados inscritos en el INEM, a través del apoyo financiero de los proyectos presentados. Así, se subvencionan parcial o totalmente los costes derivados de los estudios de viabilidad, auditoría y asesoramiento, se concede una renta de subsistencia a los menores de 25 años o mayores si llevan más de un año inscritos como parados y se da una subvención financiera.
— **Ayudas para facilitar la integración laboral de los emigrantes retornados**. Las ayudas son subvenciones de hasta 700.000 pesetas otorgadas a emigrantes españoles retornados y que estén inscritos como demandantes de empleo.
— **Promoción del empleo en cooperativas.** También a través de este programa se conceden ayudas financieras y subvenciones a proyectos que pretenden crear o mantener empleos en cooperativas o sociedades anónimas laborales. Asimismo, recibirán ayudas las actividades dirigidas al fomento o a la mejora de la gestión en estas empresas.
— **Promoción de iniciativas locales de empleo.** El fin de este programa es propiciar la creación de pequeñas empresas que puedan generar empleo estable a través de iniciativas que aprovechen recursos ociosos existentes en la zona, que sean innovadoras y que sean promovidas, participadas o financiadas por corporaciones locales o

Recuadro 9.2   Plan de Acción para el Empleo en el Reino de España, 1999

PILAR I: Mejorar la capacidad de inserción profesional

Directrices:

1 y 2: Combatir el desempleo juvenil y prevenir el paro de larga duración; 3: Sustituir medidas pasivas por medidas activas; 4: Revisar el sistema de prestaciones y la fiscalidad para estimular la búsqueda de empleo; 5: Instar a los interlocutores sociales a llegar a acuerdos que favorezcan la empleabilidad; 6: Desarrollar posibilidades de formación permanente; 7: Mejorar la eficacia de los sistemas escolares; 8: Dotar a los jóvenes de mayor capacidad de adaptación creando o desarrollando sistemas de aprendizaje; 9: Facilitar la integración laboral de los minusválidos, minorías étnicas y otros grupos desfavorecidos.

PILAR II: Desarrollar el espíritu de empresa

Directrices:

10: Reducir los costes generales y las cargas administrativas de las empresas, fundamentalmente de pymes; 11: Fomentar el trabajo por cuenta propia y la creación de pymes; 12. Creación de puestos de trabajo a nivel local. Desarrollo de la economía social; 13: Aprovechar el potencial de empleo del sector servicios y los servicios relacionados con la industria; 14: Régimen fiscal más favorable al empleo; 15: Reducir los tipos del IVA sobre los servicios intensivos en mano de obra.

PILAR III: Fomentar la capacidad de adaptación de los trabajadores y de las empresas

Directrices:

16: Acuerdos para modernizar la organización del trabajo y de las formas de trabajo; 17: Tipos de contratos más adaptables; 18: Reconsiderar las trabas que dificultan la inversión en recursos humanos y ofrecer incentivos fiscales de otra índole para el desarrollo de la formación en la empresa.

PILAR IV: Reforzar la política de igualdad de oportunidades entre hombres y mujeres

Directrices:

19: Combatir la discriminación entre hombres y mujeres; 20: Reducir la desigualdad entre hombres y mujeres respecto al empleo y a los salarios; 21: Conciliar la vida laboral con la vida familiar; 22: Facilitar la reincorporación a la vida activa.

CCAA. Se conceden subvenciones por trabajador, ayudas financieras y ayudas al promotor de desarrollo local, que es el que presenta el proyecto. El FSE participa en la financiación de los proyectos junto con el Ministerio de Trabajo.

— **Integración laboral del minusválido.** A través de este programa se conceden subvenciones a los centros especiales de empleo [17] y a los minusválidos que deseen convertirse en empresarios autónomos. Estos últimos reciben subvenciones financieras para invertir en capital fijo. Por otro lado, los centros especiales de empleo reciben además ayudas para asistencia técnica.

Cuadro 9.4   Fondos destinados a las medidas de apoyo a las iniciativas empresariales (en miles de pesetas)

	1990	1998	Tasa variac.	1998 Porc. s/total
Autónomos	25.065.019	9.382.386	–62,6	31,7
Cooperativas y SAL	2.600.065	2.679.778	3,1	9,05
Iniciativas locales	71.810	2.412.029	3258,9	8,14
Integración de minusválidos	3.845.290	15.149.864	294,0	51,14
Total	**31.582.184**	**29.624.057**	**–6,2**	**100**

FUENTE: Anuario de Estadísticas Laborales, 1990 y 1998. MTAS.

Como se observa en el cuadro 9.4, en 1990 la medida que más fondos recibía era la promoción del trabajo autónomo, pero en esta década ha experimentado un retroceso importante, cediendo este primer lugar a la integración laboral del minusválido. Resulta destacable también la creciente atención dedicada a la promoción de las iniciativas locales, que recibe más de 2.000 millones de pesetas (frente a 71 en 1990), fruto en gran parte del incremento en la financiación que el FSE destina a proyectos locales. Este incremento es resultado de la constatación de que gran parte de las fuentes de empleo en el futuro se encuentran en los recursos ociosos y las potencialidades que pueden ser aprovechadas por iniciativas de carácter local.

Medidas a favor de colectivos específicos de trabajadores

Este grupo incluye una serie de medidas dirigidas hacia la formación y la creación de empleo para colectivos especialmente afectados por el desempleo. Desde que la igualdad de oportunidades se estableció como uno de los cuatro pilares del Plan de Acción para el Empleo (recuadro 9.2), las medidas dirigidas hacia estos colectivos han aumentado. El objetivo es aumentar su probabilidad de encontrar un empleo estable. Estos colectivos son:

— **Jóvenes**. Como ya hemos mencionado, existen distintas modalidades de contratación dirigidas a crear empleo para jóvenes, a saber: contratos de formación y prácticas y nuevo contrato indefinido. Además, los cursos del Plan FIP y los Programas de Escuelas-Taller y Casas de Oficio se dirigen preferentemente hacia la formación de los jóvenes.

— **Minusválidos**. Este colectivo también se beneficia de los cursos de formación del Plan FIP y su contratación es incentivada a través de contratos específicos (v.g. contratos en prácticas y de formación, nuevo contrato indefinido, contratación temporal acogida al fomento de empleo durante 1998), reserva de puestos de trabajo para minusválidos en empresas públicas y privadas, incentivos fiscales para los empresarios y centros especiales de empleo, entre otras medidas.

— **Mujeres**. La formación de las mujeres también es uno de los objetivos del Plan FIP y de la formación mediante el acercamiento entre el sistema formativo y la empresa, y su contratación es impulsada por los contratos dirigidos a mujeres en oficios en que se encuentran subrepresentadas o que se incorporan al trabajo tras cinco años de inactividad laboral.

— **Desempleados de larga duración**. El Plan FIP dirige sus cursos preferentemente a este colectivo de desempleados. La contratación es incentivada por el nuevo contrato indefinido.

— **Mayores de 45 años**. El Nuevo Programa de Formación Profesional contempla la formación de este colectivo y los contratos indefinidos para mayores de 45 años están incentivados.

Medidas de colocación

Este conjunto de medidas tiene como objetivo proporcionar un empleo adecuado a los trabajadores y facilitar a las empresas la mano de obra necesaria para la realización de las actividades productivas, a través de:

— La gestión de la colocación, orientación y readaptación profesional. Esta función la realizan el INEM, las agencias de colocación sin ánimo de lucro (colegios, asociaciones profesionales, corporaciones locales, etc.) y los Servicios Integrados para el Empleo (SIPEs).

— Subvenciones para realizar acciones de orientación profesional para

el empleo y asistencia para el autoempleo. Estas subvenciones son financiadas por el INEM y fueron introducidas en 1998.
— Ayudas a la movilidad geográfica. Estas ayudas se dirigen a parados inscritos que cambien de lugar de residencia con el fin de ocupar un puesto de trabajo, a los emigrantes retornados y a los inmigrantes.

Finalmente, en los últimos años se ha introducido en España un nuevo elemento de intermediación, con el objetivo de facilitar la colocación, especialmente en aquellos sectores con tareas concentradas en meses, semanas o días. Así, la Ley 14/1994 de Creación de las Empresas de Trabajo Temporal permite la actuación de estas empresas como intermediarios en el mercado de trabajo. Estas empresas están alcanzando una importancia creciente como mecanismo de colocación, realizando una proporción elevada de los contratos anuales en España.

En conclusión, la política de empleo está desempeñando un papel cada vez más importante en la lucha contra el desempleo en España. En concreto, durante la década de los noventa, han sido muy significativas las reformas del mercado de trabajo realizadas en 1994 y 1997, que han flexibilizado la legislación laboral. Además, resulta destacable la mayor atención que se está prestando al desarrollo de las políticas activas como vía para la creación de empleo. Lógicamente, en todos estos cambios en materia de políticas de empleo ha influido el hecho de pertenecer a la UE, especialmente en los últimos años, en los que se ha adoptado una estrategia común para el fomento del empleo en el ámbito comunitario.

4. La política de empleo en la Unión Europea y en España

El empleo ha sido el gran olvidado de la política comunitaria durante muchos años. La necesidad de lograr la convergencia nominal ante el proceso de UEM dejó a un lado la convergencia real, en la que el nivel de empleo marcaba la gran diferencia entre los países del sur y del norte de Europa. Sin embargo, el agravamiento del problema del desempleo a lo largo de la recesión de principios de los noventa y la constatación de que la mayor parte del desempleo europeo es de carácter estructural llevaron a las autoridades económicas de la UE a plantearse la necesidad de diseñar una estrategia económica con el fin último y prioritario de resolver este grave problema. Así, en el **Consejo Europeo de Copenhague (1993)** nace el concepto de estrategia global de empleo a medio y largo plazo. Posteriormente, en el Consejo Europeo de Bruselas en el mismo año se da un gran paso en materia de empleo con la presentación del *Libro Blanco sobre el Crecimiento, la Competitividad y el Empleo*. Este documento presenta las grandes líneas de acción que deben seguir las políticas de empleo nacionales con el objeto de conseguir la estrategia común de lucha contra el paro.

323

En este proceso resulta asimismo destacable el **Consejo de Luxemburgo (1997),** por haberse aprobado una Estrategia Europea de Empleo (EEE) plasmada en unas directrices y por haberse logrado el compromiso de una coordinación macroeconómica que estimule el empleo en Europa.

La aplicación de la Estrategia Europea para el Empleo comenzó en 1998, año en el que los Estados miembros presentaron sus Planes de Acción Nacionales basados en las directrices establecidas en el Consejo de Luxemburgo. Los pilares de acción que contemplan los Planes Nacionales establecidos en Luxemburgo son:

- Mejora de la capacidad de inserción profesional.
- Desarrollo del espíritu de empresa.
- Fomento de la capacidad de los trabajadores y de las empresas.
- Refuerzo de la política de igualdad de oportunidades.

En el recuadro 9.1 se han enumerado las directrices que comprende cada uno de estos pilares en el Plan de Acción para el Empleo en el Reino de España de 1999.

A lo largo de 1999, tras el **Consejo Europeo de Colonia**, el **Pacto Europeo por el Empleo** está ocupando un lugar importante en el desarrollo de la política europea de empleo. Así, este pacto comprende los principales elementos de una política que se enfrente a los retos del empleo en la UE.

Del largo período que ha llevado este proceso se desprende que el diseño de una política comunitaria de empleo no ha sido fácil. Esto se ha debido tanto a la heterogeneidad de los mercados de trabajo nacionales como a la dificultad de llegar a un acuerdo entre los 15 países miembros sobre las reformas institucionales y estructurales necesarias y las medidas a adoptar para resolver el problema del desempleo. No obstante, a lo largo de esta década se han llevado a cabo políticas de empleo tanto de forma independiente en el ámbito nacional como de forma unánime siguiendo las pautas de la estrategia común de empleo marcada por los distintos Consejos en esta década. Veamos cuáles han sido las principales medidas de política de empleo adoptadas en la UE.

Políticas que inciden sobre la regulación del mercado de trabajo

Las legislaciones laborales existentes en cada país miembro difieren entre sí en distintos aspectos, y, por tanto, las reformas realizadas han sido de distinta naturaleza. Sin embargo, podríamos decir que, de acuerdo con la estrategia común de empleo, las líneas principales de esta reforma han sido:

1. La liberalización de las formas de contratación atípicas (contratos temporales, en prácticas o de formación, etc.) y la introducción de

cambios en las nuevas condiciones de despido, que en algunos países se han suavizado y en otros se han restringido.

2. El aumento de la flexibilidad horaria en las empresas y el reparto del trabajo como vía de creación de empleo. Esta última medida sólo se ha llevado a cabo en algunos países, como Francia, que ya ha introducido la jornada de 35 horas semanales.

3. Los cambios en la legislación relativa a los salarios, como el salario mínimo, la negociación colectiva o las cotizaciones sociales.

A pesar de esto, de acuerdo con el FMI (1999), la flexibilidad del mercado de trabajo en la zona del euro no está a la altura de las necesidades, tal y como lo demuestra el elevado desempleo estructural y las elevadas concentraciones de desempleo en varias regiones y países.

Así, los mercados de trabajo europeos más regulados siguen siendo los de Grecia, Italia y España, y los menos regulados, Reino Unido y Dinamarca.

En España, como ya hemos comentado en el epígrafe anterior, las reformas de 1994 y 1997 han seguido el sentido marcado desde la UE. Así, la reforma de la contratación temporal en 1994, la introducción del nuevo contrato indefinido, los cambios en el contrato a tiempo parcial y en la negociación colectiva, entre otros, son aspectos que reflejan la coordinación entre la política nacional y comunitaria en materia de legislación laboral.

Políticas activas y pasivas de mercado de trabajo

Las políticas de mercado de trabajo, y en especial las activas, están recibiendo una atención creciente por parte de las autoridades comunitarias, tal y como se desprende del creciente gasto dedicado a estas políticas en la UE (gráfico 9.3).

El mayor peso en el gasto lo alcanzan, al igual que en España, las políticas pasivas, si bien el crecimiento del gasto en estas políticas ha sido menor. Este menor crecimiento es fruto de una mayor atención hacia las medidas activas en el ámbito comunitario, sobre todo después de la nueva orientación de las políticas que se observa tras el Consejo de Luxemburgo (1997).

Las **políticas pasivas** de mercado de trabajo consisten, fundamentalmente, como hemos mencionado, en el desarrollo de los sistemas de prestaciones por desempleo. Estos sistemas presentan un alto grado de heterogeneidad entre los diferentes países de la UE en lo que respecta a los requisitos para recibir prestaciones contributivas y asistenciales, la cuantía y la duración de las mismas, etc. El FMI [18], basándose en datos de la OCDE, nos ofrece algunos indicadores de los sistemas de prestaciones por desempleo en los países de la UE y nos muestra que, en general, el grado de generosidad de las prestaciones es mayor en los países europeos que en

Gráfico 9.3   **Proporción del PIB dedicado a políticas de mercado de trabajo en la UE**

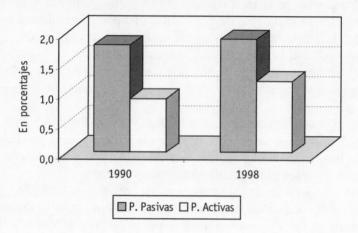

FUENTE: Sáez (1997) y Fina (1999).

otras economías avanzadas. La mayoría de los países de la UE han introducido reformas dirigidas a reducir la generosidad de las prestaciones. El efecto, sin embargo, ha sido muy distinto, y las diferencias en las prestaciones a desempleados siguen siendo grandes entre países.

Las **políticas activas** están recibiendo una atención creciente por parte de las autoridades comunitarias y nacionales, ya que parece que ni las políticas pasivas y de regulación ni la política macroeconómica por sí mismas garantizan la creación de empleo. Sin embargo, las medidas a las que se les dedica más presupuesto difieren entre los países, tal y como observamos en el cuadro 9.5.

Las medidas activas que mayor atención reciben a nivel europeo son las de **formación**, ya que reciben el 28% del gasto en políticas activas en el conjunto de la UE. En países como España o Dinamarca, el peso se eleva hasta más del 50% del gasto en 1996, mientras que en Holanda o Luxemburgo no llega al 10%. La intervención del FSE como financiador de Programas Operativos y de Iniciativas Comunitarias de formación ha sido esencial en el desarrollo de este grupo de medidas, sobre todo en algunos países receptores de gran parte de estos fondos. Éste es el caso de España, que antes de entrar en la UE sólo dedicaba el 7% a formación y en 1996 destinaba más de la mitad del gasto de políticas activas a esta medida. Lógicamente, esta creciente atención que recibe la formación, especialmente la de los jóvenes, responde al hecho de haber sido considerado uno de los cuatro pilares en los que se basa la Estrategia Europea para el Empleo. De forma que la inversión en recursos humanos y materiales para reforzar la capacidad productiva en la UE es una de las áreas principales de apoyo de la Comisión a los Estados miembros. Así, se concede prioridad a la educación y formación, al apoyo a la investigación y al desarrollo y a la sostenibilidad del crecimiento económico y del empleo.

Las **subvenciones directas para la creación de empleo en el sector privado** reciben sólo un 10% del gasto en políticas activas en la UE. Sin embargo, las diferencias son notables entre países: Grecia y Luxemburgo destinan el doble (20%), mientras que Austria y Dinamarca la mitad (5%) y Reino Unido sólo el 1%. También las subvenciones varían ampliamente de un país a otro y dependen del colectivo específico al que se destinen. España dedicaba en 1996 el 14% del gasto en políticas activas a estas subvenciones, observándose una disminución de 23 puntos respecto a 1985. Esto es resultado de una mayor atención al fomento del espíritu empresarial a través de instrumentos que no necesariamente requieren aportación de fondos, como la reforma de los procedimientos para la constitución de una empresa, la asistencia técnica, etc.

La **creación directa de empleo por el sector público** ha experimentado también un cambio importante en España, pasando del 29 al 7% del gasto en políticas activas. Este cambio ha tenido lugar también en países como Reino Unido, Finlandia o Bélgica. En el conjunto de la UE la proporción se ha mantenido en torno al 15%. El empleo creado bajo estos programas públicos es siempre de carácter temporal y llega a un gran número de personas pertenecientes a colectivos especialmente desfavorecidos.

Los **colectivos afectados** por el desempleo reciben una atención especial en la política comunitaria de empleo. Estos colectivos son el objeto de las acciones de formación y orientación financiadas por el FSE dentro de las Iniciativas Comunitarias y el Programa Operativo de Valorización de los Recursos Humanos. Entre los grupos objeto de estas medidas destacan los jóvenes, los discapacitados, las mujeres, los parados de larga duración y los parados mayores de 45 años. En la UE se dedica un 15% de gasto en políticas activas a las medidas para la inserción de los jóvenes y un 13% para la inserción de los discapacitados. En cuanto a los primeros, destacan los incrementos en el gasto registrados en Luxemburgo, Portugal y Finlandia. España ha pasado de no dedicar nada en 1985 hasta el 12% en 1996. En lo que se refiere a los discapacitados, los países que mayor porcentaje dedican son Holanda y Suecia, y los que menos, Grecia y España.

No debemos olvidar la atención que está recibiendo últimamente la búsqueda de soluciones «innovadoras» para el problema del desempleo, como el diseño de un IVA nuevo para actividades intensivas en mano de obra, la reforma de los mercados de bienes y capitales o la búsqueda de yacimientos o fuentes potenciales de empleo que aún no han sido suficientemente explotadas.

Estas fuentes de empleo, que se encuentran en gran medida en el ámbito local, constituyen una de las principales soluciones para resolver

Cuadro 9.5.   Políticas activas de empleo en la UE

	Servicios públicos de empleo		Formación		Medidas para jóvenes	
	1985	**1996**	**1985**	**1996**	**1985**	**1996**
Austria	38	37	31	35	10	2
Bélgica	13	16	15	20	1	6
Dinamarca	7	5	37	51	19	7
Finlandia	9	9	29	33	6	13
Francia	20	12	39	29	25	19
Alemania	26	17	24	32	6	5
Grecia	40	42	12	28	16	9
Irlanda	11	15	42	13	34	14
Luxemburgo	8	10	0	3	18	50
Holanda	21	26	15	9	3	7
Portugal	18	11	51	37	10	34
España	25	13	7	52	0	12
Suecia	12	11	24	23	10	5
Reino Unido	22	43	9	22	35	26
UE	**19**	**19**	**24**	**28**	**14**	**15**

FUENTE: Jimeno (1999).

el problema del desempleo en Europa y en España. Por tanto, resulta lógico que en los últimos años hayan proliferado los estudios sobre yacimientos de empleo, tratando de determinar no sólo dónde se pueden encontrar esos yacimientos, sino también qué tipo de cualificación se requerirá o qué colectivos podrían beneficiarse de la creación de empleo en el futuro.

El *Libro Blanco de la Comisión Europea sobre Crecimiento, Competitividad y Empleo* [19] inicia el debate en Europa al establecer cuáles podrían ser los nuevos yacimientos de empleo en la UE y agruparlos en las siguientes categorías:

1.   Los servicios de vida diaria:

   I. Los servicios a domicilio (p. ej., ayuda a domicilio a personas mayores o con minusvalías).

Subvenciones al empleo en el sector privado		Creación directa de empleo en el sector público		Medidas para discapacitados	
1985	1996	1985	1996	1985	1996
9	5	3	8	8	13
2	8	58	41	11	10
5	5	15	13	17	20
5	6	41	32	10	7
9	15	0	17	8	7
6	7	15	21	23	19
26	20	4	0	1	1
6	15	6	38	1	5
23	20	0	1	50	16
1	9	3	10	57	39
3	8	7	3	10	7
37	14	29	7	2	2
5	11	15	19	34	31
4	1	25	2	4	6
10	**10**	**16**	**15**	**17**	**13**

II. El cuidado de los niños (p. ej., servicio de guardería para niños).
III. Las nuevas tecnologías de la información y de la comunicación.
IV. La ayuda a los jóvenes en dificultad y la inserción.

2. Los servicios de mejora del marco de vida:

I. La mejora de la vivienda.
II. La seguridad.
III. Los transportes colectivos locales.
IV. La revalorización de los espacios públicos urbanos.
V. Los comercios de proximidad (p. ej., el mantenimiento de comercios en zonas rurales y áreas periféricas).

3. Los servicios culturales y de ocio:

    I. El turismo.
    II. El sector audiovisual (p. ej., teleasistencia a ancianos y enfermos, radio y televisión locales).
    III. La revalorización del patrimonio cultural.
    IV. El desarrollo cultural local.

4. Los servicios de medio ambiente:

    I. La gestión y eliminación de los residuos.
    II. La captación, depuración y distribución del agua.
    III. La protección y el mantenimiento de las zonas naturales.
    IV. La normativa, el control de la contaminación y las instalaciones correspondientes (p. ej., fabricación de equipos para el medio ambiente, gestión medioambiental en los sectores público y privado y actividades de consultoría sobre cuestiones medioambientales).

Posteriormente, la Comisión Europea ha añadido otros dos ámbitos: energías renovables y deporte.

Resulta evidente que la mayor parte de estas actividades se encuadran en el sector servicios y están al abrigo de la competencia por el elevado componente de proximidad que implican. Además, la mayoría requieren una elevada intensidad del factor trabajo.

En España, el profesor Lorenzo Cachón ha desarrollado ampliamente el tema de los NYE en sus estudios. Así, ha analizado los nuevos yacimientos propuestos en el Libro Blanco, tratando de determinar aspectos tales como la intensidad del empleo, el tipo de puesto ofrecido o la calidad del trabajo en cada ámbito. Pero, además, ha identificado nuevos ámbitos en el caso de España (Cachón, 1999), como la agricultura ecológica, la industria agroalimentaria artesanal, la restauración de obras públicas y el movimiento de las organizaciones no gubernamentales. De acuerdo con el profesor Cachón, los principales obstáculos con los que se encuentran los NYE son los siguientes:

— Económico-financieros.
— Formativos.
— Jurídicos y administrativos.
— Organizativos.
— Culturales y de comportamiento.

En España ya se han puesto en marcha distintas experiencias en algunos ámbitos de los NYE, y aunque aún es pronto para saber cómo están afectando al empleo, se prevé que la evolución sea muy positiva por el potencial de crecimiento con el que cuentan y siempre que obtengan el apoyo necesario desde las Administraciones públicas. Así, por ejemplo, ya se han puesto en marcha acciones en el ámbito del medio ambiente, como la creación de empresas para el reciclaje y la gestión de residuos urbanos y de empresas especializadas en la depuración de aguas residuales. Estas acciones han sido apoyadas por las distintas Administraciones regionales y locales; sin embargo, se encuentran con otras dificultades, como el elevado coste de las inversiones necesarias o la escasa formación medioambiental de la sociedad, en general.

Al igual que en España, en otros países de la Unión Europea (Francia, Bélgica) se han puesto en marcha experiencias para impulsar la creación de empleo a través del apoyo a este tipo de actividades, si bien aún son acciones puntuales y excepcionales en gran parte debido a los obstáculos que encuentran para su desarrollo. Sin embargo, de acuerdo con Cachón y otros (1997, p. 304): «Los nuevos yacimientos de empleo [...] suponen una corresponsabilidad de los sectores público y privado, con un énfasis en disminuir los obstáculos que impiden la aparición o el ensanchamiento de nuevas actividades y en favorecer las acciones, incluso las actitudes (porque no cabe duda que la cultura social es crucial en este contexto) encaminadas a la generación de nuevos o más amplios mercados. Quizás éste sea el reto más importante en las sociedades europeas si se pretende distribuir la riqueza vía trabajo y no vía rentas».

5. Conclusiones

Del breve y aproximativo análisis realizado sobre la política de empleo llevada a cabo en nuestro país durante la década de los noventa, se desprenden las siguientes ideas básicas:

Primera, se ha producido un cambio transcendental en el objetivo a conseguir por la política de empleo: se ha pasado de un objetivo pasivo (atender mediante subsidios el desempleo) a uno activo (la creación de empleo). Es decir, durante los noventa hemos abandonado la *política del desempleo* y se ha apostado decididamente por una verdadera *política de empleo*.

Segunda, en justa y necesaria correspondencia con lo anterior, hemos asistido a un cambio importante en los instrumentos utilizados para desarrollar la política de empleo, de forma que han cobrado una gran relevancia las políticas activas en detrimento de las pasivas. Varios factores han sido determinantes en esta nueva estrategia de la política de empleo española de los noventa: el reconocimiento de que por sí solo el crecimiento económico no resuelve el problema del desempleo y las nuevas orientaciones que en materia de empleo ha adoptado la UE, más volcada hacia las medidas activas que hacia las pasivas, esto es, la estrategia europea busca la creación de empleo y no tanto el mantenimiento del desempleo.

Y tercera, los profundos cambios que se vienen registrando en la economía mundial, sin duda, están afectando y afectarán a los mercados de trabajo. De manera que, en el próximo futuro, la política de empleo ha de ser innovadora, en el sentido de que la principal cualidad que han de tener los mercados de trabajo es la flexibilidad, lo cual les permitirá un ajuste rápido y positivo a una economía internacional en continuo proceso de cambio.

Es evidente que en el caso español la década de los noventa arroja un resultado positivo en materia de empleo; al respecto, las diferentes reformas realizadas y la apuesta por las medidas activas frente a las pasivas han modificado un panorama laboral que se tornaba muy oscuro al principio de la década. Ahora bien, el proceso descrito no es lineal; por ello la política de empleo ha de perseverar en las líneas estratégicas establecidas, y ello, junto con un crecimiento económico respetuoso con los equilibrios macroeconómicos, permitirá un objetivo largamente deseado por la economía española: el pleno empleo.

Notas

1 Este epígrafe está basado parcialmente en González y Camacho (1999).

2 En adelante, asimilamos la oferta de trabajo a la población activa y la demanda a la población ocupada, con la intención de no complicar el análisis.

3 La tasa de actividad la entendemos como el número de activos dividido entre la población en edad de trabajar.

4 Como es sabido, una política restrictiva dirigida a contener la inflación a través de una política monetaria contractiva lleva a un aumento en los tipos de interés.

5 Véase Sebastián (1996).

6 En este punto nos basamos en Ministerio de Trabajo y Asuntos Sociales (1995).

7 Puede consultarse el texto completo del Acuerdo y los Acuerdos sobre Negociación Colectiva y sobre Cobertura de vacíos, en la página web del Ministerio de Trabajo y Asuntos Sociales.

8 En este contrato se establece la cuantía de indemnización por despido improcedente de 33 días de salario por año (frente a 52 del anterior), hasta un máximo de 24 mensualidades.

9 Real Decreto Ley de «*Medidas urgentes para la mejora del mercado de trabajo en relación con el trabajo a tiempo parcial y el fomento de su estabilidad*», BOE 28 de noviembre de 1998.

10 Al respecto, consúltese la ley en BOE, 17 de julio de 1999.

11 Véase OCDE (1994).

12 Al respecto consúltese Ministerio de Trabajo y Asuntos Sociales (1995) y Toharia y otros (1998).

13 FORCEM es la Fundación para la Formación Continua en las Empresas, que se ocupa de proporcionar formación a los trabajadores y que es gestionada por los agentes sociales.

14 En este punto nos basamos en el informe de 1998 del MISEP sobre políticas de empleo, que puede encontrarse en la página web del MTAS.

15 El contrato de relevo está destinado a desempleados inscritos en el INEM, para ocupar parte de la jornada que dejan vacante los trabajadores que acceden a jubilaciones parciales. El contrato de sustitución se dirige a desempleados inscritos para ocupar el puesto de un trabajador jubilado a los 64 años. Este contrato no podrá ser a tiempo parcial ni eventual.

16 Desempleados de larga duración, menores de 30 años, mayores de 45 años, minusválidos, mujeres desempleadas en oficios en los que estén subrepresentadas y conversión de contratos temporales en indefinidos.

17 Los centros especiales de empleo son aquellos en los que la mayoría de los trabajadores son incapacitados según las autoridades sanitarias.

18 FMI (1999), op. cit.

19 Comisión de las Comunidades Europeas (1993).

Referencias

Cachón, L.; J. R. Collado e I. Martínez (1997): «Los NYE en España: una perspectiva general», *Economistas*, n.º 74, pp. 296-304.

—, y Fundación Tomillo (1998): *Nuevos Yacimientos de Empleo en España. Potencial de crecimiento y desarrollo futuro*, Madrid, Ministerio de Trabajo y Asuntos Sociales.

— (1999): «Los Nuevos Yacimientos de Empleo», *Cuadernos de Información Económica*, n.º 151, moviembre, 1999, pp. 85-93.

Consejo Económico y Social (1999): *Memoria sobre la situación socioeconómica y laboral de España en 1998*, Madrid, CES.

Comisión de las Comunidades Europeas (1993): *Crecimiento, competitividad y empleo. Retos y pistas para entrar en el siglo XXI. Libro Blanco*, Bruselas-Luxemburgo.

— (1998): *Employment in Europe. Jobs for people–people for jobs: urning policy guidelines in action*, Luxemburgo.

— (1999): *Employment in Europe. 1999*, Luxemburgo.

— *Políticas comunitarias de fomento del empleo*, Comunicación.

Dávila Muro, G. (1997): «El combate contra el paro en la Unión Europea: Una estrategia común», *Papeles de Economía Española*, n.º 72, pp. 294-308.

Fina, L. (1999): «Políticas activas y pasivas de empleo en la Unión Europea. Los Planes Nacionales de Acción para el Empleo», *Cuadernos de Información Económica*, n.º 150, septiembre, pp. 67-81.

Fondo Monetario Internacional (1999): *Perspectivas de la economía mundial*, FMI.

González Moreno, M., y J. A. Camacho Ballesta (1999): «Evolución y estructura del mercado de trabajo en España (1976-1998)», en «El mercado de trabajo en España I Realidades y posibilidades», *Revista del Instituto de Estudios Económicos*, vols. I y II, pp. 343-360.

Jimeno, J. F. (1999): «Las políticas de empleo: Pasado, presente y futuro», en *Políticas sociales y Estado de Bienestar en España*, edición de Juan Antonio Garde, Trotta, Informe 1999.

OCDE (1994): *The OECD Jobs Study, Evidence and explanatios, Part I and II*, París, OECD.

Martín, C. (1997): «El mercado de trabajo español en perspectiva europea: un panorama», *Papeles de Economía Española*, n.º 72, pp. 2-20.

Ministerio de Trabajo y Asuntos Sociales (1990): *Anuario de Estadísticas Laborales*, Madrid, MTAS.

— (1995): *La política de empleo en España*, Madrid, MTAS.

— (1998): *Anuario de Estadísticas Laborales*, Madrid, MTAS.

— Página web: www.mtas.es

Prieto, P. (1999): «El Plan de Acción para el Empleo 1999», *Cuadernos de Información Económica*, n.º 150, septiembre, pp. 45-53.

Sáez, F. (1997): «Políticas de mercado de trabajo en España y en Europa», *Papeles de Economía Española*, n.º 72, pp. 309-325.

Sebastián, C. (1996): «La persistencia del paro: causas y remedios», *Cuadernos de Información Económica*, n.º 108, marzo, pp. 11-19.

— (1997): «El mercado de trabajo español», *Cuadernos de Información Económica*, n.º 126, septiembre, pp. 14-26.

Toharia, L.; C. Albert y otros (1998): *El mercado de trabajo en España*, Madrid, McGrawHill.

10. Política de liberalización y regulación económica

Francisco L. de Vera Santana

1. Introducción

La incorporación de España a la UE supuso aceptar para la economía española los principios rectores del mercado único. Este paso fundamental implicó, en diferentes momentos de la historia de nuestra pertenencia a la Unión, la persecución del equilibrio presupuestario, la privatización de las empresas públicas, la apertura de los mercados interiores a la libre competencia europea, la moneda única y la aplicación de las directivas europeas que han ido introduciendo en todos los países tanto medidas liberalizadoras como reguladoras de los mercados anteriormente protegidos.

Mercados que con anterioridad estaban dominados por monopolios naturales y técnicos, o que eran simplemente objeto de concesión administrativa o propiedad estatal, se abren a la competencia. A mercados en los que la intervención estatal terminaba fijando, directa o indirectamente, objetivos de producción, precios y transferencias de rentas entre productores, consumidores y empleados de los monopolios se les exige que funcionen con la lógica de mercados competitivos.

Sin embargo, estos mercados dominados por monopolios, o en los que resulta necesaria por determinadas razones la obtención por las empresas productoras de una autorización administrativa para poder operar, no pueden reproducir el mercado competitivo sin más. En unos casos, porque existen redes instaladas que sería ineficiente duplicar. En otros, porque el poder de mercado de la empresa existente es de tal magnitud que la mera declaración de libertad de acceso no conduciría a un mercado libre. Por no citar aquellos casos en los que el poder público debe reservarse un cierto grado de intervención por razón de protección de los consumidores o de seguridad de servicios básicos para la actividad económica del país en su conjunto.

Por ello no pueden separarse los dos fenómenos de liberalización y regulación de las actividades económicas. En lo que sigue, se expondrán las razones justificativas de la regulación, seleccionando dentro de ellas la defensa de la competencia y la protección del consumidor. A continuación, se señalarán los elementos fundamentales que componen un sistema regulatorio, destacando la importancia de la normativa, de la autoridad supervisora y de la armonización internacional. Finalmente, se describirán dos ejemplos de mercados regulados: el de valores y el eléctrico.

2. Las razones de la regulación

La razón del recurso a la regulación hay que buscarla en quienes son sus destinatarios: mercados donde la competencia perfecta no es posible o resulta indeseada. Ante este tipo de situaciones, el poder político entiende que el establecimiento de normas de comportamiento adecuadas permitirá reproducir los resultados económicos que se obtendrían de existir una concurrencia efectiva, o al menos algo similar a ella.

De hecho, lo que se consigue en el mejor de los casos es algo similar a la libre concurrencia. En todo mercado regulado las imperfecciones son muchas, las empresas que tienen el privilegio de formar parte de él suelen obtener beneficios superiores a los mercados competitivos (hay rentas de situación) o, en su defecto, sus gestores tienen una capacidad de derroche elevada que les permite emprender políticas de diversificación y expansión empresarial adaptadas a sus preferencias personales y financiadas con cargo a las rentas de situación.

Casi todas las regulaciones de sectores económicos o mercados, incluso las que aspiran a ser neutrales, persiguen la protección de alguien. Usualmente están orientadas a proteger a aquel participante en el mercado que ocupa la posición más débil: el consumidor de electricidad o el usuario de servicios financieros. La debilidad en un mercado viene determinada por factores tales como la menor información, el menor tamaño o la ausencia de alternativas —factores todos ellos que conllevan un menor poder de negociación. La fortaleza en el mercado, por su parte, viene determinada normalmente por el número de agentes que participan ofertando o demandando, por la información poseída y por la fortaleza financiera.

En la práctica no siempre el sujeto oficialmente protegido resulta ser el único beneficiario de la protección que brinda la regulación. Sólo mediante el conocimiento de las transferencias de rentas que se producen de hecho entre los agentes del mercado y su comparación con las que tendrían lugar con otro diseño de la regulación posible, o con ausencia de ella, se podría conocer de manera aproximada quiénes son los beneficiarios reales de un esquema regulatorio concreto. Una política autárquica, por ejemplo, puede imponerse con el objetivo declarado de que los consumidores nacionales estén a cubierto de cualquier escasez mundial de un producto esencial, pero el beneficiario real será con toda probabilidad el productor nacional de ese producto, que lo podrá vender sin riesgo a un precio superior al internacional.

Hoy en día, en el entorno europeo, el paradigma regulatorio para las distintas actividades económicas presenta unas características comunes a casi todas. En primer lugar, se confía que los mercados pueden funcionar en competencia perfecta, o al menos que se pueden regular de manera tal que resulten contestables gracias a la inexistencia de barreras para la entrada y salida de competidores.

En segundo lugar, se entiende que la libertad real de elección del consumidor no sólo es el punto de partida para la asignación eficaz de los recursos productivos, sino también la medida de la existencia de un mercado competitivo.

En tercer lugar, se admite que corresponde al regulador vigilar que el mercado sea transparente y que existan —y se respeten— reglas para la correcta formación de los precios. La transparencia implica que la información relevante sobre precios, calidades y cantidades sea pública y accesible, de manera que todos los participantes en el mercado estén en condiciones de tomar sus decisiones con la información suficiente para formar un juicio fundado y que no existan situaciones de asimetría informativa que den ventajas a unos frente a otros. Las reglas para la correcta formación de los precios, por su parte, están orientadas a evitar que puedan ser manipulados por prácticas abusivas de vendedores o compradores. Normalmente las normas sobre información y formación de precios suelen ser consideradas normas de conducta que los agentes del mercado se deben comprometer a respetar.

Dicho lo anterior, conviene pasar revista al papel de la regulación en dos áreas especialmente relevantes: competencia y protección del consumidor.

2.1 Competencia

En el terreno del grado de competencia en el mercado, la regulación persigue, y en muchos casos consigue, un conjunto de objetivos favorecedores de la eficiencia económica y la innovación.

a) Eficiencia económica. Las situaciones de dominio de mercado exentas de regulación derivan con facilidad en situaciones de derroche en el empleo de recursos productivos o bien en prácticas abusivas de consumidores y suministradores.

Clima empresarial. Una economía nacional en donde una parte importante de su producto se encuentre generado en mercados oligopolistas determinará un clima empresarial poco propenso a las iniciativas empresariales competitivas —los empresarios inteligentes harán mejor en conseguir la entrada en los mercados protegidos que en lanzar nuevos productos al mercado. La regulación que discipline las ganancias de los mercados protegidos ayudará a equilibrar la situación y convertirá en ley la igualdad de oportunidades.

b) Límites a la concentración de poder. El dominio de mercado en sectores básicos de la economía suele acarrear influencia política y deterioro de la democracia real.

c) Hacer los mercados contestables. Sin regulación, los mercados protegidos no se comportan de acuerdo con las reglas de la competencia. La regulación, al convertir los mercados en contestables, facilita la entrada de nuevos competidores y contribuye a la correcta formación de los precios. Con ello se facilita la innovación tecnológica y la mejor satisfacción de los consumidores.

d) Reducción de los costes de transacción. Los mercados no competitivos suelen presentar unos costes de transacción (aquellos en los que se incurre por el mero hecho de participar en ellos) elevados. Su reducción mejora la competitividad de la economía en su conjunto y, en particular, la de los usuarios de estos mercados.

2.2 Protección del consumidor

El consumidor suele tener menor poder de negociación que el productor. Su menor información y formación, unida a las dificultades para asociarse, lo mantienen en una situación de desventaja comparativa. La regulación le proporciona ciertas mejoras en su situación.

a) Participación en los organismos supervisores. Es frecuente que las autoridades reguladoras incorporen a representantes de los consumidores para que defiendan sus intereses en aquello que les afecte. Esto les confiere un poder de negociación que no tendrían en el mercado no regulado.

b) Equilibrio de poderes. La regulación, por su propia lógica, persigue el equilibrio entre situaciones desequilibradas. Limitando el poder de los productores, se benefician los consumidores.

c) Defensa del poder adquisitivo de los consumidores. Sin control de precios, o de las condiciones de competencia, los mercados oligopolistas provocarían precios expropiatorios de la riqueza de los consumidores.

3.   Elementos de la regulación

Tres conjuntos de elementos se pueden señalar como necesarios componentes de todo sistema regulatorio. Su carencia o insuficiencia convertirá en ineficaz el mecanismo de regulación.

3.1   Normativa

Sin amparo legal de rango suficiente, la regulación es imposible. Las normas regulatorias deben ser imperativas, y el organismo supervisor encargado de aplicarlas debe tener autoridad suficiente para ello. La regulación blanda (mediante recomendaciones no vinculantes) y la autorregulación por sus propios destinatarios podrán salvar la cara temporalmente al poder político, pero jamás se han demostrado eficaces. Los elementos normativos esenciales son:

a)   Normas regulatorias coherentes con las prácticas internacionales. En las economías mundializadas es impensable que un país implante una regulación sustancialmente distinta. En el caso de que lo intente, el comercio internacional se ocupará de desvirtuarla.

b)   Normas claras y comprensivas. La regulación no puede dejar espacios vacíos o se llenarán de abusos. La claridad es la gran enemiga de la interpretación flexible de las leyes, y esto último, la gran tentación de los supervisores laxos, que se enmascaran en defensores del mercado cuando, de hecho, sólo defienden a una parte de sus miembros.

c)   Reglas objetivas para la concesión de autorización administrativa para operar en los mercados regulados. Estas reglas deben permitir al supervisor no sólo conceder la autorización cuando su solicitante reúne las condiciones para ello, sino poder suprimir las concedidas, o limitar su alcance, cuando el autorizado deje de cumplir con las condiciones establecidas para obtener la licencia.

d)   Normas sobre transparencia informativa de los autorizados para operar. Los mercados regulados no son mercados competitivos. Son mercados en los que la supervisión del regulador persigue que funcionen como si fueran competitivos. Para que el supervisor pueda realizar su labor necesita conocer las condiciones en que operan los miembros del mercado (sus costes, capitalización, comportamiento con la clientela y condiciones de sus instalaciones, entre otros). Por tanto, los autorizados deben estar obligados a suministrar al supervisor cuanta información les demande.

e)   Normas de conducta para el ejercicio de la actividad. Los mercados regulados son mercados cuyos miembros son relativamente poco numerosos, sus relaciones estrechas y las relaciones con sus consumidores caracterizadas por el desequilibrio en el poder de negociación. Todo ello lleva a exigir que las conductas de los que en ellos participan sean objeto de regulación. Los códigos de conducta recogen como normas obligatorias los comportamientos prohibidos. Se trata de asuntos tales como el uso de información privilegiada, la confidencialidad, los conflictos de intereses en que pueden incurrir y las relaciones no abusivas con los clientes.

f) Normas técnicas y prudenciales. Los operadores de los mercados regulados han de tener la obligación de estar en condiciones de prestar el servicio para el que han sido autorizados cumpliendo los estándares de calidad establecidos y evitando perjuicios a terceros por su negligencia. Ello exige que sus instalaciones y organización empresarial cumplan con las normas técnicas exigidas y que dispongan de la solvencia técnica y financiera necesaria. En definitiva, que dispongan de los medios necesarios para realizar su labor con eficiencia y sin introducir riesgo material o financiero en el sistema.

g) Mecanismos suficientes de inspección y sanción. Todo lo anterior es papel mojado si la autoridad supervisora no dispone de habilitación legal y medios materiales suficientes para inspeccionar a los supervisados y para sancionarlos en medida proporcional a sus infracciones. Contar con una autoridad supervisora fuerte es una necesidad ineludible de todo esquema regulador.

3.2 Autoridad supervisora

La autoridad supervisora, para que pueda cumplir eficazmente con su misión, debe reunir una serie de requisitos:

a) Concentrar en ella todas la facultades de supervisión. Aunque existen modelos de desconcentración de la supervisión, cada vez se impone más el criterio de que para maximizar el esfuerzo regulatorio y a la vez reducir los costes que la supervisión impone en los miembros del mercado la concentración es la mejor fórmula.

b) Independencia de la institución e independencia de sus miembros. Aunque la facultad de nombrar a sus dirigentes tiene que recaer en el poder político, una vez nombrados, tanto la institución como sus miembros han de estar a resguardo de toda intromisión política. La regulación es siempre un elemento de incertidumbre para los que operan en el mercado; reducirla evitando injerencias políticas contribuye a reducir el coste de la supervisión. Esta independencia también tiene que conseguirse respecto a las empresas del sector. El secuestro de los reguladores por sus supervisados es un fenómeno relativamente extendido mediante el cual los supervisores tienden a convertirse en defensores de quienes tienen que vigilar.

c) Dar cuenta y razón de su actuación. El supervisor debe sentirse responsable de sus actos y en disposición de explicar su comportamiento. Ante quién debe responder es cuestión controvertida, pero no parece desacertado que lo haga ante algún órgano parlamentario.

d) Carácter ejecutivo de sus actos. Para que el supervisor sea eficaz, sus actos deben ser inmediatamente ejecutados. En caso contrario, no encontrarían remedio las prácticas que pretender corregir.

e) Medios legales, técnicos y financieros suficientes. Como ya se comentó más arriba, sin medios suficientes no puede el supervisor ejecutar su labor.

4. Mercados de valores

4.1 La regulación del mercado de valores [1]

Los objetivos que debe perseguir toda regulación del mercado de valores son:

— Proteger a los inversores.
— Asegurar que los mercados son justos, eficientes y transparentes.
— Controlar el riesgo sistémico.

En cierta medida estos objetivos están interrelacionados y se apoyan mutuamente.

4.1.1 La protección de los inversores

Cuando se habla de protección al inversor se está haciendo referencia al inversor individual, carente de formación financiera específica y de los medios materiales necesarios para estar en situación de igualdad con los intermediarios financieros. No quedan englobados en este objetivo los inversores institucionales, que cuentan con equipos de profesionales capaces por sus propios medios de obtener y procesar la información necesaria para tomar las mejores decisiones posibles de inversión.

La protección de los inversores como objetivo de la regulación tiene su razón de ser en la información asimétrica disponible en el mercado. Emisores de valores e intermediarios disponen de más información que la que tiene el inversor. El emisor, porque conoce mejor que nadie su compañía; el intermediario, porque dispone tanto de la información general del mercado como de la que le aportan sus relaciones y operaciones realizadas para clientes —ya sean emisores o inversores. Además, normalmente, la formación en materias financieras es inferior en el caso del inversor individual.

La presencia del inversor individual (el ahorrador último) en el mercado es necesaria para que el mercado funcione: para que se produzca su aportación de fondos, y para que la financiación de las empresas no esté concentrada en unos pocos inversores institucionales o dependa exclusivamente de los bancos. Si el inversor no está protegido y se convierte en presa fácil de operadores desalmados, su reacción racional será apartarse del mercado. Por eso, para conservar la presencia de un agente imprescindible en el mercado es para lo que resulta necesario la consecución de este objetivo. Se trata, pues, no de un objetivo no basado en el principio de igualdad de oportunidades —aunque coincide con él—, sino en un principio de protección del correcto funcionamiento del mercado.

El inversor debe estar protegido frente a las prácticas manipulativas, engañosas o fraudulentas, tales como el uso de información privilegiada, el uso indebido de los activos de los clientes por los intermediarios o la anteposición de la negociación por cuenta propia del intermediario sobre las órdenes de sus clientes.

La mejor manera de proteger al inversor es proporcionarle toda la información relevante para sus decisiones de inversión, para que con ella evalúe por sí mismo el riesgo y rentabilidad que incorporan las diferentes alternativas de inversión. La Ley del Mercado de Valores (LMV) en su artículo 13 consagra este principio, y esta manera de conseguirlo, estableciendo que la Comisión Nacional del Mercado de Valores (CNMV) velará por la protección del inversor —así como por la correcta formación de los precios y la transparencia en los mercados— promoviendo la difusión de cuanta información sea necesaria para la consecución de esos fines.

Pero la transparencia no se consigue por sí sola. Para que cumpla su función en la protección del inversor debe existir un conjunto de mecanismos convenientemente implementados. Entre ellos se pueden mencionar los estándares de contabilidad y auditoría internacionalmente aceptados, la existencia de intermediarios honestos, capitalizados y supervisados adecuadamente, la posibilidad de que el inversor formule sus reclamaciones y defienda sus intereses ante un árbitro independiente y la presencia de leyes que permitan la inspección y sanción de los que operan en el mercado de manera impropia. Todas estas exigencias se encuentran recogidas en la LMV y en las disposiciones que la desarrollan, procurando en todo momento que las normas españolas se encuentren armonizadas con la legislación de la UE sobre la materia.

4.1.2   Mercados justos, eficientes y transparentes

Puede decirse que el diseño de un mercado, sus reglas de acceso, sus participantes y la manera de negociar y difundir la información de lo que en él sucede tienen mucho que ver con lo justo o equitativo que es un mercado. En el mercado todos sus participantes deben estar en pie de igualdad. La autoridad supervisora debe comprobar que la arquitectura del mercado garantiza este principio tanto en el momento que le autoriza a funcionar como a lo largo de su existencia. El supervisor debe detectar no sólo las prácticas impropias del mercado, sino también las estructuras del mercado que permiten que esas prácticas se produzcan.

La regulación debe garantizar que el inversor tenga acceso a las instalaciones del mercado y a la información de lo que en él ocurre. La eficiencia de un mercado está relacionada con la difusión de información en el momento oportuno. La disposición de información actualizada permite que se puedan formar los precios de los activos reflejando en todo momento lo que esos activos valen en función de las expectativas generadas.

La regulación de estas cuestiones forma parte esencial de la LMV. La creación de mercados secundarios oficiales, así como de sistemas de negociación que no tengan la consideración de mercados oficiales, está sometida a autorización administrativa[2]. Las normas de conducta establecen que los intermediarios y asesores de inversión deberán dar prioridad a los intereses de sus clientes sobre los suyos propios, y no deben privilegiar a un cliente en detrimento de otro[3].

La emisión de valores está sometida al deber de ofrecer una completa información sobre el emisor y sobre los valores que se emiten mediante el registro y publicación de un folleto informativo, de la publicación de sus cuentas financieras auditadas y de la documentación jurídica que ampara la legalidad de la emisión y los derechos incorporados en los valores que se emiten.

La permanencia en una bolsa de una empresa como sociedad cotizada está condicionada al cumplimiento de sus obligaciones de información financiera periódica: cuentas anuales auditadas, trimestrales y semestrales[4]. Además, resulta obligatorio comunicar a la CNMV para su publicidad las participaciones significativas detentadas por sus socios en las sociedades cotizadas[5] y dar a conocer los hechos significativos que puedan tener influencia en la formación de los precios de los valores[6] por incidir en el valor que puede tener una empresa. La CNMV, además, está facultada para exigir al emisor la publicación de todo hecho que entienda significativo o proceder a publicarlo por ella misma[7]. Cuando la CNMV entienda que la información disponible sobre un valor no permite la correcta formación de su precio, puede suspender temporalmente la cotización de un valor o, en su caso, excluirlo de negociación[8].

4.1.3   Control del riesgo sistémico

La regulación no puede impedir la insolvencia de los intermediarios, pero puede reducir el riesgo de que la insolvencia tenga lugar o aminorar sus efectos adversos. Para ello la regulación debe asegurar que el intermediario haya establecido los mecanismos oportunos de control de su propio riesgo y que disponga del capital necesario para atender las situaciones adversas sin caer en la bancarrota. Por otra parte, la regulación debe cuidar que la insolvencia de un intermediario no entrañe peligros para el resto del mercado ni cause pérdidas para sus clientes.

La consecución del objetivo de reducción del riesgo del sistema, en lo que son las competencias propias del sistema regulatorio, depende en gran medida de la existencia de reglas sobre el capital mínimo exigido a los intermediarios, de la obligatoriedad de implementar sistemas de control de riesgos y de la existencia de un sistema eficiente de compensación y liquidación de valores. Además, resulta necesario que las leyes mercantiles en materia concursal no jueguen en contra de los derechos de los clientes y contrapartes de los intermediarios financieros.

Por otra parte, hoy en día, parte de los problemas de riesgo sistémico están relacionados con la transmisión más allá de sus fronteras de las crisis de entidades operando en otros países, y ello exige mecanismos de cooperación internacional que no siempre son fáciles de instrumentar.

En España las normas sobre requerimiento de capital[9] de las entidades financieras y las normas de consolidación contable de los grupos formados por estas entidades van encaminadas a proporcionar el colchón de seguridad financiera que necesiten en función de los riesgos que asuman. Se trata de normativa armonizada en el entorno europeo, con estándares similares en todos los países y costes operativos de financiación idénticos. Con la imposición de estándares idénticos se evita la deslocalización de actividad derivada de tratamientos regulatorios más favorables en unos países que en otros.

Para disminuir las consecuencias indeseadas que sobre los clientes pueda tener la insolvencia de un intermediario, las entidades que operan en los mercados —llamadas empresas de servicios de inversión (ESI) en la terminología comunitaria— están obligadas a participar en un Fondo de Garantía de Inversiones que cubra las pérdidas de sus clientes cuando el intermediario no puede atender sus compromisos.

Para evitar llegar a situaciones de insolvencia, el intermediario está obligado a implantar un control interno de riesgos[10].

La actuación transfronteriza de las ESI en el ámbito europeo y la determinación de las autoridades supervisoras en cada caso están previstas en la LMV tras la transposición a ella de la DSI[11].

La compensación y liquidación en los mercados de valores se encuentra regulada para las bolsas mediante la creación del Servicio de Compensación y Liquidación de Valores [12] y para los mercados de derivados con sus cámaras de compensación, que en la actualidad gestionan sus autoridades rectoras.

4.2 La autoridad reguladora

La base de toda regulación se sostiene en una legislación apropiada y en la existencia de una autoridad regulatoria que vele por su cumplimiento. El regulador del mercado de valores, para que pueda desempeñar eficazmente su cometido, debe tener ciertos atributos similares a los de todo regulador y que ya se vieron más arriba. Conviene subrayar algunos aspectos especialmente relevantes para el mercado de valores.

4.2.1 Competencias definidas

Esta definición de competencias debe estar recogida en la ley que se las atribuya. En la práctica de los países suele haber más de un regulador con responsabilidades en el mundo financiero. De hecho, los productos financieros y su comercialización suelen presentar características que los sitúan bajo la competencia supervisora de distintos reguladores a la vez. Es frecuente ver productos que se encuentran en los ámbitos de más de uno de los siguientes campos: valores, bancario y de seguros. Los reguladores, como es el caso en España, suelen ser distintos: CNMV, Banco de España y Dirección General de Seguros. En otros países como en Estados Unidos la multiplicidad de reguladores es aún mucho más amplia.

Aunque las competencias de cada regulador hayan sido establecidas con claridad, la aparición en el mercado de productos complejos puede provocar lagunas en su supervisión, con lo que estos productos quedan al margen del sistema regulatorio establecido [13] o son supervisados de manera incompleta. Puede suceder incluso que productos financieros similares reciban un trato más o menos favorable para los intereses de sus promotores según se encuadren bajo una u otra autoridad supervisora.

En la actualidad algunos países están concentrando en un solo regulador las competencias supervisoras dispersas en una variedad de organismos. Tal es el caso del Reino Unido, que ha integrado una pluralidad de organismos supervisores y organizaciones de autorregulación bajo una sola entidad. Cuando se descarta esa posibilidad y se mantienen varios reguladores financieros, se hace imprescindible la cooperación entre ellos mediante procedimientos bien establecidos que deberán funcionar con agilidad y que deberán asegurar la transmisión de información y la inexistencia de lagunas regulatorias. Con todo, la cooperación entre reguladores no impide que las entidades supervisadas y los instrumentos financieros reciban distinto trato según la autoridad en que se encuadren, provocando situaciones de ventaja comparativa entre los mercados y rompiendo la neutralidad que debería ser un atributo de los sistemas de supervisión.

Por otra parte, para que el regulador desarrolle su labor con altos estándares profesionales es necesario que su personal esté protegido legalmente en el desempeño de buena fe de sus funciones. En caso contrario, la amenaza de demandas personales por parte de los supervisados ante cualquier decisión que no favorezca sus intereses puede ser motivo de un empobrecimiento de la actividad supervisora, aunque sólo fuera para evitar los costes de defensa legal que incorporan tales procesos.

Un asunto que hasta fechas recientes no ha sido objeto de mucha atención es el de las responsabilidades antagónicas o conflictos de intereses a los que en ocasiones debe hacer frente el regulador [14]. Es el caso de un regulador que debe poner todo su empeño en la protección de los inversores y al mismo tiempo salvaguardar al sistema del contagio de una situación crítica por la que atraviesa una entidad de tamaño suficientemente grande para que su caída afecte al resto. Posiblemente en ese caso sus obligaciones de transparencia a favor de los clientes de la entidad pueden entrar en conflicto con la de discreción que impone la situación financiera de la entidad y que requiere ser tratada con prudencia mientras diseña y ejecuta un plan de salvamento.

En España la supervisión e inspección de los mercados de valores y de la actividad de cuantas personas físicas y jurídicas actúen en ellos es responsabilidad de la CNMV. Para cumplir su misión la ley le otorga los medios legales y económicos suficientes y le capacita para desarrollar las disposiciones legales mediante la emisión de circulares.

La LMV recoge pormenorizadamente todas las competencias de la Comisión en cuanto a los mercados primarios, secundarios y de derivados, así como en relación las entidades financieras que operan en ellos. Sus facultades para recabar información no se detienen en las enumeradas explícitamente en la ley, sino que la propia ley le autoriza a recabar toda otra información que estime pueda ser de interés[15]. La misma definición de los instrumentos financieros sometidos a la supervisión de la CNMV que recoge el artículo 2 de la LMV es de amplitud tal que difícilmente puede escapar alguno al alcance de su supervisión. Igualmente, el concepto de captación de ahorro del público se define en la versión actual de la LMV con una gran amplitud, permitiendo un mayor ámbito de protección para el inversor[16].

En el mercado de capitales español es habitual que entidades bancarias operen en los mercados de valores. La confluencia de competencias de supervisión e inspección entre la CNMV y el Banco de España se resuelve en la LMV [17] bajo el principio de que la tutela de la solvencia de las entidades financieras afectadas recae sobre la institución en la que esté registrada, y la tutela del funcionamiento de los mercados de valores corresponde a la

CNMV. Además, la CNMV tiene la obligación de colaborar con las autoridades judiciales y con el Ministerio Fiscal, a requerimiento de éstas, para el esclarecimiento de hechos delictivos.

Finalmente la CNMV está autorizada a colaborar con otros supervisores extranjeros, pudiendo suscribir para ello acuerdos de cooperación [18].

4.2.2 Independencia y responsabilidad

El regulador debe encontrarse libre de interferencias políticas o comerciales en el ejercicio de su labor y debe responder ante la sociedad del uso que hace de sus competencias. La independencia del regulador se ve potenciada si cuenta con unas fuentes de recursos estables con los que atender sus responsabilidades.

Esto es, para que el regulador pueda responder de sus actos, debe operar con independencia de intereses sectoriales, debe existir un sistema público de responsabilidad y debe ser un derecho de los supervisados el recurso judicial para revisar las decisiones del regulador.

En cuanto a la rendición de cuentas de la autoridad regulatoria, debe estar contemplado en las leyes que cuando el regulador haya de dar cuenta de su actuación deberá hacerlo de tal manera que la confidencialidad de las informaciones que posea no se ponga en peligro. Eso no supone que toda comparecencia de quien represente a la autoridad regulatoria ante el parlamento, por ejemplo, deba ser secreta; sino que determinadas informaciones deben poder ser clasificadas de confidenciales y obligar a su secreto a las personas que las reciban.

En España las actuaciones de la CNMV son recurribles administrativamente y judicialmente de la misma manera que todo acto emanado de un ente administrativo [19]. Tal como establece la LMV, en el ejercicio de sus funciones públicas la CNMV actuará con arreglo a la ley que establece el procedimiento administrativo [20].

La CNMV deberá presentar anualmente un informe al Congreso de los Diputados sobre el desarrollo de sus actividades y sobre la situación de los mercados financieros organizados. El presidente de la Comisión presentará dicho informe ante la Comisión de Economía del Congreso, y deberá comparecer ante él cuantas veces sea requerido [21].

La CNMV financia sus actividades con las tasas que percibe por la realización de sus actividades y con los productos de su patrimonio. Ambas fuentes de ingreso le permiten disfrutar de la suficiencia financiera necesaria para cumplir con sus obligaciones. Además la ley prevé que con cargo al presupuesto del Estado el Ministerio de Economía y Hacienda pueda efectuar transferencias a su favor [22].

Al Consejo de la CNMV le corresponde el ejercicio de todas las competencias de la institución [23]. Está formado, además de por un secretario sin voto, por dos consejeros natos —el Director General del Tesoro y el Subgobernador del Banco de España—, tres consejeros nombrados por el Ministro de Economía y Hacienda, un Presidente y un Vicepresidente nombrados por el Gobierno[24]. La ley prevé que el Consejo pueda delegar funciones en el Presidente y Vicepresidente. Sin embargo, estas delegaciones tienen una vida limitada: tras el nombramiento de un nuevo consejero —que está previsto tenga lugar uno cada año—, el Consejo deberá proceder a renovar o revocar las delegaciones realizadas. Al presidente la ley le otorga como única función la representación legal de la Comisión, si bien el Consejo puede delegar en él las facultades que estime oportunas[25].

La CNMV cuenta con un Comité Consultivo que tiene como misión ser el órgano de asesoramiento de su Consejo. Está presidido por el Vicepresidente de la CNMV —sin voto— y compuesto por representantes de los mercados secundarios oficiales, de los emisores y de los inversores, así como por representantes de las CCAA con competencias en materia de mercado de valores. Sus informes son preceptivos para un conjunto de materias, pero no son vinculantes para las decisiones que deba tomar el Consejo[26].

El personal al servicio de la CNMV, con excepción del de carácter directivo, debe ser reclutado mediante convocatoria pública y de acuerdo con los principios de mérito y capacidad. Dicho personal está sujeto al régimen de incompatibilidades de las Administraciones públicas[27].

4.2.3 Suficiencia de facultades y medios

El regulador para poder ejercer su función de manera adecuada necesita disponer de los medios para ello. Esto incluye las facultades legales que le permitan actuar y los recursos económicos y de personal suficiente —en número y capacitación— para la dimensión del mercado y la complejidad de los productos e instituciones que debe supervisar.

Las facultades legales tienen que ver con disponer de competencia para autorizar la creación de entidades o la emisión de instrumentos financieros, para supervisar e inspeccionar a los que operan en los mercados y para sancionar a aquellos que realizan prácticas prohibidas por la legislación. En especial, la autoridad regulatoria debe contar con medios suficientes para actuar cuando existan peligros para los inversores o para el sistema como consecuencia de la crisis de un intermediario. Los medios necesarios para estas situaciones incluyen la facultad de intervención de entidades, de sustitución de sus administradores o de revocación de la autorización[28].

La CNMV tiene atribuidas las competencias necesarias para desarrollar su función. Además, los recursos financieros de que dispone de manera estable le permiten tener el personal suficiente para atender sus responsabilidades.

4.3 La competencia en el mercado de valores

4.3.1 Barreras de acceso al mercado

Los mercados financieros hoy en día son mercados altamente competitivos, bien porque hay concurrencia perfecta, bien porque son contestables. La competitividad de los mercados financieros es fruto, sobre todo, de la gran libertad que existe en ellos; pero también porque están altamente regulados y supervisados. Estos mercados se caracterizan por tener un número elevado de participantes con bajo poder de mercado, disponer de abundante información en tiempo real, estar abiertos a la participación internacional, gozar de una gran libertad y estar estrechamente vigilados.

Concretando al caso español, se observa que las empresas tienen libertad para acudir en demanda del ahorro del público emitiendo valores que posteriormente pueden cotizar en Bolsa, que la prestación de servicios de inversión (sociedades y agencias de valores) es una actividad que está abierta a la participación de quien desee ejercerla y que se pueden crear instituciones de inversión colectiva que agrupen los ahorros de los particulares para ser gestionados de la manera más eficiente posible. Gracias a la libertad imperante, el mercado dispone de una gama muy variada de valores y contratos financieros que permiten al inversor materializar su libertad de elección. Los emisores de valores y contratos (empresas productivas e intermediarios financieros) dan contrapartida a la inversión tomando y ofreciendo riesgos y rentabilidades. Las fronteras están abiertas para que el ahorro nacional busque en el exterior el riesgo y la rentabilidad que no encuentra en el mercado doméstico y para que, en sentido inverso, los inversores extranjeros compren o vendan valores españoles. Las empresas de servicios de inversión europeas, por último, pueden prestar libremente sus servicios en cualquier país de la Unión Europea sin precisar una autorización previa.

Todo lo anterior no sólo hace posible el ejercicio de la libertad de elección del ahorrador/inversor sino que permite que los recursos financieros se orienten hacia los activos más rentables para cada categoría de riesgo y acaben financiando los proyectos productivos más prometedores. Por otra parte, la interconexión de los mercados los convierte en contestables, con lo que se refuerza la competencia existente en cada uno de ellos.

A pesar de lo dicho hasta aquí, hay que admitir que se pueden encontrar barreras de acceso en los mercados de valores. Por citar algunos ejemplos, cabe mencionar la distinta fiscalidad que recae sobre las rentas del capital en los diferentes países, la necesidad de acudir a un intermediario para poder operar en los mercados organizados o la importancia de disponer de redes bancarias para la comercialización masiva de productos financieros orientados a ahorradores individuales.

Para mantener un funcionamiento competitivo del mercado, el regulador ha de prestar especial atención a algunos temas:

1. Existencia de información suficiente y oportuna en el tiempo: hechos relevantes, participaciones significativas, información financiera y folletos de emisión de valores.
2. Conducta de los intermediarios en sus relaciones con la clientela: respeto del principio de prioridad de los intereses del cliente.
3. Uso de información privilegiada.
4. Manipulación de precios.
5. Solvencia de los intermediarios financieros.
6. Funcionamiento del mercado de control de las compañías cotizadas: obligación de lanzar OPA cuando se superan ciertos umbrales de control para que haya reparto de la prima de control y para que el accionista minoritario tenga derecho a desinvertir en las compañías donde cambia el control.

Una cuestión importante para que un mercado actúe de manera competitiva y cumpla con su función de formar correctamente los precios es la existencia de un conjunto de agentes especializados en el ejercicio de funciones esenciales para el mercado. En el mercado, además del emisor de valores y el inversor, tienen que estar presentes el *broker*, el arbitrajista y el especulador. El *broker* se encarga de conectar al vendedor con el comprador y hacer posible la transacción; no toma riesgos y se retribuye con una comisión de intermediación. El arbitrajista busca la existencia de diferenciales de precios en mercados de un mismo activo separados por razones geográficas o temporales; no toma riesgo, compra en el mercado barato y vende simultáneamente en el caro, y se retribuye por la diferencia; su función permite que los precios de los distintos mercados permanezcan alineados. El especulador toma el riesgo que otros no quieren y cobra por ello: hace posible que se invierta en lo incierto. Sin esas tres figuras las transacciones no serían posibles, los precios no reflejarían las escaseces y las preferencias y el riesgo sería una maldición que entorpecería la realización de los proyectos de futuro.

4.3.2 Integración vertical

El sector financiero en los países de la Europa continental es pródigo en ejemplos de integración vertical de sus empresas. A diferencia de los Estados Unidos, donde la Glass-Steagall Act de 1933 impuso la separación de la banca comercial de la banca de inversión y de valores, el modelo europeo continental se basa en la llamada banca universal: grupos financieros con presencia en todos los mercados de esta naturaleza y participación en las empresas industriales. Como consecuencia de esta diferencia de enfoque, Estados Unidos ha conocido un mayor desarrollo de sus mercados de valores, mientras que la Europa continental ha visto, por su parte, cómo los grupos financieros ganaban un mayor poder político y económico. Las empresas industriales americanas están, hoy en día, más acostumbradas que las europeas a convivir con la transparencia informativa que imponen los mercados y a ser poseídas por un accionariado disperso. Las empresas europeas continentales, por el contrario, parecen tener un cierto pudor a presentarse ante sus accionistas minoritarios como son, y parecen preferir ser controladas por accionistas «de referencia», que en ocasiones resultan ser grupos financieros.

En España el modelo dominante es el de banca universal. Esto es, los grupos financieros suelen contar con banca comercial, banca de negocios, sociedad de valores, gestora de instituciones de inversión colectiva, gestora de fondos de pensiones, participaciones industriales permanentes y, en ocasiones, compañía aseguradora. La separación de actividades que demanda el objeto social exclusivo de cada uno de los negocios financieros impuesto por la ley se consigue mediante la segregación societaria y el respeto al principio de compartimentos estancos de la información manejada por los responsables de los distintos negocios (murallas chinas). Sin embargo, dada la interconexión de actividades, a efectos financieros los reguladores exigen la consolidación de las cuentas de todas las empresas pertenecientes al grupo y la supervisión de su solvencia en base consolidada a la hora de determinar los riesgos a los que está expuesto el grupo y las cuantías de fondos propios que precisa para mantener su solvencia.

La integración vertical de las empresas financieras presenta dos amenazas para los mercados de valores a las que el supervisor tiene que prestar especial atención y cuya detección y sanción no siempre resulta fácil. En primer lugar, existe el peligro permanente de uso de información privilegiada. Cuando un grupo financiero tiene acceso a información no pública que de ser conocida por el mercado alteraría la cotización de los valores, la tentación de usarla en su propio beneficio es enorme. En ocasiones, la frontera ética entre el aprovechamiento empresarial de una oportunidad de negocio y el mero uso de información privilegiada resulta difícil de deslindar en la práctica por los responsables empresariales, sobre todo cuando esa información no es usada en provecho personal directo sino en beneficio de la empresa a la que se pertenece. Los dirigentes de los grupos financieros están presentes no sólo en los órganos de dirección de las empresas financieras del grupo, sino también en los de las empresas industriales participadas, que, incluso, pueden llegar a ser competidoras. Si a lo anterior se añade la mayor disponibilidad de recursos ajenos que los grupos financieros tienen en comparación con los inversores individuales, cabe concluir que existe una permanente amenaza de que los inversores en su conjunto no se encuentren en situación de igualdad.

En segundo lugar, la integración vertical en ocasiones plantea el problema de *conflicto de intereses* entre los propios del grupo financiero en cuanto gestor de su balance y los intereses de sus clientes —a los que presta servicios financieros de asesoramiento, intermediación, aseguramiento, préstamo o gestión de patrimonios—. Piénsese, por ejemplo, en el caso de un banco que, siendo accionista de referencia de una empresa industrial y miembro de su consejo de administración, actúa como asegurador y colocador de una emisión de acciones de la empresa. O el supuesto de un grupo financiero en el que el gestor de un fondo de inversión tiene que decidir la compra de acciones de una empresa del grupo, o en la que su banco actúa de asegurador de una ampliación de capital. Casos como éstos se presentan en la práctica. En la mayoría de los casos existen normas que los regulan, y el comportamiento incorrecto puede ser penalizado; en otras ocasiones es difícil detectar las conductas impropias y su ejecutor saca una ventaja competitiva. Uno de los problemas menos debatidos y más importantes en este terreno es el conflicto que puede surgir entre los intereses de un mercado organizado, en tanto que intereses de emisores e inversores, y los de los dueños del mercado —que son los intermediarios financieros. Aunque resulte paradójico estos intereses pueden no coincidir plenamente y los accionistas del mercado podrían tener la tentación de impedir el desarrollo del mercado si con ello mejora la situación de sus compañías.

4.3.3 Libertad de elección del inversor

El que el inversor esté en condiciones efectivas de elegir en qué valores invertir o desinvertir es lo que permite que los mercados se comporten correctamente. Para que esta libertad sea posible es importante que se den dos condiciones: transparencia informativa y ausencia de barreras de entrada y salida a los distintos mercados.

La transparencia implica que exista información sobre los activos disponibles en el mercado y que esa información sea igual para todos los que en él intervienen. La información debe reunir dos requisitos: que sea suficiente y que sea oportuna. La suficiencia de la información en calidad y cantidad se procura mediante el registro público de los datos relevantes para la formación de los precios de los valores: folletos verificados de los valores que se emiten, hechos relevantes, participaciones significativas en las compañías cotizadas e información financiera periódica. Asimismo, para disponer de suficiencia informativa es necesario que el mercado conozca los precios que toman los valores y los volúmenes que se negocian para cada precio. El otro requisito de la información es su oportunidad. Esto es, que esté disponible para todos en el momento en que es relevante, sin retrasos que la conviertan en ineficaz.

Cumpliendo estos dos requisitos el mercado está en condiciones de formar los precios de manera eficaz, esto es, recogiendo en ellos toda la información disponible existente y relevante sobre el activo. Paralelamente, la transparencia permite que el inversor acuda y opere en el mercado en situación de igualdad y ejerza con libertad su poder de decisión.

La inexistencia de barreras de entrada y salida en el mercado es condición necesaria para que los valores sean líquidos (se puede comprar y vender con facilidad) y para que el inversor pueda encontrar contrapartida a las posiciones que desea tomar. Este segundo aspecto implica que sólo puede haber libertad de acceso para el inversor si existe libertad de actuación para emisores, intermediarios, arbitrajistas y especuladores.

5. Mercado eléctrico [29]

Un sistema eléctrico se compone de tres elementos: generación, transmisión y distribución. Cada uno de ellos presentan particularidades técnicas que deben ser tenidas en cuenta por la regulación.

La generación es el proceso mediante el cual las materias primas con capacidad para ello (gas natural, fuel, carbón, fisión nuclear, energía hidráulica) se transforman en energía eléctrica. Según la materia prima que se quiera emplear, se podrán utilizar unos determinados tipos de tecnología. La combinación fuente de energía-tecnología afectará a la eficiencia del proceso de generación en relación con la demanda de electricidad existente en cada momento (hora del día y estación del año).

Existen una serie de parámetros con los que medir la eficiencia del sistema (en relación con la demanda existente) y que, a su vez, influyen en la organización del sector en cada economía nacional. La fiabilidad del sistema (generación de energía suficiente) es un objetivo prioritario. Las tecnologías hidráulicas, por ejemplo, son más fiables que las nucleares.

Otros parámetros tienen que ver, sobre todo, con los costes de producción de la electricidad. Entre ellos se encuentran: a) la capacidad de una planta para arrancar o cesar su producción de manera inmediata sin acarrear excesivos costes, permitiendo su rápida adaptación a las condiciones del mercado en una situación cambiante; b) la proporción entre costes fijos y variables: una planta de altos costes fijos (nuclear o hidráulica) se adapta bien a la demanda permanente «de base», pero es poco eficiente para períodos de punta de demanda en los que las plantas de gas muestran mayor eficiencia; c) las economías de escala que pueden alcanzarse dentro del tamaño del mercado en que se opera; d) la eficiencia del combustible empleado, medido por su capacidad de generación de electricidad, en función de sus precios de mercado.

Los parámetros técnicos que afectan a la generación tienen mucho que ver con el grado de competencia alcanzable dentro del mercado de la generación. En particular, afectarán a las barreras de entrada en el mercado. En la medida en que el mercado se encuentre bien abastecido por unos pocos productores eficientes, la entrada de un competidor será más difícil y será responsabilidad del regulador convertir ese mercado en contestable.

La red de transmisión hace referencia al transporte de la electricidad desde los generadores hasta los centros de distribución y los consumidores finales. Las enormes economías de escala de la transmisión es su elemento característico fundamental, hasta el punto de que se puede catalogar como un monopolio natural cuyo uso debe estar sometido a regulación.

Finalmente, la distribución es la actividad encargada de hacer llegar la electricidad a los puntos de consumo. La distribución no es igualmente rentable en todas las áreas en que se divide el territorio. La aglomeración de los consumidores convierte en más rentables las instalaciones del distribuidor, por lo que éstos mostrarán sus preferencias en trabajar donde las economías de aglomeración sean máximas, descuidando la calidad del servicio en el resto o elevando los precios. La regulación tiene aquí otro ámbito de actuación.

5.1 La regulación del mercado eléctrico

El sector eléctrico español, al igual que el de todos los países europeos, ha estado tradicionalmente sometido a la intervención estatal, que fijaba inversiones, precios y cuotas de mercado. Los objetivos de la intervención, en el caso español, estaban relacionados habitualmente con la consecución de la garantía del suministro suficiente de energía para la economía, el uso de las materias primas más convenientes para la balanza de pagos, el aprovechamiento de los recursos naturales y el consumo del carbón nacional por razones sociales.

En los años recientes, dos iniciativas políticas han venido a modificar la organización del mercado eléctrico: la promulgación del Marco Legal Estable en 1987 y la Ley del Sector Eléctrico de 1997.

5.1.1 El marco legal estable

La regulación de la actividad en el sector eléctrico viene definida por la ley 49/1984 y el R.D. 1538/1987. Entre ambos se construye el Marco Legal Estable, que fija los mecanismos para establecer los precios, retribuir a las compañías eléctricas, planificar las inversiones y establecer la calidad del servicio.

En el marco legal estable, los precios a los consumidores finales se establecen administrativamente mediante un complejo sistema de tarifas en el que abundan las excepciones y los subsidios cruzados. Los precios a los que son retribuidas las compañías se determinan mediante costes estándar, de forma tal que las compañías pueden mejorar la rentabilidad de sus operaciones produciendo a costes reales por debajo de los estándares establecidos. Lo que es tanto como decir que las compañías no compiten entre ellas, sino con los costes estándares que les vienen dados. Puesto que la entrada en producción de cada planta es una decisión que se toma centralizadamente por la autoridad del sistema, las compañías son retribuidas, entre otras cosas, por su aptitud para producir, no exclusivamente por su producción efectiva, y por esta razón se establece un sistema de compensación entre ellas.

Puesto que las inversiones vienen determinadas por el gobierno a partir del Plan Energético Nacional, la entrada de nuevos competidores en el mercado es muy restringida.

5.1.2 La Ley del Sector Eléctrico

La Ley del Sector Eléctrico de 1997 es el texto legal mediante el cual se armoniza la normativa española con la de la UE. Supone un cambio sustancial en la ordenación del sector en lo que a liberalización se refiere, si bien sus efectos sobre el grado de competencia en el mercado tardarán varios años en hacerse notar. La ley define, entre otras cosas, los agentes del mercado, los mercados que habrán de funcionar, las actividades y precios que serán objeto de autorización administrativa y las competencias de la autoridad supervisora. Además, determina el proceso y plazo de transición progresiva a la competencia y otorga a las empresas eléctricas establecidas unos subsidios compensadores de los perjuicios que, a criterio de la autoridad política, sufrirán (Costes de Transición a la Competencia o CTC).

La ley hace descansar en el mercado mayorista (de producción) la formación de precios del sistema. El mercado mayorista es operado por la Compañía Operadora del Mercado. A él concurren, por el lado de la oferta, las empresas productoras (cuatro, hoy en día) y los agentes externos (conexiones internacionales, poco determinantes del precio de mercado), y por el lado de la demanda, empresas de distribución, comercializadores y consumidores cualificados. Al precio determinado por el mercado mayorista se le sumarán los costes fijos del sistema encargados de retribuir su funcionamiento. Los usuarios de la electricidad son básicamente de dos tipos: consumidores a tarifa (pagan un precio fijado administrativamente) y consumidores cualificados (pagan un precio libre determinado por el mercado mayorista al que acuden o por los contratos bilaterales que hayan firmado).

5.1.2.1 Participantes del sector

Agentes productores: las compañías productoras de electricidad pueden ofertar la producción de cada una de sus unidades generadoras en el mercado mayorista. Si lo desean pueden vender su producción mediante contratos bilaterales a otros agentes del sistema sin pasar por el mercado mayorista. La instalación de nuevos competidores requiere autorización administrativa y está condicionada, entre otras cosas, a la capacidad de la red de transporte.

Agentes autoproductores y en régimen especial: son los productores de pequeña entidad que producen para autoconsumo o mediante la utilización de energías renovables. Pueden incorporar sus excedentes de producción al sistema y necesitan autorización administrativa para su instalación.

Comercializadores: son intermediarios que pueden comprar en el mercado mayorista y vender a consumidores cualificados y a otros agentes del sistema. Precisan autorización administrativa para operar.

Distribuidores: son las empresas que distribuyen la energía eléctrica desde la red de transporte a los puntos de consumo final (percibiendo la tarifa eléctrica) o a otros distribuidores. Están sujetos a autorización administrativa. Pueden comprar la electricidad en el mercado mayorista. La actuación de los distribuidores es territorial, por zonas adjudicadas por la Administración.

Consumidores cualificados: puede adquirir la energía mediante precio libre (no sujeto a tarifa), acudiendo al mercado mayorista o mediante contratos bilaterales. La condición de cualificado viene determinada por la cantidad de energía consumida. La ley establece un calendario de reducción de la cifra necesaria para alcanzar tal condición.

Agentes externos: son las empresas que toman la energía de sistemas externos y la venden en España. Pueden participar en el mercado mayorista una vez autorizados administrativamente.

5.1.2.2 Mercado mayorista diario

La descripción del funcionamiento del complejo mercado mayorista eléctrico escapa al propósito y extensión de este trabajo. Baste decir que el mercado diario fija precios de la electricidad para cada período horario del día siguiente al que se presentan las ofertas, de manera que se pueda recoger con exactitud las diferencias de demanda a lo largo del día. Además del mercado diario, y a continuación de la fijación de los precios y cantidades determinados en él, funcionan otros mercados denominados «solución de las restricciones técnicas», «intradiario» y «servicios complementarios y gestión de desvíos», que no son más que mecanismos para ajustar las incidencias técnicas que se presentan en el sistema como consecuencia de operar con un producto no almacenable como la electricidad.

La fijación de los precios horarios del mercado diario es por casación, y fija el precio marginal de la electricidad en el punto de cruce de oferta y demanda: precio del último tramo de oferta de venta de la última unidad de producción cuya aceptación haya sido necesaria para atender la demanda que haya resultado casada. La presentación de ofertas se realiza por cada central de producción, y la de demandas, por todos los agentes del mercado autorizados.

5.1.2.3   Contratos bilaterales

La ley prevé que los productores, a pesar de su obligación de participar en el mercado mayorista, puedan firmar contratos bilaterales físicos de duración mínima de un año con consumidores cualificados o agentes externos para el suministro de electricidad a precios distintos de los del mercado diario.

También podrán formalizarse contratos entre los consumidores cualificados y el resto de los agentes del mercado que, teniendo por objeto el suministro de energía eléctrica a través del mercado de producción, determinen su liquidación bien al precio del mercado o por diferencias con respecto a dicho precio.

5.1.3   La Comisión Nacional del Sistema Eléctrico

La Comisión fue creada en 1994 por la Ley 40/94 de Ordenación del Sistema Eléctrico Nacional. Con la Ley 54/97 cambió su denominación y parte de sus competencias. Su misión es velar por la competencia efectiva y la transparencia y objetividad en el funcionamiento del sistema eléctrico, en beneficio de todos los sujetos que operan en el sistema y de los consumidores.

La Comisión está regida por un consejo de administración nombrado por el Gobierno con audiencia del Parlamento. Cuenta también con un consejo consultivo que integra a representantes del sector, de los consumidores, de la Administración y defensores del medio ambiente.

Tiene funciones normativas de desarrollo de la legislación gubernamental, consultivas de apoyo al Gobierno y ejecutivas. Entre las últimas se encuentran: liquidar los costes generales del sistema entre las empresas que operan en él, resolución de conflictos por medio de arbitraje, inspeccionar la actuación de los operadores e iniciar e instruir expedientes sancionadores. Nótese, sin embargo, que carece de facultades sancionadoras, que corresponden a la autoridad gubernativa.

5.2 La competencia en el mercado eléctrico

5.2.1 Barreras de acceso al mercado

Tal como está regulado el sector en nuestro país, parece que sea necesario ser generador establecido para poder disponer plenamente de libertad en el mercado eléctrico. El generador es el único que puede simultáneamente vender y comprar en el mercado mayorista, el que puede vender a consumidores cualificados mediante un contrato bilateral, y el que puede entrar en contratos financieros. Además puede ser propietario de empresas de distribución (sólo los ya existentes) y de comercialización, así como accionista de la red de transporte y de los operadores del mercado y del sistema. Afortunadamente, existe libertad de generación, y todo el que lo desee puede conectarse a la red una vez que obtenga la autorización administrativa pertinente. Una primera aproximación a la generación parece indicar que el mercado eléctrico difícilmente puede ser calificado como de libre competencia —hay cuatro generadores y dos de ellos concentran el 80% del mercado—, y es dudoso que sea contestable.

Las barreras de acceso que restan contestabilidad al mercado de generación podrían encontrarse en:

— La autorización administrativa está condicionada por la capacidad de la red de transporte.
— Los recursos financieros necesarios para acometer un proyecto de generación son cuantiosos y el riesgo de la inversión puede ser elevado, toda vez que el nuevo generador tendrá que competir en un mercado mayorista donde los generadores existentes gozan de poder de mercado. La alternativa de vender mediante contratos bilaterales físicos está limitada al segmento de consumidores cualificados, que hoy en día tiene un tamaño reducido. El nuevo generador no puede vender directamente a distribuidores o comercializadores.
— Los generadores instalados cuentan con los CTC para defenderse de la competencia. La integración vertical puede facilitar la manipulación del precio del mercado mayorista cuando los distribuidores venden a tarifa.
— Existe capacidad instalada en exceso.
— La conexión con Francia es un cuello de botella del mercado. Está pensada para resolver problemas de seguridad en el suministro, no para introducir competencia en el mercado.
— La expansión de las empresas eléctricas para controlar el combustible (gas) puede llegar a ser otra barrera de acceso.

El transporte de electricidad es un monopolio natural, regulado, que se retribuye por tarifas y en cuyo accionariado estarán presentes las compañías eléctricas (40% máximo) sin poder sindicar sus acciones.

La distribución está concebida como un monopolio por zonas, y por tanto regulada y retribuida por tarifas.

Se llega así a la figura del comercializador, que, en el caso de que sea independiente, puede ser un elemento dinamizador del mercado. Bajo esta figura podría ampararse el intermediario o *broker*, el arbitrajista y el especulador. Sin embargo sus posibilidades de actuación están muy limitadas: sólo puede vender a consumidores cualificados y sólo puede comprar en el mercado mayorista. El comercializador, al poder vender sólo a consumidores cualificados, se tiene que conformar con que el crecimiento de su mercado esté limitado por el ritmo impuesto por el calendario de transición y a que en su contra jueguen las tarifas especiales (interrumpibilidad) que desincentivan el abandono del régimen regulado y el concepto adoptado de punto de consumo. Por otra parte, al poder comprar sólo en el mercado mayorista, el comercializador tendrá que soportar el riesgo derivado de la volatilidad de los precios —riesgo que no lo soportan las empresas integradas verticalmente—, así como la amenaza de adopción de estrategias defensivas por los grupos existentes.

Para que el comercializador independiente pueda competir tendrá que esperar a que desaparezca la barrera legal que le impide comprar y vender a todas las contrapartes existentes en el mercado. Para que el comercializador sea un competidor efectivo debe estar capacitado para vender en el mercado mayorista, de manera que le resulte posible diseñar estrategias de cobertura para sus ventas y compras; debe estar autorizado a firmar contratos de compra con productores nacionales y extranjeros para suministrar al mercado mayorista, a los consumidores cualificados y a otros comercializadores; debe poder firmar contratos a plazo para vender y comprar electricidad a consumidores, agentes externos y otros comercializadores. En tanto el comercializador no tenga libertad para todo lo anterior, es difícil que pueda contarse con él para contestar al mercado formado por las empresas existentes.

El consumidor, por su parte, tiene que esperar su turno para alcanzar el derecho a elegir suministrador. Su elegibilidad como cualificado le viene dada por cada punto de consumo. No se contempla la posibilidad de agrupar puntos de consumos de una misma empresa, ni de consumidores distintos dispuestos a formar una central de compras que gestione sus demandas de la manera más ventajosa. Esta limitación condiciona el poder de negociación que los consumidores pueden ejercer en el mercado, situándolos en una situación de partida desequilibrada, aunque transitoria.

Por otra parte, el consumidor, al igual que el comercializador, no está autorizado a vender en el mercado mayorista, y tiene, por tanto, limitadas sus posibilidades de diseñar estrategias de cobertura para sus compras a plazo. Nótese que, por el contrario, el generador está autorizado a comprar y vender en el mercado diario.

Dadas las limitaciones que para gestionar su riesgo por medio del mercado mayorista y de los contratos bilaterales tienen tanto los consumidores cualificados como los comercializadores, cabe pensar que estos operadores orientarán hacia el mercado de contratos financieros OTC *(over the counter)* liquidados por diferencias con el precio de mercado diario para tal propósito. Pero para que ello sea viable es necesario que exista certeza que el precio del mercado diario es no manipulable.

5.2.2 Integración vertical de la industria

En el sector eléctrico también se da el fenómeno de la integración vertical. Los grupos eléctricos existentes están presentes en la generación, la distribución, la comercialización, el transporte y las rectoras del operador del mercado y del operador del sistema. Además parece que estarán presentes en el sector del combustible. Al igual que en el caso del sector financiero, los peligros de uso de información privilegiada y de conflictos de intereses están latentes en el diseño del sistema.

Dada la importancia que para un sector oligopolista como el eléctrico tiene que el mercado sea contestable, conviene prever cuáles son las oportunidades reales de entrada de nuevos competidores en un sector integrado verticalmente.

En el caso de mercado mayorista de electricidad, empresas pertenecientes al mismo *holding* presentan ofertas y demandas (generadores por el lado de la oferta y distribuidores, comercializadores y generadores por el lado de la demanda). Dado que en los grupos existentes hay simetría en las cantidades de generación y comercialización de electricidad que pueden canalizar, el precio de mercado resulta indiferente para los ingresos consolidados del grupo, que dependerán en última instancia de lo que paguen los consumidores. Este fenómeno puede tener importantes consecuencias. En primer lugar, el precio pierde su papel de instrumento para la asignación de recursos y se convierte en un mecanismo de subsidios cruzados. En segundo lugar, el precio deja de ser una señal económica relevante para inducir decisiones de inversión en generación. En tercer lugar, el precio puede ser manipulado para desincentivar la entrada de competidores: ante el peligro de entrada de un competidor, los grupos integrados verticalmente pueden optar por mantener artificialmente bajo el precio, convirtiendo en poco rentables los nuevos proyectos de generación. La respuesta a esta barrera de entrada podría ser la firma de contratos bilaterales a largo plazo entre el nuevo generador y los consumidores cualificados, pero ello sólo será posible al ritmo que crezca el número de este tipo de consumidores y en la medida en que se modifiquen las tarifas especiales que afectan a ciertos consumidores.

A lo anterior hay que añadir el uso de los CTC. El diseño de los CTC permite acelerar su cobro bajando el precio del mercado mayorista, lo que resulta en una estrategia defensiva ante potenciales competidores que no perjudica la cuenta de resultados del oligopolista. Por otra parte, el CTC encarece el precio de venta vía contrato con consumidor cualificado al tener la consideración de coste permanente del sistema, lo que lo convierte en una especie de peaje que el nuevo participante en el mercado debe pagar a sus competidores establecidos.

En todo caso estas barreras irán desapareciendo parcialmente a medida que se avance en la transición a la competencia. Existen otros temas en donde es difícil predecir cuáles serán sus consecuencias. A título de ejemplo, se pueden mencionar: los grupos eléctricos pueden controlar de hecho los órganos de gobierno del operador del mercado y del operador del sistema, pueden influir decisivamente en el desarrollo de la red de transporte y tienen el monopolio de la distribución por zonas.

5.2.3 Libertad de elección del consumidor

La capacidad de elección del consumidor eléctrico viene condicionada por el período de adaptación a la competencia programado, que otorga la libertad de elección a unos consumidores antes que a otros. Es de notar en este orden de cosas que, aunque sólo algunos disfrutan de la transición a la competencia, todos pagan los costes de esa libertad. Desdichadamente, las leyes demográficas provocarán que haya consumidores que paguen por algo que nunca van a disfrutar. Tal como está diseñado el sistema, la libertad de los consumidores parece que tendrá algunas limitaciones. Algunas de ellas derivan de monopolios más o menos naturales, como puede ser el de carácter zonal para la distribución, y otros de diseño, como son las limitaciones que tienen los comercializadores o las barreras de acceso a los nuevos generadores: sin libertad para las contrapartidas del consumidor, no hay libertad para éste. En el mismo sentido juegan las tarifas especiales aplicables a los consumidores privilegiados; si esas tarifas desincentivan el paso al mercado libre, no habrá suficiente número de consumidores acudiendo al mercado mayorista o al mercado de contratos, y esos mercados no se desarrollarán competitivamente.

6. Conclusión

Estos dos ejemplos de esquemas regulatorios que se han comentado ponen en evidencia que la regulación, para que sea efectiva, además de reunir los requisitos que se mencionaron al principio del capítulo, necesita de una cierta maduración temporal. El mercado de valores muestra una regulación mucho más sofisticada, entre otras cosas porque las experiencias internacionales son numerosas y cuentan con una larga historia.

El sector eléctrico, por el contrario, cuenta con una regulación de reciente implantación. Las autoridades parecen ser todavía tímidas en la imposición de obligaciones a las empresas bajo su supervisión. La competencia presenta dificultades en su aparición, y se piensa equivocadamente que el mercado está compuesto exclusivamente por las empresas productoras, siendo así que el mercado solamente puede tener lugar si existe el encuentro de productores y consumidores en una situación de igualdad.

Notas

1 Véase en Vera (2000) el capítulo sobre regulación donde se recoge este tema con más extensión.

2 Art. 31 LMV.

3 Art. 79 LMV.

4 Arts. 35 y 92 LMV.

5 Art. 53 LMV.

6 Art. 82 LMV.

7 Art. 89 LMV.

8 Arts. 33 y 34 LMV.

9 Art. 70 LMV.

10 Art. 70.1.h LMV.

11 Art. 71 LMV.

12 Art. 54 LMV.

13 Piénsese, por ejemplo, en la oferta pública por una entidad de crédito de un depósito cuya rentabilidad varía en función del precio de cotización de un valor cotizado en una bolsa de valores o de un índice bursátil. ¿Nos encontramos ante un depósito bancario supervisado por la autoridad bancaria o ante una oferta pública de un valor supervisado por el supervisor de valores?

14 Véase por ejemplo los comentarios a la intervención de la Reserva Federal en el caso de Long Term Capital Management.

15 Art. 85 LMV.

16 Roldán (1998).

17 Art. 88 LMV.

18 Art. 90 LMV.

19 Art. 16 LMV.

20 Art. 14 LMV.

21 Art. 13 LMV.

22 Art. 24 LMV.

23 Arts. 17 y ss. LMV.

24 El mandato de los miembros no natos del Consejo es de cuatro años —prorrogables por otros cuatro— y durante él no pueden ser separados de sus cargos salvo por renuncia o, previa instrucción de expediente, por incumplimiento grave de sus obligaciones y otros supuestos excepcionales. A los miembros del Consejo se les aplica el régimen de incompatibilidades de altos cargos y durante los dos años siguientes a su cese no podrán ejercer actividad profesional alguna relacionada con el mercado de valores. La renovación de los consejeros (uno cada año) hace que convivan consejeros nombrados por distintos gobiernos en el seno del Consejo.

25 Art. 18 LMV.

26 Arts. 22 y 23 LMV.

27 Art. 14 LMV.

28 Arts. 75, 76 y 76 bis LMV.

29 N. de C.: este tema también se analiza en el capítulo dedicado a la política de energía, aunque aquí profundiza más en los aspectos regulatorios.

Referencias

Vera, F. L. (2000): *Mercados, Valores y Regulación*, Madrid, Cívitas.

11. Política de privatizaciones[1]

Luis Gámir[2]

1. Introducción

Las privatizaciones son un proceso generalizado en todo el mundo —que salta incluso barreras ideológicas— del que nuestro país no es una excepción. La importancia que han adquirido las privatizaciones en la política económica española de los últimos años merece ser objeto de un análisis cuantitativo y cualitativo, que trataremos de esbozar en este capítulo. En la primera parte del mismo se recordará la dialéctica existente en Europa a principios de los años ochenta entre la Francia de Mitterrand y la postura del Reino Unido. A continuación se hará una descripción del marco normativo existente y del desarrollo de las privatizaciones llevadas a cabo en España desde 1984 hasta junio de 1996. Finalmente se describirá el marco legal y el desarrollo del Programa de Privatizaciones aprobado en junio de 1996, así como sus características más relevantes. En este último punto incluiremos brevemente las conclusiones de dos estudios sobre los precios y la evolución de las acciones de empresas privatizadas mediante OPV.

2. Evolución del pensamiento sobre la empresa pública

La evolución no ha sido fácil. En el debate ideológico de este siglo —relacionado con argumentos de épocas anteriores— la empresa pública ha ocupado un puesto clave.

La propiedad pública o privada de la empresa —de los medios de producción— ha estado (junto a la dialéctica planificación centralizada o la economía de mercado y la dictadura del proletariado o la democracia liberal) en el centro neurálgico de la polémica Este-Oeste.

Aún más, dentro del Occidente democrático y en el marco genérico de una economía de mercado «corregida», el grado en que se utilizaba la empresa pública y la intensidad de las correcciones ante los denominados «fallos del mercado» han sido básicos en la discusión entre socialismo y liberalismo.

Para una mejor comprensión de lo ocurrido, quizá deberíamos enmarcar la dialéctica nacionalizaciones-privatizaciones en el paso del denominado paradigma «post-keynesiano-socialdemócrata» al alternativo «neoclásico-liberal». Este análisis es fundamental para comprender, por ejemplo, cómo pudo ocurrir que a finales de los setenta —principios de los ochenta— el Reino Unido defendiera con convicción las privatizaciones mientras Francia engarzaba un amplio programa de nacionalizaciones... y que desde entonces prácticamente el mundo entero haya escogido la vía de las privatizaciones [3]. Aquí me limitaré a un resumen de carácter divulgatorio de los rasgos básicos del cambio de paradigma.

La crisis de la década de los treinta fue básicamente una crisis de demanda, en la que cayeron simultáneamente la producción y los precios. Frente a ella, el keynesianismo planteó un enfoque «esquizofrénico» —en el sentido técnico de la expresión— de doble visión de la realidad: se dirigía y controlaba la economía desde un intervencionismo macroeconómico de demanda y se dejaba en gran parte la asignación microeconómica al mercado (aunque también en la práctica se desarrollarían áreas de intervencionismo micro).

En la forma de control de la demanda agregada se discutía la importancia relativa de los componentes fiscal y monetario, pero en todo caso se estimaba que el primero tenía un papel importante que jugar.

De manera muy resumida recordemos aquí que la crisis del paradigma socialdemócrata-keynesiano viene sobre todo de dos frentes: a) los ataques teóricos (monetarismo, economía de oferta, nueva macroeconomía clásica, *public choice*, etc.) y b) la falta de eficacia del esquema keynesiano para hacer frente a los *shocks* de oferta del petróleo.

Si, como decía Napoleón, «el mejor discurso es el éxito», el discurso del *establishment* socialdemócrata-keynesiano entró en crisis ante la falta de éxito de su política frente a los *shocks* de oferta y sus consecuencias. Al contrario que en la década de los treinta, en los setenta y ochenta el giro ante esta crisis económica no fue hacia la izquierda sino en la dirección del liberalismo y del mercado. Tras años de indecisión y de tránsito suave, el paradigma socialdemócrata-keynesiano se ha ido transformando en un paradigma liberal-neoclásico, aunque con numerosas «anomalías».

Dijimos antes, de pasada, que la «praxis» de las privatizaciones saltaba las barreras ideológicas. Pasemos a recordar la evolución del socialismo español, diferente al francés. Sin duda, el fracaso en la experiencia de Mitterrand influye en la política del PSOE que llega al poder en diciembre de 1982, aunque la evolución de su enfoque sea anterior: existe una diferencia importante entre la postura de Miguel Boyer cuando, a mitad de la década de los setenta, defendía nacionalizaciones en los sectores financiero y energético y su política desde 1982. (En todo caso, el programa electoral del PSOE para 1982 no era de «ni-ni» —ni nacionalizaciones ni privatizaciones, al que había recurrido el socialismo francés después del «experimento Mitterrand»—, ya que incluía la nacionalización de la red de alta tensión.)

El PSOE en el Gobierno expropia Rumasa (y luego procede a su privatización) y nacionaliza la red de alta tensión. Posteriormente realiza diversas privatizaciones. El proceso de privatizaciones se incrementa desde 1989 y sobre todo en la última legislatura socialista, en parte por la influencia de CiU.

A dicha legislatura (1993-1996) se la puede considerar como un período de transición: suaviza el cambio entre el socialismo y el Partido Popular. Hay que recordar otros países europeos con mayores dosis de cambio ante la alternancia de partidos en el poder, como es el caso de Francia a pesar de la evolución de la postura socialista.

Se ha empezado este capítulo recordando el carácter mundial y el «salto ideológico» de los procesos privatizadores. Complementemos y maticemos esta afirmación. La «explosión» de las desinversiones públicas se ha globalizado hasta el punto de que en una encuesta realizada por la INTOSAI (Organización Internacional de Entidades Fiscalizadoras Superiores) 81 países de los 125 consultados, pertenecientes a América Latina, Asia, África, Europa Oriental y la Unión Europea, respondieron que habían llevado a cabo privatizaciones de empresas públicas [4]. Aún más, esa encuesta tuvo lugar en 1994 y desde entonces la política de privatizaciones ha tenido un amplio desarrollo.

Como se puede apreciar en los gráficos 11.1 y 11.2, los países donde el proceso de privatizaciones ha sido más intenso en relación al PIB son Nueva Zelanda y Australia. Estos datos pueden ser puestos en relación al importante esfuerzo realizado en nuestro país. Así, durante los años 1997-1998, como posteriormente veremos con más detalle, los ingresos por privatizaciones en España han supuesto una media del 2,65% del PIB (en el año 1999 este porcentaje ha descendido hasta el 0,5%). Debe tenerse, sin embargo, en cuenta que los datos de los gráficos se refieren a un período más amplio (1990-1997), por lo que en años concretos la cifra de privatizaciones en relación al PIB puede haber sido mayor que la española [5].

Gráficos 11.1 y 11.2 Privatizaciones en la OCDE, 1990-1997

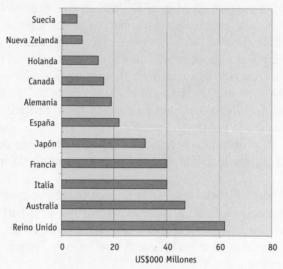

Volumen de privatizaciones

FUENTE: *OCDE Financial Markets Trends.*

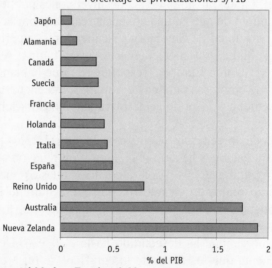

Porcentaje de privatizaciones s/PIB

FUENTE: *OCDE Financial Markets Trends*, n.º 66.

3. La privatización de las empresas públicas en España hasta 1996

3.1 El marco normativo de las privatizaciones anterior a junio de 1996

Con anterioridad al régimen democrático, ya se contemplaba expresamente el supuesto de la privatización de empresas nacionales en la Ley núm. 194/1963 que aprobó el I Plan de Desarrollo Económico y Social (LPDE) —cuya vigencia se mantuvo en último término hasta 1975 con la ley del 15 de junio de 1972—. La normativa respondía al principio de subsidiariedad establecido en las denominadas leyes fundamentales. El plan establecía en su artículo 5.4 la enajenación de las participaciones estatales en las empresas nacionales para un supuesto determinado.

Desde 1964, con la entrada en vigor de la Ley de Patrimonio del Estado (en adelante LPE), se establece un nuevo régimen jurídico que requería únicamente acuerdo del Consejo de Ministros cuando el valor de los títulos a enajenar no excediera del 10% del importe de la participación total que el Estado ostentara en la empresa. En caso de tratarse de una cuantía superior, era necesaria una ley para cada uno de los casos en cuestión.

No obstante, tanto la Ley General Presupuestaria de 4 de enero de 1977, en su artículo 6.3, como más tarde el Real Decreto Legislativo 1091/1988 de 23 de septiembre, por el que se aprueba el Texto Refundido de la Ley General Presupuestaria (en adelante LGP), ya establecieron que los actos de adquisición y pérdida de la posición mayoritaria del Estado o de sus organismos autónomos y entidades de derecho público en las sociedades mercantiles en que participe mayoritariamente el Estado «se acordarán por el Consejo de Ministros». Con ello parecía que había que entender implícitamente derogada la previsión de «una ley» específica a que hacía referencia el artículo 103 de la LPE, al estar comprendido en aquella normativa que queda derogada por oponerse a lo establecido en una ley posterior. La LGP dejó definitivamente sentado que los actos de adquisición y pérdida de condición mayoritaria del Estado o de sus organismos autónomos en las sociedades estatales se acordaran por Consejo de Ministros.

Sin embargo, alguna interpretación de signo contrario sostenía la vigencia de la norma contenida en la LPE y en consecuencia la necesidad de una ley para transferir las participaciones sociales en algunos casos. En todo caso, las sentencias del Tribunal Supremo de 30 de diciembre de 1991 y de 14 de octubre de 1999 se definieron en contra de dicha necesidad[6].

De este modo, el bloque normativo para las privatizaciones de empresas se encontraba en el artículo 6.3 del texto refundido de la LGP y en los artículos 103 y 104 de la Ley General de Patrimonio. En estos instrumentos normativos —de los que luego se irán desprendiendo otras normas— se establece el régimen jurídico aplicable en materia de competencia y de

369

procedimiento para la privatización de empresas públicas en el orden nacional.

En el año 1995 se aprobaron dos nuevas normas legales:

1) El Real Decreto-Ley 5/1995, de 16 de junio, de creación de determinadas entidades de derecho público, que ha sido convertido en la Ley 5/1996, de 10 de enero. Con la publicación de esta ley se estableció una nueva ordenación institucional de los *holdings* poseedores de las acciones de las empresas públicas. Así, se suprimen el INI y el INH y aparecen dos nuevas entidades de derecho público: a) la Agencia Industrial del Estado (AIE), que agrupaba las participaciones públicas en las entidades mercantiles que estaban sujetas a planes de reestructuración o reconversión (minería, defensa, astilleros y siderurgia) que seguían recibiendo ayudas de los Presupuestos Generales del Estado; y b) la Sociedad Estatal de Participaciones Industriales (SEPI), que se constituye como tenedora de las acciones de TENEO y de las empresas del INH.

2) La Ley 5/1995, de 23 de marzo, de régimen jurídico de enajenación de participaciones públicas en determinadas empresas, que fue desarrollada por el decreto 1525/1995 de 15 de septiembre. El objetivo de esta ley es similar (aunque utiliza un instrumento distinto) a la *golden share*[7] inglesa o a la *action spécifique* francesa. Se trata de reservar durante un período de tiempo en favor del Estado determinadas prerrogativas sobre las empresas a las que se les aplique la ley una vez que han sido privatizadas.

En concreto, la ley española permite someter a autorización administrativa previa los siguientes supuestos[8]:

a) Las decisiones de los órganos sociales de las empresas que afecten específicamente a los aspectos a los que se hace referencia en la ley y no a otros[9]. Estos aspectos se refieren a la disolución voluntaria, escisión o fusión, a la sustitución del objeto social y a la venta o gravamen de los activos o participaciones sociales necesarias para el cumplimiento del objeto social (que a tal efecto se hayan determinado).

b) Las adquisiciones directas o indirectas de participaciones sociales que den derecho (o puedan darlo) al control, por una misma persona física o jurídica, de más de un determinado porcentaje del capital de la empresa. El porcentaje en concreto se incluirá en el Real Decreto específico para cada empresa, aunque la ley establece que no podrá ser inferior al 10% del capital[10].

Debe señalarse que la aplicación de esta normativa a cada empresa necesita de la promulgación de un RDL específico para cada empresa. Con anterioridad a junio de 1996 sólo fue aplicado a Repsol en el año 1995.

3.2 El desarrollo del proceso de privatizaciones anterior a junio de 1996

La experiencia privatizadora se inició a mediados de los años ochenta de forma no planeada. En febrero de 1983 el Estado nacionalizó el Grupo Rumasa. Este grupo había experimentado un fuerte crecimiento en los años previos y constituía un conglomerado de alrededor de 800 empresas que empleaban a 45.000 personas. De las 800 empresas que formaban el Grupo 20 eran bancos que tenían alrededor de 100 filiales. De las actividades no bancarias del grupo tres compañías sumaban alrededor de dos terceras partes del volumen total de facturación: Galerías Preciados, Hoteles Agrupados (Hotasa) y Constructora Hispano Alemana.

En el plazo de dos años, de las 800 empresas expropiadas a Rumasa 226 habían sido vendidas, 400 habían sido liquidadas o disueltas por considerarlas meramente instrumentales y 152 habían sido devueltas a sus propietarios originales[11].

A partir de 1985 se inició también la venta de algunas de las empresas del Instituto Nacional de Industria. Estas desinversiones afectan a sectores diversos (automóviles, textil, genética, alimentación, química, electrónica, transformaciones metalúrgicas, turismo, bienes de equipo, aluminio y construcción naval). Entre las empresas destaca la venta de Seat y Enasa a Volkswagen e Iveco respectivamente. En estas operaciones concurren varias características que de forma parecida se reproducen en muchas de las privatizaciones de esta época. El tamaño de estas empresas era insuficiente para alcanzar economías de escala (comerciales, tecnológicas o industriales) para competir en los mercados internacionales, por lo que la mejor alternativa parecía su venta a un socio tecnológico e industrial que permitiese su viabilidad futura. En resumen, eran privatizaciones impuestas por el mercado ante la dificultad de continuar su actividad en condiciones de rentabilidad. En otros casos parecidos, en los que la venta no era posible, se opta por la liquidación ordenada (como las empresas PBA y Pamensa, ambas pertenecientes al sector de la alimentación).

La mayor parte de estas operaciones de venta se realizaban con un coste para el Estado. De esta manera, y aunque es difícil de cuantificar, en Comín (1995) se evalúa en 76.000 millones el saldo neto negativo del conjunto de privatizaciones realizado por el INI entre 1985 y 1994 (éste es un saldo neto e incluye los ingresos de casi 300 mil millones de las OPV de Endesa[12]).

Durante los años 1986 y 1987 se realizaron algunas OPV de menor tamaño y normalmente sin tramo minorista. Sin embargo, son las operaciones de Endesa en 1988 y de Repsol en 1989 las que inauguran una nueva etapa en las privatizaciones españolas. Ambas eran operaciones de gran tamaño en las que a través de intensas campañas publicitarias se involucra al ahorro minorista (entre ambas operaciones se registraron más de 450.000

Cuadro 11.1   Ingresos del Estado mediante OPV hasta junio de 1996

Empresa	Capital (%)	Fecha	Carácter OPV	Comisiones***	Importe	Importe actualizado**
Gesa	38	1986	Institucional	—	9.000	15.832
Acesa	29	1987	Institucional y minoritario	—	22.000	36.897
Telefónica-87	6	1987	Institucional	—	47.000	78.825
Ence-87	40	1987	Institucional	—	18.000	30.188
Endesa-88	18	may-88	Institucional y minoritario	4,50	80.000	129.070
Repsol-89	26	may-89	Institucional y minoritario	3,50	150.000	226.373
Repsol	8	jun-92	Bonos convertibles	—	80.000	99.996
Repsol-93	13	mar-93	Institucional	3,00	110.000	132.378
Argentaria-93-I	25	abr-93	Institucional y minoritario	3,50	110.000	131.800
Argentaria-93-II	25	nov-93	Institucional y minoritario	3,25	180.000	210.178
Endesa-94	10	jun-94	Institucional y minoritario	3,00	180.000	204.887
Repsol-95	19	abr-95	Institucional y minoritario	3,00	200.800	217.852
Ence-95	18	oct-95	Institucional	—	11.700	12.566
Telefónica-95	12	oct-95	Institucional y minoritario	2,95	195.000	209.430
Repsol-96	11	feb-96	Institucional y minoritario	2,95	130.000	137.584
Argentaria-96	25	mar-96	Institucional y minoritario	2,95	170.000	179.281
Total				2,99 *	1.693.500	2.053.138

(*)   La comisión media está ponderada por el volumen.
(**)   Importe de las OPV's actualizado según el IPC a diciembre de 1998.
(***) Las comisiones se refieren exclusivamente al tramo institucional.
Importes en millones de pts.

FUENTE: BBV Interactivos y elaboración propia.

peticiones minoristas). Además, la operación de Endesa introduce la novedad de la cotización en la Bolsa de Nueva York. Sin embargo, habrá que esperar cuatro años para que se produzca la siguiente OPV de una empresa pública y se inicie una etapa con una cierta continuidad en la realización de este tipo de operaciones.

La cantidad ingresada por las OPV, ejecutadas durante todo el período analizado, se encuentra por debajo de los 1,7 billones en pesetas corrientes[13]. En términos actualizados (a diciembre de 1998), la cifra rondaría los 2 billones de pesetas.

Las privatizaciones a través de OPV supusieron una clara mejora de la técnica privatizadora. Al mismo tiempo, la propia técnica de la OPV se fue perfeccionando a lo largo de estas operaciones con la introducción de progresivas modificaciones, especialmente en el campo del tramo minorista, que es el que presenta características diferenciadas con respecto a los tramos minoristas de otros países. Estas características ha dado lugar a que algunos autores hablen de un modelo español de colocación, algunos de cuyos rasgos ha sido «exportado» a otros países como Italia (véase Mañas, 1998). Uno de los aspectos diferenciadores del caso español es el importante papel jugado por las redes de bancos y cajas (y también sociedades de valores) en la colocación minorista de acciones.

Por primera vez se accede al público para realizar la venta de las empresas. Para incentivar el acceso del inversor minorista al capital de las empresas a privatizar, se instrumentaron incentivos (a partir de la segunda OPV de Argentaria en 1993), que se materializaron en descuentos iniciales, bonos de fidelidad o coberturas ante posibles caídas en el precio de la acción. En la mayoría de las ocasiones se combinaban dos tipos de incentivos, salvo en las OPV iniciales, en las que no se realizó un descuento específico (en estas ocasiones el descuento venía incorporado implícitamente como un menor precio de venta en la OPV inicial).

Una característica importante de todas estas operaciones es que en ninguna de ellas se vendía la totalidad de las acciones en poder del Estado, de forma que siempre se reservaba un paquete que aseguraba el control real de la compañía.

4. El Programa de Privatizaciones posterior a junio de 1996

4.1 El marco legislativo de las privatizaciones a partir de junio de 1996

En las legislaturas anteriores a 1996 no se había producido un planteamiento directo y global de las privatizaciones. Parecía necesaria una ley general reguladora o bien unas normas de base sobre el proceso privatizador que aclarasen objetivos e incrementaran las garantías formales y materiales del proceso privatizador.

El Gobierno se decidió por la segunda vía y, en consecuencia, aprobó el acuerdo del Consejo de Ministros de 28 de junio de 1996 «por el que se establecen las bases del Programa de Modernización del Sector Público empresarial del Estado», conocido como Programa de Privatizaciones.

Las principales modificaciones que se introducen en dicho acuerdo, respecto a la situación anterior a 1996, son:

a) La iniciativa y las principales decisiones recaen en los agentes gestores —en los accionistas— y no en la dirección de la empresa. De esta manera se consigue una mayor coordinación del conjunto del proceso y se reduce la posibilidad de conflictos de interés.

b) Se profundiza en el proceso privatizador realizando privatizaciones totales, en las que el gestor pasa a depender del sector privado.

c) Se crea el Consejo Consultivo de Privatizaciones (CCP) entre las medidas que incrementan el sistema de garantías en los procesos de privatizaciones.

d) Se exigen valoraciones externas como un elemento más que coadyuva a que las empresas se vendan a un precio adecuado, aparte de incrementar la transparencia del proceso.

Además, se simplifica el sistema de cabeceras de las empresas públicas. Así, el acuerdo del Consejo de Ministros de 28 de junio de 1996 recoge la disolución de Teneo y el paso de sus activos y pasivos a SEPI, desapareciendo la situación anterior en la que existía un *subholding* (Teneo) incluido en otro *holding* (SEPI). Este acuerdo también crea la SEPPa (Sociedad Estatal de Participaciones Patrimoniales), que agrupa a las Sociedades Estatales de Patrimonio I y II, a las que sustituye como agente gestor de las empresas que dependen de la Dirección General de Patrimonio.

Posteriormente, el Real Decreto Ley 15/1997 de 5 de septiembre suprime la AIE transfiriéndose a SEPI todas las participaciones accionariales, bienes, derechos y obligaciones. Con ello se vuelve a la situación de 1981 de un único *holding*, si bien con objetivos muy distintos en relación al antiguo INI (el objetivo originario del INI era la autarquía, mientras que una de las funciones básicas de SEPI es la privatización).

Además, desde principios de 1997 se generaliza el régimen de la LGP [14], con lo que se deja aún más claro que es posible la venta de títulos en cualquier tipo de sociedad mercantil en manos del Estado con el requisito de contar con el acuerdo del Consejo de Ministros. Con esta modificación de los artículos 103 y 104 de la LPE se saldan ya definitivamente las controversias antes mencionadas sobre la derogación implícita de dichos artículos por el artículo 6.3 de la LGP.

Entre las novedades que introduce el nuevo Programa de Privatizaciones hemos mencionado la creación del CCP. Este Consejo está dotado de una especial naturaleza, que hace que no esté integrado jerárquica o funcionalmente en la Administración pública, teniendo un carácter puramente consultivo, con capacidad de autorregulación y autonomía funcional. Sus funciones son: 1) informar sobre todas las operaciones concretas de privatización que los agentes gestores deben someter a su consideración y al objeto de que se dictamine, si el proceso de privatización y la propuesta concreta de venta se acomodan a los principios de publicidad, transparencia y libre concurrencia; y 2) informar sobre cuantas cuestiones le sean planteadas por el Gobierno, la Comisión Delegada del Gobierno para Asuntos Económicos o los Agentes Gestores durante el desarrollo del proceso de privatizaciones. Así pues, la tarea del CCP se realiza con anterioridad a la adopción de la decisión del Consejo de Ministros, siendo por tanto un control *ex-ante* (sin que el CCP cubra fases posteriores del proceso, salvo en casos en los que sea especialmente requerido para ello).

A continuación se hace un breve resumen de algunas de sus recomendaciones[15].

a) En la operación de Inima se recomendó la solicitud de reapertura de un nuevo plazo entre los candidatos finalistas para la presentación de ofertas. En dicho proceso, después de la fecha establecida por escrito como límite para la presentación de las ofertas de compra en firme, se produjo, de hecho, una ampliación de plazo transmitida a las dos empresas de forma oral y a través de las reuniones de negociación y de comprobación de datos. Este plazo ampliado tuvo importancia en el desarrollo de la operación, ya que una mejora de oferta no fue tenida en cuenta por considerarse que se había presentado fuera de plazo. Sin embargo, esta ampliación del plazo no estuvo apoyada con un soporte documental. Además, según la información obtenida por el CCP no parecía claro que ninguno de los dos concursantes finales conociera con nitidez la fecha de cierre de la ampliación del plazo.

SEPI aceptó la recomendación del CCP y abrió un nuevo plazo. El Consejo, en un informe adicional sobre esta operación anterior a la aprobación del Consejo de Ministros, emitió un dictamen final favorable.

b) Una de las recomendaciones a los que el CCP ha otorgado mayor importancia, insistiendo en ella desde el primero de sus dictámenes, ha sido la de incrementar la ponderación en el baremo de la reducción de las comisiones/honorarios. Uno de los objetivos que se persigue con esta recomendación es incentivar la competencia vía «precios» de las entidades participantes en los concursos y, como tal, reducir el coste en comisiones y honorarios de las privatizaciones.

En un elevado número de operaciones el CCP ha insistido en su recomendación de elevar el peso del criterio de los honorarios/comisiones en el
baremo. En líneas generales, esta recomendación ha venido siendo recogida
por los agentes gestores y durante la vigencia del actual Programa de Privatizaciones ha ido aumentado las ponderaciones del criterio de las comisio-
nes/honorarios.

El fomento de la concurrencia —y la elevación de la ponderación de
este criterio— ha contribuido a una reducción gradual de los gastos de las
OPV y, en concreto, de las comisiones por coordinación global, aseguramiento y colocación de las acciones.

Como se puede apreciar en el gráfico 11.3, las comisiones en las OPV
en el tramo institucional entre el año 1993 y 1996 se encontraban estabili-
zadas en el entorno del 3%. La aprobación del Programa de Privatizaciones
marca el inicio de una senda descendente hasta alcanzar un mínimo en la
próxima OPV de Iberia en un 1,45%, lo que supone una reducción de un
51%. Realizando un sencillo cálculo obtenemos que este descenso ha originado un ahorro que puede estimarse cercano a los 40.000 millones de pesetas[16].

Cabe valorar muy positivamente la eficacia y profesionalidad del sistema financiero español y de la mayoría de los coordinadores globales extranjeros que han colaborado en estas operaciones, a pesar del continuado
descenso registrado en las comisiones. Su trabajo ha sido básico por el éxito de las OPV en esta legislatura.

Gráfico 11.3   Comisiones institucionales en las OPV

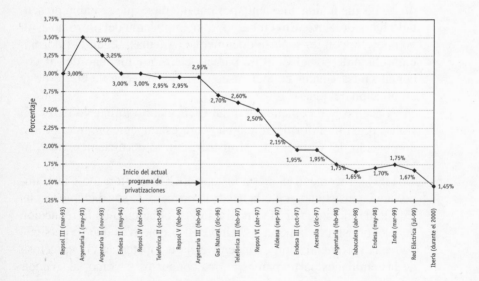

c) A lo largo de sus dictámenes sobre las OPV realizadas, el CCP ha desarrollado con cierto detalle su postura respecto al posible conflicto de intereses que se puede crear cuando los accionistas relevantes son simultáneamente coordinadores globales de la operación. La postura del CCP se puede resumir en cuatro puntos:

1) La objetivización de la elección de los coordinadores globales.
2) El «trasvase de poder» de los coordinadores globales a los agentes gestores en la asignación de acciones en los tramos institucionales.
3) La existencia de un asesor independiente que actúe como «contrapeso» de los coordinadores globales y que asista a los agentes gestores en sus labores de supervisión.
4) El carácter objetivo y lo más automatizada posible de la asignación, dependiendo de la «calidad» del inversor y de la «calidad» de la orden.

d) Por otro lado, también ha recomendado que valorador y asesor sean entidades diferentes o al menos que exista una *fairness opinion* de la valoración realizada por el asesor.

4.2 Desarrollo del Programa de Privatizaciones a partir de junio de 1996

La primera empresa que se privatiza con este programa vigente es Gas Natural, en diciembre de 1996. Desde entonces hasta diciembre de 1999 se han privatizado 36 empresas, lo que supone una media de casi una por mes.

Este proceso privatizador ha supuesto un cambio cuantitativo y cualitativo significativo con relación a la política realizada con anterioridad en este campo. Se han ingresado más de 4,45 billones de pesetas (4,67 billones de pesetas si se incluyen algunas amortizaciones de capital realizadas inmediatamente antes de la venta), lo que supone más que duplicar los 1,69 billones ingresados a través de las OPV realizadas con anterioridad a la aprobación del Programa de Privatizaciones. Este salto puede apreciarse mejor al expresar las cifras en porcentajes del PIB. Durante el período 1992-1996 las privatizaciones supusieron una media de 0,4 puntos de PIB. En los años 1997 y 1998 esta cifra se multiplica por 7 para situarse en una media anual de 2,65% del PIB, aunque en 1999 se reduce hasta el 0,5% del PIB (véase el gráfico 11.4).

Las OPV se constituyen en el método principal de privatización. Esta afirmación la podemos basar tanto en el número de participantes involucrados como en las cifras de lo ingresado. En términos comparativos, hasta diciembre de 1999 las once OPV realizadas desde junio de 1996 sólo supo-

Gráfico 11.4 Ingresos por privatizaciones en relación al PIB anual

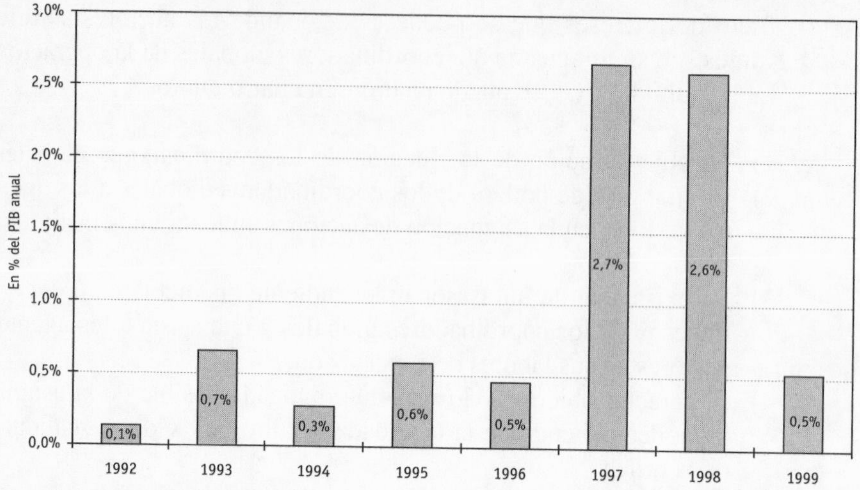

NOTA: desde 1992 hasta 1966 se han incluido los ingresos a través de OPV. En 1997, 1998 y 1999 se incluye el importe total de las privatizaciones. En el 2000 se ha incluido una estimación de los ingresos hata fin de año.

nen el 27% de las operaciones realizadas, pero han aportado el 84,6% de lo ingresado, sin considerar lo que se prevé ingresar a través de la OPV de Iberia que se realizará previsiblemente en el año 2000 (véase el gráfico 11.5). El acceso a los mercados de capital para realizar la venta de empresas públicas presenta importantes ventajas: garantiza un mayor grado de transparencia, concurrencia y publicidad en todo el proceso, permite ampliar la base accionarial de las empresas y potencia los mercados financieros al dotarlos de mayor profundidad y liquidez.

Las privatizaciones a través de los mercados de valores desde junio de 1996

Las OPV llevadas a cabo desde junio de 1996 presentan algunas características. Entre ellas, cabe destacar las siguientes:

El Estado deja de ser accionista. Se privatiza el 100% de la participación del Estado, con la excepción de Endesa-97, en la que se optó por realizar su privatización en varios tramos debido al elevado importe de una única operación, y de Red Eléctrica, en la que la regulación del sector eléctrico contempla la presencia del Estado en su capital hasta el 31 de diciembre del año 2003 (Disposición Transitoria novena de la Ley 54/1997 de 27 de noviembre del Sector Eléctrico).

Aparte del caso particular de Red Eléctrica, tan sólo permanecen, de manera temporal, en poder del Estado participaciones residuales provenien-

Gráfico 11.5   Importancia de las OPV en las privatizaciones españolas desde junio de 1996

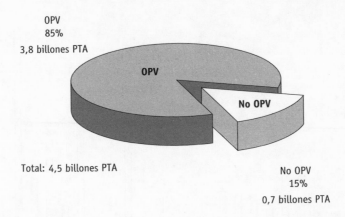

OPV
85%
3,8 billones PTA

OPV

No OPV

Total: 4,5 billones PTA

No OPV
15%
0,7 billones PTA

tes del exceso de reserva de acciones destinadas a cubrir algunos incentivos minoristas y acciones procedentes de ejercicios parciales de opciones *Greenshoe*[17].

La salida de la empresa del ámbito estatal supone, en principio, una ruptura de la vinculación con el Estado. Sin embargo, al igual que en otros países, el Gobierno se ha reservado un cierto control parcial y temporal a través de las mal llamadas acciones doradas, a las que nos hemos referido en el apartado 3.1. Con todo, el poder directo que detenta el Gobierno sobre dichas compañías es limitado y no afecta directamente al funcionamiento interno de la empresa privatizada, aunque sí puede tener efectos indirectos en la gestión, porque los directivos, al menos temporalmente, se ven «liberados» de la presión que supone el riesgo de sufrir una OPA. En todo caso el poder del Gobierno no es en absoluto comparable al que detentaba cuando permanecía —aunque fuera parcialmente— en el capital de la empresa.

Mayor tamaño relativo de las operaciones realizadas a través de OPV. El tamaño medio de las operaciones ha pasado de 133 mil millones antes del Programa de Privatizaciones a 320 mil millones durante la vigencia de dicho programa (véase el gráfico 11.6), lo que supone multiplicar por 2,4 la cifra media anterior. En este sentido, destaca la OPV de Endesa-98, que ha quintuplicado el volumen de la mayor privatización realizada en el período anterior (Repsol-95). (El buen momento del mercado bursátil y la importante disminución de los tipos de interés hasta 1998 ha favorecido, sin duda, el aumento del volumen de las operaciones.) Sin embargo, se observa una tendencia a la baja en el importe de las operaciones de OPV debido a que las empresas de gran tamaño ya han sido vendidas.

Mayor apelación al mercado bursátil. Como se ha comentado antes, un 85% de los ingresos se ha realizado a través de ofertas públicas de venta de

Gráfico 11.6 Tamaño de las OPV

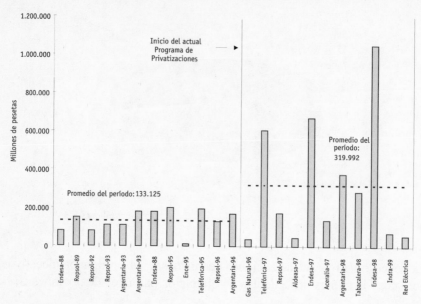

NOTA: las líneas discontinuas representan el volumen medio de las OPV en cada período.

acciones. Las OPV proveen un mayor grado de transparencia, concurrencia y publicidad, dado que existe un marco regulado que obliga a cumplir un procedimiento estandarizado. Debido a la existencia de operaciones más grandes en volumen, el acceso a los mercados de valores organizados ha sido una estrategia necesaria. Sin embargo, también en operaciones de menor tamaño se ha recurrido a las OPV. Estas operaciones se han desarrollado en unos mercados de renta variable más maduros y han coincidido (si no alentado) con un gran número de operaciones de OPV privadas, tanto iniciales como subsiguientes.

De las operaciones realizadas desde el otoño de 1996 hasta diciembre de 1999, seis han sido OPV subsiguientes (Gas Natural, Telefónica-97, Repsol-97, Endesa-97, Argentaria-98, Tabacalera-98 y Endesa-98) y cuatro han sido IPOs (Aldeasa, Aceralia, Indra y Red Eléctrica). Hemos considerado la OPV de Indra como inicial, aunque en propiedad no lo sea, ya que se negociaba un porcentaje muy reducido de su capital en bolsa antes de que se produjera la OPV.

En algunas operaciones la OPV ha sido precedida de la venta o incorporación de socios tecnológicos o institucionales a su capital. Ejemplos de este sistema mixto (aunque con particularidades en cada caso) son las privatizaciones de Aceralia, Indra, Iberia y Casa.

Además de las OPV se han empleado (o se tiene previsto utilizar) otros métodos de venta que utilizan el marco institucional de los mercados de valores. Concretamente, la venta del 52,6% del capital de Sefanitro en manos del Estado se realizó a través del mecanismo de OPA competitiva en diciembre de 1996. Otro mecanismo de venta de acciones es el *block trade*, indicado para operaciones en las que el volumen de la venta es elevado, pero no lo suficiente para justificar los elevados costes fijos de una OPV. Es el caso de la venta del 0,28% del capital de Telefónica realizado por SEPPa el 10 de marzo de 1999. Por alguno de estos dos sistemas está prevista la venta de las participaciones residuales que SEPPa aún mantiene en Aldeasa (4,96%) y Tabacalera (3,2%).

Mayor participación de los tramos minoristas. Otro de los aspectos destacables es la mayor importancia otorgada a la participación del inversor minorista en las OPV. La mayor parte de las OPV se han dirigido al inversor institucional y al minorista de forma conjunta (Telefónica-97, Repsol-97, Endesa-97, Aceralia, Argentaria-98, Tabacalera, Endesa-98, Indra y Red Eléctrica), aunque en dos operaciones se ha prescindido del tramo minorista (Gas Natural en 1996 y Aldeasa en 1997). El buen comportamiento de los tramos minoristas ha sido un factor clave en el éxito de las operaciones. Si antes de junio de 1996 la media ponderada de los tramos minoristas sobre el total de la operación era del 48%, a partir de esta fecha el porcentaje aumenta hasta el 67% (como se puede observar en el gráfico 11.7), lo que supone un incremento de 19 puntos porcentuales. (Hay que destacar que si el 85% de lo privatizado en esta legislatura ha sido a través de OPV y el 67% ha ido a manos minoristas, el resultado es que el 57% del total desin-

Gráfico 11.7   Porcentaje de los tramos minoristas sobre el total de la operación

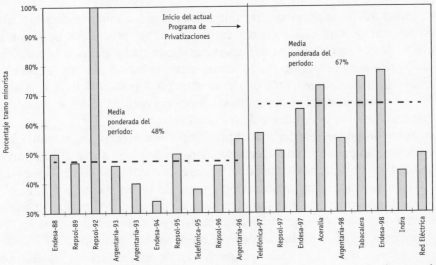

NOTA: las líneas discontinuas representan la media ponderada del peso del tramo minorista en cada período.

vertido ha sido comprado por el inversor minorista o particular —dentro de sistemas de prorrateo—, lo que implica una fuerte dispersión de la propiedad y una ausencia de concentración en el proceso privatizador).

Asimismo, en la mayor parte de las operaciones se ha reservado un tramo para trabajadores en condiciones más ventajosas que el tramo minorista general y, en ocasiones, combinado con productos financieros de cobertura.

Con anterioridad, se había adoptado la costumbre de incluir en el tramo de trabajadores a otros colectivos vinculados con la propia empresa, como eran trabajadores del grupo de empresas al cual pertenecía o a los propios del *holding*. En las operaciones realizadas a partir de junio de 1996 se han reducido paulatinamente los colectivos que podían acogerse a las ventajas del tramo trabajadores. En las siguientes OPV —y tras las recomendaciones al respecto del CCP— dicho tramo se ha destinado únicamente a los trabajadores de la empresa privatizada.

Este aumento de la importancia de los tramos minoristas también se puede observar en la importante demanda generada por estos tramos. Frente a los 13 billones de pesetas de demanda generados por los tramos minoristas en las OPV realizadas con anterioridad a junio de 1996, en las OPV ejecutadas desde esa fecha se han obtenido 24,6 billones de pesetas. Esto implica que de media la demanda generada en cada operación por los tramos minoristas ha aumentado desde casi 300.000 millones a 2,7 billones de pesetas.

Otro cambio sustancial ha sido el fuerte incremento experimentado por la petición media minorista: frente a las 877.000 pesetas que como media solicitaba cada inversor en el período anterior a junio de 1996, se ha pasado a una petición de 3,0 millones en las operaciones realizadas con posterioridad a esa fecha.

Sin embargo, estas cifras hay que manejarlas con cuidado debido a que en los tramos minoristas la expectativa de duros prorrateos ocasiona el efecto de que se realicen peticiones por una cantidad superior a la realmente deseada por el inversor. Por lo tanto, se puede considerar que un porcentaje de la demanda generada es ficticio. Dicha demanda ficticia será diferente en cada operación dependiendo, principalmente, de las expectativas que existan sobre la evolución de los prorrateos.

Por ello, puede resultar más representativo el número de personas que presentan órdenes en cada operación, aproximándonos a esta cifra a través del número de peticiones cursadas [18]. Así, el número total de peticiones minoristas realizadas con posterioridad a junio de 1996 supera los 8 millones, lo que supone más que duplicar el número de peticiones (3 millones) que se habían realizado con anterioridad a la entrada en vigor del Programa de Privatizaciones. Esta cifra implica que se ha pasado de una media de 300.000 peticiones realizadas en cada operación a una media superior a 900.000 peticiones (1,07 millones), como se recoge en el gráfico 11.8.

Gráfico 11.8   Número de peticiones en los tramos minoristas

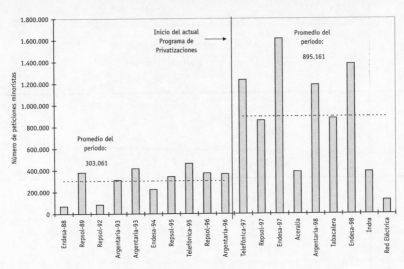

NOTA: las líneas discontinuas representan el número medio de peticiones minoristas en cada período.

Un análisis sobre el precio de las OPV de empresas públicas

Uno de los aspectos más relevantes de un proceso de privatizaciones es el precio al que el Estado ha vendido sus participaciones en las empresas públicas. La existencia de un mercado de valores en el que se coticen las empresas privatizadas puede ser un buen indicador del grado de ajuste de los precios a los que el Estado ha vendido sus empresas. Uno de los métodos de análisis consiste en comparar una a una la evolución del valor en el primer día y en la primera semana de cotización con la evolución del índice de referencia, que en nuestro caso es el Ibex-35 (método de los «premios bursátiles»)[19]. El resultado de dicho análisis muestra que, desde este punto de vista, el Estado ha sido más eficiente que las empresas privadas a la hora de vender sus empresas, o, expresado de otra manera, se podría decir que el Estado ha vendido a unos precios «ajustados» las empresas públicas a través de OPV.

Concretamente, el premio bursátil lo definiremos como el porcentaje de apreciación/depreciación del valor sujeto a OPV en el primer día (o en la primera semana) en relación con la apreciación/depreciación del Ibex-35. Para evitar que la evolución del valor pueda afectar al mismo Ibex-35 se ha calculado en las OPV secundarias la evolución del Ibex-35 sin considerar la influencia del valor sobre el índice.

En el cuadro 11.2 se observa que para los dos grupos de OPV contemplados (OPV de empresas privadas y OPV de empresas públicas) los pre-

Cuadro 11.2   Primas bursátiles en el primer día de negociación tras la OPV

	92-oct. 96	*Actual Programa de Privatizaciones Nov. 96-99*	*1992-1999*
OPV públicas			
Todas las OPV	4,01%	−0,04%	1,48%
OPV iniciales	11,94%	2,11%	4,08%
OPV subsiguientes	3,02%	−1,11%	0,80%
OPV privadas			
Todas las OPV	10,54%	18,54%	15,76%
OPV iniciales	19,97%	21,00%	20,54%
OPV subsiguientes	1,10%	2,57%	1,59%

mios bursátiles de las OPV iniciales son mayores que los de las OPV subsiguientes.

Otro resultado que podemos extraer del cuadro 11.2 es que las OPV de empresas privadas registran primas bursátiles mucho más elevadas que las OPV de las empresas públicas[20].

Un tercer resultado que se derivaría del cuadro 11.2 es que las OPV públicas desde noviembre de 1996 (fecha en la que se realiza la primera privatización a través de OPV bajo el actual Programa de Privatizaciones) han experimentado primas inferiores a las registradas desde 1992 hasta noviembre de 1996. Estos datos significan que los precios de las OPV a partir de noviembre de 1996 se han acercado más al valor que le otorga el mercado que en las OPV públicas realizadas con anterioridad a esa fecha (que por otra parte también registran primas menores que las operaciones privadas realizadas durante esa época). Este resultado, sin embargo, no es aplicable al obtenido del estudio realizado en el plazo de una semana (cuadro 11.3), donde las primas de las OPV públicas anteriores a noviembre de 1996 son inferiores a las posteriores a esta fecha. El resto de los resultados siguen siendo aplicables con las primas calculadas durante la semana posterior a la colocación, es decir, las primas de las OPV públicas son menores que las de las OPV privadas y las de las OPV primarias son mayores que las de las subsiguientes (con la única excepción, en este último caso, de las OPV públicas en el período anterior a noviembre de 1996, donde las primas de las OPV subsiguientes superan a las de las OPV primarias).

Cuadro 11.3   Primas bursátiles en la semana posterior a la OPV

	92-oct. 96	Nov. 96-99	1992-1999
OPV públicas			
Todas las OPV	−1,27%	1,43%	0,21%
OPV iniciales	−5,89%	3,30%	1,46%
OPV subsiguientes	−0,69%	0,31%	−0,20%
OPV privadas			
Todas las OPV	14,40%	16,44%	12,81%
OPV iniciales	15,62%	14,12%	14,55%
OPV subsiguientes	5,53%	3,03%	4,10%

Seguimiento de los índices CCP

Este análisis presenta una metodología diferente del anterior. En concreto vamos a analizar la evolución de la cotización de las acciones de las empresas privatizadas en períodos más amplios (desde el comienzo del actual Plan de Privatizaciones hasta el 31 de diciembre de 1999). En períodos largos, lógicamente influyen otras variables independientes de las condiciones de la colocación, pero creemos que tambien puede ser interesante este tipo de análisis.

Para analizar este comportamiento normalmente se ha comparado individualmente la evolución de cada acción frente, por ejemplo, al Ibex-35. Ante la conveniencia de tener un indicador «global» del comportamiento de las empresas privatizadas, en el CCP se han desarrollado unos índices que tratan de medir el resultado obtenido por una cartera compuesta por todas las empresas que se han ido privatizando a través de OPV.

En primer lugar vamos a comparar el Índice CCP-1 (institucional) con el Ibex-35 (en este análisis no vamos a tener consideraciones sobre el riesgo). El resultado que obtenemos es que sus rentabilidades no son muy diferentes, aunque la del Ibex-35 (34,5% en términos anualizados) supera a la del Índice CCP-1 (31,2%). Con este resultado se puede obtener la conclusión de que el vendedor (el Estado) ha obtenido un precio ajustado por la venta de sus participaciones, realizando unos ingresos superiores de lo que hubiera obtenido de haber vendido a un precio que igualara la rentabilidad del mercado (medida por el Ibex-35) con la de las privatizaciones (medida por el Índice CCP-1). Dicho de otra manera, el Estado hubiera ganado dinero si lo ingresado por privatizaciones lo hubiera invertido en una cartera que replicara al Ibex-35.

En segundo lugar, vamos a comparar el Índice CCP-2 (minorista) con la rentabilidad del Índice de Fondos de Inversión de renta variable elaborado por *Expansión,* por entender que la inversión alternativa más popular de un inversor minorista sería la de fondos de inversión (aunque si realizáramos la comparación con el Ibex-35, el resultado cualitativo no variaría). En esta comparación ocurriría lo contrario. Los inversores minoristas obtienen una rentabilidad ligeramente mayor de sus inversiones en privatizaciones (el 35,7% en términos anualizados) que de su inversión alternativa en Fondos de Inversión de renta variable (35,4%) —y también superior a la menciona-da rentabilidad del Ibex-35— . En este caso el resultado para el Estado se-ría el inverso del descrito en el párrafo anterior, pero puede considerarse que ha sido un «objetivo perseguido», debido a la finalidad de fomentar la dispersión del accionariado y extender a nuevas capas de la sociedad el ac-ceso a la renta variable.

En el cuadro 11.4 se resumen las once OPV realizadas desde la aproba-ción del actual Programa de Privatizaciones.

4.3. Las privatizaciones realizadas al margen del mercado de valores desde junio de 1996

El grupo de empresas privatizado por métodos distintos a OPV presenta una mayor heterogeneidad. Es decir, no existe un perfil definido para este grupo de empresas, ni en el aspecto financiero (algunas presentan benefi-cios, otras pérdidas), ni en el tamaño (junto a grandes empresas se han ven-dido otras de muy pequeña dimensión), ni tampoco en el método de venta empleado.

Respecto a los compradores finales, tampoco ha existido un esquema único. Ha habido tanto compradores nacionales como extranjeros y en al-gunos casos han sido los propios directivos los que han adquirido la empre-sa (en solitario o junto a otro grupo de inversores).

Desde junio de 1996 han sido privatizadas 27 empresas[21] por métodos distintos a las OPV, de las cuales 21 pertenecían a SEPI, 3 a la AIE (antes de su fusión con SEPI), 2 a SEPPa y una al Ministerio de Fomento (véase el cuadro 11.5, en el que se recogen algunas de las principales característi-cas de estas operaciones). La venta de estas empresas ha supuesto unos in-gresos estimados cercanos a los 0,7 billones de pesetas[22].

Siendo conscientes de la dificultad que plantea realizar una clasifica-ción, a continuación se realiza una recopilación de los distintos métodos que se han empleado para privatizar empresas (no OPV):

El *concurso restringido y procedimiento negociado* es el método emplea-do en un mayor número de empresas. El procedimiento supone la elección previa de un asesor y/o valorador. A continuación se inicia la búsqueda de potenciales compradores para la empresa, invitándoseles a presentar prime-ro una oferta indicativa y posteriormente una oferta vinculante. El compra-dor se selecciona a partir de las ofertas vinculantes presentadas en función

Cuadro 11.4 Empresas privatizadas a través de OPV desde junio de 1996

EMPRESA	AGENTE GESTOR	MÉTODO	FECHA	% VENTA	INGRESOS VENTA*
GAS NATURAL	SEPI	OPV institucional	Nov.-96	3,81%	35.873 m. pta.
TELEFÓNICA	SEPPa	OPV institucional y minorista	Feb.-97	21,9%	605.297 m. pta.
REPSOL	SEPI	OPV institucional y minorista	Abr.-97	10%	168.381 m. pta.
ALDEASA	SEPPa	OPV (IPO) institucional	Sep.-97	80%	45.542 m. pta.
ENDESA-97	SEPI	OPV institucional y minorista	Oct.-97	25%	670.408 m. pta.
ACERALIA	SEPI	OPV (IPO) institucional y minorista	Dic.-97	52,8%	132.155 m. pta.
ARGENTARIA	SEPPa	OPV institucional y minorista	Feb.-98	29,2%	378.749 m. pta.
TABACALERA	SEPPa	OPV institucional y minorista	Abr.-98	52,0%	286.534 m. pta.
ENDESA-98	SEPI	OPV institucional y minorista	Jun.-98	30,0%	1.052.087 m. pta.
INDRA	SEPI	OPV institucional y minorista	Mar.-99	66,09%	72.730 m. pta.
RED ELÉCTRICA	SEPI	OPV(IPO) institucional y minorista	Jul.-99	35%	56.718 m. pta.
IBERIA	SEPI	OPV (IPO) institucional y minorista	Prevista para el año 2000	53,7%	Estimación: 241.000 m. pta.

(*) FUENTE: Gabinete del Ministerio de Industria (BICG 26/1/99), Secretario de Estado de Relaciones con las Cortes (Boletín del Congreso 2/7/98) y elaboración propia.

de los objetivos del agente gestor valorando el plan industrial y el precio de compra. Con el comprador elegido se negocian los aspectos finales de la compraventa. Ejemplos de este tipo de proceso son las privatizaciones de Almagrera, Iongraf, Auxini (en este caso hubo un derecho de adquisición preferente anterior), Elcano, TISA (también hubo un derecho de tanteo), Ferroperfil, Inespal, Infoleasing, Barreras, Inima, Potasas, ICSA-Aya, Enatcar, Initec, Astander, TGI.

El *concurso restringido* es un sistema de venta análogo al anterior, aunque existen ciertas diferencias, como es la existencia de un proceso altamente reglado en todas sus fases y la inexistencia de «negociación» después de presentada la oferta definitiva. Dado que normalmente no existe un sistema final de negociación, los términos finales de la venta deben estar muy regulados. Un ejemplo de este tipo de proceso es el seguido en la primera fase de la privatización de Retevisión en el año 1997.

En el procedimiento de *subasta* el precio ofrecido es el único criterio a utilizar para valorar las ofertas presentadas por los candidatos que cumplan los requisitos previamente exigidos. Utilizado en la privatización de Comesa, Serausa y Retevisión II.

En el sistema de *venta directa negociada* se mantiene el sistema de elección de asesores y la existencia de una valoración de la empresa como en los casos anteriores. Sin embargo, la adjudicación se realiza directamente sin recurrir a procedimientos concurrenciales. Ejemplos de este tipo de procesos han sido la venta del 9% de Enagás a Gas Natural (en este caso el comprador se hacía cargo de las posibles contingencias derivadas del contrato del gas con Argelia); de Productos Tubulares a Tubos Reunidos (conforme a unos acuerdos sobre reestructuración del sector que procedían de los años 1993 y 1994); de Sodical (empresa dedicada al desarrollo industrial), de Surgiclinic Plus (empresa cuya alternativa era la liquidación) y de LM Composites Toledo (empresa cuyos estatutos y un contrato de colaboración firmado cuando se puso en marcha la empresa incluían restricciones a la libre transmisibilidad de las acciones).

Las *operaciones de capital* no implican la venta de las acciones de las empresas a privatizar. Sin embargo, en la práctica han servido para reducir la participación del Estado en el capital de las empresas. Entre las operaciones de capital se incluyen las amortizaciones de capital, ampliaciones de capital y fusiones. La *amortización de capital* se ha utilizado en la privatización de Aceralia en 1997 (25.000 millones) y de Endesa en 1998 (296.000 millones). En estos casos, la empresa amortiza parte de su capital pero sólo al Estado, con lo que el resto de los accionistas ve incrementar su participación sobre el total. En estos dos casos se consideró que existía una holgura de recursos propios (hay que recordar que la amortización de capital de Aceralia había sido precedida por la ampliación de capital de 129.200 millones por la que Arbed accedía al 35% del capital).

Asimismo se han producido *ampliaciones de capital* para dar entrada a otros socios en la privatización de Aceralia (participación del 35% de Arbed) y en Retevisión-97, donde los compradores se comprometían a adquirir el 60% del capital en poder del Estado y llevar a cabo una ampliación de capital (realizada por un importe de 64.644 millones), de manera que su porcentaje final se situara en el 70%.

La *fusión* es el sistema utilizado en la operación de Casa. En ella se negoció la entrada de Casa en el consorcio Europeo EADS. En este caso se negoció inicialmente la fusión de Casa con algún fabricante europeo, siendo elegida la alemana Dasa. La fusión simultánea de Dasa y Aerospatiale-Matra en EADS supuso la integración de Casa en EADS sobre la base de los términos ya negociados con Dasa. El Estado obtendrá por Casa alrededor de un 6,25% del capital de EADS, que, presumiblemente, con posterioridad, se venderá a través de OPV.

5. Conclusiones

Durante los primeros años ochenta existió un vivo debate en torno a la privatización o nacionalización de la empresa pública. Veinte años después la balanza parece haberse inclinado del lado de las privatizaciones ya que un elevado número de países de diversas tendencias políticas han emprendido procesos de privatización. El cambio de pensamiento sobre la necesidad de abordar políticas de privatización también afectó a España, de manera que se inició el proceso a mediados de los años ochenta, primero de forma tímida y luego de forma más decidida con las primeras OPV de grandes empresas públicas, si bien hasta junio de 1996 no existió un Programa de Privatizaciones explícito y con vocación de globalidad. En todo caso el Estado se mantuvo hasta dicha fecha en el accionariado de las grandes empresas públicas.

Desde que se inició el actual Programa de Privatizaciones en junio de 1996 España ha realizado un esfuerzo privatizador muy notable. Así, la media de los ingresos por privatizaciones en relación al PIB ha pasado de un 0,4% en el trienio 1994-1996 a un 1,9% en el trienio 1997-1999. Se ha producido un mayor tamaño medio de las operaciones (especialmente a través de OPV) y, lo que resulta más importante, las privatizaciones han sido totales, habiendo salido totalmente el Estado del accionariado de las empresas privatizadas, desvinculándose de la gestión de las mismas.

También se ha realizado un esfuerzo por acudir al mercado de valores —el 85% del total ingresado—, dado que este sistema permite una mayor dispersión del accionariado y una participación del pequeño inversor en el proceso de privatización. Así, un elevado porcentaje de los ingresos ha provenido de los tramos minoristas (el 57% de todo lo privatizado ha sido comprado por minoristas).

Cuadro 11.5 Empresas privatizadas por métodos distintos a OPV

EMPRESA	AGENTE GESTOR	MÉTODO	FECHA
ALMAGRERA	SEPI	Concurso restringido y procedimiento negociado	Dic.-96
IONGRAF	SEPI	Concurso restringido y procedimiento negociado	Mar.-97
SODICAL	SEPI	Venta directa negociada	Mar.-97
SURGICLINIC PLUS	AIE	Venta directa negociada (venta de los activos)	Mar.-97
ENAGAS	SEPI	Venta directa negociada	Oct.-98
AUXINI	SEPI	Concurso restringido y procedimiento negociado	Jun.-97
RETEVISIÓN (I)	Mº DE FOMENTO	Concurso restringido	Abr.-97
CSI-ACERALIA	AIE-SEPI	Concurso restringido. Procedimiento final negociado	Ago.-97
ELCANO	SEPI	Concurso restringido y procedimiento negociado	Oct.-97
TISA	SEPPa	Concurso restringido y procedimiento negociado. Ejecución final del derecho de tanteo	Oct.-97
FERROPERFIL	SEPI	Concurso restringido y procedimiento negociado	Nov.-97

PORCENTAJE	INGRESOS*	COMPRADOR
99,98%	442 m. pta.	Navan Resources
100%	164 m. pta.	Directivos (MBO)
51%	719 m. pta.	Resto de los accionistas anteriores de Sodical y la Caja Rural del Duero
50%	–281 m. pta.	Hambros
9%	14..000 m. pta.	Gas Natural
60%	5.950 m. pta.	OCP
60%	116.000 m. pta.	Consorcio liderado por STET y Endesa
1.ª fase: 35% 2.ª fase: 12,2%	1.ª fase ampliación de capital.: 129.200 m. pta. 2.ª fase: Venta a socios: 45.192 m. pta.	1.ª fase: ARBED (35%) 2.ª fase: Corporación J. M. Aristrain (10,8%) J. M. Aristrain (0,4%) Gestamp (1%)
100%	5.773 m. pta.	Grupo Marítimo Ibérico, compuesto por Soponata (50%) (Portugal), Naviera Murueta (10%) y Remolcanosa (40%)
23,78%	127.000 m. pta.	Telefónica
100%	21 m. pta.	Equipo directivo (MBO)

Cuadro 11.5   (continuación)

EMPRESA	AGENTE GESTOR	MÉTODO	FECHA
INESPAL	SEPI	Concurso restringido y procedimiento negociado	Dic.-97
INFOLEASING	SEPI	Concurso restringido y procedimiento negociado	Ene.-97
BARRERAS	SEPI	Concurso restringido y procedimiento negociado	Dic.-97
PRODUCTOS TUBULAES	SEPI	Venta directa negociada	Oct.-98
INIMA	SEPI	Concurso restringido y procedimiento negociado	Jul.-98
COMESA	SEPI	Subasta	Jul.-98
SERAUSA	SEPPa (AUDASA-ENA)	Subasta	Dic.-98
POTASAS (Grupo)	SEPI	Concurso restringido y procedimiento negociado	Dic.-98
RETEVISIÓN (II)	Mº DE FOMENTO	Subasta	Dic.-98
ICSA-AYA	SEPI	Concurso restringido y procedimiento negociado	Jun.-99
Participación residual en TELEFÓNICA	SEPPa		

PORCENTAJE	INGRESOS*	COMPRADOR
99,6%	32.384 m. pta.	Alcoa
100%	3.100 m. pta.	LISCAT (Caixa de Catalunya)
99,99%	750 m. pta.	Grupo «Barreras», integrado por Naviera Odiel, Grupo García Costas, Grupo Albacora y el equipo directivo de Barreras
100%	1 pta.	Tubos Reunidos
100%	625 m. pta.	Lain
100%	1.500 m. pta.	Mercado de Futuros sobre Cítricos de Valencia, Paribás, BCH, Argentaria, Analistas Financieros Internacionales, Santander, Repsol, Abengoa, Anfac y otros inversores
100%	2.460 m. pta.	Areas S.A.
58,15% de Potasas de Llobregat y 100% de Suria K	17.200 m. pta.	Grupo liderado por Dead Sea Works (DSW)
30%	123.300 m. pta.	Grupo formado por los anteriores accionistas de Retevisión más BCH y Caixa Vigo
100%	102 m. pta.	Mecanizaciones Aeronáuticas (MASA)
0,28%	20.500 m. pta.	Colocación institucional (Block Trade)

Cuadro 11.5   (continuación)

EMPRESA	AGENTE GESTOR	MÉTODO	FECHA
ENATCAR	SEPI	Concurso restringido y procedimiento negociado	Dic.-99
INITEC	SEPI	Concurso restringido y procedimiento negociado	Nov.-99
ASTANDER	SEPI	Concurso restringido y procedimiento negociado	Nov.-99
LM COMPOSITES TOLEDO	SEPI	Venta directa. Negociación bilateral	Nov.-99
TGI	SEPI	Concurso restringido y procedimiento negociado	Dic.-99
IBERIA	SEPI	Socios industriales: venta directa socios institucionales: concurso restringido y procedimiento negociado	Dic.-99

(*) FUENTE: Gabinete del Ministerio de Industria (Boletín del Senado 26/1/99), Secretario de Estado de Relaciones con las Cortes (Boletín del Congreso 2/7/98) y elaboración propia.

En el proceso actual de privatizaciones se ha velado por el fomento de la transparencia, concurrencia y publicidad. Una de las medidas adoptadas en este campo ha sido la creación del CCP con el objetivo de dictaminar sobre el cumplimiento de tales principios. A través de sus dictámenes el CCP ha conseguido desarrollar una cierta influencia en el proceso privatizador español. De forma muy resumida recordemos aquí algunas de las recomendaciones realizadas por el CCP que han ocasionado la repetición de un concurso, el incremento de la competencia a través de la mayor ponderación de la reducción de las comisiones/honorarios en los concursos para elección de asesores —que ha contribuido, en el caso de las OPV, a un sustancial

PORCENTAJE	INGRESOS*	COMPRADOR
100%	26.200 m. pta.	Alianza Bus (Alsa 75%, Banco de Negocios Argentaria 10% y Urbaser 15%)
100%	5.000 m. pta.	Técnicas Reunidas y Westinghouse
100%	300 m. pta.	Italmar
50%	875 m. pta.	LM Composites
100%	60 m. pta.	Grupo Doxa
Socios industriales 10%, socios institucionales 30%	45.435 m. pta. + 136.305 m. pta.	*Socios industriales*: British Airways 9%, American Airlines 1% *Socios institucionales*: Cajamadrid 10%, BBV 7,3%, Logista (Tabacalera) 6,7%, Ahorro Corporación 3%, El Corte Inglés 3%

ahorro de los costes, estimado en cerca de 40.000 millones de pesetas— y la adopción de medidas para neutralizar los potenciales conflictos de interés en los procesos de privatización (en Durá [1998] y Gámir [1999ª] se desarrolla con más amplitud este punto).

Asimismo se ha prestado especial atención a la fijación de los precios de venta de tal manera que según el estudio realizado de las primas bursátiles el Estado ha sido más eficiente que la empresa privada a la hora de vender sus empresas. Ello se traduce, como hemos visto, en menores primas bursátiles.

En el largo plazo las empresas privatizadas han tenido una evolución que no se aparta sustancialmente de la del Ibex-35 según el estudio de los índices CCP. Así el índice CCP 1 (institucional) ha tenido un comportamiento ligeramente inferior al del Ibex-35, mientras que el índice CCP 2 (minorista) ha experimentado un comportamiento algo mejor que el Ibex-35 y que los fondos de inversión en renta variable. Este resultado implica: a) que el Estado ha obtenido un precio ajustado por la venta de sus participaciones, realizando unos ingresos superiores de los que hubiera obtenido de haber vendido a un precio que igualara la rentabilidad del mercado (medida por el Ibex-35) con la de las privatizaciones (medida por el índice CCP-1), o, lo que es lo mismo, el Estado hubiera ganado dinero si lo ingresado por privatizaciones lo hubiera invertido en una cartera que replicara al Ibex-35; y b) que los inversores minoristas han obtenido rentabilidades ligeramente superiores a las rentabilidades medias obtenidas por los fondos de inversión de renta variable (su posible inversión alternativa). En este último caso el resultado para el Estado sería el inverso del descrito en el caso de inversores institucionales, pero puede considerarse que ha sido un «objetivo perseguido», debido a la finalidad de fomentar la dispersión del accionariado y extender a nuevas capas de la sociedad el acceso a la renta variable.

Notas

1 Este capítulo proviene de una línea de investigación del autor sobre la política de privatizaciones, algunos de cuyos resultados aparecen en las referencias bibliográficas de este trabajo, aunque estas páginas también contengan aportaciones nuevas.

Lo normal es que aparezcan pronto nuevos datos —y análisis— en el Consejo Consultivo de Privatizaciones (2000).

2 Agradezco a Benjamín Serrano su colaboración en la redacción de este capítulo.

3 El cambio de «paradigma» fue analizado de manera más extensa y técnica en Gámir (1992).

4 Véase J. A. Gonzalo, V. Pina y L. Torres (1998).

5 Por ejemplo, en Portugal, los ingresos por privatizaciones en los años 1997 y 1998 superaron el 4% del PIB, en concreto un 4,87% en 1997 y un 4,01% en 1998.

6 Esta sentencia, en su considerando 21, establecía la siguiente interpretación: «La sentencia recurrida entiende como infringidos los artículos 103 y 104 de la Ley de Patrimonio del Estado, y el artículo 202 de su Reglamento, en cuanto a la prohibición de enajenación de títulos representativos de capital propiedad del Estado, cuando su valor exceda del diez por ciento de la total participación estatal, por reservar dicha facultad a la previa autorización por Ley [...] es lo cierto, como ponen de relieve los recursos de apelación, que la Ley General Presupuestaria modificó el citado régimen, al establecer en su artículo 6.3 que la pérdida de la posición mayoritaria del Estado en las sociedades estatales (comprendidas en tal concepto "las sociedades mercantiles de cuyo capital sea mayoritaria la participación del Estado o de sus Organismos Autónomos", según el apartado 1-a) del mismo artículo 6) se acordará por el Consejo de Ministros».

7 La acción dorada (o acción de oro, como también se ha traducido) consiste, en esencia, en una acción con un valor nominal concreto que concede a su poseedor ciertos

derechos especiales. Normalmente otorga derecho de veto sobre determinado tipo de decisiones.

La *action specifique* es un sistema similar, aunque algo más cercano al método español al exigirse la aprobación por un decreto emitido por el Gobierno.

8 Mediante la aprobación, previo dictamen del Consejo de Estado, de un Real Decreto específico para cada empresa a la que se le vaya a aplicar la ley. En este Real Decreto, entre otras materias, se establecerá su período de vigencia.

9 En el proyecto de ley enviado al Congreso se establecían a modo de ejemplo, pudiendo el Gobierno, en teoría, someter a autorización administrativa previa cualquier tipo de decisiones adoptadas por los órganos sociales de la empresa. Este aspecto fue modificado en la tramitación parlamentaria.

10 En el proyecto de ley este porcentaje se establecía en el 5%, que luego fue aumentado en la tramitación parlamentaria.

11 Véase World Bank (1986).

12 Las otras grandes empresas como Telefonica, Argentaria y Repsol no pertenecian al INI y por tanto no están incluidas en este cálculo.

13 Debido al resultado neto negativo de las ventas de empresas no realizadas a través de OPV, se pueden estimar en unos 1,3-1,4 billones los ingresos netos obtenidos por las privatizaciones con anterioridad a junio de 1996.

14 La Ley 13/96 de Medidas Fiscales, Administrativas y de Orden Social de 30 de diciembre, en sus artículos cuarto y quinto, modifica los artículos 103 y 104 de la LPE indicando que la enajenación de títulos propiedad del Estado en empresas mercantiles se efectuará de acuerdo con lo establecido en el artículo 6.3 de la LGP.

15 Véase Gámir (1999a) o Durá (1998) para un análisis en mayor profundidad de las recomendaciones del CCP.

16 El análisis se ha realizado calculando la diferencia entre las comisiones institucionales de cada una de las operaciones realizadas desde de junio de 1996 hasta diciembre de 1998 y las comisiones vigentes con anterioridad (en concreto el 2,95%). Para simplificar el cálculo no se han tenido en cuenta las comisiones de los tramos minoristas.

17 El *Greenshoe* u opción de sobreadjudicación se refiere a una práctica que se viene llevando a cabo desde principios de siglo en Estados Unidos, donde se utilizó por primera vez en la colocación de acciones de la empresa Green Shoe, de donde toma su nombre. Esta práctica implica que el sindicato de colocación de acciones venda en firme a los inversores un volumen de acciones superior al que compra al emisor. Para poder entregar ese volumen superior de títulos el sindicato tiene que tomar prestadas en el mercado esas acciones. Para cubrir esta «posición corta» se requiere que el emisor «otorgue» al sindicato una opción (que suele durar un mes) por la cual debe vender acciones de la compañía al sindicato al mismo precio de la OPV. Si el valor de las acciones sube, el sindicato ejerce su opción *greenshoe* comprando acciones al emisor y devuelve las acciones que había tomado prestadas con anterioridad. Si el valor de las acciones baja, el sindicato no ejerce la opción *greenshoe* (no compra acciones al emisor), pero debe comprar acciones en el mercado para devolver las acciones que había tomado prestadas con anterioridad. Esta operativa forma parte de la acción de estabilización del valor que llevan a cabo los coordinadores globales en cualquier OPV para contrarrestar la venta de acciones que se produce en los primeros momentos después de la operación *(flowback)*.

18 Una persona puede cursar más de una orden y varias personas pueden presentar órdenes conjuntas, por lo que el número de personas no va a coincidir con el número de peticiones.

19 Bel (1998) utiliza una metodología similar, aunque aplicado al plazo de una semana.

20 Este hecho podría resultar paradójico con el objetivo de la privatización. Véanse sobre este punto Gámir (1999b) y Gámir (1999c).

21 Se incluyen la 1.ª y 2.ª fases de Aceralia, que también están contabilizadas dentro de las OPV por su tercera fase.

22 Si sumamos otros ingresos derivados del proceso de privatización, como son las amortizaciones y reducciones de capital que tienen lugar justo antes de realizar la venta, esta cifra se situaría por encima de los 900.000 millones de pesetas.

Referencias

Bel, G. (1998): «Los costes financieros de la privatización en España», *Información Comercial Española*, n.º 772, julio-agosto.

Consejo Consultivo de Privatizaciones (1999): *Informe de Actividades - 1998*. Madrid.

— (2000): *Informe de Actividades - 1999*, Madrid (en preparación).

Durá, P. (1998): «Las principales recomendaciones del CCP», *Información Comercial Española*, n.º 772, julio-agosto.

Gámir, L. (1992): «Nuevos valores y el papel relativo del sector público», en *Economía Española, Cultura y Sociedad*. Homenaje a Juan Velarde. Madrid, Eudema.

— (1999a): *Las Privatizaciones en la España Actual*, Madrid, Pirámide.

— (1999b): «El precio de venta de las empresas privatizadas», *Revista del Instituto de Estudios Económicos*, n.º 4/99, Madrid.

— (1999c): «Análisis de las OPVs de empresas públicas», *Economía Industrial* (en prensa).

Gonzalo, J. A.; V. Pina y L. Torres (1998): «La valoración de empresas en los procesos de privatización», en L. Torres y V. Pina (coords.), *Privatización de Empresas y Descentralización de Servicios Públicos*, Madrid, AECA.

Mañas, L. A. (1998): «La experiencia de una década de privatizaciones», *Información Comercial Española*, n.º 772, julio-agosto.

World Bank (1986): *Techniques of Privatization of State-Owned Enterprises, II Selected Country Case Studies*. Washington.

12. Política de innovación tecnológica

Rafael Pampillón Olmedo

1. Introducción

Las modernas teorías del crecimiento económico subrayan que el factor que más puede favorecer la productividad global de la economía, y por tanto su competitividad, es la tecnología [1]. Así pues, en el largo plazo, las acciones dirigidas a aumentar el nivel tecnológico de la economía tendrán un reflejo positivo sobre la competitividad de las empresas. Por tanto, la competitividad de un país depende, entre otros factores, de su tecnología o, lo que es lo mismo, de su capacidad para innovar [2]. Ello quiere decir que los fundamentos de la competencia se desplazan, cada vez más, hacia la creación y asimilación de conocimientos. Sin embargo, el aparato productivo español depende mucho de las innovaciones extranjeras. Efectivamente, España importa mucha tecnología, crea poca y casi no exporta nada. Es por ello que el país sigue necesitando hacer un esfuerzo mayor en investigación científica y desarrollo tecnológico (I+D).

La dependencia tecnológica española queda reflejada en los saldos negativos de su balanza de *royalties* que contabiliza el flujo anual de los pagos y cobros por la utilización de patentes entre España y el resto del mundo. En el cuadro 12.1 se puede observar cómo los saldos han sido muy negativos en los últimos años y con coberturas muy bajas y en descenso, desde 1993, demostrando la elevada dependencia tecnológica española.

399

Cuadro 12.1   Balanza de *royalties* (en millones de pesetas)

Año	Ingresos (X)	Pagos (M)	Saldo	Cobertura X/M
1985	2.628	32.540	−29.912	8%
1993	12.900	95.800	−82.900	13%
1995	16.315	129.224	−111.700	13%
1996	17.371	152.694	−129.000	11%
1997	18.632	189.734	−171.102	10%
1998	23.920	234.026	−210.106	10%

FUENTE: Banco de España (1999).

Además, España importa mucha tecnología incorporada a los bienes de equipo y exporta relativamente poca (cuadro 12.2). La reducida cobertura de la balanza de bienes de equipo y el elevado y creciente peso que representan las importaciones de bienes de equipo en la inversión son indicadores de la escasa capacidad tecnológica de España y, consiguientemente, de su acusada dependencia de la tecnología extranjera.

El origen del déficit tecnológico español se puede encontrar en los reducidos gastos en I+D. Esta escasa «intensidad investigadora» puede comprobarse comparando los datos españoles con los de la media europea (referentes a la parte del PIB que se destina a I+D) o el número de investigadores y científicos en relación con la población activa. El problema es aún mayor si tomamos como referencia los casos de Estados Unidos y Japón. Las inversiones en tecnología en España representan el 4% de todas las europeas, cuando el PIB español es el 8% de la UE. Los gastos en I+D representan porcentajes del 1% sobre el PIB, muy alejados del promedio de la UE, que es del 2%. España sufre todavía un retraso tecnológico en

Cuadro 12.2   Comercio exterior de la industria de bienes de equipo (en millones de pesetas corrientes)

Años	Importación	Exportación	Cobertura X/M
1975	148.500	53.400	36%
1990	1.870.400	819.867	43,8%
1993	1.907.900	1.256.400	65,8%
1995	2.637.237	1.710.700	64,8%
1997	3.783.000	2.406.000	63,6%
1998	4.235.072	2.475.686	58,5%

FUENTE: SERCOBE (1999).

comparación con los demás países de su entorno; por ejemplo, tiene la mitad de científicos por cada 1.000 habitantes que la media de los países de la OCDE[3].

Por lo que se refiere al esfuerzo inversor de cada país, la disminución en los gastos de investigación y desarrollo en la OCDE como porcentaje del PIB, que comenzó a principios de los noventa, ha dado muestras de recuperarse a partir de 1995. La evolución del gasto en I+D en relación con el PIB de Estados Unidos, Alemania, España y la OCDE se incluye en el cuadro 12.3.

Cuadro 12.3   Porcentaje del gasto en I+D sobre el PIB

Países	1981	1985	1990	1991	1992	1993	1994	1995	1996	1997
Estados Unidos	2,4	2,9	2,8	2,8	2,8	2,6	2,5	2,6	2,6	2,6
Francia	2,0	2,3	2,4	2,4	2,4	2,5	2,4	2,3	2,3	n.d.
Alemania	2,4	2,7	2,8	2,6	2,5	2,4	2,3	2,3	2,3	2,3
Reino Unido	2,4	2,2	2,2	2,1	2,1	2,2	2,1	2,1	2,0	n.d.
España	0,4	0,6	0,85	0,87	0,92	0,91	0,85	0,80	0,87	0,86
Media OCDE	2,0	2,3	2,4	2,3	2,3	2,2	2,1	2,2	2,2	2,2

FUENTE: OCDE, 1998.

2. Justificación de la política de innovación

La política de innovación tecnológica constituye un tema del mayor interés y actualidad, desde el punto de vista de la actividad económica de un país, máxime teniendo en cuenta que cuando se escriben estas líneas parece que se están perfilando en España los instrumentos de política económica para fomentar e impulsar la innovación industrial y el desarrollo tecnológico que son elementos clave para lograr el objetivo de competitividad y de modernización de las empresas españolas.

La industria española, como el resto de las industrias de los países de nuestro entorno, llevan algunos años afrontando el reto de su necesaria adaptación al contexto económico europeo e internacional marcado por el fenómeno de la globalización mundial de la economía. El fenómeno globalizador impone el necesario incremento de la competitividad y el constante reto de la innovación tecnológica.

La plena inserción de la economía española en este nuevo marco económico internacionalizado y globalizado en el que los cambios tecnológicos se suceden a un ritmo acelerado obliga, pues, a prestar especial atención a políticas que estimulen la I+D, las nuevas tecnologías, la calidad y el diseño.

Por eso los gobiernos deben promover que las empresas dediquen recursos al desarrollo tecnológico, porque para poder actuar competitivamente es preciso mantener una línea de constante innovación. Sin embargo, la innovación abarca muchos aspectos, como son la I+D, la adquisición de equipos, la compra de licencias, los recursos humanos, etc., sobre los que inciden diversos factores entre los que destacan los políticos y los regulatorios. Sin embargo, uno de los obstáculos más importantes con los que se encuentra la innovación son las limitaciones para su financiación, dado el gran componente de riesgo en su inversión.

¿Debe el Gobierno facilitar la financiación de las actividades de innovación? Se trata de un tema polémico, porque la mayor parte de los economistas creen que la intervención del Estado en el mercado libre distorsiona el equilibrio general de la economía, así como el funcionamiento eficiente de los mercados [4]. El argumento del equilibrio general consiste en que cada sector compite con otros sectores para obtener recursos, por definición, escasos. Por tanto, si un sector consigue un acceso privilegiado a los recursos financieros, otros sectores se verán privados de esos recursos. El argumento de los mercados eficientes defiende que los recursos se asignan mejor en una situación de libre mercado; las intervenciones del Gobierno no harían otra cosa que distorsionar estos mercados y conducirían a ineficiencias. Por tanto, ¿por qué intervenir? La contestación de los nuevos teóricos del comercio es que, mediante la intervención, los Gobiernos podrían estimular actividades que generen externalidades positivas [5].

Hay que señalar que las actividades de investigación y desarrollo de una empresa generan beneficios no sólo para la propia empresa sino también para otras (suministradores, clientes, trabajadores) por encima del coste de la I+D (Pampillón, 1991). En tal caso, tendría sentido que se animara a las empresas a que realizaran innovaciones, incluso a través de desgravaciones (o subsidios).

En definitiva, una razón fundamental para elevar el gasto español en I+D es la rentabilidad social que este tipo de gastos genera a través de su contribución al crecimiento económico. España invierte actualmente sólo un 20% del óptimo, y la rentabilidad de estas inversiones, en nuestro país, es cinco veces más alta que la inversión en capital físico (De la Fuente y Vives, 1998). Además, no conviene olvidar que los sectores que presentan actualmente un mayor dinamismo en cuanto a la creación de empleo son a la vez los que presentan una mayor capacidad de innovación tecnológica (Pampillón y Uxó, 1999).

3. La ejecución de la I+D en España

Una cuestión diferente a la financiación de la I+D es la de qué agente debe llevar a cabo la ejecución de ese gasto. El análisis empírico realizado por

Garland y Pampillón (1996) analiza precisamente el impacto de las actividades de I+D en el crecimiento económico y en la competitividad de diferentes países según el agente que lo lleve a cabo. El ajuste estadístico señala que los gastos en I+D realizados por las empresas tienen un mayor impacto en el crecimiento del PIB que la I+D ejecutada por el Estado[6]. Este análisis confirma la tesis de que las actividades de I+D de las empresas son esenciales para la competitividad de los países. Los resultados de nuestra investigación apoyan también la preferencia, bastante generalizada en la economía mundial, de que la I+D debe ser ejecutada por las empresas en detrimento de la realizada por el sector público.

Las empresas españolas parecen poco vinculadas a los programas públicos, a los centros de investigación y a las oficinas de transferencia de resultados de la investigación[7]. En este sentido, la prioridad en política científica para los próximos años debe ser el establecimiento de ayudas para favorecer la cooperación entre empresas y organismos públicos de investigación en proyectos de I+D, la potenciación de un programa de investigación en tecnologías de la información y comunicaciones y la creación de departamentos de investigación en empresas. En el cuadro 12.4 se puede observar cómo el sector público ejecuta el 56% del total de los gastos en I+D, lo que puede impedir que la investigación básica se transforme en innovaciones de carácter productivo.

Por último, señalar que parte de la investigación que realiza el sector público debe dirigirse a proporcionar al aparato productivo la tecnología que necesita, favoreciendo, especialmente, la innovación en la pequeña y mediana empresa española. En este sentido, los organismos públicos de investigación deben fijarse como objetivo contribuir al desarrollo económico del país y ser centros de excelencia investigadora conectados a las necesidades del sector privado, capaces, por tanto, de preguntarse y de dar respuesta a las necesidades del mercado. No hay que olvidar que el objetivo de la política científica y tecnológica es el crecimiento económico y, por tanto, del empleo del país.

En los países de la OCDE, la economía de mercado gana cada día mayores espacios para su desarrollo. En cambio, las tradicionales políticas públicas industriales, que en general distorsionaban la competencia, están desapareciendo. Las subvenciones a empresas, la regulación de precios y las concesiones monopolísticas son instrumentos de las políticas industriales que están cayendo en desuso. En todos los países, y España es un caso paradigmático, se observa un proceso general de privatizaciones, liberalizaciones y desregulaciones que favorece el desarrollo de los mercados.

En estas circunstancias los Gobiernos orientan sus intervenciones de estímulo de la producción hacia aquellos instrumentos compatibles con el buen funcionamiento de los mercados; entre estos instrumentos destaca con fuerza la llamada política científica y tecnológica, que tiene como finalidad la aceleración de los procesos de innovación sobre todo en las empresas del

Cuadro 12.4   Distribución de la ejecución de la I+D por sectores

	1981	1985	1989	1991	1993	1995	1996	1997
Empresas privadas								
Estados Unidos	70,3	72,6	71,0	72,8	70,9	72,0	73,2	74,4
Alemania	70,2	73,1	72,2	69,3	66,8	66,2	66,3	67,0
España	45,5	55,2	56,3	56,0	47,8	48,2	48,6	49,9
Media OCDE	65,8	68,8	68,8	69,0	66,9	67,5	68,3	69,6
Administraciones públicas								
Estados Unidos	12,1	11,7	10,7	9,8	10,3	9,7	9,0	8,3
Alemania	13,7	12,9	12,9	13,9	15,2	15,4	15,6	15,2
España	31,6	24,2	22,7	21,3	20	18,6	18,2	17,4
Media OCDE	15,0	13,8	12,6	12,3	12,8	12,6	12,0	11,4
Centros de enseñanza superior								
Estados Unidos	17,6	15,7	18,3	17,4	18,8	18,3	17,8	17,3
Alemania	16,1	14	14,9	16,8	18	18,4	18,1	17,8
España	22,9	20,6	21	22,7	32,2	32,2	33,2	32,7
Media OCDE	19,2	17,4	18,6	18,7	20,3	19,9	19,7	19

FUENTE: COTEC, 1999.

sector privado. Tanto más cuando el Sistema Nacional de Ciencia y Tecnología se caracteriza por una presencia muy alta del sector público en la financiación y ejecución de la investigación. En el cuadro 12.4 se observa cómo en España, en 1997, las empresas sólo realizaban el 49% de todo el gasto en I+D, frente al 62% de la UE, y entre 1985 y 1994, el 60% del crecimiento del gasto en tecnología se explica por el aumento de la financiación pública. Sin embargo, parece esperanzador que esté aumentando la participación del sector empresas en los gastos de I+D, frente a una reducción de la participación de las Administraciones públicas y universidades. En 1993 las empresas realizaban el 48% del total del gasto en I+D; en 1997, el 50%.

En cuanto a la financiación, de los datos del cuadro 12.5 se puede deducir lo siguiente: a) aproximadamente el 63% del gasto en I+D en la OCDE es financiado por las empresas privadas, destacando en este sentido la im-

Cuadro 12.5   Distribución de la financiación de la I+D por sectores

	1981	1985	1989	1991	1993	1995	1996	1997
Empresas privadas								
Estados Unidos	48,8	50,0	52,2	57,6	58,4	60,5	62,5	64,6
Alemania	57,9	61,8	63,3	61,7	61,4	60,9	60,8	61,6
España	42,8	47,2	47,8	48,1	41,0	40,3	43,5	45,5
Media OCDE	51,2	54,0	56,7	58,8	8,6	59,9	61,3	63
Administraciones públicas								
Estados Unidos	49,3	48,3	45,6	38,7	37,7	36,6	33,6	31,6
Alemania	40,7	36,7	34,1	35,8	36,7	36,8	37,0	36,2
España	56	47,7	46,8	45,7	51,6	52,4	47,0	46,8
Media OCDE	45	42,3	38,8	35,7	35,5	33,8	32,2	30,5
Centros de enseñanza superior								
Estados Unidos	1,9	1,7	2,2	3,7	3,9	3,9	3,9	3,8
Alemania	0,4	0,3	0,5	0,5	0,3	0,3	0,3	0,2
España	0,1	0,2	0,7	0,6	1	1	1	1
Media OCDE	2,5	2,4	2,6	3,4	3,7	3,9	4,0	3,9
Inversores extranjeros								
Estados Unidos	—	—	—	—	—	—	—	—
Alemania	1	1,2	2,1	2	1,6	2,0	1,9	1,9
España	1,1	4,9	4,7	5,6	6,4	6,3	6,0	6,7
Media OCDE	1,3	1,3	1,9	2,1	2,2	2,4	2,5	2,5

FUENTE: COTEC, 1999.

portancia del sector privado en Estados Unidos, que financia el 65% de la I+D; b) España es uno de los países de la OCDE en el cual un mayor porcentaje del gasto en I+D es financiado por los inversores extranjeros. Este porcentaje ha aumentado en los últimos años; c) el peso del I+D financiado por las Administraciones públicas también es en España significativamente superior a la media de la OCDE; d) España es asimismo uno de los países en los que menor porcentaje del total del gasto en I+D es financiado por las empresas privadas (45,5%).

4. Los programas europeos de I+D

El instrumento fundamental de las políticas comunitarias de innovación son los programas marco de I+D que promueve la Comisión Europea. A lo largo de los últimos doce años se han realizado ya cuatro programas marco: el primero en el período 1984-1988, el segundo entre 1987-1991, el tercero entre 1990-1994 y el cuarto en 1994-1998. Este último tuvo una dotación presupuestaria de 12.300 millones de ecus, casi dos veces superior a la dotación del III Programa Marco (1990-1994).

El V Programa Marco (1998-2002) es el instrumento de política tecnológica vigente que fija las bases y prioridades de las actividades de investigación y desarrollo tecnológico elegidas de acuerdo con un criterio común a los Estados miembros, el Parlamento Europeo y la Comisión Europea y pretende reflejar la creciente preocupación de los ciudadanos europeos por la mejora de su calidad de vida y el incremento de la competitividad industrial. Las políticas de I+D comunitarias intentan abordar problemas que no puedan ser alcanzados de manera suficiente por los Estados miembros individualmente, por lo que necesitan lograr una «masa crítica europea» en términos humanos y de recursos financieros. El V Programa Marco también incluye entre sus objetivos el fortalecimiento de la cohesión económica y social de la UE.

El V Programa Marco es sustancialmente diferente a sus predecesores. Ha sido diseñado para afrontar los retos socioeconómicos de Europa en el próximo milenio, incluyendo: a) los problemas de la sociedad; b) la mejora de la competitividad internacional de la industria comunitaria; c) el desarrollo sostenible; d) la creación de empleo; e) la calidad de vida; f) la globalización del conocimiento.

Cada programa temático señala unos objetivos prioritarios de investigación, además de las actividades genéricas de investigación y acciones de apoyo a las infraestructuras de investigación. El programa pretende aprovechar las competencias multidisciplinarias y las posibles sinergias derivadas de las interacciones entre culturas científicas e industriales, que están enfocadas estratégicamente hacia una exigencia o problema común europeo. Este enfoque moderno persigue el acrecentamiento y consolidación del potencial de excelencia científica y tecnológica existente en Europa, haciendo especial hincapié en resolver las necesidades de las pequeñas y medianas empresas (pyme), promoviendo su participación efectiva en el V Programa Marco y la obtención de provechos reales del mismo.

5. Desgravaciones fiscales

La Ley 43/1995, de 27 de diciembre, sobre el Impuesto sobre Sociedades, señala que «la realización de actividades de I+D da derecho a una deducción de la cuota íntegra del 20% de los gastos efectuados en el período impositivo por este concepto. Además, en el caso de que estos gastos fuesen mayores que la media de los efectuados en los 2 años anteriores, se aplicará dicho porcentaje del 20% hasta la media, y el 40% sobre el exceso respecto de la misma» (artículo 33). Además, se permite la libre amortización de los elementos del inmovilizado material e inmaterial afectos a las actividades de I+D. En el caso de los edificios, podrán amortizarse por partes iguales, durante un período de 10 años, en la parte que se hallen afectos a las actividades de investigación y desarrollo (artículo 11.2).

Sin embargo, 1999 marcó un punto de inflexión. Primero, los Presupuestos Generales del Estado para el año 2000 previeron un aumento importante del gasto en I+D. El Estado tenía previsto invertir más de 460.000 millones de pesetas, un 46% más que 1998. Uno de los aspectos más destacados, en lo que afecta más directamente a las empresas, es la inversión prevista en Investigación y Desarrollo (I+D), que en el año 2000 contará con una dotación superior al medio billón de pesetas, lo que supone un crecimiento del 10,5% con respecto al año anterior. A esos recursos hay que sumar los incentivos tributarios, que ascienden a más de 40.000 millones de pesetas adicionales.

Segundo, el proyecto de Ley de Acompañamiento de los Presupuestos fija definitivamente la deducción general en la cuota del Impuesto sobre Sociedades para inversiones en I+D en el 30%, cuando hasta ahora era del 20%. Además, la deducción por exceso sobre la media de los gastos de los dos ejercicios anteriores pasa del 40% al 50%. El proyecto de ley permite una deducción adicional del 10% por gastos de personal investigador. En lo que se refiere a la innovación tecnológica, por primera vez se podrán deducir los gastos por este concepto en los siguientes supuestos: proyectos concertados, el 15%; diseño industrial e ingeniería de procesos de producción, el 10%; gastos de adquisición de tecnología avanzada, el 10%, con un límite de 50 millones (para favorecer a las pymes), y gastos de certificación de normas de calidad, el 10%.

Tercero, la tramitación y futura aprobación, en el 2000, del Anteproyecto de Ley de Innovación Industrial y de su Régimen Fiscal y Financiero (Ley de Innovación) establecería el marco jurídico, fiscal y financiero que permitiera fomentar las actividades innovadoras de la industria. El anteproyecto de ley, todavía no aprobado cuando se escriben estas líneas[8], prevé instrumentos de financiación de carácter público en forma de créditos y préstamos cuyas condiciones de devolución se modularán conforme a los resultados de la innovación industrial. A la vez el anteproyecto define un régimen fiscal para las actividades encaminadas al logro de la innovación industrial. Las ventajas fiscales consisten en dotaciones de reservas voluntarias para la realización de determinadas actividades industriales innovadoras y para la adquisición de activos nuevos relacionados con las actividades de innovación industrial[9].

6. Centro para el desarrollo tecnológico industrial (CDTI)

Es una entidad pública empresarial constituida en 1977 dependiente del Ministerio de Industria y Energía, que promueve la innovación y el desarrollo tecnológico de las empresas españolas. Su objetivo es contribuir a la mejora de la competitividad de la industria de nuestro país mediante el desarrollo de las siguientes actividades:

1. Evaluación técnico-económica y financiación de proyectos de I+D desarrollados por empresas.
2. Promoción de la transferencia internacional de tecnología empresarial y de los servicios de apoyo a la innovación tecnológica.
3. Apoyo en la participación española en programas internacionales de I+D.

Financiación de proyectos de I+D

El CDTI ofrece a la empresa:

— Ayudas financieras propias para la realización de proyectos de I+D.
— Apoyo a la empresa para explotar internacionalmente tecnologías desarrolladas por ella.
— Gestiona y apoya la consecución de contratos industriales de alto contenido tecnológico.

El CDTI clasifica los proyectos tecnológicos en cuatro tipos:

1. Concertados y cooperativos:

Tienen carácter precompetitivo (sus resultados no son directamente comercializables) y se desarrollan por empresas en colaboración con centros públicos de investigación, en el caso de los *concertados*, o con centros de innovación y tecnología, en el de los *cooperativos*.
Es uno de los instrumentos más importantes de cooperación tecnológica empresarial contenidos en el Plan Nacional de I+D.

2. De desarrollo e innovación tecnológica:

Tienen un carácter más aplicado y son desarrollados por empresas (en colaboración con centros tecnológicos o sin ella). Implican la creación o mejora de un producto o de un proceso productivo o la incorporación y adaptación activa de tecnologías emergentes en la empresa.

Cualquier empresa con capacidad técnica para desarrollar un proyecto de investigación y capacidad financiera para cubrir con recursos propios un mínimo del 30% del presupuesto total del proyecto puede acogerse a las ayudas que en forma de créditos concede el CDTI. Estos créditos son a tipo de interés «cero» y con largo plazo de amortización que cubren hasta el 70% del presupuesto total. Sólo apoya proyectos viables técnica y económicamente, pero no exige garantías reales a la empresa.

Cuadro 12.6   Herramientas financieras

	Tipo de interés	Plazo	Crédito % del presupuesto
Proyectos nacionales (desarrollo tecnológico e innovación)	0%	5 años	50%
Proyectos nacionales (concertados y cooperativos)	0%	7-10 años	50%
Proyectos internacionales y estratégicos	0%	8 años	60%
Línea BIT	Euribor-1	5-7 años	70%

FUENTE: CDTI.

Estos créditos se caracterizan por incluir una cláusula de riesgo técnico según la cual, en el caso de que el proyecto no alcance sus objetivos técnicos, la empresa queda exenta de reintegrar la totalidad del préstamo. La financiación proviene de los recursos propios del centro, el Fondo Nacional de I+D y el Fondo Europeo de Desarrollo Regional (FEDER).

Durante el primer semestre de 1999, el CDTI aprobó la concesión de créditos por un total de 23.443 millones de pesetas para financiar proyectos empresariales de innovación tecnológica, un **49,5% más** que lo registrado en el primer semestre de 1998.

Cuadro 12.7 Evolución de la aportación financiera del CDTI a proyectos de I+D (millones de pesetas)

Años	Millones de pesetas
1993	13.748
1994	18.734
1995	18.704
1996	20.489
1997	23.774
1998	28.294

FUENTE: CDTI.

7. Iniciativa Atyca

Recoge bajo «un solo paraguas» todas las acciones del Ministerio de Industria y Energía (MINER) relacionadas con la innovación tecnológica, el diseño, la calidad y la seguridad industrial y la utilización de la energía de forma eficiente y menos contaminante.

Ventajas de Atyca

1. Como elemento de política industrial aumenta el compromiso del MINER, a través de más recursos públicos y una gestión más eficaz de los mismos.
2. Simplifica los procedimientos a través de una única ventanilla tecnológica.
3. Aborda áreas poco cubiertas por la iniciativa privada, con especial atención a las pymes.
4. Incorpora mecanismos internos de control a través de evaluaciones internas y externas por expertos independientes y evaluaciones periódicas de desarrollo de proyectos e impacto socioeconómico.

Instrumentos financieros y presupuesto

Emplea los siguientes instrumentos financieros:

1. Subvenciones a fondo perdido en función de la inversión y calidad del proyecto.
2. Diversas modalidades de crédito, que tienen un carácter más flexi-

Cuadro 12.8   Proyección de recursos previstos

Cifras en millones de pesetas	1997	1998	1999	Total
Programa de Fomento de la Tecnología Industrial	18.603	19.600	19.700	57.903
Programa de Calidad y Seguridad Industrial	2.900	2.700	2.800	8.400
Programa Tecnológico de I+D Energético	–	–	1.925	1.925
Aportaciones reembolsables Sociedades de la Información	–	–	3.750	3.750
Total	21.503	22.300	28.175	71.978

FUENTE: MINER.

ble que las subvenciones, existiendo complementariedad entre ambas.
3. Subvenciones a los tipos de interés bancarios, aplicándose selectivamente a los proyectos con mayor compromiso de inversión industrial.

8. Plan Nacional de Investigación Científica, Desarrollo e Innovación Tecnológica (2000–2003)

En noviembre de 1999 se aprobó el Plan Nacional de Investigación Científica, Desarrollo e Innovación Tecnológica (I+D+I), con una dotación de 508.000 millones de pesetas para el año 2000. A estos 508.000 millones hay que sumar la financiación procedente del sector privado, de las CCAA y de fuentes extranjeras, con lo que el sistema dispondrá de más de un billón y medio de pesetas.

El nuevo plan nacional prevé alcanzar en el año 2003 un porcentaje de gasto en I+D del 1,3% del Producto Interior Bruto (PIB). En 1998 el gasto se situó en el 0,9% del PIB. El Ejecutivo pretende así acercar el nivel de inversión en I+D al existente en los países más desarrollados de nuestro entorno.

Los objetivos del nuevo plan nacional de I+D+I son elevar el nivel de la ciencia y la tecnología españolas, incrementar los recursos humanos cuali-

411

ficados, elevar la competitividad de las empresas, mejorar la utilización de los resultados de I+D, fortalecer el proceso de internacionalización de la ciencia y la tecnología españolas y aumentar el nivel de conocimientos científicos. El plan supone una clarísima apuesta en favor del protagonismo del sector empresarial, que se verá beneficiado con numerosos incentivos fiscales.

Un objetivo destacado de la estrategia es elevar el número de investigadores en la sociedad española: de los actuales 3,3 investigadores por cada 1.000 habitantes a los 4 por mil. Durante los cuatro años de vigencia del plan se incorporarán 2.000 nuevos investigadores al sistema científico español y se facilitará la integración de 500 jóvenes doctores en empresas y de 1.000 tecnólogos en pymes y en centros tecnológicos.

El plan propone promover el incremento de la participación empresarial, de manera que pase del 49% al 65%. Se trata de seguir el modelo norteamericano, donde las empresas realizan las tres cuartas partes del esfuerzo.

Cuadro 12.9   Escenario de gasto en I+D+I

	1998	1999	2000	2001	2002	2003
Financiación						
1. Financiación pública (% s/gasto total)	31,5	36,9	36,2	35,2	35,0	34,8
2. Financiación privada (% s/gasto total)	64,4	59	59,5	60,2	60,6	61,0
3. Extranjero (% s/gasto total)	4,1	4,1	4,3	4,6	4,4	4,2
4. Total gasto	100	100	100	100	100	100
5. Esfuerzo en «I+D+I» (% s/PIB)	1,55	1,73	1,83	1,92	1,96	2,0
Ejecución						
6. Sector público (% s/gasto total)	24,9	23,6	22,8	22,6	22,5	22,4
7. Sector privado (% s/gasto total)	75,1	76,4	77,2	77,4	77,5	77,6

FUENTE: Comisión interministerial de ciencia y tecnología.

Los **objetivos estratégicos** del plan son:

1. Incrementar el nivel de la ciencia y tecnología españolas, tanto en tamaño como en calidad.
2. Elevar la competitividad de las empresas y su carácter innovador.
3. Mejorar el aprovechamiento de los resultados de I+D por parte de las empresas y la sociedad española en su conjunto.
4. Fortalecer el proceso de internacionalización de la ciencia y la tecnología españolas.
5. Incrementar los recursos humanos cualificados, tanto en el sector público como en el privado, con especial énfasis en este último, así como aumentar la movilidad entre los diferentes centros.
6. Aumentar el nivel de conocimientos científicos y tecnológicos de la sociedad española.
7. Mejorar los procedimientos de coordinación, evaluación y seguimiento técnico del PN.

El plan nacional se estructura en torno a un número limitado de áreas de actividad prioritarias, en las que se encuadran las actividades de I+D orien-

Cuadro 12.10   Indicadores asociados a los objetivos estratégicos

Indicadores de recursos económicos	1998	2003
% gasto en I+D respecto del PIB	0,95	1,29
% gasto en I+D+I respecto del PIB	1,55	2,00
% gasto en I+D ejecutado por el sector empresarial	49,1	65,3
% de empresas innovadoras respecto total empresas	12	25
Creación de nuevas empresas de base tecnológica a partir de centros públicos de I+D y centros tecnológicos	—	100

Indicadores de recursos humanos	1998	2003
Número de investigadores por 1.000 de población activa	3,3	4,0
% de investigadores en el sector empresarial	23	27
Personal de I+D por 1.000 de población activa	5,5	7
% de personal de I+D en el sector empresarial	37	44
Nuevos contratos y plazas de investigador en el sistema público de I+D	—	2.000
Inserción de doctores en el sector empresarial	—	500
Inserción de tecnólogos en pymes y centros tecnológicos	—	1.000

FUENTE: Comisión interministerial de ciencia y tecnología.

tada y de innovación tecnológica que se financie con cargo a los Presupuestos Generales del Estado (PGE).

También se consideran objeto del plan nacional las actividades de investigación básica no orientada, en las que no es preciso establecer prioridades temáticas concretas.

Estructura global del plan nacional

Es un marco de referencia para comprender la forma en que se relacionan las diferentes áreas, los instrumentos de gestión, asesoría, evaluación y seguimiento y las acciones de carácter horizontal.

Elementos asociados a cada una de las áreas del plan nacional:

1. Definición del ámbito temático científico-técnico cubierto por el área.
2. Determinación de prioridades para las convocatorias públicas o actuaciones ligadas a la innovación tecnológica empresarial.
3. Estrategia de creación y potenciación de instalaciones científicas y tecnológicas grandes y medias.
4. Objetivos específicos de las acciones horizontales en el área.

Las actuaciones relacionadas con cada una de las áreas requieren de un conjunto de acciones horizontales que permitan desarrollar las actuaciones básicas de cada área. Tienen una repercusión y un ámbito de actuación que supera el de un área concreta. Cubren tres objetivos fundamentales:

— Potenciación de los recursos humanos de I+D+I.
— Cooperación internacional.
— Innovación tecnológica, transferencia y difusión de los resultados de las actividades de I+D a los sectores productivos.

Evolución dinámica del plan nacional

El plan nacional, de acuerdo a la evolución científica y la evolución de las demandas económicas y sociales, deberá ir acomodando paulatinamente las prioridades de sus áreas mediante la elaboración de programas de trabajo anuales que permitan su ajuste dinámico.

Modalidades de participación

1. Potenciación de recursos humanos: incluye acciones relacionadas con la formación, movilidad y contratación de personal para actividades de I+D+I. Se busca con ello fortalecer la capacidad investigadora y tecnológica de los grupos de I+D, tanto del sector público como del privado.

2. Proyectos de I+D: su fin es incrementar los conocimientos científicos y tecnológicos para su aplicación a corto, medio y largo plazo, con el objetivo último de mejorar la calidad de vida de los ciudadanos y la competitividad empresarial.

3. Soporte a la innovación tecnológica: pretende la aplicación de los resultados propios de otras actuaciones de I+D a los sectores empresariales de nuestro país.

4. Equipamiento científico-técnico: es un requisito básico para desarrollar una actividad de I+D competitiva.

5. Acciones especiales.

Se refiere a acciones puntuales como apoyo a la promoción internacional y la transferencia de tecnología, ayudas para promover la participación de los grupos españoles en programas internacionales de cooperación científica, etc.

Cooperación con las comunidades autónomas

Uno de los objetivos del plan nacional es proponer programas y proyectos de investigación de las CCAA y promover acciones conjuntas entre CCAA o entre éstas y la Administración del Estado, para el desarrollo y ejecución de programas de investigación. Con ello se pretende que el contexto regional tenga un mecanismo de interacción explícito en la estructura del plan nacional, tanto en la determinación de prioridades como en la ejecución de las actuaciones.

9. Conclusiones

Las imperfecciones existentes en mercados relacionados en el proceso innovador, las externalidades positivas que generan las nuevas tecnologías y las dificultades institucionales para cubrirse contra el riesgo que comporta la innovación pueden desincentivar a los empresarios para dedicarse a esas actividades. Como la empresa española no gasta lo suficiente en I+D, la intervención del Estado puede ser necesaria. La política de innovación tecnológica se justifica porque los beneficios resultantes de los gastos en I+D no son siempre apropiables por las empresas innovadoras, y por tanto los empresarios pueden carecer de incentivos para dedicarse a esas actividades.

Es decir, los gastos en I+D producen economías externas positivas que revierten en la sociedad pero no en la cuenta de resultados de las empresas. Como las empresas, a la hora de tomar sus decisiones de inversión en I+D, no consideran los beneficios sociales, puede ser necesaria la intervención pública para garantizar ciertos niveles de apropiabilidad y de difusión de los resultados de la investigación.

La incorporación intensiva de ciencia y de tecnología a los diferentes sectores productivos es uno de los elementos básicos del crecimiento económico de los países. Diversos estudios empíricos han demostrado que el progreso técnico contribuye al crecimiento económico de las naciones en mucha mayor medida que los factores capital y trabajo.

España importa mucha tecnología, crea poca y casi no exporta nada. Por tanto, parece que el país necesita hacer un esfuerzo mayor en investigación, lo que se traducirá en un mayor nivel tecnológico. La dependencia tecnológica española queda reflejada en los saldos negativos de su balanza tecnológica.

El origen del déficit tecnológico español se puede encontrar en los reducidos gastos en I+D. Efectivamente, los gastos en I+D, tanto del total de la economía como de las empresas, representan en España unas proporciones sobre el PIB que no sólo son inferiores a las medias de la UE, sino que se encuentran muy por debajo de lo que correspondería a nuestro nivel relativo de renta per cápita.

En el cuadro 12.11 vemos la evolución de la ratio «gasto en I+D/PIB» en los últimos años, comparando la situación española con la de la UE. Así, podemos ver cómo los gastos en I+D en España han experimentado un crecimiento mayor que el PIB, lo que ha implicado un incremento notable en la ratio de esfuerzo tecnológico —desde el 0,61% en 1986 hasta el 0,88% en 1998—, que ha posibilitado la convergencia hacia los niveles muy superiores que poseen, en promedio, nuestros socios de la UE. Con todo, la distancia que nos separa de la cota europea es enorme. Concretamente, la ratio de esfuerzo tecnológico español tan sólo supone un 46% del que tienen, de media, los países de la UE (y si vemos el mismo dato referido a Estados Unidos, estamos en el 33%). La insuficiencia de nuestro sistema de ciencia y tecnología se hace más evidente si se repara en que el desnivel que muestra España, en términos de I+D, es muy superior al que corresponde a su posición económica. Así, adviértase que la renta per cápita de España se encuentra bastante más próxima a la media de la UE (en torno al 80%) [10].

Estos datos indican que el sistema español de ciencia y tecnología tenía en 1998 una dimensión todavía reducida en el conjunto de la UE, aunque experimentó un crecimiento a partir de 1987. A partir de 1992 se observa un estancamiento del gasto en I+D/PIB (cuadro 12.11). De ahí que los Presupuestos Generales del Estado para el año 2000 prevean un aumento im-

**Cuadro 12.11   Gasto en I+D/PIB de España en relación con el
promedio de la CE, 1986-1998**

	GASTO en I+D/PIB (en %)		
	España (A)	UE (B)	A/B (%)
1986	0,61	1,95	31,3
1987	0,64	2,00	32,0
1988	0,72	1,99	36,2
1989	0,75	1,99	37,7
1990	0,85	1,99	42,7
1991	0,87	1,98	43,9
1992	0,91	1,96	46,4
1993	0,91	1,98	46,0
1994	0,85	1,94	43,8
1995	0,85	1,92	44,3
1996	0,87	1,90	45,8
1997	0,86	1,91	45,0
1998	0,88	1,91	46,1

FUENTE: INE.

portante del gasto en I+D. El Estado tiene previsto invertir más de medio
billón de pesetas, lo que supone un crecimiento del 10,5% con respecto al
año anterior. Además el proyecto de Ley de Acompañamiento de los Presupuestos fija la deducción general en la cuota del Impuesto sobre Sociedades para inversiones en I+D en el 30%, cuando hasta ahora era del 20%.
Por último la futura aprobación, probablemente en el 2000, del proyecto de
Ley de Innovación Industrial y de su Régimen Fiscal y Financiero (Ley de
Innovación) establecerá el marco jurídico, fiscal y financiero que permitirá
fomentar las actividades innovadoras de la industria.

En el gráfico 12.1 aparece en el eje horizontal el PIB per cápita y en el
vertical el gasto en I+D en relación al PIB, para el año 1995, y se han representado los puntos correspondientes a los países de la UE y la propia
UE en su conjunto. Al realizar un análisis de regresión simple, utilizando la
renta per cápita como variable independiente, se obtiene un coeficiente positivo y significativo. Se ha trazado la recta de regresión simple que nos da-
ría un «teórico» nivel de gastos en I+D correspondiente a cada nivel de desarrollo. Podemos observar que el punto para España (representado por
Esp) se encuentra por debajo de dicha recta, con lo que podríamos concluir
que el esfuerzo en I+D realizado por nuestro país (representado por el gasto
en I+D en relación al PIB) es menor que el que le correspondería de acuerdo con su nivel de desarrollo [11].

Gráfico 12.1 Relación existente entre PIB per cápita y gasto en I+D, 1995

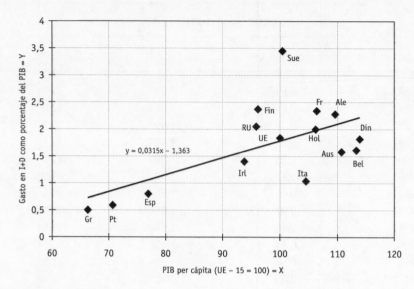

FUENTE: Gámir (1999).

La política tecnológica debe seguir incrementando la vinculación de las empresas con los procesos de innovación tecnológica y aumentar así el peso del desarrollo tecnológico frente a la investigación básica. En el marco económico internacionalizado y globalizado en el que los cambios tecnológicos se suceden a un ritmo acelerado, hay que dar la bienvenida a estas políticas que estimulan la I+D. Pero sin olvidar que una parte importante de la investigación que realiza el sector público debe dirigirse a proporcionar al aparato productivo la tecnología que necesita, favoreciendo, especialmente, la innovación en la pequeña y mediana empresa española. En este sentido, los organismos públicos de investigación deben fijarse como objetivo contribuir al desarrollo económico del país y ser centros de excelencia investigadora conectados a las necesidades del sector privado, capaces, por tanto, de preguntarse y de dar respuesta a las necesidades del mercado. No hay que olvidar que el objetivo de la política científica y tecnológica es el crecimiento económico y, por tanto, del empleo del país.

El paulatino incremento de los fondos públicos destinados en España al desarrollo e innovación tecnológica contribuirá a modificar esta situación. La política de innovación es especialmente importante en un momento en el que ya no se puede competir en los mercados internacionales en función únicamente de los costes de personal, sino que es necesario incrementar el valor añadido tecnológico de los procesos, productos y servicios. De hecho, la innovación tecnológica se está convirtiendo en la clave para la creación de empleo y en el instrumento más eficaz para competir en los mercados cada vez más globales.

La estrategia de política tecnológica de países más desarrollados que España puede servir de ejemplo de lo que se debe hacer en I+D. El sector privado está asumiendo y deberá asumir todavía más un papel más protagonista en la ejecución del gasto en I+D, en detrimento del sector público. Esto es esencial para que la investigación se transforme en innovaciones de carácter productivo.

Notas

1 Desde los años ochenta, se está desarrollando la llamada «nueva teoría del crecimiento» o «teoría del crecimiento endógeno», que en palabras de uno de sus precursores, P. Romer (1994), se distingue de la teoría tradicional «por enfatizar que el crecimiento económico es un resultado endógeno del sistema económico, no el resultado de fuerzas que actúan desde fuera del mismo». Y consecuentemente con esta premisa, (a) los trabajos teóricos dejan de utilizar el progreso técnico exógeno para explicar por qué se ha incrementado la renta per cápita a un ritmo tan elevado en los últimos doscientos años, y (b) los trabajos empíricos no pretenden medir el residuo, sino más bien identificar el tipo de decisiones de los agentes privados y públicos que permiten explicar las diferencias en las tasas de crecimiento de la productividad y la renta per cápita entre países, y por supuesto una de estas decisiones es precisamente la de invertir en I+D.

2 Por ejemplo, de acuerdo con los datos ofrecidos por Mankiw (1997), el PIB real creció en Estados Unidos a una tasa anual del 3,2% entre 1950 y 1994, y el aumento de la productividad total de los factores explica 1,4 puntos porcentuales de ese crecimiento (un 44%), frente a 0,8 puntos que se atribuyen a la acumulación de capital y 1,0 puntos derivados del aumento de la fuerza de trabajo. En términos per cápita, esto supone que el aumento de la productividad explica el 78% de los aumentos en la renta por habitante registrado en Estados Unidos durante este período.

3 OCDE (1998).

4 Una explicación más detallada se puede encontrar en Pampillón (1991).

5 En este sentido, la intervención pública en el desarrollo tecnológico se justifica plenamente desde un punto de vista teórico, sobre todo por las economías externas positivas que genera la tecnología. Es decir, la rentabilidad privada del gasto en I+D que realizan las empresas es menor, en muchos casos, que el beneficio social que generan las innovaciones; por tanto, el mercado no ofrece incentivos suficientes para alcanzar el gasto socialmente óptimo en I+D (Pampillón, 1988).

6 De ahí que la Ley de Innovación exija la presencia activa de los agentes industriales innovadores de naturaleza privada.

7 Círculo de Empresarios (1995).

8 El Ministerio de Economía y Hacienda plantea algunas dificultades por la reducción de ingresos fiscales que supondría su puesta en marcha. Además se argumenta que al no estar correctamente definido el concepto de «innovación tecnológica», se corre el riesgo de convertirlo en un auténtico «coladero» para pagar menos en el impuesto de sociedades.

9 El Anteproyecto de Ley de la Innovación crea un Comité para el Fomento de la Innovación Industrial presidido por el ministro de Industria y Energía, que informará a la Comisión para la Competitividad Industrial.

10 Martín (1999).

11 El análisis de este párrafo y el gráfico 12.1 proceden de Gámir (1999).

N. del C.: sobre este tema véase también el último capítulo de este libro. En concreto, en él se recoge que si se cumple el objetivo del 1,3% del PIB del recientemente aprobado plan de I+D+I, España alcanzaría su nivel teórico en el 2003.

Referencias

Bravo, A., y M. A. Quintanilla (1995): «Convergencia en el esfuerzo en I+D», *Papeles de Economía Española*, n.º 63, pp. 317-323.

Castillo, S., y J. F. Jimeno (1998): «Convergencia regional y tecnología», en J. R. Cuadrado (dir.), T. Mancha y R. Garrido, *Convergencia regional en España. Hechos, tendencias y perspectivas,* Madrid, Fundación Argentaria-Visor.

Círculo de Empresarios (1995): *Actitud y comportamiento de las grandes empresas españolas ante la innovación*, Madrid.

Comisión Interministerial de Ciencia y Tecnología (1999): *Plan Nacional de Investigación Científica, Desarrollo e Innovación Tecnológica (2000-2003)*, Madrid.

Cotec (1999): *Financiación de la innovación,* Fundación Cotec para la innovación tecnológica, Madrid.

— (1999): *Tecnología e innovación en España*, Fundación Cotec para la innovación tecnológica, Madrid.

De la Fuente, A., y X. Vives (dirs.) (1998): *Innovación tecnológica y crecimiento económico*, *Estudios COTEC*, n.º 11.

Eaton, J., E. Gutiérrez y S. Kortum (1998): «European Technology Policy», *Economic Policy*, octubre, n.º 27, pp. 405-438.

Gámir, L. (1999): «Análisis introductorio», en L. Gámir (dir.), *Convergencia real de la Economía Española*, Price WaterhouseCoopers.

Garland, G., y R. Pampillón (1996): «Technology and European Competitiveness», *Documento de trabajo*, Instituto de Empresa, Madrid.

Mankiw, N. G. (1997): *Macroeconomía*, 3.ª ed., Barcelona, Antoni Bosch.

Martín, C. (1999): «La posición tecnológica de la economía española en Europa: Una evaluación global», *Papeles de Economía Española*, n.º 81.

OCDE (1992): *Technology and the economy: the key relationship*, París.

— (1998): *Science, Technology and Industry Outlook*, París.

Pampillón, R. (1979): «La política tecnológica. Una aplicación al caso de España», tesis doctoral, Universidad de Barcelona.

— (1988): «Crisis económica y nuevas tecnologías», Documento de Trabajo n.º 17, Servicio de Estudios de La Caixa.

— (1991) *El déficit tecnológico español*, Instituto de Estudios Económicos, Madrid.

—, y J. Uxó (1999): «Investigación y Desarrollo», en L. Gámir (dir.), *Convergencia real de la Economía Española*, PriceWaterhoseCoopers.

Romer, P. (1994): «The origins of endogenous growth», *Journal of Economic Perspectives*, vol. 8, n.º 1, invierno, pp. 3-22.

Solow, R. (1957): «Technical change and the aggregate production function», *Review of Economics and Statistics*, agosto, pp. 312-320.

Uxó, J., y R. Pampillón (1997): «Progreso técnico y tasa de paro de equilibrio», *Pensamiento Iberoamericano*, nº 31, enero-junio, pp. 105-130.

Vence, X. (1998): *La política tecnológica comunitaria y la cohesión regional*, Madrid, Cívitas.

Cuarta parte

Políticas sectoriales

13. Política agraria

Jaime Lamo de Espinosa

1. Consideraciones previas

En la edición de *Política económica de España* del año 1986 y en su capítulo 12 de «Política agraria», recogíamos el período 1977-1982. En la siguiente edición, la de 1993, el capítulo 9, consagrado a igual materia, abarcaba los años 1983-1990. Parece lógico, por tanto, que en esta edición incluyamos la etapa que va desde el año 1991 al 1999, para evitar reiteraciones innecesarias.

Los años que vamos a examinar han sido años decisivos en política agraria. Años que he explicado más ampliamente en otros textos [1] pero que trataremos de analizar aquí con otro enfoque, menos cuantitativo y más cualitativo. En 1986 España ingresa en la, entonces, CEE. La política agraria pasa, a partir de ese momento, a estar dominada por el acervo comunitario agrario. Acervo de singular trascendencia, pues en ese momento —Maastricht vendría después— la política agraria común, la PAC, y la política comercial eran las únicas políticas auténticamente comunitarizadas de aquella CEE. España, que ya había hecho esfuerzos, no menores, para adaptar su propia política agraria a las normas comunitarias en los años 1977-1990, se ve inmersa en las Directivas y los Reglamentos comunitarios y sus mercados pasan, rápidamente, a estar regulados por las Organizaciones Comunes de Mercado (OCM) de cada producto.

Bien es cierto que no todos los productos se sumergen bajo el paraguas de la UE al mismo ritmo, pues aunque el período de transición marcado en el Tratado de Adhesión fue de diez años, algunos sectores pudieron disfrutar de un plazo algo menor. En cualquier caso, en 1991 estamos ya plenamente integrados en la normativa comunitaria. Sin embargo, entre nuestro momento de adhesión y el inicio del período que ahora consideramos, 1991, habían ocurrido muchas cosas que habían alterado el panorama de la PAC. En 1986 se firma el Acta Única Europea, en 1991 el Tratado de Maastrich, en 1991 aparece el Memorándum de la Comisión sobre la reforma de la PAC, en 1991 se acuerda la Reforma de la PAC, con su corolario, las nuevas OCM de los grandes sectores cereales, oleaginosas, carne y leche de vacuno, en 1994 se produce el fin de la Ronda Uruguay GATT, en 1995 se aprueba la ampliación de la UE con Suecia, Finlandia y Austria y, finalmente, en 1998 España pasa a formar parte de los países integrantes de la UEM.

En definitiva son años durante los cuales la política agraria española se va adaptando e integrando poco a poco en la PAC comunitaria y al tiempo los centros de decisión sobre esta materia experimentan un profundo cambio, pues en esos años, y en aplicación de la Constitución Española y los Estatutos de Autonomía, las competencias que no están residenciadas en Bruselas pasan a estarlo, en su casi absoluta totalidad, en las CCAA.

Sin embargo no son años «pacíficos» en cuanto a la intensidad del cambio operado. Muy al contrario, los *noventa* se ven hoy, con la perspectiva del nuevo milenio, como unos años cruciales de cambio y evolución. Un cambio que se inicia casi en el momento de nuestra adhesión y que culmina, el primero, en 1992. Efectivamente, casi con motivo de nuestra entrada la CEE se plantea la necesidad de cambiar el modelo de apoyo a la agricultura. Y así las agriculturas europeas han sufrido un profundísimo cambio a lo largo de la segunda mitad del siglo que acaba y muy en especial en la última década. Nacidas al servicio de la producción, hoy se orientan en una dirección multifuncional. Y ese cambio responde a otro, más intenso, operado en la propia estructura de producción y comercialización de los alimentos.

La agricultura tuvo siempre como funciones características la de proporcionar al hombre alimentos, vestido a través de las fibras naturales (algodón, seda, lino, etc.) y calzado (pieles), así como vivienda (madera). Y además fuego (leña) con el que calentarse. La lucha del hombre para dominar la naturaleza ha sido siempre el objetivo de la ciencia agronómica tratando de obtener más altos rendimientos unitarios, y ello a través de mejores semillas o razas, aplicación de abonos específicos, introducción de mejores técnicas de laboreo (maquinaria), uso del agua (regadíos), etc. Y las políticas agrarias han tendido siempre a provocar un cambio en la dirección productiva mediante políticas de regulación de oferta y/o mediante políticas estructurales para mejorar la eficiencia productiva.

Gracias a esos cambios la agricultura europea, y con ella la española, han evolucionado desde un modelo de agricultura de subsistencia, donde la producción era destinada al autoconsumo y el equilibrio natural era inalterado, pues la producción era una simple aportación de trabajo y energía solar y biológica sin incorporación de inputs ajenos, hasta otra muy intensiva en capital y con una mano de obra cada vez más escasa y más especializada. A ello se añade que nuestra agricultura trabaja cada vez más para la exportación en un mundo globalizado, lo que supone la necesidad de competir con costes más reducidos y al tiempo calidades más exigentes. Y trabaja en un nuevo marco competencial, pues sólo una pequeña parte de las disposiciones reguladoras del mercado tienen su origen, como antes, en la política nacional.

A ello se ha llegado en virtud de un conjunto de fuerzas confluyentes. En primer lugar por razón de nuestro ingreso en la Comunidad Europea (hoy UE). En segundo lugar por los procesos de apertura comercial y globalización que siguen a la firma de los acuerdos susbsiguientes a la Ronda Uruguay. Y en tercer lugar en razón de la nueva distribución competencial que se establece en la Constitución española, en virtud de la cual las competencias en agricultura y ganadería son competencia exclusiva de las CCAA (no así la política exterior, que es competencia del Gobierno central).

2. La política agraria de Bruselas (la PAC)

Desde nuestro ingreso en la CEE (hoy UE), la agricultura española está sometida al marco comunitario. No en balde fue este sector uno de los principales escollos a la hora de la adhesión, y escollo no pequeño, pues recuérdese que el parón francés a nuestro ingreso fue debido a un discurso pronunciado el 5 de junio de 1980 por el presidente Giscard d'Estaing[2] ante las Cámaras Agrarias de nuestro vecino país en un momento de debilidad en que precisaba del apoyo del sureste francés, eminentemente agrícola. Pero ingresados en la CE, más tarde de lo necesario y justo, por dicha causa, España ingresó en un club selecto donde la agricultura juega un papel preeminente, no sólo porque la política agraria de la UE es la política más comunitarizada de todas, sino también porque —en razón de lo anterior— absorbe casi el 50% de los recursos presupuestarios.

Esa política agraria —la PAC— ha sufrido a su vez una profunda transformación a lo largo de las últimas décadas. Iniciada ésta en la segunda mitad de los sesenta, se funda esa PAC (que yo llamo la PAC-I) en una ordenación de mercados muy intervencionista con fuertes mecanismos de protección frente al exterior (los famosos *prélèvements*) y sistemas múltiples de protección de precios en el interior con garantías de precios para los agricultores y ganaderos. Esas garantías de precios instrumentadas a través de los llamados precios de intervención permitían que los precios no cayeran en el interior de la UE más allá de ciertos límites que se consideraban mínimos para proteger las rentas de los agricultores.

Pero esta política y sus ordenaciones de mercado (las llamadas OCM) pronto acusaron un conjunto de efectos secundarios no deseados, entre los cuales quizás el más llamativo lo constituyó la acumulación de fuertes excedentes agrarios especialmente en los sectores más protegidos, esto es, en los cereales, carne y leche de vacuno. Ante esta situación pronto aparecen voces (la de Mansholt fue quizás la más llamativa pero, desde luego, no la única) que exigen que tal política, hasta el momento sólo de ordenación de mercados, profundice más y entre de lleno en el cambio de las estructuras productivas: dimensión de las explotaciones y excesivo número de agricultores. (Se busca en Europa aquello que proclamó en su día para España años antes el ministro Rafael Cavestany cuando pedía «menos agricultores y mejor agricultura».) Sin embargo los intentos realizados fueron tímidos y poco eficaces.

A mitad de los ochenta la Comisión lanza su Libro Verde. En él se plantean los cambios necesarios para abordar un reequilibrio de los mercados y un menor coste para la PAC. Ahí nace la PAC-II, que se instrumenta a través de innumerables reglamentaciones que comienzan a ser plenamente operativas en 1992 cuando España ya es miembro de la UE. Esta nueva PAC invierte sus fundamentos teóricos aunque mantiene los objetivos establecidos en el artículo 39 del Tratado de Roma invariables. El sistema de precios pasa a ocupar una posición no tan crucial como antes, los precios institucionales son reducidos paulatinamente para acomodarlos más al mercado internacional, se eliminan ciertas ayudas a la exportación y se compensa a los agricultores y ganaderos por las pérdidas de renta, consecuentes con la parcial liberalización del mercado, con primas compensatorias o pagos directos a los agricultores. La «fortaleza agraria» se resquebraja. Con ello se pretende evitar que se produzca para el excedente, se equilibren oferta y demanda, mediante la introducción de límites en las ayudas vinculados a cuotas o máximos productivos, y se racionalice la producción.

En virtud de esta PAC-II la agricultura europea, y con ella la española, han pasado a ser unas «agriculturas compensadas». España ya había hecho su transformación desde la «agricultura tradicional» hasta la «agricultura moderna», desde una agricultura poco intensiva en capital, y fuente de mano de obra barata y de recursos financieros para el desarrollo industrial, hasta otra de rasgos radicalmente opuestos. Pero ahora surge una nueva oportunidad para los agricultores. La PAC se convierte en una fuente de ayudas, subvenciones, que cada año llegan desde la UE a las regiones españolas. Una lluvia de cerca de 800.000 millones de pesetas riegan la agricultura española, de modo desigual ciertamente, más concentradas sobre Andalucía, Aragón y las dos Castillas que sobre el resto, pero su aportación viene a representar casi un tercio de la renta agraria nacional.

Esto induce una *dualización* de nuestras explotaciones. Muchas de ellas trabajan, según los sectores, sin ayuda alguna defendiéndose sólo mediante su eficiencia productiva y comercial y compitiendo directamente en los mercados. Es el caso de las frutas y hortalizas o los vinos, por citar sólo los casos más significativos. Otras, por el contrario, disfrutan de ayudas importantes, como son los cereales, las oleaginosas o el vacuno.

Pero mientras tanto un nuevo factor ha hecho su aparición: la agricultura pasa a ser considerada como una fuente de contaminación de suelos y aguas por un uso excesivo de la química agraria en busca de rendimientos máximos. La aplicación de inputs externos ha sido creciente en tales años y los altos rendimientos obtenidos no son ajenos a un alto nivel de tecnologías empleadas. Bajo tales premisas la agricultura no puede seguir siendo un aparato productor a cualquier precio: alto coste presupuestario de la política agraria y alto coste social por su incidencia en las reservas de materias primas no renovables o en el equilibrio ecológico. De ahí la progresiva implantación del modelo de *agricultura sostenible* y la aplicación de *Códigos de buenas prácticas agrícolas*[3].

3. Llega la Agenda 2000

Ello nos conduce a las reformas más recientes: las derivadas de la Agenda 2000, que nos introducen de lleno en la PAC-III. La Agenda 2000 nace de tales preocupaciones y de la necesidad de seguir profundizando en la liberalización de los mercados de materias primas agrícolas y de alimentos, como consecuencia de la nueva coyuntura mundial y, además, de la intensa preparación de algunos países, entre ellos fundamentalmente Estados Unidos, que inician la búsqueda de una mayor presencia de sus alimentos en los mercados mundiales. La UE no puede permanecer ajena a tal proceso e inicia un nuevo giro.

El debate de la Agenda 2000 ha profundizado aún más en las líneas expuestas en la PAC-II, con una singularidad: esta nueva PAC se basa en el concepto de *multifuncionalidad* de la agricultura. Su misión ya no es sólo la económica (alimentar). También lo son los aspectos sociales y culturales: poner a disposición de la sociedad un paisaje, un medio ambiente rural que constituye una de las riquezas más peculiares de la vieja Europa y que debe ser preservado a toda costa. Por ello a los aspectos económicos: menos regulación, menos garantías institucionales de precios, más aproximación a los precios mundiales y más ayudas directas en ciertos casos para compensar tales reducciones, se añade una nueva política, la de desarrollo rural, que puede revestir una particular trascendencia si se atribuyen medios importantes para su implantación.

España no ha salido mal parada de tal apuesta, aunque los indicios no eran nada prometedores. Ha logrado reparar ciertos agravios comparativos que venían de negociaciones anteriores de los años ochenta y principios de los noventa. Se han reparado las injusticias generadas atrás con la cuota láctea, los rendimientos del cereal o las primas a la ganadería vacuna. Y se han obtenido razonables logros en el resto. Algunos importantes, como los que afectan al sector vitivinícola, que permitirá expansionar la superficie y mejorar varietalmente los viñedos. Y a la postre recibirá del presupuesto de la UE dos pesetas por cada una que aporte, y las rentas agrarias —salvo incidencias climatológicas a las que nuestra geografía siempre está expuesta— tenderán a mejorar.

Pero esta PAC-III, nacida de la Agenda 2000, tiene sus días contados. Tiene siete años de vida. Nada garantiza que a su término se mantengan tales ayudas. Más bien es esperable lo contrario Y por tanto debemos prepararnos desde ya para el cambio próximo, para la PAC-IV. Y ahí es donde entran las cuestiones competenciales internas. Porque ese cambio debe propiciarse desde dentro, desde el Gobierno central en íntima armonía con las CCAA. Habrá que cambiar y profundizar muchos aspectos: eliminación de obstáculos legales al desarrollo agrario, obstáculos fiscales, financieros, arrendamientos, definición de agricultor profesional, reconocimiento del estatus de agricultor a tiempo parcial, modalidades de tenencia, sucesión de las explotaciones, transmisión de fincas rústicas, gestión del agua, agilización de plazos y procedimientos administrativos, etc. Ésa es la tarea que no admite demoras. La cuenta atrás para el 2006 ya ha empezado. Y ahora la pelota no está en el tejado de la UE, sino en el nuestro.

4. La política agraria interior y el comportamiento de nuestra agricultura y ganadería

Pero todo ese proceso tiene unos protagonistas y, a su vez, origina unos medios nuevos en el ámbito interior, no comunitario. Los protagonistas son aquellos que han orientado la política agraria española en el seno de la PAC durante los años 1990-1999. Me refiero a los ministros Carlos Romero, Pedro Solbes, Vicente Albero, Luis Atienza —todos ellos del PSOE— y Loyola de Palacio y Jesús Posada —del PP—. No demasiadas diferencias se encuentran en las líneas de acción de unos y otros, pese a su diferencia partidaria. Y es normal, pues los problemas en Bruselas se resuelven llenos de tecnicismos en medio de planteamientos que tienen más que ver con sus consecuencias económicas que con ideologías apriorísticas. Las diferencias apreciables son aquellas que hacen que uno u otro ministro haya logrado tener mayor capacidad de diálogo, tenacidad y comprensión en los círculos de Bruselas. Y en tal sentido no es de extrañar que, a la postre, Pedro Solbes y Loyola de Palacio gocen de situaciones de privilegio como comisarios de la UE y vicepresidenta de la Comisión la segunda.

En estos años noventa, la política agraria interna ha caminado, esencialmente, en varias orientaciones:

— **Intensificación de los programas de seguros agrarios,** nacidos al amparo de la ley de 1978 pero que van ganando en este período mayores coberturas, mayores riesgos y mejor uso de los instrumentos de control y seguimiento.

— **Agilización de los programas internos de modernización de nuestra agricultura,** fundamentalmente a través de una ampliación de las dimensiones de explotación. Hoy el minifundio sigue siendo un importante problema absoluto y relativo. Y es necesario que las leyes promuevan la concentración de explotaciones, su integración en fórmulas societarias y la transmisión de fincas sin penalizaciones fiscales, al menos durante un corto tiempo, una legislatura. Esto se abordó a través de la Ley de Modernización de Explotaciones Agrarias de 1995, pero, a mi juicio, la ley se quedó lejos de su óptimo.

— **Consolidación de las vías pecuarias**, a través de una ley de 1995. Se trata de un proyecto loable para la recuperación y consolidación de las vías pecuarias por parte de las CCAA, si bien, dada la inutilidad pecuaria de una gran parte de tales vías, debían haberse introducido mayores criterios de flexibilidad para variar los trazados sin que se perdiera la continuidad de las mismas, con la finalidad de favorecer los cotos redondos, los límites de fincas y parcelas correctos, en suma.

— **Las nuevas OCMs**. En los últimos cinco años se han revisado en el seno de la PAC varias OCM que estaban pendientes. Varias de ellas eran claves para nuestro futuro. Me refiero muy especialmente a las del vino, aceites y hortofrutícolas. Pues bien, en todas ellas los resultados han sido claramente satisfactorios. Allí donde parecía que iba a ser necesario arrancar viñedos se cambió por completo la orientación y hoy se van a plantar más viñedos y se van a reestructurar otros con ayudas comunitarias, para disponer de más vino y de mejor calidad. En el caso del aceite se lograron unas ayudas importantísimas por kilogramo de aceite producido, gracias a las cuales el sector tiene un futuro despejado. Y en el ámbito hortofrutícola también la nueva OCM ha aportado serenidad al sector. Loyola de Palacio luchó bien y a fondo con estos temas. A ello hay que añadir los importantes aumentos en la cuota de leche logrados por Pedro Solbes y Loyola de Palacio, cada uno en su tiempo, que han conseguido recuperar una buena parte de la injusta y reducida cuota asignada a España en el inicio de nuestra entrada en la CEE.

— **La resolución del viejo problema de los regadíos**. Probablemente, sin duda, es ésta la cuestión de mayor trascendencia en la agricultura de hoy. Los regadíos, con una muy pequeña parte de la superficie agrícola nacional, producen la mayor parte de la PFA. Y en el futuro, dadas las limitaciones puestas por la UE a la producción, mediante cuotas, derechos de plantación, etc. —en definitiva, controles de oferta—, sólo aquellos productos «fabricados» con mucha agua y sol serán partícipes del mercado global y no tendrán controles de producción en origen. Para eso es necesaria la aprobación del Plan Hidrológico Nacional y el Plan Nacional de Regadíos. Su debate ha enfrentado, durante toda la década que estamos considerando, a los dos grandes partidos nacionales y ha quemado infinidad de energías, sin resultado positivo. Y ésta no es una cuestión partidaria. Su acierto llevará a unas realizaciones que abarcarán varias legislaturas y por tanto varios y muy diferentes gobiernos. Se impone la sensatez y el consenso en unos planes como éstos.

— **En el ámbito administrativo** es digna de destacar la creación de un nuevo Ministerio de Medio Ambiente, asumiendo competencias de fomento —las obras hidráulicas— y de agricultura —los montes públicos, la caza y los parques nacionales—. Es pronto para juzgar sobre su conveniencia, pero creo que somos muchos los que pensamos que tal ministerio debería estar integrado en el de agricultura, por razones de unidad y eficacia. Otros cambios administrativos dignos de mencionar, aunque no comentaré, son la creación del FEGA por desaparición del FORPPA y las sucesivas reestructuraciones de la unidad consagrada a estructuras agrarias y desarrollo rural, a partir del viejo IRYDA. Paralelamente hay que decir que no parece que las relaciones entre las CCAA y el Ministerio de Agricultura, Pesca y Alimentación circulen siempre con la fluidez que el marco de cooperación leal exige. Y, asimismo, el MAPA debería cuidar un poco más la «industria alimentaria», el componente «alimentación» del Ministerio, para no caer en un cierto «agrarismo» algo trasnochado.

En todo caso, conviene señalar que en esta década la PFA se ha ido haciendo más vegetal y menos animal: España se especializa en lo agrícola. No ofrece excedentes a la regulación, han desaparecido. El uso de abonos y productos fito y zoosanitarios no ha crecido, pero se han hecho más selectivos buscando moléculas más compatibles con el medio ambiente. Ha crecido el número de tractores, mejor adaptados a las labores para las que se buscan. El índice de mecanización ha aumentado casi un 30%. También los índices de utilización de piensos simples o compuestos para el ganado. Los índices de precios pagados han crecido más fuertemente que los de precios percibidos, pero no ha habido un deterioro fuerte en las rentas agrarias debido a los pagos compensatorios. La renta agraria crece, pero gracias a las subvenciones (pagos compensatorios) derivados de la PAC. Entre 1990 y 1997 la PFA a pesetas constantes crece un 15,7%, los consumos intermedios un 11,7% y el VABapm un 18,57%, las subvenciones de explotación se multiplican por cinco, lo que produce que la RA en pesetas corrientes crezca un 53,4% en ese período.

Las producciones son cada vez de mayor calidad (casos paradigmáticos: cítricos, hortícolas, vinos, aceites de oliva, carnes de vacuno, porcino, ovino, leche y quesos, etc.). No así en trigos y cebadas, donde el uso de semillas certificadas sigue siendo escasísimo, hasta el punto de que algunas corrientes tradicionales de exportación de trigos y cebadas de calidad se han interrumpido, a favor de otros países de la UE. Esto es algo que debería formar parte del campo de preocupaciones del Gobierno y de las CCAA. Y se están haciendo grandes avances en fuentes de renta alternativas como la caza, la pesca continental o el turismo rural, a veces con fuertes presiones en contra de algunas de tales actividades, tales como la caza mayor en tierras cercadas, siendo así que se trata de una fuente de rentas singulares y muy necesarias en ciertas regiones.

Y ha nacido o ha proseguido su expansión una agricultura y ganadería con mayor intensidad tecnológica, con un alto grado de externalización de sus tareas en favor de empresas especializadas en tratamientos, laboreo, recolección, podas, etc., y se ha avanzado grandemente en sanidad pecuaria. El caso de la peste porcina africana es quizás el mejor ejemplo. El endeudamiento agrario crece casi un 70% amparado por las mejores condiciones de precios y de subvenciones, y lo hace más a favor de Cajas Rurales que ven crecer su participación en el crédito agrario en diez puntos en detrimento de la Banca Comercial, que disminuye en cuatro puntos, o las Cajas de Ahorro, que lo hacen en dos puntos (período 1990-1996).

Naturalmente este proceso ha ido unido a una considerable reducción de la población activa agraria, una subida paralela de los salarios agrarios y desde mediados de 1999 una búsqueda de mano de obra que, probablemente, de seguir el crecimiento del empleo en otros sectores y la reducción de las tasas de paro, habrá que buscar en emigrantes sudamericanos o del norte de África. También, se dice, ha ido unido a una muy probable reducción del número de explotaciones y un aumento de su dimensión media, aunque para verificar este comportamiento habrá que esperar a conocer los resultados del nuevo censo agrario que lleva a cabo, en la actualidad, el INE. En mi opinión el cambio en este aspecto ha sido menos llamativo, y de ahí mis propuestas[4] mencionadas sobre los cambios en la fiscalidad de las transmisiones de fincas rústicas y en los casos de aportación a fórmulas societarias mixtas de producción-comercialización.

Una nota final y puramente accidental a este epígrafe. Con ocasión de las elecciones al Parlamento europeo de junio de 1999, se lanzó una feroz campaña contra altos cargos del MAPA por haber disfrutado de subvenciones al cultivo del lino, queriendo residenciar las responsabilidades de otorgar subvenciones (¿indebidas?) al propio MAPA. El tiempo ha aclarado las cosas. La responsabilidad de otorgar tales subvenciones y de controlar su destino está claramente atribuida a las CCAA. No cabe pues achacar al MAPA o a su entonces responsable culpabilidad alguna en la concesión de tales ayudas o en la falta que pudiera haber si lo fueron, que no ha quedado probada, indebidamente. Más parece que se trató de una añagaza electoral para debilitar al adversario (enemigo) político. Pero el resultado de esta disparatada estrategia ha sido doble: por un lado la

UE ha reducido las ayudas al lino textil en España, lo que hará desaparecer un cultivo y una industria que, con todas las dificultades, estaba naciendo y que proporcionada empleo y actividad en CCAA no precisamente desarrolladas. En segundo lugar ha puesto en duda la intachabilidad y el correcto comportamiento de los funcionarios autonómicos y centrales, cuando es evidente que ninguno de ellos se ha movido por amistad o lucro, sino por profesionalidad y por la norma. Esa duda, esa mancha, tardará en borrarse en Bruselas. Conviene extraer de este caso todas las moralejas posibles...

5. La globalización: la Ronda del Milenio

Pero de fuera llegan hoy otras amenazas. Ya Estados Unidos y el Grupo Cairns (principales exportadores de alimentos sin subvención) protagonizaron antes y durante la Ronda Uruguay que condujo a los acuerdos de Marraquesh y la creación de la OMC fuertes presiones frente a la llamada «fortaleza agrícola» de la UE. Tal acoso es infundado. La UE es el segundo país exportador y el primer importador, en tanto que Estados Unidos es el primero en ambas direcciones. No protege más la UE a su agricultura y su ganadería que Estados Unidos, pero sí lo hace de otro modo. Por cierto, más transparente y diáfano. Desde la firma de Marraquesh el mundo ha cambiado. Han aparecido nuevos paradigmas de la mano de la globalización. Y quizás el primero de ellos es la competitividad. En un mercado global, sin fronteras, prácticamente, sin trabas al comercio, o al menos muy escasas, los productos y servicios se desplazan en función de su propia competitividad, y ello se traduce en la necesidad de reducir costes comparativos a la mayor velocidad posible.

Es por ello que ahora, cuando se acaba de abrir en Seattle la Ronda del Milenio que bajo el control de la OMC preparará lo que ha de ser el comercio mundial del próximo siglo, muchas voces se han levantado, y algunas de ellas, por no decir todas, han puesto su lupa sobre la cuestión agraria. Y ya, una vez más, los dos bloques antagonistas han acampado al pie de la fortaleza de Seattle: Estados Unidos y el Grupo Cairns de un lado, la UE, Suiza y Japón de otro. Las posiciones no están claras. Pero sí es evidente que ni la UE, ni Suiza ni Japón van a renunciar a un modelo de producción agraria que les permite mantener un paisaje y una tradición rural que nadie quiere perder, salvo quienes no disponen de ellos...

Se trata, sin duda, de una Ronda crucial en la que todos los países del mundo se juegan mucho, pues en ella se va a decidir el futuro del comercio mundial agrario, en el marco de la Organización Mundial de Comercio. Más de 130 países han iniciado unas discusiones que se adivinan largas, complejas y llenas de dificultades. Más largas, probablemente, que las de la Ronda Uruguay, que duraron unos siete años.

Pues bien, en esas difíciles negociaciones dos capítulos parece que serán los que ofrezcan los mayores obstáculos para lograr un acuerdo satisfactorio: de una parte el sector audiovisual, por lo que entraña de predominio de una lengua —el inglés— y una cultura —la norteamericana— frente a las viejas culturas europeas y muy especialmente frente a la lengua y la cultura españolas, hoy en clara expansión, y, de otra, los problemas derivados del comercio agrario.

Los problemas agrarios ya fueron objeto de profundo debate en la Ronda Uruguay. Recuérdese que, entonces, Estados Unidos y los países integrantes del Grupo Cairns ya realizaron una fuerte ofensiva frente al sistema regulador de los mercados agrarios en la Unión Europea, un sistema, según ellos, excesivamente protector y protegido que distorsionaba el comercio mundial mediante la aplicación de restituciones (primas) a la exportación y que compensaba internamente a sus agricultores y ganaderos mediante fuertes ayudas directas, para lo cual la UE precisaba aplicar la mitad de su presupuesto a tales ayudas.

A favor de tales tesis hay que consignar el hecho de que sólo los países con una economía fuerte y un presupuesto «holgado» (permítaseme la expresión) son capaces de realizar aplicaciones presupuestarias de cierta consideración para subvencionar sus agriculturas. Esto significa que sólo los Estados poderosos practican tal tipo de política. Pero entre tales Estados, no sólo hay que incluir a la UE, también hay que mencionar a Estados Unidos, Japón o Suiza, por no citar más que alguno que subvenciona muy fuertemente su agricultura, aunque con mecanismos diferentes de los practicados en la UE. En contra de tales tesis hay que señalar que las agriculturas, los mercados agrarios de tales países no deben eliminar sin más sus cuotas o sus altos aranceles, no pueden abrir sin más sus propios mercados a los productos procedentes del exterior, si los exportadores son capaces de competir en precios gracias al incumplimiento de normas elementales de protección de los derechos del trabajador o violando gravemente los principios de defensa medioambiental, pues en tales casos, y sobre todo en el primero, estaríamos en presencia de un *dumping* social inaceptable. En este sentido Estados Unidos ya ha presentado una propuesta para que los derechos laborales básicos se exijan y mantengan incluso en los países en vías de desarrollo en las fases de expansión inicial.

Seattle pasará, seguro, a la historia del comercio mundial, y lo singular de esta afirmación es que puede formularse muy poco después de haber comenzado sus sesiones. Una aguda polémica ha envuelto las reuniones. No sólo velan las armas los tres poderosos contendientes, Estados Unidos, Unión Europea y Japón, sino que además enormes masas de gentes se han movilizado en Estados Unidos para protestar contra el comercio libre. Y esos caballeros, como Lancelot du Lac, no son sino la avanzadilla de 135 países que van a discutir hasta la última coma de cada documento, pues en ello se juegan su desarrollo futuro.

De hecho ha habido también protestas en Ginebra, París, Marsella y Estrasburgo. Y en Estados Unidos se reunió en esos días la llamada Cumbre alternativa de la OMC, dispuesta a lanzar al mundo sus mensajes negativos frente a las aparentes bondades de una liberalización, prácticamente sin límites, del comercio mundial (la globalización) y a protagonizar una nutrida marcha de protesta el mismo día de la inauguración. Frente al eslogan del «comercio libre» se alza la voz del «comercio justo».

Uno de los frentes de lucha más agudo será, sin duda, la agricultura. Frente a Estados Unidos, que es el primer exportador mundial, se alza la voz de la UE, que es el primer importador y el segundo exportador agrario. (Si consideramos todos los productos, sólo Alemania, Reino Unido y Francia importan más que Estados Unidos, 19% frente al 16,8%.) Estados Unidos, la UE y Japón protegen sus agriculturas de modo muy intenso, aunque con formas diferentes. Y no parece que ninguno de ellos esté dispuesto a alterar en nada sus sistemas de protección y ayuda, pues de ellos dependen una buena parte de su economía real básica y una gran parte de su estructura poblacional, cuya alteración podría producir un vacío demográfico de impacto imprevisible. Es más, la UE ya ha amenazado con ser rígida en el mantenimiento de la moratoria a los alimentos transgénicos y en la prohibición, ya antigua, de importar carne que esté tratada con hormonas, temas ambos cruciales para Estados Unidos, sobre todo los transgénicos, dadas las fuertes inversiones realizadas por las compañías americanas de biotecnología.

Así, ante los ataques directos que se supone protagonizarán en esta Ronda Estados Unidos y Australia frente a las subvenciones de la UE, ésta dirigirá sus lanzas frente al *dumping* social, el respeto al medio ambiente, la salud y la libertad de competencia. Pero lo importante es lograr un equilibrio que permita que el comercio mundial siga progresando y siga siendo un motor de beneficios industriales y agrarios para todos los países del mundo y muy especialmente para los que todavía están en vías de desarrollo. En ese sentido se estima que una reducción arancelaria del 20% supondría unos beneficios anuales de 150.000 millones de dólares y de 400.000 millones si la reducción alcanzara el 50%. (La Ronda Uruguay supuso unos beneficios de 200.000 millones de dólares según la OCDE.) La cuestión no es pues si la liberalización del comercio es positiva o negativa; esto está fuera de duda. La cuestión es cómo se repartirán esos beneficios y quiénes serán los más o menos beneficiados. Y ése es el sentido de la cumbre alternativa: su creencia de que tales beneficios son siempre recogidos por los grandes del comercio mundial, por «los de siempre».

En cualquier caso será más difícil defender el sistema comunitario en esta Ronda que lo que ya lo fue en la anterior. Y ello porque el pensamiento dominante en la actualidad se ha ido haciendo, con el paso del tiempo, más global, más abierto, menos defensivo. La agresividad comercial en los grandes sectores industriales, tales como las telecomunicaciones, energía, automóviles, química, o en el sector financiero, que ha producido una auténtica conmoción de fusiones y adquisiciones, saltando por encima de fronteras y barreras de todo tipo, pone sobre la mesa que el sector agrario no debe ser una excepción. Sin embargo, habrá que seguir sosteniendo que no es ese sector igual a los demás, y por ello la UE habla de «multifuncionalidad», concepto que se va a convertir en el centro de una aguda polémica, pues bajo su significado se encierra el hecho de su singularidad, y por ello de un trato comercial diferenciado.

El final de Seattle ha sido un fracaso. Era de esperar. El enfrentamiento entre los modelos norteamericano y europeo de concebir la agricultura tiene un difícil punto de síntesis. En un caso se ve la agricultura como una industria productiva, una actividad netamente económica, más sometida sólo a las leyes de la competencia y del mercado y apoyada por las grandes multinacionales de la investigación química, mecánica, biológica y genética. En el otro se ve la agricultura como una parte sustantiva de la vida rural, como el motor del mundo rural, de un modo sociológico e histórico de contemplar la naturaleza y el paisaje. Es la llamada multifuncionalidad, que asegura la cohesión del territorio, la preservación del medio ambiente y la seguridad alimentaria, además de las rentas de los agricultores. Unos y otros en Seattle se han reafirmado en sus concepciones. Puede que muchos piensen que este fracaso es un mal comienzo. Desde un punto de vista agrario es el «único comienzo posible». El único que permite negociar desde posiciones de firmeza.

En esta negociación España corre un riesgo. La UE ya ha advertido —y lo ha demostrado en Seattle— que va a mantener una posición firme en defensa de su sistema de precios y de sus productos. Pero ¿igualmente firme para todos? Mi impresión es que no. Se corre el riesgo de que sea tenue en aquellos productos de naturaleza «continental», que son los que más le preocupan y los que consumen la mayor parte del presupuesto comunitario, mientras que ofrezca mucha más flexibilidad en los de naturaleza «mediterránea», sobre todo para pacificar los Estados del sur del Mediterráneo. De ser esto así salvaríamos aquello que peor producimos y donde somos menos competitivos y abriríamos nuestros mercados (el interior propio y el de la UE) a frutas, hortalizas, vinos, corderos, etc., de países terceros. (Ello sin contar con la presión naciente de los PECOS, grandes países agrícolas, de fuertes rendimientos y con estructuras productivas de gran extensión heredadas de su pasado y con facilidad para incorporar mejoras tecnológicas de su gran protector, Alemania.) Ése, y no otro, es el gran reto para los negociadores españoles en esta Ronda.

6. Apostilla final

Como se ha podido apreciar, España se juega mucho en Seattle, y por tanto en Bruselas. Por eso la PAC es la política que domina las grandes decisiones de nuestra política agraria y, por ende, de nuestra economía agraria. No es que sea la única. En absoluto. Pero es la que domina las preocupaciones de los agricultores y ganaderos y a la que consagran la mayor parte de sus esfuerzos los diferentes ministros y sus equipos desde que ingresamos en la UE. Y sin embargo hay que decir, una vez más, que en España, nosotros, solos, sin contar con Bruselas, estamos en condiciones de abordar temas tan trascendentes para nuestra estructura agraria —no para nuestros mercados en una visión a corto— como las medidas que permitan mejorar la calidad de nuestras producciones, la reducción de nuestros costes o la ampliación de nuestras dimensiones de explotación y eliminar numerosos «estorbos» que aparecen en forma de leyes obsoletas, que si fueron justificadas hace diez o veinte años, hoy en el escenario comunitario no sólo no ayudan sino que perjudican. Éste podría ser un buen campo para comenzar a cambiar nuestras estructuras agrarias, mirando, sí, pero menos, a Bruselas.

Notas

1 Véase el libro *La década perdida: la agricultura española entre 1986-1996*, Ed. Mundi-Prensa, o *La nueva política agraria común*, Ed. Encuentro.

2 Vale la pena leer sobre este personaje en el reciente libro de Leopoldo Calvo-Sotelo (1999) el capítulo «El extraño caso de M. Giscard».

3 Sobre esta cuestión viene trabajando desde hace más de cinco años la asociación privada sin fin de lucro AGROFUTURO.

4 J. Lamo de Espinosa: «La fiscalidad agraria». Artículo publicado en el volumen titulado *El derecho público de la agricultura: estado actual y perspectivas*. Serie Estudios, MAPA, nº 139.

Referencias

Calvo-Sotelo, Leopoldo (1999): *Papeles de un cesante,* Galaxia Gutenberg.

14. Política industrial

Jordi Conejos Sancho y
Vicenç Oller

1. Política económica y política industrial: identificación de objetivos

La política industrial es una política sectorial integrada en la política económica general. Por tanto, el cumplimiento de sus objetivos está en función de su coherencia con el resto de políticas finalistas o instrumentales, entre las que podemos destacar la política laboral, energética, financiera, de comercio exterior, de competencia, tecnológica y de I+D. Se trata de un conjunto de políticas que necesariamente deben contemplarse para diseñar el marco adecuado en el que insertar la política industrial.

En este capítulo, sin embargo, nos referiremos esencialmente a la política industrial como aquel conjunto de actuaciones públicas, que evidentemente incluirán aspectos como los mencionados, dirigidas específicamente al sector industrial o a determinadas actividades del mismo. Únicamente se hará referencia explícita, por consiguiente, a aquellas actuaciones de política económica de tipo horizontal en la medida en que formen parte de un conjunto de medidas orientadas específicamente y que tengan como objeto de acción al sector industrial.

El objetivo básico de la política económica en términos de asignación de recursos es la eficacia. Por tanto, si la política industrial se concibe como el conjunto de acciones de política sectorial dirigidas a corregir las distorsiones derivadas de las imperfecciones en el mecanismo de mercado o a compensar sus insuficiencias, bajo la perspectiva de lograr una mejor asignación de recursos dentro de la economía, su objetivo básico habrá de ser también, lógicamente, la eficacia económica.

El sentido de eficacia ha de entenderse, a nuestro juicio, a largo plazo. Desde esta perspectiva, la finalidad de la política industrial española habrá de ser la recuperación, en su caso, y el fortalecimiento del dinamismo de nuestra industria, expresado a través del grado de competitividad internacional alcanzado. La competitividad internacional de nuestra industria se convierte, pues, en la finalidad industrial de carácter estratégico de la política industrial del futuro. La consecución de este objetivo estratégico entendemos que habrá de contemplarse a través de un esquema instrumental fundamentado en el reforzamiento de los mecanismos del mercado y en el estímulo de la competencia. Este enfoque aparece como la vía adecuada para conseguir la deseada mejora en la asignación y en la utilización de los recursos disponibles dentro de la economía, que es el criterio básico de la política económica orientada hacia la reestructuración productiva, la promoción industrial y el mayor valor añadido de los bienes y servicios producidos.

El presente capítulo analizará en qué medida la política industrial española de los años ochenta y noventa se ha encaminado hacia la consecución de esos objetivos y cuáles han sido los resultados.

2. Los condicionantes de la evolución reciente de la industria española: la necesidad de una política industrial

La primera crisis energética (1973-1974) introdujo los primeros elementos de disfuncionalidad en la industria española. Ello se debió básicamente a dos elementos:

1. Las características de la propia estructura industrial (y muy particularmente su gran dependencia energética).
2. El retraso por parte de los poderes públicos en la asunción de una política industrial de ajuste positivo como la que comenzó a implantarse en los principales países europeos.

Hemos de remarcar que el resto de economías adoptaron, en general, una política económica más realista. Al repercutir sobre el consumo los nuevos precios de la energía, las empresas fueron sensibles a los nuevos precios relativos de los factores y pudieron efectuar el correspondiente ajuste en su dotación.

Estos condicionantes determinaron que en unos pocos años la industria española presentara unas disfuncionalidades mucho más acusadas que la de su homónima comunitaria y se manifestara sobre todo en:

a) Pérdida de competitividad de buena parte de sus productos.
b) Incremento de los costes.
c) Debilitamiento de la demanda.
d) Disminución en la utilización de la capacidad productiva.
e) Desaparición de empresas.

La segunda crisis energética (1979-1980) intensificó las dificultades anteriores y colocó a algunos sectores industriales en una posición crítica. Es el momento en que la crisis económica española se reveló, ante todo, como una crisis industrial. La continua pérdida de puestos de trabajo en el sector secundario constituyó el síntoma más claro de esta situación. A título indicativo, señalemos que durante el período 1974-1983 se destruyeron más de 700.000 empleos en el sector secundario, de los que casi medio millón correspondieron al período 1980-1982.

Como consecuencia de la inadaptación de la estructura industrial española a la mutación económica experimentada en los años setenta, nos encontramos, a principios de los ochenta, con una industria sobredimensionada en algunas actividades (siderúrgica, naval) con una oferta insuficiente en aquellos subsectores que presentan unas mejores perspectivas de crecimiento y expansión a medio y largo plazo.

A partir de esta realidad quedará clara, pues, la necesidad de implementar una política industrial coherente para hacer frente a los problemas existentes y, en definitiva, recuperar la competitividad perdida.

La política de reconversión industrial constituye el eje básico de la política industrial española de los primeros años ochenta, iniciada por el Gobierno de UCD y continuada con diferencias muy significativas por el PSOE.

La industria española, al igual que el conjunto de la economía, inicia una fase de recuperación a partir de 1985 que prosigue hasta 1999, salvo el período de recesión de los años 1993-1995. Esta etapa expansiva ha supuesto cambiar de un modo espectacular la tendencia de depresión económica iniciada en 1974. Hay que destacar que este comportamiento expansivo ha coincidido con la adhesión de España a la CEE, y por otra parte con el éxito del proceso de creación de la Unión Económica y Monetaria donde España ha consolidado su posición como economía europea dinámica y sólida.

3. La política industrial en la etapa socialista (1982-1996)

3.1 La reconversión industrial

La política industrial de la década de los ochenta presenta dos etapas muy diferenciadas. La primera de ellas, iniciada con los gobiernos de UCD y proseguida por el PSOE, abarca hasta mediados de los ochenta. Esta primera etapa tiene como eje central de la política industrial la reconversión.

La claridad de los resultados electorales de 1982 permitió al Gobierno del PSOE impulsar y profundizar las políticas de reconversión. La llegada al poder del PSOE en octubre de 1982 constituyó, pues, el punto de partida para la revisión de la forma de implementar la reconversión industrial.

Como dice J. A. Vázquez: «Los criterios que impone la lógica de la racionalidad económica son, como es sabido, bien distintos de los que rigen los mercados políticos, y de ahí que la necesidad de un ajuste de estas características, con los indudables costos que lleva asociados, provocase tensiones en la España de la transición, chocase con resistencias que sólo la negociación y el pacto van logrando disipar, y requiere de una voluntad y una capacidad política de la que no se dispone hasta el triunfo socialista de 1982»[1].

El equipo del Gobierno entrante elaboró una nueva normativa sobre reconversión y reindustrialización que completaba la existente en bastantes aspectos y que se plasmó en el Real Decreto 8/1983, de 30 de noviembre, y en la Ley 7, de 26 de julio de 1984. Estas disposiciones limitan la vigencia de la reconversión industrial hasta el 31 de diciembre de 1986.

La nueva normativa es una consecuencia de las recomendaciones del Libro Blanco de la Reconversión y Reindustrialización, publicado en mayo de 1983. Este documento, después de evaluar la situación en que se encuentran los sectores y empresas en reconversión, considera cuatro grandes aspectos:

a) La elección de los instrumentos adecuados para la realización de la política industrial.
b) El problema de la destrucción de los puestos de trabajo.
c) Los aspectos regionales.
d) El coste financiero.

Desde el punto de vista de la instrumentación de la política de reconversión, la Ley 27/1984, de 26 de julio, al igual que la Ley 21/1982, de 9 de junio, establece que la responsabilidad para declarar un sector en reconversión recae en el Ministerio de Industria y Energía.

La Administración podía actuar a iniciativa propia, por ejemplo, al considerar que un sector se encontraba en una situación de grave crisis o como receptor de las peticiones de las centrales sindicales y organizaciones empresariales.

Una vez formulada la decisión de declarar un sector o un grupo de empresas en reconversión, el procedimiento de actuación pasa por la concertación, basada en la colaboración a tres bandas entre la Administración y los respectivos agentes económico-sociales que participaran en la elaboración del correspondiente plan.

En caso de no llegar a un acuerdo entre las partes negociadoras, la Administración podía unilateralmente proponer un proyecto de plan de reconversión a la Comisión Delegada para Asuntos Económicos para que, si procedía, lo remitieran al Consejo de Ministros para su aprobación.

Sobre el procedimiento por el que se implementan determinadas medidas de política industrial vale la pena efectuar unas consideraciones adicionales. En este sentido, L. Albentosa ha puesto de manifiesto las divergencias que pueden existir entre la concertación social y la eficiencia de las medidas adoptadas.

«Aun cuando es verdad que un plan de reconversión que esté aceptado por empresarios y, sobre todo, por sindicatos asegura una mínima conflictividad social que lo hace preferible a otro que no haya sido concertado, no es menos cierto que una reconversión concertada no garantiza que sea la más idónea desde la óptica de una eficiente asignación de recursos»[2].

Con relación a la nueva Ley sobre Reconversión Industrial («Ley 27/1984, de 26 de julio, sobre Reconversión e Industrialización Industrial»), hay que señalar que mantuvo las medidas de tipo fiscal, algunas disposiciones de tipo laboral y financiero y las que favorecían los procesos de fusión de empresas que contemplaba la Ley 21/1982, de de 9 de junio.

El proceso de reconversión industrial concluye, en líneas generales, a finales de 1986. Desde un punto de vista sectorial, debe señalarse que la política de reconversión industrial del PSOE hizo referencia a los mismos sectores que en la fase iniciada en 1982, añadiéndose únicamente como nuevo sector en reconversión el de los fertilizantes. Una novedad en la Ley 27 de 1984 la constituye la creación de las Zonas de Urgente Reindustrialización. Las ZUR fueron creadas como complemento de aquellas medidas de política industrial estrictamente dirigidas a reajustar la capacidad productiva de los centros industriales aquejados de desequilibrio grave entre la oferta y la demanda. El ámbito geográfico era reducido, y se ubicaron en zonas especialmente afectadas por la reconversión industrial: Asturias, Cádiz, Madrid, Vizcaya, Vigo-Ferrol y el cinturón industrial de Barcelona.

La valoración de la política de reconversión industrial puede realizarse a partir de los costes y de los efectos que comportó. Dado que uno de los objetivos fundamentales era resolver el problema de la sobrecapacidad de los sectores y en consecuencia los excedentes de plantilla, hay que decir que de los excedentes previstos —algo más de 90.000—, a 31 de diciembre de 1989 la reducción de plantillas había afectado a cerca de 84.000 personas (el grado de cumplimiento supera el 90%).

Juntamente con el ajuste de plantillas, los planes de reconversión recogían unas inversiones que tenían por objeto la adecuación productiva y la mejora tecnológica de las empresas. El total de inversiones programadas ascendió a 756.000 millones, y las realizadas hasta el 31 de diciembre de 1989 habían sido de 662.000 millones, un 87,5%.

El coste de la reconversión, desde un punto de vista financiero, para los

Cuadro 14.1   Evolución de las plantillas de los sectores en reconversión

Sectores	Período de referencia [1]	Número empresas acogidas	Plantilla inicial (A)
Construcción naval (GA)	30-06-84/31-12-92	2	21.920
Construcción naval (PMA)	30-06-84/31-12-92	27	15.427
Siderurgia integral	31-12-80-31-12-90	3	42.837
Aceros especiales	31-12-80/31-12-90	11	13.744
Electrodomésticos LB [2]	31-12-80/31-12-88	18	23.869
Grupo ERT	31-12-83/31-12-87	10	10.304
Textil	31-12-81/31-12-86	683	108.844
Fertilizantes [4]	31-12-84/31-12-91	11	9.365
Aicatel Standard Eléctrica	31-12-83/31-12-91	1	16.133
Marconi Española [5]	31-12-83/31-12-91	1	2.54$
Eq. eléc. automoción	31-12-81/31-12-85	2	6.720
Componentes electrónicos	31-12-81/31-12-85	17	3.744
Semitransf. de cobre	31-12-81/31-12-84	4	4.503
Forja pesada por estamp.	31-12-81/31-12-84	2	1.277
TOTAL		**792**	**281.235**

(1) Corresponde a las fechas de referencia para las plantillas iniciales y finales.
(2) De las 18 empresas inicialmente acogidas, seis han cerrado y una ha salido del sector. La plantilla corresponde a la totalidad del sector, que incluye dos empresas que no están en reconversión.
(3) Durante 1987 hubo un aumento de empleo que se cubrió con contrataciones temporales.

FUENTE: Secretaría General Técnica. Ministerio de Industria, Comercio y Turismo.

poderes públicos fue muy cuantioso. El esfuerzo público medido en subvenciones, créditos y avales de las instituciones públicas de crédito (BCI, ICO), créditos participativos a través del Instituto Nacional de Industria (INI), apuntan a un importe total superior al billón y medio, siendo la siderurgia integral y la construcción naval los sectores que absorbieron mayores recursos públicos.

A modo de síntesis diríamos que el coste social y económico de la política de reconversión ha sido muy cuantioso si tenemos en cuenta que los beneficiarios de las ayudas han sido un número reducido de empresas. Y que —salvo la experiencia de las Zonas de Urgente Reindustrialización— la política de reconversión únicamente ha tenido un planteamiento defensivo, abandonando prácticamente la posibilidad de instrumentar paralelamente actuaciones de promoción industrial en sectores y actividades de demanda fuerte y de diversificar la estructura productiva española.

Excedente previsto (B)	(B)/(A)-100	Excedente a 31-12-90 (C)	(C)/(B) 100
13.030	59,4	12.300	94,4
8.456	55,0	7.487	88,6
20.076	46,9	20.273	101,0
8.728	63,5	8.326	95,0
12.611	52,8	11.597[3]	92,0
2.493	242	2.493	100 0
9.925	9,1	9.925	100 0
3.423	36,6	3.266	95,4
9.318	57,7	7.111	76,3
2.098	82,3	1.265	60,3
1.342	20,0	1.451	108,1
1.544	41,2	1.430	92,6
1.073	23,8	1.102	102,7
307	24,0	362	117,9
94.424	**33,6**	**88.388**	**93,6**

(4) Incluye la plantilla de Fosfórico Español acogida al Plan tras la fusión de los activos de fertilizantes de ERT y Cros en Fesa (Fertilizantes españoles).
(5) Datos refendos a 31-12-89.

3.2   La promoción industrial

Como hemos descrito, en los primeros años de los gobiernos socialistas, antes de la incorporación de España a la Comunidad Económica Europea (CEE) y dada la profunda crisis en la que se encontraban una serie de sectores básicos, la política industrial se fundamentó en políticas sectoriales, principalmente en la reconversión industrial, con un nivel importante de intervencionismo en el diseño, la ejecución y el control de los planes de reestructuración.

A partir de 1986, la economía española se integra en la CEE, coincidiendo esta integración con el proceso de creación del mercado interior para 1993 y más tarde con la creación de la Unión Europea Monetaria (UEM).

Desde mediados de los ochenta la economía española vive un período de

Cuadro 14.2 Inversiones en los sectores en reconversión, 1982-1992 (en millones de pesetas)

Sectores	Realizadas De 31-12-82 a 31-12-90[1]	Previstas 1991	Previstas 1992	Total
Construcción naval (GA)	15.144	2.905	1.302	19.351
Construcción naval (PMA)	10.309	3.600	1.600	15.509
Siderurgia integral	271.567	—	—	271.567
Aceros especiales	28.158[2]	—	—	28.158
Electrodomésticos LB	39.020[3]	1.500	—	40.520
Grupo ERT	24.980[4]	—	—	24.980
Textil[5]	188.205	—	—	188.205
Fertilizantes	43 747	7.587	—	51.334[6]
Alcatel Standard Eléctrica	85.404	22.537	25.886	133.827
Marconi Española	2.944	2.411	—	5.355
Componentes electrónicos	1.285	—		1.285
Equipos eléctricos automoción	13.034	—	—	13.034
Forja pesada por estampación	1.262	—	—	1.262
Semitransformados de cobre	3.048	—	—	3.048
Total	**728.107**	**40 540**	**28.788**	**797.435**

(1) Las correspondientes a siderurgia integral y ERT sólo incluyen las analizadas a partir de 1984.
(2) Las inversiones son las de las empresas en reconversión Acenor y Foarsa.
(3) Los datos indicados corresponden a las inversiones comprometidas.
(4) Comprende las inversiones materiales y en I+D de ERT realizadas en el período 1984-1987 sin incluir las del negocio fertilizantes.
(5) La cifra indicada corresponde al total de inversiones aprobadas por la Comisión Ejecutiva del Plan, de las cuales 143.881 millones de pesetas se destinan a activos materiales y 44.324 a intangibles.
(6) Las inversiones que cuentan con ayudas previstas en el Plan son de 38.550 millones de pesetas.

FUENTE: Secretaría General Técnica. Ministerio de Industria, Comercio y Turismo.

notable recuperación industrial. En este contexto de recuperación económica, y ante los importantes retos con que se enfrenta nuestro sistema productivo, la política industrial española después del proceso de reconversión industrial inicia e intensifica un conjunto de medidas con un marcado acento en las políticas de carácter horizontal.

En el período 1986-1988, con el ministro Croissier, se produjo una mayor explicitación de las políticas horizontales que ya existían, pero que habían tenido un papel muy secundario hasta esa fecha. Como señala Antonio Oporto: «Con motivo del ingreso en la Comunidad Europea, el margen de maniobra de la política industrial se redujo al tener que ser acordada en el seno de la misma, por lo que puede hablarse de una europeización de las decisiones de la política industrial»[3].

Este hecho fue muy evidente en lo relativo a las políticas de reconversión, donde la capacidad se redujo de forma muy significativa, pero también se pudo comprobar en el enfoque que adoptaron las denominadas políticas horizontales, donde las líneas de actuación y los parámetros de referencia fueron siempre y de manera creciente los del Mercado Común. Así por ejemplo, y con el objetivo puesto en conseguir el mercado interior para 1992, las políticas de competencia, de armonización técnica y de unificación condicionaron enormemente los planteamientos y los programas del Ministerio de Industria.

Otras líneas de actuación que definían la nueva política industrial, una vez casi concluida la etapa de reconversión, como fueron la promoción tecnológica, la política regional, la política de promoción de la pequeña y mediana empresa y la política de calidad industrial, se encontraron enmarcadas en criterios, objetivos, directivas y reglamentos procedentes de la Comunidad Europea.

En cuanto a la promoción e innovación tecnológica, la principal actuación fue la elaboración del Plan Electrónico e Informático Nacional (PEIN), el PEIN I (1984-1988) y el PEIN II (1988-1990).

La finalidad de los PEIN fue potenciar unas actividades con grandes posibilidades de crecimiento, de generación de puestos de trabajo, y que pueden contribuir a mejorar la estructura industrial, y ello a través de los siguientes objetivos instrumentales:

— Aumentar la demanda y el consumo de los productos de electrónica e informática.
— Aumentar el grado de cobertura de la oferta española en el mercado interior.
— Aumentar las exportaciones.
— Reducir la dependencia tecnológica.

El PEIN II puso un mayor acento en:

— Considerar a la tecnología como base del desarrollo del sector.
— La expansión internacional del sector.
— La explotación de los grandes mercados institucionales.
— El desarrollo de la infraestructura.

A finales de 1990 se aprobó el PEIN III (1991-1993), que vino a proseguir los esfuerzos públicos en este sector.

También la política de pequeña y mediana empresa en España se enmar-

Cuadro 14.3   Total de proyectos ZUR aprobados por las comisiones gestoras

ZUR	Proyec- tos	Inver- sión	Empleo creado
Asturias	127	25.836	2.066
Barcelona	310	130.352	8.649
Cádiz	57	37.517	2.670
Galicia-El Ferrol	64	20.278	2.052
Galicia-Vigo	131	16.758	1.986
Madrid	91	89.282	4.929
Nervión	124	76.440	3.204
Total	**904**	**396.462**	**25.556**

FUENTE: Secretaría General de Promoción Industrial y Tecnológica. Ministerio de Industria y Energía.

Cuadro 14.4   Distribución sectorial del total de proyectos ZUR aprobados

	Proyectos	Inversión	Empleo creado
Agricultura, ganadería, caza y pesca	15	2.099	151
Energía y agua	13	4.365	216
Producción de minerales no energéticos	138	64.499	3.579
Transformación de metales	293	165.741	10.697
Otras industrias manufactureras	307	98.864	8.016
Construcción	9	1.290	292
Comercio, restaurantes y hostelería	90	23.704	1.651
Transportes y comunicaciones	18	8.792	396
Ins. financieras, seguros y servicios	11	3.158	158
Otros servicios	10	23.950	400
Total	**904**	**396.462**	**25.556**

FUENTE: Secretaría General de Promoción Industrial y Tecnología. Ministerio de Industria y Energía.

en millones de pesetas)

Empleo ofertado FPE	Subven- ción	Inver- sión proyecto	Inver- sión empleo	Subven- ción empleo
535	4.637	203,4	12,5	2,2
2.584	14.895	420,5	15,1	1,7
1.149	4.647	668,2	14,1	1,7
1.172	4.457	316,8	9,9	2,2
1.015	3.315	127,9	8,4	1,7
1.205	11.290	981,1	18,1	2,3
1.186	9.262	616,5	23,9	2,9
8.846	**52.503**	**438,6**	**15.5**	**2,1**

por las comisiones gestoras (en millones de pesetas)

Subvención	Inversión proyectos	Inversión empleo	Subvención empleo
345	139,9	13,9	2,3
365	335,8	20,2	1,7
7.441	467,4	18,0	2,1
27.186	565,7	15,5	2,5
12.819	322,0	12,3	1,6
241	143,3	4,4	0,8
2.828	263,4	14,4	1,7
564	488,4	22,2	1,4
167	287,1	20,0	1,1
547	2.395,0	59,9	1,4
52.503	**438,6**	**15,5**	**2,1**

có en el cuadro establecido por la CEE. Los problemas de las pymes obedecen básicamente a una falta de información y a un difícil y restringido acceso a los mercados financieros. Las actuaciones las llevó a cabo el Instituto de la Pequeña y Mediana Empresa Industrial (IMPI), organismo dependiente del Ministerio de Industria y Energía.

El IMPI tenía como principales objetivos ofrecer información integral al empresario (Sistema de Información Empresarial y Euroventanilla), promover la cooperación entre empresas (base de datos de empresas de subcontratación industrial, cooperación internacional), facilitar el acceso a la financiación (Sociedades de Acción Colectiva y Sociedades de Garantía Recíproca), difundir el diseño industrial como valor diferencial del producto y promover la racionalización de la producción (Plan de Promoción de Diseño, Calidad y Moda).

La política de promoción de calidad industrial constituye otro ejemplo de política horizontal tendente a mejorar la competitividad del tejido productivo. Ha tenido en España un nacimiento tardío y no es hasta finales de los ochenta cuando adquiere una cierta relevancia dentro de los ejes de actuación prioritaria de los poderes públicos, principalmente del Ministerio de Industria y Energía.

Las líneas de actuación de las acciones de promoción de calidad fueron:

— Potenciación de la infraestructura técnica. En el área de normalización, a través de convenios anuales, elaboración de planes de normas y presencia en las ferias internacionales. En el área de los ensayos, concediendo subvenciones a laboratorios de ensayos y aplicando el sistema de acreditaciones existente internacionalmente.
— Promoción de la gestión de la calidad en la empresa industrial, a través del Plan Nacional de Calidad Industrial (1990-1993). Sus objetivos fueron los siguientes:

— Propiciar e incentivar la demanda de productos y servicios de calidad.
— Apoyar actuaciones específicas que reduzcan los costes de la no calidad en la industria española.
— Reforzar y desarrollar la infraestructura puesta al servicio de la calidad industrial (normalización, certificación y laboratorios de ensayo.
— Profundizar en la implantación y utilización de los sistemas de calidad.

Al ministro Croissier le sucedió el ministro Aranzadi (1988-1993), y en este período, además de intensificar y adaptar las actuaciones de promoción industrial descritas con anterioridad a los parámetros más europeos en los que la economía española ya estaba situada, pueden mencionarse las actuaciones normativas que se emprendieron: la ley de industria y la ley de ordenación del sector petrolero.

La ley de industria supuso, por una parte, disponer de un cuerpo normativo único como marco de referencia para las actividades industriales, en lugar de una legislación incompleta y anticuada como aquella de la que se disponía. Además, la ley encajaba perfectamente con nuestra incorporación a la CEE, y por tanto con nuestras obligaciones, teniendo, por consiguiente, un marcado carácter liberalizador en el ejercicio de las actividades industriales, tanto por parte de las empresas como por parte de las Administraciones públicas, si la comparamos con la normativa española anterior. Además, en la ley se reconoce el papel de las CCAA en determinados ámbitos de acuerdo con lo establecido, a nivel competencial, en la Constitución y en los respectivos Estatutos de Autonomía.

La ley de ordenación del sector petrolero también obedeció a los criterios de liberalización imperantes en la CEE y, aunque la misma se realizó de forma gradual, posibilitó la privatización del gran operador público en este negocio (de producción y distribución) y la aparición de nuevos operadores que configuraron un mercado más abierto y, por tanto, sujeto a una mayor competencia. Hay que señalar, no obstante, que esta mayor competencia no tuvo ninguna repercusión apreciable y positiva para los consumidores, ya que la fijación de precios, los niveles impositivos sobre estos productos y la posición de dominio de buena parte de los operadores no se tradujeron en disminuciones efectivas en los precios de los carburantes.

También en esta época se intensificaron los programas de promoción industrial de carácter horizontal con un destino prioritario, pero no exclusivo, para las pymes.

En lo relativo a innovación tecnológica, el Ministerio de Industria y Energía creó el Plan Tecnológico Industrial (PATI), que contó con una aportación de fondos públicos de más de 150.000 millones de pesetas en el período 1991-1993. Además del MINER, otros departamentos ministeriales como Sanidad, Obras Públicas y Defensa contribuyeron a la financiación del plan. El PATI tenía como objetivo conseguir una mejor adaptación de las empresas españolas al nuevo entorno económico derivado del mercado interior de 1993. Se pretendía ayudar a las empresas a mejorar su competitividad elevando su nivel tecnológico. El PATI establecía una prioridad en las ayudas hacia las tecnologías que tenían mayor capacidad de difusión posterior a diversas áreas de actividad como, por ejemplo, las de información, nuevos materiales y biotecnología.

El PATI englobaba los planes ya existentes, como el PEIN, el Plan de Automatización Industrial Avanzada (PAUTA), el Plan de Fomento de la Investigación de la Industria Farmacéutica y el Plan de Desarrollo Tecnológico en Biotecnología, Tecnologías Químicas y Nuevos Materiales.

Finalmente, debemos mencionar el Programa Industrial y Tecnológico Medioambiental (PITMA). Los aspectos medioambientales son un factor

Cuadro 14.5   CDTI. Financiación de proyectos de I+D, 1990-1993

	Proyectos de desarrollo y de Innovación [1]			
	1990	**1991**	**1992**	**1993**
Aprobados	178	205	222	220
Aportación CDTI	11.086	12.074	11.415	9.957
Inversión total	31.474	32.856	34.556	29.026
Aportación media (porcentaje)	35,2	36,7	33,0	34,3

(1) En los proyectos de innovación tecnológica no se incluye la cofinanciación bancaria.

FUENTE: CDTI. Ministerio de Industria y Energía.

clave para la competitividad de las empresas, siendo un aspecto esencial del Acta Única Europea la compatibilidad de los objetivos del mercado interior con los de la preservación del medio ambiente. Se pretendía, pues, modernizar el tejido industrial y mejorar el nivel de competitividad de las empresas españolas.

El PITMA iba dirigido, por una parte, a la industria demandante, es decir, a los sectores industriales que necesitan medidas correctoras, y por otra, a la industria oferente, constituida principalmente por la industria fabricante de bienes de equipo e ingenierías.

Los objetivos del PITMA eran, en primer lugar, la adaptación eficiente de las industrias españolas al marco jurídico medioambiental derivado de nuestra pertenencia a la CEE y, en segundo lugar, el fomento y la creación de una base industrial moderna.

Mucho antes de la puesta en marcha de los diferentes instrumentos de promoción industrial hasta aquí citados, el Centro de Desarrollo Tecnológico Industrial (CDTI), creado el 5 de agosto de 1977, desarrolló una intensa actividad, consolidándose como uno de los organismos clave en la promoción del desarrollo tecnológico español. El objetivo general del CDTI es la gestión y el desarrollo de la política de innovación tecnológica del MINER en el marco de coordinación del Plan Nacional de Investigación Científica y Desarrollo Tecnológico.

Las principales actividades que el CDTI lleva a cabo para el cumplimiento de sus objetivos pueden resumirse en tres grandes líneas:

a)   Financiación de proyectos de I+D realizados por empresas. Estos proyectos pueden ser de tres tipos: concertados, de desarrollo tecnológico y de innovación tecnológica. Los proyectos concertados, de carácter precompetitivo, se llevan a cabo conjuntamente por empre-

(en millones de pesetas)

	Proyectos concertados				Total			
1990	1991	1992	1993	1990	1991	1992	1993
129	114	- 109	98	307	319	331	318
6,558	5.805	4.395	3.791	17.644	17.879	15.810	13.748
15.470	14.017	11.307	9.419	46.945	46.873	45.863	38.445
42,4	41,4	38,9	40,2	37,6	38,1	34,5	35,8

sas y universidades o Centros Públicos de Investigación (CPIS) y se financian mediante créditos sin intereses. Los proyectos de desarrollo tecnológico están orientados al mercado y se financian con créditos de bajo interés. Por último, los proyectos de innovación tecnológica son proyectos de I+D que persiguen la incorporación y asimilación de nuevas tecnologías y que se financian conjuntamente por el CDTI, mediante créditos a bajo interés, y por entidades bancarias.

b) Gestión de los programas internacionales de contenido industrial. Estos programas son: la Agencia Espacial Europea (ESA), la Fuente Europea de Radiación de Sincrotrón (ESRF) y los programas de contenido industrial incluidos en los programas marco de I+D de la CE.

c) Promoción general de la actividad de I+D en la industria mediante actividades de difusión y de transferencia de tecnología en el ámbito empresarial.

El período del ministro Eguiagaray (1993-1996) es el último del gobierno socialista y el primero con el que no se cuenta con mayoría absoluta. La influencia de los socios parlamentarios, y muy particularmente del grupo catalán en el Parlamento, condicionó buena parte de la política económica de estos años, y especialmente de aquellas medidas de apoyo a lo que se denominó economía productiva. Además, 1993 supone un punto de inflexión al largo período de crecimiento a partir de 1985-1986, y hasta 1995 el conjunto de nuestra economía vive una fase de recesión económica.

El documento que mejor sintetiza el enfoque de política industrial es el *Libro Blanco de la Industria: una política industrial para España*. El *Libro Blanco* contó con la participación de un elevado número de agentes econó-

Recuadro 14.1   *El Libro Blanco de la Industria (1995)*

LOS OBJETIVOS	LAS GRANDES LÍNEAS DE ACTUACIÓN
Una estrategia global, activa, integrada y eficiente que: — Proporcione un entorno favorable a la iniciativa y desarrollo de las empresas. — Potencie los factores críticos de la competitividad industrial.	— Promover un contexto macroeconómico, fiscal y financiero favorable. — Reforzar la cohesión economómica y social en un entorno de competitividad industrial. — Un marco institucional, legal y administrativo más eficiente. — Aprovechar la demanda institucional de bienes y servicios. — Desarrollar una política de competencia, introduciendo y garantizando la competencia en los mercados. — Favorecer la oferta de servicios a la industria, especialmente los más avanzados. — Mejorar la dotación de infraestructuras. — Articular una política medioambiental consistente con un desarrollo industrial sostenible. — Orientar una estrategia energética al servicio de la competitividad y la sociedad. — Potenciar la formación como elemento crítico de progreso. — Adecuar el funcionamiento del mercado laboral a los nuevos tiempos. — Incentivar la innovación, como factor esencial de la competitividad. — Estimular la internacionalización de la actividad empresarial. — Una estrategia moderna de apoyo a la pyme industrial. — Reorientar el papel de la empresa pública.

micos y sociales (organizaciones empresariales, sindicatos, empresas) y supuso un esfuerzo en el planteamiento de una política industrial ante un entorno competitivo más abierto y donde la empresa se sitúa en el eje y en el centro del análisis. En cualquier caso, con independencia de la valoración técnica o metodológica del *Libro Blanco*, la debilidad política del Gobierno y la propia situación económica condicionaron enormemente las aplicaciones concretas.

El *Libro Blanco* se estructura en dos partes: en la primera sitúa a la industria como un sector clave para la economía española, en un escenario global, en continua mutación y ante el desafío y la oportunidad para la industria. La segunda parte, relativa a la política industrial para España, se propone mejorar el entorno competitivo de las empresas y propugna una política industrial más activa hacia la empresa.

La filosofía que preside el *Libro Blanco* queda patente cuando dice: «El mercado se convierte en el principal protagonista en la selección de productos, empresas y tecnologías, a través de la competencia, y son las empresas las responsables de su propia adaptación y el papel fundamental del Estado consiste en la creación de un entorno económico e institucional favorable a la iniciativa empresarial y en la promoción de su adaptación».

Una de las medidas más destacadas de este período fue el plan Renove, que supuso un incentivo a la renovación del parque automovilístico mediante una subvención al adquirir un nuevo vehículo y causar baja uno usado de antigüedad fijada. En un momento de recesión esta medida fue muy positiva para renovar la flota, máxime atendiendo a la importancia que la industria del automóvil supone para España y a los elevados ingresos fiscales que genera el parque de vehículos en circulación.

4. La política industrial del Gobierno del Partido Popular

Después del triunfo electoral de 1996 por el Partido Popular, accede al Ministerio de Industria y Energía Josep Piqué. En el momento de redactar este capítulo todavía es vigente la legislatura, y por tanto es prematuro elaborar un balance exhaustivo del período; a pesar de ello, sí que podemos identificar los elementos esenciales y las principales líneas de actuación llevadas a cabo en estos años.

Los criterios de convergencia alcanzados con éxito por España y su posterior integración en la UEM constituyen un marco de referencia, único para el desarrollo de las actividades empresariales y particularmente de las industriales. La pérdida de capacidad en política monetaria y en política fiscal (Pacto de Estabilidad) y la ausencia del mecanismo del tipo de cambio para ganar competitividad internacional obligan a hacer las cosas bien en términos internacionales y hacer posible que de la convergencia nominal pasemos a una convergencia real para la economía española y para los ciudadanos españoles.

Ante este nuevo marco, la consolidación de nuestro tejido empresarial según los objetivos del Ministerio de Industria pasa por cuatro líneas de actuación: consolidación de la competencia y liberalización sectorial, política decidida de privatizaciones, fortalecimiento de algunas actuaciones específicas y fomento de la I+D y la innovación.

La liberalización sectorial viene justificada por diversas razones: la flexibilidad del aparato productivo es la única forma de evitar que el empleo se convierta en la variable de ajuste de nuestra economía, cuando ya no existe la posibilidad de alterar los tipos de cambio, y en segundo lugar, y en la medida en que la liberalización supone una reducción de costes, es un instrumento de competitividad para las empresas.

El nuevo gobierno ha asumido un papel fundamental como impulsor de estas reformas, que han abarcado un conjunto muy amplio de prácticas y de normas (tramitación administrativa, regímenes de autorización previa de actividades, tarifas administradas, etc.).

Sin lugar a dudas, donde ha tenido una más explícita traducción este proceso liberalizador ha sido en el sector eléctrico. Se han producido importantes reducciones de tarifas (no únicamente en términos reales, sino también en términos nominales). Entre 1996 y 1998, la reducción ha sido del 7% (un 10% en términos reales), y mayor en el caso de las actividades industriales (15% en términos reales). La liberalización se va extendiendo a todas las actividades, reduciéndose los consumos para tener derecho a las mismas, con descensos de precios progresivos.

Se ha de destacar que se han creado las primeras empresas comercializadoras que pueden acceder al mercado eléctrico y ya están ofreciendo contratos con clientes con reducciones adicionales en los precios. Todo esto, al reducir los costes, mejora la posición de los consumidores y, desde un punto de vista industrial, la competitividad de nuestras empresas.

La política de privatizaciones es otra línea de actuación prioritaria del nuevo gobierno. En el capítulo 9 de este libro se analiza con profundidad; en cualquier caso es importante subrayar algunos aspectos:

La modernización del sector público empresarial ha sido uno de los pilares básicos de la política industrial del nuevo gobierno y se han establecido los principios que deben regir el proceso de privatizaciones, la publicidad, la transparencia, el aumento de la concurrencia, la continuidad de los proyectos empresariales de las empresas privatizadas, la separación de la propiedad y la gestión, son concretamente, criterios que se tienen en cuenta.

En cuanto al ritmo, si bien es obligado mencionar que este proceso ya se inició en gobiernos anteriores, es a partir de 1996 cuando se sistematiza y se acelera. Entre 1996 y 1998, las privatizaciones han permitido ingresar en las arcas públicas más de cuatro billones de pesetas, cifra que duplica ampliamente los ingresos obtenidos en el período 1985-1996. Entre las operaciones más importantes podemos destacar la privatización de Endesa (2,1 billones de pesetas), Telefónica (más de 600.000 millones), Argentaria, Tabacalera, Inespal o Aceralia. Con las excepciones del sector del carbón, la construcción naval, alguna empresa del sector defensa e Iberia, en este último caso por razones de oportunidad del mercado y de definición estratégica con los posibles socios y las alianzas en una actividad tan globalizada, se puede afirmar que se ha completado considerablemente la transferencia del conjunto de activos empresariales de manos públicas a manos privadas.

El fortalecimiento de la competitividad mediante actuaciones específicas constituye la tercera gran línea de actuación. El elemento diferenciador del conjunto de programas puestos en marcha y de los que se mantienen vigentes de la época anterior es la tecnología que preside todos ellos como elemento determinante. Ello no es óbice para que se observen en las actuaciones horizontales (calidad y seguridad industriales, cooperación, desarrollo de infraestructuras tecnológicas) y sectoriales (plan de I+D en el sector aeronáutico, plan de competitividad en el sector textil-confección, acciones de reindustrialización, plan PREVER en el sector del automóvil, etc.) muchas similitudes con programas de gobiernos anteriores.

Finalmente, el cuarto eje ha sido el de la I+D+Innovación, que, además de presidir el conjunto de acciones y programas detallados en el párrafo anterior, ha constituido una de las aportaciones más interesantes del Ministerio. Nadie discute que el progreso técnico y la innovación tecnológica serán factores relevantes de crecimiento en los próximos años, máxime si tenemos presente que cada vez menos podremos competir en coste, ya que deseamos mantener y elevar nuestro nivel de vida. Por tanto, para mantener nuestra competitividad y establecer las mejores garantías a largo plazo de sostenibilidad de niveles de bienestar elevados, deben realizarse esfuerzos crecientes en desarrollo e innovación tecnológica.

Los parámetros que miden el esfuerzo de nuestro país en este campo no suelen ser demasiado favorables (gastos con relación al PIB, número de investigadores por 1.000 habitantes, etc.). En cualquier caso, la prioridad y la necesidad son cada vez más reconocidas por la sociedad española.

El nuevo gobierno, en la segunda mitad de la legislatura, ha incorporado esta prioridad. El ministro Piqué a finales de 1998 lanzó una propuesta de mejora de la legislación fiscal para estas actividades, además de un mayor esfuerzo presupuestario y de coordinación de las actividades del Ministerio de Industria con los otros ministerios con competencias en este ámbito.

El borrador de una futura Ley de Innovación se formuló en los primeros meses de 1999, pero no fructificó posiblemente por falta de madurez en los planteamientos y propuestas y por el riesgo de pérdida de recaudación que la nueva legislación produciría en las arcas del Estado.

Atendiendo a la importancia de la cuestión, y con el apoyo decidido del socio parlamentario (CIU), se ha podido rescatar buena parte del espíritu del borrador del proyecto de la Ley de Innovación, que se ha incorporado a la Ley de Acompañamiento de los Presupuestos Generales del Estado para el año 2000 y que tiene como aspectos más destacables los siguientes:

— Una ampliación del concepto I+D, a efectos de las deducciones fiscales, y un aumento de las deducciones, mayores todavía si éstas se realizan en universidades o centros tecnológicos.

— La inclusión del concepto innovación tecnológica como elemento susceptible de desgravación fiscal.

— La ampliación de los topes máximos posibles de desgravación en la cuota del Impuesto de Sociedades.

— Una mejora en la seguridad jurídica de estos conceptos garantizada por la Administración tributaria.

El camino seguido es el correcto. Entendemos que la política fiscal es mucho más justa y eficaz a la hora de incentivar la I+D+Innovación Tecnológica, y ello ha de ayudar a vencer uno de los obstáculos principales de nuestras empresas en el esfuerzo permanente de mantener y mejorar sus posiciones competitivas en un entorno globalizado.

5. A modo de encuadre y síntesis

Durante decenios —durante centenios, si se nos permite la licencia— la política industrial española se caracterizó más por lo primero —política— que por lo segundo— industrial—. Se trataba, grosso modo, de sumar la siderurgia vasca —con singular énfasis— y el textil catalán, con sus respectivos entornos sociales, a un proyecto de convivencia en que la industria española se encerraba en sí misma y se aislaba de una sociedad —la conformada por los países europeos desarrollados— cuyos valores predominantes pasaban por la apertura, con voluntad de dominio, al mundo en lo industrial y en lo comercial.

Ciertamente esta filosofía supuso algunos esfuerzos —no demasiados—, y en algunos períodos se intentó —aquí sí, con grandes sacrificios— abrir la sociedad y la economía y la política, pero en definitiva el resultado fue el que fue, y hasta hace cuatro días —finales de los cincuenta y principios de los sesenta— España era profundamente autárquica y los horizontes de nuestra industria no iban más allá de los Pirineos. La consecuencia, obvia, es que nuestras empresas eran escasamente capaces de competir en precio y en calidad con la oferta industrial exterior y, por tanto, eran tan voluntaristas como frágiles.

Desde entonces las cosas han ido cambiando con notable celeridad, y si bien las páginas anteriores de este capítulo sólo recogen el último período, de las mismas se desprende con razonable generalidad que los instrumentos citados en nuestro trabajo —normativas sobre reconversión, planes electrónicos e informáticos, programa nacional de calidad, plan tecnológico y de automatización industrial, actuaciones de fomento de la investigación y desarrollo y de innovación...— se integran en una línea de apertura a la economía industrial moderna y a la interconexión económica y financiera a nivel mundial.

Sería injusto olvidar los enormes costes humanos en términos de paro, jubilaciones en edades de óptima capacidad intelectual y física —pudorosamente llamadas anticipadas—, trabajos precarios y de riesgo, en ocasiones, claramente por encima de lo razonable..., pero también en términos de renuncias empresariales, penosas y pésimamente tratadas, muchas veces de gran calidad pero con desventajas económicas y financieras insuperables en un mercado de libre movimiento de capitales.

Con la misma obligada sinceridad, sin embargo, preguntamos, por si alguien tiene interés en contestar: ¿Es que quienes criticaban la apertura y en definitiva la integración en Europa pueden imaginar qué sería de nuestra industria y de nuestros trabajadores caso de haber quedado fuera de la UE y de lo que representa el mundo?

Sólo decir, para terminar, que hubiéramos deseado, casi necesitado, abordar con una cierta profundidad alguna de las últimas líneas de actuación del Ministerio de Industria y Energía, tanto por su importancia como por su relevancia industrial —concretamente la política de privatizaciones y un proceso de liberalización sectorial como el energético—, pero la organización del libro ¡muy razonable, por supuesto! no nos lo permite. Con todo, los autores deseamos que lo escrito permita entrever que, a nuestro juicio, el camino emprendido en el período considerado pueda conducirnos a disponer de un entramado industrial sólidamente enraizado, en sus problemas, que no son pocos, pero también en sus soluciones, con el que conforma nuestro entorno europeo.

Notas

1 J. A. Vázquez (1990).
   2 L. Albentosa (1985).
   3 A. Oporto (1997).

Referencias

Albentosa, L. (1985): «La política de ajuste aplazada: reconversión industrial», *Boletín Económico de ICE*.

Cabañas, A., y J. Trigo (1995): «Política industria y entorno económico», *Boletín Económico de ICE*.

Casado González, M. (1993): «El papel del sector público en el fomento de la competitividad», *Revista de Economía Industrial*, Ministerio de Industria y Energía.

González Romero, A. (1998): «Globalización y política industrial: El nuevo concepto de competitividad», *Revista de Economía Industrial*, Ministerio de Industria y Energía.

—, y P. Bengoechea (1998): «La situación de estancamiento de la industria en la CE», *Revista de Economía Industrial*, Ministerio de Industria y Energía.

Llanes Díaz Salazar, G. (1993): «Escenarios y estrategias sobre competitividad y política industrial en España», *Boletín Económico de ICE*, Secretaría de Estado de Comercio.

Myro Sánchez, R. (1973): «Competitividad y política industrial en España», *Revista de Economía Industrial,* Ministerio de Industria y Energía.

— (1992): «Segunda reconverión y política industrial», *Revista papeles de Economía Española*, Fundación Fondo para la Investigación Económica y Social.

Oporto, A. (1997): «Comentarios acerca de la evolución de la industria y la política industrial de 1986 a 1996», *Revista Información Comercial Española*.

Parajón Collada, V. (1993) «La política industrial española en el marco de la comunitaria», *Revista de Economía Industrial,* Ministerio de Industria y Energía.

Pique Camps, J. (1996): «Las políticas de adaptación de las estructuras industriales: pasado y presente», *Revista de Economía Industrial*, Ministerio de Industria y Energía.

Puig Raposo, M. (1998): «El nuevo papel del Estado en el ámbito industrial», *Revista de Economía Industrial*, Ministerio de Industria y Energía.

Trigo Portela, J. (1994): *La política industrial en la España de los 90*, Horizonte empresarial, Fomento del Trabajo.

Vázquez, J. A. (1990): «Crisis, cambio y recuperación industrial», en J. L. García (dir.), *Economía española de la transición y de la democracia,* CIS.

Velasco, R. (1994): «Actuaciones públicas para el fomento de la competitividad industrial», *Revista de Economía Industrial,* Ministerio de Industria y Energía.

15.   Política de energía

José María Marín Quemada

1.   Introducción

La política energética es el conjunto de actuaciones emanadas de los poderes públicos con objeto de influir sobre los subsectores y actividades en que se agrupan las fuentes de energía, procurando el ajuste entre una oferta diversificada y la demanda prevista, en un marco capaz de facilitar el funcionamiento de los mecanismos de eficaz asignación de recursos y prestando una preferente atención a la protección del medio ambiente.

Queda atrás, en Europa, la discusión sobre la delimitación de la propiedad pública o privada de las instalaciones de producción o de los canales y medios de comercialización, parcialmente justificada en su momento por el carácter estratégico de la energía. En el año 2000, los conceptos de eficiencia energética, eficaces redes de transporte de carácter transnacional, determinación e internacionalización de costes mínimos, globalización de los mercados, carácter supranacional de las actividades, disposición de una tecnología distinta y mejor, junto con la formación de conglomerados empresariales en esta industria [1] de un tamaño y una potencia no conocidos hasta ahora, han sustituido a la discusión y actuación de décadas anteriores, centradas en la determinación del papel de los sectores público y privado en las actividades energéticas.

La década de los años noventa ha sido determinante para identificar a la energía como un factor de producción, motor de la inmensa mayoría de las actividades económicas, no independiente de la preservación del entorno ambiental y con exigencias de regulación y ordenación crecientemente supranacionales y distintas.

Paradójicamente, el 20% de la población mundial consume el 70% del total de energía producida, al mismo tiempo que la tercera parte de los habitantes del planeta no tiene acceso a la llamada energía comercial, recordando con ello la existencia de dos mundos, el de la abundancia y el de la escasez de energía, que además es un factor limitativo del crecimiento. Esta situación añade a la política energética un papel instrumental al servicio de la equidad, también objetivo de la política económica general. Como se ve, el campo de atención es amplio, y las consecuencias de las actuaciones reguladoras y ordenadoras de las cuestiones energéticas, del mayor interés económico. También las responsabilidades sociales y políticas que de todo ello se derivan.

En el mundo occidental continúa abierta, a comienzos del año 2000, la discusión sobre las fuentes de energía y la necesidad de contar con nuevos orígenes. La paulatina sustitución de las más tradicionales por otras fuentes más eficientes, menos contaminantes y de menor coste será un hecho en el futuro, pero lamentablemente no inmediato, y limitado en su consecución por el desarrollo de la tecnología que lo haga posible, por lo que será necesario prestar una continuada atención durante muchos años a los orígenes que hoy hacen posible la disponibilidad de energía, al tiempo que se continúan investigando las nuevas posibilidades.

La Unión Europea, tanto en los documentos fundamentales más actuales, Tratado de Maastricht de 1991, Conferencia de Barcelona en 1995, Tratado de Amsterdam en 1997, Agenda 2000 de 1997, como en el día a día de su actuación, ha hecho de la energía una cuestión crítica, por ser factor de notable importancia en el nivel de competitividad de sus productos en los mercados exteriores así como en la calidad de vida y nivel de actividad industrial y comercial de los países miembros. La UE es el primer importador de fuentes de energía del mundo, por lo que su interés en que esa elevada dependencia exterior no conozca de alteraciones de precio o disponibilidad ha convertido a Europa en un activo agente a favor del acercamiento hacia terceros países con reservas de petróleo y gas, haciendo de ello un instrumento más de su actuación en política energética, cada vez más considerada como política global única que exige la armonización de las actuaciones nacionales. También el medio ambiente es prioritario en la UE, lo que incluye, vinculado a las actuaciones energéticas, el objetivo continuo de minimizar las externalidades negativas de producción, transporte, comercialización y uso de energía.

España, con algunas características diferenciadoras, está inmersa en el mismo esquema de actuación, compartiendo la práctica totalidad de los desafíos que afectan a la UE. La política energética española, inexistente como tal en los años sesenta, dispersa en los setenta, reglamentista y monopolizadora en los ochenta y atenta a la regulación, pero sobre todo propicia a la competencia en los noventa, inicia el reto del próximo siglo con potencialidades, pero también con notables limitaciones, que se repasan en las páginas siguientes. Las actuaciones energéticas recientes están marcadas por planteamientos de apertura de los mercados energéticos, búsqueda de eficiencia y consecución de reducción de costes y precios. La política y la realidad energética española deben parecerse cada vez más a las de otros países de la UE, con quien se comparten objetivos económicos, sociales y políticos, además de un espacio geográfico común. En resumen, las actuaciones deben centrarse fundamentalmente en las políticas de oferta.

2. Balance energético

España incrementó su consumo de energía por encima del 25% en la década de los noventa, coincidiendo los años de mayor crecimiento con los de más activa generación de PIB. La proporción más importante de la demanda energética se ha cubierto con petróleo, en torno al 55%. La segunda fuente, ya a gran distancia, es el carbón, que ha ido perdiendo peso en el aporte energético nacional hasta situarse en el entorno del 15%. La energía nuclear suministra el 14%, y el gas natural, con fuerte potencial de crecimiento, está ya por encima del 11%. La hidroelectricidad es residual. Los cuadros 15.1 y 15.2 muestran las cifras con mayor detalle.

Cuadro 15.1 **Estructura del consumo interior bruto de energía primaria (millones de toneladas equivalentes de petróleo)**

Años	Total	Petróleo	Carbón	Hidroelectricidad	Nuclear	Gas natural
1991	90,8	49,4	19,1	2,3	14,5	5,5
1992	91,8	50,5	19,3	1,7	14,5	5,8
1993	90,6	49,7	18,4	2,1	14,6	5,8
1994	93,2	51,9	18,0	2,4	14,4	6,5
1995	97,2	54,6	18,7	2,0	14,4	7,5
1996	97,9	55,4	15,9	3,5	14,7	8,4
1997	103,9	57,4	18,0	3,1	14,4	11,0
1998	110,2	61,7	18,1	3,2	15,4	11,8
1999*	116,2	66,0	18,0	3,2	16,0	13,0

(*) Estimado.

FUENTE: MINER. Dirección General de la Energía. La energía en España, 1998.

Cuadro 15.2 Estructura del consumo interior bruto de energía primaria (distribución porcentual en función de su origen)

Años	Petróleo	Carbón	Hidroelectricidad	Nuclear	Gas natural
1991	54,4	21,1	2,6	16,0	6,1
1992	54,9	21,0	1,9	15,8	6,4
1993	54,7	20,3	2,4	16,1	6,4
1994	55,6	19,3	2,6	15,4	6,9
1995	55,9	19,2	2,0	14,8	7,7
1996	56,6	16,2	3,6	15,0	8,6
1997	55,3	17,4	3,0	13,9	10,7
1998	55,8	16,4	2,9	13,9	10,7
1999*	56,8	15,5	2,8	13,8	11,1

(*) Estimado.

FUENTE: MINER. Dirección General de la Energía. La energía en España, 1998.

En comparación con la UE, el balance energético español presenta diferencias notables. En España, el petróleo aporta más de 13 puntos porcentuales que en Europa, por lo que el esquema español puede definirse como intensivo en hidrocarburos líquidos. El gas natural ocupa la mitad de importancia en España que en la UE, presentando los próximos años clara tendencia al crecimiento con una media para la primera mitad de la década de los 2000 que superará previsiblemente el 7% anual, acortándose así la diferencia con Europa. El carbón se comporta como la media de la UE. Lo mismo sucede con la hidroelectricidad. La energía nuclear es ligeramente superior en Europa.

El consumo total español, medido en términos por habitante y año, supera ligeramente las dos toneladas equivalentes de petróleo, mostrando un crecimiento sostenido durante toda la década de los noventa. La media de la UE, en 2,7 tep por habitante y año, sobrepasa en un 25% el consumo español final de energía, con tendencia a estabilizarse en este valor como consecuencia de los programas de ahorro energético y del uso más eficiente de los recursos, factores que son capaces de suavizar los típicos movimientos al alza del consumo per cápita, coincidentes con etapas de crecimiento económico y de avances de la demanda global.

La intensidad energética o cantidad de energía necesaria para generar una unidad de PIB es en España superior a la media de la UE en más de un 7%, lo que significa que la generación de PIB, en términos energéticos, es más cara en España que en el resto de Europa (cuadro 15.3). Esta «sobre-

Cuadro 15.3   Intensidad energética. Energía por unidad de PIB (tep/PIB)

Años	España	UE
1991	1,57	1,71
1993	1,58	1,65
1995	1,65	1,64
1997	1,68	1,61
1998	1,72	1,60
1999*	1,76	1,61

(*) Estimado.

FUENTE: La energía en España, 1998. MINER. Indicadores eficiencia energética: A.I.E., MINER, IADE y elaboración propia.

factura» energética muestra que la eficiencia española es baja, lo que resta competitividad a la economía, que demanda de la política energética medidas que con visión integrada de los recursos sean capaces de racionalizar los usos y abaratar los consumos de energía. Entre las actuaciones deseables, debe destacarse la introducción de mayores niveles de competencia, la creciente libertad en los distintos mercados energéticos, especialmente en gas natural, que es fuente crítica para las plantas de ciclo combinado capaces de abaratar la factura eléctrica, el impulso a la investigación, el fin de las subvenciones que enmascaran algunos costes, el impulso de programas de racionalización de transportes públicos y privados, junto con otras posibles acciones que se comentan más adelante. Éstos deben ser los focos de atención de la política energética, además de las medidas de ahorro energético, estímulo de las energías renovables y atención prioritaria al medio ambiente.

Otro factor de importancia es la dependencia energética del exterior y los efectos sobre la balanza de pagos. El fuerte componente de la energía petrolífera en la estructura del consumo, junto con, en menor grado, el gas natural y los carbones de importación, hacen que la cobertura del consumo energético con producción interior sea en España la mitad que en la UE. De incrementarse la utilización de gas natural en el futuro, como es previsible, esta situación tenderá a crecer, lo que hace que el conjunto de la economía española sea más sensible que otras a los movimientos de los precios internacionales de petróleo y gas. La abundancia de ambas fuentes está fuera de duda, pero no es menos cierto que periódicamente se producen alteraciones en sus precios que generan incertidumbre. Estas alteraciones son muy visibles en términos monetarios y quedan mucho más suavizadas, e incluso neutralizadas, si se convierten a términos reales. No obstante, son fuente de variación de los precios generales, difíciles de modelizar por imprevisibles, con lo que, si son al alza, se dificulta la consecución, entre otros, de los objetivos de inflación.

Por lo que al futuro se refiere, las previsiones para la UE basadas en un escenario conservador, de continuidad de las líneas apuntadas por la política energética a comienzos del año 2000, con suave crecimiento del PIB, disminución del desempleo y sin repunte inflacionista, conducen a un balance energético europeo basado en petróleo, con crecimiento del gas natural, el carbón perdiendo importancia y con hidroelectricidad mantenida[2].

En España, con una política energética moderadamente activa, con previsión de crecimiento sostenido de PIB en torno al 2%, crecimiento del empleo y sin fractura inflacionista ni precios de petróleo y gas que se aparten de la tendencia, es probable que se alcance un balance energético en el horizonte del año 2010 bastante similar al medio europeo pero con mayor proporción de petróleo y fuerte crecimiento de gas natural, hasta abastecer entre ambas fuentes cifras próximas al 70% del total de consumo, lo que supondrá, en cualquier caso, una notable dependencia del exterior. Las otras fuentes serán secundarias y las energías renovables, en tan corto período de tiempo, continuarán aportando cifras muy reducidas, con mantenimiento de la hidroelectricidad, que, en cualquier caso, no superará las cifras de una modesta contribución en línea con su aportación actual.

3. Energías tradicionales

Se consideran energías tradicionales el petróleo, carbón, electricidad hidráulica, térmica y nuclear, además del gas natural. Son las fuentes que aportan la práctica totalidad de la energía consumida en Europa y en España. La política energética se ha centrado en su regulación y coordinación, con un inicial criterio intervencionista, al considerar que el mercado y la libre concurrencia no facilitarían por sí solos la óptima y eficaz disposición de un recurso, el energético, considerado estratégico y clave para el normal desenvolvimiento de las actividades económicas. Por ello, con más o menos éxito, las actuaciones sobre la generación, transporte y comercialización de los diferentes tipos de energía y de sus fuentes han sido, desde la década de los setenta, de prioritaria atención para los diseñadores de la política económica española en general y, desde luego, de la política energética.

La década de los ochenta y especialmente la de los noventa han venido marcadas por un cambio drástico de orientación. La corriente liberalizadora ha impregnado la práctica totalidad de las actividades energéticas. Todas los directivas europeas de los últimos años sobre esta materia presentan siempre dos puntos de atención preferente: la creciente preocupación por la libertad de mercado y la preferente atención por el medio ambiente, procurando una creciente identidad más allá de las fronteras de los temas energéticos o, si se prefiere, una puesta en común de las distintas regulaciones nacionales. España, tras la firma de los acuerdos de 1986 y la integración de 1992, ha trasladado a sus actuaciones económicas en materia energética, aunque ciertamente con retraso, lo que era una exigencia y una línea más o menos compartida por los diferentes países, pero aceptada como posicionamiento de futuro en toda la UE.

A continuación se concreta lo que ha sido la actuación de la política energética española en las llamadas fuentes tradicionales o fuentes clásicas y la influencia de algunas disposiciones de la UE sobre España.

3.1 Petróleo

Tradicionalmente el petróleo ha sido la fuente con mayor participación en la estructura energética española, con porcentajes de aportación que llegaron a ser superiores al 72%[3]. Las sucesivas crisis y la imprescindible política de diversificación de orígenes energéticos fueron situando al crudo en porcentajes de aportación menores. Durante la década de los noventa, las cifras se fueron reduciendo hasta estabilizarse en el entorno del 55%.

Las diez refinerías existentes en España, con una capacidad de destilación próxima a los 62 millones de Tm/año, son propiedad: cinco de Repsol-YPF, tres de Cepsa y una de BP-Amoco, mostrando todas ellas un perfil y características de producción muy similares a los del resto de las instalaciones de los países de la UE. La décima refinería, mucho mas pequeña, está participada por Cepsa y Repsol, produciendo fundamentalmente asfaltos. La capacidad de refino española es importante en el esquema de producción de la UE, situándose por detrás de Alemania, Italia, Reino Unido y Francia. Las refinerías procesan crudos con orígenes diversificados. África aporta el 35%, Oriente Medio el 35%, América del Sur y Central el 15%, procediendo el resto de Europa y otras regiones.

Durante los pasados años, el precio del crudo importado se trasladó en sus oscilaciones hacia los productos no sujetos a fórmula de precios máximos, con el automatismo que permitía la referencia del mercado internacional. Las gasolinas y gasóleos, al estar su precio determinado por un máximo derivado de una fórmula fijada por el MINER, actualizaba sobre el mercado español las variaciones, tanto positivas como negativas, del crudo y los productos de referencia con un cierto retraso[4]. El sistema de precios máximos se abandonó en 1996 para el gasóleo y en 1998 en la determinación de los precios de las gasolinas. Sin embargo, los gases licuados de petróleo, propano y butano continúan sometidos a comienzos del año 2000 a una fórmula de fijación de precios de la bombona de 12,5 kg, situación única entre las economías destacadas de la UE.

Cuadro 15.4   Consumo de productos petrolíferos en España (miles de Tm)

Producto	1991	1995	1998
G.L.P.	2.600	2.447	2.581
Gasolinas	8.750	9.173	9.021
Naftas	2.900	3.935	4.396
Querosenos	2.620	3.101	3.760
Gasóleos	14.520	16.474	22.634
Fuelóleos pesados	6.752	7.558	6.246
Lubricantes	430	433	490
Asfaltos	1.875	2.050	2.200
Otros productos	3.050	4.300	4.450
Total	**43.497**	**49.472**	**55.778**

FUENTE: PETROFINANCE. Enciclopedia Nacional del Petróleo, Petroquímica y Gas, 1998.

El consumo de productos petrolíferos, que se satisface fundamentalmente con la producción de las refinerías nacionales y cuyo detalle se recoge en el cuadro 15.4, ha sido suavemente creciente a lo largo de la década de los noventa, con mayor aumento en naftas, materias primas utilizadas en la industria petroquímica, también en querosenos, cuyo mayor consumo es consecuencia del creciente tráfico aéreo, además de en gasóleos industriales y de automoción.

Las especificaciones de calidad de productos se han igualado en todos los países de la UE, tras un proceso de adecuación de instalaciones de refino que demandó en España fuertes inversiones que no siempre pudieron ser trasladadas al mercado vía precios ante los niveles de competencia existentes.

Algunos productos petrolíferos han sido utilizados como potentes vehículos de recaudación fiscal indirecta, tanto en España como en otros países de Europa. Las gasolinas y los gasóleos han aportado en España, vía impuesto especial e IVA, notables cantidades de recursos. Sin embargo, la fiscalidad de los productos petrolíferos es inferior en España a la media de la UE, por lo que cualquier actuación tendente a la armonización producirá previsiblemente un incremento en los precios de venta al público [5], salvo la decisión improbable de adoptar en la UE una rebaja generalizada sobre la fiscalidad en el consumo de gasolinas y gasóleos. Las aportaciones fiscales de los combustibles en España alcanzan cifras próximas a los dos billones de pesetas, menos de la mitad que en Alemania y por detrás de Francia, Italia y Reino Unido.

En el año 2000, y como consecuencia del menor tramo fiscal y de la no repercusión completa de los precios internacionales los precios de las gasolinas y gasóleos han continuado siendo, en valores absolutos, menores en España que en la mayoría de los países europeos. Por otra parte, en pesetas constantes los precios a comienzos del año 2000 eran sensiblemente similares a los de 1975.

En este sentido, es frecuente la referencia a las variaciones en el precio del crudo y de los productos en los mercados internacionales como elementos críticos en la aceleración o desaceleración de la inflación. Estudios rigurosos —Iranzo (2000) y Raymond e Iranzo (1990)— determinan, aproximadamente, variaciones de un 0,3% en el IPC por cada 5 dólares USA de cambio en el precio del crudo[6]. Para la OCDE, el efecto de una variación de 10$ supone un cambio de medio punto en inflación y de un cuarto de punto en PIB.

Las actividades petrolíferas habían estado en España fuertemente intervenidas[7], suavizándose esta situación de manera paulatina con el transcurso del tiempo, hasta que en 1986 y con la firma del Acuerdo de Adhesión a las Comunidades Europeas se determinó un plazo de seis años para desmantelar el monopolio de petróleos.

La política petrolífera de los noventa tiene como antecedentes básicos el Protocolo de 1983, la Ley de Reorganización del Sector Petrolero de 1984, la adaptación del Monopolio de 1985 y la agrupación de intereses públicos, hasta entonces dispersos, en Repsol. Su análisis más actual debe comenzar en el establecimiento de la fórmula de precios máximos para gasolinas y gasóleos en 1990 que, con todas sus singularidades, sustituyó positivamente a una rígida sistemática anterior que determinaba precios fijos cerrados en forma administrativa.

En 1991 se produjo la escisión de la hasta entonces Compañía Administradora del Monopolio, Campsa, vendiéndose los activos de distribución al por menor a los operadores del mercado[8] y quedando Campsa, desde 1992, como una marca comercial propiedad de Repsol. Se creó una nueva empresa de distribución, Compañía Logística de Hidrocarburos, CLH, que pasó a ser propietaria de los oleoductos, factorías de distribución e instalaciones de almacenamiento, anterior propiedad de Campsa, y que podrían ser utilizados por terceros mediante el pago del peaje correspondiente.

Por entonces, en un proceso de toma de posiciones en el mercado español, cada vez más abierto y atractivo para la competencia internacional, Elf Aquitaine y BP habían tomado participaciones significativas en Cepsa y Petromed[9].

Para cumplir con los requerimientos de almacenamiento estratégico y de seguridad, se constituyó en 1994 la Corporación de Reservas Estratégicas, CORES, cuyas funciones son, básicamente, la constitución, mantenimiento y gestión de las existencias estratégicas —30 días equivalentes de consumo— para hacer frente a las posibles situaciones de desabastecimiento y controlar el cumplimiento de otros tramos de reservas mínimas de seguridad, que deben mantenerse por refinerías y operadores al por mayor autorizados, hasta totalizar 90 días recomendados por la Agencia Internacional de la Energía y exigidos por la normativa española. La CORES es una corporación de derecho público con personalidad jurídica propia de la que forman parte los operadores autorizados y las empresas con actividad comercial.

Como un paso más en la apertura del mercado y para facilitar el acceso de nuevos operadores, se produce en 1994 la supresión de la normativa de distancias mínimas entre estaciones de servicio, que siendo una protección indeseable a los puntos de venta dificultaba la competencia.

En 1996 se introduce la liberalización del precio del gasóleo y dos años después, coincidiendo con la Ley de Hidrocarburos [10], la libre determinación del precio de las gasolinas.

La Ley de Hidrocarburos, cuyas disposiciones vienen a culminar el proceso de apertura en las actividades petrolíferas, no así en las de gas natural, es el referente fundamental de la política petrolífera para el entorno del año 2000.

Ya en 1999, y en base al articulado de la ley publicada a finales del año anterior, quedaban limitadas las actuaciones de los poderes públicos a situaciones de emergencia, sometiéndose los hidrocarburos líquidos a la libre iniciativa de las empresas que deseen actuar en este campo y que deberán prestar, en la realización de sus tareas, una atención prioritaria a la protección medioambiental.

Hasta la entrada en vigor de la ley, la exploración, investigación y explotación de hidrocarburos se regían por disposiciones de 1974 [11], escasamente incentivadoras de estas actividades que, por otra parte, se enfrentaban a la dificultad derivada de lo poco propicio de las características geológicas del subsuelo español, que no han permitido el hallazgo de yacimientos notables de hidrocarburos. La producción nacional, que apenas aporta el 1% del total anual de las necesidades de crudo, se concreta en los campos de «Casablanca», «Boquerón» y «Rodaballo», frente a las costas de Tarragona, cuyas reservas, que disminuyen de año en año, están próximas al agotamiento [12]. Esta situación se contrarresta, al menos en parte, con las reservas que poseen en el exterior las tres principales compañías que operan en España: Repsol, Cepsa y BP, bien directamente o a través de sus socios de referencia. La Ley de Hidrocarburos de 1998, sin aportar grandes variaciones de fondo a la normativa anterior, suprime la reserva a favor del Estado y precisa las obligaciones de desmantelamiento de las instalaciones cuando se finalice la explotación de un campo.

Por lo que respecta al resto de actividades petrolíferas, dado lo avanzado del proceso de liberalización en refino y distribución en 1998, son pocos y no demasiado significativos los cambios introducidos por la ley. En comercialización, fue importante la ya citada liberalización de precios de las gasolinas cuyo mecanismo anterior de fijación de precios máximos suponía una distorsión del mercado, como se ha comentado ya.

A comienzos del año 2000 actuaban en España unos 30 operadores de productos petrolíferos al por mayor, cerca de 1.000 distribuidores, fundamentalmente de gasóleos, y existían algo mas de 7.000 puntos de venta, lo que determina un panorama de comercialización paralelo al de los países significativos de la UE. En esta situación de mercado abierto a la competencia llama la atención el hecho de continuar reservándose a favor del MINER la determinación del precio de la bombona de 12,5 kg de butano, que constituye el único elemento de cierta importancia pendiente de liberalizar en el año 2000, como se ha dicho ya.

En 1999 comenzó a funcionar la Comisión Nacional de la Energía[13], adscrita al MINER y con las funciones de regulación y vigilancia del mercado energético, con especial atención a la coordinación de los aspectos que afectan a gas, petróleo y electricidad, al tiempo que se le encomienda la tarea de velar por la efectiva competencia en los correspondientes mercados, en muchas ocasiones con fuertes conexiones logísticas, industriales y de accionariado. La figura del regulador nacional es importante en toda la UE y es previsible que alcance en España un papel de influencia notable, por lo que debe procurarse que goce de la suficiente independencia, tanto de los poderes públicos como de las empresas privadas, a fin de poder desarrollar eficazmente sus funciones. La CNE se configura como un organismo público con personalidad jurídica y patrimonio propio, que comenzó a funcionar en la segunda mitad de 1999.

En junio de 2000 y en un paquete de medidas urgentes para la intensificación de la competencia (RDL 6/2000 de 23 de junio), entre otras disposiciones, se limitaba la participación accionarial en la Compañía Logística de Hidrocarburos, CLH, a un máximo del 25%, no pudiendo superar, en conjunto, el 45% las compañías que refinan en España. Esta disposición afectó notablemente a Repsol, a Cepsa y en menor medida a BP, que se han visto obligados a reestructurar su participación a la baja. En el mismo conjunto de medidas, se facilita la instalación de estaciones de servicio en grandes establecimientos comerciales y se frena la implantación de la red de distribución de las dos empresas con mayor participación en el mercado, Repsol y Cepsa, que no podrán aumentar el número de sus instalaciones en cinco y tres años respectivamente, al gestionar una cuota superior al 30% en el caso de Repsol, y al 15% en el de Cepsa. En síntesis, estas medidas liberalizadoras pretenden abrir el capital de CLH a nuevos accionistas que deseen tener participación directa en la empresa propietaria de los más importantes medios de distribución y atraer operadores interesados en la apertura de nuevas instalaciones de distribución de gasolinas y gasóleos, restringiendo la capacidad de actuación de las dos mayores empresas.

En síntesis, la política petrolífera de los últimos años se ha ordenado en base a las siguientes acciones y disposiciones aquí comentadas, todas ellas encaminadas a la paulatina liberalización de las actividades de exploración, transporte de crudo, refino, almacenaje, transporte y distribución de productos y comercialización.

- 1983: Protocolo entre el MINER y las empresas refinadoras.
- 1984: Ley que desarrolla y da cobertura al Protocolo.
- 1992: Ley de Ordenación del Sector Petróleo.
- 1994: Constitución de CORES para la gestión de reservas estratégicas y de seguridad.
- 1994: Supresión de distancias mínimas en estaciones de servicios.
- 1996: Liberalización del precio del gasóleo.
- 1998: Ley de Hidrocarburos, constitución de la CNE y liberalización del precio de las gasolinas.
- 2000: Real Decreto de medidas urgentes para intensificar la competencia.

3.2   Electricidad

La producción española de energía eléctrica está generada en plantas hidroeléctricas, aproximadamente 20% del total, en termoelectricidad clásica el 45% y en nuclear el 35% restante, situación que persistirá hasta que no se amplíe la utilización de gas natural, como combustible de ciclo combinado, en los próximos años.

Las centrales hidroeléctricas mantienen un funcionamiento ligado básicamente a la hidraulicidad del año, estando cubiertas las necesidades del consumo fundamentalmente por las centrales de fuel, carbón y nucleares. La producción eléctrica de carbón en base a hullas, antracitas y lignitos nacionales ha continuado durante estos años con las ineficiencias propias de la utilización de un combustible caro cuyo uso se justifica por el peso social de una minería fuertemente subvencionada en el pasado. Los carbones de importación, menos contaminantes y de menor coste, han supuesto un porcentaje creciente en la producción eléctrica en los últimos años.

La termoelectricidad nuclear, limitada por la decisión política de la moratoria nuclear y que supuso en su día la paralización de varias centrales que se encontraban en avanzado estado de construcción, no será en el futuro origen de producción de referencia, salvo que cambien las reticencias sociales con respecto a esta fuente, lo que parece improbable por el momento. El parón nuclear ha introducido ineficiencias en el sistema eléctrico español y ha dado lugar al reconocimiento de un procedimiento de recuperación de la inversión a favor de las compañías que habían iniciado la construcción de centrales que finalmente no entraron en servicio. La decisión política estaba propiciada por la exigencia de una parte notable de la sociedad española contraria a la actividad nuclear. Las centrales paralizadas fueron

Cuadro 15.5   Producción de energía eléctrica (millones de Kw/h)

Años	Hidroeléctrica	Carbón y fuel	Nuclear	Total
1991	26.723	71.080	55.578	153.381
1993	23.524	70.381	56.059	149.964
1995	21.968	76.320	55.445	153.733
1997	33.170	77.612	55.297	166.079
1998	33.995	75.171	59.002	168.168

FUENTE: UNESA.

Lemóniz I y II, Valdecaballeros y Trillo II. El parque activo en 1999 de generación nuclear es por ello más reducido en España que en otros países de la UE, algunos de los cuales se encuentran en el año 2000 revisando su programa nuclear. Las centrales en funcionamiento [14] son nueve, y presentan un elevado factor de carga [15]. La producción eléctrica se refleja en el cuadro 15.5.

El consumo eléctrico ha venido creciendo en torno al 3,7%, como media, entre 1991 y 1999. Concretamente en 1998 y 1999 se superaron incrementos de consumo del 6% como consecuencia de la mayor actividad económica, demostrando una vez más la correlación existente entre consumo eléctrico y renta.

Profundos cambios han tenido lugar en las actividades eléctricas desde la entrada en vigor en 1987 [16] del Marco Legal Estable, MLE, que supuso un giro en la concepción de la producción y comercialización de electricidad en España. Antecedentes inmediatamente anteriores fueron, en 1984, la nacionalización de la red de transportes y el nacimiento de Red Eléctrica, REE, con mayoría pública, como consecuencia de la Ley de Explotación Unificada del Sistema Eléctrico Nacional [17]. El MLE permitía cubrir los costes de producción, recuperar las inversiones y obtener un margen medido de beneficios, todo ello basado en un sistema de costes medios estándar y con tarifa única.

Los beneficios para las empresas en el MLE eran mayores o menores en función de sus verdaderos costes, más o menos separados de los costes estándar. En un sistema tan dirigido, los aumentos de capacidad y, por tanto, los planes de inversión de las compañías operadoras debían ser autorizados por el Gobierno. Se protegían los monopolios locales y el sistema impedía, por su propia naturaleza, retornar al consumidor, vía menores precios, los posibles ahorros de coste. Sin embargo, las anormalmente positivas corrientes de fondos que se generaban permitieron inversiones en avances de productividad que volvían a disminuir los costes, lo que finalmente redundaba en una mejora de los beneficios y del perfil financiero de las empresas. En la red de transporte, los precios pagados coincidían con los costes, por lo que no se produjeron mayores eficiencias ante la inexistencia de incentivos.

La Empresa Nacional de Electricidad, Endesa, quedaba fuera del sistema de compensaciones por dedicarse exclusivamente a la producción, lo que a efectos de retribución supuso obtener en aquel momento un trato de privilegio en un sistema por otra parte muy cerrado y de escaso riesgo.

A comienzo de los años noventa, las compañías eléctricas comenzaron a reposicionarse. Ya en 1991 se produjo la fusión entre Iberduero e Hidroeléctrica Española, dando lugar a Iberdrola, lo que propició un nuevo esquema de producción y comercialización que se ampliaría con nuevos acercamientos empresariales en los siguientes años. También en 1991, Endesa adquirió porcentajes accionariales importantes en Viesgo, Sevillana, Fecsa y Saltos del Nansa.

Posteriormente, en 1994, la Ley de Ordenación del Sistema Eléctrico, Losen, por cierto nunca suficientemente desarrollada, constituyó otro paso intermedio que no se comenta aquí con mayor detenimiento para no complicar el ya de por sí complejo entramado de medidas de política eléctrica de aquellos años. No obstante, sí debe destacarse el objetivo de la Losen de garantizar el suministro y la diversificación, siendo también de resaltar la creación de la Comisión Nacional del Sistema Eléctrico, que sería el futuro órgano consultivo del sector.

Con este esquema se llegó a 1996, año en el que se impuso el Protocolo para el Establecimiento de una Regulación del Sistema Eléctrico Nacional [18], que, unido a la Ley del Sector Eléctrico de 1997 [19] y a un conjunto de decretos, configuró una nueva situación y, lo que es más importante, la referencia más próxima del proceso de liberalización que se desarrollaría en los años posteriores. Pocos meses antes a la Ley de 1997, en 1996, una nueva directiva de Bruselas sobre el desarrollo del sistema eléctrico incentivaba y servía de marco a la iniciativa española. La Directiva sobre el mercado interior de la electricidad fijaba además un calendario para la apertura de los mercados interiores a otros operadores de la UE.

El Protocolo de 1996 al que se ha hecho referencia tenía entre sus objetivos fundamentales el de abaratar los costes de la electricidad y venía a sustituir el sistema de retribución por diferencias entre coste estándar y coste real por el más racional del mercado. Es decir, en la nueva situación el beneficio se establecería entre el precio facturado y el coste real de cada empresa. No obstante, durante un período de transición convivirían algunos costes estándar (régimen especial de producción, coste de la entidad que explotaba el sistema, coste del operador del mercado, costes de transporte y distribución) con otros costes libres (costes de generación y costes de gestión comercial).

En este entorno bien distinto del de años anteriores, surgen identificados como tales los costes de transición a la competencia, CTC, que han sido varias veces cuantificados [20] y que continúan en discusión a comienzos del año 2000. Los CTC tratan de reconocer a las empresas la posibilidad de compensarse de los costes en que habían incurrido bajo la sistemática anterior en el MLE y que aún no habían podido recuperar a través de las tarifas pagadas por los consumidores. Los CTC también incluían como costes varados, pendientes de recuperación, los derivados de la moratoria nuclear, incrementando notoriamente en su conjunto la tarifa eléctrica. En cualquier caso el Protocolo, que fue pieza fundamental en la política eléctrica, trataba de establecer las bases para liberalizar la generación y comercialización de electricidad, al tiempo de permitir el establecimiento de nuevas centrales y liberalizar gradualmente la elección de suministrador en un sistema de tarifas que debería ser cada vez más libre.

El Protocolo de 1996 obtuvo en la Ley del Sector Eléctrico de 1997, en vigor desde enero de 1998, el necesario respaldo jurídico. Esta disposición avanza un poco más en la senda liberalizadora iniciada, aunque tímidamente, en la ley eléctrica anterior de 1994 (Losen). En 1998 la red física de transporte continúa en Red Eléctrica, que es el operador del mercado en la terminología de la legislación eléctrica, siendo la Comisión Nacional del Sistema Eléctrico el órgano consultivo. La Ley del Sector Eléctrico de 1997 incorpora la sistemática de los CTC con toda su potencial capacidad de distorsión, si bien consolida la creciente posibilidad de los consumidores para elegir suministrador, posibilidad que aumentará de año en año entre 1998 y el 2008, horizonte de libertad plena de elección. La instalación de plantas de producción ya sería libre a partir de 1998. Por el contrario, el transporte y la distribución continuarían como actividades reguladas, si bien la propiedad y gestión de la red, en manos de REE, debe garantizar el acceso de terceros al no encomendarse en exclusividad de uso. Los intercambios internacionales, llamados a ser una pieza clave en el futuro de la política eléctrica, serán autorizados por el MINER. Por cierto que la baja capacidad de conexión a la red internacional es otra limitación a la competencia y a la posible disminución del precio eléctrico.

En diciembre de 1998, en la Ley de Acompañamiento de los Presupuestos, se determinan una serie de medidas que tienen por objeto introducir alguna aceleración en el proceso de liberalización, entre las que destacan las facilidades de los consumidores para elegir suministrador dependiendo de su consumo, rebajas de tarifas y recorte en 260.000 millones de los CTC. Todo ello supone un paso más en la racionalidad del mercado eléctrico, iniciada en enero de 1998 y dotando de algo más de agilidad a la Compañía Operadora del Mercado Eléctrico que cruza las operaciones entre oferentes y demandantes cualificados[21].

Mientras, entre 1997 y 1999 se había producido la privatización de Endesa tras la adquisición de Sevillana y Fecsa, por lo que el panorama eléctrico, además de Endesa, 50% del total de generación y 40% de comercialización, estaba formado por Iberdrola, 26% de generación y 35% de comercialización, Unión Fenosa, 12% de generación y 15% de comercialización, e Hidrocantábrico, 5% de generación y 4% de comercialización, habiéndose producido en estos años la natural concentración como consecuencia, entre otras cosas, del tamaño del mercado.

Ante este esquema de funcionamiento, el modelo de características aún imperfectas se ha criticado con argumentos de peso, entre otros por Kühn y Regibau (1998), al haberse producido la privatización sin existir suficiente competencia efectiva, considerarse lenta la liberalización de la comercialización y continuarse con la distorsión que suponen los CTC. Estas críticas, que son acertadas, señalan aspectos que serán un lastre en el diseño futuro de la política eléctrica.

Al inicio del año 2000 se continúa esperando la resolución de la Comisión Europea sobre los controvertidos CTC. La Comisión aún no ha aprobado el mecanismo de recuperación de los «costes varados» al considerarlos como ayudas encubiertas de Estado, por lo que las compañías beneficiarias no han podido titulizarlos como seguramente hubiera sido su deseo. En Bruselas se considera que el mecanismo CTC es una barrera a la competencia. De no obtenerse la aprobación, se abriría la posibilidad de repercutir al mercado, vía precios, esos mayores costes que en un sistema de competencia abierta harían que la energía eléctrica con tarifa que incorporasen los CTC resultara más cara que la de otras compañías que en su momento no hubieran resultado «perjudicadas» por la apertura a la competencia y no hubieran incurrido, por tanto, en los costes varados. Los consumidores cautivos de las empresas primeras se verían así perjudicados sin poder cambiar de compañía eléctrica.

Por otra parte, si las empresas beneficiarias del mecanismo CTC disponen de esta vía de recuperación —retribución distinta al mercado—, pueden estar en disposición de poner en práctica una política más agresiva que otras compañías eléctricas que no tengan esa posibilidad, poniéndose así de manifiesto los costes actuales de decisiones inadecuadas del pasado.

Superadas estas dificultades, que son un freno para el diseño de una razonable política eléctrica, la idea que debe prevalecer es la de continuar con el proceso de liberalización, en generación y muy especialmente en comercialización, hasta alcanzar con rapidez niveles de competencia que aseguren suministro continuo a precio adecuado, no sólo a medianos y grandes clientes, sino en un corto período de tiempo a los consumidores en general, lo que supone levantar las barreras con un calendario más rápido. El sistema de precios eléctricos debe reflejar los costes, sin desviaciones ni imperfecciones en su formulación, para evitar que por esta vía se introduzcan ineficiencias que se transmiten a todo el sistema económico.

Con estos fines, en el Decreto de junio de 2000 sobre medidas urgentes de intensificación de la competencia y modificando varias disposiciones de la Ley del Sector Eléctrico de 1997, se limita la posibilidad de aumentar la potencia instalada para producción eléctrica a Endesa y a Iberdrola durante cinco y tres años respectivamente, al exceder su participación el 40% en el total de potencia instalada, en el caso de Endesa, o estar por encima del

20% en el de Iberdrola. En el mismo paquete de medidas, se adelanta el calendario de acceso para consumidores cualificados al año 2003 y se anuncia una reducción de las tarifas eléctricas para consumo doméstico de hasta un 9% a lo largo de los próximos tres años.

En síntesis, las actuaciones de política eléctrica más significativas, aquí comentadas y que, en cualquier caso y a pesar de las críticas, han variado radicalmente la situación de generación, en menor medida transporte y especialmente la comercialización, han sido:

- 1987: Determinación de Marco Legal Estable. MLE.
- 1994: Ley de Ordenación del Sistema Eléctrico. LOSEN.
- 1995: Puesta en funcionamiento de la Comisión del Sistema Eléctrico Nacional. CSEN.
- 1996: Directiva Unión Europea sobre Desarrollo del Mercado Eléctrico.
- 1996: Firma del Protocolo Eléctrico.
- 1997-1998: Ley del Sector Eléctrico.
- 2000: Real Decreto de medidas urgentes para intensificar la competencia.

3.3   Carbón

La necesidad de utilizar energías cada vez más limpias, menos contaminantes, respetuosas con el medio ambiente y más baratas, ha ido colocando al carbón en una posición secundaria en España como fuente energética. El consumo se fue reduciendo a lo largo de la década de los noventa, tanto en utilización como combustible en centrales térmicas como en siderurgia y coquerías. En el cuadro 15.6 se refleja el consumo de carbón y la tendencia decreciente de la última década. Durante el mismo período también ha ido disminuyendo la producción interior de hulla, antracita y lignito pardo, que se situó en 1999 en niveles similares a los de veinte años antes. En paralelo, ha ido decreciendo el número de empresas vinculadas a esta actividad y desde 171 censadas [22] en 1980, pasaron doce años después a 141, reduciéndose en 1996 a 89 empresas de las que en el año 1999 quedaban en torno a 60, si bien la producción media se ha doblado durante el período. La negativa evolución de la producción interior ha ido acompañada por el mantenimiento de los niveles de importación de hulla energética, especialmente con origen en Sudáfrica [23] e Indonesia. Por el alto componente social histórico de la minería española del carbón, es de interés resaltar que las plantillas, sin demasiada violencia social, han disminuido de 45.000 personas en 1990 hasta menos de 17.000 en 1999.

Los anteriores datos reflejan una pérdida de la importancia, tanto absoluta como relativa, del carbón como aporte de generación, consecuencia en-

Cuadro 15.6 Consumo de carbón en España (miles de Tm)

Años	Hulla y antracita	Lignito	Total
1991	26.988	19.935	46.923
1993	26.569	17.700	44.269
1995	28.021	14.659	42.680
1997	26.940	12.971	40.996
1998*	25.487	12.598	38.085

(*) Estimado.

FUENTE: CARBOUNIÓN, 1998.

tre otros factores del proceso de liberalización de otras actividades energéticas y de la disminución de las ayudas públicas al carbón que, años atrás y por razones fundamentalmente sociales y políticas, habían favorecido artificialmente su minería. Cabe recordar que la reestructuración de la industria carbonífera en Alemania o la liberalización de gas y electricidad en el Reino Unido han producido, a la escala correspondiente, efectos parecidos a los descritos para España en la producción y uso del carbón en esos países.

En síntesis, la más clásica de las fuentes clásicas, que tradicionalmente había sido el motor energético de Europa a comienzos de siglo, ha visto reducir drásticamente su importancia hasta ser fuente muy secundaria en el comienzo del año 2000.

La política carbonífera española se ha centrado durante la década de los noventa en el objetivo de racionalizar las explotaciones mineras, facilitando la introducción de la tecnología disponible para conseguir aumentos de productividad e incentivando la seguridad de extracción. Los obstáculos fundamentales han sido, entre otros, los elevados costes de explotación característicos de la mayoría de las cuencas mineras y la baja calidad de los carbones nacionales, lo que, unido a los niveles generados de contaminación y a los costes de su neutralización, ha hecho que las medidas de los diseñadores de la política carbonífera hayan conseguido, a pesar de la colaboración de las empresas productoras, efectos limitados. No obstante, y como consecuencia de una serie de actuaciones derivadas del Plan de la Minería del Carbón que se definió a finales de 1997 [24], el mercado se encuentra liberalizado desde enero de 1998, pudiendo contratar libremente las empresas mineras con los generadores de electricidad, si bien se han venido percibiendo por los primeros, adicionalmente al precio obtenido de las compañías eléctricas, determinadas ayudas a la producción en forma de sobreprecios que en el futuro deberían tender a minimizarse primero y a eliminarse después para no distorsionar el esquema de precios energéticos reales.

3.4 Gas natural

Es la fuente energética con mayor potencialidad de crecimiento también en España, siendo previsible pasar de una aportación del 12% al consumo total de energía en 1999 hasta el 18% en el entorno del 2010, cifras todas ellas, por cierto, más bajas que la media de la UE, que se sitúa para 1999 en un 23%.

La referencia, ya lejana, de la política gasista española es el Protocolo de 1985 [25], documento que se vio en pocos años superado por el acontecer de los hechos, la presión liberalizadora del mercado interior español, de la Comunidad Europea y de los propios diseñadores de la política energética española que comenzaban a mostrar una vocación de apertura de mercados que después ha resultado ser certera aunque más lenta de lo deseable.

Se perdió una oportunidad de acelerar el proceso con la integración, retardadora, de la Empresa Nacional del Gas, Enagás, en Gas Natural, operación de venta realizada en julio de 1994. Gas Natural, sociedad participada [26] por Repsol al 45,3% y la Caixa de Barcelona con el 25,5%, ostenta así la propiedad directa e indirecta de la práctica totalidad de los activos gasistas industriales de España (plantas de regasificación, gasoductos y redes de distribución), además de ser titular de los contratos de suministro más importantes, por cierto conseguidos en su día en negociaciones con características propias de los acuerdos gobierno-gobierno, entre los que debe destacarse el contrato con Argelia, país que suministró en 1999, sumando gas licuado, más del 65% del total de los aprovisionamientos. Otro suministrador importante, a través del gasoducto Calahorra-Lacq, es Noruega [27].

La infraestructura gasista está constituida por tres plantas de regasificación, Huelva, Barcelona y Cartagena, la red básica de gasoductos, las conexiones con la red europea y por el sur con el gasoducto del Magreb, además de las redes locales de distribución. Las redes tienen una longitud de más de 60.000 km, cifra inferior a similares instalaciones en otros países de la UE.

El consumo, con un crecimiento muy fuerte, pasó de 63.000 millones de termias en 1993 a 131.000 millones en 1998, lo que ha supuesto duplicar la cifra de 1993 en tan sólo cinco años. Las previsiones de consumo se suponen mucho más suaves en el futuro, a un ritmo medio del 7% anual hasta el año 2010.

En 1998, la Ley de Hidrocarburos, ya ampliamente citada en el epígrafe dedicado al petróleo, es el documento de política gasista de contenido teórico más liberalizador que se haya conocido en España, a pesar de que algunos años después se haya producido, en la práctica, una apertura del sistema aún muy limitada. Desde la Ley de Hidrocarburos se ha procurado avanzar en la liberalización del gas, garantizando el acceso a la red de transporte a terceros, mediante un canon o peaje que debe ser aprobado por el Gobierno. El resto de actividades se abre a transportistas, distribuidores y comercializadores con algunas limitaciones en función del volumen de gas manipulado por cada uno de ellos y del transcurso de un plazo de tiempo, primero hasta el año 2013, año horizonte que determinaba un período extremadamente lento de transición hacia la libertad de mercado. Esta circunstancia, con origen en la inclusión estrictamente política de una disposición transitoria [28] en la Ley de Hidrocarburos que asignaba durante 15 años a Gas Natural el monopolio práctico de la distribución, ha centrado la crítica fundamental a una actuación de política gasista, en la práctica, demasiado tímida. Posteriormente, ante la presión de la lógica de los hechos, se rebajó el plazo de 15 años a 10, y por tanto hasta el 2008, período que sigue siendo largo para animar la entrada de nuevos competidores y que debería revisarse con generosidad.

A comienzos del año 2000, Gas Natural continúa detentando, vía instalaciones y peajes, un monopolio que limita la posibilidad de desarrollo del mercado y la reducción de los precios, factores a incluir en un modelo racional de política gasista para los próximos años, si bien resulta esperanzadora la autorización del MINER para que nuevos operadores, entre los que se encuentran en el año 2000 BP Amoco, Cepsa e Iberdrola, junto con otros más, puedan actuar aún con limitaciones en el mercado del gas. Es previsible que estas empresas se conviertan en agentes paulatinamente más activos a la espera de la gradual apertura del mercado que se preveía liberalizado, en un 70% y en función del volumen de consumos del comprador, en el año 2003 y totalmente abierto en el 2008.

En junio de 2000, el Real Decreto de medidas urgentes de intensificación de la competencia imprime una nueva aceleración al proceso, adelantando al año 2003 la posibilidad de elegir suministrador. Asímismo se comenzó en el año 2000 a reducir los peajes que debían pagar los operadores del sistema por utilizar las infraestructuras existentes. También se limitaba la participación societaria en Enagás a un máximo del 35%, lo que supone una reordenación importante en el accionariado, que afecta a Repsol y a Gas Natural en beneficio de nuevos socios y de la trasparencia de una empresa, Enagás, que es clave en la ordenación del mercado español del gas natural al ser el gestor técnico del sistema. También a Enagás se le asigna el 75% del contrato de gas natural argelino, al que ya se ha hecho referencia, quedando libre el 25% restante para otros comercializadores que deseen suministrar al mercado de consumidores cualificados. A partir del año 2003, el mercado deberá liberalizarse por completo, pudiendo los consumidores elegir libremente suministrador.

En la definición del esquema español ha tenido notable influencia la Directiva sobre el Gas de la UE, adoptada en junio de 1998 y que fija las reglas comunes y plazos para la apertura y liberalización, tanto en el tráfico entre países como en el interior de los mercados nacionales, en los que deberán erradicarse los abusos derivados de la posible posición dominante de algún operador [29].

Las actuaciones fundamentales en las que se han concretado en España las medidas sobre el gas han sido:

- 1985: Protocolo de intenciones para el desarrollo del gas en España.
- 1994: Integración de Enagás en Gas Natural.
- 1998: Directiva UE sobre normas comunes para el mercado interior del gas.
- 1998: Ley de Hidrocarburos.
- 1999: Real Decreto sobre medidas de liberalización e incremento de la competencia.
- 2000: Real Decreto de medidas urgentes para intensificar la competencia.

4. Nuevas energías

La diversificación energética limita con el escaso desarrollo y posibilidades aún no consolidadas de las nuevas energías. El interés es creciente en la Unión Europea y desde luego en España[30]. Además, en los últimos años se han logrado avances tecnológicos notables y algunas de las nuevas energías están alcanzando viabilidad económica.

Las ventajas normalmente atribuidas a las nuevas energías giran en torno a los beneficios derivados de la reducción de dependencia de las fuentes tradicionales, la seguridad en el suministro y su mayor nivel de respeto por el medio ambiente, además de su condición de renovables. Las limitaciones más importantes son su desarrollo tecnológico, aún insuficiente, y el elevado coste de la energía resultante, si bien, como se ha dicho, cada vez se está más cerca del umbral de rentabilidad.

La biomasa, el aprovechamiento de residuos sólidos urbanos, los recursos eólicos, la energía solar fotovoltaica o térmica y la energía geotérmica son las fuentes teóricas alternativas más desarrolladas. La energía hidráulica, aunque energía renovable, ha sido considerada en este capítulo como una fuente tradicional, si bien debe dejarse constancia aquí del desarrollo de las llamadas centrales minihidráulicas[31] de larga tradición en España, con un buen nivel tecnológico y un rendimiento apreciable, aspectos que han impulsado su reactivación en los últimos quince años hasta aportar el 3% de la generación eléctrica.

La biomasa es, entre las nuevas energías y como fuente renovable, la más importante. Residuos biodegradables, de explotaciones agrícolas, de madera, cultivos energéticos y biocarburantes generan, si no importantes, sí porcentajes crecientes de energía que rondan los cuatro millones de tep, lo que representa un valor cuatro veces superior al del Reino Unido, pero la mitad que Francia, país que, por ejemplo, ha incentivado fuertemente con ayudas fiscales la producción y consumo de biocombustibles, a lo que seguramente no es ajeno el peso notable de los agricultores franceses en la vida política del país. En España, el consumo de biomasa, que es junto con el aprovechamiento de los residuos urbanos el 50% del total que se satisface con renovables, se dirige hacia calefacción, industria de pasta de papel, lejías negras y cortezas y producción eléctrica con biogás. Los cultivos energéticos y los biocarburantes se encuentran en los primeros estadios de desarrollo.

Los residuos sólidos urbanos, a través de la incineración, constituyen otra fuente energética a la que se presta una creciente atención, potenciada por las posibilidades que ofrecen las operaciones de recuperación de materiales, además del factor positivo que supone la eliminación de las basuras de las que en España se producen cerca de 400 kg por habitante al año. La incineración de estos subproductos genera energía eléctrica que es vertida a la red en equivalente de producción de 800 Gwh/año. En comparación con otros países de la UE, el consumo español de energías con origen en residuos sólidos urbanos es cinco veces inferior al de Alemania o Francia, la mitad del Reino Unido y el doble de Austria o Italia.

La energía eólica presenta en España un gran potencial además de ser ya una incipiente realidad, siempre dentro de la modestia de las cifras de aportación de las nuevas energías. La instalación de generadores eólicos ha crecido considerablemente desde 1996 hasta alcanzar en 1999 más de 700 MW y proporcionar el 1% del consumo eléctrico dentro de una serie de actuaciones que tienen en cuenta, además de medidas para evitar el impacto visual y los daños a las aves, la facilidad de interconexión eléctrica y el rendimiento económico de las aeroturbinas. España es el quinto productor de energía en base eólica de Europa, por detrás de Alemania, Dinamarca, Reino Unido y Holanda y muy por delante de Suecia y Francia.

La energía solar está presente hace veinte años en España como solar térmica y con aplicaciones fundamentalmente domésticas para la obtención de agua caliente. Más recientemente se ha implantado la solar fotovoltaica destinada a la generación eléctrica, con una producción aún muy modesta, aproximadamente 27 Gwh/año. La energía solar en su versión térmica, que es la más tradicional, se encuentra en España en una posición retrasada en comparación con otros países de la UE, por detrás de Alemania, Francia, Holanda, Dinamarca, etc., hasta colocarse en el octavo lugar. La fotovoltaica, aunque en fase creciente, también puede considerarse poco o nada desarrollada en comparación con la media de la UE.

El resto de las llamadas nuevas energías, geotérmica, bombas de calor y maremotriz, en España no están implantadas [32].

Como se ve, el panorama es modesto y, de no considerar la hidráulica, prácticamente no significativo. A pesar de ello, tanto por parte de las CCAA como por el Ministerio de Industria, especialmente a través del Instituto para la Diversificación y Ahorro de Energía, IDAE, se vienen realizando numerosos programas de fomento de las aquí llamadas nuevas energías. En un futuro inmediato deberían establecerse programas selectivos de investigación, adecuación de tecnología e implantaciones de la misma, seguridad de recompra de la energía obtenida en plantas conectables a la red a precios adecuados, medidas fiscales incentivadoras de la producción y el consumo, a fin de facilitar el uso y la extensión de estas fuentes que, aún con escaso presente, son notables opciones de futuro y representan en el largo plazo posibilidades de diversificación que la tecnología debe hacer, de día en día, más atractivas.

En línea con la política energética europea, desde España debería impulsarse con más fuerza la implantación de las fuentes alternativas, con una estrategia nacional a largo plazo apoyada en la posible financiación de la UE (programas Joule, Ineq Fairy y Altener) y propia que permita aproximarse al objetivo comunitario de alcanzar una contribución de estas fuentes próxima al objetivo europeo del 12% para el año 2010, activando, como se ha indicado ya, medidas relativas al mercado interior, otras de carácter fiscal y financiero e incluso de planificación rural y urbana, además de incentivar continuamente los procesos de investigación y estudio de nuevas aplicaciones.

5. Energía y medio ambiente

La política energética se plantea un desafío nuevo, irrenunciable y atractivo, como es coordinar la potencialidad inagotable de los recursos con el respeto y cuidado al medio ambiente, siendo ambos objetivos a la vez igualmente deseables y por tanto complementarios.

La producción de gases invernadero, el incremento de la temperatura media atmosférica, el llamado cambio climático, etc., son algunas cuestiones relevantes desde el punto de vista social que, a menudo, han sido puestas en relación con el uso desordenado de la energía. En forma más cercana, la descuidada explotación de cuencas mineras, los accidentes de petroleros, las limpiezas de fondos de buquetanques, los vertidos indiscriminados, la combustión inadecuada, la contaminación de las aguas y del aire o las grandes obras hidráulicas son la otra cara del uso irracional de la energía que tantas externalidades negativas ha generado y puede llegar a producir en el futuro [33].

El diálogo político y social con la industria está cambiando a gran velocidad, dejando atrás lo que sin duda fue un esquema inicial equivocado. Especificaciones cada vez más estrictas son, en concreto y en Europa, una práctica común. Programas ambiciosos se han aprobado durante el último año en la UE y sus beneficiosos efectos potenciarán en el futuro el uso de una energía cada vez más limpia para los ciudadanos de la Europa Unida. Pero por esta razón, seguramente más cara.

La favorable cultura medioambiental y la exigencia de una responsable gestión energética han calado hondo tanto en la industria como en la sociedad. Los procesos de producción y las especificaciones de instalaciones y productos finales están siendo cada vez más exigentes. Por su parte, el coste de la energía y la responsabilidad en el consumo han producido una tendencia al ahorro energético en una sociedad sensibilizada y preocupada por las acciones destinadas a la recuperación, en la medida de lo razonable, del equilibrio ecológico con actuaciones menos agresivas e incluso, lo que es importante, de restablecimiento y reparación ecológica.

En los últimos años, Europa ha tomado un posicionamiento claro. El papel de los países del norte, preocupados por la deslocalización de sus industrias a favor de otras áreas de la UE, y por cierto varios de ellos con un entorno mucho más deteriorado que los países del sur y con emisiones más altas de agentes agresivos al medio ambiente, ha sido una pieza importante. Su desarrollo industrial, anterior y más potente, ciertamente había colocado su entorno en delicada situación medioambiental. Quizá por ello el compromiso social ha sido más notorio. En cualquier caso, la sociedad europea ha incorporado la responsabilidad medioambiental a las exigencias cotidianas y los gobiernos muestran una creciente sensibilidad por estas cuestiones.

Para el entorno de la energía, desde la Comisión Europea, el resultado ha sido un conjunto de iniciativas como la llamada «Autooil», materializada en dos directivas, una que afecta a la industria del automóvil y otra a las especificaciones de los productos petrolíferos, gasolinas y diesel para los años 2000 y 2005. Mucho más amplio será el programa global «Aire limpio» para Europa. En esta misma línea se sitúa la hoy aún propuesta de directiva de Grandes Plantas de Combustión destinada a la más estricta regulación de centrales eléctricas, refinerías, etc. También la directiva marco de calidad del aire y las derivadas para la limitación del CO_2, NO_x, partículas y plomo, contenido de benceno y CO, hidrocarburos poliaromáticos y metales pesados. Además se trabaja en la propuesta de directiva sobre fechas máximas de emisión por países. En el terreno fiscal, es de destacar la iniciativa para incrementar los impuestos sobre la energía como consecuencia de los programas COP 5 y COP 6, destinados a limitar las emisiones de gases invernadero, fundamentalmente CO_2. Éstos son sólo algunos ejemplos de las acciones, ya implantadas o en fase avanzada, en las que se concreta la respuesta de Europa para la recuperación de la calidad medioambiental.

Los países de la UE, y España entre ellos, han articulado sus actuaciones de política de preservación del medio ambiente y de política energética con transposiciones rigurosas de la normativa comunitaria. No podía ser de otro modo, y ello no sólo por razones de disciplina de pertenencia a la UE, sino muy especialmente por eficacia en la preservación del entorno. La consecución del desarrollo sostenible en los distintos países de la Unión es sólo posible con una concepción geográfica espacial más amplia que la derivada de las fronteras nacionales y de actuaciones dispersas. El modelo de la UE es correcto y se orienta a la mayor calidad de vida de sus ciudadanos, y las actuaciones que se realicen en España son una pieza más en este modelo europeo.

Ahora bien, existe un doble riesgo para el futuro inmediato. Por una parte, que se produzca una «exportación» de instalaciones indeseables hacia países de la periferia exterior. Acuerdos entre la UE y terceros países, entre los que cabe destacar los capítulos orientados a esta materia en la Carta Europea de la Energía, en la Conferencia Euromediterránea de Barcelona (1995) y Bruselas (1998) y los foros continuos y más activos de discusión, orientación y estudio, como el Observatorio Mediterráneo de la Energía y el Foro Europeo Mediterráneo para la Energía, deben evitarlo. Pero un posicionamiento pendular, de exageradas restricciones que encarecen los productos energéticos en base a decisiones poco meditadas, exageradas o generalizadas a todo el territorio UE cuando el problema sólo afecta a una zona concreta, puede resultar económica y socialmente indeseable. Expulsar sin justificación determinadas instalaciones industriales supone alejar del marco de Europa empleo y generación de riqueza. Es claro que al margen de apasionamientos, la política medioambiental y la política energética requieren de continua coordinación. La década de los noventa, con la convención de Río y el Protocolo de Kioto [34] como referencias obligadas, ha marcado lo que será la actuación de la UE y de los Estados miembros en los próximos años. Y la política energética, como se ha indicado ya, no debe ser únicamente sensible a esta realidad, sino incorporar la razonable preservación del medio como un objetivo irrenunciable, aunque ello suponga un mayor coste y un precio más alto de los productos energéticos.

6. La política energética de la Unión Europea

Las políticas energéticas de todos los países que forman la UE deberán converger en los próximos años hacia orientaciones cada vez más comunes. A medida que el mercado de la energía se transforma de local en global y la producción y redes de transporte se internacionalizan, se camina en una dirección que conduce a la armonización primero y a la coincidencia, con las peculiaridades locales que existan, poco después. Los mercados son cada vez más iguales, las exigencias y regulaciones medioambientales, bajo las mismas directrices, son idénticas, la sociedad demanda bienes energéticos cada vez más coincidentes. Las fusiones y acuerdos entre empresas productoras, iniciados a finales de los noventa, debilitan las barreras fronterizas. Las redes transeuropeas de energía fomentarán la aproximación. En un futuro quizá no muy lejano la política energética en Europa será única en sus directrices fundamentales y en las orientaciones de su ejecución. A pesar de todas las diferencias que hoy persisten, es difícil imaginar, en el futuro y en un espacio geográfico tan reducido, quince o más mercados nacionales de energía.

Los próximos años serán testigos de esa andadura común, para armonizar posturas aún alejadas en el año 2000, como las mantenidas por el Reino

Unido, partidario de mercados energéticos orientados a la libre competencia frente a, por ejemplo, la resistencia francesa por retener en el sector público a compañías energéticas.

Por otra parte, las instituciones comunitarias han identificado la política energética orientada sobre bases comunes como un elemento de cohesión, tanto en el Tratado de la Unión como en la operativa de la Comisión o del Tribunal de Luxemburgo[35].

En la década de los noventa, la energía se ha convertido en un elemento crítico de la UE. El cambio político en el este de Europa en 1991 fue uno de los motivos por los que la Comisión presentó el proyecto de la Carta Europea de la Energía, nacida conceptualmente un año antes pero acelerada ante la nueva situación que surgió con la desaparición de la Unión Soviética: un conglomerado de países con importantes recursos energéticos que carecían de tecnología, canales financieros y estructuras de mercado que, a cambio de energía, Europa podría facilitar. La ventaja mutua era clara. La Carta fue adoptada en diciembre de 1991 por sesenta países. El objetivo general era mejorar la seguridad del abastecimiento energético y maximizar la eficacia de la producción, transformación, transporte, distribución y utilización de la energía para aumentar la seguridad y minimizar los problemas medioambientales.

Desde entonces hasta 1995, fue tomando cuerpo un planteamiento que ha dado solidez a la política energética de la UE y que se considera ya inequívocamente como parte de la política económica comunitaria, siendo los objetivos energéticos inseparables de los objetivos generales. La integración de los mercados, la desregulación, la limitación de la intervención pública, el desarrollo sostenible, la protección al consumidor y la consecución a través de los instrumentos energéticos de una creciente cohesión económica y social son objetivos generales servidos desde la política energética, en su afán por generar competitividad, asegurar los abastecimientos, diversificar fuentes y orígenes y proteger el medio ambiente, además de propiciar el acceso a recursos que sean usados con eficacia y a precio adecuado.

A finales de 1995 se publicó el *Libro Blanco* sobre la política energética de la Unión[36], documento clave para entender lo sucedido en Europa en los años siguientes.

El programa indicativo de actuaciones del *Libro Blanco* consideraba la integración del mercado como factor central y determinante de la política energética comunitaria, rechazando el mercado fragmentado que resta competitividad comunitaria. Por otra parte, esos problemas de competitividad, junto con la protección del medio ambiente, exigen un planteamiento equilibrado basado también en la utilización de los instrumentos fiscales como método de internacionalización de costes.

Por otra parte, y habida cuenta del origen exterior de los abastecimientos, se fomentan los foros de diálogo necesarios con países productores, al tiempo que se identifica la seguridad en esos abastecimientos como preocupación constante de los poderes públicos, lo que justifica también un planteamiento común a nivel de la Unión. Quedan así definidos como objetivos energéticos prioritarios, como se ha indicado ya, la obtención de un alto nivel de competitividad, la seguridad en los abastecimientos y la protección al medio ambiente.

El marco general de la política comunitaria en este campo está determinado por cuatro factores clave, como son la globalización de los mercados, que es la tendencia más persistente y característica de la economía europea, la tecnología, cuyo desarrollo debe incidir en la competitividad y en el mercado de trabajo, y, en tercer lugar, el papel asignado a las instituciones de la Unión (Comunidad, Estados miembros, Administraciones locales) eliminando legislación disgredadora e innecesaria. El cuarto factor es el medioambiental, ya que, como se comentó en otro epígrafe de este mismo capítulo, cualquier medida energética tiene repercusiones en el entorno y puede debilitar la necesaria complementariedad en el binomio energía-medio ambiente, cuya formulación equilibrada es básica en el desarrollo sostenible.

En los años noventa, desde el Tratado de Maastricht y en otros documentos fundamentales ya citados, se impuso la necesidad de prestar atención creciente a las redes transeuropeas de energía, como instrumentos, entre otras cosas, generadores de fuerte cohesión económica y social. También la Agenda 2000 hace referencia a las redes, considerándolas como parte de un programa prioritario de desarrollo equilibrado y armónico, además de asegurar el abastecimiento y permitir un mayor grado de diversificación energética. La libre circulación de energía por las redes, a la que hoy se oponen serios obstáculos en varios países, facilitará la competencia y rebajará costes, contribuyendo además al funcionamiento efectivo del mercado interior y colaborando al desarrollo de las regiones más aisladas y más desfavorecidas.

No obstante, a comienzos del año 2000 quedan aún muchos instrumentos vinculados a la exclusiva soberanía de los países, de tal forma que la ordenación de la política energética continúa como responsabilidad de los Estados miembros en sus aspectos más fundamentales. Pero debe insistirse en que seguramente los próximos años serán testigos de una paulatina cesión de soberanía nacional energética en beneficio de una política cada vez más común.

En otro orden de cosas, la UE se enfrenta a las implicaciones de su ampliación. Es de resaltar que junto a criterios políticos y económicos está atrayendo cada vez más atención el grado de cumplimiento de la condición de adquirir e implantar lo que se ha dado en llamar el acervo comunitario energético y, por tanto, la capacidad para adaptar las circunstancias y culturas energéticas de los candidatos a la política energética de la UE. Este acervo común será condición imprescindible para la adhesión de pleno derecho [37]. Al margen del rigor de esta exigencia, ciertamente nueva, aparece la política energética como factor de importancia en la construcción del futuro común de Europa.

Notas

1 Sólo entre empresas petrolíferas, durante 1998 y 1999, se han producido operaciones tan notables como la fusión BP con Amoco en 1998, la compra de Fina por Total, 1998, la fusión Exxon-Mobil, 1998, la compra de Arco por BP Amoco, en 1999 y pendiente de aprobar por el Departamento de Comercio de Estados Unidos, la compra de YPF por Repsol, 1999, la fusión Nippon Oil con Cosmo, 1999, y la fusión Total Fina con Elf, autorizada por la Comisión en el 2000. La internacionalización en el sector eléctrico también es un hecho destacable. A título de ejemplo, Électricité de France está presente en más de veinte países. Todas estas operaciones, unidas al proceso de internacionalización, suponen un notable incremento en el tamaño y potencia de las empresas, además de una interconexión práctica de los países y mercados en los que estas compañías operan.

2 Comisión Europea (1996), *European Energy to 2020. A scenario approach*, Luxemburgo. En este trabajo se incluyen una serie de previsiones, basadas en diferentes escenarios. Es seguramente el informe editado más completo sobre la materia. En el texto se citan algunas referencias derivados del llamado *Conventional Wisdom*, pp. 29 y ss., por considerarlo el más probable.

3 En 1976 el petróleo aportaba el 72,58% a la estructura del consumo.

4 Aproximadamente dos semanas, con lo que los productos de referencia podían estar subiendo en los mercados internacionales y bajando en España o al revés.

5 Durante el período de incremento de precios del crudo en la segunda mitad de 1999, Italia y Portugal disminuyeron la fiscalidad de los combustibles como medida antiinflacionista.

6 J. Iranzo (2000), Instituto de Estudios Económicos, Madrid. Raymond e Iranzo (1990), *Cuadernos de información económica,* CECA, Madrid, septiembre.

7 En 1927, el ministro de Hacienda José Calvo Sotelo, ante la necesidad de recaudar fondos para el Estado, instituyó el Monopolio de Petróleos, cuya vigencia práctica se prolongaría hasta 1992.

8 Repsol, Cepsa, Ertoil (empresa posteriormente comprada por Cepsa) y Petromed (que sería adquirida por BP). Posteriormente, en 1994, Shell entraría en el accionariado de CLH.

9 BP tomó el 100% de Petromed. Elf adquirió inicialmente el 20,5% de Cepsa, porcentaje de participación que iría incrementando hasta alcanzar el 45%.

10 Ley 34/1998 de 7 de octubre de 1998.

11 Ley 21/1974 de 27 de junio.

12 Los campos «Albatros» y «Ayoluengo» son insignificantes.

13 Prevista en la Ley de Hidrocarburos, disposición adicional undécima. La CNE absorbe a la anterior Comisión Nacional del Sistema Eléctrico.

14 Ascó I y II, Trillo, Garoña, Vandellós, Cofrentes, Almaraz I y II y José Cabrera.

15 Indicador que mide la relación entre la energía bruta producida por una central en un período de tiempo determinado y la que hubiera generado en ese mismo período a potencia total. En 1998 el factor de carga de las nucleares españolas fue del 88,5%.

16 R.D. 1538/1987.

17 Ley 49/1984.

18 El Protocolo fue firmado el 11 de diciembre de 1996 por Endesa, Iberdrola, Unión Fenosa, Fecsa, Sevillana y Unesa. No firmó Hidrocantábrico.

19 Ley 54/1997 de 27 de noviembre.

20 Las cifras oscilan entre las iniciales de 1.988.561 millones de pesetas y

1.438.000 millones de pesetas en la estimación Chance, continuando en discusión en los primeros meses del año 2000 lo que puede ser la cifra definitiva, existiendo serias dudas sobre la posibilidad de progresar en su defensa, sobre todo a estos niveles de cuantificación.

21 L. Rodríguez Romero (1999), pp. 129 y ss., contiene una detallada descripción del funcionamiento del mercado eléctrico junto con un análisis del sector.

22 Carbunión. Memoria 98, p. 51. Los siguientes datos del texto proceden de esta misma fuente.

23 Sudáfrica es también el principal suministrador de las importaciones de la UE.

24 R.D. 2020/97 de 26 de diciembre.

25 Protocolo de intenciones para el desarrollo del gas en España. 23 de julio de 1985.

26 Gas Natural. Informe Anual 1998, p. 22, y Sedigás.

27 Trinidad-Tobago y Nigeria son orígenes complementarios.

28 Disposición Transitoria Decimoquinta. Ley 34/1998.

29 Morgan Stanley Dean Witter (1999). Antill, Arnot, Seymour y Brueckner, *Liberalitation of european gas market*, contiene un análisis del mercado del gas en la UE y comparado por países; también critica la lentitud del proceso en España.

30 Comisión de las Comunidades (1997), pp. 5 y ss.

31 Son centrales minihidráulicas las iguales o menores a 10 MW. Su producción en 1998 fue la equivalente a 482 ktep. Datos Eurostat.

32 La geotérmica es utilizada testimonialmente en forma muy reducida para calefacción o climatización de piscinas.

33 N. del C.: Estos aspectos son analizados ampliamente en el capítulo dedicado a la calidad de vida.

34 Es de destacar, a modo de ejemplo, que la cumbre de Kioto fijó la necesidad de alcanzar un compromiso para rebajar en la UE las emisiones de gases que producen efecto invernadero para el año 2012 en un 8%, lo que tendrá repercusiones económicas distintas en función del modelo de actuación geográfica que se utilice para su consecución.

35 J. H. Matlary (1997), pp. 151 y ss.

36 Comisión de las Comunidades Europeas (1995). Como antecedente a este *Libro Blanco* se debe mencionar el *Libro Verde* de enero de 1995.

37 Parlamento Europeo (1999). Ficha temática 43. La Política Energética y la ampliación de la UE.

Referencias

Comisión de las Comunidades Europeas (1995): *Libro Blanco. Una Política Energética para la Unión Europea,* Bruselas, diciembre.
— (1996): *European energy to 2020: a scenario aproach DGXVII,* Luxemburgo.
— (1997): *Energía para el futuro: fuentes de energía renovable,* Bruselas, noviembre.
Griffin, J. M., y H. B. Steele (1980): *Energy Economics and policy,* Academic Press, nº 4.
IDAE (1998): *Energías renovables en España,* Madrid.

— (1999): *Indicadores de eficacia energética,* Madrid.

Kühn, K., y P. Regibeau (1998): *¿Ha llegado la competencia? Un análisis económico de la reforma de la regulación del sector eléctrico en España.* Barcelona, Instituto de Análisis Económico, CSIC, UAB.

Matláry, J. H. (1997): *Energy Policy in the European Union,* Nueva York, St. Martin's Press.

Rodríguez Romero, L. (1999): «Regulación, estructura y competencia en el sistema eléctrico español», *Economistas,* n.º 82, diciembre, pp. 29 y ss.

Rojas, A. (2000): «Los sectores energéticos», *Economistas,* n.º 84, marzo.

16. Política de transformación de las estructuras comerciales interiores

Javier Casares Ripol

1. Introducción

Ideas nuevas en odres viejos. La función distributiva mantiene su esencia pero surgen diversos cambios en la producción, consumo, entorno y tecnología que obligan a desarrollar nuevos enfoques hermenéuticos de la situación del comercio interior.

En este capítulo se va a realizar, en primer lugar, una interpretación económica de los cambios en el desenvolvimiento de la actividad comercial en España, para entrar posteriormente en el estudio de la política sectorial. Este análisis se va subdividir entre las medidas de la política de modernización, en sentido estricto, y las de carácter regulador (que inciden en la transformación aunque, en ocasiones, tengan ribetes proteccionistas).

Finalmente se comentarán algunas de las políticas propuestas por la UE, de carácter muy general dicho sea de pasada, que afectan directamente a los procesos de modernización sectorial.

2. Nueva interpretación sobre el desenvolvimiento de la actividad comercial

El comercio interior se ha convertido en uno de los principales sectores receptores-impulsores de la actividad económica española. Su aportación macroeconómica —alrededor del 13% del Valor Añadido Bruto, en términos reales, y del 15% en términos de población ocupada— se completa con su capacidad para generar enlaces hacia delante y hacia atrás y su importancia en la conformación de las ciudades y del tejido social.

Los cambios en el comercio se pueden estudiar en torno a la teoría del polimorfismo en la distribución comercial que pretende sintetizar las nuevas ideas que permiten interpretar la evolución reciente del sector y las perspectivas inmediatas.

Polimorfismo en la distribución comercial

En el período 1940-1975 predominó el minifundismo en la distribución comercial española. Esta expresión, procedente del campo de la economía agraria, revelaba la existencia de un gran número de pequeños establecimientos comerciales independientes con un patrón de localización similar al de la distribución de la población. Desde la segunda mitad de los años setenta se va configurando el dualismo en el comercio interior (Casares, 1982) basado en la coexistencia de grandes organizaciones comerciales (con desenvolvimiento preferente a través de grandes superficies) y pequeños comercios (con escasa asociación y nivel de especialización relativamente bajo).

La complejidad y variedad del mercado actual permite hablar del polimorfismo en la distribución comercial [1]. Esta nueva interpretación revela la variedad y complejidad de formas comerciales y de cambios continuos en la orientación competitiva de las mismas.

Diversos aspectos ayudan a entender la estructura polimorfa de la distribución comercial española. Los podemos resumir en cuatro vertientes: orientación marquista del mercado, cambios en el consumidor, efecto desbordamiento y globalización y configuración de un tejido social y de empleo muy variado.

2.1   Orientación marquista del mercado

Los mercados actuales están orientados por los deseos. La distinción entre necesidad genérica (alimentación, vestido, vivienda...) y necesidad derivada —respuesta concreta en la producción de bienes y servicios— encuentra nuevos matices por la vía de las marcas (Casares, 1995). Los deseos van quedando troquelados por las marcas, y la publicidad subsiguiente, permitiendo compensar parcialmente la utilidad marginal decreciente de los productos y servicios que alcanzan fases de madurez.

Los mercados no se saturan puesto que la misma necesidad puede ser cubierta de formas diferentes con nuevos componentes tecnológicos o con cambios en el diseño, formato, marca...

El pensamiento de Joan Robinson (teoría de la competencia imperfecta), Chamberlin (teoría de la competencia monopolística) y Lancaster (teoría de la demanda de «características») permite iluminar el análisis. Resumiendo se pueden citar los siguientes aspectos relevantes:

— La competencia se basa en la calidad de la marca teniendo en cuenta que la diferenciación se puede basar en causas naturales o artificiales.
— Los productos diferenciados permiten elevaciones de precios dada la asimetría del mercado. Los consumidores confían en la calidad y prestigio de las marcas y/o se dejan influir por la publicidad. La determinación de los precios es preponderantemente vendedor-dominante.
— La prestación de servicios está regida por factores vinculados con la competencia monopolística. La localización, la imagen de marca del establecimiento, la atención al cliente... son aspectos que determinan diferencias, en el caso del comercio minorista, en la percepción y valoración del consumidor.
— Los bienes, per se, no rinden utilidad al consumidor; poseen características que generan utilidad (teoría de Lancaster). Cada marca de pasta dentífrica o de lata de judías incorpora sus propias características, que también pueden ser modificadas por el establecimiento (comprar en autoservicio o a las doce de la noche o con hilo musical o teniendo que guardar tres colas...).

La situación actual del mercado de marcas en España se puede resumir en torno a los datos que refleja el recuadro 16.1.

2.2 Cambios en el consumidor

Diversos aspectos generan modificaciones en el comportamiento del consumidor. Aunque algunos de ellos han sido ampliamente tratados, vamos a intentar establecer un resumen global en torno a los siguientes puntos:

1. Estilos de vida.
   — Tendencia al individualismo (*me-generation* en terminología anglosajona).
   — Coexistencia y crecimiento de diversos tipos de familia (hogares monoparentales, familias de doble renta, hogares de desempleados y excluidos...).
   — Creciente influencia de los niños y jóvenes en la toma de decisiones de compra en el hogar (algunas encuestas publicadas en Francia apuntan que el 74% de los padres compran los produc-

tos que eligen los hijos). También destaca el mercado de la tercera edad (en torno al 16% de la población española es mayor
de 65 años).

— Concentración de la población en grandes ciudades o en pue-
blos-dormitorio cercanos, lo cual ha favorecido el desarrollo del
efecto de los Jones y de la imitación en los hábitos y estilos de
vida (Casares, 1995).

2. Consumo relativo de diversos bienes y servicios. El gasto en alimentación en el hogar ha disminuido desde el 30% en 1985 (el
55,3% en 1958) hasta algo más del 22% en 1998. Los servicios
(gastos diversos) han crecido considerablemente alcanzando actualmente una participación porcentual del 38% (en 1958 solamente alcanzaban el 17,8%). En consecuencia se ha desarrollado un notable
mercado de deseos que son más volátiles que las necesidades y que
se vinculan con el mercado marquista anteriormente estudiado.

3. Tecnología de compra. El equipamiento del hogar genera cambios
en la capacidad de conservación de los productos (el mercado de
frigoríficos, por ejemplo, está saturado) y en la capacidad de obtención de información (más del 50% de los hogares tienen dos televi-
sores o más y cerca del 90% teléfono).

El desplazamiento autónomo individual se ha facilitado enormemente.
El número de automóviles por cada 100 habitantes se ha multiplicado en
los últimos treinta años por diez, alcanzando alrededor del 30%.

Todos estos factores condicionan la evolución del consumidor junto a
factores psicológicos. Puede destacarse, a título de ejemplo, la importancia
del componente lúdico de la compra, que puede incluso generar precios
sombra negativos del tiempo dedicado a la compra (estamos dispuestos a
pagar por el correspondiente período de esparcimiento dedicado a la adquisición de productos).

Todos estos factores vinculados con la conducta del consumidor generan
una notable infidelidad interformatos. La vinculación con los establecimientos puede basarse en aspectos afectivos o centrarse exclusivamente en
la conveniencia (Denison y Knox, 1993). Las investigaciones desarrolladas
apuntan una escasa fidelidad del comprador. Por ejemplo, Muñoz *et al.*
(1999) señalan que en el mejor de los casos el formato supermercado / autoservicio (suficientemente amplio y heterogéneo) alcanza únicamente un
1,3% de clientes completamente fieles (solamente ese porcentaje de consumidores adquiere todos los productos de alimentación no perecedera en ese
formato).

Recuadro 16.1   Marcas en España

Tipo de marca	Relevancia económica
1. Denominaciones de origen específicas y de calidad. 2. Marca del fabricante. 3. Marca del distribuidor. 4. Marca del establecimiento.	— 287 denominaciones en 24 subsectores. — 10% del valor de la producción bruta industrial del sector agroalimentario. — Más de 25 marcas universales. — En bienes de compra ocasional estas marcas dominan el mercado. — En bienes de compra cotidiana el mercado se segmenta en productos diferenciados (marca del fabricante hegemónica) y productos indiferenciados (creciente poder del distribuidor). — Se está pasando del producto genérico a marcas del distribuidor apoyadas (de más calidad y precios similares a los de las marcas líderes). — La cuota de mercado media supera el 16%. — Gran desarrollo del sucursalismo y la franquicia (580 enseñas y cerca de 22.000 establecimientos vinculados).

FUENTE: Elaboración propia.

2.3   Efecto desbordamiento y globalización

En materia de internacionalización podemos interpretar las tendencias actuales a través del *efecto desbordamiento*. Algunas empresas y organizaciones comerciales que operan inicialmente en algún país se encuentran con mercados internos próximos a la saturación. La necesidad de crecer obliga a «desbordar» las fronteras y acceder a otros mercados[2]. Este efecto se ha visto apuntalado por otros factores relevantes en la toma de decisiones tales como el afán de diversificar inversiones, las restricciones derivadas de las políticas urbanísticas y/o comerciales y el deseo de generar imágenes de marca internacionales (aspecto especialmente reseñable en el ámbito de la UE). También se compite, en ocasiones, en innovación tecnológica que permite ejercer el liderazgo innovador hasta que los demás formatos comerciales imitan la innovación o desarrollan alternativas competitivas.

La distribución comercial tiene que llegar al consumidor final e incorporar servicios, con lo que las rentas de situación adquieren gran relevancia junto con la capacidad de adaptarse a las condiciones específicas de los mercados locales. Ciñéndonos al papel de la globalización, puede resaltarse que la tendencia general de desenvolvimiento del sector oferente se basa en la *fragmentación de la producción.* La movilidad del capital, las facilidades de transporte y comunicaciones y la apertura de mercados favorecen la deslocalización en la producción mundial. La producción «multidoméstica» (en diferentes mercados nacionales) está siendo sustituida por una tendencia a que las distintas fases del proceso productivo se desarrollen en diferentes países para aprovechar las ventajas relativas de cada uno de ellos. El sector distributivo no admite fácilmente la deslocalización, aunque el comercio electrónico plantea nuevas cuestiones en relación con la desintermediación y deslocalización de la actividad permitiendo operaciones virtuales sin establecimiento comercial. Sin embargo, en la medida en que haya entrega física de mercancías (y no se trate de la prestación de servicios puros), si bien se produce el proceso de deslocalización (de forma similar a la venta por correspondencia), el proceso de desintermediación se amortigua, ya que hay que llevar el producto del fabricante-comerciante al consumidor.

La concentración comercial se apoya en el desarrollo de la internacionalización y globalización y en la necesidad de crecer de las grandes organizaciones para obtener rendimientos por la vía de las economías de escala y de alcance. El debate sobre el impacto de la concentración ha sido intenso[3], y entre las aportaciones recientes destacan las de Petitbó (1999), Rebollo (1999) y Schwartz (1999). Intentando resumir el estado de la cuestión, se pueden esbozar los siguientes puntos de análisis:

— La dificultad de definir el mercado relevante (local, regional, nacional, europeo), precisando las actividades por productos o grupos de productos respecto del consumo total. Los elementos fundamentales de análisis son el grado de sustitución de la demanda y el grado de sustitución de la oferta, pudiéndose estudiar la concentración empresarial, la territorial y la relativa a formas comerciales.

— En el comercio minorista de gran consumo se observa un aumento de la concentración empresarial en el período 1990-1996, según se puede deducir del cuadro 16.1. El indicador utilizador es la relación existente entre las ventas minoristas de productos de gran consumo

Cuadro 16.1   Evolución de la concentración empresarial en el comercio minorista de bienes de gran consumo, 1990-1996

Años	Total bienes de gran consumo		CR4		CR8		CR10	
	Mill. ptas.	Δ s/ 1990	%	Δ s/ 1990	%	Δ s/ 1990	%	Δ s/ 1990
1990	8.037.101	—	10,34	—	14,86	—	16,09	—
1992	9.002.589	12,01	13,01	25,82	19,02	27,99	19,80	23,05
1994	9.809.652	22,05	13,84	33,85	19,96	34,32	21,68	34,74
1996	10.741.266	33,64	14,36	38,88	22,29	50,00	24,04	49,41

Fuente: INE (varios años), Alimarket (varios años). Tomado de Rebollo (1999).

de los individuos en este tipo de bienes (Rebollo, 1999). La concentración de la participación de las diez mayores empresas (CR10) alcanza el 24,04%, habiendo aumentado un 49,41% desde 1990 (alcanzaba el 16,09%).

— La concentración territorial es muy variada. Los valores de CR4 de superficie de venta en libre servicio han crecido notablemente entre 1994 y 1998 en Castilla y León (64,9%) y Cataluña (58,4%). En otras comunidades el crecimiento ha sido reducido (Madrid, el 13,4%; Andalucía, el 23,1%...).

— En productos frescos y en artículos de otros sectores no alimentarios (droguería y perfumería, calzado, confección...) los niveles de concentración son más reducidos.

— El nivel de concentración de la industria agroalimentaria y de productos de gran consumo es bastante notable. Schwartz (1999) señala que la CR4 de los refrescos alcanza el 51%, en cereales-desayuno el 73%, en detergentes el 86%, etc. También señala que las notificaciones de concentración a la Comisión Europea (en el período 1990-1997) han sido sensiblemente inferiores en el comercio minorista (29) respecto a otros sectores (industria química con 81; seguros y fondos de pensiones con 54; alimentos y bebidas con 42...).

— Las relaciones producción-distribución (aplazamientos de pagos a proveedores, descuentos especiales, venta con pérdida...) se enraízan en la pugna por la «capitanía del canal» y el poder relativo en función de la marca y del grado de concentración.

2.4   Empleo y tejido social del comercio.

La distribución comercial española representa el 15% de la población ocupada, el 13,4% de la población activa, el 12,3% de la asalariada y el 23,3%

de la no asalariada. Además, hay que señalar que las actividades comerciales representan el 32% del tejido empresarial, el 58,5% de las empresas no tiene ningún trabajador asalariado y tan sólo un 1,27% emplea a más de 20 asalariados. Estos datos revelan la gran importancia del empleo no asalariado y la notable concentración que el asalariado presenta (Casares, Aranda y Martín, 1997).

En relación con el empleo generado por el sector, destaca el buen comportamiento del mismo en los últimos veinte años. En períodos de recesión siempre destruye menos empleo (de media) que en el total de sectores, y en períodos expansivos crea más empleo que en la media de actividades nacionales (Casares y Aranda, 1997). El gráfico 16.1. ayuda a explicar esta tendencia.

Gráfico 16.1   Evolución del empleo asalariado y no asalariado

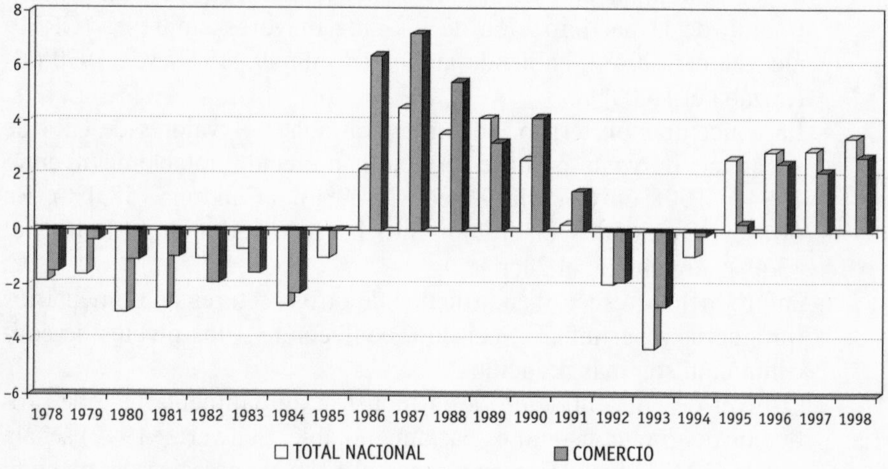

□ TOTAL NACIONAL   ■ COMERCIO

FUENTE: Elaboración propia a partir de datos de la EPA.

Este planteamiento general sobre el papel de sector refugio del comercio en períodos de crisis y de sector avanzado en creación de empleo en momentos expansivos [4] se puede ilustrar con los siguientes aspectos estructurales que están configurando un nuevo tejido social:

— El empleo autónomo tiende a disminuir en los últimos años. En el período 1991-1997 la disminución ha alcanzado el 15% (118.000 personas).
— Analizando el empleo asalariado observamos que el período 1987-1995 se caracteriza por el crecimiento relativo del empleo temporal (del 18 al 40%). Desde 1995 se observa una mejora relativa del em-

pleo fijo, aunque el mercado de trabajo acusa una notable segmentación. Se puede destacar asimismo la notable estacionalidad del empleo temporal.

— El empleo a tiempo parcial tiene una menor intensidad cíclica que el empleo a tiempo completo y tiene mayor relevancia en los trabajadores femeninos (14% del total, incluyendo el no asalariado) que en el empleo masculino (3,4%).

— El sector distributivo favorece la incorporación de mujeres y jóvenes, sobre todo de baja cualificación, asalariados que en gran número de casos utilizan las ocupaciones comerciales transitoriamente como «trampolín» para la consolidación laboral posterior en otros sectores.

Resumiendo, en la sociedad de los trabajos (variados, heterogéneos, temporales, segmentados...) la distribución comercial ha sido capaz de amortiguar las fluctuaciones cíclicas en el empleo, aunque las tendencias hacia la configuración de un nuevo tejido social son bastante claras: más asalariados y menos autónomos, más empleo temporal y a tiempo parcial e incorporación transitoria de población «desanimada» de baja cualificación...

3. Política de modernización del comercio

La política de modernización del comercio interior del período 1982-1995 sigue la estela de los planes del Instituto de Reforma de las Estructuras Comerciales (IRESCO), que se habían articulado en torno al programa de julio de 1978 (financiación del comercio, formación, actuaciones de Mercasa y equipamientos comerciales).

Las CCAA han ido desarrollando diversas medidas de apoyo al comercio centrando las actuaciones en la financiación preferencial de inversiones físicas (que se ha desenvuelto con grandes dificultades debido a la heterogeneidad de los instrumentos: subvenciones y/o créditos con diversas prioridades y criterios de evaluación de proyectos) y el apoyo a la formación profesional y asistencia técnica al comercio en el que se ha recurrido a diversas metodologías y sistemas de financiación. Por ejemplo, la contratación directa de actividades docentes (Cataluña), el desarrollo de nuevas formas educativas (como el sistema de formación a distancia de la Comunidad de Madrid o el Plan Informático para el Comercio, PIC, del Gobierno Vasco) y el sistema de subvenciones a fondo perdido de las asociaciones para la promoción de la empresa comercial (País Vasco). También se han realizado diversos estudios sobre el sector (incluyendo algunos censos de establecimientos comerciales).

El Plan de Modernización del Comercio (1995) supone un punto de inflexión en la política pública relativa al sector, junto con la normativa desarro-

Recuadro 16.2   Plan Marco de modernización del

1. OBJETIVOS GENERALES

1.1 Disminuir el coste general de la distribución comercial.
1.2 Incrementar el grado de competencia, en precios, servicios y calidad del sector.
1.3 Asegurar un nivel satisfactorio de oferta minorista.

2. OBJETIVOS ESPECÍFICOS

2.1 Aumentar la competencia en los mercados minoristas.
2.2 Aumentar la dimensión económica de las empresas.
2.3 Difundir las innovaciones tecnológicas.
2.4 Mejorar la distribución espacial de la oferta comercial.

3. INSTRUMENTOS

3.1 Programas de formación, información y difusión de la innovación.
Actuaciones previstas:
a) Cursos: – Formación de formadores.
                 – Especialización.
                 – Formación a distancia.
b) Creación de un Observatorio de la Distribución Comercial.
c) Realización de jornadas, congresos, mesas redondas...
d) Creación de centros de innovación en tecnología comercial.

FUENTE: J. Casares y A. Rebollo (1996), *Distribución comercial*, Madrid, Cívitas.

llada a partir de la ley de Ordenación del Comercio Minorista (1996). La importancia de la política de cualificación profesional en el sector, y las insuficiencias y problemas de su desenvolvimiento, justifican el establecimiento de la consideración separada, y amplia, de estas dos claves de bóveda de la política de transformación de las estructuras comerciales interiores desde 1995.

3.1   Plan Marco de modernización del comercio interior

El contenido básico del Plan Marco de modernización del comercio (cuyo resumen se presenta en el recuadro 16.2) se articula en torno a los siguientes puntos:

comercio interior

Presupuesto:
- Creciente desde 279 millones en 1995 hasta 347 en el 2000.
- El presupuesto para el sexenio es de 1.867 millones de pesetas.

3.2 Programas de cooperación empresarial y de ayuda a comerciantes independientes.
Actuaciones previstas:
- Subvenciones de hasta cinco puntos en los tipos de interés (o subvenciones directas de hasta el 20% de las inversiones) de préstamos para inversiones en redes informáticas, reforma de establecimientos de asociaciones comerciales y remodelación de pequeños comerciantes independientes.
- Subvenciones para formación y asesoramiento.
Presupuesto:
- Comerciantes independientes: 3.373 millones para el sexenio completados con 7.870 millones de las CCAA.
- Cooperación empresarial: 12.760 millones para el sexenio completados con 29.773 millones de las CCAA.

3.3 Programa de ordenación territorial del comercio.
Actuaciones previstas:
- Subvenciones de hasta el 70% de los estudios necesarios para la elaboración de planes de viabilidad espacial.
Presupuesto:
- 843 millones en el sexenio que deben verse acompañados de 1.967 millones de las CCAA para alcanzar un total de financiación pública de 2.810 millones de pesetas.

— *Actuaciones de mejora del entorno.* Afectan a las condiciones generales de las empresas del sector y se refieren a los ámbitos laborales, fiscales, legislativos y de difusión de las medidas y ayudas comunitarias.
— *Programas generales.* Se vinculan con la mejora de la gestión de las empresas comerciales y la difusión de tecnología aplicable al sector. Entre las principales actividades previstas en este campo destacan el apoyo financiero a cursos de formación, la realización de estudios sobre el sector y la constitución del Observatorio de la Distribución Comercial.

El Observatorio se plantea como órgano de información, consulta y asesoramiento en materia de comercio interior. En el mismo participan representantes de las CCAA, de la producción y el consumo y de los principales operadores del sector (grandes empresas, pequeñas empresas, Consejo Superior de Cámaras...).

A partir de junio de 1997 se configuran siete comisiones de trabajo en torno a los siguientes temas: seguimiento de la Ley del Comercio, urbanismo comercial, formación profesional, medidas del entorno y simplificación administrativa, equilibrio entre grandes y pequeñas empresas, estudios y seguimiento de la implantación del euro.

El Observatorio cumple un doble papel. Por una parte, tiene una importante función política al acoger los diversos intereses existentes en relación con el sector distributivo (en ocasiones, en abierto conflicto, como el caso de las relaciones producción-distribución). Los principales temas son ampliamente debatidos (incluso con carácter monográfico, como la fusión Pryca-Continente; los problemas de consumo de determinados productos procedentes de Bélgica...). Por otra parte, ejerce un papel relevante en el establecimiento de pautas de carácter técnico relativas a la evolución y mejora del sector (cualificación de recursos humanos, implantación del euro, análisis de centros comerciales abiertos...).

— *Programas específicos*. Estos programas pretenden mejorar la competitividad de las empresas que operan en el ámbito distributivo. Se llevan a cabo mediante convenios de colaboración entre la Administración central y las CCAA.

Los programas específicos definidos por el Plan Marco (y su reforma de 1996) son los de cooperación empresarial, ayudas al comercio independiente y ordenación territorial del comercio. La cofinanciación del Estado es distinta (de acuerdo con la reforma del Plan Marco) para cada uno de los programas. Para cooperación empresarial el Estado aporta hasta el 40% de la ayuda concedida por la comunidad autónoma, para ayudas al comercio independiente hasta el 20% y para la ordenación territorial del comercio hasta el 30%.

Analizando la evolución de los fondos territorializados, destacan los siguientes factores (obsérvese el cuadro 16.2):

— Las ayudas destinadas a cooperación empresarial han crecido desde el 7,2% en 1995 hasta el 43,86% en 1998.
— Las ayudas a la ordenación territorial del comercio han pasado del 0,15% del total en 1995 al 44,79% en 1998.
— Las ayudas al comercio independiente han disminuido sensiblemente su importancia, pasando del 92,65% en 1995 al 11,35% en 1998.

Cuadro 16.2   Participación relativa de los diversos programas del Plan Marco

Medidas	1995	1996	1997	1998
Cooperación empresarial	7,20	11,30	14,30	43,86
Ordenación territorial del comercio	0,15	26,70	44,50	44,79
Comercio independiente	92,65	62,00	41,20	11,35
Total	**100,00**	**100,00**	**100,00**	**100,00**

FUENTE: Ministerio de Economía y Hacienda (1999).

Se observa, por tanto, que las autoridades públicas están centrando sus esfuerzos en el apoyo a las acciones de renovación urbana y de fomento del asociacionismo disminuyendo la importancia de las ayudas concretas a empresas independientes.

En la reforma del Plan Marco (1996) se establecieron unas nuevas prioridades de tal manera que el programa de ordenación territorial del comercio debía suponer, al menos, el 30% de la inversión estatal y el de cooperación empresarial un 10% como mínimo (estos mínimos han sido ampliamente rebasados, como ya se ha comentado).

3.2 Política de cualificación profesional en el comercio

Boulding (1968) señala, con su característica agudeza algo heterodoxa, que el economista debe gritar que no es lo mismo educación que adiestramiento. En el caso de la distribución comercial se puede observar, incluso, que el adiestramiento no es adecuado porque se advierte un mercado laboral-formativo de dos velocidades. Las grandes organizaciones contratan personas de notable educación para puestos de baja o media cualificación, mientras que los autónomos (generalmente autodidactas) tienen a su disposición una oferta formativa que conecta escasamente con sus requerimientos (cambio de actitudes, adaptación al mercado...).

En líneas generales hay que apuntar que el nivel formativo en el comercio ha mejorado en los últimos años. En 1987, más del 55% de la población ocupada en el comercio tenía estudios primarios e inferiores, mientras que en 1998 el porcentaje se reduce al 29%. En este período la población ocupada con formación superior pasa de 125.000 personas a 305.000.

En lo relativo a las características de la demanda de formación en el sector, pueden destacarse los siguientes aspectos:

— El empresario considera a los trabajadores temporales (cuya participación relativa ha crecido notablemente, como hemos comentado anteriormente) como parte del capital variable de la empresa que sólo utiliza para hacer frente a situaciones coyunturales. Por lo tanto, no se preocupa excesivamente por la cualificación. La demanda derivada de trabajo en este sector es muy elevada, y se prefiere la flexibilidad laboral aunque redunde negativamente en la productividad.

— Los trabajadores cualificados (con estudios medios y superiores) utilizan, en muchos casos, el sector distributivo como «trampolín» para incorporarse posteriormente a otros sectores con mayores perspectivas profesionales a medio plazo.

— El nivel de formación de los autónomos es más reducido (más del 50% tiene estudios primarios e inferiores y tan sólo el 5% tiene estudios superiores), y sus necesidades formativas no coinciden, en general, con la oferta disponible.

— Los trabajadores asalariados adquieren mayores niveles de cualificación. Tan sólo el 20% de los ocupados tienen estudios primarios e inferiores y la mayor parte del empleo desaparecido es de baja cualificación.

— Las grandes empresas demandan más acciones formativas para sus empleados (en general de niveles medio-altos). En el comercio mayorista también se desarrollan bastantes acciones formativas, aunque concentradas en un reducido número de empleados.

En la vertiente de la oferta hay que destacar que actualmente los recursos destinados al sector han crecido notablemente. Sin embargo, los problemas de adecuación oferta-demanda siguen siendo relevantes.

Los instrumentos de la formación profesional se pueden dividir en tres grandes subsistemas:

— La enseñanza reglada o formal desarrollada a través del sistema educativo español.

— La enseñanza no reglada compuesta por el sistema de formación ocupacional.

— El sistema de formación continua para empleados (y autónomos).

Las alternativas actuales en materia de contratación de trabajadores formados en el comercio se vinculan con el repertorio nacional de cualificaciones que se presenta en el recuadro 16.3.

Hay que destacar que el Acuerdo Nacional de Formación Continua (1992) ha configurado un marco formativo orientado en torno a cuatro comisiones paritarias sectoriales: comercio (1993), farmacia (1995), grandes almacenes (1993) y perfumería y afines (1995). En el comercio minorista español tan sólo el 22,9% de las empresas con más de diez empleados han

Recuadro 16.3   Repertorio nacional de cualificaciones en distribución comercial

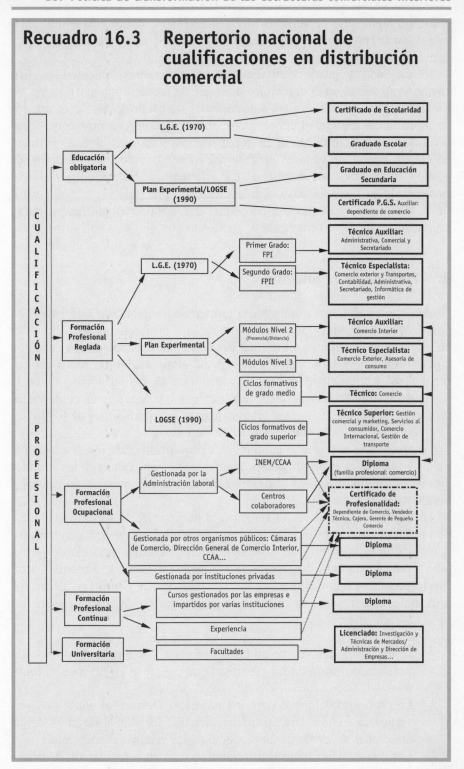

realizado algún tipo de actividad formativa financiada directa o indirectamente por las propias empresas con el objetivo de mejorar la capacitación y conocimientos de sus trabajadores (Aranda, 1998).

Resumiendo, se puede afirmar que ha mejorado sensiblemente la cualificación profesional en el comercio, pero que se requiere intensificar los esfuerzos, especialmente con los autónomos. Este grupo social se ve sometido a profundos cambios (tecnológicos, surtido, gestión, competencia...), el nivel de cualificación se basa en la experiencia y requiere una versatilidad en el desempeño de su tarea profesional (conocimientos de productos, de gestión, marketing, escaparatismo...). Por lo tanto, la formación profesional debe combinarse con la asistencia técnica en el punto de venta para permitir la renovación y adaptación comercial del surtido, tamaño empresarial, política de compras y ventas, etc.

4. Política de regulación

El desenvolvimiento normativo del comercio ha generado una literatura amplia y variada vinculada generalmente con preferencias sociopolíticas enlazadas con la defensa a ultranza del comercio establecido (cuya visión hiperbólica genera el «efecto farmacia» de equiparación de todos los comercios a las condiciones y barreras de entrada de las farmacias) o con la libertad absoluta de apertura de establecimientos y de prácticas comerciales (sin tener en cuenta las pautas urbanísticas ni las condiciones de los diversos mercados ni los impactos sobre el consumidor).

La protección al pequeño comercio [5], el equilibrio entre los diversos formatos comerciales y la regulación de prácticas comerciales son los grandes ejes de la actividad legislativa desarrollada por la Administración central y las CCAA.

La Ley de Ordenación del Comercio Minorista (1996) constituye el marco jurídico básico para todo el territorio español. La Ley de Comercio, así denominada usualmente, surge, después de un extenso período de gestación, como un intento de regular cuestiones complejas y sometidas a un fuerte proceso de confrontación social, económica y política. Entre los principales factores que determinan la promulgación de la Ley pueden citarse los siguientes:

— El desarrollo legislativo en las diversas CCAA que había provocado notable confusión en las empresas que operaban en diversas autonomías.
— La presión de algunos partidos políticos. Destaca el papel de Convergencia i Unió, cuya primera iniciativa legislativa después de las elecciones de 1993 fue un proyecto de ley relativo al comercio.
— Las divergencias interministeriales en torno a la regulación de diver-

sos aspectos específicos (horarios comerciales, plazos de pago...). También hay que resaltar las críticas, de tono liberalizador, del Tribunal de Defensa de la Competencia.

— Las divergencias intrasectoriales entre los grandes grupos distributivos y los pequeños comerciantes. La formación de relevantes grupos de presión ha contribuido a elevar la consideración política del sector. En el mercado político-económico (realizando una breve incursión intelectual por el campo de la teoría de la elección pública) surgen grupos organizados demandantes de medidas de política económica que terminan por invertir la ley de Say (la demanda de medidas favorables termina por crear la oferta que satisface esos intereses). A este respecto no hay que olvidar el importante papel del grupo de interés configurado por fabricantes y productores. Las organizaciones de consumidores han tenido menor capacidad de influencia probablemente —siguiendo los planteamientos de Olson— por su menor fuerza relativa debido a que representan a grandes grupos de personas de intereses dispersos.

— En términos estrictamente jurídicos ha habido grandes dificultades para encauzar adecuadamente aspectos económicos complejos y caleidoscopios tales como la determinación de zonas de gran afluencia turística, la delimitación de las tiendas de conveniencia o el conocimiento real de los plazos de pago a proveedores.

Las principales líneas de actuación de la Ley de Comercio, siguiendo a Carrasco (1996), son las siguientes:

— Intervención administrativa en prácticas comerciales anteriormente libres (creación de la «segunda licencia», intervención ocasional del Estado en la fijación de precios...).

— Prohibición de estrategias de mercado (créditos al consumo concedidos por entidades bancarias, venta con pérdida, envíos no solicitados...).

— Limitación de las formas en que una práctica comercial es lícita (venta en rebajas, cantidades máximas de compra...).

— Regulación mediante imposiciones (atención de los pedidos en el orden temporal de las solicitudes, aplazamiento de pago instrumentado en un documento cambiario...).

En el marco de estas líneas de actuación se pueden observar en el recuadro 16.4 los principales aspectos relevantes de la Ley de Ordenación del Comercio Minorista.

Sobre la base reguladora de la Ley 7/1996 se han ido desarrollando diversas normas específicas en el ámbito estatal y autonómico en torno a los siguientes elementos fundamentales:

Recuadro 16.4 Aspectos relevantes de la Ley 7/1996 de Ordenación del Comercio Minorista

1. **Instalación de grandes superficies (superficie de exposición y venta superior a 2.500 metros cuadrados).**

   1.1 Licencia comercial específica de la comunidad autónoma.
   1.2 Posible creación de comisiones territoriales de equipamientos comerciales.

2. **Pagos a proveedores.**

   2.1 Aplazamientos de pago superiores a 60 días deben quedar instrumentados en documentos que lleven aparejada acción cambiaria con mención expresa de la fecha de pago.
   2.2 Para la concesión de aplazamiento de pagos superiores a 120 días el vendedor podrá exigir avales bancarios o seguro de crédito y caución.
   2.3 Devengo de intereses moratorios a partir del día siguiente al señalado para el pago.

3. **Actividades de promoción de ventas.**

   3.1 Prohibición de ventas en pirámide.
   3.2 Regulación de las rebajas (dos períodos anuales de entre una semana y dos meses).
   3.3 Regulación de las ventas de saldos, liquidaciones y con obsequios.

4. **Ventas especiales.**

   4.1 Registro de empresas de venta a distancia.
   4.2 Homologación de máquinas para la venta automática.
   4.3 Autorización municipal para la venta ambulante.

5. **Horarios comerciales (hasta el año 2001).**

   5.1 Apertura de, al menos, ocho domingos y festivos al año (número definitivo máximo y horario fijado por las CCAA).
   5.2 Excepciones en venta de pastelerías, pan, prensa, floristería, tienda de conveniencia, tiendas en zonas turísticas...

FUENTE: J. Casares y A. Rebollo (1996).

— Establecimiento de criterios para la concesión de la «segunda licencia».

— Regulación de diversas prácticas comerciales (rebajas, saldos, liquidaciones...).

— Establecimiento de normas sobre los horarios comerciales (número de domingos y festivos de apertura de los establecimientos, normas sobre las excepciones tales como zonas turísticas...).

— Regulación de determinadas formas comerciales tales como el descuento duro (Murcia y Madrid), las grandes superficies, la venta ambulante, etc.

Por otra parte la ley de acompañamiento de los presupuestos del año 2000 incorpora diversos cambios, en relación con la Ley de Comercio, que configuran un nuevo sistema regulador de los plazos de pago. Entre los principales puntos desarrollados destacan el establecimiento de un plazo máximo de 30 días para el pago a proveedores de productos perecederos, la posibilidad de «endosar» el documento en el que se instrumente el pago si el aplazamiento es superior a 90 días y el establecimiento de la acción cambiaria si el aplazamiento está comprendido entre 60 y 90 días (en no perecederos). Si el aplazamiento es superior a 120 días, el vendedor puede exigir que la deuda quede garantizada mediante aval o seguro de crédito. También hay que resaltar que el vendedor está obligado a enviar la factura en un plazo máximo de 30 días desde la entrega de la mercancía.

5. La política de la Unión Europea

La UE se basa en la libertad de actividad comercial y de circulación de las mercancías como principio básico del desenvolvimiento del proceso distributivo. Los gobiernos nacionales tienen una amplia autonomía en el desarrollo de sus medidas relativas al sector porque se trata de una actividad local.

Resumiendo, se puede afirmar que no hay una política de comercio interior en la UE, sino que diversas medidas de carácter multisectorial y general afectan al sector distributivo.

Sin embargo, a partir de la Comunicación de la Comisión «Hacia un mercado único de la distribución» (11-3-1991) y del *Libro Blanco* (1999) empieza a observarse un mayor interés por el comercio y se diseñan algunas medidas ad hoc de apoyo a la transformación del sector distributivo.

En consecuencia, pueden establecerse dos áreas de actuación pública de la UE en relación con la distribución comercial:

1. **Políticas de carácter general que afectan al comercio.**

2. **Políticas específicas de actuación sobre el sector distributivo.**

1. Políticas de carácter general que afectan al comercio

En el *Libro Verde* (Comisión de las Comunidades Europeas, 1996) se señalan diversas actuaciones de ámbito comunitario que inciden sobre la actividad comercial tales como la legislación sobre protección de los consumidores (seguridad y calidad de los bienes, seguridad de las transacciones...), sobre la competencia (restricciones verticales, franquicias...), sobre productos alimentarios (etiquetado, higiene...), las políticas de transportes, energética, medioambiental, etc.

Por otra parte, diversos programas de carácter general han contribuido parcialmente a la promoción del comercio. Entre los más relevantes podemos citar los fondos estructurales, los programas de iniciativa comunitaria y los programas de innovación. A continuación se comentan brevemente sus principales repercusiones sobre el comercio:

— *Fondos estructurales:*

El Fondo Social Europeo (FSE) se ha orientado en torno a las ayudas a la formación profesional, salariales y a la movilidad geográfica en diversos dominios de intervención (jóvenes, mujeres inmigrantes, desempleados de zonas deprimidas...). Las ayudas a empresas comerciales se han vinculado fundamentalmente con la formación profesional y el apoyo en zonas deprimidas.

Recientemente se han abierto nuevas vías de actuación a través de la cofinanciación de proyectos de revitalización del comercio urbano[6].

El Fondo Europeo de Desarrollo Regional (FEDER) también puede ser utilizado en la medida en que los proyectos conciernan a las regiones menos desarrolladas (objetivo 1) o a las zonas rurales en vías de diversificación (objetivo 5b).

Hasta el momento se han desarrollado diversas actividades en diferentes CCAA con la cofinanciación del Fondo Social Europeo y, en menor medida, del Feder, pero la información disponible es muy limitada y las ayudas solicitadas corresponden a proyectos dispersos y no a una estrategia global de actuación sobre el sector.

— *Programas de Iniciativa Comunitaria (PIC):*

Estos programas constituyen la parte de los fondos estructurales que la Comisión gestiona por propia iniciativa para promover acciones de carácter transnacional susceptibles de favorecer el funcionamiento del mercado único.

Los programas más utilizados en relación con el comercio interior (aunque no se dispone de datos desagregados) son el programa Pyme, que presta apoyo a las pequeñas y medianas empresas comerciales situadas en zonas subvencionables de acuerdo con los objetivos 1, 2 y 5b.

Otros programas de utilización más esporádica han sido los siguientes: Force (formación profesional continua), Petra (preparación de jóvenes para la vida profesional), Delta (desarrollo del aprendizaje a través del uso de tecnologías avanzadas), Sprint (innovación y transferencia de tecnología), Tedis (uso de datos comerciales utilizando redes de comunicación), Leonardo (preparación profesional para las pequeñas y medianas empresas)...

— *Programas de innovación:*

La Comisión está llevando a cabo medidas innovadoras, vinculadas con los fondos estructurales, a través de cuatro vías: ordenación del territorio, cooperación transfronteriza, cooperación entre regiones y ciudades y asuntos urbanos.

En este contexto destacan las redes europeas de cooperación entre empresas de diversas regiones (Interreg, Enterprise) y las oficinas de información para empresas que buscan encontrar socios para realizar actividades de cooperación transnacional (Europartenariat, Business Cooperation Network y la oficina de Aproximación de Empresas). También surgen como proyectos de innovación algunos de los que se estudiarán a continuación en el análisis de las medidas específicas del sector (Comercio 2000...).

2. Políticas específicas de actuación sobre el sector distributivo

El Consejo de la Comunidad Europea aprobó la Resolución de 14 de noviembre de 1989 relativa al Mercado Único de la Distribución. Esta resolución fue el preludio de la Comunicación presentada por la Comisión en marzo de 1991 en la que se examinan los problemas del comercio intracomunitario y se plantea un programa de actuación en materia de distribución comercial. Las líneas maestras de este programa se centran en encuadrar las acciones en programas ya existentes en materia de información, educación, competencia, innovación, fondos estructurales y política de empresa. No se plantea crear una nueva legislación o proyectos de ayuda específica. Se establece asimismo la importancia de la realización de estudios, del intercambio de información (ya venían funcionando el Comité de Comercio y Distribución —desde 1981—, formado por empresarios, y el grupo de trabajo de expertos gubernamentales —desde 1986—) y del diálogo social (Euro Conmerce representando a las empresas y Eurofiet a los trabajadores del sector).

Siguiendo la estela de esta Comunicación, los Libros Verde (1996) y Blanco (1999) han sido los siguientes pasos en la evolución de la política de la UE respecto al sector distributivo.

5.1 Libro Verde del Comercio

En el Libro Verde se propugna el diálogo social, la mejora de las estadísticas sectoriales, la autorregulación (establecimiento de códigos de conducta sobre franquicias, venta a distancia y venta directa) y el desarrollo de políticas de carácter general que afectan al comercio (programas Adapt, Urban y otros citados anteriormente). Como proyecto piloto cita el Comercio 2000 (cuyo origen es de 1991), que pretende impulsar la cooperación comercial mediante el uso de nuevas tecnologías.

Sin embargo, no se establecen objetivos e instrumentos de política y no se cuantifica ninguna acción política sobre el sector distributivo, con lo que el Libro Verde parece pertenecer al mundo de los documentos oficiales vagamente descriptivos de la realidad pero con escasa apoyatura empírica y nula aportación al estudio de escenarios de política económica.

5.2 Libro Blanco del Comercio

El Libro Blanco pretende establecer un plan de acción para el comercio. No se crea ninguna línea presupuestaria específica para los años 1999 y 2000 por considerar que es suficiente la línea B5. 5120 del tercer programa plurianual a favor de las pequeñas y medianas empresas. Los principales aspectos del plan de acción pueden resumirse en torno a los siguientes puntos:

a) Mejor comprensión del sector. Incluye una campaña de información en cuarenta localidades de la Unión sobre el Libro Blanco y la labor de la Comisión y la publicación de un informe anual sobre el sector distributivo.

b) Acceso a la financiación. Incluye las siguientes propuestas (no cuantificadas):

— Acciones de apoyo a través del capital de lanzamiento para empresas innovadoras.
— Desarrollo de conferencias y mesas redondas.

c) Entidades de crédito. La Comisión se compromete a elaborar informes sobre los problemas de los medios de pago y sobre el impacto de la introducción del euro.

d) Formación. La Comisión se compromete a estudiar las necesidades de formación en el comercio y a publicar directrices sobre las acciones futuras.

e) Vinculaciones con otros aspectos de política económica. Se plantean diversas actuaciones tales como:

— Elaboración de un estudio sobre comercio y turismo.
— Estudio de las relaciones entre comercio y medio ambiente.
— Organización de la participación de empresas comerciales y federaciones sectoriales en la Red Europea de Servicios de cara a las negociaciones en el comercio internacional.
— Establecer misiones de expertos para analizar las condiciones comerciales de los países del este de Europa y de Chipre de cara a la posible ampliación de la UE.

Además de estas políticas, de escaso relieve y cuantificación, se han planteado algunos informes y resoluciones de carácter multisectorial que afectan al aplazamiento de pagos en el ámbito de la distribución comercial. Concretamente el 18 de noviembre de 1992 la Comisión presentó un documento de trabajo sobre este tema en el que planteaba la conveniencia de introducir una «ética de pago» en la cultura empresarial europea y el fomento de acuerdos profesionales (autorregulación). El dictamen del Comité Económico y Social del 30 de junio de 1993 insistía en estos aspectos y establecía que la Comisión y los Estados miembros deben intervenir conforme al artículo 86 del Tratado para evitar las actuaciones abusivas de las empresas dominantes. Recientemente se ha elaborado un amplio informe para la Comisión (Dobson Consulting, 1999) en el que se analiza la tendencia actual hacia la concentración del poder de compra y la situación de la competencia en la distribución comercial europea incluyendo el estudio de diversos casos desarrollados en países de la UE (en cualquier caso, apenas hay recomendaciones concretas de política económica).

6. Notas finales

El comercio interior se enfrenta a notables cambios en el desenvolvimiento empresarial (concentración, globalización...), del consumidor (mercado de deseos...) y de las relaciones producción-distribución que determinan nuevos enfoques de la política económica relativa al sector (interrelacionada crecientemente con las políticas de competencia, medio ambiente, turismo, empleo, educación...).

Por otra parte, se observa un creciente interés político por el sector interpretable desde teorías próximas a la elección pública como consecuencia del reconocimiento del mercado político-económico configurado por los operadores del sector.

En este capítulo se ha pretendido estudiar las principales políticas llevadas a cabo en los últimos años (especialmente en la década de los noventa) teniendo en cuenta las nuevas características del sector y los elementos del entorno institucional anteriormente comentados.

Notas

1 Esta palabra se aplica en química a la propiedad de los cuerpos que pueden cambiar de forma sin variar su naturaleza, lo cual parece perfectamente ajustable a la situación actual del comercio.

2 Inicialmente la teoría del desbordamiento fue expuesta por Linder como interpretación causal del comercio internacional.

3 Encendido por el interés despertado por la fusión de los grupos Promodes y Carrefour.

4 Desde 1995 se observa un cambio de tendencia, puesto que crece más el empleo en el resto de la economía que en el sector distributivo.

5 Luis Gámir (1999) propone «importar» las técnicas de análisis de la protección nominal y efectiva del comercio exterior para medir el grado de protección que puede justificar la adaptación del pequeño comercio establecido.

6 Hay que resaltar que Portugal ha utilizado ampliamente los recursos del FSE para la modernización del comercio y los servicios.

Referencias

Aranda, E. (1998): «Formación en distribución comercial. Situación actual y bases para una estrategia de futuro», *Distribución y Consumo,* nº 40, junio-julio, Madrid.

Boulding, K. (1968): *Beyond Economics*, University of Michigan Press, Michigan.

Carrasco, A. (1996): «Ley de Ordenación del Comercio Minorista. Juicio crítico de una Reforma», *Distribución y Consumo*, nº 27, abril-mayo, Madrid.

Casares, J. (1982): «Dualismo en el comercio interior. Alternativas futuras», *Información Comercial Española,* nº 582, febrero, Madrid.

— (1995): *Una aproximación socioeconómica a la rebelión de las masas,* Madrid, Dykinson.

—, y E. Aranda (1997): «Distribución comercial y empleo en la sociedad de los trabajos», *Información Comercial Española,* nº 763, junio, Madrid.

—, — y V. Martín (1999): «Análisis del empleo por formas comerciales», *Distribución y Consumo,* nº 44, febrero-marzo, Madrid.

—, y A. Rebollo (2000): *Distribución Comercial,* 2ª edición, Madrid, Cívitas.

Comisión de las Comunidades Europeas (1996): *Libro Verde del Comercio,* mimeografiado, Bruselas.

— (1999): *Libro Blanco del Comercio,* mimeografiado, Bruselas.

Denison, T., y S. Knox (1993): «Pocketing the change from Loyal Shoppers: a Double Indemnity Effect», *Proceedings of the Marketing Education Group Conference,* Loughborough, pp. 221-232.

Dobson Consulting (1999): *Buyer power and its impact on competition in the food retail Distribution sector of the European Union,* mimeografiado, Bruselas.

Gámir, L. (1999): *La política de comercio interior. El umbral del cambio.* Ponencia presentada en el curso de la Escuela de Distribución Comercial de la Universidad Internacional Menéndez Pelayo, Santander, septiembre de 1999.

514

Ministerio de Economía y Hacienda (1999): *La Distribución Comercial en España. Informe 1998,* Madrid, Dirección General de Comercio Interior.

Muñoz, P., *et al.* (1999): «Interacción competitiva de las fórmulas comerciales. Fidelidad al formato comercial de los consumidores», *Distribución y Consumo,* nº 47, agosto-septiembre, Madrid.

Petitbó, A. (1999): «Competencia y distribución comercial», *Distribución y Consumo,* nº 47, agosto-septiembre, Madrid.

Rebollo, A. (1999): «Concentración en el sector de distribución comercial», *Distribución y Consumo,* nº 47, agosto-septiembre, Madrid.

Schwartz, P. (1999): *El grado de concentración de la distribución comercial en España: ¿Peligra la competencia?,* Madrid, Idelco.

17. Política de transporte

Luis Rodríguez Sáiz y
Justo Sotelo Navalpotro

1. Introducción: Importancia del transporte en la economía

Existe una estrecha conexión entre el crecimiento y el desarrollo económicos con el sector del transporte. Este sector, unido al de las comunicaciones, ha contribuido especialmente al logro de una enorme transformación de la sociedad en la mayor parte de los aspectos sociales y económicos, tanto en lo que se refiere a las modificaciones que se han llevado a cabo en los factores productivos como en el terreno de las ideas y, en definitiva, en el progreso de la sociedad en su conjunto.

A su vez, buena parte de la materialización de este hecho viene explicada por el desarrollo tecnológico y de innovación del último medio siglo, lo que ha incidido en el elevado volumen de inversión realizada en el sector del transporte e indirectamente en otros sectores relacionados con él. Si la sociedad actual cada vez está más especializada, la necesidad de un transporte eficaz y equitativo se convierte en ineludible, conectándose la demanda de los servicios de este sector, que es solicitada por los otros sectores, con el mismo hecho pero a la inversa.

El sector del transporte posee, sin duda, unas peculiaridades singulares, lo que le lleva a que no pueda ser considerado de forma aislada. En este sentido, citaremos las siguientes características propias del mismo (Rus y Nash, 1998):

— El transporte, como factor productivo esencial para la economía, tiene como finalidad modificar la localización física de los bienes y las personas, pero sin transformar físicamente sus características intrínsecas. Realiza una gran cantidad de servicios distintos usando los mismos factores, lo que origina problemas a la hora de considerar y valorar los costes de producción conjunta.

— La calidad de los servicios de transporte es muy relevante a la hora de explicar el comportamiento de la demanda.

— La intervención del Gobierno afecta de una u otra forma a la entrada, la tarificación y las condiciones de funcionamiento de los servicios de transporte, como el ferrocarril, los taxis o los autobuses, sin tener en cuenta el desarrollo de las infraestructuras que también realiza en la mayoría de los casos.

— Este sector origina determinados problemas a través de la aparición de economías de escala y de externalidades, lo que requiere de la necesidad de un marco regulador ante los fallos del mercado.

Los costes sociales o externalidades que, tanto de forma directa como indirecta, pueden llegar a producirse resultan, en nuestra opinión, de suma relevancia, ya que no siempre son internalizados de forma correcta, verbigracia, cuando nos encontramos ante situaciones como la degradación del medio ambiente, la congestión viaria o los mismos accidentes que se cobran tantas vidas al año (Rodríguez Sáiz, 1973).

La finalidad del presente capítulo es efectuar un análisis de la política de transporte en España, circunscribiéndonos a la década de los noventa. Por este motivo, a pesar de la importancia que posee la descripción previa de la actividad, con sus principales factores representativos (dotación de la infraestructura de los diversos modos de transporte, la evolución de los parques de vehículos utilizados para el desarrollo de la actividad y otros factores de la explotación de los diversos sistemas de transporte), nos centraremos en los aspectos más significativos de dicha política, tal y como hicimos en la edición anterior.

En este sentido, dedicaremos un primer epígrafe al enfrentamiento entre dos fuerzas contrapuestas de suma actualidad cuando esto se escribe: la regulación y la desregulación del transporte, hecho que consideramos capital para entender la evolución de los indicadores y de la política española de transporte en los últimos años. Después de estudiar la referida evolución, la conectaremos con la incidencia de la política común desarrollada en la Unión Europea, lo que nos permitirá extraer algunas conclusiones sobre el futuro de nuestra política de transporte.

2. Regulación versus desregulación del transporte

En los últimos años estamos observando un incremento del papel del capital privado en la realización de los proyectos relacionados con el transporte. Si los empresarios privados se sienten interesados en el sector y en sus repercusiones sobre otros sectores de nuestra economía, también no pocos economistas y políticos señalan la necesidad de que exista una mayor libertad en el mercado mediante la liberalización y la privatización de los distintos tipos y sistemas de transporte.

La dualidad en torno a este asunto puede resumirse de la siguiente forma. Los beneficios logrados con una mayor eficiencia económica son un hecho fácilmente constatable (Winston, 1993), aunque no podemos olvidar que la gran complejidad del mundo moderno, con millones de servicios de transporte en todos los sentidos que relacionan, a su vez, a millones de personas a todas horas, convierte en esencial una mínima (o máxima, para algunos) regulación por parte de los gobiernos, ya sea en forma nacional o supranacional (Galbraith, 1996).

La regulación del sector carecería de sentido si la competencia pura y perfecta pudiera interrelacionarse y hacerse compatible con la actuación real del mercado. Como es sabido, la competencia pura requiere de una serie de condiciones para su existencia: la homogeneidad del producto y, por ende, que los compradores no tengan motivo alguno para preferir el producto de un vendedor al de otro; el tamaño reducido de cada comprador o vendedor en relación al mercado, por lo que no puede influirse en el precio de lo que se compra o vende; la no existencia de restricciones artificiales a las demandas, ofertas y precios de los bienes y recursos y la perfecta movilidad de estos últimos. Si a estas cuatro condiciones se añade la de perfecta información, es decir, cada unidad económica conoce el mercado con cierta amplitud, la competencia pura se convierte en perfecta. A pesar de todo lo dicho se pueden producir una serie de fallos en el mercado que ocasionan que las condiciones para que se consiga optimizar el bienestar mediante un libre mercado no se consoliden. Entre ellas podemos citar (Sotelo, 1999):

— Información escasa y asimétrica, con un coste creciente en el primer caso del que se deducirán rendimientos, por regla general, decrecientes, y con situaciones como la selección adversa y el azar moral en el segundo.
— Barreras a la entrada, con lo que se limita el ingreso de competidores en la actividad.
— Rendimientos a escala crecientes, pudiéndose originar casos de monopolio u oligopolio.
— Especulación e inestabilidades, como consecuencia de los efectos de «auge y decadencia» o pánico financiero.
— Situaciones de riesgo.

Además de estas imperfecciones hay que tener presentes también los efectos de las externalidades, a las que ya nos hemos referido.

Considerando todo lo dicho, en determinados momentos la competencia puede no ser deseable ni factible. Resulta más rentable, en ciertos casos, atender a la demanda con una sola empresa que con dos o más. Nos encontraríamos entonces ante un monopolio natural (Armstrong, Cowan y Vickers, 1994). También puede ocurrir que la competencia no sea factible pero sí deseable, con lo que nos hallamos ante una entrada bloqueada para ejercer poder de mercado. De la misma manera puede ser factible pero no deseable, lo que provoca competencia destructiva, o «efecto descreme». A todo ello uniríamos los casos aludidos de externalidades en la producción y el consumo, o incluso las situaciones de falta de equidad. Unas u otras situaciones son aplicables, en cierto sentido, a los distintos modos de transporte.

En el lado contrario, tenemos que tener en cuenta las opiniones de aquellos que propugnan la desregulación del sector de transporte, una línea de pensamiento incipiente hace unas décadas pero que se ha reafirmado en los años ochenta, y sobremanera en los noventa. Dentro de esta corriente podemos destacar aspectos tales como (Herce y Rus, 1996):

— En determinadas ocasiones se producen resultados deficientes para los consumidores en cuanto a las combinaciones «precio-calidad» ofrecidas por las empresas que están reguladas.
— La igualdad «servicio público» y «gestión pública» se rompe también en algunos casos.
— El sector público no siempre es un buen gestor de las empresas operadoras.
— Existe desarrollo de la competencia intermodal en el instante en que la competencia relativa a un modo de transporte es eliminada por imperativo legal.
— Los contribuyentes no siempre ven con agrado el déficit de las grandes empresas públicas.
— En el caso de los monopolios naturales, la libertad de mercado y la competencia perfecta incluso ganan adeptos cuando se separa la red de los servicios en estas circunstancias.
— Las subvenciones cruzadas no son la única vía de prestación universal del servicio.
— La presión de los consumidores, contribuyentes y empresas que quieren entrar en los mercados es mayor, en ocasiones, a la resistencia de las empresas establecidas, incluidos sus trabajadores.

Los últimos años, como ya comentamos en la introducción, han sido testigos del enorme auge de los distintos tipos de transporte. Su eficaz articulación tiene que satisfacer su demanda con unas prestaciones de calidad que requieren, por un lado, la eliminación de los fallos de mercado señalados, y, por otro, de las trabas que permitan la libertad de entrada. Todo ello, eso sí, sin olvidarnos de la necesaria regulación de este sector en materias como seguridad, preservación y conservación del medio ambiente e internalización de los costes también señalados en nuestra introducción (congestión, accidentes, etc.).

No obstante lo apuntado, admitiendo la necesidad de introducir mayor competencia en el mercado del transporte, no debe confundirse aquélla con la idea global de privatización del sector en su conjunto. Por ello consideramos esencial distinguir entre la propiedad privada y la pública, así como las situaciones de competencia versus no competencia. Estando de acuerdo con la situación de competencia en los mercados de productos finales (entre los modos por tráfico de carga o pasajeros, por ejemplo), más básico es, a nuestro entender, lograrla en los mercados de factores y, por encima de todos, en el de trabajo, ya que de esta forma pueden reducirse los costes operativos comparados con la provisión regulada por una empresa pública.

3. El transporte en España en la década de los noventa

3.1 Cuantificación del escenario

Entendemos que uno de los métodos más adecuados para presentar la situación del sistema de transporte consiste en establecer una comparación de los diversos medios en competencia a través de su participación relativa tanto en el transporte de viajeros como en el de mercancías. Este procedimiento nos permite, en principio, conocer si dichos medios realizan una función complementaria, usándose para cada servicio el modo de transporte más idóneo y, además, en el sentido contrario, si existe una competencia desordenada que provoca la infrautilización de unos medios y la saturación de otros, y por ende el despilfarro de recursos y la aparición de costes sociales excesivos, reducibles de alguna manera mediante una adecuada política de coordinación.

Las últimas décadas han vivido en España un aumento y perfeccionamiento de los distintos modos de transporte, sobre todo por carretera, tanto en la contribución al PIB como en la generación de empleo.

Más en concreto, desde el año 1985 se inició un período de expansión económica que se mantuvo hasta los primeros años noventa. Nuestra economía volvió a repuntar a partir de 1994. La actividad del transporte no fue ajena a esta situación, aunque, en líneas generales, su crecimiento ha sido continuado. Así, en el año 1990, el VAB del sector de los transportes, a precios de mercado, fue de 1.459,9 millones de pesetas (de 1986), es decir, representó un 4% de participación en el VAB global y un 9,3% en servicios destinados a la venta (cuadro 17.1). Frente a estas cifras, en el año 1997 (último del que hemos conseguido avance de estadísticas) el VAB del sec-

Cuadro 17.1   VAB (precios de mercado. Miles de millones de pesetas de 1986)

Concepto	1990	1991	1992
Ferrocarril			3,2
Carretera, oleoductos y gasoductos			928,7
Marítimo y cabotaje			63,4
Aéreo			178,7
Servicios anexos al transporte			373,3
Total sector transporte	1459,9	1458,6	1547,3
Servicios destinados venta	15.650,9	16.137,6	16.150,2
% del sector en servicios destinados a la venta	9,3	9,0	9,6
VAB (pm)	36.654,7	37.481,2	37.701,1
% Sector transporte en VAB	4,0	4,0	4,1
PIB (pm)	39.001,8	39.896,7	40.177,4

(P)   Provisional
(A)   Avance

FUENTE: INE. Ministerio de Economía y Hacienda.

tor llegó a 1.897,5 millones, lo que supuso un 4,6% del total nacional y un 10,3% en servicios destinados a la venta.

Como también se observa en el referido cuadro, la participación en el VAB de este sector crece paulatinamente, sobre todo desde 1995. Por lo que se refiere al gasto anual en transporte, la participación en el total del gasto anual fue del 12,5% en 1996, según la encuesta continua de presupuestos familiares, porcentaje distribuido de la siguiente forma: 7% en gastos de utilización de vehículos, 3% en la compra de vehículos para transporte personal, 15% en correos y comunicaciones y el resto en pago por servicios de transporte. En relación a la cifra tomada como referencia (del año 1990), se produjo un ligero incremento del 4% en la participación del gasto del sector transporte en el gasto anual.

La generación de empleo ha seguido una línea en consonancia con lo señalado para las cifras macroeconómicas sobre la situación global de nuestra economía. De esta forma, junto a un cierto estancamiento en los primeros años noventa, y tras el año 1994 como punto de inflexión, se observa una recuperación en la creación de empleo desde 1995, significativa en el transporte por ferrocarril aunque dominada por la muy superior presencia del transporte por carretera (cuadro 17.2).

En relación a la dependencia energética, ésta cada vez es mayor, puesto que en el año 1990 el transporte absorbía el 39,5% del consumo final total,

1993	1994	1995 P	1996 P	1997 A
2,9	11,3	23,8	24,9	30,9
934,1	985,6	1007,4	1027,3	1076,9
62,1	73,8	82,0	84,0	87,1
181,7	203,5	214,7	232,0	247,6
371,4	392,4	411,1	432,0	455,0
1552,3	1666,6	1739,0	1800,3	1897,5
16.287,7	16.858,0	17.360,3	17.848,5	18.489,7
9,5	9,9	10,0	10,1	10,3
37.356,2	38.241,6	39.319,4	40.304,3	41.690,0
4,2	4,4	4,4	4,5	4,6
39.695,9	40.604,0	41.706,9	42.715,3	44.224,1

frente al 42,1% en 1996. En la Europa de los 15 esta última cifra es más baja, un 30% (Ministerio de Fomento, 1998).

Por lo que se refiere a las modalidades del transporte para el tráfico interior de viajeros (cuadro 17.3), se constata la indiscutible supremacía del transporte por carretera, debido a la gran penetración del correspondiente a los vehículos privados (89,39% del total del reparto modal en 1997), seguido a mucha distancia por el transporte del ferrocarril (5,89%) y el aéreo (4,35%).

Si consideramos la clasificación del tráfico interior de mercancías observamos un hecho parecido, aunque con menores diferencias, ya que, en 1997, el transporte por carretera suponía el 78,23% del total, frente al 14,55% del marítimo y el 4,58% del ferroviario.

Después de examinar las estadísticas, comprobamos que la década de los noventa para este sector ha seguido la línea ya marcada por los años anteriores; es decir, ha proseguido el liderazgo del transporte por carretera, seguido por el del ferrocarril y aéreo, en cuanto a los viajeros, y del marítimo en las mercancías. Las grandes cifras relativas a crecimiento económico, gasto anual, balanza de servicios, inversiones, empleo y tráficos reafirman la idea de la relevancia de este sector en el conjunto de nuestra economía.

Cuadro 17.2 Empleo en el sector transporte público (miles)

Concepto	1990	1991	1992
Transporte terrestre	428,4	433,9	434,7
Ferrocarril			
Otro tipo			
Tubería			
Transporte marítimo y por vías navegables	24,5	22,2	18,4
Transporte aéreo	31,0	29,7	29,3
Actividades anexas a los transportes;			
actividades de agencia de viajes	93,1	89,8	95,3
Total	**577,0**	**575,6**	**577,7**

FUENTE: INE. Ministerio de Economía y Hacienda.

Cuadro 17.3 Distribución del tráfico interior de viajeros según modos de transporte (millones de viajeros/km)

Modos de transporte	1990	1991	1992	1993
Carretera [1]	209.395	210.848	231.109	237.288
Ferrocarril [2]	16.736	16.357	17.579	16.490
Aéreo [3]	7.050	7.234	8.642	10.127
Marítimo [4]	1.057	1.258	1.200	1.200
Total	**234.238**	**235.697**	**265.105**	**265.105**

(1) A partir de 1995, las cifras se han obtenido con las variaciones del tráfico de la red de carreteras del Estado, partiendo de longitudes homogéneas.
(2) Comprende RENFE y Ferrocarriles de vía estrecha.
(3) Comprende el tráfico regular y no regular de Iberia y Aviaco. Desde 1993, además del grupo Iberia incluye Air Europa y Spanair.
(4) Pasajeros entrados en cabotaje. No se incluye el pasaje correspondiente a bahía y transito.

FUENTE: DG de Aviación Civil, Ente público Puertos del Estado, DG de carreteras, DG de ferrocarriles y transportes por carretera (Ministerio de Fomento), Renfe, Feve y CCAA.

3.2 El marco de actuación de la política sectorial

Nuestra actual política de transporte terrestre se inicia con la aprobación de la Ley 16/1987, de 30 de julio, de Ordenación de los Transportes Terrestres, conocida como LOTT, y su correspondiente Reglamento aprobado por el RD 1211/1990, de 28 de septiembre. En materia de competencias, hay que tener en cuenta la Ley Orgánica 5/1987, de 30 de julio, de Delegación

1993	1994	1995	1996	1997
417,7	410,0	438,0	445,5	460,1
48,7	49,6	52,9	43,6	48,3
368,2	359,3	384,9	401,6	411,3
0,8	1,1	0,2	0,3	0,5
16,7	14,9	15,3	14,7	15,5
24,9	28,0	27,3	26,8	28,1
82,1	78,4	82,6	92,1	95,8
541,4	**531,3**	**563,2**	**579,1**	**599,5**

1994	1995	1996	1997	%
245.200	250.104	256.357	271.559	89,39
16.142	16.582	16.804	17.883	5,89
10.313	10.033	11.046	13.201	4,35
1.133	1.032	1.100	1.160	0,38
272.788	**277.751**	**285.307**	**303.803**	**100,00**

de Facultades del Estado en las CCAA en relación a los transportes por carretera y cable.

La LOTT sigue un esquema de actuación similar al que hemos comentado en el segundo epígrafe de este capítulo, ya que busca la interrelación entre la planificación económica —necesaria al ser el transporte un servicio público— y la libertad empresarial, dentro de un sistema de libertad de mercado que pretende ser eficaz.

El Programa Económico a Medio Plazo 1984-1987, extendido hasta 1989, sentó algunas de las bases para el transporte que han tenido una clara repercusión años más tarde. Al mismo habría que unir el Plan Director de Infraestructuras para el período 1993-2007.

Asimismo hay que considerar el proceso seguido por la política de privatizaciones, reactivado desde 1996, aunque no haya afectado de forma tan patente como a otros sectores económicos.

En el terreno sectorial, y para el **transporte por carretera**, señalamos la Ley de Carreteras 25/1988, de 29 de julio, cuyo objeto es la regulación de la planificación, proyección, construcción, conservación, financiación, uso y explotación de las carreteras estatales (las carreteras con titularidad de las CCAA vienen reguladas por la legislación de cada autonomía). La red estatal de carreteras está formada por las autopistas, autovías, vías rápidas y carreteras convencionales.

El Plan General de Carreteras 1984-1991 se concretó en cuatro programas de actuación: de autovías (con el fin de duplicar las calzadas a lo largo de una serie de itinerarios), de acondicionamientos, ARCE (con el fin de modernizar los principales itinerarios de larga distancia no incluidos en el programa de autovías), de reposición y conservación, RECO (para dotar a la red estatal de la posibilidad de una circulación con unos niveles de servicio y seguridad adecuados a la demanda) y de medio urbano (para garantizar la adecuada continuidad de los itinerarios estatales a su paso por las principales poblaciones).

Los problemas más significativos con que se tropezó este plan se pueden resumir en los siguientes puntos:

— Inexistencia de información para acometer todos los programas.
— No había una buena relación entre objetivos e instrumentos.
— Dificultad de cumplimiento del calendario.

En 1989 comenzó a elaborarse un nuevo plan de carreteras con vistas al Mercado Único Europeo. Como fechas de enlace se pensó en los años 1992 y 1993. Es decir, se pretendió considerar un plan puente caracterizado por las siguientes directrices:

— Dotar a las carreteras de la red estatal de todo lo necesario que permitiera hacer realidad la integración europea.
— Gestionar la red estatal con criterios de rentabilidad y eficacia, y una mejora creciente de la seguridad de circulación.
— Mejorar los accesos a los núcleos de población y las conexiones con otros medios de transporte.

La inversión correspondiente se apoyaría en los fondos del FEDER, lo que posibilitaría la construcción de alrededor de 1.000 km de autovías, para que de esta forma pudieran asegurarse determinadas conexiones no realizadas en la estrategia mencionada con anterioridad. El nuevo plan, para el período 1993-2000, fue desestimado, y a cambio se optó por el desarrollo de uno nuevo que sirviera para integrar todas las infraestructuras (Plan Director ya comentado) dirigido al período 1993-2007, a partir del que se desarrollarán los diversos planes de actuación sectorial. No obstante debemos señalar que tal Plan Director está implicando un retraso aún mayor en la definición de actuaciones del futuro Plan de Carreteras (Izquierdo, 1994).

Sí debe reconocerse el esfuerzo de inversión llevado a cabo por la Dirección General de Carreteras del Ministerio de Fomento, a pesar de una ralentización del mismo en el año 1997. También son de destacar las inversiones de los entes territoriales, casi similares a los del Ministerio (véanse los cuadros 17.4 y 17.5).

En el siguiente subepígrafe abordaremos las líneas maestras del Plan Director, momento en que volveremos al transporte por carretera.

Por lo que se refiere al **transporte por ferrocarril**, en 1987 se aprobó el Plan de Transporte Ferroviario (PTF), marco de referencia de esta política de transporte hasta el año 2000. Este plan afecta sólo a la red gestionada por Renfe, y su objetivo principal es conseguir que el ferrocarril se convierta en un servicio competitivo, tecnológicamente avanzado y de calidad, apropiado al Mercado Único Europeo. Posteriormente se aprobó el ancho de vía europeo en las líneas de construcción para la alta velocidad. Cuatro líneas importantes en este sentido son las de Madrid-Córdoba-Sevilla, que entró en servicio en 1992, y las futuras de Madrid-Zaragoza-frontera francesa, Madrid-Valencia y Madrid-Valladolid. En este sentido debemos citar la creación, en 1997, del GIF (Gestor de Infraestructuras Ferroviarias), un establecimiento público destinado a la financiación, construcción y gestión de las nuevas líneas de alta velocidad de España.

El Contrato-Programa «Estado-Renfe» (véase el cuadro 17.6), para el período 1994-1998, estableció las obligaciones y compromisos mutuos dentro del marco de la política económica general y de la política de transporte en particular. El objetivo fundamental sería reconducir progresivamente el escenario real de pérdidas de Renfe hacia cifras presupuestariamente aceptables, sirviendo de referencia para optimizar la gestión de la empresa. Sus líneas de actuación las podemos resumir en las siguientes:

— Explicitar y concretar las líneas de política de transporte para los servicios ferroviarios.
— Determinar el volumen de recursos públicos a asignar.
— Establecer un marco económico explícito para Renfe.

Con este contrato se buscaba reducir el déficit, incrementar los ingresos y mantener los gastos en un nivel constante, así como una moderación de las inversiones a realizar para que resultaran inferiores a las amortizaciones y

Cuadro 17.4 Inversiones realizadas en carreteras

Organismos	1990
Dirección General de Carreteras	324.800
Comunidades Autónomas	225.458
Diputaciones provinciales y cabildos insulares	35.018
Sociedades Concesionarias de Autopistas de Peaje [2]	14.974
Total	**600.250**

(1) Con la excepción de las sociedades concesionarias, las inversiones incluyen los gastos realizados en conservació

(2) Cifras estimadas que no incluyen las inversiones en las autopistas de Navarra.

FUENTE: DG de Carreteras. Ministerio de Fomento.

Cuadro 17.5 Inversiones realizadas por la DG Carreteras

Programas [1]	1988	1990
513 D	132.169	285.780
• Autovías	76.911	161.040
• Acondicionamiento	30.191	52.820
• Actividad medio urbano	25.067	71.920
513 E	32.535	39.020
Total	**164.704**	**324.800**

(1) 513 D Programa de creación de infraestructura de carreteras.

(2) 513 E Programa de conservación y explotación de carreteras.

FUENTE: DG de carreteras. Ministerio de Fomento.

lograr el saneamiento financiero. Los resultados pueden considerarse positivos, ya que se ha corregido la gestión de la compañía al adoptarse un modelo de gestión por unidades de negocio, lo que ha posibilitado la especialización y la claridad de las cuentas de resultados de cada área de la empresa.

En octubre de 1999 se ha aprobado un nuevo Contrato-Programa Estado-Renfe con vistas a reforzar la llegada de la competencia en forma de nuevos operadores ferroviarios. Su período de vigencia es el resto de ese año y el 2000. Como objetivos prioritarios del mismo se recogen la racionalización y mejora de la gestión, profundizando en el modelo organizativo por

(millones de pesetas de cada año) [1]

1995	1996	1997	% 1996/1997
365.200	375.126	330.603	−11,9
270.899	220.415	227.820	3,4
41.891	41.819	48.476	15,7
15.276	18.999	42.099	121,6
693.266	**656.439**	**648.998**	**−1,1**

(millones de pesetas)

1995	1996	1997	% 1996/1997
303.846	311.893	257.827	−17,3
168.536	185.402	160.112	−13,6
67.133	56.735	41.177	−27,4
68.177	69.756	56.538	−18,9
61.354	63.232	72.776	−15,1
365.200	**375.126**	**330.603**	**−11,9**

negocios para preparar a la entidad para competir en un marco de liberalización creciente de este modo de transporte.

El total de aportaciones del Estado a Renfe en 1999 es de 237.109 millones de pesetas, que se reparte: 13% para cercanías, 3,5% para regionales, 51% para gestión de infraestructura, 17% para los negocios del Plan de Viabilidad, 13,5% para los gastos financieros de la deuda y el resto para el Plan de Recursos Humanos. Las aportaciones y el reparto en el año 2000 constituyen cifras similares. Considerado el total de los dos años, 191.000 millones se refieren a inversión básica, 74.890 a nuevo material rodante

Cuadro 17.6   Aportaciones del Estado al Contrato-Programa Estado-Renfe

Concepto	1994	1995
Resultados y gestión infraest.		
— Cercanías	39.113	40.030
— Regionales	9.513	6.969
— Mantenimiento infraestructura	108.158	106.976
— Circulación	31.357	30.412
— Largo recorrido	16.455	15.450
— AVE	4.531	4.038
— Cargas	7.967	7.146
— Transporte combinado	3.761	2.820
— Paquetería	5.797	4.155
— Centros servicios y viaje	8.875	6.866
— Mantenimiento material rodante	6.848	5.869
— Tracción	24.615	24.845
— Gastos financ. deuda Estado	50.092	52.601
Suma	**317.082**	**308.177**
Financ. Plan Recursos Humanos		
Coste reest. plantilla	0	5.000
Saneamiento deuda	0	10.000
Total aportaciones	**317.082**	**323.177**

FUENTE: Ministerio de Fomento.

para la red ya existente y 111.750 para la adquisición de material para el nuevo AVE Madrid-Barcelona, que entrará en servicio en el año 2002 en el tramo Madrid-Zaragoza y llegará a Barcelona el 2004.

Un resumen de las características más significativas de las explotaciones ferroviarias se recoge en el cuadro 17.7.

Las inversiones correspondientes al **transporte aéreo** buscan, sobre todo, adaptar la oferta aeroportuaria a la evolución de la demanda.

El tráfico aéreo se encuentra en clara consonancia con la buena evolución de la economía española en los últimos años, más que nada a partir de 1994. En este sentido los operadores aéreos tienen como objetivo prioritario adaptarse a los cambios en el mercado a causa de la liberalización del sector y de la penetración de nuevos operadores en el mismo.

Un capítulo relevante en este subsector del transporte es el de las tarifas, que viven una época de total transformación, iniciada el año 1987 con el Primer Paquete Aéreo, que supuso las llamadas «zonas de flexibilidad tari-

(millones de pesetas)

1996	1997	1998	Total
40.817	39.683	37.557	197.200
6.815	6.414	6.174	35.885
106.520	105.743	104.735	532.132
30.211	29.758	29.234	150.973
13.400	8.987	7.049	61.341
2.831	1.053	- 570	11.883
5.907	4.273	2.741	28.034
2.172	1.481	655	10.889
2.337	1.491	860	14.640
6.182	5.560	3.967	31.450
5.555	6.105	5.209	29.586
24.522	24.511	23.917	122.412
51.876	49.401	45.801	249.771
299.145	**284.460**	**267.329**	**1.476.196**
5.000	5.000	5.000	20.000
20.000	30.000	50.000	110.000
324.145	**319.460**	**322.329**	**1.606.196**

faria» según un sistema de doble aprobación, y a partir de ciertas exigencias: límites a los porcentajes de participación de la oferta de plazas y condiciones máximas relativas a la estancia, antelación en la compra, etc.

El Segundo Paquete Aéreo (1990) introdujo el método de «doble desaprobación» para rechazar la tarifa, con exigencias más fuertes que las anteriores. El Tercer Paquete Aéreo (1993) liberalizó por completo las tarifas aéreas en Europa. La única obligación de las compañías aéreas es la notificación de las tarifas a aplicar con veinticuatro horas de antelación. Los Estados miembros pueden solicitar procedimientos sancionadores a la Comisión, en casos excepcionales: precios abusivos, monopolios de hecho o sospechas de *dumping* (Ministerio de Fomento, 1998).

Los efectos, en este sentido, sobre los precios son patentes. La competencia entre las empresas hace que aquéllos caigan en relación a los servicios de las rutas más rentables. El grupo Iberia, verbigracia, ha reformado su oferta para adaptarse a los cambios del mercado, junto a la disminución

Cuadro 17.7   Evolución de las características de explotación de las redes

Concepto	1980	1985
Longitud de las líneas (km)	15.724	14.804
Personal empleado (promedio anual) [1]	77.422	72.971
Viajeros (millones)	276	288
Viajeros-km (millones)	14.825	17.066
Toneladas (millones) [2]	43	39
Inversiones (millones ptas.) [3]	11.281	12.075
	66.793	89.994

(1) No incluye los datos correspondientes a las compañías privadas de ferrocarriles.
(2) Incluye los tráficos comercial y de servicio.
(3) Incluye DG de ferrocarriles y transportes por carretera, CCAA, Renfe, Feve y Cías. de las CCAA.

FUENTE: Ministerio de Fomento.

de servicios en las poco rentables. Para esta compañía, se aplica al respecto un programa estratégico desde 1995.

Por otro lado la inversión en la conservación, mejora y ampliación de las infraestructuras para este transporte se realiza a través de AENA (Ente Público Aeropuertos Españoles y Navegación Aérea) (véase el cuadro 17.8).

Por lo que se refiere al **transporte marítimo**, se está avanzando en su proceso de liberalización (ya se ha producido la correspondiente al cabotaje español y al de la UE). En relación al transporte de pasajeros, viene perdiendo presencia en los últimos años en favor del aéreo. Por contra, el de mercancías posee un realce significativo, más en el tipo de navegación exterior que en cabotaje, dominando por tipo de productos el petróleo crudo, el fuel, los cementos y el gasóleo. Por puertos, la Bahía de Algeciras, Santa Cruz de Tenerife, Ceuta y Las Palmas son los que han registrado el mayor número de entradas de buques en 1997, sobre todo en lo que respecta al trá-

Cuadro 17.8   Inversiones en infraestructuras aeronáuticas

Concepto	1993
Aeropuertos	39.003
Navegación aérea	8.833
Total	**27.836**

FUENTE: AENA. Ministerio de Fomento.

ferroviarias

1990	1995	1996	1997	% 1996/1997
14.539	14.291	14.293	14.294	0,0
55.551	44.277	42.693	41.635	–2,5
386	477	477	500	4,7
16.736	16.582	16.804	17.883	6.4
34	30	30	31	5,1
11.613	10.419	10.449	11.488	9,9
257.181	179.771	169.421	128.975	–23,9

fico de pasajeros. Si nos referimos a las mercancías, los puertos que han destacado han sido la Bahía de Algeciras, de nuevo, Tarragona, Barcelona y Bilbao, lo que viene ocurriendo en los últimos años.

Las medidas a tomar en este modo de transporte deben buscar que se armonicen la oferta y la demanda de los servicios portuarios. En 1997 se estableció el marco regulador de las autorizaciones para los servicios de línea regular de cabotaje marítimo y de las navegaciones de interés público. En la LGP del Estado para 1988 se consideraron medidas de apoyo a la construcción naval y a la renovación de la flota mercante. Además hay que tener presente que la Ley 62/1997 modificó la Ley 27/1992 de Puertos del Estado y de la Marina Mercante.

Es innegable que nuestros puertos necesitan instalaciones acordes con la situación del tráfico, en la línea ya apuntada para otros tipos de transporte de búsqueda de interrelación de la oferta y la demanda. En el cuadro 17.9

(millones de pesetas)

1994	1995	1996	1997	% 1996/1997
46.626	76.160	60.982	75.937	24,5
6.876	5.363	4.754	5.201	9,4
53.502	**81.523**	**65.736**	**81.138**	**23,4**

Cuadro 17.9   Inversiones del transporte marítimo en infraestructuras

Concepto	1990
Puertos autónomos	14.143
Juntas de puertos (programas 514B)	23.357
Comisión administrativa de juntas de puertos (CAGP)	422
Costas y señales marítimas	19.911
Autoridades portuarias	
Puertos menores de CCAA	
Otras inversiones:	
DG Marina Mercante (programas 422M y 514A)	
Sociedad Estatal Salvamento y Seguridad Marítima	
Total	**57.833**

FUENTE: Ente Público Puertos del Estado. Ministerio de Fomento.

se recogen las inversiones en infraestructura del transporte marítimo para el período 1990-1997.

3.3   El Plan Director de Infraestructuras (1993-2007)

Hecho público en 1993, se estableció como el marco de referencia para el desarrollo del conjunto de infraestructuras de competencia estatal. Sus objetivos se pueden resumir en:

— Identificar las necesidades de infraestructuras básicas (transporte interurbano, en medio urbano, hidráulicas y de costas) en el medio y largo plazo.
— Proponer un conjunto integrado de actuaciones que cubran todas las necesidades.
— Proporcionar las bases de la actuación territorial del Estado desde las infraestructuras.
— Promover la concertación con otras administraciones.
— Explicitar las prioridades españolas de cara al desarrollo de las redes transeuropeas.
— Buscar la integración con otros objetivos de política económica: ambiental, energética y regional.

El programa de actuación considera una inversión total en los quince años de más de dieciocho billones de pesetas (cuadro 17.10), distribuidos

(millones de pesetas)

1995	1996	1997	% 1996/1997
50.231	56.014	60.040	7,2
13.566	12.727	11.531	–9,4
1.662	952	661	–30,6
1.678	839	667	–20,5
67.137	**70.532**	**72.899**	**3,4**

en un 58% para el transporte interurbano, 19% para el correspondiente al medio urbano, 21% para obras hidráulicas y el resto para actuaciones en costas e I+D. Por su parte, la financiación presupuestaria alcanzaría el 71% del total, dirigida sobre todo a carreteras y ferrocarriles; la extrapresupuestaria se dirigiría más que nada a puertos, aeropuertos y ferrocarriles de alta velocidad.

Las estrategias y actuaciones del plan son las siguientes:

1) *Carreteras*. Sus estrategias se resumen en buscar soluciones para el crecimiento del tráfico, asegurar las conexiones con Europa, corregir la excesiva radialidad existente, facilitar el logro de una mayor cohesión económica y social y mejorar la calidad de la red y la seguridad vial. Por lo que se refiere a las actuaciones, se mantienen los cuatro programas pertenecientes al Plan de Carreteras 1984-1991 ya comentados.

2) *Ferrocarril*. Las estrategias correspondientes continúan con el desarrollo de la red de alta velocidad (buscando financiación mixta), la potenciación de los servicios de cercanías, la de las infraestructuras y equipamientos del transporte combinado y la mejora de las condiciones de explotación en el conjunto de la red. Las actuaciones van dirigidas a la alta velocidad y los accesos a la red europea, al cometido estructural y a otros programas complementarios, seguridad, conservación y actuaciones en la red de Feve.

3) *Puertos*. La idea es que se especialicen como centros de consolidación y distribución de mercancías, adecuando sus instalaciones y

Cuadro 17.10   Resumen de valoración de actuaciones del Plan Director

Programa de actuación	Total plan	
	Total	Media anual
1. Transporte interurbano	10.739	716
— Carreteras	5.468	365
— Ferrocarriles	3.222	215
— Puertos	800	53
— Aeropuertos	1.000	67
— Transporte combinado	121	8
— Actuaciones ambientales	128	9
2. Transporte urbano	3.440	229
3. Obras hidráulicas	2.225	148
4. Infraestructuras ambientales	1.854	124
5. Actuaciones en costas	450	30
6. I+D	45	3
Total	**18.753**	**1.250**

Fuente: Plan Director de Infraestructuras. 2ª edición, 1994.

medios de operación a las expectativas de negocio a medio y largo plazo.

4) *Aeropuertos*. Se busca la adecuación entre la oferta y la demanda, sobre todo en el nuevo contexto de economía mundializada en que vivimos. Por lo que se refiere al transporte interior, las estrategias y actuaciones buscan su compatibilidad con otros modos, así como permitir la accesibilidad a las zonas insulares.

5) *Transporte combinado*. Cada vez es más prioritario incrementar el nivel de integración del sistema de transporte mediante una mejor coordinación de los diversos modos y una optimización de las cadenas logísticas. Esto supone mejorar los accesos terrestres a los grandes nodos del sistema, armonizar técnicamente nuestros sistemas a los europeos e integrarlos en los corredores europeos.

6) *Actuaciones ambientales*. Son necesarias las actuaciones específicas que acondicionen los espacios degradados por la obra pública e integren las infraestructuras sin uso funcional en el patrimonio urbano o ambiental.

7) *Transporte en medio urbano*. La actuación sobre las principales áreas metropolitanas es básico ante el fenómeno de concentración de acti-

(miles de millones de pesetas de 1992)

PGE		Financiación extrapresup.	
Total	Media anual	Total	Media anual
7.383	492	3.356	224
5.223	348	245	16
1.981	132	1.241	83
		800	53
		1.000	67
101	7	20	1
78	5	50	3
2.752	183	688	46
2.225	148		
573	38	1281	85
225	15	225	15
15	1	30	2
13.173	**878**	**5.580**	**372**

vidades que se produce en las ciudades, lo que hace que el 50% de la población viva en las diecisiete mayores áreas metropolitanas. El objetivo, en este sentido, es que existe una perfecta integración en todas las políticas de transporte.

Las estrategias y actuaciones del Plan Director también hacen alusión a los recursos hídricos, las infraestructuras y equipamiento ambientales, las costas y el I+D.

3.4   La política de privatizaciones [1]

Dentro del sector del transporte, la idea de que la empresa pública puede ayudar a disminuir la desigualdad es una de las que más defensores ha tenido, por encima de otras defensas como el hecho de que existan monopolios naturales, se desarrolle una política regional adecuada, se produzcan externalidades, se dé pábulo a la creación de empleo, se intente luchar contra los casos de monopolios u oligopolios o, en general, se ocasionen los fallos de mercado ya comentados en el segundo epígrafe de este capítulo.

Como un mecanismo para resolver los problemas de las desigualdades de renta y riqueza, la prestación de un servicio básico en que el precio (sombra) se establece por debajo del que el mercado dictamine contribuye a aumentar la renta disponible de un sector de la población que, se estima, tendrá menores ingresos al emplear, comparativamente, más el transporte público que el privado (Gámir, 1999).

En España este sector del transporte es de los que menos privatizaciones está conociendo, salvo en lo que se refiere a algunos casos de desinversión. El proceso de privatizaciones comienza con cierta relevancia en 1985, con la venta del empresas del INI. Aquí se pueden citar las desinversiones de Seat (1986) y Enasa (1991), respectivamente, a Volkswagen e Iveco, en busca de un tamaño y una rentabilidad que no se podían conseguir de otra forma. Otros casos serían: Motores MBD (1986), Indugasa (1986), Dessa (1987), Astican (1989), Automoción 2000 (1993), C. Transatlántica (1994) y ASDL (1994).

El Programa de Privatizaciones del Partido Popular fue aprobado el año 1996 (junio), y desde entonces es uno de los instrumentos destacados de nuestra política económica. Los procedimientos han versado desde la utilización del mercado de valores, para las grandes empresas rentables, hasta otros métodos como el concurso restringido y el procedimiento negociado, la venta directa negociada, la subasta y las amortizaciones y ampliaciones de capital (los dos últimos son métodos para que el Estado disminuya su participación en el capital de las empresas), utilizados en las situaciones de pymes y empresas menos rentables.

El caso de Elcano (1997) se hizo, por ejemplo, mediante concurso restringido y procedimiento negociado, y fue comprada por el Grupo Marítimo Ibérico, compuesto por Soponata, Naviera Murueta y Remolcanosa. La misma forma se utilizó en el caso de Barreras (1997). En 1999 los casos de privatizaciones en marcha afectaban a algunas empresas del sector, como Enatcar e Iberia. En el primer caso, en el mes de octubre el Consejo Consultivo de Privatizaciones autorizó la venta de la compañía pública de transportes por carretera al grupo Alianza Bus (encabezado por Alsa) por 26.000 millones de pesetas. Para la compañía aérea se han seleccionado unos socios industriales e institucionales. El 15 de diciembre se firmó la venta del 40% de Iberia, lo que significa el primer paso a su privatización, por un valor de 181.740 millones de pesetas. Los accionistas de Iberia se pueden agrupar de la siguiente forma: Caja Madrid (10% de la inversión), British Airways y American Airlines (9% y 1% respectivamente), BBV (7,3%), Logista (6,7%), El Corte Inglés (3%), Ahorro Corporación (3%), y el resto (54%) se venderá por OPV.

Puede decirse que la política de privatizaciones ha seguido una línea de transparencia, ya desde su inicio, con la creación del Fondo de Garantía de Depósitos, y que ha culminado con la creación del Consejo Consultivo de Privatizaciones (1996). Deben apuntarse, no obstante, algunas críticas al proceso seguido (Fernández Ordóñez, 1999). Por un lado, la ruptura de la conexión política-empresa, como consecuencia de que ciertas personas relacionadas con el poder político hayan sido situadas al frente de empresas privatizadas; y, por otro, se ha abusado en ciertos casos de la utilización de las *golden share,* lo que también incide, negativamente, en la mencionada conexión. Dicho esto, el mercado podrá funcionar de forma más eficiente gracias a la política mencionada en este epígrafe.

4. Implicaciones de la política común de transporte para España

A pesar de que la política de transporte era una de las consideradas fundamentales ya desde la firma del Tratado de Roma, no ha sido hasta los últimos años cuando la Unión se ha concienciado de la importancia de un plan de coordinación entre sus países miembros sobre la misma, sobre todo en los aspectos competitivos, técnicos y fiscales. El mercado interior comunitario es un hecho, y tal política común una necesidad ineludible para que las libertades recogidas por el espacio constituido en la década de los noventa tenga sentido entre los países que lo integran, más si cabe en el momento en que ya se está hablando de una futura y nueva ampliación.

Será el Tratado de Maastricht (1992) el que insista en su prioridad, reconociendo el carácter básico de las redes transeuropeas y, por tanto, un ámbito de actuación supranacional para el transporte. Las referidas redes son necesarias para lograr el máximo beneficio de las empresas y trabajadores de la Unión, así como para disminuir las diferencias regionales, para lo cual es preciso crear autopistas de comunicación y distribución. El Libro Blanco sobre el crecimiento, la competitividad y el empleo (1993) de la Comisión Europea también se refirió a la necesidad de que la Unión interviniese en el desarrollo de esta política, ya que la ausencia de mercados abiertos y competitivos obstaculiza, en parte, la utilización óptima de las redes. Por su parte, el Tratado de Amsterdam (1997) ha vuelto a referirse al desarrollo de una política común de transporte, y en particular a las redes transeuropeas en los sectores de infraestructuras de transporte, telecomunicaciones y energía.

En este sentido los países miembros tienen que desarrollar líneas de actuación coordinadas, dando la posibilidad al sector privado para que participe gradualmente en la financiación de los proyectos del sector e incentivando aquellos proyectos «prioritarios» con gran demanda, presente y futura, y un beneficio económico y social remarcables. Para países como España, además, las redes transeuropeas poseen una evidente incidencia, al ser un país eminentemente turístico y con una elevada cifra de desempleo.

Entre las ventajas más significativas que se pueden lograr con esta política armonizada citaremos las siguientes:

— Creación de puestos de trabajo, pues los menores costes de transporte mejoran las posibilidades de desarrollo.
— Mayor seguridad en el transporte.
— Menor saturación, lo que disminuye las pérdidas de tiempo y el consumo de energía.
— Mayores posibilidades de elección para los viajeros, gracias a la amplia gama de transportes eficaces y adecuados a sus necesidades y a la disminución de barreras que impiden el correcto funcionamiento del Mercado Único.

El 1 de diciembre de 1998 la Comisión Europea publicó una Comunicación titulada «Política común de transportes. Movilidad sostenible: Perspectivas», con el objetivo de actualizar el «programa de acción» adoptado en 1995 y que esboza las perspectivas para el período comprendido entre los años 2000-2004.

Dentro de las recomendaciones del Consejo de la UE sobre orientaciones generales de política económica, de 12 de julio de 1999, se recoge el hecho de que España ha hecho grandes esfuerzos en los últimos años para mejorar el funcionamiento de los mercados de productos (idea clave que ya hemos comentado en estas páginas, junto a la relativa a los mercados de factores). No obstante, el Consejo recomienda que nuestros país redoble los esfuerzos en determinadas áreas, entre las que se encuentran:

— La correspondiente incorporación de la legislación del Mercado Único durante los últimos años, ya que todavía queda mucho por recorrer en este sentido, especialmente en el sector del transporte, a pesar de los progresos realizados al efecto.
— Las reformas legislativas acometidas, que ya han permitido alcanzar un alto grado de desregulación en los sectores de telecomunicaciones, la electricidad, el gas y el transporte aéreo.
— Aunque la privatización y la desregulación han sido importantes y podrían permitir un aumento de la eficacia de los mercados de bienes y servicios, es preciso reforzar la política de competencia para garantizar que los beneficios obtenidos a través de este proceso reviertan totalmente en los consumidores.

Al hilo de las últimas palabras, y dentro del **transporte aéreo**, por ejemplo, la competencia en el ámbito europeo está aumentando, como es lógico, con la incorporación al mercado de nuevos operadores que tienen costes de explotación muy bajos. De la misma forma lo ha hecho en los tráficos «punto a punto» y en los centros de distribución. La congestión en Barajas, en este sentido, ha limitado la capacidad de respuesta de los principales operadores españoles, que han comprobado los efectos negativos sobre su demanda en parte de estos servicios. También continúa la «batalla» en la oferta de destinos y frecuencias, así como en el área de precios (Ministerio de Fomento, 1998). En los próximos años, es de esperar la consolidación de los ajustes del mercado del transporte aéreo en el marco europeo. El mercado quedará controlado por los empresarios que sepan adaptarse con éxito al proceso de liberalización y mundialización económicas en que nos encontramos.

Comentarios similares podrían hacerse sobre el resto de modos de transporte. Así, para **el ferrocarril** es prioritaria la búsqueda de las condiciones óptimas para una gestión adecuada de la infraestructura, un desarrollo eficaz del transporte en coherencia con las necesidades del mercado y la mejora de la seguridad ferroviaria. Se espera que en un futuro próximo se produzca un continuo aumento de la movilidad y de la demanda de transportes, tanto en viajeros como en mercancías. Como quiera que, en unos años, será un hecho la saturación de los transportes aéreo y por carretera, el lugar a ocupar por el transporte ferroviario se convierte en fundamental. Los objetivos, en este sentido, deberían centrarse en el desarrollo de las ventajas tradicionales del sistema ferroviario (velocidad, seguridad, regularidad y capacidad), la potenciación de nuevas ventajas para los clientes, centradas sobre todo en una mayor calidad, y la racionalización del sistema de transporte, que logre la optimización de la productividad global.

Dentro del **transporte marítimo** son de resaltar las políticas comunitarias que buscan la mayor eficacia posible de los puertos y la mejora de los resultados del sector portuario en su conjunto, el desarrollo de la I+D, la seguridad, los aspectos medioambientales y las redes transeuropeas. Más en concreto son destacables, en nuestra opinión, las normas que se están estableciendo sobre seguridad marítima, prevención de la contaminación y condiciones de vida y de trabajo a bordo por parte de los buques que utilicen puertos comunitarios o las instalaciones situadas en aguas bajo jurisdicción de los Estados miembros.

Por lo que se refiere al **transporte por carretera,** las líneas de actuación se dirigen a garantizar el cumplimiento de las condiciones de competencia equitativas, así como reforzar la seguridad vial.

5. El futuro de la política de transporte

Como se señala en el Programa de Estabilidad español (1998-2002), la propia pertenencia a la UEM provocará necesariamente un cambio sustancial en el papel de los instrumentos tradicionales de política económica, otorgando mayor protagonismo a la consolidación fiscal y a las reformas estructurales. Más adelante el programa señala, por un lado, que en el diseño de la política presupuestaria se otorga un papel preponderante a la inversión pública y, por otro, que para apoyar a la política fiscal el Gobierno actuará, a conciencia, sobre las políticas de oferta o de reforma estructural.

Para reforzar la idea anterior, comentaremos que, dentro del Plan de Desarrollo Regional (2000-2006) elaborado por nuestro gobierno en 1999, se establecen algunas bases necesarias para potenciar el desarrollo de las regiones pertenecientes al objetivo 1 de los Fondos Estructurales (con renta per cápita inferior al 75% de la media de la UE). La cantidad destinada a las inversiones en estos siete años es de 26,9 billones de pesetas, de las cuales más del 50% se destinará a infraestructuras, y en concreto 9 billones al transporte y las comunicaciones y 2,4 al sector hidráulico y medio ambiente.

Más en concreto, entendemos que debe seguir insistiéndose en la necesidad de la realización de nuevos proyectos para las **carreteras**, junto a la adecuada gestión de la red actual. Gracias a ambos factores se conseguirá impulsar el acercamiento entre las distintas poblaciones dentro y fuera de España, hecho que posibilitará el logro de una superior competitividad territorial como consecuencia de la reducción de los costes del transporte. Además, el gasto dirigido a las infraestructuras tiene que estar relacionado con el correspondiente a los análisis, evaluaciones y proyectos precisos para optimizar la obra terminada.

Los objetivos «clave» en este modo de transporte pueden resumirse en:

— Establecimiento de una red capaz de asumir las necesidades del transporte de larga distancia.
— Superación de la excesiva radialidad de la red de itinerarios transversales que posibiliten una más eficiente asignación del tráfico.
— Eliminación de la congestión de ciertos tramos, generalmente colapsados.
— Mejora de las conexiones internacionales.
— Mantenimiento de la inversión dirigida al logro de la mayor seguridad posible, así como la búsqueda de la disminución del impacto medioambiental de las infraestructuras.

En el **transporte ferroviario** son imprescindibles, igualmente, unas infraestructuras capaces de asumir los incrementos de la demanda y la competencia. Aquí tiene un claro protagonismo la alta velocidad y la modernización de la infraestructura ya existente. También debe resaltarse la importancia del transporte de mercancías por ferrocarril ante las dificultades imperantes en las carreteras y la necesidad de perseguir la seguridad de este modo de transporte.

La búsqueda de soluciones para el **transporte aéreo** debe ser una de las prioridades de la futura política de transporte en el muy corto plazo, debido a la falta de adecuación entre las rutas y los aeropuertos existentes con la creciente demanda de este modo de transporte, todo ello en un marco de casi total liberalización. Evidentemente la inversión en seguridad es por completo necesaria. Estos aspectos estarán entre los objetivos del futuro sistema europeo de gestión del tráfico aéreo.

El **transporte marítimo** debe seguir especializándose, a nuestro entender, en el transporte de mercancías, gracias a sus ventajas competitivas con otros modos de transporte. Por otra parte, la liberalización del transporte de cabotaje (tanto español como comunitario) supondrá un aumento de la competencia de las navieras europeas en los tráficos explotados por las españolas. Esto hace imprescindible que mejore la productividad de las operaciones efectuadas por estas últimas.

En conclusión, queremos resaltar en estas páginas la importancia que en España poseen los diferentes modos de transporte. Si deseamos un crecimiento y desarrollo apropiados de nuestra economía, que conviertan a España en uno de los primeros países de la UE, el sistema de transporte tiene que estar a gran altura. Un sistema de transporte moderno y eficaz que sea capaz, además, de ser seguro y acorde con nuestra realidad medioambiental.

Notas

1 N. del C.: La política de privatizaciones ha sido tratada en el capítulo 11. La aportación de los autores en este capítulo, en cualquier caso, incorpora nuevas ideas y planteamientos que se han respectado plenamente, aunque surjan pequeñas redundancias.

Referencias

Armstrong, M., S. Cowan y J. Vickers (1994): *Regulatory Reform,* Cambridge, Mass., MIT Press.

Fernández Ordóñez, M. A. (1999): «Privatización, desregulación y liberalización de los mercados», en José Luis García Delgado (dir.), *España, Economía: ante el siglo XXI,* Madrid, Espasa Fórum, pp. 661-682.

Galbraith, K. (1996): *Una sociedad mejor*. Barcelona, Crítica.

Gámir, L. (1999): *Las privatizaciones en España*. Madrid, Pirámide.

Izquierdo, R. (ed.) (1994): *Transportes: un enfoque integral*. Colegio de ingenieros de caminos, canales y puertos.

Ministerio de Fomento (1998): *Los transportes y las comunicaciones*. Informe anual 1987. Madrid.

Rodríguez Sáiz, L. (1973): «La política económica de coordinación de los transportes: el caso de España», *Revista de Economía Política,* nº 64. Madrid, Instituto de Estudios Políticos, pp. 85-170.

Rus, G. de, y J. A. Herce (1996): «Introducción y resumen», en José A. Herce y Ginés de Rus (coords.), *La regulación de los transportes en España*, Madrid, Cívitas, pp. 19-36.

—, y Ch. Nash (1998): «Introducción», en Ginés de Rus y Chris Nash (coords.), *Desarrollos recientes en economía del transporte,* Madrid, Cívitas, pp. 25-35.

Sotelo, J. (1999): «Política Económica del Estado de Bienestar», en Andrés Fernández Díaz (dir.), *Fundamentos y papel actual de la política económica,* Madrid, Pirámide, pp. 345-366.

Winston, C. (1993): «Economic Deregulation: Days of Reckoning for microeconomist», *Journal of Economic Literature,* nº 31, pp. 1263-1289.

18. Política de telecomunicaciones

María Jesús Arroyo Fernández

1. Introducción

En los últimos años, asistimos a una profunda revisión de las actividades del sector público en la economía que ha dado lugar a que algunas de estas funciones estén siendo traspasadas al sector privado con diferentes métodos privatizadores, siendo ésta una tendencia general en todos los países, con independencia de la ideología de sus gobiernos. Al mismo tiempo, se están desarrollando diversos procesos desreguladores y liberalizadores en todos los ámbitos de los servicios públicos, tales como telecomunicaciones, transporte o electricidad.

El sector analizado en este capítulo es el sector de las telecomunicaciones, que históricamente se ha caracterizado por ser un sector estable, de crecimiento constante y que se ha desarrollado en torno a un gran operador nacional que explotaba, en régimen de monopolio, tanto la red como los servicios y cuya capacidad de inversión y de oferta de servicios era muy limitada. Así pues, durante años se ha defendido el sector de las telecomunicaciones como el campo propio de un monopolio natural basado en el carácter decreciente de los costes medios de las empresas, con la consiguiente configuración del sector en torno a una empresa única.

Sin embargo, las razones que han justificado esta intervención han sido sometidas a una profunda revisión, lo que ha dado lugar a un cambio en el sector de las telecomunicaciones caracterizado por un proceso de liberalización, desregulación y privatización que, con distinto ritmo y alcance, se está desarrollando a escala internacional. Estamos asistiendo al tránsito de un sector cuyo núcleo lo constituía una sola tecnología y un solo producto a un sector de múltiples tecnologías y múltiples productos que ha tenido un impacto inmediato sobre la regulación del sector y sobre la estructura y el comportamiento de los agentes implicados.

En este capítulo se exponen las razones que han justificado el cambio de regulación que se ha producido en el sector, así como el proceso desregulador de las telecomunicaciones en la Unión Europea y las distintas etapas que se pueden diferenciar en el proceso de liberalización acometido por España. Finalmente, se analiza la situación actual del mercado de servicios de telecomunicaciones en nuestro país que, junto con la evolución descrita en los apartados anteriores, permite extraer algunas conclusiones sobre la situación actual del sector y las perspectivas de futuro.

2. Análisis de la transformación reciente del sector de las telecomunicaciones

El modelo tradicional del operador de telecomunicaciones como una empresa única, integrada verticalmente, que era objeto de regulación pública se justificaba, principalmente, por la presencia de dos fallos del mercado. Por un lado, los condicionantes productivos y tecnológicos justificaban que el sector fuese un monopolio natural [1], lo que hacía necesario el establecimiento de un régimen tarifario global del sistema mediante el cual se ajustase eficientemente el nivel de capacidad y el grado de utilización horaria de la misma, de acuerdo con las condiciones de demanda y de costes. Y, por otro lado, la presencia de externalidades justificaba la intervención del sector público, abaratando el precio de acceso a la red mediante subvenciones o garantizando la universalidad del servicio, incluso en aquellas zonas no rentables.

Estas razones han estado sometidas a un profundo cambio desde la década de los setenta, transformando el sector tanto por la introducción de nuevos productos y servicios como por el actual dinamismo tecnológico al que está sometido.

Las principales fuerzas que han ido configurando un proceso de transformación del panorama tradicional de las telecomunicaciones en los últimos años han sido los avances tecnológicos, el aumento de la demanda global de nuevos servicios de telecomunicaciones por parte de empresas e individuos, la importancia económica creciente de las telecomunicaciones y, por último, el proceso de desregulación internacional del sector y la globalización de la economía internacional.

En primer lugar, los *avances tecnológicos*, producidos a partir de los años setenta, han propiciado una gran diversificación de la oferta de servicios y la convergencia tecnológica entre dos sectores que nacieron de forma independiente: las telecomunicaciones y la informática. Esta convergencia ha sido posible gracias a los procesos de digitalización de las señales y a la aparición de nuevos medios y soportes de transmisión[2], como la fibra óptica, los satélites o las comunicaciones móviles, que ha permitido incrementar la capacidad de transmisión y reducir costes, al mismo tiempo que genera la demanda de servicios nuevos, rápidos y de mayor calidad.

El sector de las telecomunicaciones es un sector donde la tecnología avanza muy rápidamente y que ha permitido lo que hoy en día se conoce como *sociedad de la información.* Además, esta tecnología no sólo tiene un impacto inmediato sobre las telecomunicaciones, sino que también se aplica a otros sectores, como el de la radiodifusión o los ordenadores, incluido Internet (Van Miert, 1999).

En segundo lugar, se ha producido un importante *aumento de la demanda global de telecomunicaciones*, fundamentalmente debido a los nuevos hábitos de vida caracterizados por la mayor movilidad y la descentralización y deslocalización de la producción, que, junto con el proceso de globalización y mundialización al que estamos asistiendo, exige al mercado una oferta adecuada de servicios de telecomunicaciones donde la fiabilidad, la confidencialidad y la interconectabilidad se convierten en factores clave (Taylor, 1994).

En tercer lugar, las telecomunicaciones se perfilan ya como uno de los *principales motores del crecimiento y del desarrollo económico*, ya que hoy día prácticamente la totalidad de los sectores de actividad económica están apoyando su desarrollo y eficiencia en las telecomunicaciones. El comercio mundial de este sector durante 1998 ha alcanzado una cifra conjunta de negocios que ha rondado la cifra de 800.000 millones de dólares, con un crecimiento esperado en las dos próximas décadas del orden del 7% y con un impacto muy favorable sobre el empleo[3].

Pero la importancia económica del sector no reside únicamente en su influencia sobre el sistema productivo, sino en el hecho de que las telecomunicaciones están presentes en gran parte de nuestras actividades cotidianas y representan, dentro de una sociedad donde el acceso a la información constituye un instrumento básico de competitividad y eficiencia, un factor determinante para el desarrollo de lo que se ha denominado «autopistas de la información» o «revolución multimedia».

Además, la mayor competencia derivada de la desregulación o liberalización del sector trae consigo una reducción de precios de las llamadas telefónicas[4], amplía la gama de servicios ofrecidos por los operadores y mejora la productividad y la competitividad de las empresas. Estos factores inciden muy positivamente sobre la competitividad del tejido empresarial de un país.

En cuarto y último lugar, estamos asistiendo a una reconfiguración del sector de telecomunicaciones, debido al *proceso de globalización* de las economías en el que estamos inmersos, que va a traer consigo un mercado con grandes compañías presentes con su gran oferta de servicios en todos los mercados del mundo. Este hecho constituye el punto de partida de un proceso de liberalización a nivel internacional que se está materializando en un proceso de fusiones, adquisiciones y alianzas a gran escala entre operadores (Camino y Trecu, 1995). Este proceso de fusiones se ha acelerado aún más en los últimos meses dado el endurecimiento de la competencia (por la privatización de los antiguos monopolios y la aparición de los nuevos operadores) y la modificación de las estructuras del sector que ha llevado a una serie de alianzas entre operadores comunitarios y no comunitarios como la fusión MCIWorldCom y Sprint (la más cara de la historia), la fusión Airtouch-Vodafone-Bell Atlantic, la OPA de Olivetti sobre Telecom Italia o la fusión de BT con AT&T.

En definitiva, las transformaciones tecnológicas y de demanda experimentadas en los últimos años, junto con el proceso de internacionalización de las economías, han tenido un impacto inmediato sobre la regulación y la estructura del sector y sobre el comportamiento de los agentes. Dicha transformación se ha puesto de manifiesto paulatinamente en los distintos procesos liberalizadores que se han acometido a nivel internacional y que se inician en Estados Unidos a principios de los setenta y que se traslada rápidamente a Japón, Gran Bretaña y Canadá en la década de los ochenta[5].

En los distintos procesos desreguladores del sector no ha existido una estrategia única o común sino que, en cada caso concreto, la liberalización ha tomado un perfil distinto basado en las características de la situación de partida. Así, en Estados Unidos la liberalización ha sido el resultado de decisiones judiciales que han fomentado la competencia plena, mientras que la reforma en Gran Bretaña, como antecedente de la acometida en el seno de la Unión Europea, ha sido más cautelosa, al crear un duopolio entre los operadores de telefonía básica.

3. El proceso desregulador en la Unión Europea

A comienzos de los años ochenta los distintos Estados miembros de la *Comunidad Europea,* entre ellos España, mantenían inalterado el esquema tradicional de regulación que se había implantado en el sector desde principios de siglo, a pesar de los beneficios económicos que traería consigo el proceso de liberalización de las telecomunicaciones puestos de manifiesto en los países pioneros que acometieron dichos procesos, como Estados Unidos, Japón o Gran Bretaña.

Sin embargo, la UE no ha querido permanecer al margen de los cambios acaecidos en el entorno, tanto tecnológicos como internacionales, por lo que a principios de los años ochenta empezó a regular el futuro espacio común europeo en materia de telecomunicaciones con la aprobación de diferentes programas hasta alcanzar la liberalización plena que ha culminado el 1 de enero de 1998 [6].

Así, tras las primeras actuaciones en telecomunicaciones en los primeros años ochenta (recuadro 18.1), la Comisión Europea elaboró en junio de 1987 el *Libro Verde sobre el Desarrollo del Mercado Común de Servicios y*

Recuadro 18.1 Principales programas de telecomunicaciones de la Unión Europea

Programa	Contenido
Programas de 1980 y 1984	Creación de un mercado comunitario de terminales. Utilización de los avances tecnológicos para el desarrollo de las regiones comunitarias menos favorecidas.
Programa de 1987	Objetivo: Mercado Único en 1992. Se configura el futuro modelo regulador europeo. Se liberaliza el mercado de equipos terminales y el de servicios de valor añadido. Se definen los principios técnicos y las condiciones de acceso a las redes (ONP). Se separan las funciones de regulación del sector y de explotación de los servicios.
Programa de 1993	Se establece la competencia para telefonía móvil y para las redes alternativas a partir de enero de 1996. Se liberaliza totalmente el servicio telefónico para enero de 1998 [1]. Total liberalización de nuevas infraestructuras para 1998 [1]. Se garantiza la cobertura universal del servicio. Se definen las condiciones de servicio público y las denominadas «tarifas de acceso».

(1) Posibilidad de prórroga de cinco años (hasta el 2003) para países con redes menos desarrolladas como Portugal, España, Irlanda, Grecia y Luxemburgo. Sin embargo, para España se fijó la fecha límite en el 30 de noviembre de 1998 por estar el mercado español en una mejor situación para entrar en plena competencia que el resto de países con posibilidad de prórroga.

FUENTE: Elaboración propia.

Equipos de Telecomunicaciones [7], en el que se fijan las principales líneas de actuación en materia de telecomunicaciones en el contexto de la realización del Mercado Único, que se concretan en las siguientes:

— Se recomienda la *liberalización de los equipos terminales de teleco-municaciones* con el fin de fomentar la competencia y de separar su compra o alquiler de la provisión del servicio, para lo que se fijan normas de homologación paneuropea de equipos.
— Se establece la creación de un *mercado común de servicios de tele-comunicaciones*, dirigido principalmente a liberalizar los servicios de valor añadido y de transmisión de datos al mismo tiempo que se mantiene en monopolio la telefonía vocal.
— Se determina la necesidad de la *armonización de las redes naciona-les* para posibilitar la oferta, en libre competencia, de los servicios no reservados. El esfuerzo armonizador se desarrolló mediante la de-finición de los principios técnicos y de las condiciones de acceso a las redes de todos los países y que se conoce como oferta de red abierta (ONP).
— Se establece la necesaria *separación entre las actividades de regula-ción y explotación* de los principales servicios de telecomunicacio-nes.

Un Informe de la Comisión [8] mostraba que, a pesar de las actuaciones contenidas en el Libro Verde, el modelo comunitario seguía siendo excesi-vamente tímido con la liberalización, por lo que, a partir de 1992, se pone de manifiesto el lento crecimiento de la competencia en los mercados na-cionales, la necesidad de que las tarifas siguieran la tendencia de los costes globales y la progresiva eliminación de las subvenciones cruzadas. El análi-sis de la situación culminaría en el acuerdo del Consejo firmado en junio de 1993, donde se opta por la liberalización total de la telefonía vocal y de las redes con arreglo a un calendario gradual, garantizando tanto el servicio público como la viabilidad financiera de los agentes del sector, pero pres-tando especial atención a las regiones periféricas.

En definitiva, el 1 de enero de 1998 ha culminado la liberalización de las telecomunicaciones según la normativa de la UE, abriéndose por último a la competencia tanto la telefonía básica como las infraestructuras. En este nuevo marco liberalizador, la regulación pública deberá instituir principios comunes que garanticen, entre otros elementos, una competencia leal, el suministro y la financiación del servicio universal, el establecimiento de normas en materia de interconexiones, la determinación de condiciones y procedimientos de concesión de licencias y un acceso comparable y efecti-vo al mercado, también en terceros países, mediante debates en los foros apropiados [9].

4. El inicio del proceso desregulador en España (1987-1994)

Los Estados miembros han tratado de acomodar su normativa nacional a las distintas directivas comunitarias con la intensidad que consideran oportuna. España es consciente de que el proceso de liberalización es irreversible y además conveniente para no perder el crecimiento económico que trae consigo el desarrollo del sector de las telecomunicaciones, y más siendo un país donde muchos de los servicios se prestan por primera vez y donde la capacidad de crecimiento de este sector le convierte en la locomotora interior de la inversión, el crecimiento y el empleo (cuadro 18.1). Asimismo, el gran protagonismo que está adquiriendo el sector en las economías desarrolladas puede ayudar a consolidar el largo ciclo de crecimiento económico que estamos disfrutando, dado que el mercado de telecomunicaciones en España superó ampliamente, en 1998, los 3 billones de pesetas, que en términos de contribución neta a la formación del PIB implica más del 3%.

Cuadro 18.1 Evolución futura del mercado español de telecomunicaciones (millones de pesetas)

	1996	2000	2007
Telefonía básica	1.014	1.225	1.671
Telecomunicaciones móviles	186	494	989
Datos (incluido alquiler de líneas)	108	123	145
Servicios de Valor Añadido	35	63	127
Total	**1.343**	**1.905**	**2.932**

FUENTE: Castilla (1999).

Las telecomunicaciones no sólo deben ser fomentadas porque contribuyen directamente al crecimiento económico, sino porque la competitividad y la productividad de la economía española, en general, y de los demás sectores, en particular, dependen trascendentalmente del desarrollo de este sector. Además hay que tener en cuenta que las telecomunicaciones son un factor de cohesión nacional y social muy importante, dado que España es un país periférico respecto del centro económico de Europa y en la propia España hay regiones alejadas de los centros económicos. En este sentido, unas telecomunicaciones baratas y eficaces suponen un acercamiento, una disminución de los costes de ser periférico.

Sin embargo, a pesar de la importancia económica que se deriva de la liberalización del sector, antes de iniciarse los procesos de desregulación las telecomunicaciones presentaban en España tres problemas fundamentales [10]: tarifas elevadas, tanto para conferencias telefónicas como para otros servicios de telecomunicaciones como los de transmisión de datos, excesivos tiempos de espera para ser atendidos y escasez de infraestructuras de telecomunicación en un país extenso geográficamente y con población dispersa. Estos problemas que caracterizaban nuestro sector se manifestaban también en la menor densidad de líneas telefónicas en España respecto a la media de la OCDE y del resto de países pioneros en el proceso liberalizador (cuadro 18.2).

Cuadro 18.2   Densidad de líneas por cada 100 habitantes

	1985	1990	1995
Australia	41,2	47,2	51,0
Austria	36,1	41,8	46,6
Canadá	46,9	57,5	60,0
Dinamarca	49,7	56,6	61,3
Finlandia	44,7	53,5	55,0
Francia	41,7	49,5	56,3
Alemania	41,9	47,4	49,5
Grecia	31,4	39,1	49,4
Irlanda	19,9	28,1	36,7
España	*24,3*	*32,4*	*38,5*
Suecia	62,8	68,3	68,1
Estados Unidos	49,6	54,6	62,7
Japón	37,6	44,1	48,8
Reino Unido	37,0	44,2	50,2
OCDE	*35,4*	*41,3*	*47,2*

FUENTE: OCDE (1997b).

La incorporación de España a la Comunidad Europea en 1986 exigió la reforma de la regulación vigente [11] en ese momento sobre el sector para adecuarse a las recomendaciones contenidas en el Libro Verde, sobre todo en lo relativo a la telefonía básica y las comunicaciones móviles. Este proceso de adaptación normativa, caracterizado en todo momento por su lentitud, comenzó con la aprobación de esta Ley de Ordenación de Telecomunicaciones (LOT) en diciembre de 1987 y culminó con su posterior revisión y actualización en 1992 y la posterior reforma acometida en junio de 1996 y abril de 1998.

La *Ley de Ordenación de Telecomunicaciones* (LOT) trató de establecer, por primera vez en España, un marco jurídico básico para las diversas modalidades de telecomunicaciones y definió las principales líneas de actuación de la política española respecto al sector. Esta política «persigue tres objetivos, la promoción de un conjunto de servicios que responda a las necesidades presentes y futuras, el desarrollo de las infraestructuras necesarias para ello y el establecimiento de unas bases legales para las telecomunicaciones que garanticen su desarrollo futuro. La finalidad de éstos es que puedan cumplir con el apoyo al desarrollo tecnológico y económico de España» (Autel, 1994).

La organización del sector efectuada por la LOT puede concretarse en los siguientes puntos:

— Reserva al Estado tanto la competencia exclusiva en materia de telecomunicaciones como el papel de la planificación global de las infraestructuras y redes de telecomunicaciones por ser definidos como servicios esenciales reservados al sector público.
— Confirma la provisión de ciertos servicios en régimen de monopolio mientras que abre a la libre competencia la provisión de servicios de valor añadido (que añaden facilidades al servicio soporte). Se mantienen en régimen de monopolio los servicios finales (servicios básicos) y los servicios portadores (servicios de red), por lo que los servicios de valor añadido, salvo alguna excepción, tienen que utilizar la red de los servicios finales y portadores para evitar duplicidad de inversiones y de redes [12].
— Liberaliza el mercado de equipos terminales y establece los mecanismos de homologación y certificación de los equipos.
— Se tiende a la integración de redes y a su control público, para lo que el Gobierno debe aprobar los Planes Nacionales de Telecomunicaciones.
— Por último, la Ley potencia el papel del entonces Ministerio de Transportes, Turismo y Comunicaciones como órgano encargado de la ejecución y el seguimiento de la política de telecomunicaciones. Refuerza, por tanto, la separación de responsabilidades entre el sector público como entidad reguladora y el sector privado como entidad prestataria de los servicios, donde las funciones de la agencia reguladora las ejerce la Dirección General de Telecomunicaciones, adscrita al Ministerio.

Como se acaba de exponer, la LOT establecía como novedad importante la aprobación por parte del Gobierno del Plan Nacional de Telecomunicaciones (1991-2002), que pretendía promover la oferta de servicios básicos con posibilidad de su extensión a todo el territorio, evitar que las nuevas tecnologías acentuasen las desigualdades sociales, consolidar un sector de telecomunicaciones fuerte y cooperar en la creación de un espacio europeo de telecomunicaciones.

Asimismo, la LOT establecía los criterios para la formalización de un nuevo contrato con Telefónica donde se determinaban los servicios portadores y finales que se le concedían a la compañía, se limitaba la participación del capital extranjero hasta el 25% máximo, se le permitía explotar servicios de valor añadido en competencia y se designaba un delegado del Gobierno en Telefónica que velase por el buen cumplimiento del contrato y que tuviera derecho de veto en el caso de que alguna medida fuera en contra del interés general. Este nuevo contrato, cuya firma se había fijado en el plazo de un año, se retrasó y no se firmó hasta 1991, por el profundo cambio que suponía respecto al anterior contrato, puesto que el nuevo estaba orientado a la implantación progresiva de la competencia.

Sin embargo, la firma del Acta Única y la publicación del *Libro Verde sobre el Desarrollo del Mercado Común de Servicios y Equipos de Telecomunicaciones* hicieron necesaria la modificación de la LOT para su adaptación a estos textos, quedando aprobada definitivamente dicha reforma por el Congreso de los Diputados el 17 de noviembre de 1992. Esta reforma de la LOT dio paso verdaderamente a la liberalización del sector, no sólo por la introducción de grandes cambios para su adaptación a la normativa comunitaria, sino por la incorporación de nuevas medidas para mejorar la regulación del sector. Estas medidas se pueden resumir en las siguientes (Caballero, 1993):

— Telefónica vio limitada su exclusividad al servicio telefónico básico, al servicio portador soporte del mismo (red) y al alquiler de circuitos de dicha red, mientras que Correos mantenía en exclusiva los servicios de télex y telegramas.

— Se mantenía la provisión de los servicios finales en régimen de monopolio (servicio telefónico básico, télex y telegramas), mientras que se regulaba la entrada en los servicios portadores, siempre que no fueran utilizados como soportes de servicios de difusión de imágenes. Asimismo, se establecía una política de duopolio en los servicios de prestación de red, a través de Telefónica y Correos.

— El resto de servicios no circunscritos al monopolio se abría a la libre competencia, aunque condicionada a una autorización administrativa, incluyéndose dentro de los servicios de valor añadido servicios tales como el telefax o la telefonía móvil automática o marítima. Por su parte, los terminales debían ser homologados técnicamente.

— Se establecía en ambos tipos de servicios, por motivos de defensa nacional, un límite del 25% a la participación extranjera.

— Se regulaba la instalación de redes propias de telecomunicaciones, distintas de las de los titulares de servicios portadores y finales, por todos aquellos explotadores de servicios públicos basados en infraestructuras físicas de carácter continuo.

— Por último, se establecieron las competencias del Ministerio de Obras Públicas, Transportes y Medio Ambiente como entidad reguladora.

Desde entonces, y dados los hechos acaecidos en la Comunidad, principalmente tras el programa de 1993 (recuadro 18.1), el Ministerio de Obras Públicas, Transportes y Medio Ambiente, previa deliberación del Consejo de Ministros, acordó el día 14 de noviembre de 1994 establecer las siguientes líneas estratégicas de la política de telecomunicaciones para el período 1994-1998 [13]:

— Respecto a la *telefonía vocal básica*, se determinó que la liberalización total de la telefonía vocal y de la internacional se produciría el 1 de enero de 1998, siempre que se extendiera el servicio al territorio nacional antes del 1 de enero de 1997, se adaptase el marco tarifario [14] a las condiciones de la competencia internacional y se definieran las obligaciones de servicio público de la telefonía vocal y se garantizase su prestación mediante la fijación de tasas de acceso que deben pagar los operadores al que asuma la obligación. Estos criterios de servicio universal y de tasas de acceso debían ser establecidos, en primer lugar, por la UE, y con posterioridad se traspondrían dichos criterios a la normativa interna. Asimismo, para alcanzar la liberalización total, el Ministerio de Obras Públicas, Transportes y Medio Ambiente (MOPTMA) concertaría con Telefónica un contrato para el período 1995-1997 en el que se establecerían el marco tarifario y los niveles de extensión del servicio telefónico.
— Respecto a la *telefonía móvil*, se acordó resolver el concurso de la concesión para la segunda licencia de telefonía móvil automática con tecnología digital paneuropea GSM antes de diciembre de 1994 y habilitar la prestación de este servicio a una filial de Telefónica cuando se cumpliesen las condiciones adecuadas.
— Respecto a la *televisión por cable y por ondas terrestres*, se decidió aprobar antes del 31 de diciembre de 1994 un proyecto sobre televisión por cable que facilitase el desarrollo de los servicios de multimedia, potenciando la instalación de los servicios de banda ancha. Se fija también la misma fecha para el proyecto de la televisión local por ondas terrestres.
— Se autorizó la reventa de la capacidad excedente de los circuitos alquilados al 1 de enero de 1995, al tiempo que se reducían las tarifas del servicio de alquiler de circuitos de Telefónica.
— Se pretendía constituir una entidad arbitral, dotada de autonomía y medios adecuados, para garantizar las condiciones de competencia efectiva en los mercados de telecomunicaciones. Esta entidad estaría adscrita al MOPTMA.

— El Plan Nacional de Telecomunicaciones 1991-2002 debía ser revisado y actualizado por el Ministerio para incorporar los acuerdos enumerados en los puntos anteriores.

Como consecuencia de todo este proceso de reforma, los equipos terminales quedaron liberalizados desde 1989, la competencia en los servicios de valor añadido no radioeléctricos fue efectiva desde 1987 y en 1992 se concedieron tres licencias de *paging* (buscapersonas) que además de mejorar las comunicaciones empresariales generaron una clientela cercana a las 80.000 personas. Más tarde, se concedieron más de dieciséis licencias de comunicaciones móviles en circuito cerrado *(trunking)*. La liberalización de la conmutación de datos se hizo efectiva en 1993, habiéndose concedido más de ocho licencias. Y la reventa de la capacidad de transmisión se prorrogó hasta 1996, al igual que la oferta ONP de líneas alquiladas, que quedaron pendientes de la transposición de algunos artículos de las directivas comunitarias.

Por último, en 1994 (con un año de retraso) se aprobó el reglamento de servicios de la telefonía móvil automática en su modalidad GSM y se convocó el concurso para la concesión de otra licencia para que, además de Telefónica, otro operador pudiera ofrecer este servicio. La licencia para un segundo operador de telefonía móvil fue otorgada en 1995 al consorcio Airtel. También se aprobó en 1994 el proyecto de la televisión por cable y por ondas (con más de tres años de retraso), y, por último, en 1995 (con un cierto retraso) se aprobaron los proyectos de liberalización de las telecomunicaciones por cable y por satélite.

5. Hacia una mayor liberalización del sector (1996-1997)

A pesar de la aprobación de la Ley (LOT) de 1987, y sus posteriores reformas, que pretendían tímidamente iniciar la desregulación de las telecomunicaciones en nuestro país, el verdadero impulso del proceso liberalizador del sector se ha acometido a raíz de la aprobación por parte del Gobierno del Real Decreto-Ley de junio de 1996, de liberalización de las telecomunicaciones, así como con el desarrollo reglamentario al que este Real Decreto ha dado lugar.

Este proceso se ha acentuado con la aprobación de la Ley de abril de 1997, que derogaba y sustituía al mencionado Real Decreto-Ley y que ha introducido importantes cambios respecto al régimen anterior. Las principales medidas adoptadas han sido las siguientes (Gómez Acebo y Pombo, 1997, y Mayor Menéndez, 1999):

— Se suprime la delegación del Gobierno en Telefónica y la Junta Superior de Precios.

— Se crea un órgano regulador independiente, la Comisión del Mercado de Telecomunicaciones, con autonomía plena y con miembros de reconocido prestigio, que ofrece una mayor garantía de competencia en el sector. Su principal función es velar por una competencia efectiva, transparente y con igualdad de trato, lo que implica arbitrar conflictos entre operadores, informar sobre las tarifas de servicios aún en monopolio, denunciar actividades contra la libre competencia, asesorar al Ministerio de Fomento y salvaguardar el libre acceso a las redes.

— Se elimina el monopolio telefónico permitiendo la creación de otros operadores en redes y servicios. Esta progresiva aparición de nuevas entidades prestadoras de los distintos servicios finales y de los distintos servicios portadores se configura como un elemento clave de la política de liberalización del sector.

— Se suprime el oligopolio de servicios portadores, que hasta entonces ejercían Telefónica, Retevisión y Correos.

— Para permitir una competencia efectiva y real, se suprime la obligación de la cobertura a todo el territorio para la prestación de servicios portadores o finales y se circunscribe únicamente a lo que determine el título habilitante.

— Se decide la privatización total y absoluta del operador dominante Telefónica de España S.A.[15].

— Se concede la licencia del segundo operador de telecomunicaciones para la prestación del servicio de telefonía básica al Ente Público de la Red Técnica Española de TV (Retevisión), estableciéndose además las bases para la privatización de esta sociedad anónima. Con la concesión de esta licencia finaliza el monopolio de Telefónica, pudiéndose aprovechar las redes de telecomunicaciones existentes y generándose nuevas oportunidades de inversión.

— Se permite el acceso a las redes públicas a otros operadores siguiendo la normativa comunitaria, con la posibilidad de una mayor competencia ante los nuevos operadores.

— Se flexibiliza el porcentaje máximo de inversión extranjera cuando haya acuerdos internacionales, bajo el principio de reciprocidad, lo que trae consigo mayores posibilidades de inversión hacia y desde el exterior.

— Se modifica la ley de telecomunicaciones por cable revisando las demarcaciones, las convocatorias de los concursos y la adjudicación de las mismas. Se amplía de 9 a 24 meses el plazo de cadencia que Telefónica debe esperar para poder operar en las demarcaciones del cable donde otro operador haya ganado el concurso. Y se establece un plazo máximo de dos meses desde que se aprueban las bases de los concursos para que Telefónica muestre su interés para actuar en una demarcación concreta del cable, lo que favorece la competencia efectiva en el sector del cable.

— Se profundiza en la liberalización de las telecomunicaciones móviles, regulando una nueva modalidad, la denominada DCS-1800, otorgando dos nuevas licencias a Telefónica y Airtel y previendo un concurso para la 3ª licencia de ámbito nacional, que fue concedida en junio de 1998 al consorcio Retevisión Móviles (Amena).

Éstas fueron las medidas liberalizadoras acordadas en abril de 1997 que daban un nuevo impulso liberalizador a las telecomunicaciones y que tenían como objetivo último alcanzar una mayor competencia. Sin embargo, la normativa comunitaria exigía la liberalización completa de los mercados de infraestructuras, servicios y equipos terminales en enero de 1998, aunque España contaba con la posibilidad de una prórroga respecto a la telefonía vocal a la que había renunciado en numerosas ocasiones.

En definitiva, todos los sectores habían sido liberalizados de acuerdo con la normativa comunitaria excepto la telefonía vocal y las infraestructuras, donde tomando ejemplo de la liberalización acometida por Gran Bretaña el Gobierno aprobó un duopolio entre Telefónica y Retevisión antes de acometer la liberalización completa para favorecer la inversión, abaratar costes y facilitar un tránsito ordenado a la competencia plena. Este duopolio se concibió como una etapa intermedia hacia la liberalización total que, sin duda, culminó con la entrada de otros operadores en diciembre de 1998 y donde los nuevos operadores pueden prestar servicios telefónicos no urbanos a través de las redes públicas de Telefónica previo pago de una cuota de acceso.

6. La liberalización plena: la Ley General de Telecomunicaciones de 1998

El carácter tan dinámico del sector, la evolución del proceso liberalizador y las últimas normativas de la Comunidad Europea provocaron que la Ley de 1987 se quedase desfasada en un corto período de tiempo y que, por tanto, tuviera que ser reemplazada por una nueva Ley General de Telecomunicaciones (LGTel). En esta línea de actuación, el Gobierno ya anunció que el proceso normativo debía culminar en la elaboración y aprobación de un nuevo texto legal que sustituyera a la LOT y que regulase el sector de las telecomunicaciones en un entorno plenamente liberalizado. Este objetivo se cumplió con la aprobación de la LGTel en abril de 1998.

La nueva ley determina como objetivo fundamental, en primer lugar, la regulación de las telecomunicaciones, promoviendo las condiciones de competencia entre los operadores de servicios y poniendo fin a los derechos exclusivos; y en segundo lugar, determina las obligaciones de servicio público y garantiza a todos el denominado servicio universal, que implica ofrecer un servicio básico a un precio asequible. Asimismo, intenta promover el desarrollo de nuevos servicios, redes y tecnologías con el uso eficaz de recursos limitados y defender los intereses de los usuarios. Más detalladamente la nueva ley recoge los siguientes aspectos (CMT, 1999, y Villar, 1999):

— Se modifica la naturaleza jurídica de las telecomunicaciones, antes definidas como «servicios esenciales de titularidad estatal reservados al sector público» para ser definidas ahora como «servicios de interés general».
— Se regula la numeración como elemento esencial de la prestación del servicio de telecomunicaciones. Le corresponde la elaboración y la aprobación de los planes nacionales de numeración a la Administración, mientras que la gestión le corresponde a la Comisión del Mercado de Telecomunicaciones (CMT). Se le garantiza al usuario el poder conservar su número aunque cambie de operador y siempre que no cambie de ubicación geográfica.
— Siguiendo la normativa comunitaria, para fomentar la plena competencia se establece un sistema de autorizaciones generales y de licencias individuales para la prestación de los servicios y la instalación o explotación de redes de telecomunicaciones. También se crea el Registro Especial de Titulares de Licencias Individuales y de Autorizaciones Generales, dependientes de la CMT.
— Se regula la interconexión de las redes para garantizar la comunicación entre los usuarios, el servicio universal y la interoperabilidad mediante la aplicación de los principios de red abierta (ONP). Para ello, se establece que los precios de interconexión estén basados en los principios de transparencia y orientación a costes, puesto que son un elemento imprescindible si se quiere fomentar la competencia con aquellos operadores que acaban de acceder al mercado. Los conflictos sobre interconexión serán resueltos por la CMT.
— El operador dominante debe facilitar la entrada de los nuevos operadores mediante la utilización de las redes ya existentes. Se considera operador dominante el que durante el año inmediatamente anterior tenga una cuota de mercado superior al 25% de los ingresos brutos globales en un ámbito territorial determinado.
— Se regulan las obligaciones de servicio público que se imponen a los explotadores de redes públicas y a los prestadores de los servicios de telecomunicaciones disponibles para el público. Para garantizar el denominado servicio universal es necesario que los ciudadanos puedan acceder a un precio asequible al servicio telefónico básico, si así lo solicitasen, al mismo tiempo que se les ofrezca una guía telefónica básica o que puedan disponer de teléfonos públicos. El operador con carácter dominante en el mercado será quien tenga las obligaciones de la prestación del servicio universal, previa creación de un fon-

do donde participarán todos los operadores del mercado en función de sus ingresos. El control del cumplimiento de las obligaciones corresponde a la CMT.

— La ley engloba dentro de la categoría de servicios obligatorios los servicios de télex, telégrafos y similares, servicios de líneas susceptibles de arrendamiento o de transmisión de datos, los avanzados de telefonía disponible al público, los RDSI y, en especial, los de correspondencia pública marítima. También se prevé la posibilidad de incorporar, con carácter extraordinario, otras obligaciones de servicio público por razones de defensa nacional, de seguridad pública, sanidad o razones de cohesión territorial.

— Por último, se unifica el régimen de tasas y cánones aplicables a los servicios de telecomunicaciones con el objeto de compensar el coste de determinados servicios, se revisa y actualiza el sistema de infracciones y sanciones y se adapta a la normativa comunitaria el régimen de certificación de aparatos de telecomunicaciones.

Esta nueva Ley General de Telecomunicaciones avanza claramente en el camino hacia la plena liberalización donde los servicios de telecomunicaciones podrán ser prestados tras haber obtenido una autorización general sin que se limite el número de empresas prestatarias (salvo ciertas excepciones recogidas en la Ley) y se podrán tramitar las autorizaciones y las licencias en cualquier Estado miembro de la UE aunque sea distinto de aquel donde va a prestar los servicios. Además, esta LGtel regula el procedimiento de ventanilla única para la obtención de los títulos habilitantes para prestar los distintos servicios o explotar las redes. Con estas reformas introducidas en la Ley se ha producido un profundo cambio en el panorama actual del mercado de telecomunicaciones en nuestro país en los distintos servicios de telefonía fija, móviles, satélite o cable.

7. Situación actual del mercado

Como ya se ha comentado a lo largo del capítulo, el sector de las telecomunicaciones resulta de crucial importancia para el crecimiento y desarrollo de nuestro país, habiéndose configurado como la locomotora de la última expansión vivida por nuestra economía, y más a partir de la simbólica fecha del 1 de diciembre de 1998, fecha en la que se procede a la apertura del sector a la competencia y la entrada de numerosas empresas prestadoras de nuevos servicios de telecomunicaciones, que configuran al sector en una pieza clave del desarrollo futuro de la economía española.

La importancia económica del sector de las telecomunicaciones en nuestra economía se pone claramente de manifiesto en la evolución de los indicadores económicos. La Comisión del Mercado de Telecomunicaciones

(1999) estima que el sector facturó 2,9 billones de pesetas en 1998, incluyendo dentro del sector a los mercados de servicios de telecomunicaciones, audiovisuales, telemáticos e interactivos. Esta cifra de facturación representa un 3,5% del PIB, con un crecimiento del 5,1% respecto al año anterior, centrado principalmente en un aumento del consumo de servicios móviles y audiovisuales y que pone de relieve que este sector ha crecido por encima de la media del resto de sectores.

Los datos relativos al empleo, a la inversión y a la publicidad son buena prueba de la trascendencia económica del sector. De hecho, se estima que el número de empleados en 1998 ascendió a 96.105, que representa un 0,73% del empleo total y un 1,18% respecto al sector servicios. La inversión bruta del sector de telecomunicaciones supuso un 4,32% de la formación bruta de capital fijo durante ese mismo año, con un crecimiento muy considerable respecto al año anterior debido, principalmente, a las inversiones realizadas por nuevos operadores como los de cable y los de servicios de valor añadido, aunque las operadoras de telefonía fija y de telefonía móvil siguen manteniendo la mayor parte de las inversiones. Además, la importancia creciente del sector se pone también de manifiesto en el gasto en publicidad que muestra una tendencia ascendente, duplicándose en tan sólo un año respecto a 1997 y ocupando la mayor parte de este gasto los servicios audiovisuales, la telefonía móvil y la telefonía fija, por orden de participación.

Se ha constatado que la mayor competencia ha traído consigo una mayor oferta de servicios de telecomunicaciones, aunque la telefonía fija sigue albergando el mayor porcentaje de ingresos (48%), seguido de la telefonía móvil (22%) y de los servicios audiovisuales (18,7%) (gráfico 18.1). Del mismo modo, la telefonía fija concentra la mayor parte de los trabajadores (63%), seguida a larga distancia del sector audiovisual (24%) y de la telefonía móvil (7%), cuyo número de empleados es relativamente bajo respecto a su volumen de facturación. Asimismo, y a pesar de los datos, Telefónica S.A. sigue configurándose como la primera empresa del sector en todos los ámbitos, como se podrá constatar en los siguientes apartados.

7.1 Telefonía fija

En 1998 las entidades que prestaron servicios de telefonía fija fueron Telefónica y tres nuevos operadores globales que empezaron a dar servicio en ese mismo año y que son Retevisión, que presta servicios a nivel nacional excepto en la comunidad autónoma de Euskadi, Euskaltel S.A., que presta servicios en la anterior comunidad, y Lince Telecomunicaciones, que presta servicios a nivel nacional y cuya marca comercial es Uni2.

Estos operadores no han ofrecido todos los servicios que se engloban dentro de la telefonía fija sino que, a excepción de Telefónica, han centrado

Gráfico 18.1   Facturación del sector de telecomunicaciones en 1998

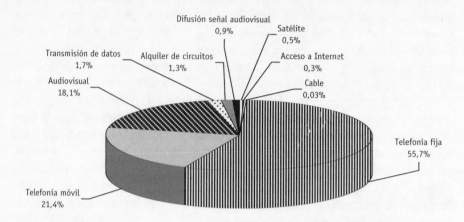

FUENTE: CMT (1999).

su actividad en el servicio telefónico de larga distancia, de manera que los tres operadores han ofrecido llamadas interprovinciales e internacionales, pero las llamadas provinciales sólo las han prestado Euskatel y Retevisión (en algunas provincias), mientras que las llamadas de fijo a móvil fueron prestadas sólo por Retevisión y Euskaltel.

El mercado de la telefonía fija ascendió en 1998 a más de 1.147.000 millones de pesetas, lo que implica un incremento cercano al 2% respecto al año anterior debido en gran parte a la facturación por segundos, a los planes de descuento y al abaratamiento de precios y tarifas que han sufrido las llamadas no locales por la mayor competencia. Asimismo, el número de clientes de telefonía fija asciende a unos 17,5 millones, por lo que la tasa de penetración telefónica se sitúa en el 41%.

Telefónica sigue ostentando su liderazgo con cerca del 98% del total, aunque esta cuota de mercado es poco representativa puesto que los principales competidores de Telefónica han operado básicamente en las llamadas de larga distancia (provincial, interprovincial, internacional y de fijo a móvil). Por tanto, para analizar con mayor exactitud los efectos de la competencia hemos de centrarnos en la telefonía de larga distancia, donde se comprueba que los nuevos operadores han ganado una mayor cuota de mercado a Telefónica, quien todavía mantiene su predominio con el 96% de cuota frente al 3,2% de Retevisión o al 0,6% de Euskaltel, mientras que Lince empezó a operar en diciembre de 1998, por lo que casi ni se la contabiliza.

Como consecuencia de esa competencia entre operadores en el mercado de larga distancia se ha apreciado una tendencia ascendente de la demanda, que realmente ha crecido mucho en términos de tráfico cursado, aunque la facturación no se haya incrementado en igual medida. También se ha apreciado que el coste medio de un minuto de este tipo de llamadas se ha reducido en más del 30% respecto al año anterior. Sin embargo, el beneficio económico resultante es aún mayor si a esta reducción de precios le unimos que más del 70% de la factura media de un cliente se centra en llamadas de larga distancia, aunque continúa el predominio de las llamadas metropolitanas frente al resto.

En definitiva, desde que se rompió el monopolio de la telefonía fija y Retevisión comenzó a ofrecer estos servicios, a principios de 1998, el cambio hacia la liberalización plena ha adquirido tal ritmo que, en la actualidad, cualquier operador puede acceder al mercado cumpliendo los requisitos que se detallan en la Ley. Este ritmo de cambio ha provocado una gran batalla entre los nuevos operadores por ganar parte de cuota de mercado a Telefónica, batalla que ha sido liderada en primer lugar por Retevisión, y más tarde seguida por Uni2, JazzTel, BT o Colt, que ya ofrecen este tipo de servicios de telefonía fija en nuestro país. Como consecuencia de la nueva situación de competencia, se ha producido una agresiva campaña publicitaria basada en tarifas más bajas (con la excepción de las llamadas metropolitanas, que en 1999 todavía las sigue ofreciendo Telefónica en régimen de monopolio), o con la eliminación del horario punta, la eliminación del pago por establecimiento de llamada o la ampliación del período de tarifa reducida.

7.2 Servicios móviles

Se puede diferenciar dentro de las comunicaciones móviles, los servicios de telefonía móvil automática, los servicios de radiobúsqueda *(paging)* y los servicios de radiocomunicaciones en grupo cerrado de usuarios *(trunking)*. En estos dos últimos sistemas de comunicaciones móviles han prestado servicios varios operadores en régimen de competencia, y su cuota de mercado (en función de la facturación) ha ascendido al 0,3% en los servicios de *trunking* y al 0,8% en los de radiomensajería respecto al total de servicios móviles.

La telefonía móvil automática se presta en nuestro país en dos modalidades: el sistema analógico, que sigue explotándose en régimen de monopolio desde mediados de los años ochenta por Telefónica (a través de Moviline), y el sistema digital, que se presta desde 1995 por parte de Telefónica (a través de Movistar) y de Airtel, mientras que a partir de 1998 se ha concedido una nueva licencia a Retevisión (a través de Amena) que ha empezado a operar en enero de 1999.

Según las estimaciones de la Comisión Nacional del Mercado de Telecomunicaciones, el mercado de servicios móviles ascendió a 650.000 millones en 1998, que en cuotas de mercado supone un predominio casi absoluto de la telefonía móvil con el 98,9% del mercado, donde Telefónica ostenta el 71,8% y Airtel el 27,11%. Asimismo, la telefonía móvil ha incrementado su facturación cerca del 40% respecto al año anterior a pesar de que el número de clientes haya crecido cerca del 60%, colocando la tasa de penetración de telefonía móvil en España en el 15%, cifra todavía inferior a la media comunitaria (cuadro 18.3). Este mayor número de usuarios puede deberse a la bajada de precios consecuencia de la mayor competencia, a las fórmulas prepago (frente a las de postpago tradicionales) y a las fórmulas de descuento.

Cuadro 18.3   Población abonada a la telefonía móvil en 1998 (%)

Países	*Tasa %*	*Países*	*Tasa %*
Alemania	14,8	**Finlandia**	53,3
Austria	22,6	**Francia**	15,2
Bélgica	15,3	**Grecia**	15,7
Dinamarca	31,8	**Noruega**	44,1
España	*15,0*	**Portugal**	23,5
Italia	30,5	**Reino Unido**	17,9
Holanda	17,8	**Suecia**	47,6
Irlanda	18,2	**Suiza**	20,5
Islandia	32,3		
Media Europa Occidental			*20,3*

FUENTE: Mobile Communications (1998).

7.3   Otros servicios

Aunque los servicios de telefonía fija y los servicios móviles son los más destacados en cuanto al volumen de facturación, el resto de servicios de telecomunicaciones tales como el alquiler de circuitos, la transmisión de datos, las comunicaciones corporativas [16] o los servicios audiovisuales son considerados también como servicios básicos, tanto por motivos de trabajo como por motivos de ocio, y con un claro reflejo en una demanda creciente. De todos los servicios anteriores, el mercado de alquiler de circuitos y el de transmisión de datos están relacionados más directamente con la telefonía fija.

Dentro de un proceso de liberalización del sector, el mercado de alquiler de circuitos es un elemento básico para lograr una competencia efectiva y leal, puesto que permite que los nuevos operadores entrantes en el mercado que no dispongan de sus propias redes puedan ofrecer servicios de telefonía a través del alquiler de los circuitos. Este mercado, que ha alcanzado un volumen de facturación en 1998 de 127.000 millones de pesetas, está liderado por Telefónica, con más del 90% de cuota de mercado, seguida de Retevisión.

El mercado de transmisión de datos también ha incrementado su volumen de facturación en 1998 llegando a superar los 80.000 millones de pesetas. En este caso, en cambio, el mercado no está tan concentrado como el servicio de alquiler de circuitos, aunque Telefónica sigue ocupando el liderazgo con una cuota de mercado superior al 80%, seguida de BT Telecomunicaciones, S.A., o de Global One Comunications Service, S.A., entre otros.

8. Conclusiones

En los últimos años estamos asistiendo a un cambio de orientación en la política económica que los distintos gobiernos de los países de la OCDE habían practicado hasta entonces. Uno de los rasgos más llamativos de la política pública de los años ochenta ha sido la creciente preocupación por los problemas ocasionados por el fuerte intervencionismo estatal y el análisis de las ventajas asociadas a los procesos de desregulación y liberalización, que han justificado la introducción de la competencia en muchos sectores hasta entonces protegidos y que hoy en día se ven reforzados por los cambios tecnológicos y estructurales que se están sucediendo.

Uno de los sectores donde las innovaciones tecnológicas, el aumento de la demanda o el proceso de globalización, entre otros, han posibilitado que se acometiera un proceso de liberalización con claras ventajas económicas ha sido el de las telecomunicaciones. La liberalización de los servicios y de las redes se ha llevado a cabo a través de la privatización de los operadores públicos y de la eliminación de las reglas monopolísticas con el fin de crear un mercado de telecomunicaciones competitivo.

La liberalización del sector de las telecomunicaciones en España se ha acometido de forma gradual, sin que la autoridad competente haya tomado la mayoría de decisiones por propia iniciativa, sino a instancias de la normativa comunitaria, y a veces con cierto retraso respecto a las fechas impuestas en el calendario de liberalización pactada en el seno de la UE. La prudencia en el proceso liberalizador, característica común de muchos Estados miembros, se ha puesto de manifiesto en la formación de un duopolio como fase previa hasta la plena competencia en los distintos servicios, principalmente de telefonía fija y comunicaciones móviles. Esta política de duopolio fue tomada de la experiencia británica, donde se dio prioridad a la necesidad de practicar un tránsito ordenado desde el monopolio a la competencia.

Los motivos que llevaron al Gobierno español a adoptar esta fase de duopolio en la telefonía fija en nuestro país fueron básicamente dos: primero, proteger al nuevo operador frente al marcado predominio de Telefónica, y segundo, conceder al operador tradicional un período de adaptación para que acometiera una reorganización empresarial que le permitiera afrontar los cambios que se producirían en el sector. Esta fase de duopolio tuvo una duración quizás más corta que la deseada por el propio Gobierno, dado que las autoridades comunitarias presionaron para que se concediera la tercera licencia antes de la liberalización total a finales de 1998.

Sin embargo, y aunque en una primera aproximación pudiera parecer que el proceso está terminado, todavía queda mucho camino por recorrer no sólo si queremos estar en condiciones de competir cuando la liberalización a nivel comunitario sea un hecho, sino en comparación con el proceso seguido en otros países, fuera y dentro del ámbito comunitario. Hay que tener en cuenta que una liberalización por sí sola no garantiza los objetivos perseguidos a priori si no va ligada a un proceso de *re-regulación*, que no es más que dotar al mercado de un nuevo marco regulador donde se garantice que la competencia sea plena, efectiva y leal entre los posibles operadores de un mismo servicio, por lo que es necesario que se castigue cualquier práctica predatoria o cualquier posibilidad de abuso de poder dominante del operador tradicional frente al resto.

Y, por último, se ha de seguir actualizando toda la normativa comunitaria y nacional en virtud de los nuevos acontecimientos, principalmente en el marco de la tecnología y la informática, donde la convergencia entre los servicios de telefonía móvil y de acceso a Internet ya es una realidad y donde los operadores de cable estarán en breve en disposición de ofrecer telefonía básica conjuntamente con la oferta de otros servicios como televisión, datos e Internet. Esta necesaria adaptación de la normativa sobre telecomunicaciones a los cambios que se sucedan nos conducirá a un marco regulatorio flexible y actualizado de las telecomunicaciones europeas.

Notas

1 Razones de índole económico y tecnológico, como la inviabilidad de un servicio rentable de larga distancia, necesidades de gran capacidad de inversión, economías de escala o técnicas de concentración de la transmisión, llevaron a los diversos países a unificar las concesiones en una única entidad, por lo que surgió la concepción de monopolio natural para el servicio telefónico.

2 La digitalización permite el tratamiento homogéneo de cualquier tipo de información (imágenes, datos, voz), que unido a nuevas técnicas de compresión de esa información a través de redes de banda ancha, incrementa la capacidad de almacenar, transmitir y procesar mayor cantidad de información con una mejor calidad de la misma.

3 Este impacto sobre el empleo que el proceso desregulador puede traer consigo ha sido estudiado por la Comisión Europea en un informe de 1997 titulado «Efectos sobre el empleo del proceso de liberalización de las telecomunicaciones» donde señala que la aparición de nuevas compañías telefónicas y de servicios de telecomunicaciones supon-

drá la creación de hasta 162.000 nuevos empleos antes del año 2005, en el ámbito de toda la UE.

4 Las tarifas medias de los servicios telefónicos han caído un 63% en Gran Bretaña, que junto con Estados Unidos fue un país pionero es esta liberalización, y un 41% en Japón, mientras que las tarifas de las llamadas de larga distancia caen más súbitamente debido a la eliminación de los subsidios cruzados y a la necesidad de realizar un reajuste tarifario caracterizado por la orientación de los precios de los servicios a los costes. Véase Arroyo y Uxó (1999), OCDE (1997a) y PILAT (1997).

5 Véase un análisis más detallado de los procesos liberalizadores en Crandall (1993), Fransman (1994) y Vickers y Yarrow (1986).

6 Véase un resumen del proceso liberalizador de las telecomunicaciones en la Unión Europea en Arroyo (1998), Martínez Ovejero (1996) y Rodríguez Illera (1997).

7 El *Libro Verde sobre el Desarrollo del Mercado Común de Servicios y Equipos de Telecomunicaciones* de 1987 contenía un conjunto de medidas tendentes a lograr el desarrollo de una infraestructura de telecomunicaciones fuerte y una amplia variedad de servicios eficientes disponibles para todos los usuarios en breve plazo y al más bajo coste posible.

8 Véase un resúmen de la revisión de 1992 y el acuerdo de junio de 1993 en Ministerio de Obras Públicas, Transportes y Medio Ambiente (1993).

9 Véanse con mayor detalle jurídico estos elementos en Muñoz Machado (1998).

10 Para ver la importancia de la liberalización de las telecomunicaciones y los problemas que aquejaban a nuestro sector, véase el Informe del Tribunal de Defensa de la Competencia (1993) sobre remedios políticos para favorecer la libre competencia en los servicios y atajar el daño causado por los monopolios.

11 Telefónica se crea en 1924 con el objeto de ser la empresa concesionaria de la explotación del servicio telefónico en España. La concesión del servicio telefónico se reguló posteriormente con más detalle en el Real Decreto de 1929, pero el que realmente produjo los cambios fundamentales en la organización y regulación de la empresa fue el Decreto de 1946, que estableció el Contrato de Telefónica con el Estado y que tuvo una vigencia de más de cuatro décadas. El Contrato de 1946 perseguía, entre otros fines, el aumento de la participación del Estado en los rendimientos de la compañía y permitir el fin de la concesión en caso de incumplimiento grave por parte de la misma. Además, aunque la concesión otorgada se reducía al servicio telefónico, se contemplaba la posibilidad de extenderla a cualquier tipo de telecomunicación. Haciendo uso de dicha autorización, Telefónica prestó múltiples servicios en régimen de monopolio durante más de cuatro décadas, como se ha expuesto anteriormente.

12 Si ahondamos en la literatura especializada, se pueden encontrar varias clasificaciones de servicios de telecomunicaciones. En una primera aproximación, podemos diferenciar entre los servicios básicos y de valor añadido. El servicio básico conduce las llamadas desde un terminal a otro como los teléfonos, los télex o las centralitas privadas de conmutación, mientras que los servicios de valor añadido ofrecen al usuario la posibilidad de transmitir, almacenar, tratar y acceder a la información, como los bancos de datos y los correos electrónicos. Otra clasificación, quizás más avanzada, diferencia entre servicios portadores y servicios finales. Los servicios portadores son aquellos servicios que se utilizan como inputs o factores de producción de otros servicios como las redes, mientras que los servicios finales son aquellos suministrados directamente a los usuarios y pueden ser de voz (telefonía básica, móvil, radiobúsqueda, *trunking,* audioconferencia, etc.), de texto (télex y telegrama, telefax, correo electrónico, videotexto,

etc.), de datos (telebanco, telealarma, intercambio electrónico de datos, etc.) y de imagen (televisión a la carta, videoconferencia, teleenseñanza, telediagnóstico, etc.).

13 Véase Ministerio de Obras Públicas, Transportes y Medio Ambiente (1994a), (1994b) y (1996).

14 Se propuso que Telefónica proporcionase al Gobierno información auditada de los costes y su estructura para cada servicio objeto del contrato concesional. Además se estableció un cuadro plurianual de revisión de tarifas, que en su conjunto respecto a los precios de los servicios regulados no podría superar el incremento del índice del coste de la vida de cada año, pero que le permitía en su día afrontar la competencia sin problemas financieros.

15 La privatización de la empresa pública Telefónica se ha realizado a través de una Oferta Pública de Venta (OPV) en tres etapas: Telefónica I, en julio de 1987, Telefónica II, en octubre de 1995, y Telefónica III, en febrero de 1997. Estas tres OPV han supuesto unos ingresos brutos de 839.700 millones de pesetas y unos costes —directos e indirectos— de 66.400 millones de pesetas. Véase Arroyo y Hurtado (1999).

16 El alquiler de circuitos consiste en el suministro de una determinada capacidad de transmisión de voz y/o datos por parte de un explotador de una red de telecomunicaciones a cambio de una cuota fija y periódica. La transmisión de datos consiste en el transporte de información de voz, datos e imágenes. Y los servicios de comunicaciones corporativas ofrecen servicios de telefonía de voz, fax y datos a empresas y organizaciones públicas y privadas.

Referencias

Arroyo, M. J. (1998): «La liberalización de las telecomunicaciones en Europa», Boletín ICE Económico, *Información Comercial Española*, nº 2585.

—, e I. Hurtado (1999): «El proceso de privatización y desregulación en el sector de las telecomunicaciones: Un análisis comparado entre Estados Unidos, Japón, Gran Bretaña y España», *Revista Española de Control Externo*, Tribunal de Cuentas, vol. II, nº 2.

—, y J. Uxo (1999): «La reforma de la regulación económica en Estados Unidos», en Fernández Díaz, A., *Fundamentos y Papel actual de la Política Económica*, Madrid, Pirámide.

Autel (1994): *El Marco Legal de las Telecomunicaciones en España desde sus orígenes hasta la entrada en vigor de la Unión Europea el 1 de noviembre de 1993*, Madrid.

Caballero, F. (1993): *Situación Actual, Resultados y Perspectivas del Sector de las Telecomunicaciones en España, FEDEA* 93-09.

Camino, D., y J. Trecu (1995): «Cooperación y Competencia en el Sector de las Telecomunicaciones: Las Alianzas Estratégicas Internacionales», *Información Comercial Española*, noviembre, nº 747.

Castilla, A. (1999): «Importancia y atractivo para la inversión del sector de las Telecomunicaciones», en J. Cremades y P. Mayor Menéndez, *La liberalización de las telecomunicaciones en un mundo global*, La Ley-Actualidad-Ministerio de Fomento, Madrid.

Comision del Mercado de las Telecomunicaciones (1999): *Informe Anual 1998*, Madrid.

Crandall, R. W. (1993): *Managing The Transition To Deregulation In Telecommunications: A Perspective From The United States,* Conferencia Presentada en The National Conference On The Future Of Telecommunications, Toronto, 31 marzo al 1 de abril.

Fransman, M. (1994): «AT&T, BT and NTT: A Comparison of Vision, Strategy and Competence», *Telecommunications Policy*, vol. 18, nº 2, pp. 137-153.

Gómez Acebo y Pombo (1997): *Teoría y Práctica de las Privatizaciones*, Madrid, McGraw-Hill.

Mayor Menéndez, P. (1999): «Nuevas Perspectivas en la Regulación de las Telecomunicaciones en España», en J. Cremades y P. Mayor Menéndez, *La liberalización de las telecomunicaciones en un mundo global*, La Ley-Actualidad-Ministerio de Fomento, Madrid.

Martínez Ovejero, A. (1996): «La Política de Telecomunicaciones en La Unión Europea: 1996, Antesala de la Plena Liberalización», *Telecomunicaciones 1996/Tendencias,* Informes Anuales De Fundesco.

Ministerio de Obras Públicas, Transportes y Medio Ambiente (1993): *Liberalización de las Telecomunicaciones: Oportunidad y Plan de Acción*, Madrid.

— (1994a): *Política de Telecomunicaciones Durante el Período 1994-1998*, Secretaría General de Comunicaciones, Madrid.

— (1994b): «Memoria Explicativa de la Política de Telecomunicaciones durante el Período Transitorio hasta 1998», *Estudios de Transportes y Comunicaciones,* nº 65.

— (1996): *Telecomunicaciones 1991-1995*, Instituto de Estudios del Transporte y las Comunicaciones, Madrid.

Muñoz Machado, S. (1998): *Servicio Público y Mercado. Las Telecomunicaciones*, Madrid, Cívitas.

OCDE (1997a): *The OECD Report on Regulatory Reform: Sectorial Studies*, París.

— (1997b): *Communication Outlook*, París.

Pilat, D. (1997): «Competition, Productivity and Effciciency», *OECD Economic Studies*, nº 27.

Rodríguez Illera, R. (1997): «La liberalización de las telecomunicaciones en la Unión Europea», en J. Cremades: *Derecho de las telecomunicaciones*, Ministerio de Fomento, La Ley-Actualidad.

Taylor, L. (1994): *Telecommunications Demand in Theory and Practice*, Dordrecht, Kluwer Academic.

Tribunal de Defensa de la Competencia (1993): *Remedios políticos que pueden favorecer la libre competencia en los servicios y atajar el daño causado por los monopolios*, vols. I y II.

Van Miert, K. (1999): «La liberalización de las telecomunicaciones en la Unión Europea», en J. Cremades y P. Mayor Menéndez, *La liberalización de las telecomunicaciones en un mundo global*, La Ley-Actualidad-Ministerio de Fomento, Madrid.

Villar, J. M. (1999): «La liberalización de las telecomunicaciones en España», en J. Cremades y P. Mayor Menéndez: *La liberalización de las telecomunicaciones en un mundo global*, La Ley-Actualidad-Ministerio de Fomento, Madrid.

Vickers, J., y G. Yarrow (1986): «Telecommunications: Liberalization and the Privatization f British Telecom», en J. Kay, C. Mayer y D. Thompson, *Privatisation & Regulation: The UK Experience*, Oxford, Oxford University Press.

19. Política de vivienda

Julio Rodríguez López

1. Introducción

La década de los años noventa se inició en España en el punto más elevado de la etapa cíclica de expansión iniciada en 1986.

El final de la citada etapa coincidió con unos elevados precios de las viviendas y con unos tipos de interés especialmente altos. Hasta 1990 habían tenido lugar unos fuertes aumentos en los precios inmobiliarios y una intensa expansión del crédito hipotecario. La situación citada no fue exclusiva de España, aunque sí que fue éste uno de los países en los que la expansión del mercado inmobiliario fue de las más intensas.

La desaceleración posterior del crecimiento real estuvo acompañada de un cambio acentuado de la coyuntura inmobiliaria, donde los precios nominales se estabilizaron o retrocedieron ligeramente en términos agregados (1992-1997). El Tratado de Maastricht (1991) supuso la introducción de una estrategia de estabilización y de reducción de los desequilibrios de la economía, que redujo el ritmo de crecimiento de forma notable después de 1991, pero que facilitó el descenso de los tipos de interés, lo que ha incidido notablemente en la demanda de vivienda.

Conforme se confirmó el avance hacia la tercera etapa de la Unión Monetaria, dichos descensos de los tipos de interés se hicieron especialmente acusados y mejoraron las expectativas de los agentes económicos. El alto crecimiento de la economía norteamericana facilitó la recuperación en la UE, que adquirió en España ritmos elevados en 1998-1999. La elevada coyuntura ha hecho posible una intensa expansión del empleo y también un mayor ritmo de creación de nuevos hogares. Los bajos tipos de interés han hecho solventes a numerosos compradores potenciales. Como consecuencia de lo anterior, la demanda de vivienda ha impulsado un ritmo de construcción residencial que no se producía en España desde el comienzo de los años setenta. El protagonismo de los hogares que mejoran de vivienda ha sido decisivo en el último *boom* inmobiliario del siglo XX.

El problema de la vivienda en España es el de la dificultad de acceso, en especial para las familias con más bajos niveles de ingresos. En todo caso, la alta relación media precio de venta/ingresos familiares anuales existente en España hace que el coste de acceso resulte elevado en términos generales. En los períodos de expansión inmobiliaria el problema de acceso se acentúa, con lo que se refuerza el interés por la política de vivienda y sus elementos integrantes.

En el presente trabajo se resumen, en el primer apartado, algunos de los aspectos más destacados de la evolución reciente de la política de vivienda en los países de la OCDE y de la UE en particular. Se pasa a analizar después los componentes de la política económica que inciden más directamente sobre los mercados de las viviendas en España: ayudas directas (VPO), régimen de alquileres, política de suelo, fiscalidad y marco general de financiación. En el penúltimo apartado se analizan los ciclos de la vivienda registrados en España en los últimos años, subrayándose en especial el intenso volumen de construcción residencial alcanzado al final de los años noventa, al calor del citado último *boom* inmobiliario.

2. Evolución reciente de la política de vivienda en los países occidentales

Después de la Segunda Guerra Mundial, la política de vivienda de los países de la OCDE ha experimentado, en general, cambios notables en cuanto a objetivos y estrategias. Así, en la inmediata postguerra se trató de hacer frente a las fuertes carencias existentes, apoyándose la acción política en programas masivos de construcción de nuevas viviendas, con una importante presencia estatal. Se pasó después a prestar mayor atención a lo cualitativo, en especial a la mejora y mantenimiento del parque de viviendas, desempeñando un mayor papel el mercado.

En los años setenta se acentuó el interés en los aspectos redistributivos de la política de vivienda, concentrándose dicha política en las actuaciones encaminadas a apoyar a los segmentos de población menos privilegiados.

En los años ochenta, la atención prestada a la contención del gasto público acentuó la selectividad de la política de vivienda. La coyuntura pasó a influir: el acentuado período de expansión de la actividad constructora y de elevación intensa de los precios experimentada en la segunda mitad de los años ochenta dio paso a una recesión notable en los primeros años noventa, en la que el descenso de precios fue menos intenso que en otras etapas similares del ciclo de la vivienda. En Estados Unidos, el ciclo inmobiliario acentuó notablemente las diferencias entre las etapas cíclicas de expansión y receso. Los países de la UE que registraron mayores aumentos de precios en la segunda mitad de los años ochenta (Reino Unido, Finlandia y España) habían experimentado previamente intensos procesos de desregulación financiera a lo largo de los años ochenta. Esta circunstancia no sólo originó una expansión intensa del crédito hipotecario, sino que también acrecentó el papel de la propiedad como forma básica de acceso al disfrute de la vivienda, frente al alquiler. La vivienda de alquiler quedó limitada a segmentos reducidos dentro del sector privado. En todo caso, la brusquedad del citado ciclo de la vivienda acentuó el interés por la evolución de los mercados inmobiliarios y por algunos aspectos de la política de vivienda, a la vista de su amplia incidencia sobre la evolución general de la economía.

Se considera, en general, que los gobiernos de signo político socialdemócrata prestan una atención mayor a las viviendas de alquiler y limitan el alcance de las ayudas fiscales. Los gobiernos de signo conservador suelen estimular más intensamente el acceso a la vivienda en propiedad y también emplean con más frecuencia a la construcción residencial como factor estimulante de la actividad productiva. Sin embargo, en la práctica las diferencias no resultan tan sustanciales, y es la realidad del ciclo económico la que acaba dominando el perfil definitivo de la política de vivienda (Boelhouwer y Van der Heijden, 1992).

El Tratado de Maastricht (1991) supuso un fuerte revulsivo general para las políticas económicas y sociales de los quince países integrantes de la UE. La política de vivienda no es de competencia comunitaria, pero la creciente integración de los países de la UE incide sobre las actuaciones públicas en dicha área, en la que permanece el papel decisivo de los gobiernos locales. El tratado en cuestión introdujo un marco general de estabilidad. El paso a la Unión Económica y Monetaria se apoyó en el cumplimiento de un conjunto de requisitos por parte de los Estados miembros (niveles máximos de déficit público y de deuda pública, tipos máximos de inflación, comportamiento de los tipos de cambio), lo que culminó con la selección definitiva de los países que accederán a la moneda única, el euro, en mayo de 1998 y por la fijación definitiva de las paridades de las divisas de los once países miembros al final del año 1998.

La moneda única ha acentuado el ritmo de los cambios estructurales en el sistema financiero, haciéndose frecuentes las fusiones y adquisiciones de entidades financieras a nivel nacional. El cumplimiento de los objetivos establecidos en el citado Tratado de Maastricht introdujo un consenso general acerca de la necesidad de seguir políticas económicas orientadas hacia la estabilidad. El compromiso con la estabilidad de precios facilitó la presencia de tipos de interés bajos y estables, lo que ha creado un contexto favorable a la recuperación de la demanda de vivienda en los últimos años de la década de los noventa (Hamalainen, 1999).

La aceleración del crecimiento en 1998-1999, el papel destacado que la construcción residencial está desempeñando en dicha etapa de recuperación cíclica, se traduce en la presencia de unos precios de venta de la vivienda que difieren a medio plazo de los precios de equilibrio. La rápida elevación de los precios de venta de las viviendas acentúa el esfuerzo de acceso para los nuevos hogares, lo que justifica el que la política de vivienda tenga un papel que desempeñar, incluso en etapas en las que los bajos tipos de interés dominantes parecían haber reducido la necesidad de dicha política.

La evolución seguida por el ciclo general de la economía y por la vivienda indica, pues, que sigue siendo preciso desarrollar políticas de vivienda adecuadas. Dichas políticas deben establecer objetivos precisos, deben tratar de frenar los procesos especulativos y deben establecer un equilibrio en el papel de los agentes públicos y privados en las distintas etapas de la producción de alojamiento. Las políticas de vivienda deben racionalizar no sólo la evolución de los costes derivados de las ayudas públicas, sino que también deben procurar un equilibrio razonable entre las dos formas básicas de tenencia, esto es, entre la vivienda en propiedad y la vivienda de alquiler (Ambrose, 1992).

Aunque el hecho de que la política de vivienda no corresponda al ámbito comunitario hizo pensar en principio que la UE tendría un impacto limitado sobre dicha política, la realidad es que el papel real de la UE sobre la vivienda ha superado lo previsto, circunstancia que se ha acentuado tras la creación de la zona euro en 1999. El mayor énfasis de la política general de la UE en el diálogo social y en el desarrollo de distintos objetivos políticos ha subrayado la trascendencia de la dimensión social en el propio desarrollo comunitario. Esto último ha acentuado la trascendencia de la vivienda dentro de los programas comunitarios a desarrollar en colaboración con las autoridades locales (Chapman y Murie, 1996).

3. La política de vivienda en España. Un repaso a los principales elementos integrantes

La evolución del mercado inmobiliario afecta y se ve afectada por el contenido de la política económica. Existen tres vías básicas por las cuales la política económica afecta directamente al mercado de la vivienda (Miles, 1994). Dichas vías corresponden al tratamiento fiscal de la vivienda en propiedad y de la vivienda en alquiler, que afecta decisivamente a la forma de acceso. Las otras vías son las relativas a la legislación reguladora del alquiler, que afecta a la oferta y demanda de las diferentes alternativas de acceso a la vivienda y, por último, la regulación financiera gubernamental puede afectar a la cuantía y a los tipos de interés de los préstamos destinados a la construcción y compra de viviendas.

A las tres vías de actuación citadas habría que añadir la normativa estatal y autonómica en materia de suelo, donde el papel de los municipios alcanza una mayor trascendencia.

España presenta algunos aspectos destacables en materia de política de vivienda dentro de la UE. El elevado peso de la vivienda en propiedad acentúa la trascendencia de la calidad (tipos de interés, plazo) de los préstamos hipotecarios a largo plazo para el acceso a la vivienda. Existen, además, otros aspectos destacables, como es el hecho de que la propia Constitución Española de 1978 reconoce el derecho a la vivienda (art. 47). El notable alcance de los flujos demográficos (el potencial de creación de nuevos hogares es elevado, entre 200.000 y 300.000 al año) y, por último, la fuerte incidencia del ciclo de la vivienda sobre el ciclo general de la economía española, que se acentúa en algunas autonomías (Durif, 1992), son otros hechos a destacar.

A lo largo de los años noventa han tenido lugar movimientos significativos en el conjunto de la política de vivienda en España. Las intensas elevaciones registradas en torno a 1990-1991 en los precios de venta de las viviendas justificaron actuaciones más enérgicas por parte del gobierno de la nación a partir de 1991, recogidas en el Plan 1992-1995. Entre 1992 y 1997 los precios de las viviendas permanecieron estabilizados en términos reales, para pasar de nuevo a crecer con intensidad en 1998 y 1999, y ello bajo la presión del mayor crecimiento de la economía y de los bajos tipos de interés.

En 1995 pasó a aplicarse en España una nueva normativa sobre arrendamientos urbanos y en 1998 tuvieron lugar cambios importantes en los restantes componentes de la política de vivienda (suelo, fiscalidad, ayudas directas). El perfil general del mercado inmobiliario al fin de la década de los años noventa ha estado dominado básicamente por el contraste que han supuesto unos tipos de interés de los créditos-vivienda situados en 1999 casi diez puntos porcentuales por debajo de los vigentes en 1990.

Se resumen a continuación los principales componentes de la política de vivienda en España, subrayándose en especial las reformas registradas en los mismos a lo largo de los años noventa. La política de ayudas directas (VPO), la normativa vigente en materia de arrendamientos urbanos, la normativa sobre suelo, la fiscalidad de la vivienda y el marco de la financiación al acceso a la vivienda en propiedad constituyen los elementos más relevantes de la citada política.

Para situar mejor el alcance y la dimensión de los diferentes instrumentos de la política de vivienda se ha efectuado en el cuadro 19.1 un resumen de los datos básicos de viviendas correspondientes a España, procedente del censo de 1991. Con fecha 1-3-1991 existían en España 17,2 millones de vi-

Cuadro 19.1   Vivienda y población, 1950-1991 (cifras absolutas)

	1950	1960	1970	1981*	1991*
1. Población de hecho	27.976.755	30.583.466	33.956.376	37.683.363	39.433.942
2. Viviendas familiares	6.687.197	7.726.424	10.655.785	14.726.899	17.160.677
3. Viviendas principales (3) = (6) + (7) + (8)	6.327.815	7.028.651	8.504.326	10.430.895	11.813.717
4. Viviendas secundarias	177.910	331.044	795.742	1.899.759	2.628.817
5. Viviendas desocupadas y otras	181.472	366.729	1.355.717	2.396.205	2.707.009
6. Viviendas principales en propiedad	2.907.360	3.558.537	5.394.326	7.629.659	9.154.992
(%)	(45,9)	(50,6)	(63,4)	(73,1)	(77,5)
7. Viviendas principales en alquiler	3.252.850	2.988.161	2.555.116	2.168.661	1.757.469
(%)	(51,4)	(42,5)	(30,0)	(20,8)	(14,9)
8. Otras viviendas principales	167.605	481.953	554.884	632.575	901.256

(*) A 1º de marzo. Anteriormente los censos se referían al 31 de diciembre.

FUENTE: Instituto Nacional de Estadística. Censos de vivienda de 1950, 1960, 1970 y 1981. «Resúmenes nacionales». Censos de población y viviendas 1991.

viendas familiares, de las que 11,8 eran viviendas principales, 2,6 millones eran viviendas secundarias y 2,7 millones de viviendas estaban desocupadas. Sólo el 14,9% de las viviendas principales estaban en régimen de alquiler. El ritmo de construcción de los años noventa revela que en el año 2000 el parque total de viviendas en España debe superar los veinte millones.

3.1   Políticas de ayudas directas. Las viviendas de protección oficial

La política de ayudas directas a la construcción y compra de viviendas protegidas es el componente de la política de viviendas mejor conocido en España. El sistema descansa en la figura de las viviendas de protección oficial (VPO), caracterizadas por una superficie máxima (90 m² útiles) y unos precios máximos de venta (en torno a unos quince millones de pesetas en 1999). La normativa correspondiente a la actual política de vivienda se ha establecido en los textos legales siguientes:

— Real Decreto Ley 31/1978, de 31-12-1978.
— Real Decreto 1.668/1991, de 15-11-1991 (BOE, 23-11-1991).
— Real Decreto 1.922/1991, de 20-12-1991, que contiene el diseño básico del Plan 1992-1995 (BOE de 14-1-1992).
— Real Decreto 2.190/1995, de 28-12-1995, que estableció el marco de la política de ayudas directas para el período 1996-1999 (BOE, 30-12-1998).
— Real Decreto 1.186/1995, de 12-6-1998, sobre medidas de financiación de actuaciones protegibles en materia de vivienda y suelo del Plan 1998-2001 (cuadro 19.2).

El esquema de actuación consiste en el establecimiento de una garantía de financiación a largo plazo por medio de convenios establecidos entre el gobierno de la nación y las entidades financieras, convenios de carácter anual, aunque después de 1996 los plazos de ejecución se sitúan a caballo entre dos años consecutivos. Los tipos de interés de los préstamos citados están por debajo de los del mercado. Los préstamos se conceden por las entidades del sistema financiero (cajas de ahorros, bancos, cajas rurales e Instituto de Crédito Oficial) que hayan suscrito el oportuno convenio.

Los créditos en cuestión se destinan a garantizar el desarrollo de diferentes actuaciones de política de vivienda, actuaciones que se resumen en términos de número de viviendas. Dentro de tales actuaciones domina ampliamente la construcción de nuevas viviendas de protección oficial, la mayor parte de las cuales se desarrolla por parte de promotores privados.

Los beneficiarios de la política de ayudas directas no deben superar una renta familiar superior a 4,5 veces el SMI. Para la concesión de los créditos privilegiados los promotores y compradores han debido ser objeto de una calificación provisional previa o de un visado por parte de las delegaciones provinciales de las correspondientes consejerías competentes de los gobiernos autónomos.

Los créditos concedidos por las entidades financieras que suscriben los convenios han sido tradicionalmente objeto de una importante subsidiación de intereses, aunque la fuerte reducción experimentada por los tipos de interés del mercado ha llevado recientemente a establecer la subvención sobre el conjunto de la cuota del préstamo (principal e intereses).

El Real Decreto Ley 1.186/1998 (BOE 26-6-1998) ha actualizado la política estatal en materia de vivienda, que «a través de planes de carácter plurianual tiene ya una larga tradición en España». El Real Decreto citado considera que el descenso experimentado en los tipos de interés y el cumplimiento de los criterios de convergencia exigidos para el acceso a la Unión Económica y Monetaria son circunstancias que obligan a modificar sustancialmente el marco estatal de ayudas financieras a la vivienda.

Con el Real Decreto-Ley en cuestión el Gobierno ha establecido una serie de cambios que afectan, entre otros aspectos, a la forma de las ayudas.

**Cuadro 19.2   Plan de vivienda, 1998-2001.
Viviendas sujetas a regímenes de protección pública**

Adquirentes adjudicatarios viviendas sujetas a regímenes de protección pública y adquirentes de otras viviendas ya construidas	Nivel de ingresos familiares (millones de ptas.)	Préstamo cualificado (cuantía máxima)	Plazos de amortización
ADQUIRENTES O ADJUDICATARIOS DE VIVIENDAS DE NUEVA CONSTRUCCIÓN SUJETAS A REGÍMENES DE PROTECCIÓN PÚBLICA	≤ 2,5	Préstamos directos: 80% del precio fijado en la escritura de compraventa o adjudicación.	
	> 2,5 ≤ 3,5	• En caso de garaje, trastero u otros anejos, la cuantía global del préstamo podrá incrementarse como máximo hasta el 80% del precio de aquéllos.	20 años + hasta 2 de ampliación excepcional, por interrupción temporal de abono de cuotas, en primer acceso a la propiedad.
ADQUIRENTES DE OTRAS VIVIENDAS YA CONSTRUIDAS (no se concederá subsidiación a viviendas cuya superficie sea > 90 m² útiles)	> 3,5 ≤ 4,5	80% del precio fijado en la escritura de compraventa. • En caso de garaje, trastero u otros anejos, la cuantía global del préstamo podrá incrementarse como máximo hasta el 80% del precio de aquéllos.	
	< 4,5 ≤ 5,5		

(*) En términos de número de veces el Salario Mínimo Interprofesional (SMI).

FUENTE: MOFO.

Subsidiación de la cuota		Subvención	Precios máximos de venta o adjudicación
			(por m² útil)
Porcentaje %	Años de duración		
15	15 años		
Sub-sidio refor-zado { 30 (1.er acceso)	{ 3 con C.V. 2 sin C.V.	VPO re (1.er acceso): 5% del precio total de venta o adjudicación	Hasta +15% / = 20% del precio básico Municipios singulares A: incremento hasta 30%. Municipios singulares B: incremento hasta 15%. Viviendas protegidas según normativa autonómica: hasta +25% del precio máximo.
30 (otros supuestos)	1 año		
10 (viviendas con precios superiores hasta 25% precio máximo).	10 años		* Garaje, trastero u otros anejos: ≤ 60% precio máximo vivienda.
10	10 años		VPO re: ≤ 85% precio máximo, con carácter general, vivienda protegida.
Sub-sidio refor-zado { 20 (1.er acceso)	{ 2 con C.V. 1 sin C.V.		
20 (otros supuestos)	1 año		
5 (viviendas con precios superiores hasta 25% precio máximo).	5 años		
			El establecido como máximo para las viviendas calificadas o declaradas provisionalmente como protegidas en la misma localidad en el momento del contrato de opción de compra o de compraventa. — Hasta 25% superior a precios máximos. * Viviendas acogidas a algún régimen de protección pública: el correspondiente según norma específica siempre que no exceda de los máximos indicados. — Garaje, trastero u otros anejos: ≤ 60% precio máximo vivienda.
5	5 años		

Así, se sustituye el subsidio de interés por un subsidio en porcentaje de la cuota total del préstamo subsidiado, y se ha procedido a la unificación de los plazos de amortización de los préstamos, estableciendo en veinte años el plazo único de amortización de los mismos, con cuotas crecientes al 1% anual. Se han suprimido las subvenciones al adquirente en las VPO de Régimen General, supliéndolas con un subsidio reforzado en las compras de primera vivienda. El concepto de módulo se ha sustituido por el de «precio básico de venta». Las actuaciones protegidas se han concretado en las figuras de viviendas de nueva construcción, viviendas de promoción pública (para las que se establece la posibilidad de cofinanciación), financiación de la adquisición protegida de viviendas ya construidas (que sustituye a la figura de las viviendas de precio tasado), rehabilitación y la urbanización y adquisición onerosa de suelo. Con el citado Real Decreto 1.186/1998 se ha procedido a establecer la instrumentación financiera e institucional del **Plan de vivienda 1998-2001**, que se ha complementado después con normas adicionales. El plan en cuestión prevé financiar unas 485.000 actuaciones en dicho período, lo que requiere financiación por una cuantía de 2,7 billones de pesetas. El coste presupuestario anual se sitúa en unos 100.000 millones de pesetas correspondientes a subvenciones del interés y del principal de los préstamos.

La presencia de unos bajos tipos de interés en el mercado de la financiación libre y la lenta implantación de la nueva normativa han dado lugar a que la vivienda protegida haya perdido peso dentro del mercado inmobiliario y dentro de la construcción de nuevas viviendas en España, como se pone de manifiesto en el cuadro 19.3. En 1998 el total de viviendas iniciadas con ayudas públicas descendió en un –10% respecto de 1997, con lo que en dicho período las viviendas iniciadas con ayudas públicas significaron el 16% del total de licencias municipales de obras, frente al 21,2% de 1997. El nivel alcanzado por la política de vivienda en 1998 (107.002 actuaciones y 578.600 millones de pesetas en préstamos) ha implicado unos descensos notables respecto de los niveles de años anteriores. El cuadro 19.4 resume los objetivos de política de vivienda para 1999 y el grado de cumplimiento de los mismos, destacando la fuerte concentración de dicha política en la promoción de nuevas VPO para su venta posterior.

La falta de actualización de los precios máximos de venta por metro cuadrado de superficie útil de las viviendas sujetas a régimen de protección pública puede estar suponiendo en 1999-2000 un freno a la realización de nuevas promociones, a la vista del encarecimiento registrado en los costes de la construcción, circunstancia que se aprecia en especial en las ciudades con mayor encarecimiento general de dichos costes. Por otra parte, la reducción de los tipos de interés de los créditos convenidos desde octubre de 1999 contrastó con la paulatina elevación experimentada en la segunda mitad de dicho año por los tipos de interés de créditos libres destinados a la

Cuadro 19.3 Actividad en la construcción residencial ligada a la política de vivienda. Variación interanual (%)

	1997 (total anual)	1998 (estima-ción*)	1999 (estima-ción*)
1. Viviendas iniciadas con ayudas públicas	**62.172**	**56.006**	**70.344** (25,6%) enero-sept.
1.1. VPO Promoción Privada. Régimen General	39.966	40.175	52.268 (30,1%) enero-sept.
1.2. VPO Promoción Pública	1.778	3.578	— —
1.3. VPO Régimen Especial (promoción privada)	20.428	12.253	10.182 (−16,9%) enero-sept.
2. Viviendas. Visados de Dirección de Obra			
Obra nueva	337.361	429.674	522.484 (21,6%) enero-oct.
3. Viviendas a construir			
Licencias municipales concedidas.	292.996	350.431	395.286 (12,8%) enero-agosto
4. Cobertura aparente de la política de vivienda			
4.1. Nuevas viviendas. Visados aparejadores (1)/(2) × 100	18,4%	13,0%	13,5%
4.2. Licencias municipales de obras (1)/(3) × 100	21,2%	16,0%	17,8%

(*) Para 1999 se hace una estimación del total anual a partir de los crecimientos interanuales correspondientes al período para el que se dispone de información.

FUENTE: Ministerio de Fomento.

vivienda, que, tras registrar un nivel mínimo del 4,47% en agosto de 1999, ascendieron en casi medio punto porcentual hasta diciembre del pasado año (4,94%) (gráfico 19.1). La evolución citada implica que los créditos convenidos se han estado concediendo al final de los años noventa a tipos de interés inferiores en más de un punto a los tipos libres medios practicados por las entidades financieras en los créditos-vivienda, circunstancia esta que no parece haber afectado a la baja al ritmo de concesión de nuevos préstamos

Cuadro 19.4 Plan 1998-2001. Programa 1999: concesiones y viviendas financiadas por Comunidades Autónomas

	Datos acumulados a 31 de diciembre de 1999				Objetivos 1999	
	Millones de pesetas	Grado de cumpli-miento (%)	Núm. de viviendas finan-ciadas	Grado de cumpli-miento (%)	Millones de pesetas	Número de viviendas
1. Andalucía	81.335	(73,6)	17.085	(78,0)	110.445	21.900
2. Aragón	11.408	(35,9)	2.817	(52,5)	31.779	5.368
3. Asturias	7.221	(21,1)	1.101	(18,2)	34.192	6.055
4. Baleares	1.492	(8,6)	645	(22,1)	17.337	2.912
5. Canarias	13.532	(45,0)	2.082	(38,2)	30.057	5.450
6. Cantabria	5.432	(41,8)	1.641	(73,4)	13.010	2.235
7. Castilla y León	7.637	(18,5)	2.839	(30,4)	41.296	9.335
8. Castilla-La Mancha	13.646	(46,7)	2.495	(46,0)	29.222	5.419
9. Cataluña	46.607	(35,2)	10.142	(45,0)	132.452	22.550
10. Extremadura	13.060	(71,3)	2.928	(89,5)	18.321	3.270
11. Galicia	26.741	(66,1)	4.376	(63,5)	40.463	6.889
12. Madrid	41.782	(44,5)	25.680	(109,2)	93.882	23.515
13. Murcia	23.722	(40,3)	2.957	(39,2)	58.846	7.435
14. Rioja	6.662	(47,1)	1.355	(35,0)	14.154	3.870
15. Valencia	99.388	(92,7)	13.973	(87,4)	107.203	15.990
16. Ceuta	4.879	(89,7)	599	(131,6)	5.438	455
17. Melilla	1.373	(72,1)	153	(52,6)	1.903	291
Total	**405.917**	**(49,5)**	**92.868**	**(65,0)**	**820.000**	**142.939**

Actuaciones a 31 de diciembre de 1999

	Millones de pesetas	Número de viviendas	Grado de cumplimiento (núm. de viviendas) (%)	Objetivos 1999 (núm. de viviendas)
1. Viviendas protegidas de nueva construcción	338.288	43.303	(54,2)	79.901
— Para venta y alquiler	291.348	35.863	(54,0)	66.447
— Régimen especial	46.940	7.440	(55,3)	13.454
2. Adquisición viviendas existentes	35.656	5.346	(38,8)	13.790
3. Rehabilitación y suelo	31.973	44.157	(89,7)	49.248
Total	**405.917**	**92.868**	**(65,0)**	**142.939**

FUENTE: MOFO.

Gráfico 19.1   Viviendas: tipos de interés de los préstamos libres y convenidos (TAE)

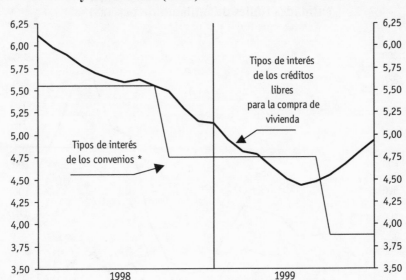

(*) Fijados en resoluciones de acuerdo de Consejo de Ministros (BOE 17-6-97, BOE 20-10-98, BOE 24-9-99).
FUENTE: Banco de España, MOFO.

convenidos. La reducción en la cuantía total de créditos concedidos a las distintas actuaciones de la política de vivienda en 1997-1999 parece más bien una consecuencia de la «alta» coyuntura del subsector de la vivienda que el resultado de una actitud restrictiva por parte de las entidades financieras en dicho tipo de préstamos.

Dentro de la financiación global destinada a las actuaciones protegidas, destaca el hecho de que ha continuado aumentando la cuota de los bancos en dicha financiación, que aportaron el 30,5% de dicho total en 1999, correspondiendo la cuota mayor a las cajas de ahorros (60%), aunque con una ligera tendencia decreciente en este último caso (gráfico 19.2).

Además del marco general que supone el Real Decreto 1.186/1998, algunas autonomías desarrollan planes específicos que implican una financiación convenida adicional a la establecida en los planes nacionales cada año. Entre 1996 y 1998 el alcance de la política de ayudas directas se redujo claramente, pareciendo recuperarse algo en 1999. En todo caso, en un contexto de bajos tipos de interés de mercado la financiación convenida resulta menos atractiva para los promotores que en coyunturas de altos tipos de interés. Por otra parte, la elevación general de los costes de construcción (suelo, materiales, salarios) en períodos de elevada coyuntura sitúa a los precios máximos de venta de las VPO bastante por debajo de los precios de mercado.

Gráfico 19.2 **Créditos concedidos a las diferentes actuaciones protegibles de la política de vivienda por tipo de entidades (miles de millones de pesetas)**

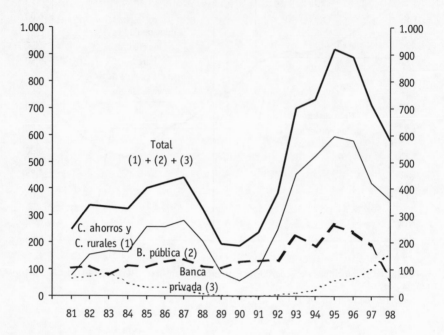

FUENTE: MOFO.

La menor presencia de las viviendas protegidas dentro de la actividad constructora inmobiliaria no reduce la trascendencia cualitativa de las actuaciones de política de vivienda financiadas, pues tales actuaciones se destinan, al menos en teoría, hacia el segmento de la demanda correspondiente a los nuevos hogares. La oferta en cuestión suele concentrarse en las ciudades que no son capitales de provincias y en las aglomeraciones urbanas existentes en las periferias de estas últimas.

3.2 Política de alquileres

Como puede advertirse en el cuadro 19.1, España pasó en medio siglo de ser un país con un fuerte peso de la vivienda en alquiler (el 51,4% en 1950) a ser uno de los países de la OCDE con menor peso de dicho tipo de viviendas. La tendencia de la vivienda en alquiler es decreciente en todo el mundo occidental, aunque el nivel alcanzado en España es extremadamente reducido, sólo comparable al de los países anglosajones (Reino Unido, Irlanda, Australia), donde la vivienda en propiedad ha sido siempre hegemónica. Precisamente la etapa de intensa recuperación de la demanda y la actividad inmobiliaria registrada en la segunda mitad de los años ochenta, originada en gran parte por la flexibilidad general introducida en el crédito hipotecario en la mayor parte de los sistemas financieros nacionales, coincidieron con un nuevo y decisivo aumento de la vivienda en propiedad.

Un estudio de 1990 del Ministerio de Obras Públicas y Transporte (MOPT, 1990) reveló, además, que las rentas medias pagadas en España por las viviendas de alquiler en 1990 eran muy reducidas, que la mayoría de los contratos existentes eran indefinidos y con renta congelada y que la liberalización de alquileres introducidos en 1985 (Decreto Boyer) había producido un efecto moderado sobre el número total de viviendas de alquiler entre 1985 y 1990.

En cuanto a la normativa vigente, hasta 1985 los alquileres de las viviendas de régimen libre estaban regulados por la Ley de Arrendamientos Urbanos de 1964, que refundió otras leyes aparecidas desde 1946. Dicha ley permitió el libre precio inicial del arrendamiento y la posibilidad de su revisión anual (IPC o su componente de alquileres), pero la presencia de la cláusula de prórroga, forzosa para el arrendador y potestativa para el inquilino, supuso una fuerte restricción a la oferta de nuevas viviendas de alquiler.

El Real Decreto-Ley 2/1985 liberalizó plenamente los alquileres al mantener el libre establecimiento del precio del inquilinato y permitir la supresión de la prórroga forzosa.

La nueva ley de 1994 (Ley 29/1994 de 24 de noviembre, de arrendamientos urbanos) entró en vigor desde el primer día del año 1995. La finalidad de dicha ley era la de fomentar los arrendamientos urbanos a través del equilibrio entre las obligaciones del arrendador y arrendatario y la de mantener una cierta tutela en los arrendamientos de vivienda. La regulación de los arrendamientos destinados a otros usos distintos a la vivienda se basa en el libre acuerdo de las partes.

A partir de la ley de 1994, en los contratos de alquiler de vivienda acogidos a dicha nueva ley la renta inicial y la duración del contrato se acordarán libremente entre las partes. La renta se actualizará durante los primeros cinco años de contrato de acuerdo con la variación del índice de precios de consumo, y a partir del sexto año la actualización se regirá por lo acordado entre arrendador y arrendatario y, si no hubiese acuerdo, se actualizará cada año de acuerdo con el citado índice de precios.

Existirá un plazo mínimo de contrato de cinco años. Los contratos pactados con duración inferior a dicho plazo se prorrogarán obligatoriamente por el arrendador por plazos anuales, a voluntad del arrendatario, hasta llegar a los cinco años. En el caso de que las partes no hayan establecido duración, se entiende que el contrato es por un año. Transcurridos cinco años sin que las partes modifiquen su voluntad de no renovarlo, el contrato se prorrogará por plazos anuales hasta un máximo de tres años.

En cuanto a las subrogaciones a la muerte del arrendatario, se pueden subrogar en el contrato, sin modificación de su duración, el cónyuge (o equivalente), los descendientes, los ascendientes, los hermanos y otros parientes hasta el tercer grado colateral, con una minusvalía igual o superior al 65%. Se exige la convivencia con el arrendatario de al menos dos años antes del fallecimiento de este último. En el caso de contratos celebrados con anterioridad al «Decreto Boyer», la nueva ley establece límites a la prórroga obligatoria, y la renta se actualizará para recuperar las pérdidas reales del alquiler derivadas de la inflación.

La ausencia de datos sobre la composición del parque de viviendas en los períodos intercensales impide conocer el alcance efectivo de la ley de 1994, que ha cumplido ya cinco años de vigencia en el momento de redactar este texto. En todo caso, con la normativa vigente, no parece tan lógica la escasez de nuevas ofertas de viviendas de alquiler. Los bajos tipos de interés vigentes al final de los años noventa pueden dar lugar a que la vivienda de alquiler resulte más rentable que las inversiones financieras más tradicionales, aunque los cinco años de duración mínima del contrato implican una cierta restricción para la rentabilidad del inversor.

El fuerte descenso de los tipos de interés del final de los años noventa no ha favorecido una mayor presencia de la vivienda de alquiler, a la que se ha privado en 1999 de la modesta ayuda fiscal introducida al comienzo de la citada década. No parece que pueda volverse en España a situaciones en las que el alquiler tenga un alcance equivalente al de otros precios europeos continentales de la zona euro, pero sí que parece conveniente que el peso de la vivienda en alquiler aumente algo y desempeñe un mayor papel que el que le ha correspondido en la segunda mitad del siglo veinte.

Según Miles (1994), el tamaño del sector de alquiler dentro de un país depende de los beneficios relativos para los hogares de la vivienda en propiedad, de la disponibilidad de financiación hipotecaria y de los incentivos de los propietarios a mantenerse en dicha situación. Existen fuertes diferencias entre países en cuanto al peso del alquiler (Alemania tiene un 60% de los hogares en viviendas de alquiler y en el Reino Unido ha descendido por debajo del 30%). Los efectos macroeconómicos más importantes entre países con muy distintas combinaciones viviendas en propiedad/alquiler radican en la distribución de los derechos de propiedad y de la deuda.

Así, en los países con alto peso de la vivienda en propiedad, los fuertes aumentos registrados en los precios de las viviendas han llevado a una mayor igualdad en la distribución de la riqueza, por el mejor reparto de la propiedad de las viviendas que de otras formas de riqueza. Por el lado del pasivo, los altos niveles de endeudamiento de los compradores «recientes» de vivienda hacen recaer el impacto de los mayores tipos de interés sobre aquellos que menos pueden reaccionar ante una «situación» adversa sobre su renta disponible.

Los efectos adversos que producen a los «nuevos compradores» los aumentos en los tipos de interés deberían llevar a eliminar las distorsiones derivadas del tratamiento de la propiedad alquilada, distorsiones que radican en un tratamiento fiscal desfavorable para la vivienda alquilada. También deberían suavizarse las desgravaciones fiscales para los ocupantes en propiedad. En resumen, debe establecerse un sistema fiscal más neutral para la vivienda en alquiler para así hacer más «libre» la opción alquiler/compra a la hora de acceder a la vivienda.

3.3 Política urbanística

La competencia urbanística corresponde a los gobiernos autónomos y locales. El Gobierno de la nación establece la normativa básica, que después es desarrollada y aplicada por las Administraciones territoriales. La normativa más reciente es la Ley 6/1998, de 13 de abril (BOE, 14-4-1998), sobre régimen de suelo y valoraciones. Esta ley debe ser objeto de desarrollo a nivel autonómico.

Las actuaciones urbanísticas de ayuntamientos y CCAA equivalen a un auténtico gobierno del territorio. La disponibilidad de suelo en condiciones asequibles resulta por completo determinante a efectos de la posible construcción de viviendas de precios coherentes con los ingresos familiares.

En la producción de viviendas, una descomposición primaria de los costes distinguiría entre el suelo, la construcción (materiales y mano de obra) y la actividad de promoción inmobiliaria. Los tres epígrafes mencionados suelen presentar situaciones dispares, correspondientes a mercados diferentes pero interconectados.

Los costes de la construcción y de la promoción inmobiliaria están sujetos a una evidente disciplina de mercado, lo que garantiza cierta competencia entre los oferentes. Por el contrario, en la determinación de los precios del suelo intervienen mecanismos peculiares que confieren a cada solar la característica de bien único.

El suelo es un bien singular, puesto que su valor proviene de su utilidad potencial como soporte de una edificación, con unas características que la normativa urbanística determina y que por su localización es única. El suelo identifica, mejor que ningún otro componente, la ausencia de homogeneidad de los productos ofrecidos en el mercado de la vivienda: puede haber múltiples e idénticas promociones pero nunca en la misma localización, lo que explica la disparidad de precios.

La primera variable de una promoción es, entonces, el suelo en donde se localiza, que refleja con su coste sensibles diferencias de precios de venta entre unas y otras promociones. Los procedimientos locales de generación de suelo, a la luz de las elevaciones registradas en los precios, han carecido de la agilidad necesaria y no han propiciado la necesaria transparencia que identifica a un mercado realmente competitivo. Asimismo, la generación de suelo urbanizable exige inversiones en infraestructuras, que no siempre se pueden acometer con la prontitud deseable. Por otra parte el bajo coste de mantenimiento del suelo «ocioso» es un último elemento que puede detener o retrasar su uso inmediato para la generación de viviendas, sobre todo si existen expectativas de revalorización por distintas causas, entre las que cabe destacar la persistencia de la tensión de la demanda sobre la oferta existente.

Se distinguen, en consecuencia, cuatro elementos que determinan la rigidez de la oferta de suelo:

1. La exclusividad de la *localización* de una parcela, que implica falta de homogeneidad en la oferta.
2. La posible *carencia física de emplazamientos* para nuevas edificaciones.
3. La *agilidad existente en el proceso de generación de suelo urbano*, que comprende un proceso administrativo y un proceso adicional de inversiones en infraestructuras.
4. La *demora en el empleo del suelo* para la edificación de viviendas.

Sin embargo, no todos los elementos son comunes en todos los centros urbanos, y menos aún igualmente irremediables. El elemento primero es el único realmente universal, aunque se han podido establecer mecanismos correctores, a través de la planificación y de las inversiones, es decir, evitando el problema tercero. La carencia absoluta de espacio físico para el crecimiento de la ciudad es un problema que, en rigor, sólo se produce excepcionalmente, y en tal caso, el planeamiento puede limitarlo a esas áreas muy concretas. Por último, el cuarto problema se puede solucionar legalmente.

En períodos de notable expansión inmobiliaria, los más altos precios de las viviendas inciden sobre el precio del suelo, cuyo mayor coste viene a reflejar las expectativas futuras de precios. No son extrañas repercusiones de hasta el 50% del suelo en el precio de venta de nuevas viviendas libres en los principales centros urbanos, mientras que en las VPO dicha repercusión se sitúa en torno al 20% en capitales de provincia de dimensión media. La política de suelo desarrollada por las CCAA y ayuntamientos tiene, pues, una incidencia clara sobre la posibilidad o no de que se construyan viviendas de precio asequible.

No basta, pues, con el establecimiento de una normativa básica a nivel estatal, sino que resulta necesaria la presencia de una voluntad política de aplicación de dicha normativa a nivel de Administraciones territoriales para ejercer una acción efectiva de gobierno del suelo y favorecer así, entre otros objetivos, la construcción de viviendas de precios coherentes con los niveles de ingresos familiares dominantes.

La ley 6/1998, sobre régimen de suelo y valoraciones (BOE, 14-4-1998), ha supuesto un cambio notable en la regulación del uso del suelo. La exposición de motivos de dicha ley considera «fracasada» la anterior ley 8/1990 desarrollada en texto refundido por el Real Decreto-Ley 1/1992 y anulada en una amplia extensión por la sentencia del Tribunal Constitucional de 10-3-1997 (BOE, 25-4-1997). Tras la citada sentencia, el Estado se limita a regular en la Ley 6/1998 el derecho de propiedad de suelo a efectos de garantizar la igualdad de las condiciones básicas de su ejercicio en todo el territorio nacional. Las categorías de suelo se reducen a las de urbano, urbanizable y no urbanizable. La condición de suelo no urbanizable se deriva de algún régimen especial o del planeamiento general, aunque en este caso debe justificarse tal carácter, no siendo posibles las recalificaciones para obtener ingresos municipales.

La cesión obligatoria de suelo de los propietarios a los ayuntamientos se limita a un máximo del 10% del aprovechamiento, no estableciéndose un mínimo. Se suprime la carga del 15% de cesión en el suelo consolidado por la edificación. El texto aprobado habilita a las autonomías a decidir si la cesión debe estar urbanizada o sin urbanizar, lo que puede aumentar el alcance económico de la cesión. Según el proyecto de ley, la flexibilización perseguida acrecentará la oferta de suelo, reducirá el coste de este último y dará lugar a un descenso en el precio de las viviendas. «Con la reforma existirá siempre suelo urbanizable en oferta permanente» (Nasarre, 1998).

La ley 6/1998 mantiene los principios del texto anterior (Ley 7/1997) a la promulgación de la sentencia del Tribunal Constitucional. Además de lo anterior, la ley citada reduce el papel de las Administraciones públicas, en particular el de los ayuntamientos, al disminuir el derecho al aprovechamiento, e incrementa el valor legal del suelo, al equipararlo al valor de mercado derivado de la calificación. La ley en cuestión potencia el papel de los propietarios, otorgándoles el derecho a promover las transformaciones de suelo no urbanizado en urbano, suprimiendo la obtención de patrimonio municipal de suelo a través de las áreas de reserva en suelo no urbanizable o urbanizable no programado.

Como ya se ha indicado, la ley citada debe ser objeto de desarrollo por las CCAA, previéndose la introducción de fuertes disparidades entre cada una de las mismas. Se abre, pues, una nueva etapa, en la cual puede darse paso a políticas locales y regionales muy diferenciadas y donde parece querer introducirse un alto nivel de actividad constructora al margen de consideraciones de tipo medioambiental o demográfico.

La nueva legislación impulsada por el gobierno emanado de las elecciones de 1996 ha establecido unos mecanismos de valoración del suelo que favorecen, pues, a los propietarios del mismo, puesto que encarecen las expropiaciones y hacen gravosa la intervención pública en el mercado del suelo. A partir de la nueva legislación es preciso pagar por las expectativas de valor adicional que origina el nuevo planteamiento urbanístico.

La nueva ley del suelo deja, pues, la puerta abierta a que las legislaciones autonómicas sigan considerando como urbanizable todo el suelo no protegido y que las Administraciones locales deban argumentar las razones de cualquier exclusión. Esto último puede conducir a recalificaciones urbanísticas por vía judicial. Se abandona así la posibilidad de exigir que los propietarios urbanicen, al haberse transformado lo que antes era una obligación en un derecho. Se facilita así la disgregación de los modelos urbanos y se reduce el protagonismo de los ayuntamientos a favor de los propietarios.

La nueva legislación reduce las posibilidades de crear patrimonios municipales de suelo. En las condiciones así creadas los municipios no pueden hacerse con reservas de suelo para construir viviendas protegidas, expropiando suelo no urbanizable. Tales reservas habrían de hacerse sobre suelo «no delimitado», lo que resulta más caro.

El problema de la vivienda está cada vez más asociado con el «derecho a la ciudad». Es preciso mejorar las ciudades existentes a través de la renovación urbana, y ello no sólo en los centros históricos, sino también en los barrios que han quedado degradados en un período reducido de tiempo.

La promoción pública de viviendas, el impulso a la vivienda protegida para permitir el acceso a los hogares con rentas más reducidas requiere disponer de suelo público a coste reducido. El modelo norteamericano de «ciudad en extensión» convierte a dichos centros, en unos casos, en zonas de negocios, en otros en viviendas de precio muy elevado y en otras ocasiones se llega a una fuerte degradación, ante la escasez de actuaciones de renovación de barrios y centros urbanos.

El suelo tiene, pues, un fuerte peso en el precio de la vivienda. Pero la interacción coste del suelo-precio de la vivienda es total. Son los altos precios de la vivienda y los volúmenes edificativos los que determinan el alto coste del suelo. No puede actuarse considerando que el suelo se puede producir como los ladrillos, por sus especiales características. Los problemas de carestía de la vivienda que ocasionó el *boom* de 1986-1991 y los que está generando el del período 1998-1999 los impulsa la fuerte demanda que provoca el mayor crecimiento y los bajos tipos de interés, así como el escaso uso del parque existente a efectos de aumento de la oferta disponible para atender las demandas de los nuevos hogares.

3.4 Fiscalidad de la vivienda

«Existen un amplio conjunto de razones que pueden justificar la subsidiación fiscal a la vivienda. Pero también existen razones importantes para que el sistema fiscal no discrimine a favor de una u otra forma de tenencia» (Miles, 1994).

El trato fiscal de la vivienda y de los créditos hipotecarios que permiten financiar su compra varía notablemente entre los distintos países de la OCDE y de la UE. Existe un amplio conjunto de países en los que mientras que los intereses de los préstamos precisos para financiar la compra de la vivienda son deducibles fiscalmente, la renta derivada del alquiler de una vivienda es objeto de imposición, así como cualquier ganancia de capital de la vivienda objeto de arrendamiento.

La discriminación contra una u otra forma de tenencia es el problema efectivo. La oferta de vivienda es rígida a corto plazo, por lo que un tratamiento fiscal favorable de la propiedad elevará el precio de la vivienda. La capitalización de los beneficios fiscales que ayudan al acceso a la vivienda en propiedad aumenta el precio de la vivienda, lo que a su vez aumenta el coste del alquiler, sin que este último tenga ninguna compensación fiscal. De lo anterior se deriva que la participación de la vivienda en propiedad dentro del conjunto de viviendas principales resulta ser más alta que si el sistema fiscal fuese neutral respecto de la forma de tenencia de la vivienda.

La vivienda en España es objeto de imposición en su adquisición, en su uso y también cuando se recurre a un préstamo para la compra. En la compra (I), si la vivienda es de nueva construcción, la vivienda es gravada por el IVA (7%) y por el impuesto sobre Actos Jurídicos Documentados (0,5%). Si la vivienda es usada, en lugar del IVA se aplica sólo el Impuesto sobre Transmisiones Patrimoniales (6%). En el acto de la adquisición es preciso liquidar la imposición municipal sobre el aumento del valor de los terrenos (plusvalía).

Una vez en uso (II), la vivienda es gravada por el Impuesto sobre Bienes Inmuebles (IBI), de carácter municipal. Si la vivienda está cedida en arrendamiento, su propietario, obviamente, debe declarar en el IRPF los ingresos reales obtenidos, de los que se pueden descontar los gastos de mantenimiento y servicios. La vivienda, a su vez, es considerada por su valor catastral en el Impuesto sobre el Patrimonio.

El préstamo hipotecario (III) preciso para comprar la vivienda es objeto de gravamen por el Impuesto de Transmisiones Patrimoniales (1% sobre la cuantía del préstamo).

La compra de la vivienda es objeto de ayuda fiscal, básicamente en el Impuesto sobre la Renta de las Personas Físicas, y ello con vistas a incentivar la compra de la inversión. Aunque en principio sólo es desgravable el pago total del préstamo ligado a la compra de la vivienda principal, se ha abierto la posibilidad de que las autonomías desgraven la compra de vivienda secundaria, lo que es un factor estimulante de la oferta que no parece justificarse a la vista del elevado parque de viviendas existentes.

Junto a las modificaciones introducidas en 1998 en la normativa de suelo y de ayudas directas a la vivienda a partir de la financiación convenida, en 1998 y 1999 se ha procedido a introducir cambios sustanciales en la fiscalidad de la vivienda, concretamente en el tratamiento de la misma en el Impuesto sobre la Renta de las Personas Físicas. Los cambios en cuestión se han introducido a partir de la Ley 40/1998, de 9-12-1998, del IRPF, y en el Real Decreto 214/1999, de 5-2-1999, por el que se ha aprobado el reglamento de la Ley del IRPF. Dentro de las modificaciones introducidas en materia fiscal, a partir de las dos normas citadas, destacan las siguientes:

1) Desaparece el 2% del valor catastral imputable a la vivienda habitual, aunque se mantiene dicho 2% (1,1% si el valor catastral está revisado) para segundas o ulteriores viviendas propias no arrendadas.

2) Desaparece la deducción por el alquiler de vivienda, aunque se abre la posibilidad de compensación para alquileres con antigüedad anterior al 24-4-1998. Esta modificación contradice el objetivo, varias veces expresado por el actual Gobierno, de aumentar el parque existente de viviendas en alquiler.

3) Se mantiene la exención por reinversión en vivienda, aunque se considera que es incompatible con la deducción por compra de nueva vivienda, confirmando el tratamiento dado por sentencia del Tribunal Supremo de 30-5-1998.

4) En cuanto a la compra de vivienda habitual, desaparece la deducción en la base imponible de los intereses y se mantiene la deducción en la cuota del 15% por las cantidades satisfechas si la compra se hace sin financiación ajena. Se establece en 1.500.000 pesetas la base máxima de la deducción. Si la vivienda se compra con financiación ajena, la deducción se realiza igualmente en la cuota, con el mismo límite de 1,5 millones de pesetas, variando los porcentajes de deducción. En los dos primeros años de la adquisición la deducción será del 25% sobre las primeras 750.000 pesetas y del 15% sobre el exceso hasta el millón y medio de pesetas restante. Después de los dos primeros años, la deducción será del 20% y del 15% respectivamente.

Se ha introducido el requisito de que el crédito represente al menos el 50% del valor de compra de la vivienda y, si se trata de reinversión, el crédito debe representar, al menos, el 50% del exceso de inversión que corresponde, no pudiendo amortizarse en los tres primeros años una cantidad que exceda del 40% del importe total solicitado.

5) En lo relativo a la cuenta-vivienda, la deducción sólo se establece para la primera adquisición o rehabilitación, con el límite anual de 1,5 millones de pesetas y un plazo máximo de compra de cuatro años, aunque se mantiene el plazo de cinco años para las cuentas abiertas antes del 1-1-1999.

La nueva normativa reduce algo el alcance de las desgravaciones en el IRPF por compra de vivienda habitual, a la vez que refuerza de nuevo la situación relativa de la vivienda en propiedad frente a la vivienda en alquiler.

Se considera que los sistemas de ayuda fiscal a la vivienda existentes en los países de la OCDE resultan más bien de la evolución del propio sistema fiscal que de la voluntad de construir un sistema destinado a conseguir los objetivos propios de la política de vivienda. El peso de las ayudas fiscales en España ha crecido notablemente en los últimos años, siendo ésta la ayuda pública al acceso a la vivienda con mayor presencia dentro del total correspondiente.

3.5 España. Aspectos básicos del sistema de financiación a la vivienda

La normativa que configura el mercado hipotecario en España se ha desarrollado a lo largo de los años ochenta y noventa. La ley de mercado hipotecario (Ley 2/81) y el reglamento del mercado hipotecario (RD 685/81) crearon los instrumentos elementales de refinanciación de los préstamos hipotecarios, esto es, las cédulas, bonos y participaciones hipotecarias. Sólo las cédulas se configuraron como instrumento operativo, pero hubo aspectos de esta normativa, como el establecimiento de una relación máxima préstamo/valor y la obligatoriedad de efectuar tasaciones con carácter previo a la concesión del crédito, que supusieron pasos importantes en lo que se refiere a la aproximación de la práctica española en este terreno a la existente en otros países occidentales. En los años noventa se han producido avances adicionales importantes. El Real Decreto 1.289/1991 potenció la figura de las participaciones hipotecarias, confirmando su carácter de instrumento de cesión de activos hipotecarios. La Ley 19/1992 creó los Fondos de Titulización Hipotecaria, cuyo patrimonio lo forman las participaciones hipotecarias, y su pasivo, que refleja la fuente última de ahorro, lo integran los títulos valores representativos de los citados Fondos de Titulización.

Por último, el Real Decreto 926/1998, de 14 de mayo, ha regulado los Fondos de Titulización de activos y sus sociedades gestoras ampliando la posibilidad de titulizar nuevos tipos de créditos y préstamos. Se ha establecido la posibilidad de financiación de los Fondos de Titulización a partir de préstamos procedentes de entidades de crédito. Los valores de renta fija que emiten los Fondos de Titulización deben ser objeto de negociación en un mercado secundario organizado. Los préstamos hipotecarios se pueden vender, pues, a través de paquetes de títulos emitidos por los Fondos de Titulización correspondientes.

Además de la normativa relativa al mercado hipotecario, la Ley 2/1994 sobre subrogación y modificación de los préstamos hipotecarios resulta una auténtica originalidad española. Ante el rápido descenso de los tipos de interés de los nuevos préstamos hipotecarios, en 1993 se generó una diferencia notable entre los tipos de interés de los «viejos» y «nuevos» préstamos. La ley citada considera «razonable» y digno de «protección» el hecho de que los «viejos» prestatarios se beneficien de las ventajas de la reducción de los tipos de interés, aunque el ámbito de la ley se extendió también a los promotores de viviendas y a los adquirentes de locales de negocio.

La Ley 2/1994 utilizó la modificación del artículo 1.211 del Código Civil, apoyado en la subrogación del prestatario en un nuevo préstamo concedido por otra entidad financiera, como forma de facilitar el descenso de tipos de interés de toda la cartera histórica de préstamos hipotecarios. No es preciso, según la ley citada, el consentimiento de la entidad financiera acreedora para que el deudor se subrogue con otra entidad prestamista, bastando que esta última declare en la nueva escritura de préstamo que ha pagado al primer prestamista la cantidad acreditada. La Ley 2/1994 permite reducir los costes notariales, registrales y fiscales siempre que estos últimos se generen como consecuencia de inversiones crediticias o de subrogaciones de créditos hipotecarios. La ley en cuestión no profundiza en los efectos que puede conseguir, y acentúa sustancialmente el riesgo de interés de las entidades financieras, lo que afecta al proceso de titulización hipotecaria.

El crédito hipotecario ha experimentado un rápido crecimiento en España desde la segunda mitad de los años ochenta, mejorando sensiblemente sus condiciones respecto de etapas anteriores. La relación préstamo/valor ha aumentado notablemente respecto del pasado, situándose por lo general en el 80%. También ha crecido el plazo de los préstamos, pasando a ser frecuentes los préstamos a plazos de quince y veinte años en el segmento libre de la financiación a la vivienda. La mejora de las condiciones citadas en los préstamos hipotecarios y el aumento de la oferta de los mismos no impidieron que en los primeros años de la década de los noventa los tipos de interés de los préstamos hipotecarios resultasen muy elevados en España.

Como puede apreciarse en el cuadro 19.5, el saldo vivo de crédito hipotecario de los bancos, cajas de ahorros y cooperativas de créditos ascendió a 34,0 billones de pesetas a 30-11-1999, el 44,5% del crédito vivo a familias y empresas. A la vista del alcance de los procesos de titulización, se ha estimado que el conjunto de créditos hipotecarios «vivos» en situación «normal» (excluidas las provisiones para insolvencias de dichos préstamos) debe superar las cifras totales antes citadas. Las cajas de ahorros tienen el 52,6% de dichos créditos, seguidas por los bancos (39,9%) y cooperativas de crédito (5,8%).

La fuerte competencia existente entre las entidades financieras ha contribuido a reducir sustancialmente los tipos de interés de los préstamos en cuestión. Así, en marzo de 1999 dichos tipos ascendían al 4,82% (TAE) en el caso de los créditos destinados a la compra de viviendas, frente al

Cuadro 19.5   Créditos con garantía hipotecaria, otros sectores residentes. Cartera en situación normal (miles de millones de pesetas)

	TOTAL	Bancos[a]	Cajas ahorros	Cooperativas de crédito	S.C.H.
			Saldos a fin de período		
1990	7.953,7	2.421,0	4.811,4	136,6	584,7
1991	9.679,1	3.412,7	5.356,0	195,0	715,4
1992	12.505,2	5.198,6	6.196,7	388,0	721,9
1993	14.104,9	5.694,3	7.240,6	483,0	687,0
1994	16.150,2	6.399,0	8.492,7	634,0	624,5
1995	17.959,9	7.021,8	9.572,0	780,0	586,1
1996	20.374,0	8.058,0	10.850,0	934,0	532,0
1997	24.371,0	9.620,0	12.863,0	1.223,0	665,0
1998	29.051,0	11.368,0	15.456,0	1.637,0	590,0
1999*	34.006,0	13.568,0	17.902,0	1.971,0	565,0
			Composición porcentual		
1990	100,0	30,4	60,5	1,7	7,4
1991	100,0	35,3	55,3	2,0	7,4
1992	100,0	41,6	49,6	3,1	5,8
1993	100,0	40,4	51,3	3,4	4,9
1994	100,0	39,6	52,6	3,9	3,9
1995	100,0	39,1	53,3	4,3	3,3
1996	100,0	39,6	53,3	4,6	2,6
1997	100,0	39,5	52,8	5,0	2,7
1998	100,0	39,1	53,2	5,6	2,0
1999	100,0	39,9	52,6	5,8	1,7

Crédito a otros sectores residentes. Peso relativo del crédito con garantía hipotecaria

	Crédito a otros sectores residentes (saldo vivo)	% participación del crédito hipotecario en crédito otros sectores residentes
1990	41.274,2	19,3
1991	38.834,0	24,9
1992	41.762,5	29,9
1993	42.177,5	33,4
1994	45.785,0	35,3
1995	48.960,0	36,7
1996	52.667,0	38,7
1997	59.354,0	41,1
1998	68.705,0	42,3
1999*	76.409,0	44,5

(a) Incluye a la Caja Postal y, a partir de noviembre de 1991, los datos del B.C.I.
(*) Datos a noviembre de 1999.

FUENTE: B.E., Asociación Hipotecaria Española.

Cuadro 19.6   Tipos de interés de los préstamos con garantía hipotecaria*. Porcentajes

País	Medias anuales (%)			1998				1999	
	1997	1998	1999**	I	II	III	IV	I	II
Alemania	6,8	5,9	5,3	6,1	6,0	5,6	5,3	5,2	5,4
Austria	7,0	6,7	5,5	6,8	6,8	6,5	6,0	5,5	5,5
Bélgica	7,2	6,3	5,2	6,7	6,9	5,4	5,4	5,2	5,2
Dinamarca	7,6	6,9	6,2	7,0	6,8	6,8	6,6	6,1	6,2
España	6,9	5,8	4,7	6,0	5,7	5,6	5,3	5,0	4,5
Francia	6,9	6,2	5,5	6,4	6,2	5,9	5,6	5,5	5,5
Grecia	15,5	15,3	12,8	15,3	15,3	15,3	13,8	12,8	12,8
Holanda	6,2	5,6	4,9	5,7	5,7	5,3	5,3	4,9	4,9
Irlanda	7,5	7,5	5,4	7,5	7,5	7,5	6,0	5,5	5,3
Italia	8,0	6,2	4,7	6,5	6,2	6,0	5,5	4,7	4,7
Noruega	5,6	7,0	8,4	5,6	5,8	9,5	9,5	8,7	8,1
Portugal	9,3	6,7	5,4	7,4	6,5	6,3	5,7	5,7	5,1
Reino Unido	7,2	7,8	6,5	7,8	7,8	7,9	7,3	6,5	6,4
Suecia	7,2	6,3	5,8	6,4	6,0	6,4	5,5	5,3	6,3
Media C.E.[a]	**7,6**	**7,0**	**6,1**	**7,1**	**7,0**	**7,0**	**6,6**	**6,1**	**6,1**

(a) Media simple.
(*) Tipos efectivos para Reino Unido, Austria, Bélgica, Holanda, Suecia, Dinamarca, Alemania, España, Italia, Portugal y Noruega.
    Tipos nominales para Francia, Grecia e Irlanda.
(**) Media del I y II trimestre de 1999.

FUENTE: Federación Hipotecaria Europea.

16,72% que fue la media de los tipos de interés de dichos préstamos durante 1990. Mientras que en 1990 los tipos de interés de los créditos hipotecarios eran en España de los más elevados de la UE, en 1999 esta situación ha cambiado espectacularmente (cuadro 19.6).

El mercado hipotecario se ha desarrollado en España de forma significativa por el lado del activo, alcanzando un escaso peso relativo los instrumentos de refinanciación alternativos a los depósitos, respecto del saldo de crédito hipotecario, a la vista del limitado escaso desarrollo de los títulos hipotecarios, donde sólo las cédulas y, recientemente, los bonos de titulización han alcanzado un cierto significado. En España no coincide del todo el enfoque de la normativa existente en materia de protección al consumidor con la correspondiente a la media de los países de la UE. También la Ley

2/1994 puede romper el equilibrio financiero implícito en las operaciones a largo plazo, aumentando el riesgo de interés para el conjunto de entidades financieras especializadas en el crédito hipotecario, si se produjesen estrategias agresivas por parte de las entidades financieras. Como todo indica, en el caso de que se desarrollasen ampliamente los créditos hipotecarios transfronterizos hacia España, las entidades financieras españolas estarán en peores condiciones que los prestamistas con sede en otro Estado miembro de la UE, ya que en estos últimos no existen normas equivalentes a la citada ley.

Con motivo de la implantación del euro desde el primero de enero de 1999, los tipos de interés del mercado mayorista de dinero de Madrid han perdido trascendencia, por lo que se ha sustituido al Mibor por el Euribor como tipo de interés de referencia. Por otra parte, los procesos de armonización del mercado hipotecario, que pueden tener su primer inicio en el anunciado proyecto de directiva sobre venta a distancia de servicios financieros, están coincidiendo con otro fenómeno, el de la reestructuración del ahorro familiar desde los pasivos bancarios tradicionales hacia colocaciones en inversiones institucionales, drenándose así liquidez en el sistema financiero. Los créditos hipotecarios siguen siendo un producto de ámbito nacional, mientras que la refinanciación de los mismos se va a efectuar en un marco cada vez más ampliado, en especial dentro de la zona euro.

Los créditos hipotecarios se han financiado básicamente en España a partir del pasivo bancario tradicional, esto es, a partir del ahorro a la vista. Sólo la experiencia histórica del Banco Hipotecario de España se salió de este esquema, puesto que dicha entidad, que llegó a suponer el 15% del saldo del crédito hipotecario en España en 1991, refinanció básicamente sus créditos libres a partir de emisiones de títulos a largo plazo. Una vez absorbida dicha entidad por Argentaria y desaparecida la banca pública en España, dominó plenamente la escena la refinanciación hipotecaria a partir del ahorro a la vista. Este esquema se está viendo afectado por la reestructuración ya citada del ahorro familiar, como lo revela el hecho de que el crecimiento de los créditos hipotecarios en 1998-1999 y, en general, el aumento del crédito interno en España están resultando ser muy superiores a los de los recursos ajenos de bancos, cajas de ahorros y cajas rurales. Esta circunstancia se ha intentado combatir facilitando los procesos de titulización, siendo previsible que las entidades financieras españolas acudan a refinanciarse a los mercados exteriores, en particular a los de la zona euro, donde no hay riesgo de tipo de cambio, pudiendo así configurarse un mercado hipotecario a escala de dicha zona.

Es posible que la experiencia de Estados Unidos, donde convive un fuerte mercado secundario de hipotecas junto al mercado primario, se traslade parcialmente al marco de la zona euro. Las situaciones de escasez de ahorro de algunos países miembros frente a las demandas de inversión animarán a las entidades financieras a salir a los mercados exteriores, lo que fortalecerá los procesos de refinanciación a través de la titulización.

La evolución del crédito hipotecario aparece estrechamente ligada a la evolución del mercado inmobiliario y a la reestructuración existente en Europa en favor de la vivienda en propiedad y en contra de la vivienda de alquiler. Las etapas de auge inmobiliario generan expectativas de crecimiento indefinido de los precios de las viviendas. Este proceso va a ser más difícil de frenar en el marco actual de la política monetaria única que en etapas precedentes.

El proceso de rápida expansión de los créditos hipotecarios comprendido entre 1985 y 1991 terminó en España con unos precios de la vivienda excesivamente altos respecto de los ingresos familiares. Entre 1991 y 1993 se registró una crisis de ventas del subsector inmobiliario que no generó descensos apreciables en los precios de las viviendas, pero que dio lugar a que hasta 1997 los aumentos del IPC y de los salarios superasen a los de las viviendas. La fuerte expansión previa del crédito hipotecario y de los precios de las viviendas contribuyó en parte a la recesión de los primeros años noventa. El desvío del ahorro hacia los bienes inmobiliarios detrae recursos susceptibles de destinarse a otras actividades productivas, por lo que dicha expansión de las ventas y de los precios de las viviendas puede preparar el camino para una posterior recesión. La crisis inmobiliaria suele generar aumentos notables en la morosidad bancaria, por lo que las crisis inmobiliarias afectan a los resultados de las entidades financieras.

En 1998 y 1999 los precios de las viviendas han aumentado de nuevo a un ritmo rápido, muy por encima del IPC y de los salarios. Dicho crecimiento de los precios inmobiliarios está acompañado de aumentos intensos en el crédito hipotecario. La principal diferencia entre el comportamiento del mercado inmobiliario de la segunda mitad de los años ochenta y la que está sucediendo diez años después es que en esta última los tipos de interés de los préstamos hipotecarios son reducidos, y también en que no cabe pensar en procesos de racionamiento del crédito hipotecario como los que el Banco de España introdujo en 1989-1990.

Al margen de las actuaciones de las Administraciones públicas en materia de política de vivienda, puede incidir sobre las condiciones de los nuevos créditos la Circular del Banco de España 9/99, de 17 de diciembre, que ha modificado una anterior circular de amplio uso, la CBE 4/91. La nueva circular entrará en vigor el primero de julio de 2000, y responde a la inquietud del Banco de España respecto del fuerte aumento del crédito al sector privado. Esta circunstancia ha coincidido con un menor volumen de provisiones por parte de las entidades crediticias, ante el notable descenso de los créditos dudosos derivados de la coyuntura económica de 1998-1999. El problema no serían los actuales créditos dudosos, sino la amplitud alcanzada por la cartera de créditos al sector privado en 1998-1999.

Destacan, en dicha circular, las innovaciones relativas a la definición del riesgo de insolvencias, los cambios en el riesgo-país, las variaciones en la cobertura del riesgo de insolvencia y creación de un nuevo «Fondo

Gráfico 19.3 **Tipos de interés de los créditos-vivienda. Media de las entidades financieras y Mibor a un año**

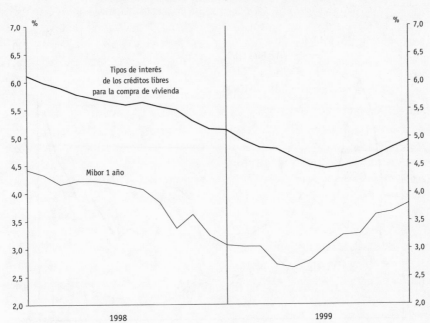

FUENTE: Banco de España.

de Cobertura Estadística de Insolvencias» (FECI). Se endurece la cobertura aplicable a los créditos-vivienda que superen el 80% del valor de tasación.

La circular citada puede incidir a la baja sobre los resultados de bancos y cajas de ahorros y acrecentará las provisiones para insolvencias en igualdad de condiciones. Todo lo anterior podría incidir sobre los niveles de tipo de interés de los créditos a la vivienda, aunque la fuerte competencia existente entre las entidades financieras puede impedir la traslación automática de los mayores costes financieros que dicha circunstancia implica (gráfico 19.3).

4. Los ciclos inmobiliarios en España. La evolución de 1998-1999

Los gráficos 19.4 y 19.5, relativos a los datos anuales de proyectos visados por los colegios de arquitectos y a las viviendas iniciadas en España, estimadas estas últimas en el Ministerio de Fomento, subrayan el alcance que en España presentan los ciclos inmobiliarios, a la vista de la intensidad de

Gráfico 19.4   Proyectos visados por los colegios de arquitectos (totales anuales)

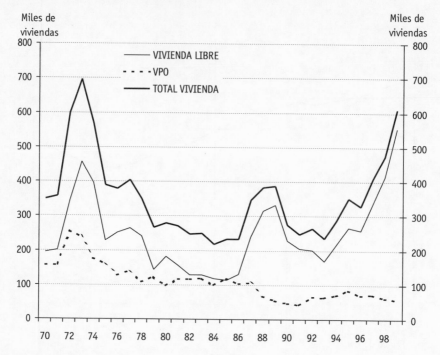

Nota: Estimación obtenida aplicando tasas de variación enero-septiembre.
FUENTE: MOFO y Colegios de Arquitectos de España.

las fluctuaciones que experimentan los volúmenes de ventas y de construcción de nuevas viviendas.

A lo largo de las tres últimas décadas del siglo veinte se han producido tres etapas de clara expansión inmobiliaria. La primera tuvo lugar entre 1971 y 1974. A esta etapa sucedió un período de retroceso de la actividad que, en líneas generales, persistió hasta 1985. La segunda etapa de expansión inmobiliaria fue la registrada entre 1986 y 1990, seguida de un bache que se extendió entre 1991 y 1994. Entre 1995 y 1996 se produjo una recuperación suave, a la que ha seguido un trienio, el de 1997-1999, que puede considerarse como el tercero registrado de fuerte expansión acaecida en España después de 1970.

El gráfico 19.6 recoge la evolución de los tipos de interés de los créditos a la vivienda (1982-1999), en la que destaca el acusado descenso de tipos posterior a 1995. El gráfico 19.7 refleja cómo entre 1985 y 1991 el aumento de los precios de las viviendas superó ampliamente al de los salarios y al de los precios de consumo. Entre 1992 y 1997 los precios de consumo y los salarios crecieron ligeramente por encima de los precios de la vivienda. Nue-

Gráfico 19.5   Viviendas iniciadas. Series anuales, 1970-1999

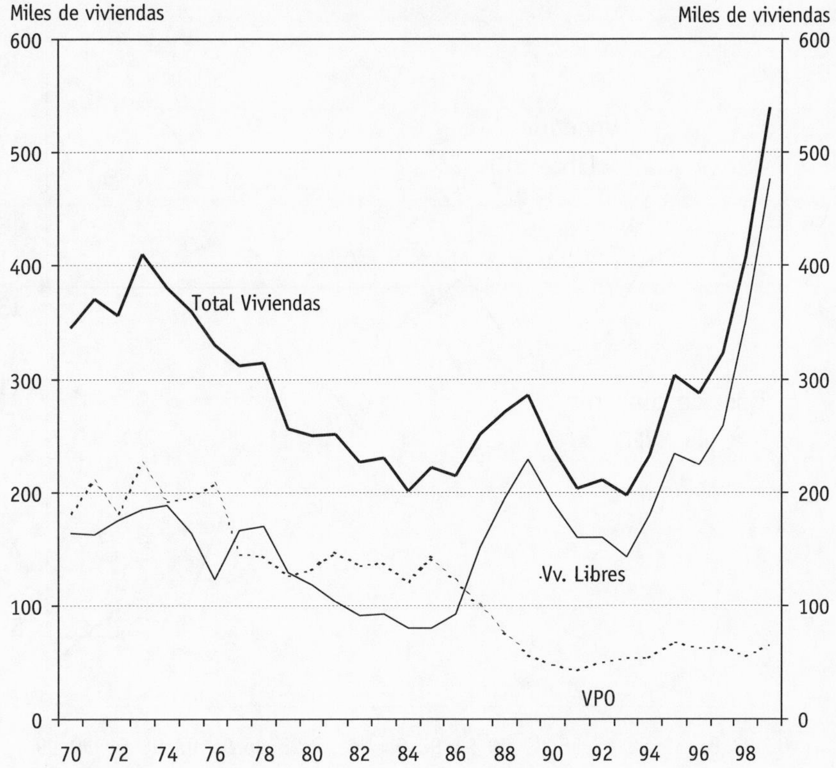

Miles de viviendas   Miles de viviendas

Nota: Para 1999 se ha estimado aplicando las tasas de variación enero-septiembre 99/98.
FUENTE: Ministerio de Fomento.

vamente los precios de vivienda han vuelto a crecer claramente por encima de precios y salarios en el bienio 1998-1999. El gráfico 19.8 señala cómo, a pesar de la aceleración del aumento de los precios de las viviendas en 1998-1999, todavía dichos crecimientos recientes, con ser muy superiores a los precios y salarios, quedan lejos de las altos ritmos alcanzados en el *boom* precedente.

Se han efectuado en España algunas aproximaciones a los factores que explican la intensidad de los ciclos inmobiliarios. Dichas estimaciones han tenido carácter de primera aproximación, estando lejos de obtenerse resultados satisfactorios (Rodríguez, 1978, y Bover, 1992). En ambos casos el PIB per cápita a precios constantes ha presentado una incidencia notable sobre los precios de las viviendas y sobre la demanda inmobiliaria, actuando los tipos de interés y el crecimiento del PIB con notable fuerza en el corto plazo, influyendo también el proceso de formación de nuevos hoga-

Gráfico 19.6   Tipos de interés del crédito a vivienda libre y a VPO (TAE)

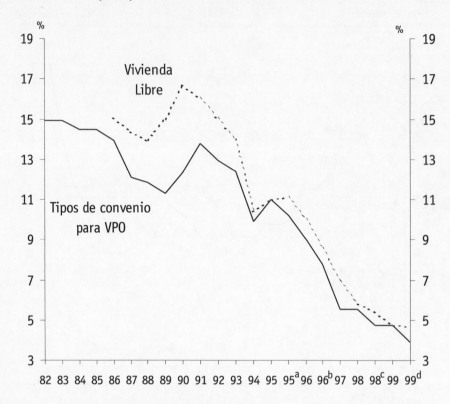

(a) Media del período octubre-diciembre para vivienda libre.
(b) Media del período agosto-diciembre para vivienda libre.
(c) Media del período agosto-noviembre para vivienda libre.
(d) Media del período agosto-diciembre para vivienda libre.
FUENTE: MOFO, BOE.

res. Los procesos de racionamiento de crédito fueron importantes en el pasado, en especial cuando el Banco de España procedió a implantar controles cuantitativos al aumento del crédito, y también desempeñaron un papel notable los elevados costes de la construcción (García Montalvo y Más, 2000).

Las variables «fundamentales» no bastan para explicar la intensidad de la demanda de vivienda en los períodos de expansión, lo que puede indicar que en dichas etapas es posible que la compra de viviendas con fines de inversión desempeñe un papel destacado. La presencia de expectativas «extrapolativas» da lugar a que se sobrevalore la fuerza de la demanda, comprándose viviendas y suelo con fines especulativos. En este sentido, el trabajo de Roca Cladera (1998) presenta un notable interés.

Gráfico 19.7   Precios, viviendas, salarios, IPC

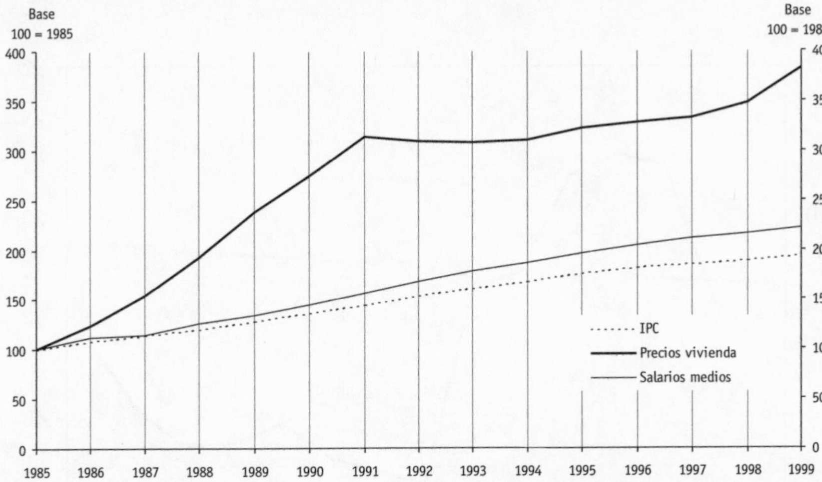

Precio de las viviendas: serie Ministerio de Fomento para el conjunto de viviendas, ptas./año.
Ingresos familiares: serie de salarios nominal anual por persona ocupada, Encuesta Trimestral de Salarios.
Precios de consumo: medias anuales del Índice General de Precios del INE.

Según dicho autor, la demanda residencial responde en España a las siguientes tipologías: (1) Compra de primera vivienda por parte de los jóvenes hogares. (2) Compra de vivienda por parte de familias que mejoran de vivienda (optimización general, aumento de tamaño, mejora de calidad). (3) Cambio en el lugar de trabajo. (4) Compra de vivienda como inversión, como un refugio contra la inflación. (5) Segunda residencia. (6) Cambio en el régimen de tenencia desde la vivienda en alquiler a la vivienda en propiedad (es el caso más frecuente).

La compra de primera vivienda tiene un componente tendencial muy potente, apareciendo ligada a causas demográficas, esto es, a la formación de nuevos hogares, como lo indican las atenuadas fluctuaciones de la serie anual de matrimonios, que es el principal componente de dicha demanda. Aunque el proceso de formación de hogares es sensible al ciclo económico, dicha «sensibilidad cíclica» resulta aún más elevada en los hogares que adquieren viviendas con el objetivo de mejorar de calidad. La compra de segunda residencia tiene también un componente cíclico acusado, destacando la importancia de las compras ligadas al cambio de lugar de trabajo, a la vista de la creciente movilidad existente dentro de las áreas metropolitanas.

Los cambios de coyuntura cíclica generan, pues, una mayor formación de hogares y estimulan a la mejora de vivienda, lo que provoca no sólo una mayor demanda de vivienda y unos precios de venta más elevados, sino que

Gráfico 19.8   Precios medios de las viviendas tasadas en España. Tasas de variación interanuales

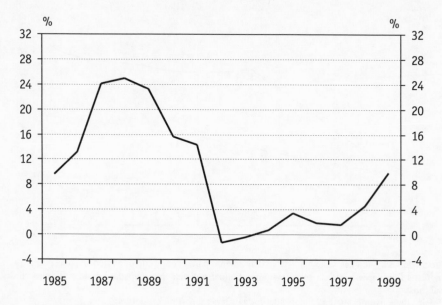

Nota: Para 1999 la tasa de variación se refiere al período medio enero-septiembre 99/98. Para los años 1984, 1985 y 1986 se ha estimado la variación de los precios para España aplicando las tasas de variación de los precios medios en Madrid, obtenidos por Tecnigrama.
FUENTE: MOFO.

acentúan los procesos de suburbanización. Los precios de las viviendas afectan, pues, a la redistribución espacial de los hogares. La presencia de viviendas de baja calidad y los altos precios de las nuevas viviendas en los centros urbanos tradicionales provocan que «nuevos y viejos» hogares se desplacen hacia el interior de las áreas metropolitanas, generando descensos en la población de las capitales de provincia y acrecentando a ritmo notable la población de las ciudades circundantes, con diferente intensidad según las características de cada capital y de su respectiva área metropolitana. Los procesos citados pueden identificarse con claridad en el caso de Madrid y Barcelona, donde se puede advertir adónde se desplazan los nuevos hogares y dónde se ubican los que adquieren una vivienda de mayor calidad.

De acuerdo con los esquemas hasta aquí descritos, los cambios de ciclo afectan notablemente a la demanda de vivienda. La mayor demanda que provoca el crecimiento más intenso del PIB y los menores tipos de interés se ve reforzada por una actuación proclive al crédito inmobiliario por parte de las entidades financieras. Las flexiones a la baja del ciclo económico y las reacciones defensivas de las entidades financieras acen-

Cuadro 19.7   TINSA. Tasaciones según tipología del inmueble[a]

	Totales anuales			Variación 98/97 (%)	Variación 99/98 (%)
	1997	1998	1999		
1. Total viviendas	217.718	261.215	316.628	20,0	21,2
1.1. Viviendas nuevas	111.735	144.974	192.014	29,7	32,4
1.2. Viviendas usadas	105.983	116.241	124.614	9,7	7,22
2. Locales comerciales	9.567	10.267	11.281	7,3	9,93
3. Oficinas	1.072	1.074	1.274	0,2	18,64
4. Naves industriales	3.956	4.352	5.011	10,0	15,15
5. Edificios de viviendas y oficinas	9.003	10.823	13.265	20,2	22,66
6. Terrenos	2.566	3.490	4.614	36,0	32,27
7. Total tasaciones	**268.665**	**320.341**	**388.585**	**19,2**	**21,3**

(a) Número de valoraciones efectuadas por TINSA.

FUENTE: TINSA.

túan el perfil bajista en la etapa de recesión. La globalización de la economía y la implantación de la moneda única en los once países de la zona euro provocan aumentos en el número de inversores, lo que puede acentuar las desviaciones al alza respecto del precio de equilibrio en las etapas expansivas.

Una combinación de precios elevados, altos tipos de interés y ciclo a la baja dio lugar a la fase depresiva inmobiliaria de 1991-1994, que contribuyó a acentuar el perfil recesivo de la evolución económica general de los primeros años noventa. El perfil «activista» de la política de vivienda de 1992-1996, que impulsó claramente la construcción de nuevas viviendas protegidas y estimuló la nueva oferta de promociones ligadas a las actividades locales, impidió que la recesión presentara en España el alcance que hubiese registrado en ausencia de dicho apoyo.

Como viene observándose en la estimación de modelos econométricos relativos a la vivienda, el análisis del mercado inmobiliario en España desde una perspectiva general se enfrenta todavía a numerosas carencias en materia de estadísticas disponibles. Se echa en falta en especial alguna estadística de ventas de viviendas y una diferenciación, dentro de los indicadores relativos a la actividad constructora, entre viviendas destinadas a primera vivienda y las destinadas a vivienda secundaria.

Gráfico 19.9   Tasaciones de inmuebles.
Totales anuales, 1990-1999

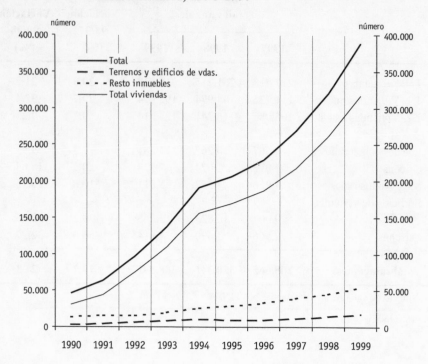

Total
Terrenos y edificios de vdas.
Resto inmuebles
Total viviendas

FUENTE: TINSA.

El cuadro 19.7 y el gráfico 19.9 reflejan la intensidad de la etapa alcista del ciclo **inmobiliario**. Entre 1996 y 1999 el número anual de **tasaciones de viviendas** ha crecido a una media anual del 13,7%, correspondiendo a 1998-1999 aumentos medios anuales no inferiores al 20%. Los aumentos citados han sido en especial intensos en edificios de viviendas y oficinas, terrenos y viviendas de nuevas construcción, lo que refleja la presencia de un fuerte aumento de la oferta inmobiliaria, es especial en los dos últimos años. Las tasaciones de viviendas usadas, que reflejan notablemente las ventas efectivas de viviendas, han aumentado entre 1996 y 1999 a un ritmo medio anual del 18,2% (Rodríguez, 1999).

En cuanto a la **actividad constructora**, que mide la nueva oferta inmobiliaria, se han alcanzado niveles elevados en 1998 y 1999. Así, la encuesta coyuntural de la construcción ha registrado un aumento medio anual superior al 10% en la obra ejecutada en vivienda en 1998-1999 a precios constantes. En 1998-1999, ha destacado la intensidad de los aumentos experimentados por los proyectos visados por los colegios de aparejadores, que parecen ser el indicador más próximo a las iniciaciones de nuevas vivien-

Cuadro 19.8 Mercado inmobiliario. Principales indicadores de actividad. Variaciones interanuales (%)

Indicadores de actividad	1998-1997	1999-1998	Último dato disponible
1. Encuesta coyuntural de la construcción. Producción (MOFO) Precios constantes			
1.1. Total construcción	**9,5**	**10,0**	Sept. 99
1.2. Viviendas familiares	9,5	13,7	Sept. 99
1.3. Edificación	9,1	11,4	Sept. 99
1.4. Obra civil	11,7	7,7	Sept. 99
2. Hipotecas urbanas registradas			
2.1. Total	1,1	7,8	Oct. 99
2.2. Viviendas proyectadas	–0,5	21,5	Oct. 99
2.3. Viviendas construidas	0,3	5,5	Oct. 99
3. Proyectos visados colegios arquitectos			
3.1. Total	**16,4**	**28,4**	Sept. 99
3.2. VPO	–14,5	–4,8	Sept. 99
3.3. Viviendas libres	23,0	33,8	Sept. 99
4. Proyectos visados colegios aparejadores (obra nueva y rehabilitación)	25,8	21,9	Oct. 99
5. Licencias municipales de obras (viviendas)			
5.1. Superficie a construir	21,8	13,6	Agosto 99
5.2. Viviendas a construir y a rehabilitar	**18,8**	**12,2**	Agosto 99
6. Viviendas iniciadas	26,2	32,6	Sept. 99
7. Viviendas terminadas	–0,3	11,3	Sept. 99
8. Stocks de viviendas en construcción	10,6	18,6	Sept. 99

FUENTE: INE, Ministerio de Fomento, colegios de arquitectos de España.

das (gráfico 19.10). Las viviendas protegidas han perdido peso en la etapa de expansión. La estabilización de los precios de venta máximos no parece que vaya a facilitar una mayor dinamización del componente subsidiado (VPO) de la construcción residencial (cuadro 19.8).

Los fuertes aumentos de la demanda de vivienda, y la reestructuración de esta última hacia la vivienda de mayor calidad y precio, han generado aumentos mayores en los precios de venta de las viviendas (cuadro 19.9). En 1999 los precios de las viviendas tasadas, según la estimación del Ministerio de Fomento, han crecido en un 11,0% entre el tercer trimestre de 1999 y el mismo período de 1998, correspondiendo los mayores aumentos a las viviendas usadas en municipios de más de 100.000 habitantes (14,9%). Los precios de las

Gráfico 19.10 Proyectos visados por los colegios de arquitectos, aparejadores y licencias municipales de obras

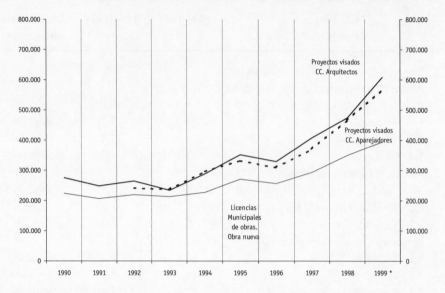

(*) Estimación aplicando a 1998 las tasas de variación del período para el que se dispone de datos.
FUENTE: Colegios de Arquitectos de España. MOFO.

viviendas de nueva construcción en capitales de provincia han crecido en un 9,7% entre diciembre de 1999 y el mismo mes de 1998, correspondiendo los crecimientos mayores a Baleares y Canarias, así como a las capitales de Navarra y del País Vasco. Los precios más elevados de las nuevas viviendas de capitales en junio de 1999 eran los de Madrid (283.600 ptas/m^2) y Barcelona (297.000 ptas/m^2) (cuadro 19.9b).

La situación de demanda en el mercado inmobiliario se mide a través de la relación precio de la vivienda/ingresos familiares (cuadro 19.10), que se ha situado en 1999 en un nivel de 4,49, nivel este no alcanzado desde 1991, lo que anticipa un mayor esfuerzo de acceso incluso con tipos de intereses estables.

El hecho de que Baleares y Canarias hayan registrado aumentos intensos de precios en 1998-1999 (20% y 14%, respectivamente, en el tercer trimestre de 1999 sobre 1998) apunta al hecho de que la demanda de segunda residencia debe estar desempeñando un papel importante en la actual coyuntura inmobiliaria en España.

La nueva oferta de viviendas en 1998-1999 supera a la demanda ligada a la creación de nuevos hogares. El ritmo de iniciación de nuevas viviendas en 1999 se puede aproximar a las 600.000, según la estadística de visados de proyectos de dirección de obra de los colegios de aparejadores, mientras que los hogares de nueva creación pueden estar ahora superando la cifra de

Cuadro 19.9a   Precios de las viviendas (MOFO)

	Cifras absolutas (ptas./m²)		Variaciones anuales (%)*		Variaciones interanuales (%)**
	1998-III	1999-III	1997	1998	1999/1998
Total viviendas					
1. España	**120.455**	**133.724**	**2,3**	**6,8**	**11,0**
2. Municipios con menos de 100.000 habitantes	96.335	105.704	2,6	6,3	9,7
3. Municipios de 100.000 a 500.000 habitantes	130.718	148.515	3,6	8,9	13,6
Viviendas de nueva construcción					
4. España	143.103	156.152	2,8	10,1	9,1
5. Municipios con menos de 100.000 habitantes	109.241	119.584	4,8	6,2	9,5
6. Municipios de 100.000 a 500.000 habitantes.	151.646	168.702	3,2	14,4	11,2
Viviendas usadas					
7. España	116.992	130.153	2,2	7,4	11,2
8. Municipios con menos de 100.000 habitantes	92.174	101.198	2,5	8,6	9,8
9. Municipios de 100.000 a 500.000 habitantes	123.399	141.777	3,9	9,1	14,9

(*) Variación 4º trimestre sobre mismo trimestre del año anterior.
(**) Variación 3er trimestre 1999 sobre mismo trimestre de 1998.

FUENTE: Ministerio de Fomento.

300.000 al año (gráfico 19.11). Como se ha comentado anteriormente, a la demanda ligada al proceso «emancipatorio» de los nuevos hogares es preciso añadir la procedente de las segundas viviendas y la destinada a mejorar la calidad de la vivienda. Es posible que la prolongada coyuntura expansiva de la economía y las favorables expectativas que ha generado la introducción extensiva de las nuevas tecnologías puedan estimular una importante demanda adicional a la procedente de los nuevos hogares, pero también es posible que aparezcan excesos de oferta en los próximos años, lo que debe-

Cuadro 19.9b   Precios de mercado de las viviendas de nueva construcción en las capitales de provincia por CCAA (Sociedad de Tasación, S.A.), diciembre 1999

Comunidades Autónomas	Cifras absolutas (ptas./m²)	Variaciones anuales (%)		
		1994-1993	1998-1997*	1999-1998*
1. Andalucía	136.700	3,0	6,1	10,4
2. Aragón	163.900	4,0	1,2	16,7
3. Asturias	187.300	6,0	3,7	10,6
4. Baleares	142.300	4,4	9,3	8,5
5. Canarias	154.400	—	10,6	8,6
6. Cantabria	179.000	5,6	3,0	5,0
7. Castilla y León	169.400	4,2	5,4	10,1
8. Castilla-La Mancha	122.400	2,2	2,6	4,4
9. Cataluña	271.400	3,3	5,6	9,4
10. Extremadura	105.700	7,0	2,3	4,0
11. Galicia	150.400	6,4	5,7	7,4
12. La Rioja	141.400	−2,2	2,9	9,3
13. Madrid	283.600	4,7	4,8	8,5
14. Murcia	130.900	0,6	5,2	10,6
15. Navarra	174.500	−2,8	7,0	12,6
16. País Vasco	248.300	8,2	10,8	6,8
17. Valencia	135.900	−0,7	2,8	10,8
Media Nacional	**197.500**	**3,8**	**5,1**	**9,0**

(*) Variación interanual a 31 de diciembre.
(**) Variación a 30 de junio de 1999 sobre la misma fecha de 1998.

FUENTE: Boletín S.T., Sociedad de Tasación, S.A.

ría estimular a los agentes a usar el máximo rigor a la hora de iniciar nuevos proyectos. La nueva demanda puede satisfacerse no sólo con las nuevas construcciones, puesto que las viviendas procedentes de los hogares que desaparecen pueden servir con dicho propósito. Dichas viviendas pueden ascender a unas 200.000 al año al final de la década de los años noventa, de acuerdo con las estimaciones efectuadas al comienzo de los años noventa en el BHE (cuadro 19.11). Los descensos de natalidad posteriores a 1974 también darán lugar a que la creación de nuevos hogares resulte menos intensa a partir del año 2000.

Cuadro 19.10 **Relación precio-vivienda /**
Ingresos familiares

	Relación precio-vivienda Ingresos familiares anuales*	
	España	Andalucía
1987	3,39	3,15
1988	3,84	3,29
1989	4,48	3,63
1990	4,78	3,96
1991	5,08	4,09
1992	4,66	3,86
1993	4,36	3,76
1994	4,19	3,58
1995	4,15	3,46
1996	4,04	3,39
1997	3,97	3,34
1998	4,06	3,33
1999	4,47	3,62
(Enero-septiembre)		

(*) La renta familiar anual corresponde a la de una familia
monosalarial.

FUENTE: MOFO, Banco de España, INE.

Como ya se ha comentado, además de la aceleración del crecimiento del PIB, los bajos tipos de interés han contribuido decisivamente a estimular la demanda inmobiliaria. Aunque desde el verano de 1999 se ha iniciado un proceso de elevación de los tipos de interés practicados en los créditos destinados a la compra de vivienda, todavía en 1999 los citados tipos de interés fueron en promedio inferiores a los de 1998 (cuadro 19.12), lo que ha supuesto nuevos descensos en 1999 en la cuota a pagar como consecuencia de un préstamo hipotecario destinado a la compra de una vivienda que mantuviese estable su precio. Además de lo anterior, las entidades financieras han mantenido ritmos de crecimiento del crédito especialmente elevados, como lo indica que al fuerte aumento del 19,2% registrado por el crédito hipotecario en 1998 haya sucedido un aumento equivalente en 1999 (cuadro 19.13).

Cuadro 19.11   Stock total y flujos de entradas y salidas de hogares,
1991-2009 (miles de unidades)

Años	Stock total de hogares (I)	Flujos netos 1991-2009		Incremento neto anual de hogares (IV)
		Entradas (II)	Salidas (III)	
1991	11.830,0	296,0	−158,0	138,0
1992	11.968,0	298,0	−160,5	137,5
1993	12.105,5	300,0	−162,5	137,5
1994	12.243,0	301,5	−164,5	137,0
1995	13.380,0	302,5	−166,0	136,5
1996	12.516,5	303,0	−167,0	136,0
1997	12.652,5	303,0	−169,0	134,0
1998	12.786,5	302,0	−171,5	130,5
1999	12.917,0	301,0	−175,0	126,0
2000	13.043,0	299,5	−180,0	119,5
2001	13.162,5	297,0	−184,0	113,0
2002	13.275,5	294,0	−189,0	105,0
2003	13.380,5	290,0	−194,0	96,0
2004	13.476,5	285,0	−198,0	87,0
2005	13.563,5	279,0	−202,0	77,0
2006	13.640,5	273,0	−205,0	68,0
2007	13.708,5	267,0	−208,0	59,0
2008	13.767,5	260,0	−211,5	48,5
2009	13.816,0	255,0	−213,0	42,0
1991-2000	12.444,2	300,7	−167,4	133,3
2001-2009	13.532,3	277,8	−200,5	77,3

Nota: Las tasas de jefes de hogar obtenidas del censo de 1991 se han aplicado a las previsiones demográficas del período analizado.

FUENTE: B.H.E., Revista Española de Financiación a la Vivienda, 1993, n° 23-24.

5.   Reflexión final

En los años noventa han tenido lugar en España cambios significativos en los componentes de la política de vivienda. La Ley de Arrendamientos Urbanos de 1994, la nueva ley del suelo de 1998 y la reforma del tratamiento fiscal de la vivienda en el IRPF a partir de 1999 han sido los cambios más importantes. La política de vivienda sigue descansando básicamente en Es-

Gráfico 19.11 Matrimonios, proyectos visados por los colegios de aparejadores y nuevos hogares. Series anuales

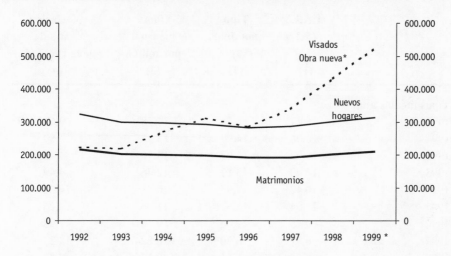

(*) Los proyectos visados por los colegios de aparejadores se han estimado aplicando la tasa de variación enero-octubre 99/98 al total de 1998. Los hogares y matrimonios se han estimado a partir de un coeficiente elevador obtenido para el conjunto de España.
FUENTE: INE, MOFO, BHE, «Revista Española de Financiación a la Vivienda», diciembre 1993.

paña en una importante ayuda fiscal al acceso a la vivienda en propiedad y en una canalización notable de créditos subsidiados para la construcción de nuevas VPO destinadas a la venta.

Los bajos tipos de interés y el mayor crecimiento de la economía han originado un nuevo fenómeno de recuperación inmobiliaria en 1998-1999, con aumentos de precios notables, aunque menos acusados que los del anterior período expansivo, 1986-1990. Las secuelas del nuevo *boom* se dejarán sentir en cuanto a la necesidad de un mayor esfuerzo de acceso para los jóvenes hogares. Esta situación justifica el que la política de vivienda deba seguir desempeñando un cierto papel, aunque debería acentuar su selectividad y concentrarse en los segmentos de población con mayores problemas para el acceso, que vienen a ser los nuevos hogares.

La fiscalidad de la vivienda en España sigue estimulando a la vivienda en propiedad frente al alquiler. El parque de viviendas usadas apenas se emplea con fines de política de vivienda. La presencia activa de las CCAA en la ejecución de la política de vivienda hace algo más difícil la coordinación de los distintos instrumentos existentes. Por otra parte, en el marco de la actual política monetaria, desempeñada por el Banco Central Europeo, el crédito hipotecario es un producto «propio» de cada Estado miembro de la zona euro, pero la refinanciación del mismo se está extendiendo al conjunto de dicha zona.

**Cuadro 19.12 Tipos de interés de los créditos hipotecarios.
Cuota a pagar***

	T.A.E. (%) (1)	Tipo nominal (%)** (2)	Cuota mensual por millón (3)	Variación anual de la cuota (%) (4)
Tipos medios anuales				
1990	16,72	15,56	14.381	9,6***
1991	16,04	14,97	13.975	−2,80
1992	15,02	14,07	13.364	−4,40
1993	14,00	13,17	12.764	−4,49
1994	10,42	9,95	10.715	−16,05
1995	11,04	10,52	11.064	3,26
1996	9,45	9,06	10.181	−7,98
1997	6,91	6,70	8.824	−13,33
1998	5,65	5,51	8.176	−7,34
1999	4,72	4,62	7.714	−5,65
Diciembre				
1998	5,15	5,03	7.925	—
1999	4,94	4,83	7.820	−1,32

(*) La cuota incluye intereses y devolución del principal, de un préstamo a 15 años.
(**) Se obtiene a partir del TAE correspondiente, suponiendo que los pagos son mensuales.
(***) Se obtiene comparando la cuota correspondiente a las cajas de ahorros, al no disponerse de un índice total para 1989.

FUENTE: Banco de España.

Cuadro 19.13   Créditos hipotecarios y financiación a la construcción

	Cifras absolutas (miles de millones ptas.)		Tasas interanuales (%)	
	1998 dic.	**1999**** nov.	**1998** (dic./dic.)	**1999**** (nov./nov.)
1. Saldo vivo de créditos hipotecarios. Total*	**29.051**	**34.006**	**19,2**	**19,8**
1.1. Bancos	11.368	13.568	18,2	18,4
1.2. Cajas de ahorros	15.456	17.902	20,2	19,6
1.3. Cajas rurales	1.637	1.971	33,9	23,3
2. Financiación a la construcción por tipo de prestatario. Total	**28.029**	**32.885**	**17,2**	**27,6**
2.1. Personas físicas	20.405	23.701	18,3	27,0
2.2. Actividades inmobiliarias	3.012	3.707	12,9	36,2
2.3. Construcción	4.613	5.477	15,7	24,5
3. Financiación privilegiada. Total	**3.640**	**3.682**	**4,3**	**2,0**
3.1. Bancos	1.261	1.294	4,1	2,3
3.2. Cajas de ahorros	2.273	2.279	4,3	1,8
3.3. Cajas rurales	107	109	6,4	3,1

(*) Para 1999, tanto la cifra absoluta como las tasas interanuales del saldo vivo de créditos hipotecarios se refieren a junio.
(**) El total incluye los establecimientos financieros de crédito.

FUENTE: B.E. y Asociación Hipotecaria Española.

Referencias

Ambrose, Peter (1992): «The performance of national housing systems. A three nation comparison», *Housing Studies*, vol. 7, nº 3, julio.

Boelhouwer, Peter, y Harry Van der Heifden (1992): *Housing Policy and Housing Finance in seven European Countries,* La Haya.

—, y — (1992): *European Cities: Growth and Decline*, La Haya.

Bover, Olimpia (1992): «Análisis de los determinantes de los precios de vivienda, 1976-92», Banco de España, *Boletín Económico*, junio.

Chapman, Michael, y A. Murie (1996): «Housing and the European Union», *Housing Studies*, vol. 11, nº 2.

Durif, Pierre (1992): «Reflexiones sobre política de vivienda a la luz de la experiencia francesa», *Alfoz*, nº 87-88, Madrid.

García Montalvo, José, y Matilde Más Ivars (2000): *La vivienda y el sector de la construcción en España,* Caja de Ahorros del Mediterráneo, Valencia.

Hamalainen, Sirkka (1999): «Possible effects of EMO on the EU banking systems in the medium and long terms», Asamblea General de la Federación Hipotecaria Europea, 5 de noviembre.

Miles, David (1994): *Housing, Financial Markets and the wider economy,* John Wiley and Sons.

Ministerio de Obras Públicas y Transportes (1990): *Resumen y conclusiones sobre la situación de la vivienda de alquiler*, Madrid, MOPT.

Nasarre, Fernando (1998): «La liberalización del suelo», *Expansión,* 3 de abril.

Roca Cladera, Josep (1998): «¿Reducción en la formación de nuevos hogares o redistribución metropolitana de los mismos?», *Ciudad y Territorio*, nº 115.

Rodríguez López, Julio (1978): «Una estimación de la función de inversión en vivienda en España», *Estudios Económicos,* Banco de España.

— (1999): «Un análisis del mercado inmobiliario en España. Perspectivas», *Análisis Local*, nº 27, noviembre-diciembre.

20. Política de educación

Evangelina Aranda

1. Introducción

Abordar la política de educación en España requiere el análisis de las distintas acepciones de educación existentes actualmente. Las definiciones de educación y formación han estado sujetas, normalmente, a fuertes controversias, no existiendo conceptos generalmente aceptados. Para algunos autores como Psacharopoulos (1996) la educación comprende todas las formas de enseñanza formal e informal; para otros, la educación se define como aquel aprendizaje *deliberado* que tiene lugar en la escuela, frente al concepto de formación, que comprende el aprendizaje *deliberado* que tiene lugar fuera de la escuela (Blaug, 1981). El estudio se va a centrar en las distintas medidas de política económica llevadas a cabo en España dirigidas a estructurar la educación, entendida como toda adquisición reglada de conocimientos y cualificaciones por parte de los individuos, por lo que se hará referencia a la enseñanza reglada o formal del sistema educativo español.

Por otra parte, según establece la Comisión Europea (1994), tanto la educación como la formación deben resolver los problemas de competitividad de las empresas, la crisis del empleo y los problemas de exclusión social y de marginación; por lo tanto, la educación debe abordarse desde una triple perspectiva: instrumento de política activa del mercado de trabajo, instrumento de política de competitividad empresarial e instrumento de política de distribución de la renta.

En este contexto, el capítulo se ha estructurado en cinco apartados que analizan los diversos objetivos e instrumentos que ha presentado la política de educación en España, considerando la relación que mantiene con otras actuaciones públicas. En primer lugar, desde un enfoque teórico se introduce el distinto papel concedido a la educación como factor de crecimiento económico, así como la justificación de la intervención pública. En el siguiente epígrafe, elemento fundamental del capítulo, se estudian los principales ejes de la política de educación en España. Posteriormente, se examina el esfuerzo financiero realizado principalmente por las autoridades públicas en educación. Para concluir, en un marco de globalización de las economías, se incorporan las principales recomendaciones que desde los organismos internacionales se han introducido en materia de educación.

2. Educación e intervención pública en las sociedades desarrolladas

Tradicionalmente se ha considerado la educación como factor impulsor del crecimiento de las economías desarrolladas. Por un lado, a partir de la segunda mitad del siglo XVIII el concepto de «capital» pasó a ser un elemento estratégico y fundamental en el crecimiento económico, y, por otro, es con Irving Fisher e incluso en formulaciones precedentes menos precisas cuando se empezó a incorporar a la educación como parte integrante de dicho capital. No obstante, a lo largo de los años ha ido cambiando el papel concedido a la educación, no existiendo una aceptación unánime sobre la contribución económica de la misma.

Para la teoría del capital humano la educación aumenta las habilidades y/o capacidades de los individuos y, por lo tanto, la productividad laboral y los salarios de los mismos, considerando al gasto en la misma como una inversión y no únicamente como consumo. Por tanto, la educación puede ser una inversión socialmente eficiente, ya que contribuye al crecimiento económico y a la reducción de las desigualdades sociales. Esta teoría neoclásica aboga, para el análisis de las políticas públicas, por una mayor importancia de la consideración de las técnicas de evaluación económica que examinen los costes, efectos y beneficios de las políticas, programas y proyectos propuestos, dentro de una estructura que aproveche al máximo la ventaja de las fuerzas del mercado y siempre en favor de la eficacia, la equidad y otros objetivos sociales.

No obstante, han ido apareciendo visiones alternativas del papel e importancia de la educación en las economías. Según la teoría credencialista el nivel de educación del trabajador no aumenta su productividad, sino que sólo sirve para seleccionar aquellos trabajadores que poseen aptitudes adecuadas para ocupar un determinado puesto; la adquisición de cualificaciones se realiza en el trabajo. Para la teoría radical la principal función de la educación es la de socializar a los empleados, es decir, proporcionar las características demandadas por los empresarios que no son sólo atributos cognitivos, sino también sociológicos (disciplina, perseverancia…), credenciales educativas… Para el enfoque institucionalista, la formación en el trabajo va a hacer fructífera la educación formal y, además, esta formación proporciona la mayor parte de las cualificaciones. La mayor o menor demanda de formación por parte del empresario va a depender del proceso productivo, del sector económico donde se encuentre la empresa (dada la segmentación sectorial) y del papel de las instituciones. Tanto los autores institucionalistas como los radicales están de acuerdo con la necesidad de elaborar políticas públicas, ya que no es socialmente óptimo que sea el mercado el que determine la estructura de incentivos; no obstante, estas políticas no deben guiarse por criterios técnicos, sino por un proceso colectivo, participativo y orientado hacia la negociación que deberá elegir, seleccionar y analizar entre varias opciones de política educativa.

Por consiguiente, al margen del protagonismo concedido a la educación, las distintas escuelas coinciden en la intervención, en mayor o menor medida, de los agentes públicos en un contexto de eficiencia y equidad. En el análisis genérico de los distintos enfoques encontramos elementos que justifican la intervención pública en educación, asociados a la inexistencia de mercados perfectos, a saber: externalidades en su consumo, consumo no rival e información imperfecta.

Además, en el contexto del Estado del Bienestar han aparecido nuevas características de dicha intervención, sobre todo en términos de financiación y regulación de los sistemas educativos. Frente al tradicional sistema educativo donde el Estado simultáneamente financia y provee los servicios, se empieza a hablar de «cuasimercados» en la provisión de servicios relacionados con el Estado del Bienestar (Le Grand, 1991). En este caso, el Estado pasa a ser principalmente quien financia y compra servicios a una variedad de proveedores pertenecientes a los sectores público, voluntario y privado, todos ellos operando en competencia con los demás.

3. Etapas de la política de educación en España

Actualmente, en España coexisten dos sistemas educativos, el implantado con la Ley General de Educación de 1970 y el de la Ley de Ordenación General del Sistema Educativo (LOGSE) de 1990, sin olvidar el plan experimental iniciado a mediados de los ochenta (véase el recuadro 20.5). Por consiguiente, en el análisis de la política educativa en España habría que remontarse a la década de los setenta; sin embargo, dada la dimensión del capítulo y la existencia de ediciones anteriores del libro que analizan exhaustivamente estos años, el período a analizar abarca desde diciembre de 1982 hasta la actualidad, estando dividido en dos etapas: 1982-1996 y 1996-1999. Para sistematizar el análisis, en cada una de las etapas se van a revisar las cuestiones fundamentales que configuran, en general, la política de educación, como son: reformas educativas concretadas, normalmente, en la aprobación de normas legislativas que desarrollan las mismas y planificaciones educativas que justifican la eficiencia y eficacia de la actuación aprobada. Asimismo, se incorporarán otros factores, como el marco administrativo, aspectos financieros, órganos de gestión y participación.

3.1 Desarrollo constitucional y reforma educativa (1982-1996)

En esta etapa la cuestión más relevante para la política de educación es, sin duda alguna, la puesta en marcha de un proceso de reforma educativa que, por un lado, cambiase la inercia del pasado y, por otro, continuara con la incorporación de principios constitucionales.

En estos años, la política de educación presenta diversos elementos que permiten dividir la etapa en varios períodos:

— La normativa educativa promulgada como base de las actuaciones públicas, entre la que destacan la Ley Orgánica 11/1983 de Reforma Universitaria (LRU), la Ley Orgánica 8/1985 Reguladora del Derecho a la Educación (LODE), la Ley Orgánica 1/1990 de Ordenación General del Sistema Educativo (LOGSE) y la Ley Orgánica 9/1995 de Participación, Evaluación y Gobierno de los Centros Docentes (LOGEP).

— Los objetivos perseguidos por la política de educación permiten distinguir tres períodos, el primero (1982-1987) determinado por el desarrollo de los principios contenidos en la Constitución de 1978; el segundo (1987-1992) caracterizado por el impulso otorgado al proceso de reforma; y el último (1992-1996) centrado en la progresiva incorporación de la reforma educativa.

a) Primer período: La aplicación de principios constitucionales
    y la reforma universitaria

La aprobación de la Constitución en 1978 supone la fijación de los objetivos fundamentales de la educación en España, tales como el derecho a la educación obligatoria, la educación permanente y la calidad educativa (véase el recuadro 20.1). No obstante, es el artículo 27 de la Constitución el que establece los principios básicos que caracterizan la política de educación en España: reconoce el derecho a la educación como derecho fundamental, garantiza las libertades individuales en materia educativa, fija el principio de

Recuadro 20.1 Elementos político-educativos. Constitución de 1978

	Valores superiores	Derechos básicos	Principios pedagógicos
CONSTITUCIÓN ESPAÑOLA 1978	LIBERTAD	Libertad de enseñanza	— Libertad de creación de centros docentes — Libertad de elección de centros docentes — Libertad de cátedra — Libre desarrollo de la personalidad
	JUSTICIA	Derecho a la no discriminación	— Respeto a los derechos de los demás — Igualdad de oportunidades — Calidad de educación — Interculturalismo
	IGUALDAD	Derecho de todos a la educación	— Derecho a la gratuidad en la educación obligatoria — Derecho a los padres a educar a sus hijos en sus propias convicciones — Educación permanente — Formación del profesorado — Integración de minusválidos y deficientes
	PLURALISMO	Democratización	— Participación en la planificación y evaluación de la enseñanza — Participación social en las tareas de gobierno de los centros — Órganos colegiados para el gobierno de los centros — Cooperación ciudadana — Convivencia democrática — Control de la enseñanza
		Descentralización	— Intervención de otras instituciones además del Estado en materia de enseñanza: • Públicas: autonomías, ayuntamientos • Privadas: centros concertados, libres — Transferencias educativas
		Internacionalización	— Normativa CE: directivas, reglamentos, etc.

Lado derecho de la tabla: CRITERIOS DE DEONTOLOGÍA

FUENTE: A. Colom y E. Domínguez (1997): *Introducción a la política de la educación*, Ariel, p. 126.

participación y autonomía universitaria, distribuye las competencias educativas entre la Administración central y las CCAA y establece otros derechos relacionados con la educación.

Como consecuencia de la descentralización recogida en la Constitución se continúa con el proceso de transferencia de competencias en materia de educación, uniéndose a las comunidades con competencias plenas como el País Vasco (R. Decreto 2808/1980, de 26 de septiembre) y Cataluña (R. D. 2.809/1980, de 3 de octubre) otras nuevas como Galicia (R. D. 1.763/1982, de 24 julio), Andalucía (R. D. 3.936/1982, de 29 de diciembre), Canarias (R. D. 2.091/1983, de 28 de julio) y Valencia (R. D. 2.093/1983, de 28 de julio). No obstante, el Estado mantiene competencia exclusiva (art. 140.1.30) en los siguientes ámbitos: regulación de requisitos para que las titulaciones académicas y profesionales sean reconocidas a nivel nacional como válidas; establecimiento de directrices básicas relativas al principio fundamental de derecho a la educación; ordenación general del sistema educativo (duración de la escolaridad obligatoria, regulación de niveles...), normativa básica y determinación de los requisitos mínimos de los centros, regulación de las enseñanzas básicas que garanticen el derecho y el deber de conocer la lengua castellana; alta inspección del sistema; política de ayudas y becas a los estudiantes; cooperación internacional en materia de educación; y planificación general de inversiones en enseñanza de acuerdo con las previsiones que suministran las CCAA.

Por otra parte, en este período se aprueba la Ley de Reforma Universitaria (LRU), ley 11/1983, que desarrolla el precepto constitucional de autonomía universitaria y efectúa un reparto de competencias en materia de educación universitaria entre el Estado, las CCAA y las propias universidades. Además, establece las bases de la reforma de la organización y del funcionamiento de la Universidad decantándose por un sistema autónomo cuádruple: estatutaria, académica, financiera y de personal. Se comienzan a realizar traspasos de competencias en materia universitaria a Cataluña (R. D. 305/1985), País Vasco (R. D. 1.014/1985), Galicia (R. D. 1.754/1987), Valencia (R. D. 2.694/1985), Andalucía (R. D. 1.734/1986) y Canarias (R. D. 2.802/1986).

La Ley Orgánica de Derecho a la Educación (LODE), de 3 de julio de 1985, desarrolla el artículo 27 de la Constitución (excepto el apartado 10º, que se refiere a la universidad). Entre sus objetivos destacan: garantizar el derecho de la educación y la libertad de enseñanza; fomentar la participación de la sociedad en la educación a través de los consejos escolares para el control y la gestión de los centros y a través del Consejo Escolar del Estado para la programación general de la enseñanza; racionalizar la oferta de puestos escolares financiados con fondos públicos, distinguiendo los centros privados, que funcionan en régimen de mercado, y los centros sostenidos con fondos públicos y, dentro de éstos, los concertados y los de titularidad pública.

En aras de la consecución de un sistema educativo descentralizado y de la participación activa de los agentes económicos, surgen en este período, en algunos casos con el desarrollo de estas leyes, varios órganos de participación en el ámbito estatal, autonómico, local e incluso a nivel de centro (véase el recuadro 20.2). En el ámbito estatal, estos órganos son el Consejo Escolar del Estado, el Consejo General de Formación Profesional y el Consejo de Universidades. En el ámbito autonómico y local se encuentran los Consejos Escolares Territoriales y Municipales. Además, contempla la Conferencia de Consejeros Titulares de Educación de los Consejos de Gobierno de las CCAA y el ministro de Educación como órgano de coordinación de la política educativa y de intercambio de información entre las distintas administraciones educativas.

El sistema educativo vigente en este primer período es el establecido por la Ley General de Educación (LGE) de 1970 y se encuentra estructurado en cuatro niveles (véase el recuadro 20.5): **la educación preescolar, la educación general básica** (EGB), de ocho cursos de duración, etapa común y obligatoria para todos los alumnos de 6 a 14 años, las **enseñanzas medias,** con el **bachillerato unificado y polivalente** (BUP) de tres años de duración, el **curso de orientación universitaria** (COU) y la **formación profesional** (FP), que, si bien no se contempla como nivel educativo en sentido estricto, es un elemento fundamental de este sistema educativo, y la **enseñanza universitaria,** con tres ciclos (diplomado, licenciado y doctor). Además, se incluyen dentro del sistema educativo la educación permanente de adultos, las enseñanzas especializadas y la educación especial.

Tras la firma del Acuerdo Marco (1982) entre los Ministerios de Educación y Ciencia, Trabajo y Seguridad Social y la Confederación Española de Organizaciones Empresariales, y con el objetivo de mejorar la formación de los estudiantes de Formación Profesional, se inicia un acercamiento entre el sistema educativo y las estructuras productivas con la puesta en marcha en el curso 1983-1984 del Programa de Formación en Alternancia.

b) Segundo período: La reforma de las enseñanzas no universitarias

A pesar de estar vigente el sistema educativo implantado con la Ley General de 1970, desde 1979 se habían planteado continuos intentos de reformas en las enseñanzas medias. Así, en 1981 se publicó el conocido *Libro Blanco de las Enseñanzas Medias* (LEBM), que no fue instrumentado al producirse el cambio de gobierno; sin embargo, en julio de 1983 se publica un nuevo informe: «Hacia la reforma. Documentos de trabajo», llamado Libro Verde, que precedió a la reforma experimental de las enseñanzas medias iniciada en el curso 1983-1984 con la finalidad de encontrar un nuevo modelo de organización para la enseñanza secundaria [1]. No obstante, es a partir de 1987 cuando se inicia un período de reformas precedidas por infor-

Recuadro 20.2   Órganos de gestión y participación en el

EL CONSEJO ESCOLAR DEL ESTADO (LODE y R.D. 2.378/1985)

Órgano de ámbito nacional para la participación de los sectores afectados en la programación general de la enseñanza y de asesoramiento respecto de los proyectos de ley o reglamentos que hayan de ser propuestos o dictados por el Gobierno.

Funciones:

1. Deberá ser consultado en las siguientes cuestiones: programación general de la enseñanza, normas básicas y aquellas cuestiones de trascendencia.
2. Aprobación y publicación del informe anual elaborado por la Comisión Permanente sobre el estado y situación del sistema educativo.
3. Aprobación y elevar al ministro las propuestas de la Comisión Permanente.

EL CONSEJO DE UNIVERSIDADES (LRU y R. Decreto 552/1985)

Órgano encargado de la ordenación, planificación, propuesta y asesoramiento en materia de educación superior.

Funciones:

— Permanente mejora de la docencia y la investigación y el logro de los objetivos de la reforma universitaria.
— Adecuada coordinación de las universidades, sin perjuicio de las facultades que corresponden a las CCAA.
— Planificación de la educación superior en correspondencia con las necesidades de la sociedad española.

mes y análisis de la situación de partida. En este caso, destaca la aparición del informe «Proyecto para la Reforma de la Enseñanza» publicado por el Ministerio de Educación en junio de 1987, que ponía de manifiesto las disfunciones del sistema educativo llevando al Ministerio de Educación y a las CCAA a impulsar la introducción del nuevo sistema educativo experimental (véase el recuadro 20.5).

El *Libro Blanco para la Reforma del Sistema Educativo* de 1989 es el informe que sirve de base para la reforma del sistema educativo español instrumentada en la Ley de Ordenación General del Sistema Educativo,

sistema educativo español

EL CONSEJO GENERAL DE LA FORMACIÓN PROFESIONAL
(Ley 1/1986 y R. Decreto 1.684/1997)

Órgano consultivo y de participación institucional de las Administraciones públicas y de asesoramiento del Gobierno en materia de Formación Profesional

Funciones:

— Control y seguimiento del Programa Nacional de Formación Profesional.
— Proponer mejoras para la orientación de la formación profesional.
— Evaluar y hacer el seguimiento de las acciones que se desarrollen en materia de Formación Profesional.

ÓRGANOS DE PARTICIPACIÓN EN EL ÁMBITO AUTONÓMICO Y LOCAL

— Consejo Escolar para cada Comunidad Autónoma.
— Consejos Escolares de ámbito provincial, comarcal y municipal.

ÓRGANOS DE GESTIÓN Y PARTICIPACIÓN EN CENTROS NO UNIVERSITARIOS

— Órganos unipersonales: director, secretario y jefe de estudios.
— Órganos colegidos: Consejo Social y Claustro de Profesores.

ÓRGANOS DE GESTIÓN Y PARTICIPACIÓN EN CENTROS UNIVERSITARIOS

— Órganos unipersonales: rector, vicerrectores, secretario general y gerente; decano o director, vicedecano o subdirector y secretario; director de departamento.
— Órganos colegidos: Consejo Social, Claustro universitario y Junta de Gobierno; Junta de Facultad o Escuela; Consejo de Departamento.

FUENTE: Elaboración propia.

LOGSE, de 1990. Según el Libro Blanco las deficiencias que en esa época caracterizan al sistema educativo y que justifican la reforma educativa son:

— Insuficiencia de la ordenación vigente: carencia de ordenación y regulación de la educación infantil, de apoyo y estímulo de dicha educación infantil por parte de las Administraciones públicas en zonas desfavorecidas; dificultades curriculares concentradas en el ciclo superior de EGB originando excesivo número de fracasos escolares; discriminaciones derivadas de la doble titulación a la terminación de la EGB; limitaciones del bachillerato por su falta de polivalencia, su ordenación academicista y su condición de pasarela no terminal; insuficiente valoración concedida a la formación profesional y necesidad de establecer una conexión mayor entre la formación profesional y el mundo del trabajo.

— Inadecuación de la educación a los cambios sociales derivados de las nuevas estructuras productivas que dan lugar a la polarización de las cualificaciones y a constantes reconversiones profesionales requiriendo una mayor formación de base junto a una educación más polivalente y flexible; reducido protagonismo concedido a la educación como instrumento de prevención de la marginalidad derivada de los crecientes niveles de paro estructural; desajuste temporal entre el sistema educativo y el mundo laboral derivado.

Ante este análisis de la situación de la educación en España, la política de esta etapa concretada en la reforma educativa presenta los siguientes objetivos:

1. *Ampliación de la educación básica.* Incorporación de la educación obligatoria y gratuita de 10 años e incentivos a la escolarización desde la primera infancia hasta edades que se corresponden con la educación superior, haciendo frente a diferencias originadas por las condiciones económicas o de clase social.
2. *Mejora de la calidad de la enseñanza.* Junto a una mayor oferta educativa, deben existir reformas de tipo cualitativo. Las administraciones educativas, con la finalidad de conseguir la escolarización completa y aumentar la oferta en las enseñanzas no obligatorias, han olvidando, en cierta medida, aspectos cualitativos.
3. *Reforma de la ordenación.* Para conseguir los niveles de calidad deseados es necesaria la modificación estructural del sistema.

Por lo tanto, la LOGSE, como principal instrumento de política de educación, presenta como objetivos básicos la reforma estructural del sistema educativo y la mejora de la calidad.

La LOGSE establece un período de enseñanza obligatoria de diez años que abarca de los 6 a los 16 años. Según esta reforma, el sistema educativo se estructura en enseñanzas de régimen general y enseñanzas de régimen especial (véase el recuadro 20.5). Dentro de las primeras se incluyen la educación infantil, que comprende hasta los seis años, con carácter no obligatorio y dividida en dos ciclos, de tres años cada uno; la educación primaria obligatoria, organizada en tres ciclos de dos cursos académicos; la educación secundaria, etapa que comprende a su vez la educación secundaria obligatoria, entre 12 y 16 años, el bachillerato, de dos años de duración, y la formación profesional de grado medio; la formación profesional de grado superior y la educación universitaria. Como enseñanzas de régimen especial se contemplan las enseñanzas artísticas y la enseñanza de idiomas. Se regulan también la educación de las personas adultas y la educación especial, así como las acciones educativas cuyo objetivo primordial es la compensación de las desigualdades.

Otro de los elementos determinantes en este período es la concesión de mayor protagonismo a la educación como instrumento de política de empleo, principalmente con la formación profesional y la educación especial y de adultos. El *Libro Blanco de la Reforma* de 1990 ya apuntaba el establecimiento de una enseñanza profesional más cercana al mundo del trabajo y con una perspectiva global que permitiera su articulación con un Programa Nacional de Formación Profesional. Con esta idea aparece la formación profesional en la LOGSE: «La formación profesional comprenderá el conjunto de enseñanzas que, dentro del sistema educativo y reguladas en esta ley, capaciten para el desarrollo cualificado de las distintas profesiones. Incluirá también aquellas acciones que, dirigidas a la formación continua en las empresas y la inserción y reinserción laboral de los trabajadores, se desarrollan en la formación profesional ocupacional que se regulará por su normativa específica. Las Administraciones Públicas garantizarán la coordinación de ambas ofertas de formación profesional» (art. 30.1). Este nuevo sistema educativo recoge dos grandes tipos de formación profesional:

— Formación Profesional de Base, que se inscribe en la Educación Secundaria Obligatoria y en materias concretas del bachillerato con el objetivo claro de proporcionar la base científico-técnica y las destrezas comunes a un conjunto de profesiones.
— Formación Profesional Específica, que, según establece el art. 30.4, comprende un conjunto de ciclos formativos con una organización modular, de duración variable, y constituidos por áreas de conocimiento teórico-prácticas en función de los distintos campos profesionales. Esta formación profesional se estructura en dos grados: formación profesional específica de grado medio (Nivel 2) y una formación profesional específica de grado superior (Nivel 3).
— Además, para los alumnos que no obtienen el título de Graduado en Educación Secundaria se organizan los programas específicos de garantía social, con el fin de proporcionarles una formación básica y profesional que permita incorporarse al mundo laboral.

Asimismo, en este segundo período se llevan a cabo en materia de política universitaria reformas en las titulaciones universitarias con el propósito, entre otros, de adaptar y armonizar los planes de estudios a las normativas y directrices europeas y a la nueva estructura económica y productiva. El Real Decreto 1.497/87, de 27 de octubre, encauzó la puesta en marcha de la reforma de las titulaciones universitarias con la introducción, entre otras novedades, de la ordenación cíclica de las enseñanzas, la incorporación de asignaturas troncales, obligatorias y optativas y la introducción de los títulos propios de cada universidad. Durante los años 1995 y 1996 tienen lugar las transferencias en materia universitaria a las CCAA que aún no las habían asumido, tales como Asturias, Castilla y León, Extremadura, Madrid, Murcia, Aragón, Cantabria, Castilla-La Mancha, La Rioja e Islas Baleares.

c) Tercer período: Implantación de la reforma educativa

Según la LOGSE, la política de educación destinada a la calidad y mejora de la enseñanza se concreta en los siguientes elementos: cualificación y formación del profesorado; calidad de la programación docente; recursos educativos y la función directiva; innovación e investigación educativa; orientación educativa y profesional; inspección educativa; y evaluación del sistema educativo. Es en este período cuando se impulsan actuaciones destinadas a favorecer la calidad y la mejora de la enseñanza como las siguientes:

— Publicación por el Ministerio de Educación, en 1994, de un documento que con el título «Centros educativos y calidad en la enseñanza: propuesta de actuación» recoge medidas para mejorar la calidad del sistema educativo.
— Investigación educativa a través del CIDE (Centro de Investigación y Documentación Educativa) como organismo, creado en 1983, destinado al apoyo de la calidad en la educación con la realización de estudios, investigaciones e informes sobre la educación, coordinación y fomento de la investigación educativa y servicio de documentación y biblioteca.
— Promulgación de la Ley Orgánica 9/1995 de Participación, Evaluación y Gobierno de los Centros Docentes (LOGEP) que profundiza en lo dispuesto en la LODE en su concepción participativa y modifica la organización y funciones de los órganos de gobierno de los centros financiados con fondos públicos para adaptarlos a lo establecido en la LOGSE. Además, desarrolla el contenido sobre calidad de la LOGSE y su objetivo es mejorar los centros docentes y garantizar la evaluación permanente del sistema educativo.
— Desarrollo a través del Real Decreto 928/1993 del Institución Nacional de Calidad y Evaluación (INCE), creado en la LOGSE, como institución encargada de evaluar la organización y el funcionamiento del sistema educativo. Los planes de actuación del INCE tienen un carácter plurianual. El primer plan cubrió el período comprendido entre 1994-1997 y se concretó en la evaluación de los resultados de la educación primaria, de la educación secundaria y de la formación

profesional. Además, esta institución coordina los estudios internacionales de evaluación en los que participa España. A nivel autonómico existen distintas administraciones educativas de evaluación tales como el Instituto Andaluz de Evaluación Educativa y Formación del Profesorado o el Instituto Canario de Evaluación y Calidad Educativa.

— En el ámbito universitario se introduce, con carácter experimental a finales de 1992, por iniciativa del Consejo de Universidades, institución encargada de la evaluación, el Programa de evaluación de la calidad del sistema universitario que evalúa tanto la enseñanza y la investigación como la gestión de personal y recursos.

— Según el R. Decreto 1.986/1991 que aprueba el calendario de implantación de la nueva ordenación del sistema educativo para un período de diez años, a lo largo del tercer período se van introduciendo los distintos niveles establecidos en la LOGSE, como se refleja en el cuadro 20.1.

Para concluir, en este último período se empiezan a considerar ciertas orientaciones destinadas a impulsar la educación, especialmente la formación profesional, como actuación de política de empleo, entre las que destacan:

— La necesaria coordinación de los tres subsistemas de formación profesional en sus distintas modalidades: sistema educativo (formación profesional reglada o de ciclo largo), la administración laboral (formación ocupacional o de ciclo corto) y los agentes sociales (formación continua, también de ciclo corto).

— La necesaria existencia de un mercado de cualificaciones profesionales globalmente considerado.

— El apoyo a la transición escuela-empresa, facilitando la primera inserción laboral.

— La contribución a la transparencia de las cualificaciones en el marco de la UE.

Estas orientaciones de política de educación y formación en España están latentes en el I Programa Nacional de Formación Profesional para el período 1993-1996, aprobado por acuerdo del Consejo de Ministros de 5 de marzo de 1993. Asimismo, todas estas directrices han servido de base para las distintas medidas de política formativa llevadas a cabo en España; en concreto, en política de educación destaca la puesta en marcha por parte del Ministerio de Educación y Cultura y del Ministerio de Trabajo y Asuntos Sociales de un Catálogo de Títulos Profesionales y un Repertorio de Certificados de Profesionalidad, respectivamente. Posteriormente, se pretende establecer correspondencias y convalidaciones entre las enseñanzas de la

Cuadro 20.1 Datos básicos de la educación en España

	ALUMNADO MATRICULADO					
Enseñanzas Régimen General	1985-86	1986-87	1987-88	1988-89	1989-90	1990-91
E. Infantil/Preescolar	1.127.348	1.084.752	1.054.241	1.010.765	1.000.301	1.005.051
E. Primaria/EGB	5.594.285	5.575.519	5.398.095	5.263.518	5.080.991	4.882.349
Enseñanza Secundaria Obligatoria	—	—	—	—	—	—
BUP y COU	1.230.029	1.265.894	1.355.278	1.425.777	1.470.816	1.499.511
Bachillerato LOGSE						
Bachillerato Experimental	20.936	33.452	43.770	53.928	67.537	92.189
BUP y COU a distancia	—	—	—	—	—	—
Bachillerato LOGSE a distancia	—	—	—	—	—	—
FP I	424.610	433.514	437.661	447.851	464.152	474.579
FP II	291.639	300.672	322.135	333.897	352.947	375.271
Ciclos For. Grado Medio/Mod. Prof. Nivel II	—	—	—	N/D	N/D	2.856
Cicl. For. Grado Superior/Mod. Prof. Nivel III	—	—	—	N/D	N/D	4.540
Módulos Profes. Nivel II a distancia	—	—	—	—	—	—
Módulos Profes. Nivel III a distancia	—	—	—	—	—	—
Educación Especial			101.617	67.391	52.601	42.329
Programas de Garantía Social	—	—	—	—	—	—

	EVOLUCIÓN DEL ALUMNADO Y					
Alumnado	1975-76	1980-81	1985-86	1990-91	1995-96	1998-99[b]
Preescolar/infantil	920.336	1.182.425	1.127.348	1.005.051	1.096.677	1.127.053
EGB/Primaria	5.473.468	5.606.452	5.594.285	4.882.349	3.849.991	2.565.098
Secundaria/FP	1.123.657	1.649.468	1.977.214	2.444.406	2.654.487	3.349.762
Universidad	557.472	651.128	854.104	1.140.572	1.529.789	1.547.600
Total	8.074.933	9.089.473	9.552.951	9.472.378	9.130.944	88.589.513

	EVOLUCIÓN RATIO PROFESOR/ALUMNO	
	1975-76	1980-81
Infantil/Primaria	33,7	33,2
Secundaria	14,7	16,1

(a) Datos avance.
(b) Datos provisionales.

FUENTE: Elaboración propia sobre la base de datos del Ministerio de Educación y Cultura.

POR ENSEÑANZA

1991-92	1992-93	1993-94	1994-95	1995-96	1996-97	1997-98[a]	1998-99[b]
1.025.797	1.052.488	1.083.330	1.093.256	1.096.677	1.115.244	1.122.740	1.127.053
4.649.439	4.468.759	4.280.938	4.063.912	3.849991	3.137.278	2.615.467	2.565.098
—	105.405	180.352	282.837	457.376	1.181.466	1.686.652	1.901.167
1.505.148	1.487.772	1.467.805	1.400.555	1.259.778	1.080.784	880.268	531.514
—	13.705	33.108	69.599	109.398	153.836	258.974	399.443
126.229	68.967	46.174	39.870	31.920	27.257	12.344	693
—	N/D	47.961	44.838	42.659	46.817	43.382	41.843
—	—	—	—	—	—	—	952
474.156	440.236	407.734	360.253	301.472	232.113	169.340	68.950
401.645	423.322	440.049	432.178	410.912	369.369	310.110	220.269
5.188	9.392	14.213	21.442	29.457	48.609	75.806	117.434
8.605	12.960	16.187	22.490	32.285	54.465	80.110	110.292
—	N/D	1.004	1.317	863	275	150	97
—	N/D	225	550	679	810	761	575
38.099	35.120	32.687	31.787	30.043	28.588	28.471	28.114
—	—	—	—	13.996	17.229	25.784	30.131

PROFESORADO POR NIVEL EDUCATIVO

Profesorado	1975-76	1980-81	1985-86	1990-91	1995-96	1998-99[b]
Ens. no universitarias	299.716	349.378	391.998	440.292	467.457	504.186
Preescolar/infantil	24.621	35.588	39.573	40.051	56.592	—
EGB/Primaria	198.658	211.074	227.467	240.382	225.036	—
Secundaria/FP	76.437	102.716	124.958	159.859	185.829	—
Universidad	27.153	40.384	45.296	63.665	80.951	
Total	**326.869**	**387.762**	**437.294**	**503.957**	**548.408**	**N/D**

POR NIVEL EDUCATIVO

1985-86	1990-91	1995-96	1998-99[b]
25,3	21,1	17,9	15,3
15,8	15,3	14,1	13,0

Formación Profesional Reglada y los conocimientos adquiridos por la Formación Profesional Ocupacional y la experiencia laboral y la creación de un Sistema Nacional de Cualificaciones Profesionales para integrar estas cualificaciones profesionales, por lo que se crea una Unidad Interministerial para Cualificaciones Profesionales (acuerdo del Consejo de Ministros, del 18 de febrero de 1994). Sin embargo, los avances en este sistema de correspondencias durante estos años fueron escasos, siendo vuelto a considerar este tipo de actuaciones en el siguiente período que a continuación se analiza.

3.2   Calidad y evaluación del sistema educativo (1996-1999)

En esta última etapa, el eje fundamental que rige la política de educación en España es la garantía de una educación de calidad generalizada. Las orientaciones y medidas más importantes son:

• Culminación de la implantación del sistema educativo de la LOGSE con garantías de calidad originando la necesidad de modificar el calendario de aplicación de la LOGSE, a través de la Ley 66/1997, de 30 de diciembre, y el R. Decreto 173/1998, según los cuales se establece un nuevo ámbito temporal de doce años.

• Ampliación de la oferta gratuita tanto al nuevo tramo obligatorio de 14-16 años para todos los centros educativos como a los niños de tres años (véase cuadro 20.2).

• Evaluación continua de la enseñanza secundaria. Algunas de las actuaciones son la publicación del estudio «Diagnóstico del Sistema Educativo» y la elaboración del «Plan de Mejora de la Enseñanza de las Humanidades en el Sistema Educativo Español», que sustenta la reforma de las enseñanzas de las Humanidades. Además, se concede especial protagonismo a la orientación educativa y profesional individualizada en las etapas terminales de la Educación Secundaria y Bachillerato, incentivando la orientación personalizada de acuerdo a la formación, interés y capacidad individuales para evitar el abandono del sistema educativo.

• Dotación de capital físico y humano al sistema educativo. Junto a la continua ampliación y mejora de las instalaciones, se extienden las nuevas tecnologías de la comunicación en institutos y colegios y se potencia la formación científica y humanística del profesorado.

• Incorporación del 2º Plan del INCE, en el que destacan las siguientes actuaciones para el período comprendido entre 1998-1999:

— Acciones de carácter permanente: elaboración de un sistema estatal de indicadores de educación; construcción de un banco de ítems y pruebas de rendimiento; diseño y desarrollo de programas de formación de especialistas en evaluación.

Cuadro 20.2 Evolución de la tasa de escolaridad por edad

Edad	1975-76	1980-81	1985-86	1990-91	1993-94	1998-99
3	15,3	15,6	16,5	27,7	52,7	66,7
4	52,3	69,3	86,4	94,8	98,3	100
5	68,7	92,2	100	100	100	100
6	100	100	100	100	100	100
7	100	100	100	100	100	100
8	100	100	100	100	100	100
9	100	100	100	100	100	100
10	100	100	100	100	100	100
11	100	100	100	100	100	100
12	96,3	100	100	100	100	100
13	84,9	92,8	99,8	100	100	100
14	70,3	79,6	90,4	99,7	100	100
15	44,4	65,6	76,3	89,1	93,9	100
16	41,3	51,5	60,2	73,5	80,3	
17	34,5	47,2	52	64,3	73	79,2
18	26,1	34,3	39,6	51,7	60,9	
19	21	25,6	30,9	41,2	49,7	
20	16,7	18,3	23,8	32,6	46	56,5
21	15,2	16,7	22,2	29,8	37,9	
22	12,4	12,9	20	26,3	31,6	30,8
23	9,5	9,7	15,4	19,9	21,3	
24	8,2	6,6	11	14,2	14,8	

FUENTE: Oficina de Planificación y Estadística (MEC).

— Proyectos específicos para los años 1998 y 1999: estudio sobre la enseñanza y aprendizaje de lenguas extranjeras en España; estudio sobre situación y perspectivas de la Formación Profesional; evaluación de la Educación Secundaria superior; actuaciones tendentes a promover la evaluación interna y calidad en la gestión de los centros públicos.
— Participación en estudios internacionales: proyecto INES (Indicadores Internacionales de Educación, OCDE); proyecto piloto sobre evaluación de la calidad (UE); programa de evaluación de la calidad (OEI).

633

— Organización interna: elaboración de un reglamento de funcionamiento del INCE; elaboración de un plan a largo plazo de evaluaciones cíclicas de los diversos niveles educativos.

• Puesta en marcha en el curso 1996-1997 del Plan para la Gestión de
Calidad de la Enseñanza Pública destinado al establecimiento de un método
de carácter permanente y en continua evolución para la constante mejora de
los centros educativos no universitarios. Este programa recoge cuatro tipos
de actuaciones: definición y puesta en práctica de un plan anual de mejora
de los centros educativos; adaptación y aplicación del modelo europeo de
gestión de calidad a los centros públicos; formación en gestión de calidad
enfocada a directores escolares, inspectores y administradores de educación; aplicación de la gestión de calidad en la administración educativa
periférica.

• Impulso a la formación profesional como alternativa real de estudio y
como instrumento para la inserción laboral del alumno en un contexto de
descenso del número de alumnos matriculados (véase el cuadro 20.2) y de
considerables niveles de desempleo. Entre las medidas llevadas a cabo so-
bresalen:

— Aprobación del Real Decreto 777/1998, de 30 de abril, por el que se
modifican determinados elementos de la formación profesional en el
sistema educativo como criterios de admisión de alumnos, efectos
profesionales y académicos de los títulos obtenidos, convalidaciones,
requisitos mínimos de los espacios formativos, acceso a títulos universitarios, titulaciones requeridas para ocupar plazas de profesorado, etc.
— Firma del Acuerdo de Bases sobre Política de Formación Profesional
en diciembre de 1996 por Gobierno, organizaciones sindicales y organizaciones empresariales.
— Aprobación del Plan de Acción para el Empleo, donde se recogen un
conjunto de medidas que afectan a la administración educativa destinadas a mejorar la capacidad de inserción profesional y a reforzar la
política de igualdad de oportunidades. Dentro de las medidas destinadas a mejorar la eficacia del sistema educativo, aparecen: programas de adaptación y diversificación curricular, potenciación de la
optatividad, elaboración de currículos básicos de formación profesional previa, extensión de los programas de garantía social y ampliación de la oferta educativa para jóvenes comprendidos entre los
18 y 24 años.
— Consolidación de un sistema integrado de formación profesional a
través del Programa Nacional de Formación Profesional con el objetivo de arraigar en la sociedad el prestigio social de la formación
profesional. Según el II Programa Nacional de Formación Profesio-

nal [2], los objetivos perseguidos por la política de educación en España para los próximos años (la duración del II Programa Nacional de Formación Profesional abarca desde 1998 hasta 2002) son los siguientes: desarrollar una formación profesional reglada de calidad que favorezca su dimensión profesionalizadora; promover experiencias de innovación para su aplicación generalizada en la nueva formación profesional reglada; incentivar la cualificación de los recursos humanos como factor prioritario de transformación y mejora de la formación profesional reglada; dotar de recursos materiales adecuados a los objetivos del programa; potenciar los programas de garantía social e incrementar su oferta relacionándolos con las políticas de formación y empleo.

— Establecimiento de un Sistema Nacional de Cualificaciones Profesionales que recoja la correspondencia existente entre las distintas titulaciones o cualificaciones adquiridas (véase el recuadro 20.3). Los rasgos esenciales de este sistema, al que ya se ha hecho referencia y cuya regulación está aún pendiente de publicarse, son desarrollar la integración de las cualificaciones profesionales, de las diversas formas de adquisición de competencias profesionales y de la oferta de formación profesional. Por tanto, serán necesarias la elaboración y la continua actualización de un catálogo de cualificaciones dependientes de cada uno de los tres subsistemas de formación profesional (educativo, ocupacional y continuo), correspondiendo un papel fundamental al Instituto Nacional de Cualificaciones.

— Creación del Instituto Nacional de Cualificaciones (R. Decreto 375/1999, de 5 de marzo) como órgano vinculado al Consejo General de Formación Profesional. Se trata de un instrumento técnico cuyos objetivos prioritarios y específicos son los siguientes: observación de la evolución de las cualificaciones, determinación y acreditación de las cualificaciones, integración de las cualificaciones asociadas a los subsistemas de formación profesional y seguimiento y evaluación del Programa Nacional de Formación Profesional.

• Refuerzo de la educación como política de igualdad de oportunidades: se impulsan las becas y ayudas económicas (ayudas para las compras de libros de texto, autorización de descuentos especiales en las compras de libros...), se concede especial atención a los programas de educación especial y compensatoria destinados a los más desfavorecidos por razones físicas, psíquicas o sociales y se establecen programas y ayudas a la educación de adultos y para la educación a distancia. Asimismo, el Plan de Acción para el Empleo recoge algunas de las medidas de política de educación destinadas a la consecución de este objetivo: conceder carácter prioritario a las actuaciones de formación de la mujer y su capacitación en profesiones donde se encuentran subrepresentadas e incrementar las acciones formativas de

Recuadro 20.3 Esquema del sistema nacional de cualificaciones profesionales

FORMACIÓN PROFESIONAL REGLADA		
ENSEÑANZA OBLIGATORIA	Bachillerato	Universidad
	Programa de Garantía Social	
	Formación Profesional Específica de Grado Medio	Formación Profesional Específica de Grado Superior

↓

CATÁLOGO DE TÍTULOS PROFESIONALES

CONVALIDACIONES

Sistema Nacional de Cualificaciones Profesionales

REPERTORIO DE CERTIFICADOS DE PROFESIONALIDAD

↑

FORMACIÓN PROFESIONAL OCUPACIONAL			
Gestionada por la Admon. Laboral	Gestionada por otros organismos públicos	Gestionada por organismos privados	Formación en las empresas
PARADOS PLAN FIP	PARADOS OCUPADOS	PARADOS OCUPADOS	OCUPADOS
			Dentro del ANFC / Fuera del ANFC

PLAN FIP (Plan Nacional de Formación e Inserción Profesional). ANFC (Acuerdo Nacional de Formación Continua).

FUENTE: Elaboración propia.

mujeres en profesiones y ocupaciones que constituyan yacimientos de empleo y en nuevas tecnologías.

• Planteamiento, discusión y aprobación parcial de la reforma de los estudios universitarios. Por una parte, se reforman los estudios universitarios de doctorado para elevar su reconocimiento social y laboral y mejorar la calidad de la enseñanza superior; por otra, se reforman los planes de estudios para reducir el número de asignaturas y, además, se empieza a plantear la necesidad de modificación de la LRU. Asimismo, con el objetivo de igualar las oportunidades, se pone en marcha, para el curso académico 1998-1999, un nuevo sistema de préstamos para estudiantes que complementa el sistema general de becas y ayudas.

Por último, en este período se concluye el traspaso de competencias en educación a las comunidades gestionadas por el Ministerio de Educación, ultimándose el proceso con las transferencias a Castilla-la Mancha y Extremadura en enero del 2000.

4. El gasto en educación en España

La evolución de las distintas interpretaciones de la contribución de la educación, junto a los cambios demográficos, sociales y presupuestarios de las economías desarrolladas, han originado elecciones difíciles sobre el porcentaje de gastos públicos dedicado a la enseñanza. Desde mediados de los años setenta se ha observado que, en muchos países, el porcentaje del PIB dedicado por el sector público a la educación se ha estabilizado o ha disminuido ligeramente; en concreto, estas dos últimas décadas están marcadas por una cierta convergencia de los gastos públicos de educación situándose en torno al 5,8% (OCDE, 1996a).

En España, la financiación de la enseñanza se realiza tanto con fondos públicos como con aportaciones procedentes de instituciones privadas y de los ciudadanos, siendo la naturaleza del agente financiador la que determina el carácter público o privado del gasto en educación. No obstante, son los agentes públicos los que a lo largo de las dos últimas décadas han aportado mayor parte del gasto total en educación. Como se puede observar en el cuadro 20.3, el gasto procedente del sector público se multiplica casi por seis en la década de los ochenta. Esta evolución del gasto en educación permite situar a España al mismo nivel que el resto de los países de la OCDE y de la UE. Así, en 1998 España dedicó alrededor del 6% de su Producto Interior Bruto a la educación, cuando en 1975 esta cifra suponía el 3,12%. Algunas de las causas que explican esta evolución son las siguientes: en una primera etapa, la razón fundamental es la generalización de la gratuidad de la enseñanza obligatoria; posteriormente, son los continuos avances en la calidad educativa los que requieren dotaciones presupuestarias (véase el cuadro 20.1); y, por último, hay que resaltar el esfuer-

Cuadro 20.3a   Principales indicadores del gasto público en educación

EVOLUCIÓN DEL GASTO EN EDUCACIÓN EN ESPAÑA 1975-1997

	Gasto público [1] (miles de millones)	Gasto de las familias (miles de millones)	Gasto consolidado [2] (miles de millones)
1975	107,5	80,9	188,3
1980	382,4	199,4	581,8
1985	1.045,9	353,6	1.358,3
1990	2.231,3	555,8	2.690,3
1991	2.505,9	607,5	3.000,9
1992	2.745,2	700,5	3.319,4
1993	2.893,2	787,7	3.542,1
1994	3.022,7	766,6	3.737,7
1995	3.217,5	947,9	3.996,4
1996	3.394,0	1.027,5	4.246,3
1997	3.545,7	1.093,2	4.456,0

(1) Se refiere al gasto en educación (presupuestos iniciales) de las administraciones educativas (Ministerio de Educación y Cultura, consejerías y departamentos de educación de CCAA con competencias plenas en educación), universidades públicas, otros ministerios y consejerías, CCAA sin competencias educativas plenas y Administraciones locales.
(2) Gasto total consolidado (suprimidas las transferencias entre el sector público y privado).

EVOLUCIÓN DE LAS BECAS Y AYUDAS AL ESTUDIO [1]

	Importe (millones de ptas.)	Número de beneficiarios (cifras absolutas)		
		TOTAL	Enseñ. no universitaria	Universidad
1982-83	N/D	175.000	N/D	N/D
1988-89	52.116	665.235	461.616	203.619
1989-90	58.037	681.375	464.912	21.463
1990-91	61.224	706.146	492.381	213.765
1991-92	65.964	723.460	512.074	211.386
1992-93	74.529	768.391	547.407	220.984
1993-94	84.778	846.976	589.175	257.801
1994-95	92.043	869.826	590.156	279.670
1995-96	99.836	882.778	582.383	300.395
1996-97	96.948	843.194	550.317	292.877
1997-98 [2]	87.467	749.545	478.065	271.480
1998-99 [3]	91.118	667.445	390.069	277.376

(1) Se refiere a las becas y ayudas concedidas por el MEC y el Departamento de Educación, Universidades e Investigación del Gobierno Vasco, destinadas al alumno de enseñanzas no obligatorias y de 2º ciclo de ESO. No incluye las ayudas por material didáctico en enseñanzas obligatorias.
(2) Cifras provisionales.
(3) Cifras previstas.

EVOLUCIÓN DE LA CUANTÍA MEDIA POR ALUMNO DE LAS BECAS Y AYUDAS AL ESTUDIO EN ENSEÑANZAS MEDIAS Y UNIVERSIDAD (PTS)

Curso	BUP y COU [1]	FP [2]	Universidad [3]	Otros estudios
1982-83	39.901	42.125	44.708	58.071
1983-84	39.875	28.703	57.399	56.133
1984-85	32.713	33.414	76.607	54.962
1985-86	31.357	36.267	78.346	50.290
1986-87	31.383	38.667	90.370	54.171
1987-88	32.420	43.486	111.420	57.830
1988-89	36.661	52.860	141.793	65.156
1989-90	37.487	56.987	150.328	68.092
1990-91	38.728	60.364	156.511	66.064
1991-92	42.141	63.453	165.958	75.487
1992-93	45.113	72.104	174.202	85.821
1993-94	43.272	75.049	178.436	78.594
1994-95	42.278	76.831	n/d	73.316
1995-96	43.489	87.544	n/d	77.217
1996-97	42.432	91.916	n/d	78.000
1997-98	38.978	85.737	n/d	61.495

(1) Incluye los estudios de BUP, COU, 3º y 4º ESO y Bachillerato.
(2) Incluye la FP (I y II), los módulos profesionales (II y III) y los ciclos formativos de grado medio y superior.
(3) No incluye tasas de matrícula, de cuyo pago están exentos los alumnos becados.

FUENTE: Elaboración propia a partir de los datos del MEC.

Cuadro 20.3b Principales indicadores del gasto público en educación. Presupuestos iniciales

EVOLUCIÓN DEL GASTO PÚBLICO EN EDUCACIÓN POR ACTIVIDAD EDUCATIVA. PRESUPUESTO INICIAL. DISTRIBUCIÓN PORCENTUAL

	1985	1986	1987	1988	1989	1990	1991	1992	1993	1994
TOTAL	100	100	100	100	100	100	100	100	100	100
ACTIVIDADES ENSEÑANZA	91,8	91,8	91,9	91,5	91,1	91,5	91,4	91,7	92	92,3
Preescolar/EGB	46,1	43,9	42	39,8	38,1	37	36,1	36,2	35,6	34,9
BUP/COU- FP [1]	20,6	20,2	20,2	21,4	22,1	23,3	23,9	24,4	25,1	25,4
Enseñanza universitaria	11,3	12,3	13,8	13,8	14,8	15,2	16	17,1	17	17,7
Educación Especial	1,8	1,9	2,1	2,1	2,2	2,1	2,1	1,9	2,1	2
Otras enseñanzas	4,3	4,5	4,2	4,4	4,3	5,2	5,3	4,7	4,5	4,6
Formación ocupacional	6,9	8	8,7	9,1	8,8	7,7	7	6,1	6,4	6,6
Otras actividades de enseñanza	0,9	1	0,9	0,8	0,8	1,2	1,2	1,3	1,2	1,1
ACTIVIDADES ANEXAS	6,3	6,2	6,1	6	6,4	6	6	5,8	5,5	5,4
Administración general	3	2,8	2,6	2,5	2,5	2,5	2,4	2,5	2,4	2,4
Servicios complementarios	2,4	2,5	2,3	2,1	2	1,8	1,8	1,8	1,8	1,8
Form./ perfecc. profesorado	0,3	0,3	0,4	0,5	0,7	0,8	0,8	0,8	0,8	0,8
Otras actividades anexas	0,5	0,3	0,8	0,8	1,2	0,9	0,9	0,6	0,5	0,4
BECAS Y AYUDAS	1,8	2	2	2,5	2,4	2,5	2,5	2,5	2,5	2,3

(1) Incluye el Plan Experimental de las enseñanzas medias.

EVOLUCIÓN DEL GASTO PÚBLICO EN EDUCACIÓN POR ADMINISTRACIÓN EDUCATIVA. PRESUPUESTO INICIAL. DISTRIBUCIÓN PORCENTUAL

	1985	1986	1987	1988	1989	1990	1991	1992	1993	1994
TOTAL	100	100	100	100	100	100	100	100	100	100
ADMON. EDUCATIVAS	85,9	84	83,3	83,1	83,3	83,8	84,8	86,2	86	86
Mº Educación y Ciencia	43,1	39,4	37	36,8	36,4	36,3	36,4	36	35,1	34,3
Andalucía	12,6	12,1	14,1	13,8	14,1	13,6	13,7	14,2	14,8	15,2
Canarias	3,8	3,5	3,5	3,8	4,1	3,9	4,1	4,3	4,4	4,4
Cataluña	9,8	11	10,8	10,6	10,9	10,9	10,9	11,6	11,7	11,8
Com. Valenciana	6,3	7,3	7,1	7,1	6,9	7,1	7,1	7,3	7,3	7,5
Galicia	5,3	5,1	5	5,5	5,4	5,6	5,7	5,7	5,7	5,9
Navarra [1]	—	—	—	—	—	1	1,5	1,5	1,4	1,4
País Vasco	5,1	5,7	5,9	5,5	5,5	5,4	5,4	5,5	5,7	5,6
ADMON. NO EDUCATIVAS	14,1	16	16,7	16,9	16,7	16,2	15,2	13,8	14	14

(1) Falta texto nota.

EVOLUCIÓN DEL GASTO PÚBLICO EN EDUCACIÓN POR NATURALEZA ECONÓMICA. PRESUPUESTO INICIAL. DISTRIBUCIÓN PORCENTUAL

	1985	1986	1987	1988	1989	1990	1991	1992	1993	1994
TOTAL	100	100	100	100	100	100	100	100	100	100
GASTOS CORRIENTES	89,9	90,5	90,4	88,7	86,1	88,5	88,5	90,6	91,9	92,5
CAPÍTULO 1 (Personal)	62,1	62,7	61,9	59,9	58,4	58,7	59,4	62,7	63,5	63,9
CAPÍTULO 2 (Bienes y servicios)	6,6	7	7,2	7,7	7,6	8,2	8,2	8,5	8,4	8,4
CAPÍTULO 3 (Financieros) [1]	x	x	x	x	x	0,1	0,1	0,1	0,2	0,2
CAPÍTULO 4 (Transf. corrientes)	21,2	20,8	21,3	21,1	20,2	21,6	20,7	19,3	19,8	20
GASTOS DE CAPITAL	10,1	9,5	9,6	11,3	13,9	11,5	11,5	9,4	8,1	7,5
CAPÍTULO 6 (Inversiones)	9,3	8,9	8,8	10,8	13,3	10,5	10,7	8,7	7,6	7,2
CAPÍTULO 7 (Transf. de capital)	0,8	0,6	0,7	0,5	0,6	0,9	0,8	0,6	0,4	0,2
CAPÍTULO 8, 9 (Activos y pasivos)	0	0	0	0	0,1	0	0	0,1	0,2	0,1

(1) Hasta 1990 estos datos se engloban en los gastos de los capítulos 8 y 9.
El gasto público total en educación se ha obtenido sin consolidar con las posibles transferencias a las entidades locales.

FUENTE: Ministerio de Educación y Ciencia (1995): *Estadística del Gasto Público en Educación. Presupuesto Inicial*, Madrid.

Cuadro 20.3c   Principales indicadores del gasto público en educación.

EVOLUCÍON DEL GASTO PÚBLICO EN EDUCACIÓN [1]

	1992	1993	1994	1995 [2]	1996 [3]	1997 [3]	1998 [4]
GASTO PÚBLICO (Miles de millones de pesetas)	2946,1	3129,7	3210,0	3434,0	3649,3	3773,9	3970,5 [2]

(1) Se refiere al gasto en educación (presupuestos liquidados) del conjunto de las Administraciones públicas (incluyendo universidades). Contiene una estimación de las cotizaciones sociales imputadas a educación.
(2) Cifras provisionales.
(3) Cifras avance.
(4) Cifras estimadas en base a presupuestos iniciales.

EVOLUCIÓN DEL GASTO PÚBLICO EN EDUCACIÓN POR ACTIVIDAD EDUCATIVA. PRESUPUESTO LIQUIDADO. DISTRIBUCIÓN PORCENTUAL

	1992	1993	1994	1995 [1]	1996 [2]
TOTAL	100	100	100	100	100
ACTIVIDADES ENSEÑANZA	88,93	87,84	88,22	88,23	88,32
Preescolar/EGB	34,83	34,13	33,97	33,43	32,51
BUP/COU-FP	25,82	25,58	26,14	26,28	27,16
Enseñanza universitaria [3]	17,38	17,74	18,02	18,66	19,16
Educación Especial	1,83	1,79	1,71	1,8	1,67
Otras enseñanzas	2,89	2,9	2,65	2,58	2,43
Formación ocupacional	5,1	4,68	4,63	4,45	4,28
Otras actividades de enseñanza	1,07	1,03	1,1	1,03	1,13
ACTIVIDADES ANEXAS	5,07	4,83	4,8	4,69	4,44
Administración general	2,06	1,95	1,91	1,86	1,88
Servicios complementarios	1,71	1,57	1,77	1,75	1,65
Form./perfecc. profesorado	0,84	0,84	0,78	0,76	0,71
Otras actividades anexas	0,46	0,46	0,34	0,32	0,19
BECAS Y AYUDAS	2,26	2,81	2,76	2,8	3,45
GASTO NO DISTRIBUIDO Cotizaciones sociales imputadas	7,01	8,11	8,2	8,01	7,8
PARTIDAS DE AJUSTE Becas compensación tasas	−0,33	−0,42	−0,45	−0,45	−0,42
Financiación privada incluida en la ens. universit.	−2,94	−3,17	−3,52	−3,27	−3,59

(1) Cifras provisionales.
(2) Cifras avance.
(3) Consolidado con los presupuestos de gastos de las Universidades Públicas.

FUENTE: Elaboración propia a partir Ministerio de Educación y Ciencia (1998): *Estadística del Gasto Público en Educación. Presupuesto Liquidado,* Madrid.

zo financiero que está suponiendo la puesta en marcha de la reforma educativa de la LOGSE.

Los fondos públicos son aportados por el Ministerio de Educación y por las administraciones autonómicas en el ejercicio de sus competencias en educación; además, contribuyen otros ministerios, así como los ayuntamientos, diputaciones y el resto de las CCAA. Como se puede observar en el cuadro 20.3, es el Ministerio de Educación la principal fuente de financiación con una participación superior al 30%, si bien la evolución se ha visto alterada debido al proceso de transferencias de competencias a las CCAA.

Presupuestos liquidados

EVOLUCIÓN DEL GASTO PÚBLICO EN EDUCACIÓN POR ADMINISTRACIÓN EDUCATIVA. PRESUPUESTO LIQUIDADO. DISTRIBUCIÓN PORCENTUAL

	1992	1993	1994	1995 [1]	1996 [2]
TOTAL	100	100	100	100	100
Mº Educación y Ciencia	33,73	33,84	33,09	33,48	28,68
Consejerías/Dptos. de Educación:					
Andalucía	14,91	14,25	14,53	14,62	14,48
Canarias	4,38	4,18	4,32	4,4	4,37
Cataluña	11,54	11,94	11,88	11,67	11,74
Com. Valenciana	7,17	7,26	7,4	7,53	7,72
Galicia	5,4	5,58	5,82	5,7	5,74
Navarra	1,35	1,32	1,3	1,29	1,32
País Vasco	5,24	5,52	5,53	5,53	5,45
CCAA sin todas las competencias educativas	0,87	0,99	1,05	0,96	6,46
Resto administración	11,81	10,82	11,06	10,63	10,44
GASTO NO DISTRIBUIDO					
Cotizaciones sociales imputadas	7,01	8,11	8,2	8,01	7,8
PARTIDAS DE AJUSTE					
Transferencias de las AA.EE. a entidades locales	–0,49	–0,66	–0,64	–0,53	–0,61
Financiación privada incluida en ens. universitaria	–2,94	–3,17	–3,52	–3,27	–3,59

(1) Cifras provisionales.
(2) Cifras avance.

EVOLUCIÓN DEL GASTO PÚBLICO EN EDUCACIÓN POR NATURALEZA ECONÓMICA. PRESUPUESTO LIQUIDADO. DISTRIBUCIÓN PORCENTUAL

	1992	1993	1994	1995 [1]	1996 [2]
TOTAL	100	100	100	100	100
CAPÍTULO 1 (Personal) [3]	68,14	68,26	69,2	69,27	69,23
CAPÍTULO 2 (Bienes y servicios)	8,03	7,75	8,27	8,2	8,04
CAPÍTULO 3 (Financieros)	0,1	0,12	0,1	0,14	0,14
CAPÍTULO 4 (Transf. corrientes)	17,05	18,52	17,66	17,46	17,77
CAPÍTULO 6 (Inversiones)	9,21	8,06	7,79	7,67	7,95
CAPÍTULO 7 (Transf. de capital)	0,25	0,2	0,15	0,21	0,16
CAPÍTULO 8 y 9 (Activos y pasivos)	0,16	0,25	0,35	0,33	0,31
PARTIDAS DE AJUSTE					
Financiación privada incluida en ens. universitaria	–2,94	–3,17	–3,52	–3,27	–3,59

(1) Cifras provisionales.
(2) Cifras avance.
(3) Incluye las cotizaciones sociales imputadas.

La distribución del gasto público según su naturaleza económica ha presentado, como refleja el cuadro 20.3, una estructura relativamente estable, siendo al capítulo de personal al que se destinan los mayores recursos, seguido de las transferencias corrientes, que incluyen, entre otros conceptos, las subvenciones a los centros públicos y las becas y ayudas al estudio.

Por otra parte, considerando las actividades educativas a las que se dirigen los fondos públicos, encontramos que más del 90% van destinados a financiar los programas correspondientes a actividades de enseñanza en los diferentes niveles educativos, destacando la disminución de la participación relativa de Educación Primaria y EGB y el aumento del resto de las enseñanzas. Sin embargo, analizando la evolución absoluta del gasto y el número de alumnos (véanse los cuadros 20.1 y 20.3), se ha producido un incremento del gasto público medio por alumno en todas las enseñanzas. El resto del presupuesto público se destina a actividades anexas y la concesión de becas y ayudas.

No obstante, las universidades públicas, a partir de la Ley de Reforma Universitaria (LRU), como se ha analizado en el apartado anterior, tienen plena autonomía económica y financiera, lo que les confiere libertad para gestionar su presupuesto. El mayor volumen de ingresos proviene de las ayudas y subvenciones públicas y de las tasas académicas; estas últimas son fijadas por la CA correspondiente dentro de los límites fijados por el Consejo de Universidades para los títulos oficiales y por el Consejo Social de la Universidad para los restantes estudios.

Por otra parte, la LOGSE recoge, como medida destinada a la igualdad de oportunidades en la educación, el desarrollo de una política de becas y ayudas al estudio para compensar las desigualdades socioeconómicas de los alumnos. El Real Decreto 2.298/1983, de 28 de julio, establece las bases de la política estatal de becas, incorporando una convocatoria anual con alcance nacional. Los objetivos del sistema de becas son: posibilitar el acceso y continuidad de los estudios no obligatorios a quienes, demostrando aptitudes, carezcan de medios económicos, ayudar a otros miembros de la población necesitados de particular atención y estimular la creatividad, la ampliación de conocimientos y el intercambio de experiencias. Según los niveles educativos a los que se dirijan, se pueden clasificar en: becas y ayudas en niveles de enseñanza obligatoria con la finalidad de contribuir a la financiación de los servicios complementarios de comedor, transporte escolar e internado, dada la gratuidad de esta enseñanza; becas y ayudas en niveles anterior y posterior a la enseñanza obligatoria que, de aplicación en todas las CCAA excepto en el País Vasco, se destinan a posibilitar la escolarización de los alumnos menos favorecidos económicamente. Como se observa en el cuadro 20.3, la evolución en la concesión de becas ha sido favorable, pasando en número de poco más de 175.000 en 1983 a más de 800.000 en 1997; no obstante la dotación ha permanecido bastante estable.

Además, los fondos públicos se destinan a subvencionar a la enseñanza privada no universitaria realizada en centros privados concertados. La LODE, como ya recogimos en el epígrafe anterior, establece el régimen de conciertos educativos, existiendo dos: el régimen general, representado por la impartición gratuita de la enseñanza en esos centros y por la financiación en su totalidad por fondos públicos; y los centros acogidos al régimen singular, en los que los fondos públicos tan sólo costean parcialmente los gastos percibiendo, por tanto, una cuota del alumno que no puede superar la cuantía máxima marcada por el Ministerio de Educación. En ningún caso las universidades privadas tienen la posibilidad de establecer conciertos financieros con la administración educativa, por lo que los estudiantes e institu-

educativa

- Es necesario redefinir el papel de los gobiernos en la financiación y en el suministro de enseñanza técnica y profesional; tan sólo intervendrá el sector público cuando los mercados privados no puedan atender satisfactoriamente las necesidades en materia de formación. En concreto, para determinar en cada país y en cada momento la función de la política se deberá valorar económicamente la presencia o ausencia de incapacidades e imperfecciones del mercado, la capacidad de impartir formación que tenga el sector privado y la preocupación por la justicia social.

- Concretando en actuaciones públicas, desde el Banco Mundial se recomiendan las siguientes:

  — Fortalecimiento de la enseñanza primaria y secundaria para incrementar la flexibilidad de la mano de obra.
  — Promoción de la formación especializada por parte de las empresas y las instituciones formativas del sector privado.
  — Mejoras en la eficiencia y eficacia de la formación técnica y profesional estatal.
  — Fomento de la formación como elemento complementario de los programas de justicia social. Los ingresos de los trabajadores por cuenta propia no dependen tanto de la cualificación como de otros factores (falta de acceso a créditos, materias primas, reglamentación excesiva...); sin embargo, la supresión de estas barreras junto a la expansión de la educación básica les permite tener acceso a ciertas oportunidades. No obstante, el Banco Mundial considera que la formación debe variar dependiendo de la preparación inicial del trabajador independiente. Asimismo, también se subraya la importancia de contar con aportes complementarios en forma de créditos y asesoramiento técnico.

- En términos generales, por tanto, la política de educación preconizada por el Banco Mundial se centra en el fomento por parte del Estado de la escolarización general de calidad, dejando a las instituciones privadas la enseñanza profesional y la formación especializada. No obstante, la existencia de fallos del mercado junto a la falta de capacidad del sector privado aconsejan la intervención del sector público en este tipo de formación, pero siempre en estrecha relación con los empresarios privados y contribuyendo a crear una oferta adecuada a las necesidades de la demanda.

Recuadro 20.4b   Principales recomendaciones de política

RECOMENDACIONES Y ORIENTACIONES DESDE LA UE

- Hay que establecer como principio primordial de cualquier reforma del sistema de educación y formación profesional la mejora del capital humano durante toda la vida activa y el fomento de la adquisición de nuevos conocimientos.
- Se debe garantizar el acercamiento de la escuela a la empresa a través, entre otros elementos, del desarrollo del aprendizaje en todas sus formas y del fomento de la formación profesional.
- Hay que incentivar de forma obligatoria el desarrollo, la generalización y la sistematización de la educación permanente y de la formación continua.
- Es fundamental la formación de formadores, pudiendo actuar como promotor de estas acciones de formación permanente las universidades.
- Toda política formativa debe apoyarse en una previsión correcta y suficientemente precoz de las necesidades de cualificaciones a través de la identificación de los sectores en desarrollo y de las nuevas funciones económicas y sociales.
- Es necesario reorganizar los recursos educativos: el sector privado y, en concreto, las empresas deberían participar en las acciones de for-

FUENTE: Elaboración propia.

ción de unos procedimientos de evaluación más formales durante el período de escolarización; establecimiento de múltiples opciones y modalidades educativas en la enseñanza secundaria postobligatoria y en la formación profesional; tendencia a equiparar las titulaciones de la formación profesional con las concedidas en la enseñanza general; introducción de módulos educativos en la enseñanza secundaria, en la formación profesional y en la enseñanza superior; y esfuerzos para mejorar la formación básica del profesorado. Incluso, considerando la mayor o menor utilización de los distintos sistemas de formación profesional, los Estados miembros se pueden clasificar en tres grandes grupos:

— Un primer grupo de países sigue el modelo escolar. La formación tiene lugar en centros controlados por las autoridades educativas. Ocupa un puesto importante la educación general. Este sistema predomina principalmente en Francia, Grecia, Portugal, España e Italia.

educativa

mación profesional (incentivándolas fiscalmente y jurídicamente); también es adecuado plantearse la reorientación de ciertos fondos destinados a los parados; debería garantizarse una mejor coordinación entre la oferta pública y la privada (el principal papel del sector público, amén de su papel motivador y de control, debería ser el de determinar orientaciones e indicaciones claras sobre los objetivos que hay que lograr en cada uno de los niveles).

- Los Estados miembros son los responsables de la determinación, evolución y organización de sus sistemas de educación y formación profesional.
- Las acciones emprendidas desde la Comunidad deben centrarse en tres grandes ejes: mayor desarrollo de la dimensión europea de la educación; creación de un marco político para las medidas, a medio y largo plazo, de adaptación de los sistemas de formación continua y de crédito a la formación y a las medidas de aumento de flexibilidad y de reducción del tiempo de trabajo; determinación, de forma firme y clara, de las exigencias fundamentales y los objetivos a largo plazo de las acciones y políticas emprendidas en este sector. Las principales concreciones de este nuevo giro de la política de educación y formación de la UE son el programa SÓCRATES, el programa LEONARDO y nuevos programas e iniciativas comunitarios.

— El segundo hace referencia al sistema basado en el aprendizaje. La formación es básicamente práctica y tiene lugar en la empresa. En general, este sistema se basa más en los conocimientos prácticos que en la educación. El Reino Unido es el ejemplo más claro de este sistema de formación.

— Por último, el modelo dual, donde se combina, como su nombre indica, la práctica y formación en la empresa con los estudios y formación en el centro educativo. Este sistema predomina principalmente en Dinamarca y Alemania.

6. Conclusiones

A lo largo de las dos últimas décadas las autoridades educativas han intentado adaptarse a los problemas sociales, económicos y políticos imperantes

Recuadro 20.5a Estructura de los sistemas educativos en España

SISTEMA EDUCATIVO ESPAÑOL SEGÚN LA LEY GENERAL DE 1970

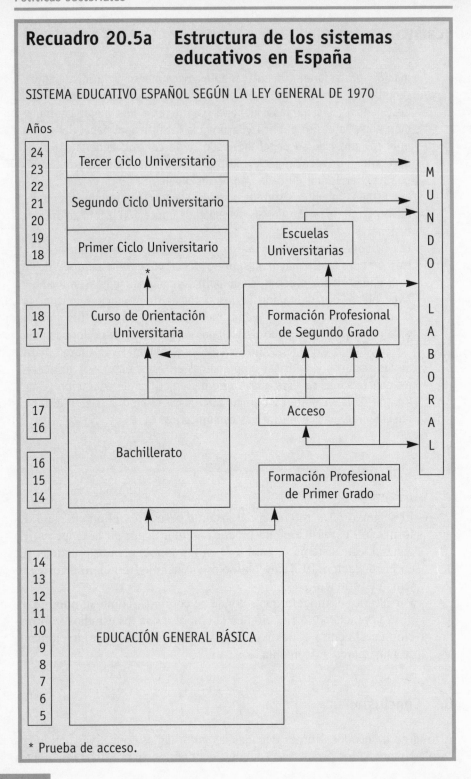

* Prueba de acceso.

Recuadro 20.5b   Estructura de los sistemas educativos en España

SISTEMA EDUCATIVO ESPAÑOL SEGÚN LA LOGSE

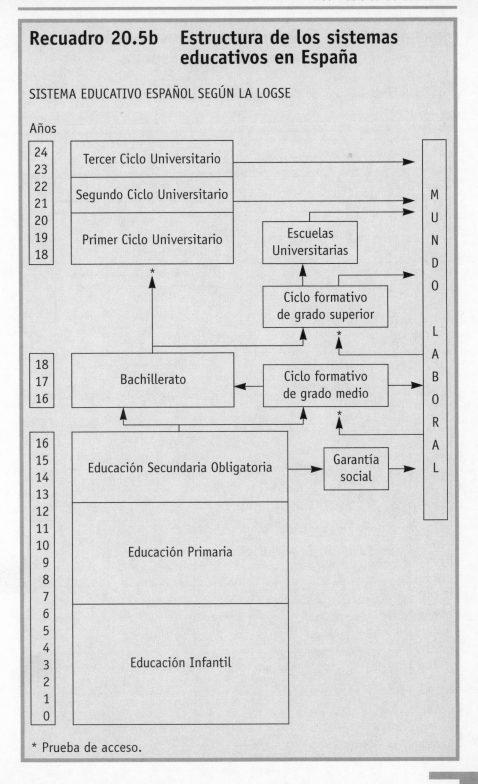

* Prueba de acceso.

Recuadro 20.5c   Estructura de los sistemas educativos en España

SISTEMA EDUCATIVO ESPAÑOL DURANTE EL PERÍODO DE EXPERIMENTACIÓN

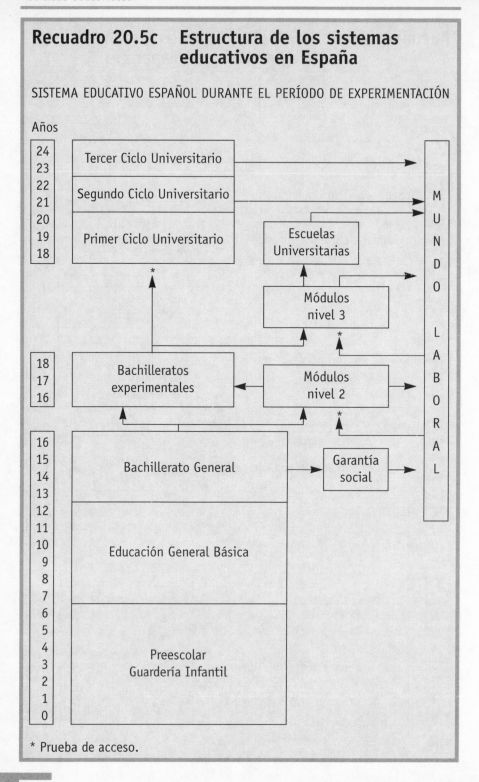

* Prueba de acceso.

en cada época. Este ajuste se ha reflejado en los cambios en las orientaciones así como en las continuas evaluaciones y reformas llevadas a cabo en el sistema educativo español.

Por un lado, se ha realizado un esfuerzo financiero, como se deduce de la situación y evolución de la participación del gasto público en educación en el PIB, alcanzando actualmente niveles semejantes al resto de los países de la OCDE. Y, por otro, las cuestiones planteadas y los objetivos perseguidos por esa inversión en educación han ido cambiando en estos años.

Durante la década de los ochenta es la igualdad de oportunidades emanada de la Constitución española el eje fundamental de las actuaciones públicas manifestadas en múltiples escenarios; mientras que, a finales de los noventa, junto a este importante objetivo prevalecen nuevas orientaciones destinadas a conseguir mejoras en la calidad en todos los niveles educativos, a garantizar una educación a lo largo de la vida y, principalmente, a conceder a la educación un protagonismo especial como instrumento de inserción laboral.

Notas

1 En octubre de 1983 se inicia el primer ciclo del nuevo bachillerato y en el curso 1985-1986 el segundo. Por lo que se refiere a los módulos profesionales, éstos se regulan con carácter general para todo el Estado en 1988, iniciándose su experimentación en el mismo curso 1987-1988.

2 Este programa de Formación Profesional fue acordado por el Consejo General de Formación Profesional el 18 de febrero de 1998 y aprobado por el Gobierno por acuerdo del Consejo de Ministros de 13 de febrero de 1998.

Referencias

Adams, A. V., J. Middleton y A. Ziderman (1992): «El documento de política del Banco Mundial sobre la educación técnica y la formación profesional», *Perspectivas: revista trimestral de educación*, vol. 22, nº 2, Madrid.

Becker, G. S. (1975): *Human Capital: A theoretical and Empirical Analysis, with Special Reference to Education,* Columbia University Press, Nueva York. Edic. castellana: *El capital humano: un análisis teórico y empírico referido fundamentalmente a la educación*, Madrid, Alianza Editorial.

Blaug, M. (1972): *Economía de la educación*, Madrid, Tecnos.

— (1981): *Educación y Empleo*, Madrid, Instituto de Estudios Económicos.

— (1985): «Where are we now in the Economics of Education?», *Economics of Education Review*, vol. 4, nº 1.

Bosch, F., y J. Díaz (1988): *La educación en España. Una perspectiva económica*, Barcelona, Ariel.

Colom, A. J., y E. Domínguez (1997): *Introducción a la política de educación*, Barcelona, Ariel.

Comisión Europea (1994): *Crecimiento, competitividad y empleo. Retos y Pistas para entrar en el siglo XXI. Libro blanco*, Oficina de Publicaciones Oficiales de las Comunidades Europeas, Luxemburgo.

— (1996): *Sistemas educativos y formación inicial*, Madrid, Dirección General XXII.

European Commission (1995): *Teaching and Learning towards the learning society. White Paper on Education and Training*, Bruselas.

Greffé, S. (1993): *Política económica. Programas. Instrumentos. Perspectivas*, 2ª ed., Madrid, Instituto de Estudios Fiscales.

Johnes, G. (1995): *Economía de la educación. Capital humano, rendimiento educativo y mercado de trabajo*, Madrid, Ministerio de Trabajo y Seguridad Social.

Le Grand, J. (1996): «Los cuasi mercados y la política social», en E. Oroval (1996).

Ministerio de Educación y Ciencia (1969): *La educación en España. Bases para una política educativa*, Madrid.

— (1989): *Libro Blanco para la Reforma del Sistema Educativo*, Subsecretaría, Madrid.

— (1995): *Estadística del Gasto Público en Educación. Presupuesto Inicial*, Subsecretaría, Madrid.

Ministerio de Educación y Cultura (1998): *Estadística del Gasto Público en Educación. Presupuesto liquidado,* Madrid.

— (Varios años): *Estadística de la Enseñanza en España,* Dirección General de Programación Económica y Control Presupuestario, Madrid.

— (Varios años): *Informe sobre el estado y situación del sistema educativo,* Consejo Escolar del Estado, Madrid.

— (Varios años): *Sistema educativo español*, Centro de Investigación y Documentación educativa, Madrid.

OCDE (1983): *El futuro de la enseñanza y de la formación profesional*, Ministerio de Trabajo y Seguridad Social, Madrid.

— (1990): *Recursos humanos y flexibilidad*, Ministerio de Trabajo y Seguridad Social, Madrid.

— (1995a): *Investment, Productivity and Employment*, París.

— (1995b): *La formation continue des personnels hautement qualifiés*, París.

— (1996a): *Panorama Educativo. Análisis 1996*, Centro para la investigación e innovación en la enseñanza, París.

— (1996b): *Mesurer le capital humain. Vers une comptabilité du savoir acquis*, París.

Oroval, E. (1996): *Economía de la educación,* Barcelona, Ariel.

Psacharopoulos, G. (1996): «La contribución de la educación al crecimiento económico: comparaciones internacionales», en Oroval (1996).

Quintás, J. R. (1983): *Economía y educación*, Madrid, Pirámide.

Schultz, T. W. (1961): «Investment in human capital», *American Economic Review*, vol. 51.

VV. AA. (1979): *Historia de la educación en España*, Madrid, Secretaría General Técnica del Ministerio de Educación.

21. Política de turismo

Manuel Figuerola Palomo

1. Consideraciones generales

Puede afirmarse que la actividad turística en los últimos quince años se ha consolidado en España como elemento determinante de la estructura económica. Es difícil suponer los equilibrios actuales sin el papel que juega ahora el turismo por medio de sus múltiples efectos en el sistema económico:

— aportación a la riqueza, ampliando la contribución al PIB,
— mantenimiento, e incluso aceleración, de la demanda de empleo,
— apoyo al reequilibrio de los déficits en la balanza de pagos,
— impulsor de procesos indirectos de la producción de bienes y servicios
— y, entre otras repercusiones complementarias, redistribuidor regional de la renta.

El período de tiempo que se analiza en este trabajo (1982-1998) permite apreciar importantes inflexiones en el proceso de crecimiento de las variables turísticas (visitantes, demanda interna, pernoctaciones, ingresos de divisas, empleo, etc.), pero también interpretar situaciones imprevistas y negativas que han tenido lugar, así como sucesos desfavorables que recuerdan la complejidad de la actividad turística, tanto como la sensibilidad de su evolución en el tiempo.

Hay que señalar que los escenarios más influyentes de la evolución turística son de naturaleza muy diversa, pero en general de profunda significación política y económica:

— consolidación del sistema democrático en España,
— alternancia en el poder de diversas tendencias políticas,
— incorporación de España a la Comunidad Económica Europea,
— aprobación del Tratado de Maastricht,
— implantación de la moneda única,
— cesión de todas las competencias territoriales en materia de turismo a las CCAA,
— aparición de varias crisis económicas regionales de singular relieve
— y reconocimiento generalizado de los principios de la globalidad y del desarrollo sostenible.

Por otra parte, en el ámbito del turismo internacional varios hechos relevantes se han producido, alterando las hipótesis iniciales o tendenciales por situaciones mucho más influyentes en el desarrollo turístico:

— caída del muro de Berlín, como ejemplo del pluralismo y trascendencia de los cambios políticos,
— sucesión periódica de varias crisis económico-políticas en diferentes lugares del mundo,
— fuerte ritmo de crecimiento o expansión de la demanda turística internacional
— y sensibles cambios en las actitudes y comportamientos de los flujos de viajeros.

Desde 1982 a 1998 de manera global, en términos de viajes internacionales, el turismo español creció el 88,9%. Prácticamente se duplicó la demanda. Asimismo, las diferentes alternativas políticas que se sucedieron impusieron o quisieron imponer, respectivamente, estilos o líneas estratégicas de actuación para conseguir esa importante expansión, a la cual necesariamente deberían atribuirse elementos determinantes de la consecución de los logros alcanzados. Sin embargo, no se dispone de suficientes argumentos contrastados para poder emitir un juicio objetivo de la calidad o protagonismo de las medidas adoptadas y como consecuencia imputarlas el éxito conseguido. El hecho indiscutible ha sido una tasa de expansión del turismo internacional recibido, con media interanual de crecimiento del 4,05%, que se considera muy elevada como tendencia de un período tan largo, cuando prácticamente se ha llegado a 52 millones de turistas en 1999.

No obstante, no puede ignorarse que para el mismo período el turismo internacional también creció de manera muy espectacular, ya que su tasa de variación alcanzó el 5%. Es decir, casi un punto por encima de la media española, lo cual obliga a reflexionar sobre el valor alcanzado en ambos casos. Por tanto, se debe considerar en el análisis de la demanda turística que en los últimos años diversos destinos emergentes se han incorporado con enorme fuerza a la captación de los flujos de turistas internacionales (Índico y Caribe, especialmente), mientras que los núcleos receptores españoles están experimentando graves problemas de crecimiento por causa de su ya excesiva masificación.

Ahora bien, en este trabajo, con objeto de establecer una valoración más completa de la evolución histórica, se analizarán globalmente las grandes magnitudes para el período considerado, pero el detalle de los procesos de cambio y las políticas y medidas aplicadas se describirán con mayor precisión desde el año 1990, ya que nuestra colaboración en la versión anterior de este libro ya precisaba aquellos valores con especial atención.

Como dato de apoyo hay que considerar que durante el período abarcado el sistema económico español, dimensionado por el PIB, creció globalmente el 61,1% en términos reales y el 318,9% en términos corrientes. Valores que habrán de ser considerados como puntos de referencia y de comparación con los índices resultantes de la política económica de turismo. Puede apreciarse pues, como primera conclusión de este trabajo, que el turismo internacional tuvo una mayor aceleración en los dieciséis años del estudio que el crecimiento del PIB, lo cual parece correcto por causa del enorme dinamismo que las magnitudes turísticas han presentado recientemente.

2. El crecimiento del turismo: 1982-1998

Las series estadísticas principales del turismo español presentan la siguiente evolución (cuadro 21.1) según las diferentes variables consideradas, reflejando en conjunto el proceso expansivo de la actividad turística.

El estudio de la evolución de las variables consideradas pone de manifiesto varios hechos destacables, que para el conjunto del período analizado determinan ciertas conclusiones que merecen ser comentadas:

— La cifra de turistas creció más aceleradamente que el resto de variables a una tasa media interanual del 4,05%.
— El crecimiento de visitantes sólo aumentó cada año de media el 3,33%, lo que significa un aumento del excursionismo sólo del 2,07%.
— La demanda hotelera de los residentes aumentó interanualmente el 2,35%, lo que equivale a un mayor aumento de la demanda extrahotelera o alternativamente al descenso de la estancia media por viajero.

Cuadro 21.1   Evolución del turismo extranjero en España

	Visitantes		Turistas		Pernoctaciones hoteleras	
Años	Mill.	Índice variac.	Mill.	Índice variac.	Mill.	Índice variac.
1982	42,0	100	25,3	100	77	100
1990	52,0	124	34,3	136	68	88
1991	53,5	127	35,3	140	71	92
1992	55,3	132	39,6	157	77	100
1993	57,3	136	38,4	152	83	108
1994	61,4	146	41,2	163	98	127
1995	57,6	137	38,8	153	101	131
1996	60,7	145	40,5	160	100	130
1997	64,6	154	43,4	172	105	136
1998	71,0	169	47,8	189	112	145

FUENTE: Secretaría de Estado de Comercio, Turismo y Pyme e INE.

Asimismo es oportuno considerar que, teniendo en cuenta la información disponible y estimada para el año 1999, la cifra de turistas para el cuatrienio del gobierno del Partido Popular creció el 7,6%, el número de visitantes el 7,2% y, por último, el volumen de pernoctaciones hoteleras el 7,4%, incrementos muy superiores a la media del período del gobierno del Partido Socialista Obrero Español.

Gráfico 21.1   Evolución del turismo extranjero en España

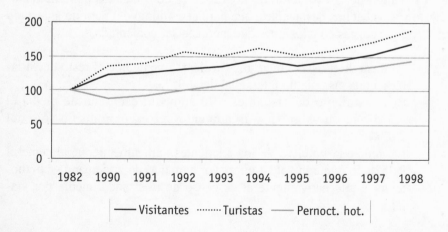

Cuadro 21.2   Evolución de los ingresos por turismo extranjero

| Años | Dólares | | Pesetas corrientes | | Pesetas 1982 | |
	Mill.	Índice variac.	Mill.	Índice variac.	Mill.	Índice variac.
1982	7.126	100	787.569	100	787.569	100
1990	18.593	261	1.878.400	239	1.010.764	128
1991	19.158	269	1.991.100	253	1.011.173	128
1992	22.120	310	2.265.100	287	1.086.330	138
1993	19.751	277	2.514.100	319	1.152.682	146
1994	21.491	302	2.818.976	365	1.260.622	160
1995	25.406	357	3.168.172	402	1.325.523	168
1996	27.543	387	3.489.730	443	1.409.697	179
1997	26.899	377	3.937.957	500	1.550.000	197
1998	29.840	419	4.458.047	566	1.721.124	218

FUENTE: Banco de España y Balanza de pagos.

Para contrastar el crecimiento de la información de llegadas es también interesante observar la evolución de los ingresos por turismo extranjero que se ha originado en el período analizado, considerando la evolución en pesetas y en dólares corrientes, desde el año 1982 al año 1998 (cuadro 21.2).

Se comprueba relacionando el gráfico 21.1 y el cuadro 21.2 que en el período considerado el crecimiento monetario de ingresos por turismo fue

Gráfico 21.2   Evolución de los ingresos por turismo extranjero

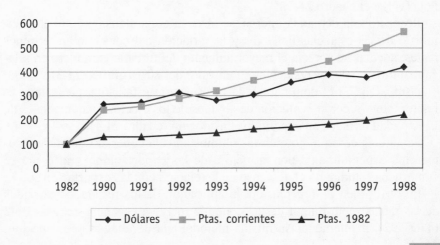

Cuadro 21.3   Evolución de la demanda interna o de los residentes

Años	Estancias hoteleras		Consumo turístico (ptas. corrientes)		Consumo turístico (ptas. 1982)	
	Mill.	Índice variac.	Mill.	Índice variac.	Mill.	Índice variac.
1982	39,4	100	1.098.000	100	1.098.000	100
1990	50,4	140	2.813.800	256	1.514.000	138
1991	53,6	136	3.070.000	280	1.558.000	142
1992	54,4	138	3.380.000	307	1.621.000	148
1993	55,0	140	3.550.000	323	1.628.000	148
1994	56,8	144	3.710.000	337	1.625.000	148
1995	58,3	148	4.000.000	364	1.674.000	152
1996	58,0	147	4.240.000	385	1.713.000	156
1997	61,3	156	4.500.000	409	1.772.000	161
1998	66,5	169	5.000.000	455	1.931.000	176

FUENTE: INE y elaboración propia (estimación consumo turístico).

muy acelerado por efecto de la fuerte inflación sufrida por el sistema económico español. Por otra parte, el proceso depreciativo de la peseta se tradujo en una reducción global de los ingresos en divisas del 26%. Ahora bien, como dato muy favorable hay que añadir que el aumento del gasto real por viajero se elevó al 15,3% en el período de los dieciséis años estudiados.

Por otra parte es necesario realizar la valoración del turismo de los residentes como componente fundamental de la demanda global turística española (véase el cuadro 21.3).

Respecto a la demanda interna, se observa el paralelismo entre el crecimiento de las estancias hoteleras y la variación del consumo en términos reales; además se aprecia el mayor aumento del turismo extranjero en relación al turismo de los residentes en un valor del 20% (gráfico 21.3).

Asimismo, en el conjunto de la información estadística presentada es interesante ofrecer la evolución de algunos de los efectos fundamentales de la actividad turística en el período considerado (cuadro 21.4).

Se aprecia cómo mejoró en los últimos años la cobertura del déficit comercial, especialmente por la mejora de las exportaciones, tal como se comprueba estudiando el descenso de la relación con las exportaciones.

En otro orden de repercusión, la aplicación de los resultados extraídos de las tablas input-output de la economía turística española del año 1992 (TIOT/92), manteniendo la misma metodología de análisis y estimación,

Gráfico 21.3 Evolución de la demanda de los residentes

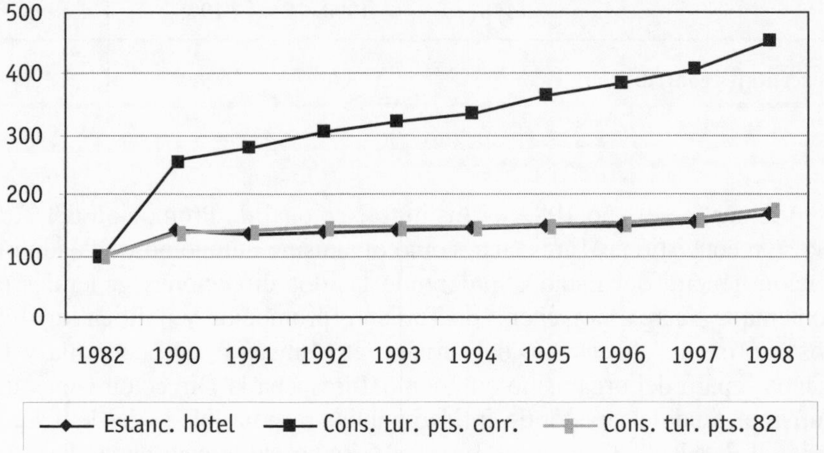

permite observar globalmente cuál ha sido la evolución de la participación del turismo en la formación del PIB español (cuadro 21.5).

3. El turismo en la Administración central

En el marco institucional, durante el período considerado han de recordarse los siguientes cambios en el ámbito de la dependencia de la administración turística oficial:

— Ministerio de Transportes, Turismo y Comunicaciones (1980-1991).
— Ministerio de Industria, Comercio y Turismo (1991-1993).
— Ministerio de Comercio y Turismo (1993-1996).
— Ministerio de Economía y Hacienda (1996).

Cuadro 21.4 Influencia del turismo extranjero en la balanza de pagos (%)

Años	Cobertura déficit comercial	Cobertura importaciones	Relación con las exportaciones
1982	68,1	24,1	37,4
1990	65,6	23,4	35,9
1995	139,6	22,8	27,2
1998	160,7	23,3	27,2

FUENTE: Balanza de pagos.

Cuadro 21.5   Contribución del turismo en el PIB

	1982	1990	1995	1998
Porcentajes contribución	8,5	8,0	9,9	11,1

Además, en el año 1989, el Instituto Nacional de Promoción del Turismo se reconvirtió en Turespaña, como organismo autónomo de la administración general del Estado, integrando las dos direcciones generales que contenía la Secretaría General de Turismo (promoción y política turística). Posteriormente, el trasvase del turismo al Ministerio de Economía y Hacienda separó del organismo autónomo Turespaña la Dirección General de Turismo, dándole carácter de entidad pública responsable —desde la Secretaría de Estado de Comercio, Turismo y Pyme, de la cual dependía—, del conjunto de la política turística que residualmente quedaba en la administración general, tras culminar el traspaso de competencias administrativas a las diecisiete CCAA. Por último, también se produjo la modificación de la estructura administrativa de la antigua Secretaría General de Turismo y la transformación de la Red Nacional de Paradores en la empresa pública Paradores Nacionales del Estado.

Pero es evidente que aun siendo importante la organización administrativa del turismo en el proceso de transferencia de competencias, sin duda es trascendente el valor de las dotaciones presupuestarias que se afectaron al turismo.

Con el fin de observar los recursos presupuestarios disponibles, desde la administración general se ha recopilado un cuadro sistemático de la evolución del gasto público total español, sin las prestaciones sociales, y el presupuesto disponible afectado a las unidades administrativas que directamente tienen las competencias públicas en turismo. Varias consideraciones generales deben apuntarse inicialmente:

— Las series recogidas guardan homogeneidad a lo largo del tiempo, aunque por separado los objetivos políticos han variado en la evolución, modificando las asignaciones parciales contenidas.
— Por otra parte, no debe identificarse de manera absoluta la dotación asignada a los organismos públicos responsables directamente del turismo con los valores que la administración general en su totalidad y las CCAA dedican al turismo específicamente.

Ahora bien, no puede tampoco ignorarse que desde cualquier agente del sector se critican con reiteración las cuantías presupuestarias dedicadas de manera directa al desarrollo turístico (véase el cuadro 21.6).

Cuadro 21.6 **Los presupuestos directos del turismo y su comparación con los gastos de la Administración pública (millones de pesetas)**

Años	Gasto público Total (A)	Índice crecimiento	Presup. turismo (B)	Índice crecimiento	B/A
1982	4.687.016	100	6.250	100	0,13
1990	11.546.629	246	21.670	347	0,19
1992	13.599.439	290	15.826	253	0,12
1995	17.603.427	376	16.621	266	0,09
1998	18.851.993	402	15.224	244	0,08

FUENTE: Presupuestos Generales del Estado.

El cuadro 21.6 simboliza en las direcciones generales del turismo (promoción y política turística) el esfuerzo estatal dedicado a la actividad, lo cual no es del todo correcto, ya que en el análisis de las diferentes partidas presupuestarias de los diversos ministerios pueden encontrarse dotaciones que directa o indirectamente influyen en el turismo.

En caso de que se deflactasen las series se observaría que mientras el gasto público total ha crecido interanualmente en términos reales aproximadamente el 2,79%, la serie de turismo globalmente se ha mantenido prácticamente constante o podría atribuirse un descenso del 5% en valores constantes.

Ahora bien, hay que manifestar que en el año 1982 no se había iniciado de manera efectiva el proceso de traspaso de competencias, junto con los costes que suponía dicha actuación, por lo que la administración general tenía entonces todas las responsabilidades y por tanto todos los recursos. Por el contrario, en el año 1998 puede afirmarse que casi se está culminando el proceso, a excepción de algún resto, tal como es el caso de la EOT, que se encuentra en la fase final del traspaso. Todo ello justifica que la administración no crezca en su presupuesto, ya que paralelamente fue entregando competencias y se fueron reduciendo sus dotaciones económicas para el desarrollo.

En el actual panorama administrativo —en el cual las CCAA ejercen el papel de reguladoras y promotoras del turismo en el ámbito de su territorio— es evidente que ha de reducir el esfuerzo económico que deba hacerse desde la administración general, que ha de cooperar con aquéllas y coordinar y tutelar las acciones interterritoriales que requieran la actuación globalizada y compensadora del Estado.

Pero hemos de entender que todo sector económico necesita suficientes recursos para poder emprender actuaciones eficientes en los mercados y superar las condiciones de competencia que exigen. Sin embargo, se podría opinar que las dotaciones han debido ser suficientes, ya que alcanzando su índice de variación sólo un valor expansión del 250%, para los dieciséis años analizados, el sector turístico se ha comportado de manera óptima, pues en el período 1982-1996 prácticamente ha duplicado la cifra de llegadas del turismo internacional. Pero es importante afirmar que aquellas fuentes rentables de producción o riqueza, para intensificar esos resultados, en el futuro quizás exijan un esfuerzo mayor que en el pasado por causa del endurecimiento del sector.

4. La política económica desde las Comunidades Autónomas

En la actualidad, cuando las competencias en materia de turismo corresponden en el ámbito de sus territorios a las CCAA, se hace necesario estudiar la prioridad del turismo en los presupuestos de aquéllas. No considerar este aspecto sería ignorar los agentes impulsores más directos del desarrollo turístico.

El análisis histórico —aunque no comparable, ya que el proceso de transferencia de competencias se fue produciendo en todas las CCAA de manera no simétrica— permite observar que en 1985 se cifraban en 5.500 millones de pesetas los presupuestos asignados para el turismo en el marco de las competencias ya transferidas y en 15.000 millones en el año 1990.

Con objeto de valorar la situación más reciente, en la que ya se han asumido todas las responsabilidades administrativas por parte de las CCAA, se comparará la evolución desde 1993 a 1998, observando el peso en el total de los presupuestos correspondientes (véase el cuadro 21.7).

El primer dato que hay que considerar es que desde 1985 los presupuestos para turismo se han multiplicado por ocho. No obstante, no puede olvidarse que no pueden establecerse comparaciones en términos corrientes o en términos reales, ya que las transferencias entonces no eran plenas en todas las CCAA. Sin embargo, sí es posible comparar los años 1993 y 1998, porque políticamente los contenidos de las competencias eran ya idénticos, por lo que sí es válido plantear diferencias ya sea en valores constantes o corrientes. En ese sentido se observa que en los últimos cinco años el presupuesto global de las diecisiete CCAA prácticamente se ha duplicado, mientras que los precios sólo han crecido el 18%. En consecuencia se observa un aumento real de los presupuestos de turismo de las comunidades igual al 41%, o lo que es lo mismo un incremento interanual del 7,1%, lo cual significa un esfuerzo muy notable para impulsar el desarrollo turístico. Ahora bien, el gran crecimiento se produjo entre los años 1995 y 1994, cuando el total de los recursos asignados al turismo pasó de 25.604 a 35.249 millones, o un incremento monetario del 38% y un alza real del 31,6%.

En conjunto, en los cinco años transcurridos desde 1993 la cuota de dedicación pasó del 0,27 al 0,39%, lo que significa un incremento relativo del

Cuadro 21.7   Presupuesto para turismo en las CCAA

	Año 1993		Año 1998	
	Mill. ptas.	% s/total pres.	Mill. ptas.	% s/total pres.
Andalucía	3.201	0,19	11.312	0,46
Aragón	1.390	1,44	1.579	0,66
Asturias	735	0,76	1.657	1,01
Baleares	3.506	7,17	2.734	2,26
Canarias	1.082	0,40	3.753	0,70
Cantabria	175	0,39	1.281	1,60
Castilla-La Mancha	944	0,50	1.032	0,26
Castilla y León	2.000	0,98	1.118	0,25
Cataluña	4.126	0,27	1.389	0,07
Extremadura	1.407	1,11	1.424	0,56
Galicia	2.244	0,33	2.969	0,32
La Rioja	313	1,19	465	1,16
Madrid	682	0,17	1.182	0,18
Murcia	497	0,63	448	0,31
Navarra	415	0,17	1.070	0,34
Valencia	490	0,06	6.054	0,58
P. Vasco	1.083	0,17	973	0,13
Total nacional	**24.290**	**0,27**	**40.441**	**0,39**

FUENTE: Presupuestos de las CCAA.

44%, aunque hay que indicar que dicha progresión era muy diferente en las diversas CCAA, ya que también las especificaciones institucionales que se correspondían con las competencias turísticas eran también distintas. No obstante, será conveniente analizar algunos elementos propios de cada caso.

— En 1993 la comunidad que más recursos asignó al turismo era Cataluña, aunque la que poseía la mayor cuota relativa era Baleares, con un 5,79%.
— En 1998 Andalucía ocupaba el primer lugar en cuanto a dotaciones para turismo, siendo Baleares la que continuaba ofreciendo la mayor cuota de dedicación al turismo, con el 2,26%.

La suma de los recursos asignados por el Estado más los recursos asignados por las CCAA a la política económica de turismo se aproximó a los

56.000 millones de pesetas en 1998, que comparada con la renta del sector turístico sólo equivale al 0,6%; es evidente que no es una cifra muy importante si se la relaciona con los efectos socioeconómicos del turismo.

En estos momentos los presupuestos de las CCAA para turismo casi triplican el presupuesto del Estado dirigido a las acciones de fomento del turismo. Ello necesariamente obliga a reflexionar si la obligación de transferir todas las competencias, a excepción prácticamente de la promoción en el exterior, justifica que la administración central o general haya quedado desposeída en gran medida de la capacidad de actuación. En 1999 el presupuesto para turismo dedicado por la Junta de Andalucía se puede casi identificar con el que está aprobado para la totalidad del Estado. Por lo que puede decirse que globalmente existe una mayor mentalidad de aplicar políticas económicas de turismo en las CCAA que en el Gobierno de la nación.

5. La política de promoción turística

Los mercados turísticos en los últimos años presentan tres factores fundamentales de influencia y captación:

— Esfuerzo por la mejora de la competitividad incorporando elementos de aumento de la atracción y la motivación.
— Diversificación en los productos y características.
— Ampliación de los destinos turísticos geográficos.

Esa situación ha endurecido la lucha por la consecución de los flujos de llegadas aun incluso creciendo de manera permanente la demanda turística mundial.

En los dieciséis años del análisis realizado (cuadro 21.8) se observa un crecimiento de la demanda de viajeros interanualmente del 5,0%, y en los ingresos, del 9,7%, incremento mayor por efecto de tres razones específicas:

— En conjunto, mayor inflación turística en los países receptores que la depreciación de su moneda en relación al dólar.
— Mejora progresiva del gasto medio real por viajero.
— Aparición de productos turísticos y ofertas complementarias de mayor nivel de gasto.

Si embargo, aun a pesar del fuerte crecimiento de la demanda, el aumento de la oferta ha sido también muy elevado, ya que la capacidad hotelera para el mismo período ha pasado de 17 a 30 millones de camas, lo que equivale a satisfacer la necesidad de ampliar la capacidad, manteniendo una ocupación todavía insuficiente para mejorar la eficiencia de las inversiones.

Cuadro 21.8   Evolución del turismo mundial

Años	Mill. llegadas	Índice crecim.	Mill. ingresos $USA	Índice crec.
1982	286	100	100.907	100
1990	458	160	230.000	228
1995	565	198	405.110	401
1998	625	219	444.741	441

FUENTE: OMT.

La consideración de dichos datos obliga a mantener una gran reserva en cuanto a las posibilidades que en el futuro tendrán los mercados tradicionales —como es el caso del español—, por influencia en paralelo de circunstancias que actúan negativamente tales como la masificación, el agotamiento del producto, la pérdida de imagen, etc., lo cual obliga necesariamente a realizar un gran esfuerzo de promoción.

Hay que indicar como aspecto importante del análisis que la promoción en el exterior le corresponde prioritariamente a la administración general del Estado. Por tanto, el gran esfuerzo económico debe encontrarse en sus dotaciones presupuestarias, aunque es evidente que diversas CCAA y entidades locales y empresas privadas realizan actuaciones que complementan dicha acción (cuadro 21.9).

Para el período estudiado las actuaciones de promoción se han efectuado desde tres órganos administrativos centrales de la política turística estatal:

— Dirección General de Política hasta el año 1985, que participaba en las actuaciones promocionales en el código económico 679 (gastos de todas las clases y por todos los medios de difusión que tengan como finalidad la promoción y publicidad turística).
— En 1985 la Ley 50/1984 de 30 de diciembre, Ley de Presupuestos Generales del Estado, crea un su artículo 87.4 el Instituto Nacional

Cuadro 21.9   Promoción estatal en turismo

Años	Presupuesto ptas. corrientes	Índice crecim.	Presupuesto ptas. constantes	Índice crecim.
1982	2.013	100	2.013	100
1990	5.810	280	3.127	155
1997	6.100	303	2.392	119
1999	6.945	345	1.820	90

FUENTE: Presupuestos Generales del Estado y elaboración propia.

de Promoción del Turismo (Inprotur) para que asumiera las funciones de promover el turismo de España en el exterior. En consecuencia, la antigua Dirección General de Promoción del Turismo se convierte en organismo autónomo con la segunda denominación.

— En 1991 el Inprotur cambió de nombre y pasó a denominarse Instituto de Turismo de España (Turespaña). En 1999 el presupuesto global del instituto ascendía a 11.719 millones de pesetas.

Hay que señalar que Turespaña, para el cumplimiento de sus funciones promocionales, cuenta con la Red de Oficinas Españolas de Turismo en el Exterior, que cuenta con 27 sucursales en 19 países.

En el período transcurrido desde 1982 destacan tres procesos publicitarios que se mantuvieron de manera muy desigual:

— Todo bajo el Sol *(everything under the sun)*, 1983-1992.
— Pasión por la vida *(passion for life)*, 1992-1998.
— ¡Bravo España!, 1998.

Es importante mencionar que en 1994 se constituyó el Consejo Promotor de Turismo con objeto de conseguir la colaboración de las entidades privadas en la dirección y diseño de las actuaciones promocionales del turismo español.

En lo que respecta a la actividad promocional de las CCAA, hay que señalar que dicha acción ha conseguido mejorar los esfuerzos y los recursos destinados a la promoción del turismo de España. Puede señalarse que por término medio se estima que de los presupuestos totales de las comunidades entre el 40 y el 45% se asigna a procesos publicitarios y promocionales del turismo en todo tipo de medios y soportes, así como en el interior y exterior y en actuaciones propias de cada comunidad o en acciones concertadas entre ellas y el Estado, como es el caso de la España Verde, la Ruta de la Plata o Ciudades Patrimoniales. En conjunto se cifra en 17.000 millones de pesetas el esfuerzo inversor realizado en 1998 por las CCAA, que junto al presupuesto del Estado y de las entidades locales se aproxima a los 25.000 millones de pesetas.

6. El Plan Marco de Competitividad

Sin duda uno de los hechos principales de la política turística española del período estudiado es la aprobación y aplicación en sus dos fases del Plan Marco de Competitividad del turismo español en el año 1992.

Las razones fundamentales de que se considerase oportuno introducir un Plan Marco que resolviese problemas generales y de coordinación de las políticas turísticas eran especialmente:

— Un cambio estructural en los mercados turísticos que provocaba un desajuste entre la oferta y la demanda del sector turístico español, con consecuencias negativas para las empresas, los profesionales e incluso las economías regionales.
— La conveniencia de definir un programa global de objetivos y actuaciones para el sector, tras el cambio político-administrativo experimentado en España.

El Plan Marco de Competitividad del Turismo Español fue elaborado por la Secretaría General de Turismo con la participación y aportaciones de las Consejerías de Turismo de las CCAA, procurando alcanzar un máximo consumo en la formulación de las políticas turísticas. También se contó con la colaboración de los interlocutares sociales (organizaciones empresariales y sindicales).

El Plan Marco establecía tres tipos de objetivos finalistas, que a su vez se estructuraban en objetivos operativos:

a) Sociales (aumentar la calidad de vida de todos los agentes involucrados).

— Mejora de la calidad turística.
— Potenciación de la formación y cualificación.
— Protección del consumidor-turista.
— Mejora del entorno informativo.

b) Económicos (obtener una industria turística más competitiva y más rentable).

— Mejora del I+D en las empresas turísticas.
— Mejora del capital humano en las empresas.
— Modernización e innovación.
— Diversificación y diferenciación de la oferta.
— Mejora de la promoción y comercialización.
— Fortalecimiento del tejido empresarial.
— Mejora de las infraestructuras.
— Adaptación del marco jurídico e institucional.

c) Medioambientales (lograr un desarrollo turístico más respetuoso con los entornos).

— Conservación del entorno natural y urbano.
— Recuperación del desarrollo de tradiciones y raíces culturales.
— Revalorización del patrimonio susceptible de uso turístico.

Los planes operativos que desarrollaba el Plan Marco en su primera fase (1992-1995) se concentraban en los siguientes:

— Plan de Coordinación Institucional: Futures-Coordinación.
— Plan de Modernización e Innovación Turística: Futures-Modernización.
— Plan de Nuevos Productos Turísticos: Futures-Nuevos Productos.
— Plan de Promoción, Marketing y Comercialización: Futures-Promoción.
— Plan de Excelencia Turística: Futures-Excelencia.

Hay que manifestar que ciertos proyectos y actividades turísticas desarrollados en algunas zonas del territorio nacional se beneficiaban de importantes apoyos económicos procedentes de los fondos estructurales de la Unión, los cuales deberían integrarse en los recursos públicos que se destinaron a la ejecución del Plan Marco de Competitividad del Turismo Español.

Por otra parte, Futures se diseñó de manera que las iniciativas empresariales que solicitaban incentivos económicos los recibirían conjuntamente tanto de la administración general como de las administraciones autonómicas, buscando crear un sistema de cofinanciación que concentrase los recursos económicos en los mismos proyectos.

Las fuentes del presupuesto del Plan Marco eran, por tanto:

— Presupuestos de las administraciones españolas (general y de las CCAA).
— Recursos comunitarios (Feder, regiones industriales en declive, Leader, fondo social y otros programas específicos).

Además se acompañaba de estímulos económicos, tales como incentivos fiscales, incentivos económicos (subvenciones variables) e incentivos financieros (financiación preferencial para proyectos de modernización de empresas turísticas, conversión de deuda del Estado, etc.).

PRESUPUESTO DEL PLAN MARCO DE COMPETITIVIDAD
DEL TURISMO ESPAÑOL
(millones de pesetas, 1992-1995)

1. Futures-Coordinación	1.010
2. Futures-Modernización	11.970
3. Futures-Nuevos Productos	2.510
4. Futures-Promoción	30.079
5. Futures-Excelencia	2.640
Total	**48.209**

No puede olvidarse que entre las medidas más importantes del plan destaca la creación o recuperación por el RD 6/94 de la Comisión Interministerial de Turismo. Asimismo, los planes de excelencia y dinamización serían una gran actuación del plan (27 planes de excelencia y 19 planes de dinamización han sido aprobados por las autoridades administraciones general, autonómica y local).

En los últimos años del gobierno del PSOE (1994 y 1995), se consideró necesario redactar un II Plan Marco de Competitividad que para los cuatro años siguientes prosiguiese la labor del I Plan. Para ello se realizó una auditoría que manifestó los aspectos positivos y negativos del plan, considerándose que ahora no debería dividirse tanto el esfuerzo de proyectos subvencionados y potenciar más las iniciativas de gran volumen. En el primero los proyectos subvencionados fueron 1.760, con un valor de 8479 millones de pesetas.

El II Plan concedió más protagonismo a la intervención y decisión de las administraciones autonómicas, considerando como elementos determinantes:

— Corresponsabilidad, promoviendo el compromiso entre todas las administraciones.
— Concentración de actuaciones, apoyando proyectos que agrupen diversos intereses.
— Integración de iniciativas empresariales en proyectos comunes.

Los planes de actuación del II Plan Marco de Competitividad (1996-1999) han sido los siguientes:

— Plan de Coordinación, pretendiendo el funcionamiento activo de la Comisión Interministerial, Conferencia Sectorial, Consejo Promotor y Observatorio.
— Plan de Cooperación e Internacionalización.
— Plan de Nuevos Productos.
— Plan de Calidad.
— Plan de Actuación sobre Nuevos Destinos.
— Plan de Formación.
— Plan de Tecnificación e Innovación.
— Plan de I+D.

7. La política de financiación de las empresas turísticas

Como primer comentario debe afirmarse que en el período anterior a la etapa que se estudia en este trabajo una parte considerable de la financiación a largo plazo del sector turístico procedía de la banca oficial; a partir de 1982 la tendencia es claramente decreciente (cuadro 21.10).

Cuadro 21.10   **Evolución de la cuenta de crédito oficial del sector turístico (millones de pesetas)**

Años	Turismo (A)	Sistema económico (B)	C = (A/B) 100
1982	22.788	1.685.069	1,35
1984	23.314	2.218.083	1,05
1986	21.500	2.723.100	0,79
1988	18.200	3.193.900	0,57
1990	24.100	4.145.200	0,58

FUENTE: Banco de España e ICO.

En el cuadro 21.11 puede observarse cómo progresivamente fue descendiendo la cuota de participación del turismo en el mercado financiero oficial, así como la estabilización de la cuenta de crédito, cuando por el contrario la participación del crédito para turismo en el mercado financiero iba aumentando sucesivamente en términos absolutos.

Comparando los dos cuadros, pueden deducirse diferentes conclusiones derivadas de la política financiera del sector turístico español.

— En 1982 el crédito oficial sólo significaba ya el 25,32% del total de la financiación turística, descendiendo en 1990 al 3,8%.
— Hasta 1990 el crédito oficial sólo había crecido el 5,8%, mientras que la financiación turística total, el 606%.
— En el período 1982 a 1998 la financiación en términos corrientes se ha multiplicado por un factor igual a 15,3 veces, y en términos constantes, por un factor igual a 5,8 veces.
— Por otra parte la participación del turismo en el conjunto del mercado crediticio español se ha duplicado en el período considerado alcanzando un coeficiente de 1,61%.
— Puede comprobarse la existencia de dos tendencias contrarias en cuanto a la financiación del sector turístico español hasta el año 1990: mientras descendía la cuota de financiación pública, crecía el endeudamiento global del turismo.

A partir de 1990, con el cambio institucional de la banca oficial y la privatización de una banca pública como Argentaria, se produce un cierto desplazamiento del crédito turístico oficial hacia las entidades financieras privadas (banca y cajas de ahorro). Es conocido que desde 1942 hasta entonces la financiación oficial al turismo por medio de subvención y otras ayudas del sector público fue el instrumento para la concesión de créditos al sector turístico. El Banco Hipotecario fue en general el mecanismo de gestión de la financiación pública al turismo.

Cuadro 21.11   Participación del sector turístico en el mercado crediticio (miles de millones de pesetas)

Años	Total mercado crediticio (A)	Financ. turística (B)	C = (A/B) 100
1982	11.299	90	0,79
1985	16.699	129	0,77
1990	39.476	635	1,61
1995	62.418	810	1,30
1998	85.457	1.377	1,61

FUENTE: Central de Información de Riesgos del Banco de España.

Del proceso de interpretación de la importancia económica del sector turístico, así como de la nueva concepción que las entidades financieras adoptan del turismo, resulta el cambio de la cuota que corresponde al turismo en el mercado financiero español:

— Período 1966/1985: el turismo absorbe el 1,11% del mercado crediticio.
— Período 1985/1995: el turismo alcanza el 1,34% del total de la financiación al sistema económico.

En las nuevas tendencias financieras del turismo, destaca que en el período 1986-1998 la financiación del turismo por las Cajas de Ahorro tiende a crecer, alcanzando dicha financiación un valor cercano al 30% del total acreditado al turismo, por lo que sigue predominando el papel de la Banca Privada con valores del entorno del 60%.

Ahora nuevos productos financieros como el *leasing* y el *factoring* se empiezan a utilizar con mayor reiteración en el marco de la actividad turística con valores próximos al 10%.

En la política de financiación del sector turístico han continuado predominando los créditos a largo plazo, llegando a superar el 70% del total.

Hay que establecer la tesis de que la banca privada se ha especializado en el sector hotelero, en el marco de los diferentes subsectores de la actividad turística. Por el contrario, las Cajas de Ahorro no manifiestan una línea muy marcada de preferencias. Es el sector hotelero la rama productiva turística en la cual se concentra más el crédito, con valores que ya alcanzan el 45% del total de la financiación turística.

Ahora bien, si se acepta en función de los diferentes estudios realizados que el valor de los capitales a precios de reposición de los subsectores comprendidos en las cifras de crédito turístico de este trabajo, y que se consideran actividades principales del turismo (alojamiento, restaurantes y establecimientos de comidas y bebidas), es igual a 15 billones de pesetas, es evidente que la cuota de endeudamiento en términos de pesetas de 1998 no puede resultar muy elevada, ya que alcanza sólo el valor de 9,1%. Luego puede considerarse como válida la hipótesis de que el sector turístico, aun a pesar de un mayor reconocimiento como actividad económica de amplia proyección productiva, parece que opta por la figura o mecanismo en su financiación de la ampliación de capital con recursos propios.

8. Otras políticas instrumentales

a) Política formativa

Hay que resaltar como hecho más trascendente del período analizado que en febrero de 1996 fue aprobado el RD 259/96, por el cual se incorporan los estudios de turismo a la universidad. Esta transformación del carácter de los estudios superiores de turismo convirtiéndolos en diplomatura universitaria era un requerimiento que desde hacía tiempo el sector solicitaba, modificándose la naturaleza de enseñanza especializada que poseía el antiguo título TEAT, o de técnico en empresas y actividades turísticas.

Puede señalarse que aunque el RD 259/96 establece que el período de transformación podrá extenderse hasta el año 2001, debe considerarse que a finales del año 1999 la Escuela Oficial de Turismo habrá culminado su responsabilidad administrativa en el control y homologación de la vieja titulación, transfiriendo las competencias educativas a todas y cada una de las CCAA y éstas, a su vez, cediendo el papel formativo a las universidades.

En ese sentido, desde el estricto aspecto presupuestario la dotación existente en 1990 para la EOT de 170 millones de pesetas en el año 1999 se había reducido a 100 millones de pesetas, ya que desde las diferentes CCAA se habilitaron los fondos necesarios para financiar las respectivas escuelas oficiales que regulaban los centros adscritos de sus territorios.

Asimismo hay que mencionar el esfuerzo realizado en la política de formación ocupacional y formación continua que se hizo desde las administraciones, especialmente utilizando fondos comunitarios, y en particular del fondo social europeo. También debe destacarse la dotación para becas de alumnos de turismo en sus diferentes niveles, ascendiendo a 248 millones de pesetas la cifra correspondiente al año 1999, distribuidos en los programas de la Dirección General de Turismo.

b) Política de investigación

En el período que abarca este trabajo el antiguo Instituto Español de Turismo, en la primera etapa neoliberal del PSOE, se reconvirtió en Subdirección

General de Planificación y Prospectiva Turística. A finales de los años noventa nuevamente se rectifica y se recupera el nombre de Instituto de Estudios Turísticos.

Deben mencionarse además como aportaciones más importantes del período:

— La necesidad de resolver el problema del recuento estadístico en fronteras de los visitantes recibidos ante la entrada en vigor de los acuerdos de Schegen, que impusieron un nuevo sistema de encuestación de los viajeros (Frontur).
— Asimismo, la territorialización del turismo español, además del reconocimiento del turismo interno, obligó también a perfeccionar la encuesta dirigida a las familias españolas sobre las vacaciones (Familitur).
— En 1995 se estimó una nueva tabla input-output de la economía turística referida al año 1992, y se realizaron un conjunto de trabajos económicos y de análisis estructural derivados de aquélla.
— En los últimos años, el Instituto de Estudios Turísticos ha desarrollado en profundidad su página Web, dotando al sistema turístico de una herramienta informática muy potente, ofreciendo información estadística, documental y bibliográfica de singular interés (el Centro de Documentación Turística de España, CDTE; el sistema de información geográfica para el análisis del turismo, SIGTUR; y DATATUR, base de datos estadísticos para el análisis de la economía del turismo).

Hay que señalar igualmente que a partir de 1990 desde los centros universitarios y desde otras instituciones públicas se ha proyectado un esfuerzo importante por potenciar la base científica de la actividad turística; es el caso de la constitución de la AECIT, la aparición de la revista *Papers de Turisme* o la creación de la Fundación Cavanilles de Altos Estudios Turísticos de España.

c) Financiación pública de inversiones turísticas

Es complejo llegar a precisar el valor de las inversiones reales que las diferentes administraciones públicas, fuera de los departamentos que tienen las competencias administrativas sobre turismo, dedican a la actividad. Es evidente que en los últimos años se ha hecho un esfuerzo muy importante en la mejora de las infraestructuras:

— Realización de obras de infraestructura interurbanas que sirven para el desplazamiento y transporte de los turistas.
— Ampliación y remodelación de aeropuertos.

— Mejora de infraestructuras de saneamiento en las zonas turísticas.
— Otras inversiones en instalaciones básicas para el desarrollo del turismo.

Un estudio reciente valora la proporción del conjunto de las infraestructuras directamente afectadas al desarrollo turístico en 8 billones de pesetas a precios de reposición, lo que significa como promedio interanual de inversión realizada en pesetas de 1998 275.000 millones de pesetas; luego para el período 1982-1998, 4,4 billones de pesetas. Ello equivale al 3,1% del valor de la producción turística y al 30% de las rentas fiscales de la actividad turística.

Otro capítulo que interesa mencionar por su carácter instrumental son las inversiones reales para alojamientos turísticos propiedad del Patrimonio Nacional (Paradores Nacionales de Turismo) (cuadro 21.12).

**Cuadro 21.12   Evolución de las
inversiones reales
en paradores**

Años	Mill. pesetas
1982	1.287
1990	2.751
1998	3.000

FUENTE: Estimación en función de presupuestos generales.

Destacan en los últimos años las inauguraciones de los paradores de la isla de La Palma y Cangas de Onís y las remodelaciones de Baiona, Chinchón, Almagro, Carmona y Ribadeo. Se tiene previsto la construcción y apertura de los Paradores de Lerma, Limpias (Cantabria) y Monforte de Lemos.

9.   Reflexión final

a)   El período socialista en la política turística

El primer aspecto a destacar es la consolidación como responsable de las competencias turísticas del Ministerio de Transporte, Turismo y Comunicaciones, buscando una mayor coordinación en la política turística.

Los rasgos más sobresalientes de este período pueden concretarse en aquellos que se han destacado como actuaciones más determinantes de la política turística:

— Proceso de traspaso de las competencias administrativas de turismo a las CCAA, el cual ya se había iniciado con gobiernos anteriores.
— Creación del Instituto Nacional de Promoción del Turismo (Inprotur), denominado posteriormente Turespaña, como organismo autónomo.
— Traspaso de las enseñanzas turísticas a la universidad mediante RD 259/96.
— Realización del Plan de Marketing del turismo español que incorporó el logo de Miró y el eslogan *everything under the sun*.
— Fracaso de la negociación para traer a España el proyecto temático Eurodisney.
— Convenio de la España Verde y apoyo a proyectos como Ruta de la Plata y Camino de Santiago.
— Búsqueda del desarrollo de una política de turismo alternativo, potenciando acuerdos con el Inserso.
— Apoyo a los acontecimientos del 92 (Expo y Olimpiadas).
— Elaboración del Libro Blanco del Turismo español con horizonte 1989.
— Aprobación del Plan Marco de Competitividad (Futures).
— Incentivo a las estrategias que impulsasen el turismo rural.
— Aprobación en junio de 1983 de la última reglamentación hotelera de carácter orientador o supletoria.
— Apertura de líneas preferenciales de crédito oficial para las Pymes turísticas.
— Consecución de una reglamentación de agencias de viajes consensuada con las diferentes CCAA.
— Creación de la Comisión Interministerial de Turismo, el Consejo Promotor y fortalecimiento de la Conferencia Sectorial.

Una reflexión y valoración global sobre un período tan largo de trece años se hace difícil, ya que, al mismo tiempo, tanto en los resultados como en las medidas, hubo gran irregularidad, ya que junto a momentos de gran entusiasmo y logros importantes, como la superación de los 40 y 50 millones de visitantes y la aprobación de manera consensuada por todas las CCAA del Plan Marco de Competitividad, hay momentos de gran frustración en los logros, tales como las crisis de principios de los noventa, el rechazo de Disney o los desencantos de los valores turísticos alcanzados en 1992.

En conjunto no puede hablarse de que se hubiese producido un cambio sensible en la mentalidad de los máximos responsables de la política española e incluso de la actividad capaz de conseguir recursos abundantes para un mejor desarrollo y el logro de mejores resultados.

b) El período del Partido Popular

Se puede considerar que en los cuatro años de gobierno del Partido Popular, aun siendo una fase todavía muy corta para una valoración objetiva, apoyada en suficiente información estadística, sí puede afirmarse que los resultados conseguidos en el marco de la actividad turística han sido muy espectaculares. No cabe duda de que en los procesos económicos es difícil disociar los resultados de las condiciones socioeconómicas imperantes, aunque en esta ocasión sería poco lógico y poco riguroso no reconocer el excelente escenario de influencia que ha repercutido sobre el crecimiento del turismo.

Ahora bien, el aumento del número de visitantes recibidos por España en los trece años de gobierno del PSOE fue igual a 16 millones, y el incremento para los cuatro años del Partido Popular ha sido de 17 millones, lo cual puede considerarse como un éxito. Es evidente que no sería correcto y objetivo plantear de manera tan simple una reflexión sobre la bondad de los logros de ambas políticas turísticas; no obstante, sí se ha de reconocer que los sorprendentes resultados de los últimos años han debido de apoyarse al menos en un cierto orden y en la búsqueda de la cooperación y la coordinación.

Con el Partido Popular el turismo se incorpora al Ministerio de Economía y Hacienda, y se observa en las líneas estratégicas de la política turística general una serie de rasgos de singular interés:

— Concepción más integral de la política turística nacional (agentes, productos, destinos, recursos económicos, etc.).
— Búsqueda de un mayor consumo y colaboración con el resto de entidades, instituciones y administraciones turísticas.
— Concesión de mayor protagonismo en los procesos de decisión al sector empresarial, adjudicándoles importancia prioritaria en líneas tan determinantes como la calidad y la internacionalización.

De modo sintético las acciones más relevantes del programa aplicado se reflejan en los siguientes apartados:

— Aprobación del Plan Estratégico de Actuaciones de la Administración del Estado, compuesto por trece líneas de política turística (febrero de 1997).
— Realización del III Congreso Nacional de Turismo (noviembre 1997), con la participación muy decidida de todos los agentes y subsectores de la actividad, donde se aprobaron 23 medidas muy concretas, que pueden concebirse como un Plan Global de Turismo.
— Intensificación del papel de España en la Comisión Europea.
— Creación del Instituto de la Calidad de la Hostelería Española (Iche) y del Instituto de la Calidad de las Agencias de Viajes (Incave), en-

contrándose en fase de responsabilización de la coordinación de los institutos de calidad de los productos turísticos el Icte, o Instituto de la Calidad del Turismo Español.

— Potenciación del II Plan Marco de Competitividad, elaborado previamente por el Gobierno cesante, al que se le dio un mayor dinamismo e intervención más decidida de las CCAA, con las que se ha abierto una gran cooperación.

— Constitución del Observatorio del Turismo como ente vigilante y comprometido con los sucesos y problemas previsibles de aparición.

— Actuaciones institucionales para la adaptación de las pymes al euro.

— Y sobre todo la gestación de un Plan Integral de la Calidad Turística (Picte) (2000-2001), elaborado tras la redacción del diagnóstico del sector, que ha de servir para aplicar una completa política turística en los próximos años y que se constituye por diez programas operativos.

Como puntos finales o conclusión del análisis de la política de turismo en España es aconsejable ahora que a modo de puntos fuertes y débiles se destaque la situación actual de la política turística:

Aspectos positivos:

— Consecución de una política integrada en materia de promoción turística, intervenida o controlada por el consejo promotor del turismo.

— Identificación de intereses y argumentos entre los responsables de la política turística pública y del Consejo de Turismo de la CEOE.

— Acuerdo general para la aplicación de un Plan General de Calidad en el turismo español.

— Papel motivador de la renovada Comisión Intersectorial de Turismo.

— Existencia del Observatorio del Turismo para mantener un proceso permanente de vigilancia y control de la evolución del turismo.

— Aproximación de los problemas del sector turístico a la aplicación de soluciones territoriales desde todas y cada una de las CCAA.

— Reconocimiento de la necesidad de aplicación de procesos I+D en las empresas y procesos productivos del turismo.

— Puesta en valor de nuevos recursos turísticos alternativos al producto sol y playa.

— Estrategias iniciadas en diferentes CCAA para mejorar las actuaciones de conservación de la naturaleza.

— Aplicación de medidas y políticas de internacionalización de la empresa y de mejora del sistema educativo.

Aspectos negativos:

— Insuficientes dotaciones presupuestarias para el desarrollo turístico.
— Cierta descoordinación administrativa entre los departamentos públicos de las CCAA y desde las diferentes administraciones.
— Pobre actitud asociativa en el tejido empresarial turístico.
— Falta de planes estratégicos a nivel de los municipios turísticos.
— Tímidas actuaciones y pobreza de recursos en las políticas formativas.
— Deficiente y poco integrada política investigadora.
— Desinterés formativo en los cuadros y niveles directivos de las empresas turísticas españolas.
— Reiteración de campañas promocionales escasamente evaluadas y poco enfocadas hacia procesos de reequilibrio de la demanda.
— Reducido ritmo de renovación, modernización e innovación del producto y la empresa turística en comparación con el rápido proceso de cambio que se observa en el futuro de las actitudes y comportamiento de la demanda turística.

Quinta parte

Política regional y de financiación autonómica

22. Política regional

**Tomás Mancha Navarro y
Juan R. Cuadrado-Roura**

1. Introducción

La existencia de disparidades regionales constituye un hecho generalizado en la mayoría de los países, con independencia de su nivel de desarrollo económico global. No cabe suponer pues, en este sentido, que la actividad económica tienda a «distribuirse» de forma regular sobre el territorio. Desde la óptica espacial, el desarrollo económico ha sido siempre desigual, tanto por razones derivadas de la propia configuración física y de la distinta dotación de factores naturales como por las implicaciones de determinadas decisiones político-económicas adoptadas por las autoridades, los efectos del funcionamiento del propio sistema económico o las consecuencias de algunos *shocks* externos, vinculados al progreso tecnológico, a los cambios en el comercio internacional o a la caída de determinadas actividades económicas.

La literatura económica ofrece posiciones bastante contrapuestas sobre las diferencias interregionales y su posible corrección. El modelo neoclásico y sus principales derivaciones han permitido mantener posturas que defienden la *convergencia económica* de las regiones mediante el libre juego de las fuerzas del mercado. Por el contrario, otros planteamientos —entre los que pueden citarse la tesis de la causación acumulativa, el modelo centro-periferia o la teoría de la polarización— han sostenido que, en ausencia de medidas correctoras, el libre juego de los mecanismos de mercado conduce a mantener e incluso aumentar las disparidades regionales que en un momento dado puedan existir en un país o en un conjunto de países (*divergencia económica*).

Como ocurre frecuentemente en el terreno económico, la evidencia empírica no otorga plenamente la razón a ninguna de las dos posturas, dejando abiertas numerosas dudas al respecto. Es más, quizás pueda afirmarse incluso que la confrontación entre ambas parece que sigue y seguirá plenamente vigente. Lo que sí queda fuera de cualquier duda es que el problema de las desigualdades regionales sólo puede resolverse en un horizonte temporal de largo plazo y bajo la presencia de algún tipo de intervención correctora.

Dentro de este marco, el presente capítulo tiene como objetivo básico el análisis de las actuaciones llevadas a cabo por las autoridades económicas españolas dirigidas a la reducción de las desigualdades regionales a lo largo de los últimos diez años, intentando mostrar las enormes dificultades que conlleva esta tarea, incluso en un contexto en el que la cooperación de la UE ha resultado muy positiva a la hora de revitalizar las actuaciones a favor de un mayor equilibrio en España.

La estructura del capítulo se resume en los siguientes apartados. El apartado segundo ofrece una sintética referencia a determinados aspectos metodológicos e institucionales imprescindibles para enmarcar la política regional. El apartado tercero presenta de una forma estilizada la situación de las desigualdades regionales en el seno de la UE prestando una particular atención a la posición de España y de sus regiones. El cuarto apartado entra en el estudio de los principales objetivos e instrumentos de la política regional española, poniendo un especial énfasis en la influencia que las instancias comunitarias han tenido en su funcionamiento. En el quinto apartado se analizan las directrices generales de la política regional española para el período 2000-2006 dentro del marco de los acuerdos establecidos en Berlín sobre la denominada Agenda 2000. Unos comentarios finales acerca de la evolución futura de las regiones españolas dentro del contexto de la Unión Monetaria Europea y de sus implicaciones para la política regional cierran el capítulo.

2. La política regional: algunas precisiones en torno a su justificación y a los actores intervinientes

Las medidas y acciones que generalmente se engloban bajo la denominación de *política regional* muestran una considerable variedad, tanto por países como al comparar distintas etapas históricas, como referiremos posteriormente. Sin embargo, los argumentos que se han esgrimido para justificarlas han sido, en general, bastante coincidentes. El más común ha sido de carácter político: a partir de los principios de equidad y de solidaridad se ha argumentado que la existencia de amplias diferencias económicas y de bienestar entre las distintas áreas de un país no es aceptable social ni políticamente, aparte de injusta e inconveniente, y que las autoridades públicas debían instrumentar medidas tendentes a lograr el desarrollo de las zonas más atrasadas y/o cooperar en la recuperación de las regiones afectadas por el declive de una determinada actividad productiva. En definitiva, la política regional se ha identificado con frecuencia con una *política de reequilibrio en la distribución de la renta* a favor de estos territorios en peor situación relativa o que atraviesan una situación económica particularmente difícil.

Las políticas regionales pueden encontrar también un segundo argumento favorable en aspectos que se relacionan más directamente con la consecución de un mayor grado de eficiencia económica y con la obtención de resultados positivos en ámbitos donde el mercado no encuentra soluciones por sí mismo. La existencia de disparidades regionales y su permanencia en el tiempo puede así conducir, entre otros aspectos negativos, a tasas de paro más altas a escala nacional, dado que ni los mercados de trabajo son tan transparentes como la teoría sostiene ni existe posibilidad de ajustar determinadas demandas de mano de obra cualificada a la oferta que realmente existe en las zonas donde el paro es importante. En esta misma línea argumental, también puede constatarse cómo las disparidades económicas entre regiones provocan una sobreutilización del capital fijo social y de las infraestructuras en determinadas zonas, con importantes costes crecientes en las áreas urbanas de mayor desarrollo y renovadas demandas de inversión pública, a la vez que se subutiliza y/o no se provee de tales infraestructuras a las áreas menos desarrolladas. Adicionalmente, la congestión y la polución suelen ser las consecuencias de un rápido crecimiento, sin que tales costes se internalicen realmente como costes de producción.

Un tercer argumento sostiene que los desequilibrios regionales esconden, en última instancia, un mal aprovechamiento de las potencialidades con que cuentan todas las regiones. Los agentes económicos privados tienden a priorizar, a través del mercado, las inversiones que pueden proporcionar mayor rentabilidad a corto/medio plazo. El crecimiento económico es, sin embargo, un proceso a largo plazo, en el que la resolución de las carencias en infraestructuras que impiden una mayor rentabilidad y la formación de capital humano resulta imprescindible para explotar los potenciales de cada zona, lo cual no será resuelto directamente por el mercado ni por los agentes privados.

De acuerdo con lo anterior, el concepto de política regional es plural, pues con este tipo de actuaciones cabe perseguir objetivos variados, de tal suerte que el término puede usarse de una forma amplia o en una versión más restringida. Precisar esta cuestión implica comentar los principales objetivos que las políticas regionales suelen plantearse y que, en síntesis, son los siguientes:

a) *Redistribución espacial de la renta,* de tal suerte que los habitantes de las regiones con menor nivel de renta per cápita se beneficien de inversiones y/o transferencias, bien sea en forma de subsidios directos o bajo la modalidad de mejoras en la dotación de servicios sanitarios, educativos, infraestructuras, etc., provistas dentro del marco de un Estado del Bienestar por las autoridades públicas. Normalmente todo ello implica un trasvase de fondos (compensatorios) desde las zonas más desarrolladas hacia las más atrasadas, pero realizados en última instancia más en función de criterios relacionados con la situación personal o familiar que por razones estrictamente territoriales.

b) *Mantenimiento o ampliación de capacidad productiva de las áreas relativamente menos desarrolladas.* Los medios destinados a alcanzar este objetivo revisten un carácter muy variado, ya que pueden ir desde la mejora en las dotaciones de equipamiento en infraestructuras relacionadas directamente con la actividad productiva hasta la concesión de facilidades para la localización de empresas (subvenciones, exenciones fiscales, cesión de suelo, etc.). Supone en definitiva una vía para favorecer el crecimiento económico «desde fuera», aunque en último término se pretenda propiciar un desarrollo autosostenido de dichas áreas deprimidas.

c) *Necesidad de abordar procesos de reconversión productiva y/o de la mano de obra.* Los orígenes de esta situación pueden ser diversos, aunque normalmente encuentran una explicación en los excesos de capacidad productiva o en la obsolescencia de ciertas actividades que quedan fuera de los mercados y que acaban conllevando una importante destrucción del empleo existente. Usualmente las áreas afectadas se corresponden con regiones que han gozado de un nivel de renta por encima del promedio nacional, pero que se encuentran ahora sometidas a un *declive económico* importante.

d) *Inicio o consolidación del potencial de crecimiento endógeno de las regiones menos desarrolladas,* generalmente a través de mecanismos que faciliten la generación de externalidades positivas para el tejido productivo de las mismas, tales como el apoyo a las actividades de I+D, las inversiones en infraestructuras de telecomunicaciones, la mejora del capital humano, etc.

En la práctica, la política regional suele funcionar de tal manera que la separación planteada no deja de ser una mera exposición conceptual con fines analíticos, dado que estos objetivos se entrecruzan e incluso pueden llegar a complementarse. Es difícil, por tanto, plantear un concepto cerrado de política regional, ya que en realidad acaba siempre funcionando con un carácter muy amplio, de tal suerte que podríamos asumir que un buen número de actuaciones de política económica general también terminen teniendo efectos claramente territoriales [1]. No obstante, en un sentido estricto la política regional suele quedar circunscrita a las acciones diseñadas con la finalidad de reducir las diferencias interregionales de renta per cápita.

Una última cuestión a abordar de forma explícita, al hilo de lo apuntado, es la relativa a los *actores* que intervienen en el proceso de toma de decisiones que implica la política regional, y que en el caso particular de España resulta además imprescindible. En efecto, pueden diferenciarse en nuestro caso cuatro *niveles de gobierno* diferentes: el *supranacional,* que abarca a todos los países pertenecientes a la UE (léase Comisión Europea en el ámbito al que nos estamos refiriendo); el *central,* formado por un único gobierno cuyo ámbito de influencia comprende todo el territorio del país; el *regional,* formado por los gobiernos que intervienen dentro del territorio específico de cada región o comunidad autonóma (diecisiete); y, finalmente, el *local,* formado en España por más de 8.000 ayuntamientos y por otras instituciones políticas (diputaciones, cabildos insulares o mancomunidades) que tienen competencias a nivel municipal o provincial.

No vamos a entrar, por claras razones de espacio y por las dificultades intrínsecas a la generalización en que tendríamos que incurrir, en el análisis de las ventajas y de los inconvenientes que plantea tener un sistema de toma de decisiones públicas organizado en varios niveles de gobierno [2], aunque conviene subrayar ya que el problema fundamental a resolver es el de la necesidad de coordinación. No obstante, las peculiaridades derivadas de la existencia del denominado «Estado de las Autonomías» hace que el proceso negociador que implica el diseño, control y ejecución de la política regional española sea particularmente complejo. Tres cuestiones deben reseñarse a este respecto:

1) Desde una perspectiva interna e institucional, el proceso de elaboración de la política regional tiene tres interlocutores: gobierno central, gobierno de las CCAA y autoridades locales, aunque el protagonista principal sea el primero, dado que es el inversor más importante, aparte de coordinar la preparación y presentación de los diferentes planes regionales a la Comisión Europea.

2) Desde un punto de vista financiero, dos instituciones desarrollan un papel fundamental: el Comité de Inversiones Públicas (CIP) y el Consejo de Política Fiscal y Financiera (CPFF), ya que son los foros donde se discute el destino de las inversiones públicas y las cuestiones relativas a la financiación de las CCAA.

3) Desde la óptica comunitaria, la puesta en común de interlocutores tan dispares no es sencilla, pero resulta imprescindible para llegar a la aprobación de los Marcos de Apoyo Comunitarios (MACs) [3].

3. La dinámica regional en España desde la década de los ochenta: rasgos estilizados

La evolución de la política regional española, como mostraremos en el apartado siguiente, está fuertemente influenciada por la integración dentro de la UE. Por ello, antes de entrar en el análisis específico de la situación de las desigualdades regionales en España entendemos que resulta imprescindible situar cuál es nuestra posición dentro del contexto europeo, para señalar más tarde cuáles son los hechos estilizados de la propia dinámica regional española.

3.1 La evolución de las disparidades regionales en la Unión Europea

La evidencia empírica existente acerca de la evolución del PIB por habitante y del PIB por persona empleada en la UE nos muestra que el proceso dominante en el período que abarca desde 1960 hasta mediados de los setenta fue de reducción de las diferencias interregionales (convergencia), tanto en términos de PIB por habitante como de productividad por empleo. En el interior de los distintos países que actualmente integran la UE, la evolución fue bastante similar, con una tendencia convergente particularmente marcada en los casos de España e Italia[4].

En cualquier caso, hay que señalar que este proceso de convergencia regional fue bastante lento. Los trabajos disponibles sugieren que la conocida cifra del 2% calculada por Barro y Sala (1991) es muy optimista, dado que en la década de los cincuenta no habría superado el 1%, para aumentar hasta cerca de un 3%, aproximadamente, en los sesenta y caer posteriormente hasta casi anularse en el primer lustro de los setenta.

Sin embargo, a partir de mediados los setenta la convergencia económica por regiones y por países se detuvo en el conjunto de la UE, y lo mismo ocurrió en el interior de todos sus países. Es más, los datos permiten apreciar incluso cierto grado de *divergencia* en algunos países concretos (Francia, Italia, España, Gran Bretaña), que va acompañada de cambios muy interesantes en las posiciones de las regiones que anteriormente podían calificarse como desarrolladas e intermedias. A escala nacional y hasta 1985-1986, las diferencias entre países incluso empeoran en algunos casos, lo cual repercute también en la no convergencia global dentro de la UE. El impacto de la crisis internacional —desigual por regiones, pero general para todas— provoca la interrupción y hasta una «inversión» de la tendencia hacia la convergencia que existió en la fase anterior. La caída general de las tasas de crecimiento de las regiones europeas, tanto las más ricas como las más pobres, aunque existan diferencias dentro de estos grupos, y la interrupción de los movimientos migratorios a escala europea, así como dentro de los países menos desarrollados (Irlanda, Portugal, España, Grecia), están en la base de este notable giro.

Gráfico 22.1 Evolución de las disparidades regionales en la UE en PIB por habitante, 1986-1996

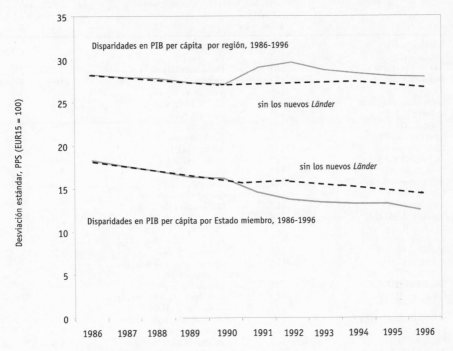

FUENTE: Comisión Europea (1999).

Las disparidades en PIB por habitante entre países y entre regiones de la UE durante el período 1986-1996, una vez superada la crisis, muestran, descontando los nuevos *Länder* de la Alemania del Este incorporados automáticamente a la UE en 1991 al reunificarse el país, que el proceso de convergencia prácticamente se ha detenido, ya que los valores de la desviación estándar de las regiones prácticamente se mantienen estables. La inclusión de dichos *Länder* hace que las disparidades empeoren, aunque en los cuatro últimos años para los que existen datos han tendido a mejorar ligeramente (gráfico 22.1). El análisis más detallado permite observar que entre 1986 y 1989 se produce una ligera convergencia, coincidiendo con una fase de mayor crecimiento de la mayoría de los países de la UE, que posteriormente desaparece coincidiendo con un ciclo recesivo, y se recupera —también muy ligeramente— cuando a partir de 1994 las economías comunitarias vuelven a crecer. La tendencia por países muestra un patrón más claro de convergencia, mucho más acusado cuando se excluyen los nuevos *Länder* alemanes.

Desde una perspectiva estrictamente regional, estas tendencias tienen su reflejo en la clasificación regional que ofrece el cuadro 22.1. Las regiones

Cuadro 22.1 Clasificación de regiones ricas y pobres en la UE

1986			1996		
Regiones	PIB per cápita EUR = 15		Regiones	PIB per cápita EUR = 15	
Hamburgo (D)	185	1	Hamburgo (D)	192	1
Bruselas (B)	163	2	Bruselas (B)	173	2
Isla de Francia (F)	162	3	Darmstadt (D)	171	3
Darmstadt (D)	152	4	Luxemburgo (L)	169	4
Viena (A)	148	5	Viena (A)	167	5
Gran Londres (UK)	148	6	Isla de Francia (F)	160	6
Bremen (D)	144	7	Oberbayern (D)	156	7
Stuttgart (D)	143	8	Bremen (D)	149	8
Oberbayern (D)	141	9	Gran Londres (UK)	140	9
Luxemburgo (L)	137	10	Amberes (B)	137	10
10 PRIMERAS	**153**		**10 PRIMERAS**	**158**	
Estocolmo (S)	133	11	Stuttgart (D)	135	11
Ahvenanmaa/Aland (FIN)	132	12	Groningen (NL)	134	12
Lombardía (I)	132	13	Emilia-Romagna (I)	133	13
Uusimaa (FIN)	129	14	Lombardía (I)	132	14
Valle de Aosta (I)	129	15	Valle de Aosta (I)	131	15
Berlín (D)	128	16	Uusimaa (FIN)	129	16
Emilia-Romagna (I)	125	17	Trentino-Alto Adigio (I)	128	17
Mitteltranfen (D)	124	18	Grampian (UK)	126	18
Amberes (B)	124	19	Friuli-Venecia Giulia (I)	126	
Karlsruhe (D)	123	20	Karlsruhe (D)	126	20
Düseldorf (D)	122	21	Veneto (I)	124	21
Grampian (UK)	122	22	Berkshire, Buckinghamshire, Oxfordshire (UK)	124	22
Noord-Holland (NL)	117	23	Mittelfranfen (D)	123	23
Colonia (D)	117	24	Estocolmo (S)	123	24
Piamonte (I)	117	25	Salzburgo (A)	121	25
25 PRIMERAS	**138**		**25 PRIMERAS**	**143**	
Guyana (F)	37	1	Guadalupe (F)	40	1
Guadalupe (F)	37	2	Ipeiros (EL)	44	2
Alenteio (P)	37	3	Reunión (F)	46	3
Azores (P)	40	4	Guyana (F)	48	4
Madeira (P)	40	5	Azores (P)	50	5
Reunión (F)	40	6	Voreio Aigao (EL)	52	6
Centro (P)	42	7	Martinica (F)	54	7
Voreio Aigao (EL)	44	8	Madeira (P)	54	8
Extremadura (E)	44	9	Extremadura (E)	55	9
Algarve (P)	44	10	Dessau (D)	55	10
DIEZ ÚLTIMAS	**41**		**DIEZ ÚLTIMAS**	**50**	
Ipeiros (EL)	47	11	Andalucía (E)	57	11
Martinica (F)	49	12	Dytiki Ellada (EL)	58	12
Dytiki Ellada (EL)	49	13	Magdeburgo (D)	58	13
Norte (P)	51	14	Peloponeso (EL)	58	14
Ionia Nisia (EL)	52	15	Calabria (I)	59	15
Andalucía (E)	53	16	Alenteio (P)	60	16
Castilla-La Mancha (E)	54	17	Centro (P)	61	17
Galicia (E)	55	18	Anatoliki Macedonia, Thraki (EL)	61	18
Thessalia (EL)	55	19	Turingia (D)	61	19
Anatoliki Macedonia, Thraki (EL)	56	20	Mecklenburg-Vorpommern (D)	61	20
Creta (EL)	57	21	Dytiki Macedonia (EL)	62	21
Dytiki Macedonia (EL)	58	22	Ionia Nisia (EL)	62	22
Kentriki Macedonia (EL)	58	23	Norte (P)	62	23
Calabria (I)	59	24	Thessalia (EL)	63	24
Peloponeso (EL)	61	25	Galicia (E)	63	25
25 ÚLTIMAS	**52**		**25 ÚLTIMAS**	**59**	

FUENTE: Comisión Europea (1999).

más ricas son prácticamente las mismas en 1986 que en 1996. Únicamente puede apreciarse cierta movilidad entre regiones pertenecientes a los mismos grupos. En términos generales, las diferencias en PIB por habitante entre las diez regiones más ricas y el promedio europeo han aumentado sensiblemente, mientras que la distancia existente entre la media y las regiones más atrasadas se ha recortado en una proporción mayor, lo que se ha traducido en una leve corrección a la baja de la disparidad existente entre uno y otro tipo de regiones [5].

Esta evolución dispar del crecimiento de la renta por habitante muestra, en el contexto europeo, una clara relación con la estructura productiva regional y el grado de especialización. De acuerdo con los resultados facilitados por la Comisión Europea (1997), los niveles de PIB per cápita son superiores a la media en regiones con fuerte presencia del sector servicios, mostrando también estas economías tasas de crecimiento mayores. El caso contrario lo presentan las regiones europeas con predominio de las actividades agrícolas, donde tanto los niveles como las tasas de crecimiento del PIB por habitante han sido inferiores a los promedios comunitarios.

La posición relativa de las regiones españolas en el contexto europeo ha mejorado de manera significativa en los últimos años. En parte, porque algunas han registrado crecimientos medios superiores a la media europea, pero también, no hay que olvidarlo, porque se han incorporado a la UE algunas regiones poco desarrolladas —piénsese en los nuevos *Länder* alemanes— y porque otras regiones europeas más pobres han experimentado un escaso crecimiento [6].

De hecho, cuando por primera vez las estadísticas comunitarias incluyeron a las regiones españolas (Tercer Informe Periódico, 1987), su ubicación en la jerarquía europea inducía claramente al pesimismo. En concreto, del *ranking* de 160 regiones europeas la mayor parte de las 17 CCAA españolas ocupaban lugares muy bajos dentro de la clasificación —según un índice sintético obtenido a través de la ponderación de diferentes variables—: PIB por habitante en poder adquisitivo real, PIB por persona ocupada expresado en ecus, tasa de paro ajustada considerando el posible subempleo y, finalmente, las necesidades de empleos adicionales debidas al crecimiento de la fuerza laboral en el horizonte de 1990. A título indicativo basta señalar que la región española peor situada, Andalucía, ocupaba la cola de la clasificación con un valor de 38,4, sobre el promedio comunitario de 100, mientras que la mejor ubicada, Baleares, sólo llegaba al 66,1, colocándose en el puesto 125 [7].

Esta situación ha mejorado de forma ostensible en el transcurso de los últimos diez años, de acuerdo con la información suministrada por los tres últimos informes periódicos. La evolución comparativa del período 1986-1996 revela que si bien ninguna región española ha conseguido todavía situarse entre las 25 más ricas, no es menos cierto que están saliendo de las posiciones más retrasadas, e incluso alguna (Madrid) está ligeramente por

Gráfico 22.2   Evolución de las disparidades regionales en la UE en términos de desempleo, 1970-1997

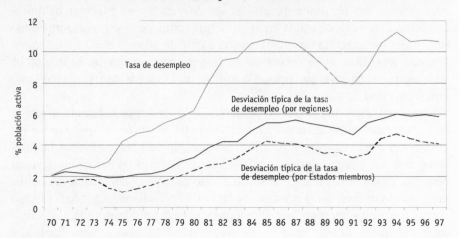

FUENTE: Comisión Europea (1999) y elaboración propia.

encima del promedio comunitario. En 1996, sólo Extremadura se encontraba dentro de las 10 más pobres y tan sólo dos (Andalucía y Galicia) terminaban entre las 25 más pobres, pero las tres mejorando su situación relativa a lo largo de estos años[8].

Desde la perspectiva del desempleo, la situación cambia de forma notable, tanto dentro del contexto europeo como en el caso particular de España, confirmándose un claro aumento de las disparidades interregionales y por países (gráfico 22.2). De hecho, las diez regiones europeas más afectadas por el fenómeno del desempleo registraban una tasa de paro media en 1987 de aproximadamente el 24%, que era casi doce veces superior a la tasa media de las diez regiones menos afectadas (con valores en torno al 2%), pero que en 1997 se elevó al 28% frente al 3,6% de las mejor posicionadas[9].

A la vista de los anteriores datos e indicadores, puede afirmarse, pues, que la situación de las disparidades regionales no ofrece en el seno de la UE un panorama muy positivo. Por una parte, la dispersión en renta se ha estancado en el transcurso de los últimos diez años; por otra, las disparidades en términos de productividad tampoco se han reducido y, finalmente, la desviación típica de la tasa de desempleo ha empeorado ligeramente de 1986 a 1996.

3.2   La evolución de las disparidades interregionales en España

La dinámica regional española desde el inicio de la década de los ochenta muestra como rasgo más sobresaliente la existencia de un notable grado de *heterogeneidad*, que se manifiesta en el comportamiento de un gran número de variables e indicadores. En un espacio limitado como el presente no puede entrarse con exhaustividad en el tema, por lo que nos vamos a concentrar exclusivamente en señalar las pautas más significativas mostradas por cuatro variables: crecimiento, demografía, empleo y VAB por habitante, además de reseñar brevemente la evolución de la convergencia interregional a lo largo de los últimos años [10].

Los datos existentes muestran cómo de 1980 a 1996 el crecimiento se ha concentrado básicamente en las regiones incluidas dentro de los denominados *eje del Ebro* y *eje Mediterráneo,* Madrid y los archipiélagos. Por su parte, las regiones que tradicionalmente calificamos como menos desarrolladas —excepción hecha de Extremadura— sólo consiguieron tasas de crecimiento por debajo de la media nacional (2,39%). Ello ha conducido no sólo a que estas regiones pierdan posibilidades de dar alcance a las del primer grupo, sino además a que el peso relativo que cada comunidad autónoma tenía y tiene en el conjunto nacional haya cambiado de forma significativa, con una tendencia a la concentración antes mencionada del dinamismo en el nordeste peninsular, Madrid y los territorios insulares [11].

Desde la perspectiva demográfica dos pautas importantes deben reseñarse. La primera tiene que ver con la casi práctica paralización de las migraciones interregionales [12]; la segunda, con la existencia de acusadas diferencias regionales en la evolución de la tasa de natalidad, con CCAA donde esta variable ha tenido un comportamiento muy positivo, casos de Andalucía, Murcia y Canarias, mientras que otras, Galicia, Asturias y País Vasco, han acentuado su bajo nivel. La unión de ambos hechos ha determinado que sólo unas pocas regiones, con Andalucía a la cabeza, hayan ganado peso relativo dentro del conjunto demográfico nacional. Madrid, Murcia, Baleares y Canarias forman también parte de este grupo.

Dentro de una tendencia generalizada de elevada tasa de desempleo, cerca del 23% en 1995, las regiones españolas muestran notables diferencias en su participación dentro del empleo total, lo que sin duda está muy relacionado con la evolución de la productividad aparente del trabajo [13]. De hecho, son muy significativos los incrementos de Baleares, Madrid y Canarias, aunque también registraron ganancias positivas otras cuatro CCAA: Andalucía, Murcia, Comunidad Valenciana y Cataluña.

Las variaciones del VAB por habitante, en esta presentación descriptiva de rasgos básicos, demuestran claramente cómo algunas de las regiones menos desarrolladas (Andalucía, las dos Castillas y Galicia) han perdido posiciones relativas, en tanto que otras de mayor nivel de desarrollo registran notables mejoras relativas: Cataluña, Madrid, Navarra, La Rioja y País Vasco.

Al hilo de esta breve presentación descriptiva de las pautas generales seguidas por las regiones españolas, surgen dos cuestiones básicas que trataremos de responder en las páginas siguientes: ¿qué evolución ha mantenido la convergencia interregional en España? y ¿qué factores explican esta evolución?

La información disponible permite afirmar que el grado de desigualdad existente entre las regiones españolas no ha sufrido —en su conjunto— a lo largo de los últimos tres lustros variaciones significativas. En otros términos, la convergencia *sigma* se ha mantenido prácticamente estabilizada, si bien desde 1988 parece apuntarse una leve pero clara tendencia a empeorar. No obstante, dentro de esta tendencia general el comportamiento individual de las regiones ha sido diferente. En unos casos porque es observable una pauta *divergente* respecto a la media; bien sea por mejoras (Aragón, Cataluña, Madrid y Navarra) o porque algunas regiones empeoran su situación relativa (Andalucía, Asturias, Castilla y León, Galicia y Murcia). En otros casos se comprueba un comportamiento sensiblemente *convergente*, aproximándose a la media, como sucede en Baleares, Canarias, C. Valenciana y Extremadura. Y, finalmente, algunas CCAA (Cantabria, Castilla-La Mancha, País Vasco y La Rioja) muestran un comportamiento *neutro,* en el sentido de que no han contribuido de manera significativa ni a la convergencia ni a la divergencia.

La nota más importante que debe destacarse de estos resultados es que la tendencia *convergente* o *divergente* de la mayoría de las regiones españolas no guarda ninguna relación con el nivel de partida de su respectivo VAB por habitante. De hecho, cuando se comprueba la evolución de la convergencia *sigma* agrupando a las regiones en tres categorías (de acuerdo con su nivel de VAB per cápita en 1980), se observa que la dispersión es más elevada entre las regiones que partían de posiciones de mayor retraso relativo, y que las que muestran una tendencia más desfavorable son las del grupo intermedio (empeoramiento de la dispersión). Esta evolución determina que la convergencia *intragrupos* sea mayor que la *intergrupos,* apuntando además que, dentro de ciertos límites, la convergencia es un fenómeno *condicionado* (gráfico 22.3).

El análisis de la denominada convergencia *beta* utilizando datos de panel demuestra claramente que no se ha dado en nuestro país una convergencia absoluta, sino que la misma aparece *condicionada* por la existencia de unos factores que en unos casos *impulsan* (coeficientes regionales o efectos fijos negativos) mientras que en otros *retardan* (coeficientes regionales o efectos fijos negativos) el crecimiento del VAB por habitante o por ocupado (cuadros 22.2 y 22.3). En otros términos, aunque algunas regiones posean la aparente ventaja de ser atrasadas y, por ello, poder crecer más rápidamente y acortar diferencias frente a las más desarrolladas, que deberían crecer menos, no lo hacen, ya que tienden a distintos valores de renta de equilibrio a largo plazo.

En el caso español, regiones atrasadas como Andalucía, Extremadura o Galicia son claros ejemplos de presencia de factores *retardadores*, mientras que CCAA desarrolladas como Cataluña, Madrid o Baleares muestran la existencia de factores *impulsores*. En definitiva, puede predecirse que, salvo un cambio de tendencia muy significativo en relación con lo que ha ve-

Gráfico 22.3 **La convergencia sigma en VAB por habitante.**
Convergencia intragrupos e intergrupos

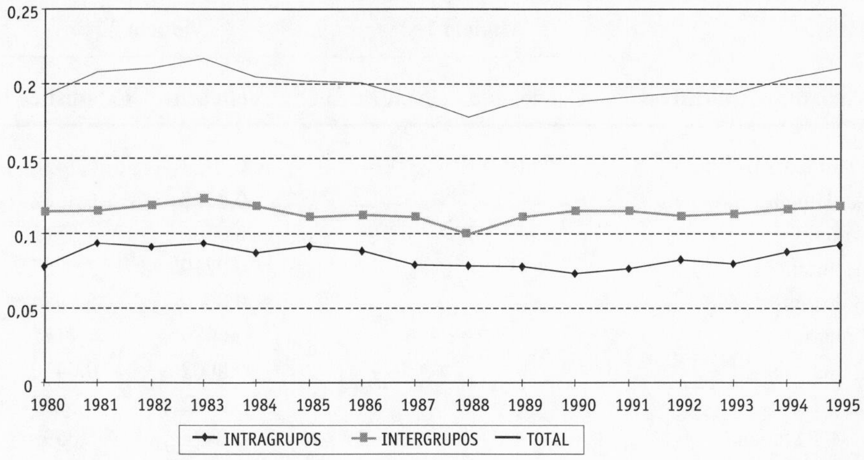

FUENTE: Cuadrado, Mancha y Garrido (1998).

nido sucediendo, las diferencias existentes tenderán a mantenerse o, en el mejor de los casos, a reducirse con gran lentitud.

La respuesta a qué factores que están detrás de esta tendencia al estancamiento de la convergencia económica interregional no es fácil de ofrecer. Cada uno de los antes mencionados *efectos fijos* es el resultado de la agregación de unos elementos positivos y negativos bastante diversos que no es sencillo cuantificar. No obstante, de acuerdo con los resultados alcanzados en varios trabajos [14], puede concluirse, de manera muy sintética, que, entre otros, los factores que *condicionan* la evolución económica de las regiones y más concretamente la de su VAB y su productividad son: la estructura productiva, la especialización productiva, la dotación de capital público, la dotación y composición del capital humano y la tasa de paro.

En consecuencia, las regiones españolas con efectos fijos positivos son aquellas que poseen normalmente una estructura productiva más diversificada, especializada en actividades industriales de tecnología media/alta y/o en servicios, con una buena dotación de capital público, una mano de obra más cualificada y una tasa de paro por debajo de la media nacional. Por el contrario, las que tienen efectos fijos negativos presentan justamente una situación inversa que retrasa su crecimiento e impide el proceso de *catching-up* (captura) que según los fundamentos neoclásicos debería producirse.

Cuadro 22.2 Convergencia beta regional en VAB por habitante, 1980-1995

Variables explicativas	Modelo 1		Modelo 2	
	Coeficiente	Estadístico t	Coeficiente	Estadístico t
Parámetro β	0,0011	0,1422	0,2723	6,7430
Andalucía	—	—	–0,0787	–6,3562
Aragón	—	—	0,0306	4,5115
Asturias	—	—	–0,0219	–3,5857
Baleares	—	—	0,0640	5,6984
Canarias	—	—	–0,0089	–1,4171
Cantabria	—	—	0,0002	0,0410
C. y León	—	—	–0,0262	–3,8979
C.-La Mancha	—	—	–0,0424	–5,0593
Cataluña	—	—	0,0500	5,5295
C. Valenciana	—	—	0,0019	0,3202
Extremadura	—	—	–0,1093	–6,0295
Galicia	—	—	–0,0631	–6,2193
Madrid	—	—	0,0489	5,5205
Murcia	—	—	–0,0214	–3,4334
Navarra	—	—	0,0565	5,6615
País Vasco	—	—	0,0656	5,8441
La Rioja	—	—	0,0884	6,5636
Coeficiente de determinación:	0,00894		0,44371	
Error estándar:	0,02429		0,02249	
N° observaciones	255		255	

Modelo 1: Beta absoluta. Modelo 2: Beta condicionada (efectos fijos).

FUENTE: Cuadrado, Mancha y Garrido (1998).

4. La política regional española: objetivos básicos e instrumentos

La política regional viene funcionando de una forma efectiva en España desde la década de los sesenta, con el inicio de los Planes de Desarrollo, aunque con resultados desiguales y pasando por un largo período de letargo (1977-1978/1985) hasta revitalizarse de una manera definitiva con la incorporación a la Comunidad Europea en 1986. Por claras razones de espacio vamos a centrar el análisis de su actuación desde finales de la

Cuadro 22.3   Convergencia beta regional en VAB por ocupado, 1980-1995

Variables explicativas	Modelo 1		Modelo 2	
	Coeficiente	Estadístico t	Coeficiente	Estadístico t
Parámetro β	0,0190	1,6036	0,2946	6,4067
Andalucía	—	—	–0,0175	–2,4250
Aragón	—	—	0,0051	0,7380
Asturias	—	—	–0,0345	–3,9491
Baleares	—	—	0,0296	3,2509
Canarias	—	—	0,0206	2,8350
Cantabria	—	—	–0,0020	–0,2855
C. y León	—	—	–0,0369	–4,0480
C.-La Mancha	—	—	–0,0218	–2,8007
Cataluña	—	—	0,0311	3,7252
C. Valenciana	—	—	–0,0039	–0,5600
Extremadura	—	—	–0,0678	–4,9160
Galicia	—	—	–0,1165	–6,0917
Madrid	—	—	0,0381	4,0216
Murcia	—	—	–0,0103	–1,4944
Navarra	—	—	0,0234	3,1260
País Vasco	—	—	0,0540	5,1204
La Rioja	—	—	0,0526	5,4181
Coeficiente de deterrninación:	0,10031		0,42492	
Error estándar:	0,02841		0,02671	
N° observaciones	255		255	

Modelo 1: Beta absoluta. Modelo 2: Beta condicionada (efectos fijos).

FUENTE: Cuadrado, Mancha y Garrido (1998).

década de los ochenta [15], aunque conviene perfilar algunos aspectos previos para poder enmarcar adecuadamente lo sucedido en los últimos diez años.

El año 1985 es la fecha clave para comenzar nuestro análisis, pues es cuando la política regional española empieza a adoptar un perfil muy en línea con el actual. Dos razones básicas explican esta situación. Por un lado, la progresiva consolidación y ajuste del denominado *Estado de las Autonomías*, que tenía su fundamento en la Constitución de 1978 (título VIII) y en particular en el artículo 2, que consagraba el principio de solidaridad interterritorial; por otro, la adhesión de España a la entonces Comunidad Europea, con la firma del tratado en junio de ese año.

La instrumentación legal del Fondo de Compensación Interterritorial (FCI)[16], operativo desde el inicio de la década de los ochenta, impuso a todas las CCAA la obligación de elaborar un Plan de Desarrollo Regional (PDR) con una metodología común, inspirada en la comunitaria. Un compromiso que se convirtió en ineludible cuando, en enero de 1986, España se convirtió en miembro de pleno derecho de la Comunidad Europea y se le ofreció la posibilidad de elaborar y presentar un PDR para el período 1986-1989 y poder optar a los beneficios del Fondo Europeo de Desarrollo Regional (Feder). De esta manera, se sentaron las bases iniciales para que la política regional se dinamizara a través de una mayor *concreción* y bajo la utilización de unos criterios de *racionalidad* que habían estado ausentes en los años anteriores.

Esta «nueva» política regional se vio reforzada con la revisión, reordenación y adaptación de los incentivos regionales y la preparación de un nuevo PDR con previsiones hasta 1990, al hilo de la reforma de los fondos estructurales comunitarios aprobada a mediados de 1988. Entre otras cuestiones importantes, dicha reforma suponía el aumento de la dotación económica de los mencionados fondos estructurales, que llegaron prácticamente a duplicarse, la concentración de los mismos en una serie de objetivos, que beneficiaban claramente a España debido a la relativa gravedad de sus desigualdades regionales dentro del contexto comunitario[17], y, finalmente, la aplicación de los criterios de *adicionalidad, coordinación y coparticipación* a la hora de su reparto[18].

El final de la década de los ochenta coincide con el definitivo relanzamiento de la política regional en España, ya que obligó a la presentación de un nuevo PDR y de un Plan de Reconversión Regional y Social (PRRS) para el período 1989-1993, a partir de los cuales debían negociarse los Marcos de Apoyo Comunitario respectivos (MAC1 y MAC2) y un Plan de Desarrollo para las zonas rurales (PDZR).

4.1 La política regional española en la década de los noventa: objetivos básicos y estrategia de desarrollo

De acuerdo con los documentos de programación elaborados, la estrategia de la política regional española para el período 1989-1993 se diseñó con la pretensión de alcanzar un objetivo básico: *reducir las desigualdades interregionales, apoyando un crecimiento duradero y sostenible para la economía nacional que permita avanzar hacia un proceso de convergencia con el promedio de renta por habitante comunitario.*

La consecución de este objetivo se apoyaba en diversos *ejes estratégicos* vinculados a un conjunto de objetivos secundarios: consolidación de la tendencia de crecimiento de aquellas áreas que mostraban una recuperación más notable y un mayor dinamismo (Madrid, valle del Ebro y eje Mediterráneo); concentración de esfuerzos para detener el declive de la cornisa cantábrica y otorgarle su antiguo potencial de crecimiento; fuerte impulso al despegue de Andalucía y Murcia, incorporándolas al dinamismo del eje Mediterráneo; apoyo reforzado al resto de regiones sobre la base de estimular sus centros más dinámicos a través de importantes inversiones en infraestructuras, diversificación de su estructura productiva y potenciación de sus sectores más competitivos; y, finalmente, dedicación de una especial atención a las áreas rurales.

Según este planteamiento, la estrategia diseñada presentaba una apariencia de maximalismo y de dispersión. Sin embargo, el examen de los datos financieros aclara que las *prioridades instrumentales* para el período 1989-1993 se concentraban fundamentalmente en tres frentes:

1) *Infraestructuras*, con un fuerte énfasis en las de transporte, pero incluyendo también otras necesarias para el apoyo a la actividad económica (recursos hidráulicos, infraestructuras agrarias, etc.).
2) Dotación de *equipamientos sociales*, particularmente en educación, sanidad y vivienda.
3) Incentivos y promoción de *actividades productivas*.

En la práctica, esta estrategia tenía un claro sesgo favorable a la *provisión de infraestructuras*, justificado por la existencia de importantes déficit en este terreno, que en el diagnóstico del PDR se consideraba que constituían un importante freno para el desarrollo de las regiones más atrasadas. Las inversiones en infraestructura absorbían más del 46% de la inversión prevista; una cifra claramente superior a lo destinado a la provisión de equipamientos y, sobre todo, al apoyo de la actividad productiva, ya que el eje de promoción e incentivos no alcanzaba siquiera el 10% de los fondos totales previstos en el conjunto de planes regionales (cuadro 22.4).

El MAC aprobado para las regiones objetivo 1 vino a refrendar las propuestas del PDR, aunque se modificó la estructura relativa a cada uno de los ocho ejes de desarrollo previstos, con un incremento notable del gasto dedicado a *valorización de recursos humanos* y *apoyo a las actividades productivas* y una reducción de los fondos destinados a infraestructuras, pero sin llegar a afectar a su posición prioritaria (Cuadrado y Mancha, 1995).

El PDR que España presentó para el período1994-1999 mantenía una estrategia marcadamente continuista en relación con la diseñada para el anterior período de programación. De su análisis se derivan ciertas notas críticas que quedaron en evidencia al iniciarse las negociaciones con la Comisión tales como: la falta de un diagnóstico claro de la situación económica que permitiese la definición de líneas estratégicas bien diferenciadas, la ca-

Cuadro 22.4 **Distribución de la inversión pública según orientaciones estratégicas, 1989-1993 (en miles de millones de pesetas corrientes)**

	PDR	%	PRRS	%	PDZR	%	TOTAL	%
Infraestructuras	4.015,3	50,1	1.034,7	32,8	364,7	70,0	5.414,7	46,3
Equipamientos sociales	1.936,4	24,1	949,2	30,1	2.885,6	24,7		
Incentivos y promoción	718,1	9	403,7	12,8	1.121,8	9,6		
Otros	1.350,2	16,8	767,3	24,3	156,7	30,0	2.274,2	19,4
Total	**8.020,0**		**3.154,9**		**521,3**		**11.696,2**	

FUENTE: Ministerio de Economía y Hacienda. Elaboración propia.

rencia de criterios que posibilitasen la aplicación de un criterio de selectividad a la hora de poner en marcha acciones específicas y, finalmente, el mantenimiento del fuerte énfasis en las inversiones en infraestructuras, que continuaban absorbiendo un alto porcentaje de los recursos financieros previstos, en detrimento de las acciones de desarrollo del aparato productivo regional, con las consiguientes dudas acerca de su eficacia.

El MAC 94-99 finalmente aprobado para las regiones objetivo 1 acabó reflejando estos aspectos críticos con la introducción de algunos cambios significativos en la orientación de la política regional. Dos hechos muestran claramente la reorientación producida: el aumento de los fondos destinados al desarrollo del tejido productivo y a la valorización de recursos humanos (cuadro 22.5) y la especificación de un conjunto de prioridades que corregían el acentuado carácter maximalista de la estrategia diseñada en el PDR presentado por las autoridades españolas [19].

Este mismo documento, resultado final del proceso de programación regional para las zonas más atrasadas, presentaba además una importante novedad respecto al MAC del período 1989-1993, como era el establecimiento de una diferenciación de la situación socioeconómica de las diez regiones objetivo 1 españolas a través de un *diagnóstico territorial* que tipificaba tres tipos de regiones:

1) Las caracterizadas por su baja densidad demográfica, menor grado de industrialización y más bajo dinamismo, donde los problemas de accesibilidad y peor dotación de infraestructuras requerían una actuación preferente. Extremadura es el ejemplo más significativo.

**Cuadro 22.5   Gasto público total. Datos comparativos, 1989-1999
(en %)**

Ejes de desarrollo	MAC 89-93	PDR 94-99	MAC 94-99
1. Integración y articulación territorial	37,09	34,23	27,23
2. Desarrollo del tejido económico	8,32	8,32	15,37
3. Turismo	1,38	2,71	2,29
4. Agricultura/desarrollo rural	14,84	9,93	7,89
5. Pesca	—	1,12	3,60
6. Infraestructuras de apoyo a las actividades económicas	18,30	27,38	20,37
7. Valorización de recursos humanos	19,86	16,31	22,62
8. Asistencia técnica, acompañamiento e información	0,21	—	0,64
Total	**100,00**	**100,00**	**100,00**

FUENTE: Ministerio de Economía y Hacienda. Elaboración propia.

2) Las que mantenían un comportamiento más dinámico, gracias a po-seer unas estructuras productivas más asentadas y ciertas ventajas competitivas, pero cuyo déficit en infraestructuras suponía un importante freno a su desarrollo. Comunidad Valenciana y Murcia son dos buenos ejemplos de este grupo.

3) Las que tienen un bajo nivel de desarrollo asociado a un proceso de declive industrial y que aconsejaban la adopción de medidas diferenciadoras, tal como sucede en los casos de Asturias y Cantabria.

Este diagnóstico territorial se complementaba con un *diagnóstico horizontal* en el que se recogían los problemas y acciones comunes para todas las regiones[20].

4.2   El funcionamiento operativo de la política regional española: principales instrumentos

Los principales instrumentos bajo los que la misma ha venido funcionando en los últimos años son tres: Fondo de Compensación Interterritorial (FCI), Sistema de Incentivos Económicos Regionales (SIER) y Fondo Europeo de Desarrollo Regional (Feder). A partir de 1993 se incorpora a este elenco el denominado Fondo de Cohesión (FC), al que nos referiremos más adelante[21].

Cuadro 22.6   **Los instrumentos de la política regional española: perspectiva financiera (en miles de millones de pesetas)**

	FCI*	SIER**	FEDER***
1989	214,8	207,5	115,6
1990	120,0	92,7	138,2
1991	128,8	35,2	283,2
1992	128,8	12,0	313,3
1993	128,8	29,2	280,0
1994	128,8	75,1	259,6
1995	128,8	34,4	449,9
1996	128,8	28,4	421,0
1997	133,2	64,1	423,8
1998	136,2	66,1	469,8
Total	**1377,0**	**644,7**	**3154,4**

(*) Se excluye para los años 1990, 1991 y 1992 la parte correspondiente a la «Compensación Transitoria» que cubría la financiación de los servicios transferidos por la Administración central y equivalente a unos recursos similares a los del FCI.

(**) Recoge los subsidios concedidos por los respectivos Consejos Centrales para los proyectos valorados positivamente. La cifra para 1990 resulta tan elevada debido a que la región de Murcia recibió más de un 50 % de estos fondos.

(***) Muestra la cantidad proporcionada al Estado español por la Comisión según los compromisos establecidos en el MAC.

FUENTE: Ministerio de Economia y Hacienda. Elaboración propia.

Desde una perspectiva general, la evolución de estos instrumentos permite comprobar que el Feder ha sido no sólo el mecanismo con una evolución más regular, sino también el más importante desde un punto de vista cuantitativo (cuadro 22.6). Esta tendencia se ha visto afectada por la aprobación de una importante reforma legal efectuada en 1990 por la que el FCI redujo de forma notable su dotación económica, como comentaremos a continuación.

Fondo de Compensación Interterritorial

El FCI nació, como antes se ha indicado, al amparo de la Constitución de 1978, concebido como un mecanismo corrector de las disparidades interterritoriales con la finalidad última de hacer efectivo el principio de solidaridad interregional. Su regulación legal, de acuerdo con el artículo 157 de la Constitución, se plasmó en la Ley Orgánica de Financiación de las CCAA donde se fijaron sus aspectos básicos, remitiendo a una ley ordinaria la fijación de los criterios de distribución. La aprobación en 1984 de la ley reguladora de su funcionamiento determinó sin embargo que el FCI naciera con una doble finalidad: instrumento nivelador de las desigualdades regionales e instrumento de financiación de la inversión para las competencias transferidas a los gobiernos regionales, lo que a la postre acabó generando disfuncionalidades como señalaremos más adelante.

Las características básicas del FCI, de acuerdo con la normativa legal aprobada, pueden sintetizarse en los siguientes puntos:

1) Constituía un recurso financiero de las CCAA para financiar *proyectos de inversión*, con especial énfasis en los destinados a corregir desigualdades regionales.

2) Su cuantía quedaría determinada por al menos *el 30% de la inversión real nueva* de carácter civil del Estado.

3) *Todas las CCAA* serían beneficiarias del fondo, con arreglo a los siguientes criterios de distribución: 70% de forma inversamente proporcional a la renta por habitante; 20% de manera directamente proporcional al saldo migratorio; 5% directamente proporcional a la superficie; y, finalmente, el 5% restante de forma directamente proporcional a la tasa de paro regional. Se introdujo además un factor corrector de la *insularidad*, que suponía un 5% adicional para Baleares y Canarias más un 1% por cada 50 km de distancia entre su territorio y la península, disminuyéndose de manera proporcional la cantidad resultante de la corrección del resto de regiones.

La concepción del fondo con la doble finalidad antes descrita determinó que, en la práctica, acabara sufriendo algunas disfunciones importantes derivadas del propio proceso de desarrollo autonómico que resultó ser claramente favorable para ciertas regiones, en virtud del marco legal de sus estatutos, que precisamente no eran las menos desarrolladas y que al asumir nuevas competencias recibían mayores recursos. Adicionalmente, el desigual grado de desarrollo económico alcanzado por las regiones españolas, con un cambio notable en el sentido de los flujos migratorios, afectó profundamente al sistema de reparto. De hecho, los datos de la distribución del FCI en sus primeros años de funcionamiento permiten comprobar que desempeñó un papel compensador hasta al menos 1987, para romperse definitivamente a partir de esta fecha (cuadro 22.7). La conjunción de todas estas circunstancias, junto a la necesidad de su coordinación con los fondos estructurales, reformados en 1988, motivó que hubiese que remodelar su marco legal en 1990, máxime cuando se abría un nuevo período de programación para la política regional española.

La nueva ley del FCI aprobada en diciembre de 1990 intentó romper las disfuncionalidades mencionadas eliminando su carácter de mecanismo de

Cuadro 22.7   Distribución regional del FCI, 1983-1996 (en millones de

COMUNIDADES AUTÓNOMAS	1983	1984	1985	1986	1987	1988	1989		1990	
	FCI	FCI	FCI	FCI	FCI	FCI	FCI	CT[1]	FCI	Total
Andalucía	54.746,7	57.972,6	56.849,6	52.767,9	35.771,4	36.927,6	49.855,6	18.194,3	47.542,4	65.736,7
Aragón	4.582,4	5.210,4	5.058,6	4.615,8	3.069,1	2.904,9	4.269,2	4.536,1	—	4.536,1
Asturias	4.674	4.525,1	4.428,4	4.177,6	3.454,6	3.491,4	4.763,3	3.218,6	1.097	4.315,6
Baleares	2.157,9	2.230,9	1.747,6	1.564,9	1.377,6	1.031,4	1.541,9	1.612,6	—	1.612,6
Canarias	13.728	11.147,8	9.602,8	9.001,5	7.183	8.745,4	11.750,5	4.079,1	9.958,7	14.037,8
Cantabria	1.584,7	1.715,5	1.814,7	1.818,1	1.324,6	1.201,1	1.767,3	1.830	—	1.830
Castilla y León	18.051,3	19.198,9	19.120,2	18.440,1	12.717,2	11.498	16.118,1	10.330,2	7.971,9	18.302,1
Castilla-La Mancha	13.438,9	14.158,3	15.569,2	14.839,8	10.579,2	10.813,7	15.047,3	4.412,8	11.525,9	15.938,7
Cataluña	16.003,6	17.444	17.642,3	14.655,7	10.044,7	14.768,8	23.892,5	26.329,5	—	26.329,5
C. Valenciana	11.960,5	12.509,3	10.798,4	11.670,4	8.744,3	9.495,1	13.490,1	7.379	7.241,8	14.620,8
Extremadura	15.578,1	16.032	14.711	16.692,3	11.288	9.366,2	12.739,6	4.919,7	10.580	15.500,5
Galicia	21.750,5	21.294	21.759,1	20.902,8	15.383,7	16.297,4	22.889,7	8.099,8	19.445,8	27.545,6
Madrid	11.694,1	11.385,9	10.940,2	10.528,1	7.774,2	8.637	12.477,5	12.065,5	—	12.065,5
Murcia	4.163,4	4.438,5	4.455	3.932,3	2.710,2	3.271,2	5.071,1	498,9	4.679,9	5.178,8
Navarra	1.323,6	1.379	1.380,5	1.373	999,4	982,3	1.458,4	—	—	—
País Vasco	6.853,8	6.685,3	7.262,5	7.176,9	7.435,6	10.543,3	15.994	11.577,2	—	11.577,2
La Rioja	707,7	692,8	687,4	684	473,5	460,5	635	674,8	—	674,8
Ceuta	505,3	495,5	641,6	633,9	475,7	389,3	580,9	—	—	—
Melilla	495,5	484,2	530,9	524,9						
Total nacional	**204.000**	**209.000**	**205.000**	**196.000**	**140.806**	**150.825**	**214.342**	**119.758**	**120.043**	**239.802**

(1) Compensación transitoria que cubría la financiación de los servicios transferidos a las CCAA.
(2) Se excluye de este total la compensación transitoria recibida por todas las regiones en los ejercicios de 1990, 1991 y 1992.

FUENTE: Correa y Manzanedo (1988). Elaboración propia.

financiación de las CCAA y estableciendo que sólo las regiones objetivo 1 podían ser beneficiarias del mismo, aunque se compensara transitoriamente al resto de regiones según los servicios transferidos[22]. El nuevo marco legal estableció que la base de cálculo de su dotación se determinaría según un porcentaje no inferior al 30% de la inversión pública[23] y los criterios de reparto se redefinieron en los siguientes términos:

1) El 87,5% se distribuiría de forma directamente proporcional a la población.
2) El 1,6% de manera directamente proporcional al saldo migratorio.
3) El 3% directamente proporcional a la superficie.
4) El 1% directamente proporcional a la tasa de paro.
5) El 6,9% directamente proporcional a la dispersión de la población.
6) Se mantiene el factor corrector de la insularidad y se añade otro nuevo en función de la inversa de la renta por habitante.

pesetas corrientes)

	1991			1992		1993	1994	1995	1996	1983-1996	1983-1996
CT¹	FCI	Total	CT¹	FCI	Total	FCI	FCI	FCI	FCI	Total²	%
19.528,1	51.675,8	71.203,9	16.291,7	51.114,3	67.406	50.810	49.998,3	50.719,8	51.184,9	697.936,9	31,54
4.868,6	—	4.868,6	4.061,7	—	4.061,7	—	—	—	—	29.710,4	1,34
3.454,6	1.695,6	5.150,2	2.882,1	2.652,7	5.534,8	3.824,1	4.058,6	4.121,7	4.141,1	51.105,2	2,31
1.730,8	—	1.730,8	1.443,9	—	1.443,9	—	—	—	—	11.652,2	0,53
4.378	10.093,7	14.471,7	3.652,4	7.628,3	11.280,7	5.099,7	5.138,3	6.000,4	6.313,4	121.391,5	5,49
1.964,2	—	1.964,2	1.638,7	—	1.638,7	1.291	1.233	1.319,4	1.242,1	16.311,5	0,74
11.087,5	8.257,7	19.345,7	9.249,9	9.941,8	19.191,7	11.496,8	12.610,1	12.287,9	11.623,1	189.333,1	8,56
4.736,3	12.327,9	17.064,2	3.951,3	12.325,6	16.276,9	11.121,9	10.904,1	9.273	9.037,2	170.962	7,73
28.259,8	—	28.259,8	23.576,2	—	23.576,2	—	—	—	—	114.451,6	5,17
7.920	7.177,9	15.097,9	6.607,4	6.686,5	13.293,9	6.575	5.778,7	7.315,8	7.739,7	127.183,5	5,75
5.280,4	11.174,7	16.455,1	4.405,3	11.735,5	16.140,8	11.602,5	11.445,3	10.003,5	9.860,5	172.809,2	7,81
8.693,6	21.331,6	30.025,2	7.252,8	22.130,2	29.383	23.505,2	24.073,4	23.747,4	23.670,1	298.180,9	13,47
12.950	—	12.950	10.803,8	—	10.803,8	—	—	—	—	73.437	3,32
535,5	5.110	5.645,5	446,8	4.630	5.076,8	3.518,7	3.605,1	4.056	4.032,8	57.674,2	2,61
—	—	—	—	—	—	—	—	—	—	8.896,2	0,40
12.425,9	—	12.425,9	10.366,5	—	10.366,5	—	—	—	—	61.951,4	2,80
724,3	—	724,3	604,3	—	604,3	—	—	—	—	4.340,9	0,20
—	—	—	—	—	—	—	—	—	—	3.722,2	0,17
—	—	—	—	—	—	—	—	—	—	2.035,5	0,09
128.538	128.845	257.383	107.235	128.845	236.080	128.845	128.845	128.845	128.845	2.213.085,4	100,00

Por otra parte, la nueva regulación permitía que el destino del FCI no fuesen sólo inversiones reales, sino que se posibilitaba su utilización como transferencias de capital. Pese a todos estos cambios, desde un punto de vista funcional, el FCI ha seguido manteniendo una orientación estratégica general muy en línea con la política regional diseñada en los PDR, concentrándose fundamentalmente en inversiones en infraestructuras de transporte (alrededor del 35%), otras infraestructuras de apoyo (en torno al 20%, sobre todo en obras hidráulicas) y equipamientos sociales (un 30%, concentrado en vivienda y educación).

Sistema de Incentivos Económicos Regionales

Esta atención preferente a inversiones en infraestructuras y equipamientos necesitaba mecanismos de compensación a la inversión en el tejido producti-

Cuadro 22.8   El sistema de incentivos regionales:
perspectiva financiera (inversión y subvenciones
en miles de millones de pesetas corrientes)

Años	Número de proyectos	Inversión subvencionable	Subvención estatal	Número de empleos
1989	2.702	842,5	207,5	41.133
1990	1.575	423,7	92,7	24.295
1991	805	218,7	35,2	16.349
1992	168	89,0	12,0	3.435
1993	424	182,7	29,2	8.601
1994	464	383,3	75,1	11.684
1995	525	226,7	34,4	8.332
1996	373	179,8	28,4	6.852
1997	428	355,9	64,1	8.689
1998	473	372,3	66,1	8.884
Total	**7.937**	**3274,6**	**644,7**	**138.254**

FUENTE: Ministerio de Economía y Hacienda. Elaboración propia.

vo que se ha facilitado a través del SIER, que comenzó funcionando desde el principio adaptado a la normativa comunitaria (Ley 50/1985)[24] y eliminando la multiplicidad de figuras existentes a través de la diferenciación de sólo tres tipos de zonas: las de promoción económica (ZPE); las de declive industrial (ZID) y las denominadas especiales (ZE). Las ZPE comprenden las áreas geográficas menos desarrolladas, definidas según criterios de renta por habitante, tasa de paro y otros indicadores representativos de la intensidad de los problemas regionales. Las ZID engloban las zonas afectadas por procesos de reestructuración industrial que hubiesen repercutido de manera negativa en el nivel de actividad y en empleo. Finalmente, las ZE se consideraron para recoger situaciones especiales en áreas que por características de su población, situación geográfica, nivel de renta, población, etc., necesitasen un tratamiento específico y no tuviesen la consideración de ZPE o ZID. Una vez definidas las zonas afectadas, de acuerdo con los criterios anteriores, el territorio económico se clasificó según su nivel de desarrollo en zonas de tipo I, II, III y IV, lo que acabaría determinando el techo máximo de subvención (75%)[25].

El cuadro 22.8 muestra de forma ilustrativa el funcionamiento global de este mecanismo, que, como puede apreciarse, ha ido perdiendo importancia con el paso del tiempo, aunque muestra una ligera recuperación en el ejercicio de 1997, pero siempre muy por debajo de la importancia que el FCI o el Feder tienen dentro de las actuaciones con orientación regional en España. Desde la óptica territorial, los datos evidencian cómo por la vía de las

Cuadro 22.9   Distribución regional de los incentivos regionales: subvenciones estatales (en millones de pesetas corrientes)

Comunidades Autónomas	1-06-88 al 31-12-92	1993	1994	1995	1996	1988-1996 Total	1988-1996 %
Andalucía	61.516	13.212	24.647	7.187	8.023	114.685	22,40
Aragón	8.285	1.052	1.113	1.677	947	13.074	2,56
Asturias	42.976	831	468	3.245	512	48.032	9,39
Baleares	—	—	—	—	—	—	—
Canarias	10.592	808	800	1.910	4.371	18.481	3,61
Cantabria	4.224	166	210	235	504	5.339	1,04
Castilla y León	34.492	5.323	11.104	6.024	4.223	61.166	11,96
Castilla-La Mancha	21.487	2.616	1.077	3.290	3.302	31.772	6,21
Cataluña	—	—	—	—	—	—	—
C. Valenciana	5.511	595	2.658	3.282	2.298	14.344	2,80
Extremadura	24.254	1.627	2.761	2.212	1.116	31.970	6,25
Galicia	34.034	2.299	4.338	3.871	1.788	46.330	9,06
Madrid	—	—	—	—	—	—	—
Murcia	112.173	606	3.126	1.489	1.301	118.695	23,20
Navarra							
País Vasco	7.287	30	—	—	—	7.317	1,43
La Rioja	—	—	—	—	—	—	—
Ceuta y Melilla	388	26	78	19	—	511	0,10
Total nacional	**367.219**	**29.191**	**52.380**	**34.441**	**28.385**	**511.616**	**100,00**

FUENTE: Correa y Manzanedo (1998). Elaboración propia.

subvenciones este mecanismo juega cierto papel reequilibrador, al favorecer a regiones con un menor nivel de desarrollo, que son, por otro lado, las que tienen los techos de subvención más elevados. Ello ha posibilitado que sólo tres regiones, Murcia, Andalucía y Castilla y León, hayan terminado absorbiendo cerca del 60% del total de subvenciones concedidas por el Estado en el período 1988-1996 (cuadro 22.9).

Fondo Europeo de Desarrollo Regional

En relación con el Feder no parece necesario recordar aquí sus rasgos básicos y su funcionamiento por ser sobradamente conocido [26]. No obstante, conviene recordar que su creación data de 1975 y nace como un mecanismo subsidiario de la política regional de los Estados miembros, pero ha ido modificando sus características iniciales en las sucesivas reformas reglamentarias llevadas a efecto hasta quedar configurado como un instrumento clave de la política regional comunitaria. Sus objetivos básicos son: *reforzar el potencial económico, apoyar el ajuste estructural* y *ayudar a fomentar el crecimiento económico y el empleo duradero de las áreas asistidas*. Desarrolla este papel mediante las ayudas económicas que destina a la financiación de proyectos de inversión productiva, infraestructuras y medidas estimuladoras del potencial económico regional, siempre bajo la forma de cofinanciación de programas operativos, subvenciones globales, ayudas a grandes proyectos y asistencia técnica y estudios preparatorios.

Desde el punto de vista financiero su evolución temporal en los últimos diez años ha sido espectacular, dado que ha más que duplicado su dotación económica, pasando de 35.400 millones de ecus para el período 1989-1993 a más de 80.000 millones para el actual período de programación 1994-1999. La suma de estas cifras representa aproximadamente un 45% de las intervenciones estructurales acometidas en los últimos once años. En relación con los otros fondos estructurales, es el más importante, dado que su participación actual alcanza un 48% del total frente a un 30% del FSE y un 15,4% del FEOGA-O.

España ha sido el principal país beneficiario en términos absolutos, con una asignación cercana al 25% del total de recursos distribuidos a lo largo del período 1989-1999, cifra claramente superior a la recibida por Italia (15%), Grecia o Portugal (12% cada uno). Sin embargo, la inclusión de la población hace perder a España esta posición líder en favor de Irlanda, siendo también superada por Grecia y Portugal. De hecho, Irlanda ha recibido en el último período de programación (1994-1999) una media de 350 ecus por habitante, Grecia y Portugal alrededor de 200, mientras que España se ha quedado en 175.

Desde la perspectiva española, este fondo ha beneficiado de manera especial a las diez regiones objetivo 1 [27], con Andalucía a la cabeza (27,1,1% del total en el período 1986-96), seguida a considerable distancia por Galicia y Castilla y León, ambas cerca del 10%. En conjunto, estas regiones comparativamente menos desarrolladas han absorbido alrededor del 90% del total de recursos destinados a España (cuadro 22.10).

La información existente confirma la importancia del Feder como instrumento de la política regional española, máxime si se tiene en cuenta su decisiva intervención para la mayoría de las regiones españolas, aunque sean las más atrasadas las que se beneficien primordialmente. En el apartado siguiente abordaremos con mayor detalle los efectos redistributivos de los fondos comunitarios para el período 1986-1996, único para el que se tiene información disponible que posibilite un análisis particularizado.

Los estudios de evaluación de su impacto global sobre las regiones españolas, limitados al período 1989-1993, por un lado, y a la evaluación de la etapa intermedia 1994-1996 por otro, permiten alcanzar unas conclusiones interesantes acerca de su funcionamiento:

1) La concentración de su actuación en las regiones objetivo 1, dedicando mayoritariamente a lo largo de los primeros años de la década de los noventa sus inversiones a la provisión de infrestructuras de articulación territorial y equipamiento, en detrimento de otras formas de actuación igualmente importantes. En este sentido la intervención del Feder ha sido plenamente coherente con la estrategia diseñada durante el ejercicio de programación 1989-1993.

2) Las acciones de apoyo a la actividad económica y al desarrollo endógeno han recibido consecuentemente en estos años mucha menor atención, a lo que habría que añadir el excesivo grado de atomización de las mismas y su escasa incidencia en la dinamización de la iniciativa privada. En síntesis, este tipo de actuaciones parece haber carecido del volumen de masa crítica necesario para haber aumentado su eficacia.

3) La corrección de la orientación estratégica del MAC 1994-1999 respecto al anterior período de programación en este terreno obliga, en lo que se conoce de la evaluación intermedia 1994-1996, a matizar la afirmación anterior, ya que no sólo los recursos asignados a este ámbito del desarrollo del tejido productivo y a la valorización de recursos humanos se han visto notablemente ampliados, sino que también han incidido muy favorablemente en el crecimiento económico y en la generación de empleo, gracias a una mayor movilización del sector privado.

4) El grado de coherencia de las acciones emprendidas puede considerarse como aceptable en términos generales para el período 1989-1996, aunque en ciertos casos puntuales se detecte una falta de acuerdo respecto a los objetivos estratégicos perseguidos. A este último hecho no resulta ajena la complicada configuración administrativa del Estado español y la dificultad que se deriva de alcanzar acuerdos, lo que obliga en más de una ocasión a soluciones de compromiso que acaban redundando en una menor eficacia de las actuaciones emprendidas. En este sentido, más que corregir el sentido de las actuaciones puestas en funcionamiento, el grado de eficacia de las mismas sería más alto si se asegura una buena coordinación entre todos diferentes agentes intervinientes.

4.3 La influencia comunitaria en la orientación y resultados de la política regional española

La influencia de la actual UE en el diseño, funcionamiento y efectividad de la política regional española ha sido muy importante, tanto desde un punto de vista cualitativo como cuantitativo. Desde la primera perspectiva, la normativa comunitaria, especialmente después de las últimas reformas legales, ha

Cuadro 22.10 Distribución regional del FEDER en España, 1986-1996

COMUNIDADES AUTÓNOMAS	1986	1987	1988	1989	1990	1991
Andalucía	16.079	18.191	19.602	34.412	50.742	59.396
Aragón	—	157	1.683	6.596	5.290	7.448
Asturias	—	5.433	3.094	11.201	3.068	26.406
Baleares	—	—	—	—	—	1.187
Canarias	553	2.163	4.132	2.816	4.875	20.669
Cantabria	—	4.834	3.090	318	2.904	2.257
Castilla y León	8.459	5.357	7.259	14.295	20.265	29.724
Castilla-La Mancha	4.385	—	15.365	17.784	16.153	24.020
Cataluña	—	—	2.335	1.606	8.402	17.532
C. Valenciana	—	1.477	3.777	6.357	1.178	24.261
Extremadura	6.834	3.258	4.018	5.462	3.162	17.671
Galicia	4.148	—	4.110	6.626	9956	9.879
Madrid	—	6.120	467	2.782	1.553	6.669
Murcia	—	—	665	2.479	4.968	9.280
Navarra	—	—	—	411	460	1.059
País Vasco	—	—	—	2.473	4.853	8.046
La Rioja	—	—	—	—	—	1.106
Ceuta y Melilla	—	—	—	—	—	3.398
Total regionalizado	40.458	46.990	69.597	115.618	137.829'	270.008
Sin regionalizar	—	1.288	—	41	357	13.247
Total nacional	**40.458**	**48.278**	**69.597**	**115.659**	**138.186**	**283.255**

FUENTE: Correa y Manzanedo (1998). Elaboración propia.

reforzado el papel de las autoridades públicas regionales en el proceso de elaboración de la política regional española. De hecho, en el PDR 94-99 se hacía una clara diferenciación respecto a los ámbitos de actuación de la misma; el *plurirregional*, cuyo diseño y responsabilidad está en manos de la Administración central; y el *regional*, donde las CCAA adquieren todo el protagonismo. Pero mucho más interesante ha sido la *introducción de criterios de selectividad* mucho más realistas, en función de la contribución al desarrollo de las regiones menos desarrolladas de las actuaciones diseñadas, poniendo un especial énfasis en las dirigidas al fomento de la actividad productiva.

Desde el punto de vista cualitativo, la política regional española se ha beneficiado también del proceso de integración en Europa por dos vías adicionales. Por un lado, se ha puesto *orden* en un campo donde la experiencia

(en millones de pesetas corrientes)

1992	1993	1994	1995	1996	1986-1996 Total	1986-1996 %
73.197	38.316	77.325	93.971	55.662	536.893	22,19
3.592	4.714	1.981	4.215	2.449	38.125	1.58
7.770	5.955	9.563	19.965	18.919	111.374	4.60
303	1.577	96	1.165	958	5.286	0,22
25.412	17.994	22.453	23.457	27.829	152.353	6,30
171	3.281	5.834	6.846	10.872	40.407	1,67
23.784	26.081	16.161	40.762	41.884	234.031	9,67
31.236	7.032	15.208	31.874	23.483	186.540	7,71
18.732	14.642	9.176	11.906	19.330	103.661	4,29
26.259	18.254	22.041	49.191	46.354	199.149	8,23
13.458	28.969	17.589	22.050	19.804	142.275	5,88
37.176	27.344	26.849	51.663	61.961	239.712	9,91
2.465	6.409	1.694	4.877	6.801	39.837	1,65
6.395	5.150	7.000	15.825	15.165	66.927	2,77
2.156	2.088	549	3.190	338	10.251	0,42
11.572	19.199	3.181	10.326	16.847	76.497	3,16
865	502	395	1.043	789	4.700	0,19
660	5.460	1.493	3.547	3.546	18.104	0,75
285.203	232.967	238.588	395.873	372.991	2.206.122	91,20
28.168	47.020	20.775	54.068	48.007	212.971	8,80
313.371	**279.987**	**259.363**	**449.941**	**420.998**	**2.419.093**	**100,00**

previa, muy especialmente la del período 1975-1985, era ciertamente negativa. La obligación de presentar un PDR con arreglo a una metodología concreta y rigurosa ha impedido que las actuaciones regionales se planteen y ejecuten de manera sincopada y sin una definición clara de objetivos a medio plazo. En segundo término, se ha introducido un mayor grado de *disciplina y control financiero*, dado que la normativa comunitaria obliga a las autoridades españolas a presentar unas acciones con un cuadro de financiación programado por años y con compromisos asumidos por todas y cada una de las posibles partes implicadas, que además están obligadas a realizar un proceso de evaluación que, con independencia de sus limitaciones, obliga a las autoridades nacionales y regionales a tratar de cumplir los objetivos fijados de una forma más eficiente.

Cuadro 22.11   El impacto de los fondos estructurales: resultados de simulación (% de crecimiento adicional del PIB)

Países	PEREIRA	BEUTEL		HERMIN 4			QUEST II	
	Pro-medio anual 1994-1999 (%)	Pro-medio anual 1989-1993 (%)	Pro-medio anual 1994-1999 (%)	1994 Efecto total	1999 Efecto total	2020 Efecto total	Pro-medio anual 1989-1993 (%)	Pro-medio anual 1994-1999 (%)
España		0,3	0,5	1,9	4,3	8,7	0,1	0,1
Grecia	0,4 a 0,6	0,8	1,0	1,2	9,4	9,5	0,3	0,1
Irlanda	0,4 a 0,6	0,9	0,6	6,2	9,3	12,4	0,3	0,3
Portugal	0,6 a 0,9	0,9	1,1	7,0	9,2	8,9	0,3	0,2
Promedio EUR-4			0,5	0,7				

FUENTE: Comisión Europea (1997).

Desde la óptica cuantitativa, no resulta fácil analizar la efectividad de la influencia comunitaria respecto a la consecución del objetivo último de la política regional, esto es, la disminución de las desigualdades interregionales. No obstante, existen algunos trabajos parciales que posibilitan una aproximación aceptable al tema para el período 1986-1996. La propia Comisión Europea (1997) ha abordado el análisis del impacto macroeconómico de los fondos estructurales a través de modelos que estudian los cambios producidos por la intervención comunitaria comparando los resultados reales con los que se hubiesen logrado en ausencia de dicha intervención. Las principales estimaciones obtenidas de las simulaciones derivadas de estos modelos macroeconómicos para el caso de los cuatro países de cohesión (España, Portugal, Grecia e Irlanda) muestran unos efectos claramente beneficiosos en términos de un crecimiento adicional del PIB (cuadro 22.11)[28], confirmando de una forma clara que la política estructural de la UE ha tenido un significativo efecto en la reducción de las disparidades en términos económicos a lo largo de todo su territorio. El *gap* existente entre el PIB por habitante de los cuatro Estados miembros menos desarrollados y el resto de países de la UE se ha estrechado, particularmente en los casos de Irlanda, Portugal y España.

La incidencia de los fondos estructurales comunitarios debe completarse con el análisis de su *función redistributiva*, es decir, su contribución a que la renta por habitante se distribuya de forma más equitativa. A estos efectos se han realizado varios trabajos, comenzando por el del Parlamento Europeo (1991), que diseñó una metodología seguida después para el caso español en otros estudios recientes (Cordero y otros, 1995; Lázaro y Cordero, 1995; Co-

Cuadro 22.12   Índices de concentración
de los fondos comunitarios,
1986-1996

FEDER	–0,36214
FSE	–0,15538
FEOGA-ORIENTACIÓN	–0,26068
Total Fondos Estructurales	**–0,29087**
Fondo Cohesión	0,04252
Total Fondos Comunitarios	**–0,26073**

FUENTE: Elaboración propia.

rrea y otros, 1995 y 1998; Mancha y Cuadrado, 1996), en los que se concluye una influencia positiva general de dichos fondos sobre las regiones españolas.

Este análisis puede abordarse a través de la construcción de varias *curvas de concentración* —similares a las del tipo Lorenz— en las que tomando, por un lado, la media de PIB por habitante en el período 1986-1996 se ordena la población de las distintas regiones en forma ascendente, y, por otro, utilizando los datos de reparto de fondos comunitarios entre las regiones españolas para idéntico período de tiempo (Correa y Manzanedo, 1998) se calcula la distribución porcentual de los diferentes fondos comunitarios y se presentan en forma de porcentajes acumulados [29]. De manera complementaria, se obtienen también unos *índices de concentración* [30], que deben interpretarse —al igual que las curvas— en forma inversa a la tradicional; es decir, valores negativos y curva por encima de la diagonal principal suponen una contribución positiva; y viceversa.

Los resultados de este ejercicio realizado para el período 1986-1996 arrojan las siguientes conclusiones de interés (véanse el cuadro 22.12 y el gráfico 22.4):

1) El impacto de los fondos comunitarios ha sido positivo, ya que globalmente han contribuido a una mayor igualación de la renta regional. Este hecho se justifica por la propia ubicación de la curva de concentración que se sitúa por arriba de la diagonal. Es decir, la distribución regional de los fondos ha favorecido básicamente a las regiones más atrasadas. En concreto, el valor del índice obtenido se sitúa en –0,26073.

2) El efecto equilibrador del Feder ha sido máximo, tal como puede comprobarse en el valor de su índice, el más alto de todos los obtenidos, –0,36214.

Gráfico 22.4   Curvas de concentración de los fondos comunitarios, 1986-1996

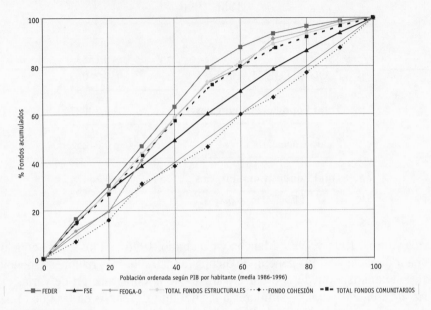

FUENTE: Elaboración propia.

3) Aunque pueda resultar sorprendente, porque no es un fondo con finalidad regional, el FEOGA-Orientación muestra también un efecto equilibrador destacado. Por el contrario, los recursos procedentes del FSE han tenido escasa incidencia en la nivelación de rentas, como resulta lógico si se considera su vocación de actuación horizontal, es decir, sin criterios regionales, y la elevada tasa de paro de todas las regiones.

4) El efecto del Fondo de Cohesión, con datos tan sólo para un período menor —1993-1996—, demuestra un comportamiento inverso al que hemos reseñado para los anteriores. Es decir, contribuye negativamente a la nivelación de rentas al alcanzar su índice de concentración un valor positivo de 0,04252. No es fácil explicar este hecho, pero no puede olvidarse ni el carácter más limitado de la información ni que el reparto de este fondo responde a criterios nacionales, lo que ha conducido a que no refuerce el efecto nivelador que cumplen los fondos estructurales.

En definitiva, el impacto de los fondos comunitarios desde la perspectiva redistributiva revela que en su conjunto, aunque con intensidad diferente, están contribuyendo a la nivelación de renta entre las regiones españolas, si bien su incidencia real queda matizada por la relativa modestia de los recursos financieros movilizados.

5. La política regional española para el período 2000-2006: rasgos generales y perspectivas

El análisis de la política regional española para los próximos años tiene que realizarse necesariamente dentro del marco de funcionamiento previsto para la política regional europea, dado que, como hemos comprobado en el último apartado, su efectividad dependerá en un grado importante del proceso negociador con las autoridades comunitarias. Por ello, resulta imprescindible presentar los principales rasgos que definen la nueva política regional comunitaria, teniendo en cuenta los acuerdos adoptados en la Cumbre de Berlín (marzo de 1999), donde se definió un escenario mucho menos optimista que el planteado para el anterior período de programación, tanto por la congelación de los recursos financieros que la UE dedicará a los fondos estructurales como por las perspectivas de ampliación a nuevos miembros.

5.1 La política regional europea para el período 2000-2006: hechos estilizados

La Agenda 2000 ha establecido para el próximo período de programación (2000-2006) cuatro *directrices generales* para la política regional comunitaria que pueden sintetizarse como sigue (recuadro 22.1):

1) *Mantener el esfuerzo de cohesión económica y social:* la introducción de este objetivo tras la aprobación del Acta Única Europea continúa siendo una clara prioridad política para las autoridades comunitarias, especialmente dentro de un contexto de futura ampliación, en la que los nuevos países tienen unos niveles de desarrollo claramente inferiores a los de los actuales miembros. Sin embargo, conviene precisar que el marco de austeridad presupuestaria limita el esfuerzo de solidaridad financiera al 0,46% del PIB de la UE, techo igual al establecido en Edimburgo por el Consejo Europeo para el año 1999.

Las intervenciones estructurales tienen así asignados unos fondos totales equivalentes a 213.500 millones de euros, cifra superior a los 200.000 millones establecidos para el período 1994-1999, aunque a esta cantidad habría que añadir parte de los 21 millardos de euros reservados para los futuros nuevos países miembros. Ello implica que los actuales quince tendrán que seguir inevitablemente las recomendaciones de la Comisión en lo que se refiere a intentar lograr un mayor grado de eficacia de los recursos financieros obtenidos por esta vía y a evitar la represupuestación automática y sistemática en el ámbito de la programación plurianual. De hecho, ningún país podrá recibir una ayuda total anual en concepto de intervenciones estructurales, incluido el Fondo de Cohesión, superior al 4% de su PIB.

Recuadro 22.1   Las directrices generales de la política

Principios generales	Objetivos básicos	
Esfuerzo general de concentración	1. Limitación de objetivos 2. Mayor concentración	
Método operativo simplificado y descentralizado	1. Ampliación cooperación 2. Delimitación clara responsabilidades 3. Menor número de intervenciones 4. Programas descentralizados 5. Gestión financiera simplificada y más exigente	
Mayor eficacia de los fondos	1. Negociación adicional 2. Definición más precisa de los gastos admisibles 3. Desarrollo nuevas fórmulas intervención de los fondos 4. Generalización procedimientos evaluación 5. Reserva de eficacia	
Mejora mecanismos de control	1. Establecimiento de sistemas fiables 2. Posibilidad de realizar correcciones financieras	

FUENTE: Cuadrado y Mancha (1999).

regional comunitaria, 2000-2006

Concreción de propuestas

Regiones Objetivo 1: PIB < 75% PIB UE
Regiones Objetivo 2: Procesos de reconversión económica y social
Regiones Objetivo 3: Desarrollo de recursos humanos

Temática: Fijación de prioridades
Geográfica: Reducción población beneficiaria
Financiera: Distribución según criterios objetivos

Intervención todas las autoridades públicas

Orientaciones precisas

Integración y contenido estratégico

Mayor protagonismo a los Estados miembros

Sistema automático compromisos presupuestarios

Mantenimiento esfuerzo nacional y vinculación con reserva de eficacia

Determinación de la admisibilidad por los Reglamentos y de la subvencio-
nabilidad por el derecho nacional

Empleo de mecanismos distintos a las ayudas directas

Realización de evaluaciones previas, intermedias y finales

Valoración reentabilidad programas operativos

Utilización de indicadores objetivos

Vigilar el cumplimiento de los programas

Aplicación en el caso de errores e irregularidades

2) *Acentuar la concentración:* el mejor empleo de los recursos antes mencionados para actuaciones estructurales de los quince países miembros actuales, aparte de implicar una menor dotación anual media que la del período previo, supone también una mayor concentración geográfica, con una clara disminución de la población beneficiaria y una reducción de los objetivos a los tres siguientes:

Objetivo 1: desarrollo y ajuste estructural de las regiones menos desarrolladas, identificando éstas de una forma estricta con las que tienen un PIB por habitante menor que el 75% del promedio comunitario [31]. La asistencia a estas zonas se prestará a través de los cuatro fondos estructurales (Feder, FEOGA-O, FSE e IFOP), insistiendo fundamentalmente, de acuerdo con las prioridades marcadas por las regiones en sus PDR, en la mejora de la competitividad, por lo que las intervenciones se concentrarán a favor de las infraestructuras, la innovación, las pymes y los recursos humanos. En conjunto, a este objetivo se dedicarán 135.900 millones de euros (69,7% del total de fondos estructurales).

Objetivo 2: se redefine centrándolo en la reconversión económica y social de las zonas con deficiencias estructurales, bien sean áreas industriales, urbanas, rurales o dependientes de la pesca. Por consiguiente, los nuevos programas de apoyo a estas zonas deberán tener como finalidad la diversificación de su estructura productiva y las ayudas deberán concentrarse en el apoyo a las pymes y a la innovación, formación profesional, protección del medio ambiente, potenciación de los recursos humanos y desarrollo de las zonas rurales. En definitiva, supone una concentración en un solo objetivo de los hasta ahora vigentes objetivos 2 y 5 b, absorbiendo un total de 22.500 millones de euros (11,5% del total de fondos estructurales) [32], a través de Feder, FEOGA-O e IFOP.

Objetivo 3: este objetivo incluirá las regiones no integradas en los dos anteriores y se orienta a ayudar a los Estados miembros en la adaptación y modernización de las políticas y sistemas de educación, formación y empleo. Estará basado, pues, en un ámbito europeo común, pero con la suficiente flexibilidad como para poder reflejar las especificidades que en los citados terrenos existen dentro de la UE. Se ha previsto que canalizará un volumen de fondos equivalente a 24.050 millones de euros (12,3% del total de fondos estructurales) a través del FSE.

En lo que se refiere al Fondo de Cohesión, tras arduas discusiones acerca de si los países beneficiarios que habían cumplido los criterios de convergencia de Maastricht debían o no seguir disfrutando de estas ayudas, se mantiene su existencia para los mismos cuatro países que ya lo disfrutaban (España, Grecia, Irlanda y Portugal), aunque en el 2003 se revisará la idoneidad para acogerse al mismo con arreglo al criterio del 90% del PIB promedio comunitario. La cifra total asignada alcanza un valor equivalente a 15.000 millones de euros para los siete años del nuevo período de programación, muy inferior a los 21.000 previstos en la Agenda 2000.

3) *Aplicación más simplificada y descentralizada de la política regional:* el reparto de responsabilidades en esta nueva fase conllevará, una vez que la Comisión haya aprobado los programas donde se señalen la estrategia y las prioridades, que los Estados miembros definan en programas complementarios las medidas y proyectos que van a ponerse finalmente en funcionamiento. Ello exige un funcionamiento descentralizado en el que el establecimiento de las medidas tiene que quedar en manos de una única autoridad de gestión, que será la responsable del seguimiento de los programas, la eficacia financiera de los mismos y el respeto a las políticas comunitarias.

4) *Refuerzo de la eficacia y del control:* esta última directriz de la política regional comunitaria para el período 2000-2006 hay que considerarla como una contrapartida que trata de compensar el mayor grado de descentralización que acabamos de comentar. En términos muy sintéticos, este fortalecimiento de la eficacia y del control afecta a tres aspectos esenciales que presentan marcadas novedades respecto a la regulación anterior: la simplificación del cumplimiento del principio de *adicionalidad*, la explicitación precisa del contenido de cada una de las tres formas de *evaluación* que deben llevarse a cabo y de quién asume la responsabilidad de su realización conforme a las anteriores directrices y la puesta en funcionamiento de la denominada *reserva de eficacia*.

En definitiva, desde la óptica de la política regional se ha abierto un período que ofrece mayores incertidumbres y dificultades que el anterior, particularmente porque las restricciones presupuestarias y la futura ampliación dificultan enormemente la conciliación de intereses entre todos los posibles beneficiarios de estas intervenciones estructurales. La posición española parece que no se verá afectada muy negativamente, como señalaremos en el epígrafe siguiente.

5.2 La política regional española en el período 2000-2006: las directrices básicas del PDR

Este apartado centra su atención en el planteamiento de la política regional que han realizado las autoridades públicas españolas para los próximos siete años para las regiones menos favorecidas (objetivo1) y que, de acuerdo con la información existente, contiene los siguientes aspectos de interés.

El proceso de elaboración ha sido de tipo *bottom-up*, es decir, cada comunidad autónoma ha preparado su propio PDR y, bajo la coordinación de la Secretaría de Estado de Presupuesto y Gasto Público, se ha redactado un documento único en el que se recogen las diferentes propuestas realizadas, regionales y estatales, debidamente homogeneizadas y consensuadas que se ha presentado a finales de octubre a las autoridades comunitarias. El paso siguiente consiste en alcanzar en el transcurso de los próximos meses unos compromisos financieros plasmados en un MAC, que servirá como base para la presentación de unos *programas operativos* y *pluriregionales* concretos, tanto por las administraciones regionales como por la estatal, orientados a la consecución de los objetivos fijados en la estrategia de desarrollo diseñada.

Las prioridades de la estrategia de desarrollo del nuevo PDR se concretan en tres grandes objetivos:

1. *Favorecer el proceso de convergencia real de las regiones de menor nivel de renta* a través del logro de una serie de objetivos intermedios como: fomentar la competitividad empresarial y territorial; favorecer el ajuste estructural y el desarrollo del tejido productivo y mejorar el aprovechamiento del crecimiento endógeno y de las ventajas comparativas sectoriales.
2. *Favorecer la creación de empleo,* mediante una mejora en las condiciones de *empleabilidad* y de la igualdad de oportunidades.
3. *Alcanzar un desarrollo sostenible respetuoso con el medio ambiente.*

El esfuerzo inversor previsto se acerca a los 27 billones de pesetas para el período 2000-2006, repartidos en diez grandes *ejes de intervención*:

1. Mejora de la competitividad y desarrollo del tejido productivo: 2,905 billones (10,8%).
2. Investigación y desarrollo: 2,681 billones (9,9%).
3. Medio ambiente, entorno natural y recursos hídricos: 3,749 billones (13,9%).
4. Desarrollo de recursos humanos: 4,533 billones (16,8%).
5. Desarrollo local y urbano: 1,309 billones (4,9%).
6. Redes de transporte y energía: 7,909 billones (29,3%).
7. Agricultura y desarrollo rural: 2,237 billones (8,3%).
8. Estructuras pesqueras y acuicultura: 0,218 billones (0,8%).
9. Turismo y patrimonio cultural: 0,649 billones (2,4%).
10. Construcción de equipamientos sanitarios y bienestar social: 0,795 billones (2,9%).

El aparente equilibrio de las cifras esconde el mantenimiento de una estrategia muy similar a las del pasado, donde se sigue poniendo un fuerte énfasis en la provisión de infraestructuras. De hecho, 14,4 billones de pesetas (aproximadamente el 53,3% del total) tienen previsto un destino de provisión de infraestructuras, cifra notablemente superior a lo que se dedica a desarrollo del tejido productivo o al desarrollo de los recursos humanos. Además, este continuismo tiene su refrendo en que el 63% de dicha cifra se prevea materializar en infraestructuras de transportes y comunicaciones.

718

Cuadro 22.13   Distribución del gasto público previsto en el PDR, 2000-2006 (en miles de millones de pesetas)

Regiones	Administración central	Administraciones regionales	Total
Andalucía	4.059,5	3.796,0	7.855,5
Asturias	959,8	710,9	1.670,7
Canarias	862,8	612,3	1.475,1
Castilla y León	1.905,6	1.458,7	3.364,3
Castilla-La Mancha	1.320,2	724,4	2.044,6
Ceuta	44,0	23,7	67,7
C. Valenciana	1.859,8	1.712,3	3.572,1
Extremadura	852,1	736,2	1.588,3
Galicia	1.685,2	1.780,9	3.466,1
Melilla	40,6	37,2	77,8
Murcia	730,3	461,3	1191,6
Total Objetivo 1	14.319,9	12.053,9	26.373,8
Cantabria	335,6	280,3	615,9
Total nacional	**14.655,5**	**12.334,2**	**26.989,7**

FUENTE: Ministerio de Economía y Hacienda.

Desde una perspectiva territorial, se alcanza prácticamente un equilibrio entre las aportaciones que deben realizar la Administración central y las administraciones regionales, aunque, como puede comprobarse en el cuadro 22.13, esta situación no se mantiene en todos los casos, siendo especialmente reseñables los ejemplos de Galicia, donde el esfuerzo inversor regional es superior al estatal, y los de Castilla-La Mancha y Murcia, donde se produce justamente el hecho contrario.

Dentro del proceso negociador del MAC, los recursos estructurales comunitarios con que cuenta España tras los acuerdos adoptados en la Cumbre de Berlín se concretan en 6,3 billones de pesetas para el objetivo 1, 3,3 billones para los objetivos 2 y 3 y 1,86 billones para el Fondo de Cohesión y las iniciativas comunitarias [33]. De nuevo, en términos absolutos, España es el país más favorecido en la asignación de fondos comunitarios, particularmente en los que se refieren al objetivo 1, donde va a absorber aproximadamente un 30% del total, cifra notablemente superior a la del país que nos sigue, Italia, que percibirá algo más del 17% [34].

Las previsiones realizadas en el PDR 2000-2006 estiman una notable contribución al desarrollo de las regiones españolas que se cifra en casi medio punto de crecimiento del PIB y algo más de un cuarto de punto en la creación de empleo, con un impacto especialmente destacado en las regiones con un menor nivel de renta, lo cual puede ayudar al logro de la convergencia interregional, que constituye el objetivo último del conjunto de actuaciones de este plan. No obstante, debe matizarse que estos resultados están condicionados al cumplimiento de un escenario macroeconómico en el que se supone que el crecimiento nacional seguirá siendo relativamente elevado (en el entorno del 3,5% para los próximos cuatro años) y que las actuaciones específicas regionales se adecuarán a las directrices generales de la política económica nacional.

6. Consideraciones finales

Como hemos tratado de dejar de manifiesto en los apartados anteriores, el tema de la disminución de las desigualdades regionales no es una tarea fácil y, en todo caso, tiene que plantearse con un horizonte temporal de largo plazo. En el momento presente dos hechos hacen que el panorama ante la entrada de un nuevo siglo se vislumbre con bastantes incertidumbres. El primero, la formación de la Unión Monetaria Europea (UME) y la introducción de la moneda única desde enero de 1999; el segundo, la posible adhesión de 11 nuevos países —previsiblemente a partir del 2002— y los acuerdos adoptados sobre la denominada Agenda 2000, con el establecimiento de las perspectivas financieras para el nuevo período de programación 2000-2006.

Las dudas sobre el posible reparto de los beneficios y costes asociados a una unión monetaria son bastante claras, particularmente desde la óptica de las regiones. Si aceptamos que la UME no constituye un *área monetaria óptima*, porque en la situación actual las condiciones exigibles de homogeneidad entre países están lejos de producirse, y que, por otra parte, no existen mecanismos fiscales previstos para compensar la aparición de probables *perturbaciones asimétricas*, a corto y medio plazo tendrá que haber *ganadores y perdedores* (Mancha, 1999).

En el caso español, al igual que probablemente para el resto de países que se han integrado en la UME, la respuesta sobre qué regiones pueden resultar ganadoras y cuáles perdedoras no puede ser cerrada ni de carácter general, aunque cabe señalar con carácter previo algunas orientaciones y sugerencias bajo la premisa, probada por la propia experiencia del pasado, de que la intensificación de los procesos de integración económica no garantiza en ningún caso que las desigualdades regionales tengan que disminuir ni que tampoco vaya a producirse necesariamente una convergencia real entre regiones.

El primer punto de referencia que debe tenerse en cuenta se deriva de la propia evolución de la dinámica regional en España a lo largo de los últimos quince años, que sintéticamente quedó ya esbozada en un apartado anterior. De acuerdo con la misma, parece dibujarse un mapa regional donde coexisten dos tipos de regiones: aquellas en las que se concentra gran parte de la actividad económica y, consecuentemente, donde se localizan los mayores núcleos de población (arco mediterráneo, valle del Ebro, los dos archipiélagos y Madrid); y, por otra, las regiones caracterizadas por una especialización en sectores maduros o muy ligados a decisiones de carácter público; en general, la mayoría de ellas con baja dinámica demográfica y localizadas en el interior del país.

Estas características determinan que los retos de la UME sean afrontados de manera desigual por las regiones españolas, estando en mejores condiciones las primeras que las segundas. De hecho, el único estudio cuantitativo aproximativo realizado sobre este tema (Villaverde, 1999) coincide con la anterior afirmación. No obstante, estos resultados deben tomarse con gran cautela, estando tan sólo claro que las más que probables ganancias generalizadas de bienestar acaben repartiéndose de manera desigual, sin que resulte además previsible una mejora de la convergencia interregional, sino más bien un posible aumento de la divergencia.

Dentro de un escenario como el descrito, hay que introducir algunas matizaciones que ayuden a comprender mejor la naturaleza de los antes señalados beneficios y costes de la integración monetaria. Desde una óptica macroeconómica, en primer lugar, hay que presumir que el marco de mayor estabilidad y credibilidad político-económica que ofrece la UME será positivo para toda la economía española y, por ende, para todas las regiones. No obstante, las expectativas de inversión pueden ser más favorables para las áreas que actualmente son más dinámicas (arco mediterráneo, Madrid y valle del Ebro) y que podrán aprovechar mejor este nuevo marco económico.

Desde una óptica microeconómica, también los beneficios esperados tendrán una distribución regional desigual, afectando de manera más positiva a las regiones que por tener mayor grado de comercio con la UE aprovechen mejor la reducción de los costes de transacción (Cataluña, Navarra, País Vasco y La Rioja están en mejor posición que el resto, a la vista de la evolución de sus intercambios comerciales). La posición competitiva global de cada región, al funcionar por vías diferentes a la de los precios, jugará también un papel muy importante, intensificando además la importancia de los *factores regionales*, que tienen un carácter fundamentalmente endógeno y que están estrechamente relacionados con el tipo de estructura productiva regional. En este sentido, parece que tendrán ventaja aquellas regiones con especialización diversificada y/o fuerte presencia de actividades terciarias y que están en peor situación las que, por el contrario, tienen un alto grado de especialización productiva, particularmente en actividades industriales maduras. De nuevo habría que repetir lo antes apuntado acerca del grupo de regiones españolas que resultan ganadoras y del colectivo de perdedoras.

La mayoría de los factores que acabamos de señalar van a estar influenciados por el marco general de los acuerdos adoptados sobre la Agenda

2000, pero de manera especial por la prevista ampliación de la UE y la incorporación de nuevos países (todos ellos con una situación comparativa peor que la de España, tanto desde un punto de vista global como regional) y, por otra parte, por el marco financiero más restrictivo en que la UE va a moverse en el futuro inmediato. No es fácil, en consecuencia, vislumbrar en el momento actual unas perspectivas totalmente positivas para el conjunto de regiones españolas, aunque el reparto de fondos comunitarios no ha sido desfavorable. En todo caso, puede preverse un panorama incierto en el que las zonas que mejor se adapten a la situación, por la vía de tratar de conseguir las mayores ganancias de competitividad, serán las que mejores resultados alcancen.

La política regional en España tiene pues todavía una importante tarea a desempeñar para coadyuvar a que las regiones con peor situación relativa eliminen los principales obstáculos para su desarrollo y/o potencien sus ventajas. En definitiva, alcancen el objetivo de ser competitivas y puedan así beneficiarse de las ventajas derivadas de un mercado amplio e integrado y una moneda única.

Notas

1 Piénsese, por ejemplo, en actuaciones de política industrial o de política de empleo de las autoridades públicas nacionales donde las repercusiones que acaban teniendo sobre el territorio hacen que puedan considerarse como mecanismos de política regional. El caso de la política regional europea, con claros fines de lograr un mayor grado de cohesión económica y social, es quizás la muestra más significativa de actuaciones que van más allá de la mera disminución de las disparidades interregionales.

2 Un excelente tratamiento de las implicaciones de este tema desde la óptica de la política económica puede encontrarse en Toboso (1999).

3 El proceso de negociación de un MAC comprende cuatro etapas fundamentales: fijación de los recursos comunitarios, distribución de recursos entre fondos estructurales, distribución de los recursos de cada fondo entre los agentes nacionales implicados y, finalmente, distribución de los mismos entre tipos de acciones. En definitiva, supone el último paso del proceso negociador de la política regional para un país miembro de la UE fijando los compromisos que adquieren cada uno de los agentes participantes y la naturaleza económica y financiera de los mismos.

4 Un amplio número de trabajos han tendido a confirmar el carácter ampliamente convergente de los procesos de crecimiento e integración durante este período. Así se ha constatado, por ejemplo, la existencia de convergencia en el interior de algunos países comunitarios, al igual que entre un amplio número de regiones de las doce economías que integraban la Comunidad hasta finales de 1995. Entre otros, pueden consultarse Barro y Sala (1991), Boltho (1990) o Dunford (1994).

5 Medido a través de un indicador tan simple como el recorrido de la variable (cociente entre el PIB por habitante de las diez regiones mejor situadas y el de las diez peor posicionadas), el valor se ha reducido de 3,7 en 1986 a 3,2 en 1996.

6 Un análisis más detallado de esta cuestión puede encontrarse en Cuadrado (1999).

7 Debe tenerse en cuenta, no obstante, que las altas tasas de desempleo existentes en nuestro país eran un importante factor de esta negativa situación diferencial.

8 Los últimos datos de FUNCAS que amplían la información hasta 1998 siguen mostrando el mantenimiento de esta tendencia a la mejoría para todas las regiones españolas, con tres casos, Baleares, Madrid y Cataluña, por encima del promedio comunitario.

9 En el caso particular de España, la situación ha mejorado claramente dentro de una tónica general negativa, puesto que de tener nueve regiones situadas entre las diez con tasa de desempleo más alta en 1987 ha pasado a sólo tres en 1997.

10 Un análisis pormenorizado de esta cuestión puede encontrarse en Cuadrado, Mancha y Garrido (1998) para el período 1980-1995 y en Cuadrado (1999), incluyendo también los datos de 1996.

11 Aparentemente, las pérdidas o ganancias pueden parecer pequeñas, pero en términos porcentuales los datos cambian significativamente. Así, Canarias, con una ganancia de peso de 0,69 en el período 1980-1995, tiene una variación porcentual positiva del 22,5%, mientras que desde la óptica contraria Asturias, con una pérdida de 0,63, alcanza una variación negativa del 20,3%.

12 Un excelente análisis de las consecuencias de los fenómenos migratorios en la evolución de las regiones españolas puede encontrarse en Raymond y García Greciano (1996).

13 Aunque no existe un patrón homogéneo de comportamiento regional en cuanto a la evolución de la productividad, en Cuadrado, Mancha y Garrido (1998) se pone en evidencia que las regiones que aumentaron su participación en el empleo nacional fueron las que conocieron incrementos de productividad por debajo de la media nacional, excepción hecha de Cataluña.

14 Entre otros deben reseñarse los siguientes: Mas, Maudós y otros (1994), Dolado y otros (1994), Cuadrado (1994), Raymond y García Greciano (1994), Cuadrado y García Greciano (1995), De la Fuente (1996), Cuadrado, Mancha y Garrido (1998), Garrido (1998) y Maudós, Pastor y Serrano (1998).

15 La bibliografía para el estudio de la evolución de la política regional española desde la década de los sesenta es amplia. A título indicativo pueden consultarse: Richardson (1976), Sáenz de Buruaga (1980), Mancha (1982), Cuadrado (1987) y Mancha (1987).

16 Aunque en el apartado 4.2 se tratará con detenimiento el funcionamiento del FCI, conviene apuntar que la Constitución de 1978 estableció, en su artículo 158, no sólo la creación de éste con fines de corregir desequilibrios económicos interterritoriales y hacer efectivo el principio de solidaridad consagrado en el artículo 2 del texto constitucional, sino también el establecimiento de una asignación a las CCAA en función del volumen de los servicios y actividades estatales transferidos y de la garantía de un nivel mínimo de prestación de los servicios públicos fundamentales en todo el territorio español.

17 España podía acceder, teniendo en cuenta las características de sus regiones, con cierta ventaja a todos los fondos estructurales, ya que la definición de los objetivos comunitarios abarcaba la mayor parte de su territorio, básicamente vía el *objetivo 1* (regiones atrasadas), *objetivo 2* (regiones fronterizas o con problemas de reconversión industrial) y *objetivo 5b* (zonas rurales); sin perder de vista las ayudas a través del Fondo Social Europeo (FSE) para paliar los problemas derivados del desempleo, el instrumento financiero de ordenación pesquera (IFOP) y las ayudas agrícolas vía Fondo Europeo de Orientación y Garantía Agrícolas (FEOGA).

18 Un análisis pormenorizado de este tema puede encontrarse en Cuadrado y Mancha (1999).

19 Las novedades más importantes pueden señalarse en los ámbitos *de integración y articulación territorial, desarrollo del tejido productivo* y *valorización de recursos humanos*. Respecto a la primera, las prioridades básicas se concentraron en conectar adecuadamente las regiones peor dotadas con los ejes transeuropeos de transporte y conseguir unos umbrales mínimos de accesibilidad. La segunda se concretó en mejorar la competitividad de los sectores productivos regionales a través de un mayor apoyo a las pequeñas y medianas empresas. Finalmente, la tercera se concentró en acciones de inserción y reinserción de demandantes de empleo, a la vista de las altas tasas de paro existentes.

20 No debe perderse de vista que todas las regiones españolas atrasadas padecen problemas similares, pero al mismo tiempo su importante grado de atraso esconde diferencias sustanciales, en términos de PIB por habitante, estructura del empleo, especialización productiva o situación geográfica.

21 Los instrumentos considerados son los que tienen una finalidad regional específica, lo cual no significa que otras actuaciones, particularmente las de orientación horizontal, tengan efectos regionales. Su inclusión, aparte de las dificultades de análisis, desbordaría claramente los límites de este capítulo. No obstante, para el caso particular de los fondos europeos, la disponibilidad de información ha permitido el estudio del FEOGA-O y del FSE, que, a la postre, acaban teniendo claros efectos redistributivos.

22 De manera transitoria, de 1993 a 1998 se decidió dotar con una asignación presupuestaria de 950 millones de pesetas anuales a la provincia de Teruel en razón de sus particulares condiciones dentro de una comunidad autónoma que no podía tener acceso al FCI.

23 La restricción del FCI sólo para las regiones objetivo 1 provocó que su cuantía debiese ajustarse, y la solución elegida consistió en ponderar esta cantidad según la población relativa y la renta relativa de las regiones partícipes.

24 Esta normativa legal se modificó en 1995, pero afectando simplemente al establecimiento de zonas y límites máximos de subvención. Conllevó la ampliación del porcentaje de población beneficiada, que se elevó del 63 al 75%.

25 La posibilidad de facilitar ayudas públicas a través del SIER constituye una excepción al artículo 92 del Tratado de Roma que prohíbe expresamente la dedicación de fondos estatales que falseen o amenacen la competencia.

26 En Cuadrado y Mancha (1999) se encuentra una completa referencia ilustrativa de su gestación, características básicas y funcionamiento.

27 Es necesario remarcar que debido al acuerdo tomado en el CPFF en 1986 las regiones con territorios asistidos pueden obtener un 30% adicional de su FCI a través del Feder. Con ello, se ha posibilitado una importante descentralización de la política regional dejando en manos de las autoridades regionales el logro de iniciativas propias, según la particular orientación de su propio PDR.

28 Las diferencias en los resultados, poco significativas por otro lado, tienen su origen en la diferente naturaleza de cada uno de esos modelos. De hecho, el denominado BEUTEL es un típico modelo keynesiano (efectos por el lado de la demanda) que incorpora técnicas *input-output*; el PEREIRA es sin embargo un modelo que mide efectos por el lado de la oferta; en tanto que los denominados HERMIN y QUEST son modelos que consideran efectos de demanda y oferta.

29 De una forma práctica, el procedimiento de elaboración de estas curvas se realiza situando los datos de población en el eje de abcisas y los relativos a la distribución de

cada uno de los fondos en el eje de ordenadas. Las figuras obtenidas deben interpretarse de forma inversa a como tradicionalmente se hace con este tipo de información; es decir, en el caso de que la curva se sitúe por encima de la diagonal principal *(recta de equidistribución)*, está indicando que la contribución del fondo es favorable, en el sentido de mejorar la distribución de la renta entre regiones (efecto equilibrador). Por el contrario, si se sitúa por debajo de dicha diagonal su impacto es negativo.

30 Estos índices pueden calcularse a través de la conocida fórmula del índice de Gini:

$$\frac{\sum_{i}^{n-1} (p_i - q_i)}{\sum_{i}^{n-1} p_i}$$

representando p la población y q los fondos en porcentajes acumulados.

31 No obstante, se establece un *apoyo transitorio* hasta el año 2005 para las regiones que eran elegibles como objetivo 1 en 1999, pero que no cumplen esta condición para el año 2000 y hasta el 2006 para aquellas otras que sean ahora elegibles dentro del nuevo objetivo 2. Para las restantes sólo continuará la ayuda a través del FEOGA-O, FSE e IFOP durante un período de tiempo que se decidirá antes del año 2000. Tendrán también cabida dentro de este objetivo las regiones más remotas y las antiguas regiones acogidas al objetivo 6.

32 Con el tope máximo del 18% de la población de la UE los Estados miembros propondrán las zonas que pueden beneficiarse de estas ayudas, teniendo en cuenta los criterios establecidos por la Comisión: población destinataria, prosperidad regional, prosperidad nacional y magnitud de los problemas estructurales, particularmente la tasa de desempleo, aunque nunca la reducción máxima de la población beneficiaria podrá exceder del 33% de los actuales objetivos 2 y 5 b.

33 Este instrumento constituye una vía complementaria de la actuación de los MAC y se orienta básicamente a reforzar el logro de una mayor cohesión europea por la vía de favorecer el desarrollo económico y social más equilibrado de las regiones, descansando la capacidad de decisión sobre las mismas en manos casi exclusivas de la Comisión. Abarcan campos muy diversos: cooperación transfronteriza, desarrollo local, medio ambiente, etc.

34 Los resultados de la negociación española pueden catalogarse como buenos, dado que aunque en términos comparativos con el período 1994-1999 va a percibirse menos en concepto de los objetivos 2 y 3 (33% y 8,7%), dado que su reparto se ha hecho sin tener en cuenta la tasa de paro, se incrementan notablemente los recursos a percibir en virtud del objetivo 1 (13,9%) y Fondo de Cohesión (10,8%), determinándose finalmente una posición global más favorable (2,25%) respecto al anterior período de programación.

Referencias

Barro, J., y X. Sala-i-Martín (1991): «Convergence across States and Regions», *Brookings Papers on Economic Activity,* 1.

Boltho, P. (1990): «European and United States Regional Differences: a note», *Oxford Review of Economic Policy,* 5.

Comisión Europea (1987): *Tercer Informe Periódico de la Comisión sobre la situación y la evolución socioeconómica de las regiones de la Comunidad,* Bruselas y Luxemburgo.

— (1991): *Las regiones en los años 90 (IV Informe Periódico),* Luxemburgo.
— (1994): *Competitividad y cohesión: las tendencias de las regiones (V Informe Periódico)*, Luxemburgo.
— (1997): *Primer Informe sobre la cohesión económica y social 1996*, Luxemburgo.
— (1998): *Agenda 2000. Por una Europa más fuerte y más amplia*, Bruselas.
— (1999): *Sexto Informe Periódico sobre la situación económica y social y el desarrollo de las regiones de la Comunidad,* Bruselas.
Cordero, G., A. Gayoso, A. Pavón y E. Rodríguez (1995): *La política de cohesión económica y social de la UE y el presupuesto comunitario.* Documento de trabajo, Dirección General de Planificación, Ministerio de Economía y Hacienda.
Correa, M. D., A. Fanlo, J. Manzanedo y S. Santillán (1995): *Fondos comunitarios en España: regionalización y análisis de su incidencia.* Documento de trabajo, Dirección General de Planificación, Ministerio de Economía y Hacienda.
—, y J. Manzanedo (1998): *Política regional en España y Europa.* Documento de trabajo, Dirección General de Análisis y Programación Presupuestaria, Ministerio de Economía y Hacienda.
Cuadrado-Roura, J. R. (1987): *Las desigualdades regionales y el Estado de las Autonomías,* Barcelona, Orbis.
— (1994): «Regional Disparities and Territorial Competition in the EU», en J. R. Cuadrado, P. Nijkamp y P. Salva, *Moving Frontiers: Economic Re-structuring, Regional Development and Emerging Networks*, Avebury, Aldershot.
— (1999): «Convergencia regional. Estancamiento interno, pero aproximación a Europa», en Gámir (dir.), *La convergencia real de la economía española*, Madrid, PricewaterhouseCooper.
—, y B. García Greciano (1995): «Las diferencias interregionales en España. Evolución y perspectivas», en *Economía española en un escenario abierto*, Madrid, Fundación Argentaria.
—, y T. Mancha (1995): «Política regional comunitaria: ventajas e implicaciones para España», *Economistas*, nº 66-67.
—, y — (1999): «Política regional y de cohesión», en J. M. Jordán Galduf (coord.), *Economía de la Unión Europea,* 3ª edición, Madrid, Cívitas.
—, — y R. Garrido (1998): *Convergencia regional en España. Hechos, tendencias y perspectivas*, Madrid, Fundación Argentaria -Visor Distribuciones.
De la Fuente, A. (1996): «On the sources of convergence: A close look at the Spanish regions», *CEPR Discussion Paper nº 1543*. Londres, Centre for Economic Policy Research (CEPR).
Dolado, J., J. M. González Páramo y J. M. Roldán (1994): «Convergencia económica entre las provincias españolas: evidencia empírica (1955-89)», *Moneda y Crédito*, nº 198, pp. 81-119.
Dunford, M. (1994): «Regional Disparities in the European Community: Evidence from the Regio Databank», *Regional Studies, 27*.
Garrido, R. (1998): *De especialización, crecimiento y convergencia regional en España, 1980-1995.* Trabajo de investigación final del Programa de Doctorado, Universidad de Alcalá, Departamento de Economía Aplicada.
Lázaro, L., y G. Cordero (1995): «La política de cohesión económica y social de la UE: evaluación desde la perspectiva española», *Papeles de Economía Española,* nº 63.

Mancha Navarro, T. (1982): *La política de crecimiento industrial en España 1960-1975,* tesis doctoral, Universidad de Málaga.

— (1987): «Las desigualdades regionales en España», en *Enciclopedia de Economía Española,* vol. 8, Barcelona, Orbis.

— (1999): «Desequilibrios regionales e integración económica: algunas consideraciones para el caso español», *Economía Aragonesa,* febrero.

—, y J. R. Cuadrado (1996): «La convergencia de las regiones españolas: una difícil tarea», en Cuadrado y Mancha: *España frente a la Unión Económica y Monetaria,* Madrid, Cívitas.

Mas, M., J. Maudos, F. Pérez y E. Uriel (1994): «Disparidades regionales y convergencia de las Comunidades Autónomas», *Revista de Economía Aplicada,* nº 4, vol. II , pp. 129-148.

Maudos, J., J. M. Pastor y L. Serrano (1998): *«Convergencia en las regiones españolas: campo técnico, eficiencia y productividad»,* Documento de trabajo del IVIE (mimeo).

Ministerio de Economía y Hacienda (varios años): *La planificación regional y sus instrumentos. Informe anual,* Ministerio de Economía y Hacienda.

— (1988): *PDR español 1989-1993,* Madrid.

— (1989): *MAC regiones objetivo 1 1989-1993,* Madrid.

— (1994): *PDR español 1994-1999,* Madrid.

— (1995): *MAC regiones objetivo 1 1994-1999,* Madrid.

— (1999): *PDR español 2000-2006,* Madrid (mimeografiado).

Parlamento Europeo (1991): *Efectos regionales de las políticas comunitarias,* Serie Política regional y transportes, Luxemburgo.

Raymond, J. L., y B. García Greciano (1994): «Las disparidades en el PIB per cápita entre Comunidades Autónomas y la hipótesis de convergencia», *Papeles de Economía Española,* nº 59.

— (1996): «Distribución regional de la renta y movimientos migratorios», *Papeles de Economía Española,* nº 67.

Richardson, H. W. (1976): *Política y planificación del desarrollo regional español,* Madrid, Alianza Editorial.

Sáenz de Buruaga, G. (1980): «Política económica regional», en L. Gámir (coord.), *Política económica de España,* Madrid, Alianza Editorial.

Toboso López, F. (1999): «Niveles de gobierno y coordinación de políticas económicas», en J. Mª. Jordán y otros, *Política Económica y Actividad Empresarial,* Valencia, Tirant lo Blanch.

Villaverde, J. (1999): «Integración monetaria y efectos espaciales: una aproximación a los desequilibrios regionales en España», en *Cuadernos de Economía Aragonesa,* febrero.

23. Política de financiación de las Comunidades Autónomas

Francisco Utrera

1. El Estado de las Autonomías

Nuestro modelo territorial se encuentra definido en el artículo 2 y en el título VIII de la Constitución. En esencia se trata de un modelo que aúna originalidad para integrar las peculiaridades y diferencias entre los territorios de España con el establecimiento de mecanismos de solidaridad que garantizan la cohesión territorial y social en nuestro país.

Los avances más significativos que viene registrando el Estado autonómico pueden resumirse en tres períodos principales:

— Los primeros pactos autonómicos de 1981 en los que se fijó el mapa y se establecieron los plazos de desarrollo y la estructura organizativa de las CCAA.
— Los acuerdos de 1992 que desarrollaron e impulsaron el Estado de las Autonomías ampliando las competencias de las CCAA de la denominada vía lenta y desarrollando los instrumentos que habían de permitir la puesta en práctica del principio de cooperación entre las Administraciones central y autonómicas.
— La reforma última de los Estatutos de Autonomía de las CCAA del artículo 143 iniciada en 1996 y recientemente culminada. Esta reforma ha completado la equiparación de los niveles competenciales iniciada en 1992 entre las CCAA, al tiempo que ha incidido sobre los aspectos institucionales que requería el desarrollo y afianzamiento

de la realidad autonómica en esas comunidades (facultad de disolver el Parlamento con restricciones por el presidente de la Comunidad, se elimina la prohibición de retribución fija a los parlamentarios, se crean nuevas instituciones de rango estatutario, como los Consejos Consultivos o los Defensores de los Ciudadanos, se elimina la limitación del número de consejeros en algunas CCAA).

La transferencia efectiva de la educación no universitaria, de servicios sociales y de políticas activas de empleo ha supuesto durante la actual legislatura parlamentaria transferencias por valor superior al billón de pesetas y de más de 160.000 funcionarios desde la Administración central a las CCAA. Sólo restan las transferencias sanitarias y de medios personales y materiales de la Administración de Justicia, como las más importantes, a las CCAA que aún las tienen pendientes, para completar el desarrollo competencial y autonómico.

Por su parte, el desarrollo de las conferencias sectoriales y los órganos colegiados con funciones consultivas que integran a representantes de las CCAA junto con los del Gobierno ha permitido afinar la coordinación y las relaciones de cooperación entre las Administraciones públicas. Estas iniciativas han venido acompañadas del desarrollo del denominado «Pacto Local», que se concreta en un paquete legislativo que, junto a reformas institucionales para potenciar el gobierno de las corporaciones locales (acuerdo sobre un código de conducta política en relación con el transfuguismo), incluye una batería de competencias locales en materia de titularidad estatal (educación, derecho de reunión, seguridad ciudadana, aguas, tráfico y circulación de vehículos).

Este incremento competencial se concreta en el reconocimiento de un derecho de participación de los entes locales en órganos o procedimientos estatales y se limita exclusivamente a aquello que el Estado y los entes locales pueden acordar por ser competencias estatales. Sin embargo, el Pacto Local lleva implícita la necesidad de que se complete el proceso de reordenación interna de competencias entre las CCAA y los entes locales de cada una de ellas. Este proceso, que cuantitativa y cualitativamente es el más importante, depende de los acuerdos que puedan alcanzarse en el seno de cada comunidad autónoma. Durante los años 1998 y 1999 hay que lamentar el escaso interés que la mayor parte de las CCAA han puesto de manifiesto para proceder a una efectiva descentralización de poder territorial que ellas reclaman al Estado, pero que se resisten a delegar en las corporaciones locales que, por su mayor proximidad al ciudadano, son las instancias más adecuadas para la prestación de importantes servicios.

Los últimos dos años del desarrollo del Estado de las Autonomías han sido calificados, con razón, de paradójicos. En efecto, no deja de sorprendernos (Joaquín Tornos, 1999) que al mismo tiempo que se ha abierto un estridente debate sobre el modelo constitucional de la organización territorial del Estado consensuado en 1978, se producen avances sustanciales en el proceso de desarrollo autonómico con la reforma de la mayor parte de los Estatutos de Autonomía, con la transferencia sustancial de nuevas competencias y con la aplicación de un modelo de financiación autonómica que aporta suficiencia, estabilidad y solidaridad en los ingresos de las CCAA.

Las sucesivas declaraciones y tomas de posición que cuestionan el modelo autonómico de organización territorial y proponen conceptos vagos e indefinidos de tipo federal e incluso confederal no son compatibles con el modelo constitucional ni forman parte tampoco de la agenda de preocupaciones de la mayoría de los ciudadanos españoles. Por ello, no parece adecuado iniciar procesos de reforma constitucional habida cuenta de la plena vigencia del marco diseñado por la Constitución y los Estatutos de Autonomía que ha dado lugar a un modelo de convivencia, de progreso y de estabilidad admirado internacionalmente y que ha permitido dar solución a los problemas de integración territorial con gran flexibilidad y generosidad (Acebes, 1999).

2. La evolución del gasto autonómico

Una vez iniciado el proceso de transferencias y en apenas tres años, las CCAA administraban en España cerca del 15% del gasto conjunto de las Administraciones públicas españolas (cuadro 23.1). Esta tendencia de rápida progresión del peso del gasto autonómico se mantuvo hasta el comienzo de la década de los noventa, momento a partir del cual se ralentizó hasta 1995. A partir de 1996 se intensifica nuevamente la transferencia de competencias a las CCAA, lo que permite que en los últimos años de la pasada década las CCAA gestionen más del 30% del gasto público total en España. El reciente traspaso de la educación no universitaria a las CCAA de vía lenta y los traspasos pendientes, en especial los servicios sanitarios, permiten anticipar un peso de las CCAA superior al 35% del gasto público en España para los próximos años (sin incluir pensiones de la Seguridad Social y de clases pasivas).

En términos de comparación internacional, puede afirmarse sin la menor duda que el Estado español es uno de los más descentralizados del mundo en lo relativo al nivel intermedio (regional) de gobierno. Países de estructura federal como Alemania, Austria, Estados Unidos, entre otros, presentan una descentralización del gasto muy inferior en relación a los niveles intermedios que los integran, mientras que, por el contrario, es en el nivel local donde el proceso de descentralización sigue resultando insuficiente en nuestro país (cuadro 23.2).

En efecto, las corporaciones locales españolas apenas han mejorado tres puntos en su peso relativo en el gasto público, mientras que las CCAA lo duplicaban en los últimos quince años. Esta evolución dispar se constata así

Cuadro 23.1   Gasto consolidado del sector público español, 1984-1998

SUBSECTORES

Años	Estado Total consolidado	%	C. Autón. Total consolidado	%	E. Locales Total consolidado	%	Total consolidado AA.PP.	%
1984	6.178.156	72,6	1.227.655	14,4	1.106.646	13,0	8.512.457	100,0
1985	6.931.136	70,7	1.545.966	15,8	1.321.603	13,5	9.798.705	100,0
1986	7.311.833	68,7	1.833.479	17,2	1.500.853	14,1	10.646.165	100,0
1987	7.711.673	66,7	2.167.328	18,7	1.692.919	14,6	11.571.920	100,0
1988	7.635.427	61,5	2.816.318	22,7	1.963.472	15,8	12.415.217	100,0
1989	9.150.571	60,7	3.488.127	23,1	2.437.762	16,2	15.076.460	100,0
1990	10.508.887	59,6	4.210.321	23,9	2.915.305	16,5	17.634.513	100,0
1991	11.169.503	58,3	4.869.870	25,4	3.104.698	16,2	19.144.071	100,0
1992	12.207.146	57,0	5.704.963	26,6	3.519.570	16,4	21.431.679	100,0
1993	13.573.856	58,1	6.179.590	26,4	3.618.649	15,5	23.372.095	100,0
1994	15.016.092	58,8	6.806.344	26,7	3.711.579	14,5	25.534.015	100,0
1995	15.367.393	58,0	7.234.838	27,3	3.872.514	14,6	26.474.745	100,0
1996	15.140.370	55,6	7.930.660	29,1	4.160.668	15,3	27.231.698	100,0
1997	14.771.943	53,2	8.588.785	30,9	4.427.368	15,9	27.788.096	100,0
1998	14.914.890	51,6	9.126.685	31,6	4.851.869	16,8	28.893.445	100,0

* (En millones de pesetas).

FUENTE: Dirección General de Coordinación con las Haciendas Territoriales, «La Descentralización del Gasto Público en España 1988». No se incluyen los gastos por pensiones de la Seguridad Social ni clases pasivas, ni por pasivos financieros.

mismo en relación al porcentaje sobre el PIB que supone el gasto público de cada una de las Administraciones públicas (cuadro 23.3). Se observa que la reducción del peso del Estado ha sido muy sustancial en los últimos cuatro años (con reducción de casi 5 puntos de PIB), mientras que las corporaciones locales han permanecido prácticamente sin cambios. Por ello, adquiere especial relevancia la concreción del Pacto Local Autonómico aún pendiente.

Por la estructura del gasto hay que destacar el papel primordial que desarrollan las Administraciones territoriales en las operaciones de inversión y el mayor peso en relación al Estado de los gastos de personal y de adquisición de bienes y servicios corrientes en las Administraciones territoriales, tal y como corresponde a su papel principal de suministradores de servicios públicos (cuadro 23.4).

Cuadro 23.2   Porcentaje del gasto consolidado en cada nivel de administración

Países y año al que se refiere la información	Nivel de administración			
	Central	Regional	Local	Total
Alemania 1997 p	63,17	20,27	16,56	100,00
Australia 1997	51,50	42,16	6,34	100,00
Austria 1996	68,85	14,31	16,84	100,00
Canadá 1991	37,34	45,88	16,78	100,00
Estados Unidos 1996	53,97	21,54	24,49	100,00
España 1998 (estimación)	**62,69**	**24,34**	**12,97**	**100,00**

FUENTE: FMI «Governement Financial Statistics Yearbook 1998». Para España: Dirección General de Coordinación con las Haciendas Territoriales, «La descentralización del Gasto Público en España 1988»; incluye los gastos por pensiones de la Seguridad Social y clases pasivas.

3.   La financiación de las CCAA

3.1   El coste efectivo

Durante la primera parte de los años ochenta, coincidiendo con el período en que la transferencia de competencias a las CCAA se hizo a un ritmo más vigoroso, la financiación de los servicios traspasados se realizó de acuerdo con la metodología aprobada en 1981 por el Consejo de Política Fiscal y Financiera, basada en la valoración del «coste efectivo» de los servicios que dejaban de ser prestados por el Estado y sus organismos para ser asumidos por las CCAA.

El «coste efectivo» incluía únicamente los gastos de funcionamiento de los servicios, es decir, los gastos corrientes directos y parte de los indirectos y los gastos de inversión estrictamente necesarios para la conservación de los activos de capital asociados a los servicios transferidos. La cicatería consciente e intencionada de la Administración central a la hora de determinar el «coste efectivo» ha llevado a afirmar en alguna ocasión que «el Estado transfirió las estrecheces y mantuvo las holguras presupuestarias».

Al mismo tiempo, el sistema de valoración basado en el «coste efectivo» generó un efecto perverso que desvirtuó la financiación recibida por las CCAA procedente del Fondo de Compensación Interterritorial (FCI). Al no incluir la inversión nueva necesaria para el funcionamiento operativo de los servicios transferidos, la financiación básica obtenida por las CCAA mediante los tributos propios y cedidos y la participación en los del Estado no permitía atender estos gastos de inversión, por lo que hubo que financiarlos con el FCI, que, de ser un instrumento exclusivamente concebido para el

Cuadro 23.3 **Porcentaje sobre el PIB p.m. previsto del gasto consolidado del sector público y sus subsectores, 1984-1998**

Años	% PIB p.m. previsto Sector público	% subsector Estado	Subsector Comunid. Autón.	% Subsector entidades locales
1984	33,1	24,0	4,8	4,3
1985	34,6	24,5	5,5	4,7
1986	33,3	22,9	5,7	4,7
1987	32,7	21,8	6,1	4 8
1988	32 6	20,1	7,4	5,2
1989	35,6	21,6	8,2	5,8
1990	35,6	21,2	8,5	5,9
1991	35,1	20,5	8,9	5,7
1992	35 8	20,4	9,5	5,9
1993	37,2	21,6	9,8	5,8
1994	39,9	23,5	10,6	5,8
1995	38,8	22,5	10,6	5,7
1996	36,7	20,4	10,7	5,6
1997	35,3	18,8	10,9	5,6
1998	35 3	18,2	11,1	5,9

FUENTE: Dirección General de Coordinación con las Haciendas Territoriales, «La Descentralización del Gasto Público en España 1988». No se incluyen los gastos por pensiones de la Seguridad Social ni clases pasivas ni por pasivos financieros.

reequilibrio territorial, tuvo que atender también, y en proporciones crecientes, la financiación de la inversión nueva relativa a las competencias asumidas por las CCAA.

Esto explica que hasta 1990 no se procediera a reformar el FCI en la dirección adecuada y que, durante tantos años, se mantuviera un instrumento de financiación, presuntamente de política regional, en el que paradójicamente participaban todas las CCAA y no sólo las que presentaban un nivel menor de desarrollo. Para la reforma del FCI de 1990 fue necesario segregar del mismo lo que se denominó la «compensación transitoria», que recogía el conjunto de las transferencias condicionadas que todas las CCAA habrían de recibir durante 1990 y 1991 para atender la inversión nueva, mientras que el «nuevo FCI» asumiría su función original de política compensatoria de carácter regional al que podrían acceder únicamente las CCAA cuya renta per cápita fuese inferior al 75% de la media de la Comunidad Europea, criterio idéntico al utilizado por el Feder para distribuir sus ayudas por el objetivo número 1.

3.2 El quinquenio 1987-1991

En noviembre de 1986, el Consejo de Política Fiscal y Financiera aprobó el «Método para la Aplicación del Sistema de Financiación de las CCAA en el período 1987-1991», que de forma desafortunada se denominó el «sistema definitivo» de financiación de las CCAA por contraposición al «sistema transitorio» de la etapa anterior. Este nuevo método tuvo la virtud de aportar un marco estable, aunque insuficiente, para la financiación de las CCAA durante el quinquenio antes citado y de basar las transferencias recibidas por las CCAA en unos coeficientes obtenidos a partir de una serie de variables objetivas, como son la población, la extensión territorial, el número de unidades administrativas, la insularidad, la pobreza relativa y el esfuerzo fiscal de cada comunidad.

La insuficiencia de recursos que padecían las CCAA en el «sistema transitorio» de financiación hasta 1986 se aprecia en el saldo deficitario que estas Administraciones públicas iban gradualmente acumulando y que, en el último año de aplicación de aquel sistema, se situaba en valores próximos al 0,5% del PIB.

En 1987, el primer año de vigencia del sistema de financiación aplicable a aquel quinquenio, la financiación incondicionada obtenida por las CCAA creció en un 43% y permitió cerrar las cuentas correspondientes a dicho ejercicio con un ligero superávit. Sin embargo, a partir de dicho año y hasta 1991, último ejercicio del quinquenio, el déficit de las CCAA creció progresivamente, y ello fue en gran parte debido al descenso en términos de PIB de las transferencias recibidas procedentes de la Administración central.

El hecho de que las CCAA de régimen común tuvieran limitado el crecimiento de sus ingresos al ritmo determinado por la tasa de evolución del «gasto equivalente del Estado», sistemáticamente inferior al avance porcentual de la recaudación obtenida por los ingresos tributarios, aumentó aún más las diferencias de financiación per cápita obtenidas por las CCAA de régimen común y las de régimen foral, en las que las competencias tributarias atribuidas a las diputaciones permitían y permiten que su financiación crezca al mismo ritmo que sus ingresos tributarios.

A su vez, las diferencias de partida en la valoración de los servicios traspasados desde la Administración central a las CCAA de régimen común y las distintas dotaciones de servicios en unas y otras al iniciar el desarrollo del Estado de las Autonomías dieron lugar a diferencias muy importantes en la financiación per cápita percibida por las CCAA de régimen común de nivel competencial semejante.

En un modelo de financiación autonómica basado en la prestación homogénea en cantidad y calidad de servicios públicos para cada nivel competencial, estas diferencias abultadas en la financiación per cápita obtenida por las CCAA han constituido uno de los principales motivos de crítica y

Cuadro 23.4   Clasificación económica del gasto consolidado del sector

Capítulo	Subsector Estado	
	Total consolidado	%
I. Gastos de personal	3.514.904	42,9
II. Gastos de bienes corrientes y servicios	1.081.208	31,1
III. Gastos financieros	3.210.453	83,0
IV. Transferencias corrientes	4.921.385	62,8
V. Dotación para amortizaciones		0,0
VI. Inversiones reales	1.112.149	31,6
VII. Transferencia de capital	471.450	36,7
Gastos no financieros	**14.311.549**	**50,8**

* (En millones de pesetas).

FUENTE: Dirección General de Coordinación con las Haciendas Territoriales, «La Descentralización del Gasto Público en España 1998». No se incluyen los gastos por pensiones de Seguridad Social ni clases pasivas.

de tensión en las relaciones entre las Administraciones central y autonómicas. Esta circunstancia cuestionaba, al menos en parte, el principio de solidaridad más esencial del sistema de financiación: la igualdad en la prestación de servicios a los ciudadanos cualquiera que fuese su lugar de residencia. En el modelo de financiación correspondiente al actual quinquenio 1997-2001 se ha establecido por primera vez la garantía de aproximación en la financiación por habitante obtenida por las CCAA de régimen común.

De hecho, se constata que la ponderación de las variables utilizadas para determinar la financiación recibida por las CCAA de régimen común dio lugar en 1987 a una distribución territorial relativa de los recursos públicos casi idéntica a la derivada del método del «coste efectivo», lo que hace pensar que las ponderaciones utilizadas en 1987 para las variables socioeconómicas responden más al intento de mantener la situación previa que a un cálculo técnico y racional de las necesidades objetivas de gasto de las CCAA.

Esta última característica, la prioridad de las consideraciones políticas sobre la evaluación técnica de las necesidades de financiación de las CCAA atendiendo a las competencias que tengan asumidas, es uno de los más graves factores perturbadores de las sucesivas negociaciones en el seno del Consejo de Política Fiscal y Financiera para determinar el sistema de financiación autonómica correspondiente a los quinquenios de 1987-1991 y de 1992-1996.

público por capítulos, 1998

Subsector CCAA		Subsector EE.LL.		Sector público	
Total consolidado	%	Total consolidado	%	Total consolidado	%
3.092.177	37,7	1.588.509	19,4	8.195.590	100,0
1. 177.779	33,9	1.215,441	35,0	3.474.428	100,0
402.658	10,4	255.460	6,6	3.868.571	100,0
2.568,589	32,8	349.944	4,5	7.839.918	100,0
419	100,0		0,0	419	100,0
1.102.143	31,3	1.310.005	37,2	3.524.297	100,0
705.745	55,0	106.868	8,3	1.284.063	100,0
9.049.510	**32,1**	**4.826.227**	**17,1**	**28.187.286**	**100,0**

3.3 El quinquenio 1992-1996

El modelo de financiación de las CCAA para el período 1992-1996, que el Consejo de Política Fiscal y Financiera aprobó el 20 de enero de 1992, introdujo como modificación más importante la elaboración y aprobación de un escenario presupuestario a medio plazo que, en un contexto de flexibilidad, establecería los límites de déficit y endeudamiento del Estado y de las CCAA.

Este escenario presupuestario supone un cambio esencial en las relaciones entre la Administración central y las CCAA, que progresivamente pasarían de ser unas relaciones de dependencia de las últimas a una coordinación presupuestaria en todos los niveles de las Administraciones públicas.

Partiendo del principio de que la política fiscal y el logro de los objetivos de estabilidad macroeconómica corresponden al Gobierno central, era necesario, dado el volumen y la importancia de las operaciones presupuestarias de las CCAA, que se estableciera un sistema permanente de intercambio de información entre las Administraciones públicas para conocer con poco retraso la situación financiera real de las CCAA y los efectos que los presupuestos de todas las Administraciones públicas producen en la economía.

Por ello, se acordó la constitución de un grupo de trabajo para consensuar la estructura y el contenido de la información contable que las CCAA deben remitir periódicamente a la Administración central. Asimismo, se

Cuadro 23.5 **Programa de Convergencia, 1992-1996.**
Necesidad de financiación de las Administraciones
públicas españolas (en porcentaje del PIB)

	1992	1993	1994	1995	1996
I. AA.PP. Centrales	–2,86	–2,56	–2,01	–1,36	–0,75
— Estado	–2,46	–2,63	–2,09	–1,54	–0,75
— OO.AA.AA. y Seguridad Social	–0,40	0,07	0,08	0,18	0,00
II. AA.PP. Territoriales	–1,12	–0,93	–0,65	–0,42	–0,25
— CCAA	–0,97	–0,78	–0,50	–0,32	–0,18
— Corporaciones locales	–0,15	–0,15	–0,15	–0,10	–0,07
III. Administraciones públicas	–3,98	–3,49	–2,66	–1,78	–1,00

elaboró un escenario de consolidación presupuestaria, cuyo primer resultado fue la inclusión en el Programa de Convergencia del Gobierno con la Comunidad Europea, presentado en abril de 1992, de unas envolventes financieras de las Administraciones públicas para el período 1992-1996 en el que se preveía una reducción del déficit del conjunto de las Administraciones públicas del 4% del PIB en 1992 al 1% en 1996.

Este objetivo de déficit implicaba un ajuste en las cifras presupuestarias tanto en las Administraciones centrales —que reducirían su déficit del 2,9% del PIB en 1992 al 0,75% en 1996— como en las Administraciones territoriales; concretamente las CCAA pasarían de un déficit del 1% del PIB en 1992 al 0,2% en 1996 (cuadro 23.5).

El rotundo fracaso de las previsiones contenidas en el Programa de Convergencia de 1992 y las revisiones posteriores del mismo, así como las malas prácticas presupuestarias y extrapresupuestarias del Gobierno en 1992 (que dieron lugar en 1993 a una regularización presupuestaria por valor superior a los dos billones de pesetas de gastos realizados que no habían sido imputados a los Presupuestos Generales del Estado) y el cierre de 1995 con un déficit cuatro veces mayor que el proyectado como objetivo (7,2% del PIB frente al 1,78%), no deben empañar en modo alguno los méritos inherentes al acuerdo de consolidación presupuestaria y a la elaboración de los escenarios de convergencia financiera de las Administraciones públicas españolas.

Este instrumento se ha retomado en los acuerdos de financiación para el actual quinquenio y es, junto con la política de austeridad presupuestaria desarrollada por el Gobierno de la nación, piedra angular de los Programas de Estabilidad anuales presentados a la Comisión Europea. La última revisión del Programa de Estabilidad, correspondiente al período 2000-2003, ha sido aprobado por el Gobierno recientemente y prevé un ligero superávit

**Cuadro 23.6   Programa de Estabilidad, 2000-2003.
Escenarios presupuestarios (en % PIB)**

	2000	2001	2002	2003
Total ingresos AA.PP.	**40,1**	**40,0**	**39,9**	**39,8**
Total gastos AA.PP.	40,8	40,4	39,8	39,5
— Gastos corrientes	35,5	35,0	34,3	33,9
— Carga financiera	3,6	3,6	3,5	3,4
— Gastos de capital	5,3	5,4	5,5	5,6
— Formación bruta de capital fijo	3,5	3,6	3,7	3,8
Cap./nec. finan. AAPP	**–0,8**	**–0,4**	**0,1**	**0,2**
Déficit de AA.PP. centrales	–0,7	–0,4	0,1	0,2
a) Estado y sus OO.AA.	–0,8	–0,5	0,0	0,0
b) Seguridad Social	0,1	0,1	0,1	0,2
Déficit AA.PP. territoriales	–0,1	0,0	0,0	0,0
Deuda pública	**62,8**	**60,6**	**58,1**	**55,8**

presupuestario del total de las Administraciones públicas para el año 2002, al tiempo que el equilibrio en las cuentas de las Administraciones públicas territoriales a partir del próximo ejercicio 2001, de acuerdo con los escenarios de convergencia aprobados en el seno del Consejo de Política Fiscal y Financiera (cuadro 23.6).

El escenario de convergencia tiene también otras implicaciones, como el automatismo de las operaciones de endeudamiento concertadas por las CCAA. Con el sistema anterior, cada comunidad tenía que pedir autorización al Gobierno para cada una de las operaciones de endeudamiento que hubieran de realizar para cubrir sus necesidades de financiación. Este sistema funcionaba rigurosamente mal, debido a que no establecía mecanismo alguno que impidiese a las CCAA realizar sus operaciones de endeudamiento y propiciaba el uso de la financiación a corto plazo, de tesorería, para cubrir necesidades a medio y largo plazo, aumentando el coste de financiación de las CCAA y también porque la discrecionalidad del Gobierno en esta materia podía conducir al absurdo de retrasos superiores a un año en la aprobación de empréstitos que las CCAA necesitaban con rapidez. El nuevo sistema, basado en el escenario de consolidación presupuestaria, prevé que cada comunidad presente al Gobierno un programa anual de endeudamiento que, si es coherente con el escenario previamente acordado, quedaría automáticamente aprobado, quedando sólo las operaciones en divisas condicionadas a la aprobación de la Dirección General del Tesoro.

El método de financiación autonómica correspondiente al quinquenio 1992-1996 modificó también las variables y ponderaciones de las mismas que permiten determinar la cuantía de la participación en los ingresos del Estado de las CCAA de régimen común.

Las variables son las siguientes: la población, calculada a 1 de julio de 1998; la superficie territorial; las unidades administrativas de cada comunidad que otorga 0,5 puntos a cada una de ellas, 0,5 por cada capital de provincia y 0,25 puntos por cada isla, cabildo o Consejo Insular; la dispersión, definida por el número de entidades administrativas singulares; la insularidad, que otorga 1 punto a las CCAA insulares y 0 a las restantes; la pobreza relativa, definida como la relación existente entre población relativa y valor añadido bruto al coste de los factores relativo en cada comunidad; y el esfuerzo fiscal, determinado por la recaudación del IRPF en 1988 en cada comunidad en relación con el valor añadido bruto relativo.

Las ponderaciones de cada una de las variables varía entre las CCAA del artículo 151 y asimiladas, de máximo nivel competencial, y las del artículo 143, de acuerdo con los siguientes valores:

Para el grupo de CCAA del artículo 151 y asimiladas	Porcentaje	*Para el grupo de CCAA del artículo 143*	Porcentaje
Variables distributivas:		*Variables distributivas:*	
Población	94,0	Población	64,0
Superficie	3,5	Superficie	16,6
Dispersión	0,6	Dispersión	2,0
Insularidad	1,5	Insularidad	0,4
Unidades administrativas	0,4	Unidades administrativas	17,0
Suma	100,0	Suma	100,0
Variables redistributivas:		*Variables redistributivas:*	
Pobreza relativa	2,70	Pobreza relativa	2,70
Esfuerzo fiscal	1,82	Esfuerzo fiscal	1,82

De las variables y ponderaciones descritas hay que destacar tres aspectos:

a) Se mantienen para el actual quinquenio 1997-2001.
b) El peso de la población es muy superior (94% de ponderación frente al 64%) en las CCAA de mayor nivel competencial en correspondencia lógica con la prestación de servicios cuyo coste está íntimamente vinculado a la población o a segmentos de ella como la

educación y los servicios sociales (la sanidad tiene una financiación diferente para cada una de las CCAA que tienen asumida la competencia).

c) Los valores de la variable población han estado siempre referidos a fechas previas muy anteriores al inicio mismo del quinquenio de financiación de que se trate (julio de 1988 en el quinquenio 1992-1996, censo de 1983 para el quinquenio 1987-1991), constituyendo una referencia fija durante todo el período acordado. El propio Tribunal Constitucional ha establecido el criterio de que las variables, sus valores y ponderaciones son parte integrante de los acuerdos de financiación durante el quinquenio de aplicación del modelo de financiación respectivo, sin que sus variaciones posteriores afecten a los porcentajes de participación de las CCAA en los ingresos del Estado. De acuerdo con este principio no tiene justificación la beligerancia de la comunidad de Andalucía para que se revisen los valores de la variable población en el actual quinquenio 1997-2001, ni tampoco su pretensión de que sean los patrones de 1996 la referencia temporal para determinar esos valores.

El juicio de los resultados del método de financiación correspondiente al quinquenio anterior 1992-1997 quedaría incompleto si no se toman en consideración las denominadas «reglas de modulación» que son la muestra palpable de que el reparto entre CCAA de la financiación disponible responde preferentemente a criterios apriorísticos, determinados por el ánimo de evitar conflictos e intentar satisfacer a todos, más que al cálculo técnico y objetivo que se derivaría de las variables utilizadas.

En efecto, entre las reglas de modulación propuestas, se acordó que, en general, ninguna comunidad podría ver aumentada su financiación más del doble que la correspondiente a la media del grupo de CCAA de iguales competencias, y que ninguna comunidad podría recibir un incremento de financiación inferior a la cuarta parte del crecimiento medio registrado en el grupo de CCAA al que pertenezca. Estas reglas generales de modulación, que por sí mismas suponen una alteración sustancial de los resultados derivados de las variables de distribución de la financiación incondicionada, se corrigen a su vez mediante unas reglas específicas que toman en consideración la financiación y la renta per cápita de cada comunidad para establecer unos límites de crecimiento distintos.

El establecimiento de estas reglas de modulación desvirtúa los resultados del modelo de financiación de las CCAA y ha sido afortunadamente obviado para el quinquenio actual y confiemos en que también lo sea en los sucesivos.

Por el contrario, resultó positivo el acuerdo sobre el Fondo de Compensación Interterritorial (FCI) en el modelo de financiación para el período 1992-1996, elevando al 35% de la inversión civil nueva del Estado y sus organismos la cuantía del FCI durante todo el período mencionado. Además, se estableció una regla de garantía en favor de las CCAA beneficiarias del FCI, de tal forma que en pesetas corrientes la cuantía anual del FCI no podía ser inferior a la de 1992, 128,8 miles de millones de pesetas, se garantiza así la cuantía mínima del fondo y se hace independiente de la reducción que pudiera darse en la inversión estatal.

Lo cierto es que esta cuantía mínima se convirtió de hecho en el máximo del FCI durante todo el período. En todo caso, la valoración del nuevo FCI, tal y como quedó aprobado en 1990 y con las modificaciones mencionadas introducidas en 1992, es positiva, tanto por haber limitado el número de CCAA beneficiarias recuperando el sentido redistributivo original de este instrumento como por hacer desaparecer la compensación transitoria y la dependencia de su cuantía mínima del volumen de inversión decidido por la Administración central.

El acuerdo de financiación alcanzado a principios de 1992 dejó pendiente para su estudio por comisiones específicas tres materias de gran interés que por su complejidad y por el considerable retraso sufrido en el inicio de las negociaciones no pudieron cerrarse en la fecha prevista inicialmente. Estas materias son: la financiación de los gastos sanitarios, las asignaciones de nivelación de los servicios públicos fundamentales y la corresponsabilidad fiscal de las CCAA.

3.4   La financiación del gasto sanitario

El primero de los aspectos señalados hace referencia a los graves desequilibrios financieros del sistema sanitario que se vinieron arrastrando durante muchos años. En 1992 y 1993 fueron necesarias operaciones de saneamiento para saldar los agujeros financieros derivados de prácticas de presupuestación incorrectas y de la rápida progresión del gasto sanitario.

El Sistema de Financiación de los Servicios de Sanidad, independiente de la Financiación General de las CCAA, se inició con motivo del proceso de asunción de las competencias de gestión de dichos servicios por siete CCAA a partir de 1981 (Cataluña) hasta 1994 (Canarias).

La financiación sanitaria desde 1981 ha registrado tres fases diferentes:

1.   Un período inicial de 12 años, que abarca hasta 1993, asimilable al período transitorio de Financiación General de las CCAA. La nota distintiva de este período es el traspaso de los servicios sanitarios a las siete CCAA cuyos respectivos estatutos les atribuían la competencia para asumir la gestión de tales servicios. Los recursos obtenidos por cada comunidad tomaban como punto de partida el gasto real sanitario en cada territorio en el momento del traspaso; de ahí la heterogeneidad en la asignación territorial de los recursos y las frecuentes tensiones presupuestarias a que daba lugar este sistema.

2. El acuerdo sobre el Sistema de Financiación de la Sanidad alcanzado en el Consejo de Política Fiscal y Financiera para el período 1994-1997. Con este acuerdo se homogeneizó la asignación de los recursos a las entidades gestoras de servicios sanitarios distribuyéndolos de acuerdo con el criterio de «población protegida» recogido en la Ley General de Sanidad y arbitrando una regla de evolución de los recursos definida de acuerdo con el crecimiento del PIB nominal.

3. El acuerdo del Consejo de Política Fiscal y Financiera de finales de 1997 para la financiación de los servicios de sanidad en el período 1998-2001. Los aspectos principales del acuerdo vigente de financiación sanitaria son los siguientes:

— Se dota convenientemente de recursos al sistema para el año inicial de 1998 mediante la adición a la cifra de 3,69 billones de pesetas que resultaría de la prórroga del modelo correspondiente al cuatrienio anterior, de 143.362,8 millones de pesetas correspondientes a: recursos adicionales por valor de 25.000 millones para mejoras del sistema, 10.000 millones para incrementar la garantía de cobertura financiera, 40.000 millones de recursos asociados al control del gasto de incapacidad transitoria, 20,44 mm. para asegurar una financiación mínima en cada administración gestora por la incidencia negativa de la variación de la población relativa y 47,92 mm. para la financiación de los gastos extraordinarios originados por la docencia y asistencia hospitalaria a los residentes en otros territorios (cuadro 23.7).
En el cuadro 23.7 puede observarse que casi el 62% de la población protegida por el sistema sanitario público (equivalente a la población de derecho menos la población cubierta por MUFACE, ISFAS y MUGEJU en noviembre de 1996) corresponde a las CCAA con competencia transferida en esta materia.
Más del 98% del total de recursos del sistema sanitario público (3,77 billones de pesetas) se atribuyen a las administraciones gestoras de acuerdo con el criterio de población protegida. El resto, menos del 2% de los recursos totales (68,36 mm.), se asignan mediante dos fondos específicos finalistas: la modulación financiera por incidencia de las variaciones de la población (20,44 mm.) y el de asistencia hospitalaria (47,92 mm.).

— Las medidas de racionalización del gasto farmacéutico a adoptar, que se estima que puedan aportar ahorros de 65.000 millones, aumentarán la cobertura financiera del sistema, pues revertirán íntegramente en el mismo. Estas medidas consistirán en el desarrollo de una política activa de medicamentos genéricos y

Cuadro 23.7   Financiación de la sanidad: esquema del nuevo sistema.
Volumen y distribución de los recursos totales (millones
de pesetas de 1998)

Administración gestora	Financiac. por el fondo general	Financiac. por el fondo específico	Total recursos	Población protegida	
	(1)	(2)	(3) = (1) + (2)	Absoluta	Relativa
Cataluña	593.665,3	30.827,8	624.493,2	5.904.464	15,7496
Galicia	260.559,7	5.282,9	265.842,6	2.591.469	6,9125
Andalucía	681.160,9	12.334,2	693.495,1	6.774.675	18,0708
Valencia	385.440,5	3.314,1	388.754,6	3.833.506	10,2255
Canarias	153.310,5	1.099,7	154.410,2	1.524.792	4,0672
País Vasco	205.263,7	3.536,5	208.800,1	2.041.507	5,4455
Navarra	50.669,2	968,6	51.637,8	503.945	1,3442
Total INSALUD Gestión transferida	2.330.069,8	57.363,8	2.387.433,5	23.174.358	61,8155
INSALUD Gestión directa	1.439.326,7	10.999,0	1.450.325,7	14.315.225	38,1845
Total INSALUD	**3.769.396,5**	**68.362,8**	**3.837.759,3**	**37.489.583**	**100,0000**

en la exclusión de la financiación pública de los medicamentos
de escaso valor terapéutico.
— Los recursos totales del sistema sanitario evolucionarán en su
conjunto y para cada administración gestora durante el período
1998-2001 según el incremento nominal del PIB.
— Se incrementa en otros 25.000 millones de pesetas el fondo general por población protegida en 1999 vinculándolo a la reducción acreditada de las listas de espera y al control de calidad de
los centros hospitalarios.
— Las CCAA del País Vasco y de Navarra quedan fuera del ámbito
de aplicación de este acuerdo y se regirán por lo establecido en
la Ley General de Sanidad, los regímenes de concierto y convenio y los Reales Decretos de transferencia.

3.5   Las asignaciones de nivelación

Las asignaciones de nivelación de los servicios públicos fundamentales vienen recogidas en el artículo 15 de la Ley Orgánica de Financiación de las CCAA (LOFCA). Se trata de un instrumento financiero que cumple un objetivo mixto de solidaridad y de asignación en el conjunto de la financiación autonómica.

Las transferencias incondicionadas procedentes del Estado tienen que garantizar un nivel similar de prestación de los servicios que son competencia de las CCAA en todo el territorio nacional, con independencia de la capacidad fiscal de cada una de las CCAA que lo suministren. Éste, como ya se ha dicho, es el requisito esencial de equidad y de solidaridad del sistema de financiación autonómica: la garantía y la igualación de los servicios públicos recibidos por los ciudadanos con independencia del territorio en el que residan.

Sin embargo, pueden presentarse situaciones en las que la insuficiencia del capital social disponible o las modificaciones imprevistas en los parámetros que influyen en el coste de prestación de los servicios públicos no permitan garantizar, en algunas CCAA, un nivel satisfactorio de prestación de algunos servicios públicos esenciales.

La necesidad de arbitrar estas asignaciones requiere como paso previo que se definan los servicios esenciales a los que se aplican y las condiciones que los hacen necesarios. Habría que proceder asimismo a dotar el crédito correspondiente en los Presupuestos Generales del Estado y a realizar transferencias condicionadas para la cobertura de las deficiencias detectadas en las CCAA beneficiarias de esas asignaciones.

Por la propia naturaleza de este instrumento de financiación es lógico pensar que ha de ser transitorio, ya que si las deficiencias a corregir fueran de carácter permanente tendrían que ser reconocidas como tales y cubiertas mediante las transferencias incondicionadas por la participación de las CCAA en los ingresos del Estado. Es decir, los bajos niveles de prestación de ciertos servicios con carácter permanente deberían tratarse como un factor de coste que no ha sido suficientemente valorado con anterioridad y que, por tanto, debe formar parte de la financiación ordinaria de los servicios transferidos a las CCAA y no de la financiación extraordinaria procedente de las asignaciones de nivelación.

A pesar del acuerdo general sobre la naturaleza y funciones de estas asignaciones de nivelación, lo cierto es que desde 1980 hasta 1996 ni hubo acuerdo en el seno del Consejo de Política Fiscal y Financiera sobre este instrumento ni tampoco hubo voluntad política expresa de dotar los créditos presupuestarios necesarios para hacerlo realidad.

En 1997, por primera vez, como parte integrante de los acuerdos de financiación autonómica para el presente quinquenio 1997-2001 se incluye en los Presupuestos Generales del Estado para dicho año un crédito de

10.000 millones de pesetas (que se reproduce en los años sucesivos), al tiempo que se crea un grupo de trabajo para la instrumentación de las asignaciones de nivelación. Este grupo de trabajo y el propio Consejo de Política Fiscal y Financiera, tras numerosas reuniones, no han acordado aún los criterios de distribución de estas asignaciones, aunque sí han identificado algunos de los servicios públicos esenciales a los que han de aplicarse, principalmente la educación superior. A tal fin en los Presupuestos Generales del Estado para el año 2000 se aplican en parte estas asignaciones a partidas de gasto relacionadas precisamente con la educación superior.

3.6 La corresponsabilidad fiscal

La corresponsabilidad fiscal de las CCAA es una necesidad objetiva del sistema de financiación. Hasta 1997, por término medio, la recaudación de las CCAA por tributos propios y por impuestos cedidos se situaba en torno al 20% de la financiación total de la que disponían. Este hecho tiene graves implicaciones en la práctica: la reducida autonomía financiera de las CCAA por el lado de los ingresos, frente a la muy amplia capacidad de decisión sobre el destino de sus gastos, la reivindicación constante al Gobierno para que éste amplíe sus transferencias y resolver así sus problemas de gestión y la escasa eficiencia asignativa de un sistema de financiación que permite a las CCAA gastar sin incurrir en el coste político de recaudar sus ingresos.

El grupo de trabajo constituido a tal efecto en 1992 remitió al Consejo de Política Fiscal y Financiera y éste acordó para su aplicación en 1994 y 1995 (posteriormente ampliado a 1996) la cesión del 15% de la recaudación del IRPF obtenida en cada comunidad.

El sistema de cesión parcial de la recaudación del IRPF tuvo desde sus orígenes dos problemas principales:

1) No incluía absolutamente ningún elemento de corresponsabilidad fiscal de las CCAA, pues se limitaba a alterar simplemente el nombre de las cosas tal y como estaban establecidas con anterioridad. Se reducía la transferencia del Estado a las CCAA correspondiente a la participación en los ingresos del Estado y, en su lugar, se transfería a las CCAA el 15% de la recaudación obtenida por IRPF en su territorio. En todo este proceso las CCAA no tenían implicación alguna en la gestión del impuesto ni tampoco capacidad normativa sobre el mismo. Al mismo tiempo, los ciudadanos no podían percibir que sus pagos por IRPF eran en parte para la comunidad donde residían.

2) La cesión del 15% no solventó en modo alguno el problema de suficiencia financiera de las CCAA. El endeudamiento materializado en valores y créditos no comerciales, definido según el protocolo de déficit excesivo, pasó durante este quinquenio desde 1,50 billones

de pesetas a principios de 1992 hasta 4,75 billones de pesetas a finales de 1996, triplicándose holgadamente durante este período, sin que este instrumento de financiación supusiera freno alguno a esa tendencia.

Además la cesión del 15% del IRPF estaba sometida a topes mínimos y máximos de evolución, con lo que se convertía de hecho en una financiación adicional garantizada y con un techo de evolución, independiente de la recaudación del IRPF en el territorio respectivo, con lo que se aceptaba implícitamente que no era precisamente corresponsabilidad lo que se pretendía.

Este sistema no fue aceptado por las CCAA de Galicia, Andalucía y Extremadura, y lo fue a regañadientes por otras varias, suscitando siempre la crítica de los expertos en financiación autonómica por cuanto suponía establecer un instrumento que no cumplía lo que prometía (la corresponsabilidad) ni solventaba los graves problemas de suficiencia financiera que se estaban generando en las CCAA.

Una vez acordado el nuevo sistema de financiación para el quinquenio 1997-2001, que veremos a continuación, se sigue utilizando transitoriamente este instrumento, en tanto que todas las CCAA del artículo 143 de la Constitución no tengan asumida la competencia en educación no universitaria. Esta situación de transitoriedad encuentra su causa en el hecho de que a partir de 1997 todas las CCAA que se han incorporado al nuevo sistema de financiación disponen de una nueva tarifa autonómica del IRPF equivalente al 15% de la recaudación de este impuesto, al tiempo que las CCAA que tienen asumida la competencia educativa en todos sus niveles requieren más recursos y mantienen adicionalmente la participación en el 15% del IRPF recaudado en su territorio. Una vez que todas las CCAA tengan asumidas competencias educativas plenas, el propio acuerdo de financiación prevé que la tarifa autonómica del IRPF pase a ser equivalente al 30% de la recaudación de este impuesto, abandonándose entonces este instrumento de cesión parcial de la recaudación del impuesto que, como hemos señalado, no incorpora elementos de corresponsabilidad al sistema.

3.7   El quinquenio 1997-2001

La financiación actual de las CCAA de régimen común, con la excepción de Andalucía, Castilla-La Mancha y Extremadura, que no han aceptado el modelo, se rige por el nuevo sistema de financiación de las CCAA para el quinquenio 1997-2001 aprobado por el Consejo de Política Fiscal y Financiera el 23 de septiembre de 1996.

Este modelo de financiación es realmente novedoso por incorporar un tratamiento adecuado de la corresponsabilidad fiscal de las CCAA, al mismo tiempo que es respetuoso con el elemento básico esencial del sistema de financiación autonómica desde sus orígenes, para asegurar la solidaridad del modelo: la garantía de financiación de los servicios prestados a los ciudadanos por las CCAA de forma homogénea cualquiera que sea su lugar de residencia en el territorio español.

A este respecto el nuevo modelo puede resumirse en los siguientes aspectos:

— La financiación global del sistema se determina según las variables y ponderaciones de las mismas procedentes del quinquenio anterior. Con ello se persigue que cada comunidad obtenga recursos suficientes para atender los servicios públicos que preste, al determinarse la financiación principalmente por la población de derecho de cada una de ellas.
Se refuerzan además los mecanismos de solidaridad del modelo mediante las asignaciones de nivelación dotadas presupuestariamente con 10.000 millones de pesetas y el aumento del Fondo de Compensación Interterritorial cuyo importe había estado congelado en los años anteriores.
— La participación de las CCAA en la gestión (en el seno de la Agencia Estatal de la Administración Tributaria) y en los rendimientos del IRPF mediante una tarifa autonómica, con competencia normativa limitada sobre la tarifa y las deducciones en este impuesto. Además las CCAA disponen de facultades normativas en la regulación de los tributos cedidos. Queda así garantizada la corresponsabilidad fiscal de las CCAA y la percepción por parte de los ciudadanos del destino de los impuestos que satisfacen.
— Se establece además un fondo de garantía que refuerza los mecanismos de solidaridad del sistema para preservar el equilibrio financiero y la suficiencia para aquellas CCAA que, de otro modo, no podrían mantener su participación relativa en el conjunto de los recursos. Este fondo de garantía se aplica a la cobertura de las siguientes circunstancias:

1) Garantía del límite mínimo de evolución de los recursos por IRPF. En el conjunto del quinquenio cada comunidad deberá obtener un crecimiento de los recursos proporcionados por el IRPF igual, como mínimo, al incremento que haya experimentado el PIB nominal de España.
2) Garantía de suficiencia dinámica del sistema. En el conjunto del quinquenio se garantiza a cada CA que el incremento de sus recursos por IRPF y por participación en los ingresos generales del Estado no será inferior al 90% del incremento que experimenten los recursos del conjunto de las CCAA.

3) Garantía de cobertura de la prestación de servicios. Una vez concluidos los traspasos de educación no universitaria a todas las CCAA, se garantiza que, en el quinto año del quinquenio, la financiación por habitante de cada comunidad no podrá ser inferior al 90% de la financiación media por habitante del conjunto de las CCAA.

4) Garantía del límite mínimo de evolución de los recursos por ingresos generales del Estado. La participación en los ingresos generales del Estado tendrá como incremento mínimo garantizado el que resulte de aplicar anualmente el PIB nominal al coste de los factores.

A grandes rasgos el modelo opera de la siguiente forma: se toma como año base el de 1996, para el cual se cumple el principio de neutralidad financiera y en el que no se produce coste alguno para la Administración del Estado; en dicho año base se detrae de la financiación que obtendrían las CCAA la recaudación normativa correspondiente a los tributos cedidos y tasas y la recaudación normativa por la tarifa autonómica del IRPF; la diferencia obtenida es la participación en los ingresos del Estado que, transitoriamente, se desdobla en dos apartados, el de participación en los ingresos generales del Estado y el correspondiente a la participación en la recaudación del IRPF (cuadro 23.8).

Puede observarse en el cuadro 23.8 que la tarifa autonómica del IRPF aumenta en un promedio aproximado de un 20% la autonomía en los ingresos obtenidos por las CCAA de régimen común, duplicando en la mayor parte de los casos el grado de decisión que sobre sus ingresos corresponde a estas Administraciones públicas. Por su parte, los recursos a transferir de los Presupuestos Generales del Estado a las CCAA se reducen hasta suponer poco más del 50% del total de recursos de financiación general de éstas. Esta situación se reforzará cuando la participación en el IRPF estatal se incorpore a la tarifa autonómica, momento en el que, en promedio, únicamente serían necesarias transferencias desde los Presupuestos Generales del Estado por la tercera parte de la financiación general de las CCAA.

De esta forma, en el año base 1996 se establece un capítulo nuevo de ingresos que corresponde a la recaudación normativa por la tarifa autonómica del IRPF que, por el mismo importe, se detrae de la participación en los ingresos del Estado. El efecto financiero es neutral en 1996, pero, a partir de 1997, el importe total de recursos que obtenga cada comunidad dependerá de la evolución respectiva del IRPF, al tiempo que las reglas de evolución (crecimiento del PIB nominal) garantizan la suficiencia financiera del modelo durante todo su período de vigencia. Al final del quinquenio, las reglas de garantía antes descritas aseguran que cada comunidad obtiene recursos de forma estable y que la financiación per cápita en todas ellas no tendrá una gran dispersión.

Cuadro 23.8   Recursos de las Comunidades Autónomas, 1996

CCAA	Recaudación normativa de tributos cedidos (% total)	Recaudación normativa de tasas afectas (% total)	IRPF tarifa complementaria (% total)
Cataluña	29,61	1,97	25,58
Galicia	13,08	1,73	12,25
Andalucía	14,18	2,21	11,07
Valencia	28,46	1,41	18,04
Canarias	18,34	1,6	12,38
Total Artículo 151	*20,96*	*1,9*	*16,49*
Asturias	37,32	5,23	37,36
Cantabria	21,5	2,76	25,98
La Rioja	34,0	2,08	29,27
Murcia	35,38	2,79	30,82
Aragón	40,02	3,1	35,07
Castilla-La Mancha	21,67	3,53	21,45
Extremadura	15,33	3,01	14,56
Baleares	42,08	3,38	49,03
Madrid	32,68	4,31	58,97
Castilla y León	24,7	3,93	24,74
Total Artículo 143	*29,45*	*3,78*	*37,44*
Total	**23,34**	**2,43**	**22,38**

FUENTE: Elaboración propia a partir del Acuerdo 1996 (BOE de 22 de abril de 1997).

Las cifras de endeudamiento del conjunto de las CCAA en los casi tres años transcurridos de aplicación del nuevo modelo son muy elocuentes en lo relativo a la suficiencia de recursos obtenidos por estas Administraciones públicas: desde 1 de enero de 1997 (4,75 billones de pesetas de deuda) hasta el tercer trimestre de 1999 (5,34 billones de pesetas) el endeudamiento del conjunto de las CCAA ha aumentado únicamente 0,6 billones de pesetas, menos de la quinta parte (3,25 billones de pesetas) del incremento que se registró en el quinquenio anterior de 1992-1996. Sólo en los dos últimos años del quinquenio anterior —1995 y 1996— la deuda autonómica aumentó en 1,2 billones de pesetas, el doble del crecimiento registrado en los tres últimos años de aplicación del nuevo modelo.

La liquidación correspondiente a 1997 del nuevo sistema de financiación, última conocida, pone de relieve que el actual modelo, además de

(porcentajes sobre el total de cada comunidad)

Diferencia: recursos a transferir por PGB (% total)	Pie: tramo participación en IRPF estatal (% total)	Financiación adicional por transferencias estatales: pie tramo general (% total)	Total recursos (millones ptas.)
42,84	25,58	17,25	605.393,2
72,93	12,25	60,68	305.940,8
72,54	11,07	61,47	740.429,1
52,08	18,04	34,04	356.116,2
67,68	12,38	55,29	184.287,4
60,66	*16,49*	*44,17*	*2.192.166,7*
20,09	12,45	7,64	53.401,1
49,75	25,98	23,77	34.991,1
34,65	29,27	5,38	16.818,0
31,01	30,82	0,19	42.926,5
21,81	11,69	10,12	73.494,5
53,35	21,45	31,9	96.511,4
67,11	14,56	52,55	68.420,6
5,52	0,0	5,52	30.121,8
4,04	0,0	4,04	273.196,4
46,63	24,74	21,9	166.907,1
29,32	*13,36*	*15,97*	*856.788,5*
51,85	**15,61**	**36,25**	**3.048.955,2**

avanzar en la corresponsabilidad fiscal de las CCAA, contribuye a la solidaridad interregional, pues son las CCAA con menos recursos las que han obtenido un mayor aumento en su financiación. En este sentido hay que lamentar que las CCAA que no se han incorporado al nuevo modelo por no querer asumir la tarifa autonómica del IRPF ni la capacidad normativa sobre el mismo hayan visto mermados sus ingresos en casi 30.000 millones de pesetas en el ejercicio 1997, respecto de los que les hubieran correspondido con el nuevo modelo de financiación al tratarse de CCAA con menor nivel de renta.

El estado actual de la financiación autonómica puede calificarse de satisfactorio. Ello es debido a que se han introducido elementos de corresponsabilidad, o lo que es lo mismo de racionalidad en el sistema, al tiempo que se amplían los recursos a disposición de las CCAA y se garantiza la solidaridad del mismo. A pesar de ello, no debe considerarse este modelo como el esquema definitivo de la financiación autonómica futura. Si algo nos enseña la historia de los últimos veinte años de descentralización territorial y de desarrollo del Estado de las Autonomías es que, manteniendo líneas de continuidad, de todo punto necesarias, cada nuevo acuerdo quinquenal de financiación debe aportar elementos nuevos que lo perfeccionen. Esta mejora continua seguirá siendo realidad mientras primen el diálogo, el acuerdo y la lealtad constitucional en el desarrollo futuro del Estado autonómico.

Referencias

Acebes Paniagua, Á. (1999): «El Modelo Territorial en la España del siglo XXI: La Constitución Española de 1978». Conferencia Club Siglo XXI, 17 de mayo.

Benito Ruano, E., y otros (1997): *España. Reflexiones sobre el ser de España*, Madrid, Real Academia de la Historia.

Fernández Díaz, J., y otros (1997): *Asimetría y cohesión en el Estado Autonómico,* Madrid, Ministerio de Administraciones Públicas, Instituto Nacional de Administración Pública.

Ministerio de Economía y Hacienda (1992): *Programa de Convergencia 1992-1996,* abril 1992, Madrid.

— (1998, 1999, 2000 en prensa): *La descentralización del Gasto Público en España. Período 1984-1995, período 1986-1997 y período 1987-1998,* Madrid, Secretaría de Estado de Hacienda, Dirección General de Coordinación con las Haciendas Territoriales.

— (1998): *Informe sobre la financiación de las Comunidades Autónomas. Ejercicio 1996,* Madrid, Secretaría de Estado de Hacienda, Dirección General de Coordinación de las Haciendas Territoriales.

— (2000): *Programa de Estabilidad 2000-2003,* febrero 2000, Madrid.

Pérez de Ayala, López de Ayala y otros (1998): *El Sistema de Financiación Autonómica,* Madrid, Ministerio de Administraciones Públicas, Instituto Nacional de Administración Pública.

Ruiz-Huerta Carbonell, J., y López Laborda (1999): *La Financiación Autonómica: Informe Comunidades Autónomas 1998,* Barcelona, Instituto de Deuda Pública.

Tornos, J. (1999): *Valoración General. Informe Comunidades Autónomas 1998,* Barcelona, Instituto de Derecho Público.

Urretavizcaya Ariorga, I. (1999): «Las reformas estatutarias del marco institucional autonómico: un paso más hacia la definitiva consolidación del Estado de las Autonomías», *Revista de las Cortes Generales,* nº 46. Madrid.

Sexta parte

Políticas por objetivos

24. Política de calidad de vida

Emèrit Bono, José Nácher y
Juan A. Tomás Carpi

1. Marco conceptual

1.1 Introducción

Afrontamos el inminente cambio de siglo con nuestras sociedades y economías en proceso de globalización. Padecemos horizontes inciertos y el destino se oscurece. Saber qué es correcto, bueno y justo se vuelve tarea imposible y, sin embargo, la opinión pública occidental muestra cada vez mayor preocupación por la *calidad* de *su vida*. Como criterio y, a la vez, objetivo que orienta la actuación de individuos, familias y sociedades, la *calidad de vida* ha adquirido carta de naturaleza en los últimos veinte años y los expertos se han ido haciendo cada vez mayor eco de esta preocupación creciente [1]. En concreto, Ralf Dahrendorf nos recuerda que «probar significa errar y nuestras instituciones deben proporcionar el modo de corregir los errores; ante todo, no debemos renunciar al intento de mejorar la calidad de vida… El que determinados valores de la Ilustración no hayan tenido buena fortuna en el siglo XX… no empaña su validez. Quizás, después de todo, tengan mejor suerte en el siglo XXI» [2].

1.2 El carácter multidimensional del concepto *calidad de vida* [3]

La expresión *calidad de vida* emerge en un contexto no académico durante los últimos treinta y cinco años. Se difunde y alcanza popularidad a través de los debates populares y de publicaciones generalistas, fundamentalmente en relación a los problemas de contaminación ambiental, al deterioro en las condiciones de vida provocadas por una industrialización y urbanización poco controladas. La popularización de la expresión revela, en definitiva, una más general y progresiva toma de conciencia sobre las consecuencias indeseadas de *un* cierto modelo de desarrollo económico [4], si bien un análisis estrictamente semántico pone de manifiesto que el concepto y sus usos presentan una considerable ambigüedad.

La palabra *calidad* como *significante* hace referencia a la naturaleza satisfactoria de una cosa o al lugar o grado ocupado por las cosas en la escala de lo bueno o malo, así que *calidad de vida* habría de referir el carácter más o menos bueno o satisfactorio de la vida. La palabra *vida* es bastante más polisémica. ¿Vida humana solamente? ¿Acaso no forma parte la vida humana de un ecosistema superior que contiene toda la flora y la fauna planetaria? Aun centrándonos en el ámbito de la vida humana, ¿a qué vida nos referimos? ¿Individual o colectiva? ¿Mental o física? En cualquier caso, lo cierto es que, como expresión popular y/o como concepto, el término *calidad de vida* forma parte de un grupo más extenso —modo, nivel, condiciones de vida— que en el ámbito de la opinión pública o entre los expertos muestra el deseo cada vez más generalizado de acotar mejor los problemas de bienestar humano.

Frente a esta diversidad de significados, el proceso de investigación abierto en las últimas décadas muestra un cierto consenso básico sobre el contenido de *calidad de vida* a partir de la asunción del carácter biocultural del ser humano. Según los criterios establecidos por la UNESCO en 1979, la *calidad de vida* comprende todos los aspectos de las condiciones de vida de los individuos, es decir, todas sus necesidades y la medida en que se satisfacen. Incluiría los ámbitos material e inmaterial de la vida humana, así como la consideración del ecosistema como marco global. La satisfacción de los dos primeros ámbitos se reflejaría en el desarrollo personal y/o autorrealización y la satisfacción del marco global en el equilibrio ecológico[5]. Los seres humanos perciben sus necesidades en función de exigencias biológicas y de sensaciones y preferencias que tienen sus raíces socioculturales en el proceso de socialización y en las historias particulares. Satisfacer esas necesidades exige encontrar objetos-instrumentos, como vivienda, alimentación, sanidad y medio natural, y entablar relaciones con los semejantes (afectividad y sociabilidad), condicionadas a su vez por el disfrute de libertad y seguridad personal. Y, a su vez, el desarrollo físico y psíquico de la persona depende evolutivamente del grado en que se van alcanzando estas satisfacciones.

Apuntado este consenso básico, conviene pasar revista a las exploraciones conceptuales en torno a esos términos familiares de los que se hablaba más arriba. Así, el *modo de vida* refiere una esencia común a determinados colectivos asociada a patrones culturales (costumbres, valores, convicciones, experiencias compartidas). En cambio, el *estilo de vida* refleja la diversidad de modos de consumo y de satisfacción de necesidades existentes en el tiempo y el espacio[6]. Mientras que es posible encontrar una matriz básica de necesidades común al género humano[7], los estilos de vida varían según el contexto social, territorial y, desde luego, histórico.

Pero el concepto que precisa mayor atención porque está más claramente asociado a la *calidad de vida* es el de *nivel de vida*. Así, se suele entender por *nivel de vida* la cantidad de bienes y servicios, públicos y privados, a disposición de los individuos. A veces, se identifica con la renta disponible, un buen indicador, aunque insuficiente. Recordemos que, cuando se trata de bienes y servicios públicos, algunos son relativamente mensurables (como el transporte público o la sanidad, por ejemplo), pero otros lo son difícilmente (como la calidad ambiental o la seguridad personal, por ejemplo). Aquí el planteamiento habitual sobre las relaciones entre *nivel* y *calidad de vida* es el de que las personas y las familias aspiran primero a que su vida alcance un cierto nivel para, posteriormente, incrementar sus aspiraciones a que esa vida proporcione satisfacciones de orden superior, no tanto cuantitativas o básicas como cualitativas y representativas de su idiosincrasia personal[8].

En la práctica, sin embargo, el modelo de desarrollo occidental ha supuesto algunos *trade-off* entre *nivel* y *calidad* de vida y no puede concluirse que la tendencia general de las sociedades occidentales es tan idílicamente *progresista* como puede predecirse desde la teoría para las estrategias individuales y familiares. Así, el aumento en el nivel de vida estrictamente identificado con el acceso a bienes privados y públicos, una manera de entender el *progreso*, parece haber supuesto al mismo tiempo pérdidas en factores de calidad de vida en el ámbito de los bienes relacionales (afectividad y sociabilidad), en el entorno ambiental (físico y paisajístico) de la vida cotidiana y en el ecosistema local y/o global. La progresiva mercantilización y/o funcionalización de las relaciones personales, así como el proceso de urbanización *despersonalizante,* han contribuido a reducir la sensación de seguridad y estabilidad personal y colectiva, no sólo por la naturaleza cada vez más incierta de las fuentes de ingresos familiares, sino también porque han mermado la tradicional función garante de orientación axiológica y de afectividad de la propia familia nuclear[9].

Puede concluirse entonces que, si bien el debate público y, bastante más tímidamente, las propias políticas públicas han ido asumiendo el objetivo-referencia de la *calidad de vida* en ámbitos como el de la seguridad personal (laboral) y la conservación del ecosistema, las cada vez más fundamentadas y aceptadas revisiones del acendrado *progresismo* entre la comunidad de expertos no parecen encajar demasiado bien en estos tiempos presentes, en los que el pretendido *liberalismo* de muchas agendas gubernamentales se identifica sólo con la *mercantilización* de la vida, sin que, por otra parte, esa *mercantilización* tenga lugar necesariamente en un entorno con suficiente competencia.

Otros ámbitos de los que depende la calidad de vida han sido apenas atendidos por la política pública (en especial la participación ciudadana, ocio y comunicación). Y otros muchos pertenecen al ámbito estricto de la vida privada. En general, puede afirmarse que la política pública ha venido siendo subsidiaria o instrumental en relación al objetivo mucho más principal del nivel de vida, eso sí, casi siempre entendido al modo *mercantilista* y *funcionalista*.

1.3 Hitos en el debate sobre calidad de vida, bienestar e indicadores

La economía no se ha caracterizado precisamente por abordar analíticamente la calidad de vida, sabidas las reticencias hacia cualquier psicologismo *subjetivista* del paradigma dominante. Quizás ha sido Amartya Sen el economista que ha mostrado mayor preocupación por elaborar una teoría lo más completa posible del *bien-estar (well-being).* Sen entiende el concepto como un inventario de capacidades, oportunidades y ventajas personales para *funcionar* en una sociedad concreta y lo opone, precisamente, al bienestar utilitarista *(welfare),* referido sólo a la pura satisfacción de las necesidades individuales. Así, según el Premio Nobel, «los funcionamientos representan partes del estado de una persona; en particular, las cosas que logra hacer o ser al vivir. La capacidad de una persona refleja combinaciones alternativas de los funcionamientos que ésta puede lograr, entre los cuales puede elegir una colección. El enfoque se basa en una visión de la vida en tanto que combinación de varios quehaceres en los que la calidad de vida debe evaluarse en términos de la capacidad para lograr funcionamientos valiosos [...] la calidad de vida de que disfruta una persona no es sólo cuestión de lo que logra, sino también de cuáles eran las opciones entre las que esa persona tuvo la oportunidad de elegir» [10].

Para Sen, funcionamientos y capacidades constituyen elementos clave de una visión integrada de la calidad de vida. Los *funcionamientos* aluden a cosas tan elementales como estar bien alimentado o disponer de salud, pero también a realizaciones más complejas como ser feliz, tener dignidad, participar en la vida comunitaria, etc. Las capacidades o el conjunto de capacidad en el ámbito de los funcionamientos revelan la libertad de la persona para elegir entre posibles maneras de vivir. Así, a pesar de las diferencias que puedan existir en la ponderación de los funcionamientos valiosos, en el marco de sociedades dominadas por una pobreza extrema las personas pueden avanzar en la calidad de su vida con un número relativamente pequeño de funcionamientos centrales y de las capacidades básicas correspondientes. En estas sociedades, la habilidad para conseguir suficiente nutrición y contar con buena vivienda y la posibilidad de escapar de la morbilidad evitable y de la mortalidad prematura pueden elevar notablemente la calidad de vida.

En esta búsqueda *esencialista* de contenidos para el concepto de *calidad de vida*, la filósofa Martha Nussbaum propone inventariar una lista de capacidades funcionales básicas con ayuda de Aristóteles[11]. Este remonte a los albores de la civilización occidental se justificaría porque, para poder establecer sensatamente *cómo va* un país determinado, se precisa también conocer hasta qué punto la gente que vive en él es capaz de funcionar en los *modos humanos centrales*, relativamente estables desde la Grecia clásica. Sin una explicación, por vaga que sea, que dé cuenta del bien que *debe* ser compartido se carece de una base suficiente, primero, para detectar qué falta en la vida de los pobres, los marginados o los excluidos y, segundo, para justificar la pretensión de que cualquier tradición profundamente arraigada es *injusta*. Según Nussbaum, la identificación del bien que *debe* ser compartido y las propuestas de actuación institucional para acercar los logros de la vida personal a ese bien sólo pueden efectuarse revisando históricamente las autointerpretaciones y autoevaluaciones que el género humano ha producido en cualquier ámbito. Esta revisión muestra dos hechos relativamente indiscutibles: primero, que siempre reconocemos a otros humanos a pesar de las divisiones de tiempo y lugar; segundo, que los caracteres cuya ausencia significa el fin de una forma de vida humana son ampliamente compartidos. El resultado de la indagación de Nussbaum es el inventario de capacidades funcionales adjunto en el recuadro 24.1[12].

Desde otra perspectiva, y de regreso a las polémicas relaciones entre *nivel* y *calidad* de vida que se señalaban más arriba, Manfred Max Neef ha propuesto distinguir tajantemente entre los medios (el consumo) y el fin, esto es, el bienestar efectivamente conseguido, ya que su relación no está precisamente tan clara[13]. Max Neef distingue dos tipos de necesidades humanas: existenciales y axiológicas. Así, para conseguir bienestar, existen nueve necesidades humanas axiológicas que deben ser satisfechas: 1) subsistencia; 2) protección; 3) afectividad; 4) comprensión y conocimiento; 5) participación; 6) ocio; 7) creación; 8) identidad; 9) libertad. Su satisfacción tiene lugar en el ámbito de las cuatro necesidades existenciales: (i) ser, (ii) tener, (iii) hacer, (iv) interactuar.

El trabajo analítico de Max Neef es relevante porque permite diferenciar clara y sencillamente la condición universal de las necesidades y el carácter cultural de los satisfactores. De este modo, la comida y el abrigo son contemplados no como necesidades en sí mismas, sino como medios satisfactores de las necesidades de subsistencia y protección. Las actividades y consumos que pueden reportar bienestar —la oferta de bienestar— contienen el proceso encaminado a satisfacer las necesidades señaladas, y el fracaso en este proceso permite esclarecer distintos tipos de malestar y pobreza más allá de los criterios simples relativos a renta per cápita y su evolución[14].

El debate en torno a la elaboración de indicadores de bienestar arroja también bastante luz sobre los posibles contenidos del término *calidad de*

Recuadro 24.1 Capacidades funcionales básicas según Nussbaum

1. Poder vivir hasta el final una vida humana completa, tanto como sea posible, sin morir prematuramente, o antes de que la vida de uno haya quedado tan reducida que no merezca la pena ser vivida.
2. Poder tener buena salud, estar suficientemente alimentado; disponer de alojamiento suficiente; contar con oportunidades de satisfacción sexual; poder desplazarse de un lugar a otro.
3. Poder evitar el dolor necesario y perjudicial, así como disfrutar de experiencias placenteras.
4. Poder usar los cinco sentidos, imaginar, pensar y razonar.
5. Poder vincularse a personas y cosas fuera de nosotros, sentir pena en su ausencia; en general, amar, padecer, sentir anhelos y gratitud.
6. Poder formarse una concepción del bien y comprometerse en una reflexión crítica acerca de la planificación de la propia vida.
7. Poder vivir con y para otros, reconocer y mostrar preocupación por otros seres humanos, comprometerse en varias formas de interacción familiar y social.
8. Poder vivir preocupado por animales, plantas y el mundo de la naturaleza.
9. Poder reír, jugar, disfrutar de actividades recreativas.
10. Poder vivir la propia vida y la de nadie más y en el propio entorno y contexto.

vida y, sobre todo, recoge los obstáculos de orden práctico a la medición y/o evaluación. Los indicadores genéricos, el principal de los cuales es el Bienestar Económico Neto de Nordhaus y Tobin (BEN), están sometidos a críticas robustas por su excesiva imprecisión y/o por su insuficiencia. El BEN ajusta la producción nacional total incluyendo sólo los elementos del consumo y la inversión que contribuirían de manera directa al bienestar. A partir del PIB según criterios de contabilidad nacional, se excluyen componentes del mismo que no aumentan el bienestar (deterioros medioambiental y urbano, por ejemplo) y se incluyen, en cambio, algunos elementos clave del consumo que el PIB omite (valor del tiempo de ocio y estimaciones sobre economía sumergida, por ejemplo).

El Índice de Bienestar Económico Sostenible de Daly y Cobb (IBES) trata de mejorar los defectos del BEN corrigiendo la medida convencional del consumo personal a través de factores sociales y ambientales [15]. Incluye estimaciones de la distribución de la renta y de actividades no monetarizadas (trabajo doméstico), así como de la polución del aire y agua, de la contaminación acústica, del agotamiento de los recursos naturales, de daños ecológicos y de los gastos medioambientales defensivos. A pesar de que el IBES incrementa la diversidad informativa sobre factores de bienestar, sus estimaciones introducen demasiada evaluación cualitativa (qué gastos son compensatorios, qué algoritmo para valorar la distribución de la renta), dificultándose así también su valor como índice para comparar países y períodos[16].

Quizás el logro más destacado en este proceso de elaboración de indicadores concierne a las Naciones Unidas y su Índice de Desarrollo Humano (IDH), elaborado inicialmente a finales de los ochenta y en constante refinamiento y alrededor del cual se han precisado también Índices de Género (en 1995) y de Pobreza (1997). Los trabajos al respecto en 1999 sintetizan el bienestar como consecuencia de tres capacidades humanas básicas: vivir una vida larga, tener conocimientos y disfrutar de un nivel *decente* de vida. Y presentan tres indicadores: longevidad, medida en función de la esperanza de vida; nivel educativo, medido en función de una combinación de tasas de alfabetización de adultos (ponderación 2/3) y de matriculación en enseñanza primaria, secundaria y terciaria (1/3); nivel de vida, medido por el PIB real per cápita, en términos de paridad de poder adquisitivo en dólares[17]. Si bien el IDH de Naciones Unidas permite comparaciones relativamente significativas entre países y entre momentos, adolece de un déficit en la evaluación de la situación medioambiental.

1.4 Hacia un concepto operativo de *calidad de vida*

El debate en torno a los conceptos de bienestar y calidad de vida ha permitido en los últimos años acotar mejor los contenidos exigibles a ambos y transformar esos contenidos en indicadores *proxy*, cada vez más satisfactorios. Sin embargo, a la hora de investigar la realidad social y el posible efecto de las políticas públicas, las cosas son todavía bastante complicadas porque la problemática a considerar es obviamente muy amplia y dispersa y, para muchas sociedades, todavía no se dispone de suficientes indicadores *proxy*. A continuación, desde un perspectiva operativa, precisamos el concepto que utilizaremos para abordar los rasgos básicos de la problemática de la calidad de vida en España y las políticas públicas que presentan incidencia sobre la misma.

Hemos visto que, en esencia, la calidad de vida de una sociedad depende del grado de satisfacción de las necesidades materiales e inmateriales de sus miembros. Sin embargo, como advierte M. L. Setién, no hay que pasar por alto el hecho de que «la calidad de vida no equivale a bienestar o felicidad individual, pero sí a la satisfacción global. Se trata de un atributo colectivo»[18]. Y ese atributo colectivo, según J. Alguacil, contiene «el nivel y el modo de vida, pero va más allá, abriendo camino a una potencialidad donde los objetivos y prácticas de la vida se retroalimentan mutuamente en un proceso rizomático (espiral), continuo y permanente, en una aproximada satisfacción óptima de las necesidades sociales»[19].

Además de referirse tanto al ámbito individual como colectivo, hemos apuntado que la calidad de vida presenta tres dimensiones: física, social y emocional. De acuerdo con criterios operativos como los establecidos por la OCDE ya en 1982, pueden acotarse ocho áreas de objetivos centrales para la calidad de vida sobre los que deberían generarse indicadores: salud, educación, empleo y calidad del mismo, tiempo y ocio, capacidad adquisitiva de bienes y servicios, medio físico, medio social y seguridad de las personas[20].

En resumen, entenderemos el concepto calidad de vida como un *constructus* social que refiere el conjunto de las condiciones de vida de las personas y su grado de satisfacción en relación con los patrones y valores sociales y culturales dominantes, e incluye la satisfacción de necesidades materiales y físicas (medio ambiente, vivienda, salud, etc.) o sociales (educación, cultura), las cuales interactúan entre sí, de modo que no es posible considerarlas aisladamente, pues cada una de estas necesidades adquiere significación funcional en relación con el conjunto. Evidentemente, esto significa que los distintos componentes de la calidad de vida en el plano individual y, sobre todo, colectivo pueden entrar en conflicto. Personas y colectivos pueden verse afectados por un mismo componente o factor en sentido contrario. La mejora en las condiciones de algunos empeora las condiciones de otros. Desde el punto de vista de las políticas públicas y su posible eficacia, es aquí muy evidente la imposibilidad de actuar con objetivos de optimalidad paretiana y, por tanto, la necesidad de priorizar personas y/o colectivos atendiendo a unos u otros valores. Cuando la política pública se piensa en términos de calidad de vida, se revela de manera inequívoca su indiscutible naturaleza *ideológica*.

En este contexto, las referencias establecidas hasta aquí en el ámbito teórico y en el plano institucional con un carácter más pragmático permiten elaborar un esquema central que, desde nuestra manera de entender el concepto, se puede utilizar para abordar la problemática real en España —véase el recuadro 24.2[21]. En lo que sigue, la exposición de políticas públicas con objetivo y/o repercusión sobre la calidad de vida de los españoles durante los noventa sigue el esquema y orden de exposición establecido por el esquema, a excepción de las políticas culturales, cuya intrínseca dispersión territorial dificulta su tratamiento. Se persigue antes que nada detectar los problemas todavía irresueltos más acuciantes, así como identificar colectivos en los que pueda concentrarse excesivamente el déficit de oportunidades al respecto.

Recuadro 24.2 Un esquema de evaluación operativa sobre calidad de vida

2.1. Calidad ambiental	2.2. Bienestar	2.3. Identidad
Objetivos		
Medio y hábitat natural y antrópico *saludables*.	Derecho al empleo, salud y educación.	Oportunidades de desarrollo individual.
Sectores y planos de realidad		
Vivienda.	Empleo.	Igualdad de oportunidades entre sexos.
Entorno urbano.	Educación.	Seguridad.
Medio ambiente.	Salud.	Participación ciudadana.

FUENTE. Elaboración propia.

2. Calidad de vida y políticas públicas en España: 1993-1999

2.1 Políticas para la calidad ambiental

2.1.1 Políticas de vivienda y sobre el entorno urbano [22]

Coincidiendo con un período en el que los tipos de interés hipotecarios han acusado un descenso drástico, el sector inmobiliario español registra un nuevo *boom* constructor, altamente concentrado en la vivienda libre, que está permitiendo satisfacer parte de la demanda *embalsada* a lo largo de la década. Si en 1994 el tipo de interés nominal hipotecario estaba en el 10,5%, a finales de 1999 se ha situado en el 4,38%. Si en 1991 las familias españolas tenían que dedicar el 52,7% de la renta familiar —incluidas bonificaciones fiscales— a la adquisición de vivienda, en 1999 este porcentaje ha disminuido hasta el 25,4% [23]. Se trata de una mejora sustancial en las condiciones que afectan al acceso a la vivienda, y esta mejora es, sin duda, resultado de la efectividad de las políticas macroeconómicas monetaria y presupuestaria nacionales orientadas a reducir las tasas de inflación y el déficit y deuda públicos —como se sabe, también *inspiradas* desde la

UE—. Ahora bien, esta evolución positiva no obvia la existencia de algunos problemas de calidad de vida que la política pública de vivienda en la segunda mitad de los noventa no ha podido solventar.

En efecto, la tónica general en los gobiernos *socialista* y *conservador* ha sido la falta de voluntad para contribuir a la consolidación de la oferta de vivienda de promoción oficial VPO y al incremento de la oferta de vivienda en alquiler, naturalmente mucho más precisas para la población de menor nivel de renta[24]. A pesar de las medidas fiscales pertinentes que habrían de beneficiar a las familias con ingresos inferiores a los 4,5 millones de pesetas, el actual Plan de Vivienda 1998-2001 vigente se muestra completamente inefectivo para permitir superar el déficit en la construcción de vivienda de protección oficial y de alquiler, así como para agilizar el acceso a los 4 millones de viviendas vacantes estimadas[25]. El análisis experto y de los propios profesionales muestra que este *boom* responde también a un aumento muy considerable en la construcción de vivienda secundaria (tanto litoral como interior) y ha elevado los precios por encima del aumento del IPC y los salarios medios[26].

Este incremento de precios se debe a la presión de la demanda sobre una oferta que enfrenta ocasionalmente estrangulamientos de su capacidad productiva (hasta llegarse a la total *ausencia* de inputs y trabajadores), pero también a factores estructurales o relativamente exógenos a la demanda de vivienda como bien de consumo. En este último caso, es importante la entrada de dinero especulativo *blanco* o *negro* en un contexto general de menor rentabilidad relativa de los valores mobiliarios e inminente entrada en vigor del euro. Por lo que se refiere a los factores estructurales, los mercados locales de suelo son demasiado oligopólicos y el modelo de financiación de las AAPP locales desincentiva la formación de patrimonios municipales de suelo. El gobierno *conservador* ha reducido la cesión obligatoria de suelo por parte de los promotores inmobiliarios a las AAPP locales con el objeto de aumentar la competencia en el mercado de suelo, pero, de este modo, ha podido dificultar la formación de patrimonio municipal de suelo y la provisión de determinados equipamientos públicos locales. De todos modos, los ayuntamientos *necesitan* la financiación que les proporciona la fiscalidad sobre el suelo y la vivienda, así que continuarán existiendo problemas para gestionar políticamente el precio del suelo y, por tanto, para moderar los precios finales. Tampoco parece esta situación el mejor contexto para estimular la todavía hoy escasamente rentable producción de viviendas oficiales y de alquiler y facilitar el acceso a una vivienda digna a la población con menor nivel y seguridad de renta, dentro de la cual una parte sustancial de los jóvenes representan un grupo de riesgo, como concretaremos más adelante.

Como en otros momentos relativamente recientes, el *boom* inmobiliario reflejaría no sólo un acceso efectivo de más familias a la vivienda, sino también un proceso especulativo que tiene efectos redistributivos de carác-

Recuadro 24.3   Globalización y reestructuración urbana

1. Concentración de actividad estratégica en áreas metropolitanas y dominio de una minoría.
2. Incremento de la competencia entre ciudades para localizar inversiones.
3. Desregulación urbanística.
4. Descentralización, dispersión y *encapsulamiento* de áreas y actividades urbanas.
   4.1 *Suburbanización* residencial.
   4.2 *Centrificación* de la producción y consumo.
5. Polarización socioeconómica. Aumento de las diferencias entre y dentro de las ciudades.
6. Homogeneización de los modos de vida y paisaje urbano.

ter regresivo, aumentando a lo peor las diferencias reales entre los ciudadanos españoles en cuanto a sus oportunidades de calidad de vida[27]. Además, la información disponible muestra las enormes diferencias todavía existentes entre españoles según donde tengan fijada su estrategia laboral y/o residencial. En la Comunidad Autónoma de Madrid las familias necesitan el 36% de su renta para adquirir su vivienda, porcentaje que se reduce a la mitad en el caso de Castilla-La Mancha[28].

Pero el nuevo *boom* inmobiliario es consecuencia y, a su vez, contribuye a consolidar la *versión* española de los patrones urbanísticos cada vez más imperantes en las sociedades occidentales —véase el recuadro 24.3[29]—. Frente a los objetivos del *primer* urbanismo democrático en España, bastante más centrados en propiciar calidad de vida y ciudadanía, las supuestas obligaciones que impone el proceso de globalización propician en nuestro país una filosofía urbanística orientada sobe todo a lograr ventajas comparativas y competitividad de las ciudades como lugares funcionales y atractivos, cada vez más en los términos convenientes a la minoría de agentes que operan globalmente y para los que la calidad de *su* vida sí es un factor determinante en las elecciones de localización residencial[30].

La coartada de adaptación competitiva a los nuevos *estilos de vida* y a los condicionantes de la globalización puede estar suponiendo que el urbanismo español en las ciudades de tamaño medio y grande se ponga sobre todo al servicio de un grupo social determinado, estratégicamente importante pero socialmente minoritario, y que, haciendo uso de su autonomía vital, está en disposición de diferenciar territorialmente sus estrategias laborales, residenciales, de consumo y ocio, localizándolas cada vez más en sitios distintos y tolerando, cuando no prefiriendo, un considerable aislacionismo o *encapsulamiento* respecto al resto de la ciudad y ciudadanos. Una gran parte de españoles, en cambio, no disfruta de estos grados de libertad, y si el nuevo urbanismo pierde de vista la íntima relación espacial todavía existente entre vivienda y trabajo y relega las necesidades de comunicación entre los barrios urbanos, «el aislamiento y segregación en los grupos no incluidos en el ciudadano tipo (esto es), niños, ancianos, parados, amas de casa, discapacitados, etc.»[31] están servidos.

El hecho en sí es lo suficientemente extendido y preocupante en los países occidentales como para que la propia OCDE haya reaccionado en la segunda mitad de los noventa. Los trabajos realizados para España en el marco del *Project Group in Distressed Areas* 1995-1997[32] —véase el recuadro 24.4— muestran que la proporción de población implicada en estos posibles procesos de marginación es considerable. En el grupo de municipios mayores de 50.000 habitantes, se estima que alrededor de 2,87 millones de españoles viven en barrios desfavorecidos, lo que supone el 14,4% de su población urbana y un 7% de la población nacional. Si el grupo se amplía hasta incluir todos los municipios con población mayor a 20.000 habitantes, entonces se estima que 5 millones de españoles viven en barrios desfavorecidos, lo que significa un 20,2% de su población urbana y un 12,5% del total nacional. La mitad de esos 5 millones de habitantes reside en ciudades mayores de 100.000 habitantes. No parece, pues, que las políticas públicas de vivienda y entorno urbano planteadas desde los distintos niveles de gobierno en nuestro país en la segunda mitad de los noventa hayan contribuido a remover los obstáculos que afectan a la calidad de vida de esta importante proporción de población —uno de cada cinco habitantes en los municipios mayores de 20.000 habitantes.

Sin duda, las prioridades de competitividad urbana en su versión mercantil y hasta cierto punto *elitista* que, para bien y para mal, se detectan en las grandes y medianas ciudades españolas no deberían hacer perder de vista los problemas de legitimidad democrática que esta situación comporta para los gobiernos, dificultando claramente cualquier intento posterior de redistribuir riqueza. Aunque la prioridad mercantil y de *elite* se deba incluso a una decisión *sinceramente* ideológica o pragmática, la experiencia existente —en Estados Unidos, sin ir más lejos— demuestra que la marginación absoluta e, incluso, relativa es antesala de tensiones sociales, criminalidad y, por tanto, inseguridad, un factor siempre elemental de atractivo locacional y competitividad urbana.

2.1.2   Políticas de medio ambiente

La política medioambiental en España tiene su origen en las exigencias que impuso al país la integración en la UE[33]. Desde 1986, los gobiernos sucesivos han operado en el marco establecido por las Directivas comunitarias

Recuadro 24.4   Marginación urbana: el caso español. *Project Group in Distressed Areas,* **1995-1997, OCDE**

Metodología básica: (i) selección según censo de agrupaciones mayores a 3.500 habitantes; (ii) criterios de desfavorecimiento: pobreza relativa, carencia de estudios y carencia de servicios en la vivienda.

CONCLUSIONES PRINCIPALES SOBRE BARRIOS DESFAVORECIDOS

1. Acumulan desempleo —31%—, desempleo juvenil —41%—, falta de estudios —26%— y carencia de viviendas en condiciones.
2. Son lugar de residencia inicial de población desfavorecida.

TIPOLOGÍA BARRIOS DESFAVORECIDOS

A. Cascos históricos: población envejecida, viviendas con carencias.
B. Barrios originados por promociones unitarias, públicas o privadas: peor situación sociolaboral relativa y viviendas con mayor calidad relativa.
C. Barrios urbano-centrales: elevadas tasas de paro (29,2%), falta de estudios (25%), viviendas con muchas carencias.
D. Barrios urbano-periféricos (ausencia de planificación): segunda peor situación sociolaboral relativa —31% tasa de paro, 27,7% falta de estudios— y viviendas con muchas carencias.

medioambientales para encauzar, paliar y reducir aquellas actividades humanas que impactan negativamente en los ecosistemas, sostenes de la vida económica, social y política y cuya protección, por tanto, es un objetivo prioritario para la calidad de vida. En lo que sigue, analizamos el estado de las cosas por lo que se refiere a cuatro componentes elementales al respecto: (i) calidad de las aguas; (ii) tratamiento de residuos urbanos e industriales; (iii) contaminación atmosférica; (iv) erosión y contaminación de los suelos.

Por lo que se refiere al agua [34], las disponibilidades en España están cifradas en 114.000 millones de m^3, el 80% de los cuales tienen origen superficial y el resto subterráneo. Mientras, el consumo generado por la agricultura, industria y suministro urbano alcanza 31.000 millones de m^3. El regadío consumía el 72% de ese total, el abastecimiento público suponía casi un 13%, el enfriamiento en la generación de electricidad, el 9%, y la industria representaba el 6%. En el ámbito del agua superficial, no es ningún secreto que algunos de nuestros ríos principales están contaminados: el Ebro en los alrededores de Zaragoza, el Tajo entre Madrid y Toledo, el Guadalquivir en casi todo su recorrido. Además, a partir de las mediciones efectuadas en 251 estaciones estratégicamente localizadas en las diversas cuencas de los ríos españoles, los resultados muestran que el 15% contaba con agua de calidad excelente, el 10% de buena calidad, el 19% de calidad media, mientras que el 26% presentaba agua de calidad insuficiente y el 10% de mala calidad.

Por su parte, el agua subterránea presenta deterioros muy importantes de calidad en la costa de Valencia, el sur de la provincia de Málaga y en los alrededores de Madrid y Toledo. La concentración de nitrato en muchos puntos de la geografía nacional supera el máximo tolerable según el criterio OMS (50 mg./litro), llegando a duplicarse este máximo en algunas zonas, y también se han detectado con demasiada frecuencia pesticidas. En buena medida, el origen de estos problemas cualitativos en el agua superficial y subterránea se halla en los 60.000 puntos de vertidos agrícolas, urbanos e industriales existentes en España, los primeros de los cuales carecen frecuentemente de tratamiento y amenazan la calidad del agua subterránea en el 62% del territorio nacional[35].

Frente a esta situación, las políticas públicas emprendidas en el período analizado no han sido capaces de aportar un marco general estable para la gestión del agua y su calidad. Según la Ley *socialista* de Aguas de 1985, había que elaborar un Plan Hidrológico Nacional a partir de planes hidrográficos de las distintas cuencas, de las que dependen, por ejemplo, el permiso y control de vertidos. En 1995, se aprobó el Plan Nacional de Saneamiento y Depuración 1995-2005 y diferentes planes para el control de residuos industriales, cuyos costes respectivos se cifraban en 2 y 1 billón de pesetas aproximadamente, el primero de los cuales debía servir para cumplir la normativa europea sobre aguas residuales urbanas. Desde 1996, la actuación del gobierno *conservador* ha consistido en un recorte anual medio de 60.000 millones de pesetas en la inversión pública *ejecutada* (modernización de las infraestructuras, depuración, nuevos embalses, restauración de ecosistemas fluviales, desalinización, etc.)[36] y en la puesta en marcha de una reflexión *neoliberal* sobre la posible creación de un mercado en los derechos del agua con el objeto de modificar la ley *socialista* de 1985. Se trata de una apuesta *ideológica* sobre la que, como siempre, existe evidencia a favor —Estados Unidos— y en contra —Chile—. Naturalmente, si fructifica de manera definitiva esta apuesta política por el mercado, el propio Gobierno habrá que asegurar la verdadera existencia de competencia y esperar resultados. En cualquier caso, el debate sobre cómo generar el mercado continúa y suspende la entrada en vigor de los Planes Hidrológicos de Cuenca, ya elaborados. Mientras tanto, sólo el 33% del agua potable de uso humano recibe el tratamiento apropiado, contra un 57% de la misma que recibe la calificación de clase 3 por su excesivo contenido en nitratos y otros elementos [37].

En lo que respecta a los residuos urbanos, a mediados de los noventa España generaba 15 millones de toneladas año, lo que suponía alrededor de 380 kg per cápita, una cifra algo inferior a los países europeos de la OCDE —400 kg per cápita—. El tratamiento mayoritario de estos residuos, un 83%, se realizaba en vertederos, pero todavía un 25% del total se efectuaba en vertederos incontrolados y sólo un 12% se trataba para convertirlo en *compost*, en general de baja calidad. El problema aquí era y sigue siendo la recogida selectiva. Si bien se ha avanzado notablemente, se requiere una mayor coordinación a la alcanzada entre ayuntamientos y CCAA, esto es, más recursos, además de una eficacia superior en las estrategias de concienciación ciudadana sobre la separación de basura orgánica, papel, plástico y vidrio. Debe aumentar la calidad en el reciclaje y *compost* e incentivar así esta alternativa frente a las incineradoras. En el ámbito de los residuos tóxicos y peligrosos y para una producción anual de 4 millones de toneladas, la OCDE estimaba que el 34% se eliminaba en el mismo emplazamiento en que se produce y que tres cuartas partes del tratamiento final no cumplía la normativa comunitaria [38]. Hemos apuntado más arriba que la deposición en suelos no aptos filtra al agua subterránea y amenaza gravemente ecosistemas. Los dramáticos casos más recientes de Aznalcóllar o la ría de Huelva alertan acerca del peligro que representa el déficit de control y seguridad al respecto.

La actuación del gobierno del PP ha consistido en la aprobación de la Ley sobre Envases y Residuos de Envases en 1997 y la Ley de Residuos en 1998. En el primer caso, se trata de mejorar la gestión de los residuos urbanos, un tercio de los cuales son envases, mediante el instrumento de convenios firmados por CCAA y Ecoembes, una sociedad en la que se agrupan las empresas envasadoras, las grandes superficies comerciales y los productores de material reciclado. La Ley de Residuos, por su parte, actualiza en términos de normativa comunitaria la anterior Ley de Residuos Tóxicos y Peligrosos (1986), cuyos efectos legales permanecen paralizados, sin que hasta el momento se haya efectuado ningún desarrollo reglamentario o plan concretos. La agenda sobre residuos del actual gobierno prioriza la mejora en el tratamiento frente a las medidas que pudieran reducir la propia producción en origen. De manera que, probablemente, el volumen total de residuos seguirá incrementándose. Según el principio ecológico de que *el mejor residuo es el que no existe* y, teniendo en cuenta el patrón de conducta que sugieren las estimaciones de la OCDE para nuestro país, se trata de una apuesta que más que reducir las fuentes del riesgo se limita a controlar sus efectos.

Por lo que hace a la contaminación atmosférica, España cuenta con una situación relativamente aceptable en el contexto europeo y de la OCDE. Las emisiones per cápita de dióxido de carbono CO_2 son un 25% inferiores a la media de los países europeos de la OCDE, la concentración de óxido nítrico NO_2 se mantiene estable, los niveles ambientales de SO_2 están disminuyendo y la acidificación por deposición de sustancias ácidas es relativamente baja. No obstante, España ocupa la tercera posición en niveles ambientales de SO_2 y, a pesar de que ya en 1972 se promulgó una Ley de Protección del Ambiente Atmosférico y existe desde 1988 una Directiva comunitaria sobre grandes plantas de combustión, no existe una decidida voluntad política de mejorar el reconocimiento de la situación al respecto[39]. Los resultados de las pocas mediciones existentes no justifican una actitud gubernamental tan laxa, tampoco por lo que respecta a la contribución española en la emisión de ozono, problema *estrella* para buena parte de la opinión pública[40].

Como país firmante del Convenio Marco sobre Cambio Climático desde la Cumbre de Río de Janeiro (1992) hasta la de Kioto, España está actualmente *comprometida* junto al resto de la UE a reducir en un 8% las emisiones de gases con *efecto invernadero* para el año 2010 con respecto al nivel de 1990. Pero España, de acuerdo con una distribución interna entre países miembros siguiendo criterios *supuestamente* redistributivos *como si* se intercambiaran descensos e incrementos en este caso, podría aumentar sus emisiones en un 15%. A este respecto, según el propio gobierno, la emisión de CO_2 en España habría experimentado un crecimiento del 1,1% entre 1990 y 1996. Según otras fuentes y de acuerdo con criterios IPCC y OCDE, el aumento entre 1990 y 1998 habría sido del 22,8%[41]. Evidentemente, si la evaluación dramática es la más realista, la Estrategia Nacional de Lucha contra el Cambio Climático, iniciativa *conservadora* de 1998, tendrá que conseguir efectos inmediatos para cumplir los compromisos. El problema estructural de fondo es la baja eficiencia del modelo energético español. En España, el crecimiento en una unidad del PIB conlleva un mayor crecimiento en el consumo de energía, alrededor del 80% de la cual proviene además de combustibles fósiles. A pesar de los progresos efectuados en la producción de energías renovables, sobre todo la eólica[42], sólo un 7% de la energía consumida procede de fuentes renovables[43].

La conservación del medio natural constituye otro elemento clave de la calidad ambiental. El proceso de erosión y desertización del suelo en España alcanza cotas muy preocupantes. Un 18% del territorio nacional —9 millones de has.— sufre pérdidas agudas —entre 50 y 200 toneladas por ha. y año— y un 26% padece pérdidas moderadas —entre 15 y 50 T./ha./año[44]—. Evidentemente, se requieren medidas urgentes que controlen la aceleración adquirida por el proceso y procedan después a restaurar aquel suelo susceptible de ser recuperado. Pero aunque España firmó el Convenio de Naciones Unidas sobre Desertificación en 1994, los gobiernos españoles no han sido capaces de articular todavía un plan nacional de lucha contra la desertificación.

Por otra parte, entre 1991 y 1996 se procedió a elaborar un inventario de suelos contaminados. Los agentes contaminantes encontrados son metales pesados, petróleo, otros hidrocarburos y, ocasionalmente, DDT y PCB's. El 27% de los 395 emplazamientos detectados se localiza en áreas urbanas o en su entorno, el 60% plantea peligros de contaminación para aguas subterráneas y el 50% para aguas superficiales. En 1995, el gobierno *socialista* puso en marcha un Plan Nacional de Recuperación de Suelos Contaminados 1995-2005, con un coste previsto de 132.000 millones de pesetas, para evaluar 1.650 emplazamientos y acometer la limpieza de 275 puntos, prioritariamente el grupo de 113 en situación de alto riesgo. El grado en que se ha desarrollado la actividad prevista en este plan es relativamente desconocido. Sólo se sabe que se iniciaron actuaciones en Asturias y Aragón y se firmaron convenios con las CCAA implicadas para que asumieran competencias sobre su suelo contaminado.

En resumen, la política medioambiental durante el período ha carecido por completo de un enfoque *global* y omnicomprensivo que permita coordinar las actuaciones emprendidas sobre diferentes aspectos elegidos como estratégicos y en los distintos sectores productivos y/o territorios que se corresponden, en flagrante contradicción con las bien conocidas leyes de interdependencia que afectan a la supervivencia de los ecosistemas global y locales. Las políticas públicas han presentado un carácter puntual y fragmentario, sin que, en muchos casos, se haya profundizado lo suficiente aún en esta perspectiva parcial y *vertical*. El cambio de gobierno tampoco ha ido precisamente en beneficio de una mayor determinación al respecto [45]. Desde luego, la política medioambiental española no consigue aportar gran cosa a la calidad de vida de los ciudadanos, y está todavía muy lejos de ser pensada como instrumento para aumentar la *eficiencia ecológica* de las actividades humanas en territorio nacional y, menos aún, como una estrategia para que el desarrollo español y mundial sea cada vez más *mediaombientalmente sostenible*.

2.2 Las políticas públicas de bienestar

2.2.1 Introducción

Aunque la calidad ambiental es, sin duda, un aspecto crucial, el bienestar de la población española depende sobre todo de que nuestras familias cuenten entre sus miembros con *trabajadores* extradomésticos que reporten ingresos y permitan elaborar expectativas de independencia para construir proyectos individuales, familiares y/o colectivos. Muchas familias pueden resolver determinadas necesidades gracias a las prestaciones públicas de bienestar, pero el estado de dependencia en que se encuentran merma la calidad de su vida. Otras familias y ciudadanos permanecen incluso al margen de estas prestaciones y componen la población *severamente* pobre. De esta manera, si bien las políticas sanitaria, educativa y socioasistencial son absolutamente imprescindibles, las políticas de empleo se convierten en la piedra angular de las políticas orientadas a la calidad de vida. Pero, además, el trabajo extradoméstico, una vez logrado, puede efectuarse en condiciones de mayor o menor saludabilidad y de seguridad tanto física como psicológica y, a este respecto, también las AAPP pueden contribuir a mejorar esa seguridad.

2.2.2 Políticas de empleo y trabajo [46]

En la UE y, de manera especial en España, la superación del problema de bienestar que padece la población empleada en precario, desempleada y, de manera especial, estructuralmente desempleada depende en gran medida del éxito en las iniciativas gubernamentales, ya que, en contraste con los Estados Unidos, la propensión al autoempleo es reducida. Puede tratarse de una diferencia estructural de conducta contra la que *deberían* reaccionar los gobiernos, pero las actuaciones, el esfuerzo y el tiempo requeridos para alterar comportamientos culturales son siempre de magnitud considerable [47]. En cualquier caso, desde 1993 hasta finales de 1999, y, en especial, entre 1995 y 1999 la evolución del empleo en España ha experimentado una notable mejora.

Además del mejor comportamiento macroeconómico, los efectos de las reformas laborales de 1994 *(socialista)* y, más aún, de 1997 (gobernando la opción *conservadora*) han sido factores sin duda coadyuvantes. Desde 1995, la elasticidad-empleo de la producción ha crecido de manera significativa [48]. La mejor consecuencia de esta nueva situación es que, entre 1997 (último trimestre) y 1998 (último trimestre), la tasa de desempleo bajó desde el 21,49% al 18,17% [49]. Sin embargo, a finales de 1998 había 3.069.134 ciudadanos españoles que querían estar empleados y no lo conseguían —el 64,5% de los cuales tenía entre 25 y 54 años—, mientras que el 32,5% de los empleos existentes era temporal. A todo ello hay que añadir que, según la última información disponible de la OCDE, el 64% de los empleados españoles (incluidos los empleados fijos) temían perder su empleo, el porcentaje más alto de los países miembros tras Estados Unidos [50]. Adicionalmente, como se sabe, España cuenta con la mayor tasa de desempleo, la mayor tasa de temporalidad y una tasa de actividad bastante inferior a la media en el conjunto de la UE.

Por tanto, a pesar de que el principal objetivo de las reformas *socialista* de 1994 y *conservadora* de 1997 eran la reducción de las tasas de desempleo y temporalidad laboral, a finales de 1998 es evidente que las políticas emprendidas no parecen haber contribuido lo suficiente a remover los obstáculos que comprometen los proyectos de independencia vital de las familias, en especial de las mujeres y los jóvenes [51]. En los noventa, las políticas de empleo *activas* se han centrado sobre todo en el ámbito de la formación y, en oposición a la agenda de la Europa nórdica y escandinava, descartan prácticamente la creación directa de empleo público. El limitado papel de las AAPP como empleadoras se ha ido reduciendo todavía más con la llegada al gobierno del PP y la progresiva culminación de los procesos privatizadores emprendidos por los gobiernos socialistas. Aunque el peso relativo de las políticas *activas* con respecto a las políticas *pasivas* ha ido en aumento durante la década, el gasto público por parado y la participación de la población activa en los distintos programas muestran todavía niveles muy bajos en el contexto de la UE.

En el conjunto de la UE y también en España, se ha observado durante este período una cierta tendencia a reducir efectivamente las prestaciones por desempleado como consecuencia de los objetivos de consolidación presupuestaria, a pesar de lo cual el principio básico del sistema público de subsidios no parece estar en peligro. Si bien todos los países miembros de la UE han efectuado una apuesta decidida al respecto de la prioridad absoluta del objetivo empleo en su agenda (Tratado de Amsterdam, 1997), el gobierno *conservador* español ha reivindicado condiciones de excepción y se ha reservado un considerable margen de maniobra al respecto de una hipotética aproximación común al diagnóstico y las estrategias. En cualquier caso, los objetivos de situar la inflación en tasas soportables y de consolidación presupuestaria están cerca de ser alcanzados también por España, de manera que las coartadas *no ideológicas* contra un mayor activismo de las políticas públicas de empleo tienden a desaparecer[52].

También algunos expertos detectan síntomas de que los efectos positivos de la reforma laboral del 1997 podrían ser menos duraderos de lo deseable. Importa aquí reseñar que el porcentaje de parados de larga duración que llevaban más de dos años desempleados ha pasado del 66,3% en 1996 al 67,1% en 1998, que la mitad en la reducción del paro juvenil se ha debido a la reducción de su tasa de actividad y que la tasa de desempleados con estudios superiores y sin estudios viene también aumentando[53]. Este último fenómeno es debido a que el 85% del empleo creado desde 1994 ha requerido cualificaciones de nivel medio[54], lo que sugiere también un cierto exceso de oferta en el empleo con educación superior con respecto a las demandas empresariales[55].

Por lo que respecta específicamente a las mujeres españolas, entre 1985 y 1998 la tasa de actividad femenina ha pasado del 34% al 48,5%. La mayor actividad femenina explica las tres cuartas partes en el aumento de la población activa española entre 1977 y 1998[56]. Sin embargo, y aunque se vuelve también más adelante sobre la cuestión, el paro de larga duración en 1997 afectaba bastante más a las mujeres (59,8% de desocupadas) que a los hombres (49%), y esto sucedía en cualquier nivel de cualificación. Por tanto, las mujeres necesitan más cualificación para encontrar un empleo y, con igual calificación, los empleadores españoles siguen prefiriendo contratar hombres[57]. Por lo que respecta al desempleo juvenil, si bien el número total de desempleados entre 16 y 24 años había descendido desde 1985 a 1998 en alrededor de medio millón de efectivos, en 1998 había todavía 657.667 parados entre 20 y 24 años y 261.130 entre 16 y 19, lo que, para un total de 3.069.134, supone todavía algo menos del 30% respecto al desempleo total.

Las implicaciones en términos de calidad de vida del déficit español en evaluación de las políticas públicas se agravan en el caso de las políticas de empleo. La evidencia empírica disponible permite concluir que la ayuda personalizada y los programas de formación específica para grupos pequeños de parados son más efectivos que las actuaciones genéricas y sin restricciones de acceso, mayoritariamente imperantes en nuestro país. Naturalmente, se trata de una alternativa más cara y complicada de implementar. Y, si bien todos los colectivos de desempleados españoles se verían afectados negativamente por este estado de las cosas, los jóvenes son el colectivo más difícil de ayudar y el coste de intervenciones rápidas y específicas es todavía superior[58].

El escaso entusiasmo gubernamental en la creación directa de empleo público, debido no sólo a la coartada de consolidación presupuestaria impuesta exógenamente por el proceso de globalización y la *versión* UE de adaptación al mismo (Tratado de Maastricht), sino también a una legítima opción *ideológica* —más evidente con el PP que con el PSOE—, el carácter excesivamente generalista de las políticas implementadas desde 1993, la inadecuación laboral de las estrategias educativas y los problemas socio-culturales que apuntan carencias de espíritu emprendedor pueden contribuir a la desatención de AAPP, empresas y sociedad civil hacia los nuevos *yacimientos de empleo*. Estos yacimientos son estimulados por la *nueva sociedad de la información* o tienen su origen en los servicios de proximidad, esto es, en servicios de asistencia social, culturales, de ocio y medioambientales, los cuales, por cierto, están muy estrechamente asociados a la mejora del nivel y calidad de vida del resto de la población, se constituyen en objetivo prioritario para la Comisión Europea y, como vamos a ver y seguiremos comprobando, presentan importantes carencias en nuestro país[59].

2.2.3 Política educativa[60]

La década de los noventa ha estado protagonizada por la progresiva implantación en el sistema educativo español de la reforma *socialista*, materializada en la LOGSE. Al iniciarse la década, el gobierno del PSOE trató de adaptar el sistema educativo español a los retos que imponía el proceso de modernización de la sociedad y economía nacionales. En concreto, se trataba de mejorar la productividad, profundizar en el principio de igualdad en la diversidad y contribuir al desarrollo de la conciencia colectiva[61]. Pero justamente a lo largo de los años noventa, el conjunto del sistema educativo occidental ha mostrado de manera definitiva su incapacidad para resolver

CBM

- han pama Soc (eu opethis
- william penny (SPP1)
- Soc Sec penny
- redistribution tax rich to poor } top bracket
                                   } cap

- regulation (how hard to start a venue)
- labor regulation ?

- censorship
- freedom in the press

- Public Goods } R&D funcount
                } environmental proper
                } 3rd world poverty
                } Protect Life

- Corruption

→ Corruption Perception Index

- State spending ?
- money growth ?
- tariffs and quotas
- Trade Openness

me ?

Education spending
Flouse spending

algunos de estos mismos objetivos, elegidos para que España redujera su bien conocido atraso relativo. En efecto, aunque el sistema educativo occidental habría mejorado la dotación de conocimientos técnicos u *operativos* entre la población, parece haber fracasado en el objetivo de lograr una ciudadanía más flexible, innovadora, arriesgada y participativa en la vida pública, especialmente en la UE [62]. Cualquier diagnóstico sobre los resultados de la política educativa en España habría de ser enmarcado en esta situación general que afecta a los países occidentales [63].

Aunque los objetivos propuestos por la LOGSE han sido interiorizados por la comunidad educativa y por la mayoría de la sociedad, los logros prácticos son todavía insuficientes y muy dispares según CCAA [64]. A mediados de la década de los noventa, se podía constatar una progresiva reducción del diferencial con la UE al respecto del gasto total por estudiante en la enseñanza pública y privada, pero el indicador español representaba todavía sólo el 68,05% de la media comunitaria y sólo superaba a Grecia y Portugal [65]. La saludable iniciativa de evaluación promovida por el Ministerio de Educación en los últimos años muestra que los resultados de los estudiantes son similares a los obtenidos según el modelo anterior y que los padres valoran positivamente los cambios introducidos. En cambio, los profesores, sobre todo de secundaria —en los que recae la responsabilidad de atender zonas socialmente más desfavorecidas—, muestran cierta insatisfacción con su situación profesional [66] y, según los últimos datos disponibles (OCDE, 1998), los estudiantes españoles en enseñanza primaria y secundaria, pública o privada, presentan algunos de los peores resultados en la UE por lo que respecta a matemáticas, ciencias y comprensión de lecturas [67].

En 1997 la tasa de matriculación en secundaria —91,9%— se hallaba por debajo de la media de los países con alto desarrollo humano —94%— y por debajo de casi todos los países de la OCDE [68]. Y, al menos hasta 1996, existían dos cuestiones críticas a tener muy en cuenta, pues podrían reflejar la existencia de importantes barreras a la igualdad de oportunidades. En primer lugar, mientras el 89% de los estudiantes de secundaria cuyas familias disponían de un buen nivel socioeconómico terminaba los estudios secundarios, el porcentaje disminuía al 26% entre las familias con bajo nivel. En segundo lugar, el 72% de los hijos cuyos padres tienen estudios superiores acude a la universidad, pero el porcentaje disminuye al 49% en los jóvenes cuyos padres cuentan con estudios secundarios y al 27% en los jóvenes con padres que sólo tienen estudios primarios [69].

El gobierno del PP ha tenido que operar en el marco de la LOGSE y, respecto a la etapa anterior, se ha puesto el énfasis en tres objetivos, los dos primeros de los cuales son legítimamente *ideológicos*: libertad de elección de centros, refuerzo de las Humanidades y reducción de contenidos comunes. Si bien el primer objetivo se ha concretado en el hecho de que los centros disponen ya de mayor potestad para seleccionar estudiantes y se está completando el proceso de transferencia de competencias a las CCAA, el objetivo de reforzar las Humanidades ha tropezado con fuertes discrepancias entre las fuerzas parlamentarias, mientras que la reforma de la LRU sigue pendiente por idénticos motivos.

Entre los problemas vigentes de la política educativa que presentan un mayor impacto en términos de calidad de vida se encuentran las dificultades para compatibilizar el horario escolar con los cada vez más diferentes estilos de vida familiares, el elevado fracaso escolar en los centros de secundaria localizados en áreas socialmente deprimidas, la evidente inadecuación de la oferta educativa en términos de necesidades del mercado de trabajo, cuyas consecuencias más negativas se ceban especialmente entre la población más joven, y la existencia de notables diferencias entre CCAA. Aunque en 1992 los estudiantes de FP II eran los que menos tiempo pasaban desempleados tras finalizar sus estudios[70], en 1998 el 57,5% del desempleo tenía estudios secundarios —FP I, FP II y BUP—, pero, además, el 76,5% de los parados entre 20 y 24 años contaba con ese mismo nivel de estudios. Entre 1977 y 1998, este colectivo se había multiplicado por 12[71]. Por último, a pesar del constante aumento en la población con estudios universitarios a lo largo del período, el paso por la universidad tampoco parece contribuir excesivamente al desarrollo de caracteres flexibles, personalidades arriesgadas e innovadoras y/o comprometidas con la vida pública. Según el Observatorio Ocupacional del INEM, sólo el 15% de los universitarios desarrolla iniciativas de autoempleo[72]. En 1998, había alrededor de 100.000 parados más que en 1985 con estudios superiores[73]. La contestación e inestabilidad que ha afectado a la cúpula del Ministerio de Educación y Ciencia en los últimos años puede y debe tomarse como un cierto indicio del acierto gubernamental en sintonizar con las preocupaciones de los agentes implicados en el sistema educativo español.

2.2.4   Política sanitaria y de salud pública

También la política sanitaria se ha visto enfrentada en los últimos años a un importante cambio de escenario en las sociedades occidentales. Haber alcanzado un cierto nivel de vida (aumento en la longevidad y mayor exigencia de calidad y atención personalizada), así como un cierto cambio en el patrón de enfermedades, afecta al patrón de demanda[74], mientras que el cambio tecno-organizativo en curso y los crecientes gastos de adaptación que comporta afectan a la oferta. En España, la política *socialista* de servicios sanitarios (Ley General de Sanidad, 1986) hasta 1996 permitió organizar y consolidar el SNS (Sistema Nacional de Salud), consiguió la extensión casi *universal* de las prestaciones, financiadas con cargo a la imposición general (pero aún sin recibir consideración de derecho asociado a la condición de ciudadanía y residencia), y profundizó el proceso de transferencia competencial a las CCAA (todavía inconcluso).

Desde 1996, el gobierno *conservador* ha presentado una agenda que trata de responder a los problemas organizativos y de eficacia que origina el nuevo escenario para un SNS excesivamente rígido debido a las convenciones administrativas compartidas con el resto de las AAPP españolas [75]. Sin atentar en apariencia contra el modelo anterior, la agenda se ha concretado en el Acuerdo Parlamentario para la Consolidación y Modernización del SNS (1997), el Acuerdo de Financiación de la Sanidad (1998-2001) y el Plan Estratégico del INSALUD. En general, puede afirmarse que las principales novedades *ideológicas* son el intento de aumentar la autonomía de y la competencia entre los centros prestadores de servicios —la figura de las Fundaciones Públicas Sanitarias— y una apuesta más decidida por el desarrollo de la sanidad privada —reforma del IRPF favorable a los seguros sanitarios privados [76]—.

A pesar de que existen indicadores de calidad que evolucionan positivamente (disminución de listas de espera, reducción en la incidencia del sida), las críticas a esta agenda señalan que, en primer lugar, quizás no sea el resultado de una verdadera reflexión y diagnóstico sobre el estado del SNS y sus nuevos retos y, segundo, que los experimentos más claramente inspirados por el modelo *thatcherista* (Hospital General de Alzira, CAV) constituyen *de facto* una concesión monopólica de gestión privada con dinero público [77]. Por otro lado, podría también agravarse el posible problema de incentivos que representa para un aparato administrativo excesivamente rígido la *salida* del SNS de la población más capacitada (incluidos aquí una parte de los propios funcionarios agrupados en MUFACE, los únicos ciudadanos que *sí* pueden elegir entre sanidad pública y privada, paradójicamente) para evaluar de manera crítica y presionar por la calidad de los servicios públicos [78].

La información disponible a efectos de comparación internacional para la década de los noventa (IDH) muestra que, entre el grupo de países con *alto desarrollo humano*, España presentaba ya en 1993 una situación más que buena por lo que respecta a la dotación de médicos —rango 2 entre 45 países, 1993—. Los déficit principales son un altísimo consumo de tabaco —rango 1 entre 45 países, 1990-1992— y una incidencia exagerada de sida —rango 1 entre 45 países, 1997 [79]—, si bien los indicadores de otras enfermedades como tuberculosis son también superiores a la media. Como hemos señalado, no obstante, la tendencia en el caso del sida es rápidamente descendente y los resultados terapéuticos en la lucha contra el cáncer son equiparables a los de la UE, mucho peores a los de Estados Unidos [80]. Estos datos apuntan una cierta ineficacia relativa de las estrategias preventivas. Entre el resto de problemas de calidad de vida aquí implicados, destacan especialmente dos que se constituyen en nuevas alertas acerca de la insuficiente capacidad del sistema de salud pública para reaccionar anticipadamente.

En primer término, las previsiones respecto al incremento en la entrada masiva de emigrantes en los próximos años aconsejan una rápida resolución del derecho residencial a la sanidad pública y apuntan un nuevo reto inminente de considerable magnitud que, en otros países, ha contribuido a desencadenar reacciones xenófobas entre la ciudadanía (Francia, por ejemplo). Las fuertes discrepancias existentes en estos mismos momentos entre las formaciones parlamentarias al respecto de estos mismos derechos a recoger en la nueva *Ley de Extranjería* no son, desde luego, un indicador esperanzador al respecto. Pero, en segundo término, también es muy preocupante el déficit detectado en la capacidad de respuesta al cambio en el patrón de demandas asistenciales por parte de la población mayor —alrededor de 4 millones de españoles entre 55 y 65 años— y jubilada —unos 5,5 millones de españoles mayores de 65 años, que, en el año 2010, ascenderán a 6,5 millones de españoles—. Vigente el *Plan Gerontológico* 1992-2000, la información más reciente señala que la población jubilada y *prejubilada* (entre 50 y 65 años) carece frecuentemente de hábitos de ocio, lo cual la predispone cada vez más hacia estados predepresivos y depresivos que se añaden, obviamente, a la mayor probabilidad de contraer enfermedades limitativas de la autonomía vital y la calidad de vida. El 30% de la población jubilada vive negativamente la entrada en la ancianidad[81].

2.2.5 Políticas contra la exclusión social y la pobreza

Hasta aquí se ha descubierto la existencia de fenómenos socioeconómicos en España que pueden estar conjugándose en sus peores efectos sobre determinados colectivos y frente a los que las políticas públicas durante los noventa se han mostrado insuficientes. Se ha apuntado el problema que supone la acumulación de desorientación psicológica a la vulnerabilidad física de la población mayor y anciana y la muy probable insuficiencia e ineficacia del *Plan Gerontológico* 1992-2000, cuyas previsiones están lejos de haber sido cumplidas. Unos 120.000 españoles mayores de 65 años reciben ayuda a domicilio, lo que supone el 1,8%, cuando la media UE es del 4% y el objetivo del plan lo cifraba en el 8%. Existe además un déficit considerable de plazas en residencias y los controles sobre la calidad asistencial en las residencias existentes son flagrantemente ineficaces[82]. Con independencia del problema que representa en sí misma esta situación no sólo para los propios implicados sino también por lo que respecta a la organización de las estrategias familiares con mayores a su cargo respecto al empleo, la producción doméstica, el ocio y la atención a los hijos, conviene volver a insistir en que la Oficina del Defensor del Pueblo estima que incluir a otros 450.000 mayores en la red asistencial supondría la creación de alrededor de 111.000 nuevos empleos[83].

Los colectivos ya detectados en los barrios urbanos desfavorecidos constituyen seguramente el grueso de los *pobres* españoles. Existen conclusiones bastante robustas al respecto[84]: la pobreza en España es superior a la de muchos países de la UE, probablemente no desciende con rapidez suficiente y se ceba cada vez más en determinados colectivos, como los jóvenes y las mujeres, los cuales, a diferencia de lo que *ya* sucede en el resto de la UE, no disponen de una atención asistencial especialmente diseñada para contribuir a una mejor calidad de su vida. Durante la primera parte de la década de los noventa, la pobreza en España había sufrido un ligero incremento y, más preocupante aún, ese aumento había sido muy superior en términos de pobreza extrema.

La imposibilidad de acceder a un empleo es el principal factor de pobreza y, más genéricamente aún, el historial de desempleo condiciona la probabilidad familiar de abandonar la pobreza. La poca investigación existente en nuestro país concluye no obstante que, hasta la mitad de los noventa, la pobreza generaba más enfermedad y morbilidad entre los ciudadanos [85]. Por desgracia, si bien las personas mayores han dejado mayoritariamente de ser los españoles más pobres —sobre todo si son varones y, al menos, desde un punto de vista sobre todo monetario—, ese puesto lo ocupan actualmente los jóvenes y, peor aún, algunos de entre los más jóvenes [86].

2.3 Políticas para el desarrollo individual

2.3.1 Introducción

La calidad de vida de los españoles depende de su acceso a ingresos y/o de su independencia vital. La peor situación a este respecto es la privación de lo uno, de lo otro y, más aún, de lo uno y de lo otro, un estado absoluto al que llamamos *pobreza*. Con empleo y sin empleo, más o menos pobres, los españoles también trabajan en numerosas actividades que no reportan ingresos, con un carácter frecuentemente *instrumental*, que consumen tiempo libre y de las que depende la calidad de su vida [87]. Buena parte de estas actividades conciernen a la organización del proceso doméstico de producción y comportan desplazamientos físicos en el entorno relevante de la vida cotidiana. En secciones anteriores nos hemos ocupado de los problemas que plantea al respecto la evolución del urbanismo en España.

La evidencia empírica disponible muestra que la actitud y los logros de las familias respecto al trabajo remunerado son interdependientes de la actitud respecto al trabajo doméstico. El desempeño de estas actividades y las recompensas que se derivan afectan al presupuesto personal de ocio, a la dignidad individual y mejoran o empeoran las relaciones intrafamiliares. Además, con independencia de sus compensaciones finales, todas las actividades domésticas y extradomésticas requieren en su despliegue un escenario seguro, primero, y saludable, después.

2.3.2 Políticas para la igualdad de oportunidades: sexos y edades

El aumento en la tasa española de actividad femenina puede y debe ser saludado como un hecho positivo desde la perspectiva de la igualdad de sexos. Sin embargo, el proceso tiene que ser cuidadosamente analizado en el contexto de las relaciones familiares entre cónyuges y entre padres e hijos con respecto al trabajo/ocio, el empleo, el acceso a proyectos de independencia y, condicionándolo todo, los niveles educativos de cada uno de los miembros. Hemos detectado más arriba algunos problemas muy serios al respecto de un posible déficit de oportunidades laborales para jóvenes con familias de renta y/o nivel educativo bajo y se ha identificado el problema de ineficacia que puede afectar a las políticas educativa y de formación a los desempleados.

Por lo que se refiere a la promoción de una mayor igualdad entre sexos, el gobierno del PP propuso en 1997 el *III Plan de Igualdad de Oportunidades entre Mujeres y Hombres* (1997-2000) y ajustó su política de empleo a las recomendaciones de la UE para favorecer el empleo femenino. Entre 1995 y 1998 la tasa femenina de desempleo ha descendido desde el 30,6% al 26,6%. Actualmente, se están llevando a cabo actuaciones orientadas a la formación empresarial y en técnicas de búsqueda de empleo específicamente diseñadas para la población femenina[88]. En 1999 se ha aprobado la *Ley para promover la Conciliación de la Vida Familiar y Laboral de las Personas Trabajadoras*, legislación que supone una notable mejora en la protección de la situación de riesgo por embarazo y en la tutela de los posibles despidos por este motivo[89].

Sin embargo, la nueva legislación continúa tratando de manera indiferenciada los demás derechos en lo que se refiere a maternidad y cuidados familiares. El problema reside, obviamente, en que si los hábitos de los empleadores españoles son discriminatorios contra las mujeres porque descuentan una amplia dedicación *de facto*, la política pública debería establecer claros incentivos compensatorios, generando derechos exclusivos a los padres como paso previo a que éstos, por otra parte, asuman las responsabilidades que los justificarían[90]. En este sentido, las investigaciones sobre la familia española más recientes muestran un indiscutible avance en los grados de libertad de que disfrutan todos los miembros para decidir su modo colectivo de vida. Pero el progreso es mucho más lento por lo que respecta al reparto del trabajo doméstico debido a la inercia *machista* de la población masculina, la peor de cuyas consecuencias es el alarmante aumento de la violencia doméstica, contra la que se ha implementado en 1998 un plan de acción específico sin que, por el momento, se detecten mejoras ostensibles en esta dramática casuística[91].

En términos de comparación internacional, el Índice de Desarrollo relativo al Género del PNUD (IDH) de 1997 colocaba a España en la misma posición que el IDH dentro de los países de alto desarrollo humano (ADH), pero presentaba una peor tasa de alfabetización femenina y las diferencias entre el PIB real per cápita de hombres y mujeres se hacían mucho más acusadas. Por lo que respecta al Índice de Potenciación de Género (IPG), España descendía hasta el puesto 22. El PIB real per cápita femenino de 1997, 9.568 dólares, distaba mucho de los 15.827 que corresponden al conjunto de estos países[92]. De hecho, mientras que el PIB real per cápita masculino era el 81% del correspondiente al grupo ADH, en el caso femenino disminuía hasta el 60%. Por otra parte, según los últimos datos de Eurostat, la mujer española es la que dedica más tiempo a atender la familia y el hogar en toda la UE, duplicando la dedicación de la mujer danesa[93].

Pero las tendencias generales esconden grandes diferencias que ponen de manifiesto una considerable desigualdad en cuanto a las oportunidades vitales de los españoles[94]. Los hombres y mujeres españoles con niveles superiores de cualificación establecen en sus matrimonios relaciones de *asociación* laboral, esto es, ejercitan sus importantes grados de libertad. En cambio, los cónyuges que disponen de niveles inferiores de cualificación mantienen relaciones de interdependencia, constreñidas por el dominio de la incertidumbre laboral. Son las familias españolas cuyos cónyuges disponen de cualificación sociolaboral universitaria *(experta)* las que disfrutan de mayores grados de libertad para decidir quién y cuándo busca empleo y, en consonancia, quién y cuándo se hace cargo la organización de la producción doméstica y la atención a la familia. Entre las familias con cualificación *no experta* —esto es, la inmensa mayoría de españoles—, los factores determinantes de estas estrategias no son tan elegibles, sino que se derivan del inmediato entorno territorial. Entre 1985 y 1998, la tasa española de actividad femenina ha pasado del 34% al 48,5% pero, sin embargo, lo hace sobre todo en las familias donde el esposo padece incerteza laboral —como empleado temporal, desempleado y/o activo con baja cualificación— y/o para aquellas mujeres con cierto nivel de estudios[95].

Por otro lado, la tasa de actividad juvenil disminuye según sube el nivel de estudios de los padres. Y, en sentido contrario, los jóvenes españoles que tienden a interrumpir sus estudios para convertirse en activos pertenecen sobre todo a familias tradicionales en las que el esposo padece los efectos de la precariedad laboral. Es fácil descubrir una nueva evidencia indirecta de un posible *círculo vicioso* que afecta a la libertad de elección de las familias con menor nivel de cualificación. Finalmente, en aquellos entornos territoriales donde se demanda bastante empleo poco o nada cualificado con salarios menores, la esposa aumenta su propensión a la actividad y, por esta misma razón, los hijos abandonan los estudios (el arco mediterráneo), mientras que en aquellos otros donde no sucede así (bien porque la demanda de empleo presenta quizás un perfil de cualificación más exigente —Navarra y La Rioja—, bien porque existe una importante presencia de ayuda pública —Andalucía, Asturias, Castilla-León y Extremadura—), los hijos prosiguen sus estudios aumentando así su futura libertad de elección aunque la familia preserva la tradicional especialización femenina en la producción doméstica. Se trata de diferencias en las oportunidades vitales de los españoles que la política pública ha sido, de momento, incapaz de aliviar[96].

2.3.3 Políticas de seguridad y participación ciudadana

En las sociedades occidentales, la seguridad individual en el desempeño de todas las actividades es poco menos que un derecho elemental. Cada vez más, los expertos y los propios ciudadanos tienden a considerar esta seguridad personal como causa y consecuencia de la calidad de vida de todos[97]. La existencia de factores sociales que generan indiferencia hacia y/o agresividad hacia el otro es un problema en origen que acaba produciendo inseguridad personal, en el ámbito laboral, en el ámbito de la vida pública y en el ámbito doméstico.

Los proyectos vitales de las personas y familias dependen del acceso al empleo y de que el ejercicio del trabajo implicado pueda realizarse en condiciones de seguridad elemental. En este sentido, la información existente sobre siniestralidad laboral en España durante los noventa no deja lugar a dudas del fracaso de las políticas públicas al respecto y apunta la escasa conciencia preventiva existente entre la ciudadanía y la muy débil preocupación al respecto de empresarios y AAPP, quizás un síntoma de indiferencia moral hacia el *otro*[98]. Si entre 1990 y 1993 la trayectoria de accidentes totales de trabajo y enfermedades profesionales fue descendiendo desde 1.199.459 anuales a 967.583, desde 1994 la cifra ha ido incrementándose hasta alcanzar un máximo para la década en 1998, con 1.432.778 accidentes y enfermedades al año. Aunque la tendencia de la mortalidad a lo largo de la década ha sido descendente, el número de enfermedades profesionales con baja casi se ha triplicado. Y, lamentablemente, si en 1998 la cifra total de accidentes y enfermedades había aumentado respecto a 1997 en un 12,2%, entre enero y agosto de 1999 el crecimiento ascendió al 17%. Como es evidente, no vale aquí la excusa de que, en su conjunto, la actividad productiva y el número de empleados hayan crecido de manera considerable en los últimos años.

La movilidad ciudadana forma parte fundamental no sólo de los derechos elementales a la libertad, sino que actúa como factor de calidad de vida implicado en actividades laborales, de ocio y de producción doméstica. También aquí la situación en España es mala y, además, empeora. Tras una primera mitad de la década en la que los accidentes de tráfico adquirieron una esperanzadora tendencia a la baja, desde 1995 hasta 1998 el número de accidentes, víctimas y fallecidos ha aumentado un 24%. En el grupo de edad entre 5 y 24 años, el accidente de tráfico es la primera causa de mortalidad y la segunda para los españoles entre 25 y 34 años, por delante, desde luego, de cualquier enfermedad que pueda ser atendida desde los servicios sanitarios. Teniendo en cuenta que nos encontramos ante una problemática que afecta a los hábitos socioculturales de las personas, una cierta relajación permisiva en los controles y vigilancia, así como una menor eficacia de las campañas públicas de sensibilización, podrían estar relacionadas con una situación que se traduce en 6.000 españoles fallecidos en 1998[99]. Conviene no olvidar tampoco que los patrones españoles de movilidad dependen también de la evolución en el urbanismo y ordenación del territorio que afecta a las ciudades grandes y medianas, tendente cada vez más hacia la dispersión de localizaciones residencial, laboral, de consumo y de ocio.

Parece bastante probado que la estabilidad y seguridad afectiva en el interior de la familia y la participación ciudadana activa en todos los ámbitos de la vida social reducen la agresividad hacia el *otro* en la vida pública[100]. Los datos e investigaciones al respecto en España muestran que, en términos de aflicción personal y estabilidad familiar afectiva, nuestro país goza de una muy buena situación relativa en el contexto internacional de referencia. Como en casi todos los países católicos, los españoles se suicidan y divorcian bastante o mucho menos que otros países, algunos de los cuales, el área escandinava, disponen de modelos de bienestar que son, sin embargo, referencia recurrente[101].

Sin embargo, en España los *círculos viciosos* detectados en los barrios desfavorecidos de las ciudades, la paulatina sustitución de la figura del *progenitor* como educador por los medios informales —la televisión, sobre todo— para cualquier clase de familias y el déficit humanístico para formar caracteres y personalidades en el sistema educativo son, a buen seguro, factores generadores tanto de indiferencia hacia el *otro* en su condición de *prójimo próximo* como, más trágicamente, de agresividad y violencia, especialmente entre ciertos jóvenes y varones *marginados*. Los casos más trágicos son las agresiones a víctimas indefensas, entre las que se encuentran cada vez más a menudo las propias mujeres e hijos. Según un Informe de *Filium* (Asociación para la prevención del maltrato al hijo), aproximadamente 1,6 millones de niños españoles viven en hogares en los que los malos tratos son frecuentes. Incluso algunas voces femeninas del propio Consejo del Poder Judicial reconocen la escasa sensibilidad del aparato policial-judicial de seguridad pública por lo que respecta a la violencia contra las mujeres. Como se ha señalado más arriba, los españoles y, más aún, los jóvenes prefieren ayudar a *otros* seres humanos respecto a los cuales padecen y padecerán un desconocimiento estructural que integrarse participativamente en su entorno inmediato[102].

Obviamente, ninguna política pública de seguridad estrictamente represiva puede acabar con estos problemas[103]. Al contrario, y atendiendo a la exploración sobre los problemas españoles llevada a cabo por CONCAVE en 1995, las políticas públicas españolas de seguridad pública que aspiren a ser efectivas, además de aumentar los medios disponibles de las fuerzas de seguridad, deberían acogerse a estos principios: 1) para reducir la criminalidad, el principal problema, distribuir y coordinar los medios de las fuerzas de seguridad con objetivos de actuación preventiva y, en su caso, represiva; 2) para agilizar la relación entre administración de justicia y ciudadanía, profundizar simultáneamente en la institución del jurado popular y en los juicios rápidos; 3) para reducir todas las fuentes de inseguridad ciudadana, aumentar la presencia visible de las fuerzas de seguridad, estimular la participación ciudadana y, sobre todo, rediseñar *todas* las políticas públicas de calidad de vida para afectar a las bases sociales de la indiferencia moral y, sobre todo, la violencia hacia el *otro*.

4.   Conclusiones

Por las razones que se han expuesto en el marco teórico, la comparación entre el Índice de Desarrollo Humano del PNUD y el PIB real per cápita en 1997 permite aproximar en cierto grado la efectividad de algunas de las políticas públicas de las que aquí nos hemos ocupado. En este sentido, España ocupaba la posición 21 entre los 45 países que obtienen la calificación de *alto desarrollo humano*, lo que suponía mejorar en nueve puestos la clasificación obtenida de acuerdo con el PIB real per cápita, un resultado sólo superado en este grupo por Suecia, Australia, Canadá y Finlandia e igualado por Países Bajos y Nueva Zelanda. Además, entre 1990 y 1997, España había mejorado su PIB real per cápita un 11,3%, mostrando un comportamiento bastante mejor al del conjunto de naciones con *alto desarrollo humano*, con un 10,1%. Entre 1985 y 1998, el PIB per cápita español ha pasado de suponer el 70,6% del conjunto UE al 81,45 %[104]. A su vez, el IDH entre 1990 y 1997 había pasado en nuestro país del 0,871 al 0,894, lo que supone dentro del grupo de países 1 a 21 (por IDH) la octava mejora en importancia. No cabe duda de que España está mejorando la efectividad relativa de algunas de las políticas públicas con objetivos e incidencia en la calidad de vida. Sin embargo, en 1997, el IDH español era todavía bastante inferior al conjunto de 45 países con alto desarrollo humano —0,904— y, en el marco de la UE, sólo Grecia y Portugal presentaban peores resultados. Y, por otra parte, al ritmo de crecimiento del PIB per cápita desde la adhesión a la UE, España necesitará 25 años para equipararse a la UE[105].

Existen otras posibilidades de aproximar la evolución de los aspectos mercantiles y de vida privada implicados en la calidad de vida durante los noventa. Si comparamos los cambios experimentados por el consumo privado en España, Alemania, Francia, Italia y Reino Unido, se comprueba que los dos mayores cambios al alza entre el período 1992-1993 y el período 1994-1998 corresponden al Reino Unido y España, si bien sólo desde 1997 la percepción de una mejora económica general ha pasado a aumentar la confianza de las familias hasta situarla en el nivel de 1989[106]. El caso es que, entre 1996 y 1998, las expectativas de las familias españolas habían mejorado mucho más que en Alemania, Francia, Italia y Reino Unido, y tan sólo eran superadas por este último país[107].

También el barómetro del CIS a finales de 1998 mostraba que el 61,7% de ciudadanos se hallaba satisfecho con su nivel de vida o situación personal —la cifra más alta desde 1987—. Al 32,6% de los españoles le parece que la situación política está bien o muy bien, y al 37,1% de la población que la situación económica está bien o muy bien. Para el 49,5% el desempleo era el principal problema nacional. No obstante, el 53% de parados cree probable encontrar un empleo en el año siguiente[108]. Las consecuencias más evidentes de este progreso en los ámbitos mercantil y privado de la calidad de vida se muestran en el hecho de que la bolsa de ahorro-precaución acumulada en los años anteriores por las economías domésticas se utiliza ahora en un consumo creciente, sobre todo no alimentario, en el que destacan el equipamiento de los hogares y la adquisición de automóviles y viviendas, para cuya demanda las mucho mejores condiciones de financiación resultan también fundamentales.

Sin embargo, a pesar de las notables mejoras constatadas y al efecto positivo de las políticas públicas sobre esta evolución, la información oficial más reciente (INE, 1999) muestra que el 54,2% de las familias españoles aseguran tener *alguna, cierta o mucha dificultad para llegar a fin de mes*, que el 69,5% no ahorran nada o ahorran muy poco y que las diferencias entre CCAA son muy considerables[109]. Si comparamos con la UE, utilizando la última encuesta sobre estilo de vida en las familias europeas *European Community Household Panel 1999*, se comprueba que España tiene todavía ante sí un largo camino que recorrer[110]. Según esta nueva fuente, el 15% de las familias españolas reconoce dificultades económicas para llegar a fin de mes, el mayor porcentaje junto a Grecia y Portugal entre los países comunitarios. Además, mientras que en la UE el 18% de las familias vive con un 60% de la renta media comunitaria, en España el porcentaje sube hasta el 19% de la renta media española. En consonancia con estos datos, sólo el 34% de las familias españolas tiene capacidad de ahorro frente al 42% de las familias en la UE.

Los datos más recientes del INE y la Fundación BBV permiten también insistir en las enormes diferencias *territoriales* existentes entre las familias españolas —véase el cuadro 24.1—. La Fundación BBV proporciona los PIB per cápita de las distintas CCAA españolas en 1998, expresados aquí como porcentaje sobre el resultado agregado español, mientras que las variables consideradas por el INE son una percepción subjetiva acerca de los grados de libertad que proporciona el dinero. Si bien la realidad económica familiar puede ser objetivamente otra, en el ámbito de la calidad de vida importa en gran medida esta subjetividad en la que aparecerán evaluadas las diferencias percibidas entre necesidades de gasto para sentirse bien y capacidad

Cuadro 24.1   Una aproximación a las diferencias territoriales en el ámbito privado de la calidad de vida, 1998-1999

CCAA	1998 BBV		1999 INE			
	PIB per cápita en % sobre España	Peso relativo familias con *dificultades* para llegar a fin de mes	Peso relativo familias con *mucha facilidad* para llegar a fin de mes	Peso relativo familias que ahorran		
	% Rango	% Rango	% Rango	% Rango		
Andalucía	72,26 18	62,4 5	0,5 14	28,7 11		
Aragón	108,86 7	43,2 15	1,6 7	28,9 10		
Asturias	85,38 12	52,5 12	3,5 2	40,7 2		
Baleares	154,48 1	62,9 4	0,8 12	18,6 16		
Canarias	97,52 9	70,6 1	1,1 10	10,6 18		
Cantabria	92,95 10	53,1 11	2,2 4	26,4 14		
Castilla y León	91,67 11	39 16	3,4 3	48,3 1		
Castilla-La Mancha	79,98 14	66,8 2	1,1 10	28,2 12		
Cataluña	123,64 3	52,4 13	0,9 11	28,1 13		
C. Valenciana	99,75 8	57,3 7	1,3 8	39,5 3		
Extremadura	73,26 17	53,5 10	1,1 10	31,4 8		
Galicia	84,40 13	57,5 6	0,7 13	29,6 9		
Madrid	126,52 2	54,6 8	1,2 9	22,1 15		
Murcia	79,86 15	63,7 3	1,8 6	32,5 7		
Navarra	117,16 4	33,4 18	4,2 1	35 5		
País Vasco	114,62 5	46,1 14	1,1 10	36,4 4		
La Rioja	112,29 6	38,4 17	2,0 5	34,1 6		
Ceuta y Melilla	— —	54,5 9	1,1 10	17,9 17		
Ceuta	76,61 16	— —	— —	— —		
Melilla	71,34 19	— —	— —	— —		
España	— —	54,2 —	1,4 —	30,5 —		

FUENTE: Fundación BBV. Estudio sobre la Renta Nacional de España, 1955-1998.
   Elaboración propia a partir de INE, 1999.

de los ingresos para satisfacerlas residiendo en un determinado lugar[111]. La primera conclusión evidente es que los resultados obtenidos son *demasiado* distintos según CCAA en cualquiera de los dos casos, una conclusión que se ha podido obtener en algunos de nuestros anteriores tratamientos sectoriales[112]. Las distancias entre PIB per cápita son notorias en el cuadro 24.1.

Pero, también de acuerdo con su CCAA de residencia, el porcentaje de familias que, desde su propia percepción, experimenta algún grado de dificultad se incrementa hasta un 15% o desciende un 20% con respecto a la situación española en su conjunto. Con un carácter sólo tentativo, el manejo de las dos fuentes permite orientar una cierta aproximación no sólo a las diferencias entre CCAA sino entre familias residentes en cada CCAA por lo que respecta siempre al plano privado del nivel y calidad de vida.

Así, a pesar de la naturaleza muy distinta de fuentes y variables, las diferencias entre el PIB per cápita y el porcentaje de familias que se sienten con dificultades son muy acusadas en Madrid, Canarias, Comunidad Valenciana, y, sobre todo, Baleares. Se puede sospechar una diferencia acusada entre los niveles y calidades de vida de las familias residentes en estas CCAA. En sentido contrario, los niveles de vida y calidades de vida pueden estar mucho más equiparados en Asturias, Extremadura y Castilla y León. Por último, las CCAA en las que podría combinarse un mejor nivel y calidad de vida con una más igualitaria distribución del acceso a los mismos son Navarra, La Rioja, Aragón y, en menor medida, el País Vasco.

Adicionalmente, podemos cruzar esta información del cuadro 24.1 [113] con el análisis sobre estrategias familiares respecto al trabajo doméstico, empleo y educación realizado en la sección anterior, y se descubren algunas coincidencias a tener en cuenta, las cuales refuerzan la probabilidad de los siguientes hechos: (i) la calidad presente y futura de vivir en España en el plano privado es bastante superior en Navarra y la Rioja; (ii) las políticas públicas compensatorias pueden estar teniendo efectos positivos considerables en Asturias y Castilla y León; (iii) Canarias, Baleares, Andalucía y Murcia constituyen un furgón de cola con realidades y expectativas de calidad de vida en el plano privado demasiado alejadas del resto, las dos primeras, además, con modelos productivos que pueden estar generando grandes diferencias entre el nivel y calidad de vida de las familias.

Nuestro propio análisis sobre políticas públicas, estado de cosas, fracasos y grupos de riesgo —véase un resumen en los recuadros 24.5a y 24.5b— muestra que, a pesar de las mejoras, las actuaciones de las diferentes AAPP españolas están todavía muy lejos de alcanzar un grado suficiente de efectividad, ya sea evaluado en términos absolutos o relativos respecto a la tónica general en la UE, y que la calidad de vida de los españoles difiere de manera muy notable según el entorno territorial de referencia. Hemos comprobado que las políticas orientadas a la calidad ambiental no han conseguido acabar con los problemas de acceso a una vivienda y un entorno dignificantes para muchos españoles, especialmente en el caso de los barrios urbanos más desfavorecidos. Las actuaciones emprendidas respecto al medio ambiente carecen por completo del enfoque global y coordinado que requiere el objeto de su actuación y en los aspectos sobre los que se actúa inarticuladamente las políticas públicas son demasiado tímidas, incluso en cuestiones tan elementales como es el propio reconocimiento y evaluación de los pro-

Recuadro 24.5a   Un esquema de evaluación operativa sobre

Calidad ambiental	Bienestar	
		Objetivos
Medio y hábitat natural y antrópico *saludables*.	Derecho al empleo, salud y educación.	
		Sectores y planos de realidad
Calidad ambiental	**Bienestar**	
Medio y hábitat natural y antrópico *saludables*.	Derecho al empleo, salud y educación.	
Vivienda	**Empleo**	
(1) Políticas presupuestarias de *consolidación* (PSOE y PP). (2) Planes de vivienda *sucesivos*.	(1) Políticas presupuestarias de *consolidación* (PSOE y PP). (2) Reforma Laboral 1994 (PSOE) y 1997. (PP): Apuesta progresiva por el *empleo privado*.	
		Fracasos
Déficit V.P.O. y alquiler.	(i) 18,17% tasa de desempleo. 3.069.134 desempleados. (ii) 13.342.100 empleados. 32,5% temporales. 64% *inseguro*.	
		Grupos de riesgo
(i) Población con menor nivel y seguridad de renta. (ii) Jóvenes.	(i) Discriminación *sexista*. (ii) 918.797 parados 16-24.	
		Sectores y planos de realidad
Entorno urbano	**Salud**	
(1) Política urbanística de *competitividad*.	Plan Gerontológico 1992-2000. Consolidación y Modernización del SNS (1997). Financiación de la Sanidad (1998). Plan Estratégico del INSALUD (1999).	
		Fracasos
Círculos viciosos de marginación.	(i) Ineficacia operativa. (ii) Déficit preventivo. (iii) Tensión *ideológica*.	
		Riesgos y
(i) 5 millones españoles en barrios *desfavorecidos*. 20,2% de su población urbana. 12,5% del total nacional. (ii) Deslegitimación.	(i) Desatención prejubilados y jubilados. (ii) Discriminación emigrantes.	

calidad de vida. Déficit y fracasos de las políticas públicas

Identidad
Oportunidades de desarrollo individual.

Principales políticas públicas

Identidad
Oportunidad de desarrollo individual.

Igualdad de oportunidades entre sexos
(1) Planes de igualdad de Oportunidades entre Mujeres y Hombres (1997-2000). (2) Ley para promover la Conciliación de la Vida Familiar y Laboral de las Personas Trabajadoras (1999).
(i) Inercia *machista* de empleadores y cónyuges. (ii) Mayor dedicación femenina en la UE al hogar y la familia. (iii) PIB real p.c. *femenino:* 60% del de países *alto desarrollo humano*.
i) Mujeres interdependientes con maridos en precariedad laboral.

Principales políticas públicas

Seguridad
(i) Aumento en siniestralidad laboral y viaria. (ii) Marginación, indiferencia y violencia hacia el *otro*.

grupos de riesgo

(i) Muertes *jóvenes* en carretera. (ii) 5 millones españoles en barrios *desfavorecidos*. (iii) 1,6 millones niños en hogares con malos tratos.

Recuadro 24.5b   Déficit y fracasos de las políticas

Calidad ambiental	
	Objetivos
Medio y hábitat natural y antrópico *saludables*.	
	Sectores y planos de realidad
Medio ambiente	
(1) Plan Nacional de Saneamiento y Depuración 1995-2005. (2) Plan Nacional de Recuperación de Suelos Contaminados 1995-2005. (3) Ley sobre Envases y Residuos de Envases (1997). (4) Ley de Residuos (1998). (5) Estrategia Nacional de Lucha contra el Cambio Climático (1998). (6) Discusión en curso sobre *mercado* del agua.	
	Fracasos
(i) 25% de vertidos incontrolados. (ii) 75% tratamiento residuos tóxicos-peligrosos fuera normativa comunitaria. (iii) 44% suelo nacional con pérdidas agudas o moderadas por erosión. (iv) *(sólo)* 7% de energía procedente de fuentes renovables. (v) *(sólo)* 33% agua potable uso humano con tratamiento apropiado. (vi) 36% agua ríos baja calidad.	
	Riesgos y grupos de ri
Insostenibilidad (a) Tratamiento y restauración en lugar de reducir fuentes de deterioro. (b) Fragmentariedad.	

blemas. Mientras, continúan la degradación del suelo, los vertidos incontrolados y los problemas de abastecimiento y calidad en el agua de uso humano.

Las políticas de bienestar tienen que enfrentar la cruda realidad que representan 3 millones de españoles desempleados, algo más de 4 millones de empleados temporales y, al menos, 5 millones de ciudadanos atrapados en círculos viciosos de pobreza relativa o absoluta —entorno degradado, desempleo, déficit educativo y ocasionalmente afectivo, violencia—, obstáculos evidentes al desarrollo de proyectos de independencia. Estos obstáculos se ceban especialmente sobre mujeres, jóvenes y familias de menor nivel educativo y revelan problemas estructurales en las políticas educativas y de formación. Las políticas de salud pública y asistenciales son excesivamente rígidas, no mejoran en demasiados aspectos para los que se requiere mayor énfasis preventivo y desatienden las necesidades genéricas y, sobre todo, específicas de la tercera edad y los jóvenes.

Las políticas públicas que inciden en las oportunidades de desarrollo individual siguen sin remover de manera suficiente las inercias sexualmente

públicas para la calidad de vida en España

Bienestar	Identidad
Derecho al empleo, salud y educación.	Oportunidades de desarrollo individual.
Principales políticas públicas	
Educación	Participación ciudadana
(1) Aplicación progresiva LOGSE (PSOE). (2) Libertad elección centro (PP).	(1) Políticas progresivamente *liberales*: ciudadanos como *clientes*.
(i) Gasto total por estudiante 68,5% de la media comunitaria (1995). (ii) Déficit aplicación LOGSE. (iii) Alta inadecuación oferta educativa y formación con demanda de empleo.	
(i) *Círculos viciosos:* por éxito y cualificación, discriminación familias de bajo nivel.	(i) Desmovilización política jóvenes.

discriminatorias de la sociedad y economía españolas y no han generado los suficientes incentivos a la implicación política de la población en su propio entorno, lo cual es extraordinariamente preocupante entre los más jóvenes. La inefectividad de las políticas de seguridad para atacar en origen tanto los hábitos culturales que se hallan tras la creciente siniestralidad laboral y viaria como los factores de toda índole que originan indiferencia moral hacia el *otro* cuando no agresividad y violencia es quizás el síntoma más concreto y ejemplar de la inexistencia de un verdadero enfoque de calidad de vida que oriente toda la política pública y económica española.

En definitiva, a diferencia de lo que sucede en algunos otros países de la UE, se carece de un tratamiento lo suficientemente específico acerca de los muy diferentes escenarios en que se encuentran los ciudadanos y familias españolas a medida que aumenta la complejidad social. España quizás está a punto de superar la fase en la que *debía* acortar las enormes distancias en políticas públicas para el bienestar respecto a la UE con un enfoque hasta cierto punto *justificado* de pura extensión cuantitativa de prestaciones. La escasez presupuestaria ha tenido que hacer frente a numerosos déficit de gasto público en bienestar en el marco de la construcción europea [114]. Ahora, nuestro país afronta una nueva etapa en la que esa creciente diferenciación y complejidad social, así como la propia evaluación de los éxitos y fracasos, exige y permite un mayor énfasis en calidades y prestaciones más precisas, específicas y personalizadas. Sin embargo, existe aún demasiada rigidez administrativa, y esto va en perjuicio de la capacidad de las AAPP para anticiparse o, en todo caso, reaccionar a la naturaleza de las nuevas demandas y riesgos existentes.

La agenda *conservadora* no parece contemplar entre sus prioridades inmediatas el avance decidido hacia una *universalización* asistencial completa, quizás como reacción no sólo ideológica a las inercias de rigidez en las propias AAPP españolas. PP y PSOE no han mostrado hasta el momento excesivo entusiasmo en la creación de empleos públicos capaces de asegurar esta universalización y adecuación a las nuevas demandas y riesgos. Quizás se contempla como paso previo la reforma de las AAPP. En este sentido, y, como reacción estratégica contra la supuesta ineficacia del sector público español, sí se detecta una progresiva inclinación a la *desestatización* en la propiedad, gestión y/o provisión de cada vez más oportunidades de calidad de vida, ya sea a través de una creciente presencia de criterios mercantiles, más en el PP, y/o de voluntariado y/o de *tercer sector*, más en el PSOE. Pero esta apuesta tendrá que ser más rápida y efectiva de lo que viene siendo para compensar la aparente renuncia *ideológica* a aumentar el tamaño de un sector público español excesivamente inerte y para cuyo tratamiento se obvia (también de momento) una apuesta resuelta desde la política pública para incentivar la participación ciudadana en una sociedad reacia al respecto, como hemos visto [115].

No obstante, el efecto más dramático de la insuficiente eficacia de las políticas públicas para la calidad de vida se muestra en esos alrededor de 5 millones de españoles probablemente *atrapados* en círculos viciosos en los que conviven la indignidad ambiental, la pobreza absoluta o relativa, el desempleo, una formación inexistente o altamente deficitaria, así como, ocasionalmente, marginación, agresividad y violencia. El segundo grupo de riesgo estaría representado por los desempleados cuyo entorno inmediato no está necesariamente deteriorado y por los 4 millones de ciudadanos con empleos temporales, en un contexto cultural como el español en el que la búsqueda de la estabilidad en empleos por cuenta ajena sigue predominando como objetivo personal y familiar. Por último, nuestra *sorprendente* posición entre los países con menor tasa de natalidad en el mundo seguro que refleja algún problema estrictamente español y, sin embargo, no parece ser una cuestión que suscite la atención que requiere entre la clase política y el estamento *experto*, poniéndose así de manifiesto el déficit de comprensión y orientación en términos de calidad de vida que afecta todavía a los teóricos y profesionales de las políticas públicas en nuestro país [116].

Notas

1 En el ámbito *experto*, un momento crucial de concienciación al respecto fue, a finales de los ochenta, el encargo a Marta Nussbaum y Amartya Sen por parte del WIDER (World Institute for Development Economics Research, de la United Nations University) para que organizaran una investigación y debate alrededor del concepto *calidad de vida* y los requisitos en términos de política social para mejorarla. Por primera vez, se logró concitar para esta efeméride a los mejores especialistas en economía y filosofía política. Véase Nussbaum y Sen, 1993.

Véase también sobre la evolución de la teoría al respecto la reflexión de los propios autores en: Tomás Carpi, Nácher y Bono, 1993. No obstante, bastantes de los argumentos y enfoques allí planteados son retomados aquí una vez actualizados.

2 Véase Dahrendorf, 1998, p. 532.

3 N. del C.: El propio carácter multidimensional de la calidad de vida provoca que en el estudio de este objetivo aparezcan diversos instrumentos y sectores (política de educación, de empleo...) ampliamente tratados en otros capítulos de este libro (aunque con enfoques a veces distintos).

4 Véase Setién, 1993.

5 Véase de nuevo Setién, 1993.

6 Véase Carpi, Nácher y Bono, 1993.

7 Véase aquí la contribución básica de Dayal y Gough, 1994.

8 Véase, de nuevo, Carpi, Nácher y Bono, 1993.

9 Véase aquí, por ejemplo, Castells, 1997-1998; Giddens, 1998; Harvey, 1993.

10 Véase Sen, 1993, pp. 55-59.

11 Véase Nussbaum, 1996. Recuérdese que Nussbaum y Sen han actuado como líderes principales en el debate al respecto. Véase así Nussbaum y Sen, 1996.

12 Véase, concretamente, Nussbaum, 1998, p. 71.

13 Véase, Max Neef, 1993. Este trabajo es consecuencia de un proyecto de colaboración internacional sobre el desarrollo a escala humana auspiciado por el centro sueco *Dag Hammerskjold* a principios de los años noventa.

14 Véase, también, Jackson y Marks, 1996.

15 La primera elaboración del Índice es de 1989. Véase aquí Costanza, Cumberland, Daly, Goodlan y Norgaard, 1999.

16 Véase Martínez Alier, 1998.

17 Véase Informe sobre el Desarrollo Humano, 1999.

18 Véase Setién, 1993, p. 138.

19 Véase Alguacil, 1999, p. 153.

20 Véase OCDE, 1982.

21 Se trata de una versión sintética a partir, sobre todo, de Hernández, Alguacil y otros, 1997.

22 N. del C.: En el capítulo 19 se desarrolla, por parte de Julio Rodríguez, un análisis general de la política de vivienda en España distinto del desarrollado en este capítulo, que se vertebra en torno a la calidad de vida.

23 Véase *El País Negocios*, 28-11-1999.

24 Véase Cortés y Paniagua, 1997.

25 Como el precio de la vivienda oficial es regulado y los costes del suelo no pueden ser igualmente controlados, los promotores y constructores reciben muy baja rentabilidad. Durante 1999, sólo se han contruido 35.000 unidades de VPO. En España, exis-

ten ahora mismo 18 millones de viviendas disponibles contra 14 millones de hogares. Véase *El País Negocios*, 12-10-1999, 26-11-1999; Rodríguez López, 1999.

26 Véase *El País Negocios*, 4-7-1999; Rodríguez López, 1999.

27 Véase Cortés y Paniagua, 1997; Rodríguez López, 1999.

28 Véase *El País Negocios*, 28-11-1999.

29 Véase Calle y García Nart, 1999; Castells, 1997-1998; Castells y Hall, 1994; Harvey, 1993; Lash y Urry, 1994; Urry, 1995.

30 Véase también aquí Carpi, Nácher y Bono, 1993.

31 Véase Calle y García Nart, 1999, p. 629.

32 Véase Arias, Nicolás y otros, 1999.

33 Hasta 1986, en realidad no se puede hablar de una política medioambiental española *stricto sensu*.

34 Seguimos aquí OCDE, 1997.

35 10.000 de estos puntos de vertido son de origen urbano, 3.000 proceden de instalaciones industriales de dimensión mediana-grande (más de 100 trabajadores) y grande y 10.000 de empresas medianas y algunas grandes explotaciones ganaderas.

36 Véase Narbona, 1999.

37 Véase, nuevamente, OCDE, 1997.

38 Sobre el total de residuos tóxicos y peligrosos en España, la industria química genera un 33%, la del automóvil un 11% y la industria metalúrgica otro 10%. Véase OCDE, 1997.

39 Aunque el nivel de SO_2 y el de las partículas en suspensión han disminuido notablemente, se han detectado situaciones críticas en determinadas áreas urbanas durante la estación invernal, como, por ejemplo, en Madrid. También en Madrid y Valencia las concentraciones de NO_2 —óxido nítrico—, medidas en estaciones de control de carretera, alcanzan niveles peligrosamente próximos a los valores máximos establecidos por la UE (135 mg/m^3). Véase, sobre Valencia, Almenar, Bono y García, 1998, p. 229. Por último, el nivel crítico de carga por deposición de sustancias ácidas se sobrepasa en algunas zonas de Galicia, Asturias, Aragón y Comunidad Valenciana (las comarcas de Els Ports y Maestrat), debido a las propias emisiones locales.

40 La sobrepresencia de O_3, ozono troposférico, es debida a la fotoxidación de determinados gases como el óxido nitroso, monóxido de carbono y partículas en suspensión, sometidos a temperaturas relativamente altas propias del verano en el Mediterráneo. La evidencia disponible para Barcelona y Valencia en la segunda mitad de los noventa indica niveles superiores al crítico para la población. Véase, sobre Valencia: Almenar, Bono y García, 1998, p. 228.

41 La fuente gubernamental es la Dirección General de Calidad Ambiental y su Inventario Corine. En 1990, la cifra sería de 259 millones de toneladas métricas, y en 1996, de 262 millones. La otra fuente es *El País*. En este caso, la cantidad de 1990 es 235,7 millones, y la de 1998, 289,5. Véase *El País*, 28-10-1999.

42 La producción actual de energía eólica alcanza los 1.000 Mw, previéndose llegar a los 8.000 en el 2010.

43 Véase Narbona, 1999.

44 Véase, de nuevo, OCDE, 1997, p. 110.

45 Los efectos verdaderamente negativos del deterioro medioambiental sobre la calidad de vida se manifiestan en un plazo bastante superior al de otros deterioros económicos, por lo que puede ser políticamente razonable para partidos *primerizos* elegir centrar sus políticas públicas en objetivos e instrumentos más reconocibles por la opinión pública como inmediatamente dramáticos.

46 N. del C.: En el capítulo 9 se estudia la política de empleo, aunque, respetando la visión amplia de la calidad de vida de los autores de este capítulo, se ha conservado íntegramente su contenido.

47 En Estados Unidos, la población dispone de un perfil de comportamiento mucho más individualista, lo que comporta, entre otras consecuencias relevantes al caso, un reconocido espíritu emprendedor y una mayor propensión al autoempleo, a lo que no es ajeno la existencia de un mercado consolidado de capital-riesgo. En sentido contrario, entre 1991 y 1998, la población europea desempleada ha aumentado en 4,5 millones hasta alcanzar la suma de en torno a 18 millones. La renovación en curso del pensamiento y la agenda gubernamental *socialista* y *socialdemócrata* en la UE contienen su propia versión sobre el déficit relativo de espíritu emprendedor entre una buena parte de los europeos.

48 Así, durante el período 1995-1998 la economía española ha comenzado a remontar un trienio 1992-1995 caracterizado por la fuerte destrucción de empleo. El cambio de tendencia se ha hecho más evidente después de que la reforma laboral de 1997 haya comenzado a surtir efecto. El nuevo contrato estable pactado reduce notablemente las cotizaciones sociales y abarata el despido. Mientras que, con los datos registrado del INEM, en 1995 y 1996 se produjeron 721.400 contratos indefinidos, desde mayo de 1997 a 1999 el número de contratos indefinidos ha aumentado ostensiblemente hasta 2.011.000. Por otra parte, en este mismo tiempo algo más de 700.000 trabajadores temporales han pasado a ser fijos. Según los datos de la EPA, entre el primer trimestre de 1997 y el último de 1998 el número de empleados pasó de 12.576.400 a 13.342.100.

49 Con los cambios metodológicos aprobados para la EPA desde enero de 1999, lo cierto es que la tasa de desempleo se habría reducido al 15,6% en junio y el total de población ocupada habría ascendido hasta 13.773.000 personas. Como se sabe, el ministro de Economía, Rodrigo Rato, se ha comprometido públicamente a obtener una tasa del 15% a finales del año 2000.

50 Véase Navarro, 1999.

51 En el hecho de que la elasticidad del empleo al crecimiento económico haya aumentado desde mediados de los noventa no sólo ha influido una mayor eficacia de las políticas públicas. Además de un comportamiento sindical más sensato, también a lo largo de los noventa ha tenido lugar la paulatina absorción por parte de la sociedad y el aparato productivo españoles de los procesos de cambio estructural que venían produciéndose desde la década de los ochenta. Así ha sucedido seguramente con la paulatina incorporación de la mujer a la actividad productiva y con la pérdida de peso relativo del sector agrario en favor de sectores industriales de baja demanda y del conjunto del sector terciario. Pero el proceso en curso más cerca de haber sido culminado es la absorción del *baby-boom* de los sesenta. Con respecto a los otros dos procesos en curso, no hay que perder de vista que las tasas femeninas españolas de actividad están lejos todavía de las vigentes en la UE, que la competitividad de la industria española de baja demanda puede ponerse en duda y que el sector terciario ha de encajar todavía el efecto convulsivo del cambio tecno-organizativo en marcha sobre las cualificaciones del empleo demandado. Véase Griñán, 1999; Índice Manpower, 1999.

52 Véase Jimeno, 1999.

53 Tampoco estaría tan clara la evolución al alza en la contratación estable. Véase Griñán, 1999.

54 Véase Escudero, 1998; Griñán, 1999; Índice Manpower, 1999.

55 Además, el hecho de que las bonificaciones a la contratación sean actualmente independientes de la cualificación y, por tanto, de la previsible productividad laboral del

empleado supone un estímulo a la contratación de empleados con cualificación media o alta. Y, por último, la paulatina disminución en el gasto por prestaciones de desempleo y, en sentido contrario, el aumento en las cotizaciones por desempleo, en principio resultado de medidas pensadas con objetivos de consolidación presupuestaria (como en la práctica totalidad de la UE) por los gobiernos *socialistas* pero todavía mantenidas por el gobierno *conservador* (y, en el primer caso, también debido a la propia disminución de la población desempleada), están permitiendo al gobierno del PP financiar desde el mismo INEM las bonificaciones de cuotas a la Seguridad Social para la contratación estable. Este diseño político concentra la financiación de las políticas de empleo en la propia actividad productiva, quizás cargando al conjunto de empresarios y trabajadores con un coste de magnitud discutible para beneficiar a sólo unos pocos. Véase Griñán, 1999.

56 Véase Índice Manpower, 1999.

57 Es probable que la población femenina esté reaccionando de manera negativa a la percepción de esta discriminación, ya que, entre 1996 y 1998, la tasa de actividad femenina ha crecido mucho menos que en el período inmediatamente anterior, a pesar del retraso todavía existente con respecto a la UE. Véase Griñán, 1999.

58 Véase Jimeno,1999.

59 Véase Navarro, 1999.

60 N. del C.: Véase también la política de educación en el capítulo 20.

61 El refuerzo de la educación básica (prolongada hasta los 16 años) perseguía aumentar las capacidades intelectivas y la reforma de la formación profesional trataba de mejorar la aproximación de la oferta educativa a las necesidades laborales. También se pretendía formar en el hábito de aplicar prácticamente el conocimiento trabajando de manera individual o colectiva. Véase Marchesi, 1999.

62 Véase aquí, por ejemplo: Aycart, 1996; Castells, 1997-1998; Del Castillo, 1996; Fernández Fernández, 1996; Guisán, 1999; Hernando, 1998; Llano, 1996; Mella y Solé, 1998; Todd, 1999; Vázquez, 1996.

63 En nuestro país, sólo algunas iniciativas puntuales dentro de los sectores productivos y sociales con intereses en el ámbito de la cultura, educación y comunicación están respondiendo al problema del necesario cambio de agenda educativa desde la mera transmisión de conocimientos hacia la formación de hábitos y actitudes flexibles, tolerantes y participativas. Es el caso de la *Fundación Santillana*. Véase *El País*, 24-11-1999. Véase, como ideólogo al respecto, Savater, 1997.

64 Véase Marchesi, 1999; Mella y Solé, 1998.

65 Véase Mella y Solé, 1998.

66 Véase Marchesi, 1999.

67 Véase Navarro, 1999.

68 Véase Informe sobre el Desarrollo Humano, 1999.

69 Véase San Segundo, 1999. Se vuelve más adelante sobre las relaciones intrafamiliares con el trabajo y el empleo.

70 Seguimos aquí las conclusiones de un Informe de la *Fundación Encuentro de la Formación Profesional* presentado en 1999. Véase *El País*, 23-3-1999.

71 Véase Índice Manpower, 1999.

72 El colaboracionismo de las nuevas generaciones españolas no significa compromiso con actividades colectivas en el inmediato entorno. Véase Subirats, 1999.

73 Véase Índice Manpower, 1999.

74 Como se sabe, el espectacular cambio demográfico en curso para nuestro país continúa planteando también cierta inquietud entre la opinión pública sobre la futura fi-

nanciación y, sobre todo, apunta un cambio en el patrón de demanda sobre el que se vuelve más adelante. Una gran conquista es que, según el INE, la esperanza de vida de la mujer sea en nuestro país de 81,6 años, y la del hombre, 74,3 años. Pero, en sentido contrario, la tasa española de natalidad es en estos momentos la más baja del mundo (1,16) y la afluencia de inmigrantes no es suficiente para asegurar la tasa de reposición generacional (2,1). Véase aquí declaraciones de Pilar Martín Guzmán a partir de los datos de INE: *El País*, 23-7-1999. Puede contribuir mucho más, no obstante, en el inmediato futuro. Se vuelve más adelante sobre esta cuestión.

75 Véase Freire, 1999.

76 Véase Echániz, 1999; Freire, 1999.

77 Véase Freire, 1999. Las críticas más virulentas descubren en la agenda *conservadora* una clara apuesta por la sanidad privada, esto es, por el principio de beneficio monetario máximo en la gestión de un servicio cuya calidad se mide por la disponibilidad (cara, necesariamente) de medios, lo que, de acuerdo con la experiencia acumulada, supondría acentuar las prestaciones puramente hosteleras de los centros para desviar en última instancia a la sanidad todavía pública la atención de casos para los que dejan de existir los medios. Véase Sánchez Bayle, 1999.

78 Se trata de un problema clásico en las polémicas suscitadas por Hirschmann y, más recientemente, Todd, y al respecto del cual los primeros interesados en obviarlo como tema de agenda pública pertenecen al propio estamento funcionarial y científico-universitario. Véase Hirschman, 1977; Todd, 1999.

79 Véase Informe sobre Desarrollo Humano, 1999, p. 172.

80 Véase *El País*, 10-11-1999 y 1-12-1999.

81 Seguimos aquí la información proporcionada por A. López Guillén (coord.) (1999): *La jubilación,* Imhotec/Fundación Promedic. Seguimos también una encuesta de la Sdad. Española de Medicina de Familia y Comunitaria. Véase *El País,* 2-11-1999.

82 Seguimos aquí el último Informe temático de amplio alcance legado por Enrique Fernández Miranda antes de abandonar su puesto de Defensor del Pueblo denunciando estas carencias. Véase Iríbar/*El País*, 1999.

83 Véase de nuevo Iríbar/*El País*, 1999.

84 Véase Ayala y Martínez López, 1999.

85 Véase Rexach, Palanca y otros, 1997.

86 Los menores de edad están sobrerrepresentados entre el conjunto total de pobres españoles. Véase, de nuevo, Ayala y Martínez López, 1999.

87 Desde el punto de vista psico-sociológico, trabaja cualquier ciudadano que acomete actividades orientadas a algún resultado y en el curso de las cuales ha de realizar un esfuerzo, el cual suele tener un valor única o principalmente instrumental. Del trabajo, importa sobre todo el resultado final y su realización es, en sí misma, poco o nada gratificante en términos de bienestar. Sabemos que en una sociedad occidental sólo obtienen ingresos monetarios una parte de las actividades que constituyen trabajo, ya sean empresariales o laborales. Algunos ciudadanos tienen la suerte de que sus trabajos les reportan bienestar en sí mismos, con independencia de sus resultados, incluidos los resultados monetarios. Véase, por ejemplo, Elias y Dunning, 1986.

88 Véase Gómez, 1999.

89 Desde 1989, había estado vigente una legislación *socialista* que pretendía reducir la discriminación laboral a las mujeres instituyendo para los padres el derecho a disfrutar de una parte del permiso de maternidad —4 semanas sobre un total de 16— y a disfrutar de 2 días —4 si se necesitaba desplazamiento— por el nacimiento de un hijo.

90 Véase sobre estos argumentos Moscoso y Ruano, 1999.

91 Véase Alberdi, 1999.

92 Véase Informe sobre el Desarrollo Humano, 1999.

93 Véase Navarro, 1999. Existe, además, el peligro de que la figura del progenitor —ya sea padre, madre o ambos— como educador/orientador de los hijos se esté desvaneciendo, siendo fatalmente sustituida por medios y escenarios de socialización informal —la televisión en todos los hogares y la calle en barrios marginales— y en un contexto en el que, como hemos visto, la capacidad del sistema educativo para compensar esas ausencias en la formación de caracteres y personalidades es sin duda insuficiente. Véase Alberdi, 1999; Flaquer, 1999; Gil Calvo, 1999; Sartori, 1998; Savater, 1997.

94 En lo que sigue, véase Carbonero, 1997.

95 Véase Índice Manpower, 1999.

96 Véase, de nuevo, Carbonero, 1997.

97 Véase Lledó, 1999.

98 Véase Ministerio de Trabajo y Asuntos Sociales, 1999.

99 Véase *El País*, 10-11-1999.

100 En Estados Unidos, donde estos problemas han motivado una mucho mayor preocupación entre expertos y autoridades que en Europa, como se sabe, el 72,5% de los delincuentes sufrió malos tratos de sus padres y el 96,9% creció sin afecto. Véase Lledó, 1999.

101 Véase Informe sobre el Desarrollo Humano, 1999.

102 Véase Subirats, 1999.

103 Dos opiniones de representantes cualificados del movimiento asociativo en nuestro país ejemplifican estos argumentos para nuestro país. Así, según el presidente de la CONCAVE —Confederación Nacional de Asociaciones de Vecinos—: «Estamos produciendo marcos de convivencia que fomentan las agresiones: el tamaño y organización deshumanizada de nuestras ciudades; el problema del paro; el fracaso escolar; la frustración entre la demanda social de éxito y calidad de vida y la oferta real de posibilidades; el miedo a la contaminación, a la enfermedad y el desempleo. Todo ello produce el sentimiento subjetivo de inseguirdad absolutamente inamovible frente a la fría racionalidad de las estadísticas de delincuencia». Y, según el presidente nacional de las APA's —Asociaciones de Padres de Alumnos—: «La agresividad es una reacción de frustración ante los objetivos inalcanzables, pero también hay quienes transgreden las normas como una forma de protección y de repulsa contra el tipo de sociedad que los margina. No olvidemos que la transgresión se manifeista como un acto de afirmación en la adolescencia». Véase Lledó, 1999, p. 692.

104 Véase Fundación BBV, 1999. Ref.: *El País*, 8-12-1999.

105 Véase, de nuevo, Fundación BBV, 1999. Ref.: *El País*, 8-12-1999.

106 Seguimos un Informe de *La Caixa de Estalvis y Pensions de Catalunya*, dirigido por Josep Oliver. Véase Cebrián/*El País*, 9-9-1998.

107 Véase Síntesis de Indicadores Económicos. Ministerio de Economía y Hacienda, 1998.

108 Véase *El País*, 29-1-1999.

109 Véase *El País*, 8-12-1999.

110 Véase Alcaide, 1999.

111 Como Sen ha señalado insistentemente, las oportunidades relevantes a la calidad de vida, su accesibilidad, sus calidades y sus precios deben ser contempladas en términos siempre contingentes, tanto históricos como territoriales. Tanto los criterios de

Sen como los de Nussbaum insisten en que las estrategias familiares deben disponer de la opción de *enclavarse* en el territorio, de perseverar en las propias raíces o de buscar otras nuevas. La encuesta interesa a nuestro efectos ya que, por añadidura, en España la dicotomía *radicación/movilidad* espacial se resuelve, de momento, a favor de la primera. En este sentido, la *facilidad/dificultad para llegar a fin de mes* y la capacidad de ahorro sobre la que se encuesta a las familias españolas dependen no sólo de sus ingresos, sino también de las expectativas más o menos seguras al respecto, del abanico territorial de oportunidades accesibles y de patrones socioculturales de gasto, a su vez asociados al territorio.

112 El cuadro 24.1 agrupa en una sola columna las tres modalidades de *dificultad* presentadas originalmente y ofrece el peso relativo de las familias que viven más fácilmente y de las que pueden ahorrar con cierta tranquilidad. También establece rangos.

113 Más en detalle, se observa que la proporción de familias en Canarias, Castilla-La Mancha, Murcia, Baleares y Andalucía que experimentan dificultad para vivir es muy superior a la de las restantes CCAA. En sentido contrario, Navarra, La Rioja, Castilla y León, Aragón y País Vasco cuentan con el mayor peso relativo de familias que llegan a fin de mes con alguna facilidad. Los mayores porcentajes de familias que alcanzan con mucha facilidad el fin de mes se dan en Navarra, Asturias, Castilla y León, Cantabria y La Rioja. Sin embargo, el patrón territorial de ahorro no es exactamente el mismo. Las CCAA con una mayor proporción de familias que ahorran son Castilla y León, Asturias, Comunidad Valenciana, País Vasco y Navarra.

114 En el afán de *centrar* ideológicamente sus discursos y políticas, el criterio de consolidación presupuestaria para adaptarse a las exigencias de la globalización, esgrimido tanto por el PSOE y el PP en España como por otros muchos partidos de distinto signo en los gobiernos de las actuales y viejas potencias a lo largo del período, contradice en cierto modo la evidencia histórica en favor de los países nórdicos y/o pequeños de Europa. En estos *otros* países, las políticas públicas de bienestar a lo largo de casi todo este siglo han sostenido la cohesión social y permiten mayor flexibilidad adaptativa de sus sociedades. Los países más abiertos y frágiles cuentan con los mayores y, seguramente, mejores Estados del Bienestar europeos. El lastre de rigidez que afecta a los Estados del Bienestar en las actuales y viejas potencias europeas —y que también es excusa *centrista* para y desde la UE— puede en cambio deberse a una tardía reacción a los efectos de la globalización provocada por un excesivo ensimismamiento engreído y, en algunos casos, como en España, a causa de una alarmante inmadurez civil en este siglo que acaba. Véase, sobre argumentos similares, Navarro, 1998, 1999; Todd, 1999.

115 En España, parece a todas luces conveniente que, teniendo en cuenta las inercias de rigidez gerencial que afectan a las AAPP españolas y la reticencia *ideológica* a seguir el patrón *nórdico* más estatista, los gobiernos contribuyan a desarrollar el *tercer sector* y las ONG's en el ámbito de muchas prestaciones en las que España presenta déficit notables. Sin embargo, el esfuerzo realizado hasta ahora se revela muy escaso dados los problemas existentes. Entre 1994 y 1998, el Ministerio de Asuntos Sociales ha otorgado ayudas por valor de 57.336 millones de pesetas. Sólo el coste de cubrir las necesidades asistenciales de una mayor proporción de la tercera edad ascendería a algo más de 330.000 millones de pesetas. Por otra parte, la alternativa de un *tercer sector* financiado parcialmente por las AAPP exige un control de las *colaboraciones* cuya efectividad en otros ámbitos ha sido por ahora más que dudosa y que, en cualquier caso, ha desatado demasiadas tensiones entre la clase política y los usuarios. Véase Gómez, 1999.

116 Tras el análisis realizado en este trabajo, difícilmente puede dejar de pensarse que este hecho singular está, por lo menos, relacionado con la yuxtaposición de tres problemáticas que aquí han sido detectadas y que afectarían a las expectativas de los jóvenes españoles: el cambio cultural que afecta a la población femenina en un país con una inercia fuertemente *machista*, las expectativas inciertas de una parte de la población en edad de procrear —sobre la que se ceba el problema del desempleo y el empleo temporal, como hemos visto— y un estilo de vida individualista y consumista que persigue sobre todo satisfacciones inmediatas que los hijos pueden distraer en un contexto de recursos escasos e inciertos.

Referencias

Aganzo, A., E. Linares y otros (1997): «Hacia una redistribución solidaria de la riqueza: medidas desde las polítcas de empleo y de protección social». *Documentación Social,* nº 106. Cáritas, pp.13-72.

Alberdi, I. (1999): *La nueva familia española*, Madrid, Taurus.

Alcaide, C. (1999): «El bienestar de las familias», *El País Negocios*, 11-8-1999.

Alguacil, J. (1999): «La calidad de vida como marco relacional para el desarrollo de los derechos humanos y constitucionales», *Revista de Documentación Social*, nº 114.

Almenar, R., E. Bono y E. García (1998): *La sostenibilidad del desarrollo: el caso valenciano,* Valencia, Fundació Bancaixa.

Arias, F., J. Nicolás y otros (1999): *La desigualdad urbana en España*, Madrid, Ministerio de Fomento.

Ayala, L., y R. Martínez López (1999): «La Pobreza en España: evolución y factores explicativos», en J. A. Garde (ed.), *Políticas Sociales y Estado del Bienestar en España. Informe 1999*, Madrid, Ed. Trotta.

Aycart, J. (1996): «Innovación tecnológica y formación continua», *Situación,* nº 4/1996, Servicio de Estudios del BBV, Madrid, pp. 119-135.

Calle, M., y García Nart, M. (1999): «Urbanismo y calidad de vida en las ciudades», en J. A. Garde (ed.), *Políticas Sociales y Estado del Bienestar en España. Informe 1999*, Madrid, Ed. Trotta.

Campillos, A. J. (1998): «Política Urbanística 1979-1998», en J. M. Mella (coord.) (1999), *Economía y política regional en España ante la Europa del siglo XXI*, Madrid, Akal.

Carbonero, M. A. (1999): *Estrategias laborales de las familias en España,* CES (1997).

Castells, M. (1986): *La ciudad y las masas*, Madrid, Alianza Editorial.

—, y P. Hall (1994): *Las tecnópolis del mundo. La formación de los complejos industriales en el siglo XXI*, Madrid, Alianza Editorial.

— (1997-1998): *La Era de la Información. Economía, Sociedad y Cultura*, 3 vols., Madrid, Alianza Editorial.

Constanza, R., J. Cumberland, H. Daly, R. Goodlan y R. Norgaard (1999): *Introducción a la Economía Ecológica*, Madrid, AENOR.

Cortés, L., y J. L. Paniagua (1997): «La vivienda como factor de exclusión social», *Documentación Social,* nº 106, Cáritas, pp. 93-147.

Dahrendorf, R. (1998): «Hacia el siglo XXI», en M. Howard y W. Roger Louis (eds.), *Historia Oxford del Siglo XX,* Barcelona, Planeta.

Del Castillo, M. (1996): «Tendencias en la formación», *Situación,* nº 4/1996, Madrid, Servicio de Estudios del BBV, pp. 53-69.

Doyal, L., e I. Gough (1994): *Teoría de las necesidades humanas,* Madrid, Icaria, F.U.H.E.M.

Echániz, J. I. (1999): «Política Sanitaria: la reforma de la Sanidad», en J. A. Garde (ed.), *Políticas Sociales y Estado del Bienestar en España. Informe 1999,* Madrid, Ed. Trotta.

Elias, N., y E. Dunning (1986): *Ocio y Deporte en el proceso de la civilización,* México, FCE.

El País. PRISA. Madrid. *Negocios.* 9-9-1998. 3-12-1998. 23-3-1999. *Negocios.* 4-7-1999. 23-7-1999. *Negocios.* 12-10-1999. 28-10-1999. 10-11-1999. 24-11-199. *Negocios.* 28-11-1999. 1-12-1999. 8-12-1998.

Escudero, M. (1998): *Pleno Empleo,* Madrid, Espasa.

Fernández Fernández, J. L. (1996): «Educación y ética de la sociedad civil», *Situación,* nº 4/1996. Servicio de Estudios del BBV, Madrid, pp. 85-105.

Fláquer, L. (1999): *La estrella menguante del padre,* Barcelona, Ariel.

Freire, J. M. (1999): «Política Sanitaria», en J. A. Garde (ed.), *Políticas Sociales y Estado del Bienestar en España. Informe 1999*, Madrid, Ed. Trotta.

Giddens, A. (1998): *Más allá de la izquierda y la derecha. El futuro de las políticas radicales,* Madrid, Ed. Cátedra.

Gil Calvo, E. (1999): «El Eclipse de los Progenitores», *El País, Babelia,* 3-7-1999.

Gómez, A. (1999): «Igualdad de oportunidades y política compensatoria», en J. A. Garde (ed.), *Políticas Sociales y Estado del Bienestar en España. Informe 1999*, Madrid, Ed. Trotta.

Griñán, J. A. (1999): «Crecimiento económico y políticas de empleo», en J. A. Garde (ed.), *Políticas Sociales y Estado del Bienestar en España. Informe 1999*, Madrid, Ed. Trotta.

Guisán, E. (1999): «La educación placentera», *Claves de Razón Práctica,* nº 89, pp. 32-39.

Harvey, D. (1993): *The condition of Postmodernity,* Cambridge, Blackwell Pub.

Hernando, A. (1998): «Ciencia y sociedad: notas autocríticas desde el lado científico», *El País,* 28-12-98, Madrid.

Hernández, A., J. Alguacil y otros (1997): *La ciudad de los ciudadanos,* Madrid, Ministerio de Fomento.

Hirschman, A. O. (1977): *Salida, Voz y Lealtad,* México, FCE.

PNUD (Programa de las Naciones Unidas para el Desarrollo) (1999): Informe sobre el desarrollo humano, Mundi-Prensa.

Jackson, T., y N. Marks (1996): «Consumo, bienestar sostenible y necesidades humanas», *Ecología Política,* nº 12, pp. 67-80.

Jimeno, J. F. (1999): «Las políticas de empleo: pasado, presente y futuro», en J. A. Garde (ed.), *Políticas Sociales y Estado del Bienestar en España. Informe 1999*, Madrid, Ed. Trotta.

Lash, S., y J. Urry (1994): *Economies of Signs and Spaces,* Londres, Sage Publications.

Llano, C. (1996): «Empleo, educación y formación permanente», *Situación,* nº 4/1996, Servicio de Estudios BBV, pp. 15-31.

Lledó, P. (1999): «La seguridad ciudadana como política de bienestar», en J. A. Garde (ed.), *Políticas Sociales y Estado del Bienestar en España. Informe 1999,* Madrid, Ed. Trotta.

López Guillén, A. (coord.) (1999): *La jubilación.* Imhotec/Fundación Promedic, Madrid, Ref.: *El País,* 2-11-1999.

Marchesi, A. (1999): «Los problemas de la educación española», en J. A. Garde (ed.), *Políticas Sociales y Estado del Bienestar en España. Informe 1999,* Madrid, Ed. Trotta.

Martínez Alier, J. (1998): *La economía ecológica como economía humana,* Fundación César Manrique.

Max-Neef, M. (1993): *Desarrollo a escala humana,* Barcelona, Icaria.

Ministerio de Trabajo y Asuntos Sociales (1999): *Boletín de Estadísticas Laborales,* nº 156.

Moscoso, J., y L. Ruano (1999): «Conciliación de la vida familiar y laboral: ¿sólo para las mujeres?», *El País,* 2-11-1999.

Mella, J. M., y F. Solé (1998): «Política de capital humano y formación», en J. M. Mella (coord.) (1999), *Economía y política regional en España ante la Europa del siglo XXI,* Madrid, Akal.

Ministerio de Economía y Hacienda (1998): *Síntesis de Indicadores Económicos,* Madrid.

Narbona, C. (1999): «La situación medioambiental», en J. A. Garde (ed.), *Políticas Sociales y Estado del Bienestar en España. Informe 1999,* Madrid, Ed. Trotta.

Navarro, V. (1998): «Gasto, cohesión social y radicalismo democrático», *El País,* 25-9-1998.

— (1999): «El olvido de la cotidianidad», *El País,* 6-2-1999.

Nussbaum, M. (1996): «Virtudes no relativas: un enfoque aristotélico», en M. Nussbaum y A. K. Sen (eds.) (1993), *Quality of Life,* Oxford University Press. Edición castellana en FCE (1996).

— (1998): «Capacidades humanas y justicia social», en J. Reichmann (coord.), *Necesitar, desear y vivir,* Ed. Libro de la Catarata.

—, y A. K. Sen (1996): «Introducción», en M. Nussbaum y A. K. Sen (eds.) (1993), *Quality of Life,* Oxford University Press. Edición castellana en FCE (1996).

—, y A. K. Sen (eds.) (1993): *Quality of Life,* Oxford University Press. Edición castellana en FCE (1996).

OCDE (1982): *La liste de O.C.D.E. des Indicateurs Sociaux.*

— (1997): *Análisis de los resultados medioambientales en España,* Servicio de Publicaciones.

Oliver, J. (coord.) Manpower (1999): *Índice Manpower de Convergencia Laboral con la Unión Europea. Informe trimestral sobre el mercado de trabajo en España y su convergencia con los principales países de la Unión Europea.* Manpower. Octubre.

Rexach, L., I. Palanca y otros (1997): «Nivel socioeconómico, exclusión social y salud», *Documentación Social,* nº 106, Cáritas, pp.149-180.

Rodríguez López, J. (1999): «Un nuevo torrente inmobiliario», *El País,* 27-10-1999.

Sánchez Bayle, M. (1999): «Garantía de equidad y calidad», *El País,* 10-1-1999.

Sartori, G. (1998): *Homo-videns,* Madrid, Taurus.

Savater, F. (1997): *El valor de educar,* Barcelona, Ariel.

San Segundo, M. J. (1998): «Igualdad de oportunidades educativas», *Ekonomiaz,* Ref. *El País,* 15-12-1998.

Sen, A. K. (1996): «Capacidad y bienestar», en M. Nussbaum y A. K. Sen (eds.) (1993), *Quality of Life,* Oxford University Press. Edición castellana en FCE (1996).

Setién, M. L. (1993): *Indicadores sociales de Calidad de Vida. Un sistema de medición aplicado al País Vasco,* Madrid, CIS.

Subirats, J. (coord.) (1999): *¿Existe sociedad civil en España?* Madrid, Fundación Encuentro, Ref. *El País,* 27-10-1999.

Todd, E. (1999): *La ilusión económica. Sobre el estancamiento de las sociedades desarrolladas,* Madrid, Taurus.

Tomás Carpi, J. A., J. Nácher y E. Bono (1993): «Política de calidad de vida», en L. Gámir (coord.) y D. Such, *Política Económica de España,* Madrid, Alianza Editorial.

Urry, J. (1995): *Consuming Places,* Londres, Routledge.

Vázquez, G. (1996): «Aprendizaje y formación en la sociedad cognitiva», *Situación,* nº 4/1996, Madrid, Servicio de Estudios del BBV, pp. 33-52.

25. Crecimiento, inflación, equilibrio exterior, empleo y distribución de la renta

Miguel Cuerdo y Luis Gámir

1. Introducción

La sexta parte del libro está dedicada a la política por objetivos.

En la presentación de este libro se ha explicado un esquema de los objetivos y las razones por las que en esta obra esta parte se ha reducido a estos dos capítulos.

Pasemos, por ello, al primero de los objetivos a analizar en este segundo capítulo dedicado a la política por objetivos.

2. Crecimiento económico español

2.1 Rasgos generales del crecimiento económico como objetivo perseguido por la economía española

El crecimiento económico como objetivo de la política económica española debe analizarse no solamente orientado a la consecución de un incremento del nivel de bienestar per cápita de la economía, sino también en tanto que un camino de aproximación de la renta per cápita española a la de los países de la UE. (Recuérdese la importancia de la renta relativa en la relación entre bienestar económico y bienestar humano analizada ya en Scitowsky [1974].)

Desde los años sesenta, el PIB per cápita en España, como puede apreciarse en el gráfico 25.1, muestra un crecimiento continuo (en el sentido de que la tasa de crecimiento siempre es positiva), roto únicamente en los años

Gráfico 25.1   Tasa de variación interanual del PIB per cápita

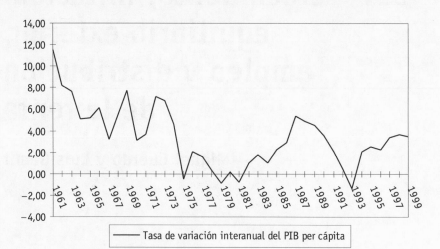

—— Tasa de variación interanual del PIB per cápita

1975, 1979, 1981 y 1993. Ahora bien, esta evolución positiva en su conjunto esconde algunos aspectos y características que ponen de manifiesto la existencia de distintas etapas en la economía española.

Aunque el capítulo solamente se va a extender en la consideración de los años ochenta y noventa, se pueden precisar algunas características comunes en el crecimiento económico español de las últimas cuatro décadas que facilitan la aproximación a la experiencia más reciente:

— En primer lugar el crecimiento económico español sigue una evolución cíclica. La sucesión de fases expansivas y recesivas son de desigual duración e intensidad, como puede apreciarse tanto en el gráfico 25.1 como en el 25.2. Es decir, no se ha conseguido el objetivo de crecimiento económico estable.

— En segundo lugar, esta evolución cíclica del PIB español es muy parecida, pero más acentuada que la del PIB de la UE, como puede apreciarse en el gráfico 25.2. Aunque en el capítulo 26 se desarrollan estas comparaciones internacionales desde otro enfoque, es necesario insistir aquí en que en las fases expansivas el nivel de bienestar español se acerca al nivel medio comunitario, mientras que en las fases recesivas se aleja. Por ello es importante comparar ciclos completos (expansión-recesión) para analizar nuestro ritmo de convergencia con la media Europea. En todo caso, como balance general de las últimas cuatro décadas, las fases expansivas han compensado la divergencia que se ha producido en las fases recesivas. Como se pone de manifiesto en el mencionado capítulo 26, desde los años sesenta y después de varios ciclos completos, «la diferencia [con la UE] se ha reducido a la mitad en [los últimos] 38 años».

Gráfico 25.2 Evolución de las tasas de crecimiento del PIB en la UE y España

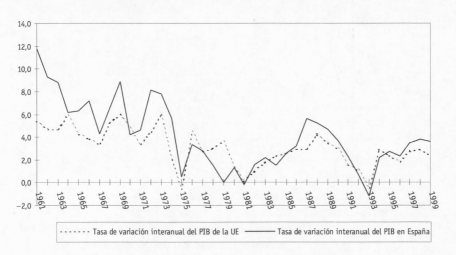

— En tercer lugar, la evolución cíclica del crecimiento del producto per cápita a lo largo del tiempo no puede esconder los diferentes resultados que cada modelo de crecimiento seguido por la economía española produce en otras macromagnitudes, por ejemplo, en la evolución del empleo, de la productividad, de la distribución de la renta, de los precios o del saldo exterior. Esto significa que ha habido períodos de crecimiento del producto per cápita sin crecimiento de la tasa de empleo o que han existido otros momentos de crecimiento con desequilibrios exteriores importantes o con altas tasas de inflación, etc. Por lo que estos desequilibrios parciales no deben identificarse mecánicamente con fases recesivas o expansivas. Sin embargo, el crecimiento económico ha estado estrechamente relacionado con una apertura exterior cada vez mayor de la economía española.

— En cuarto lugar, observando la evolución de la productividad media del trabajo (véase el gráfico 25.3), para un período amplio (1964-1999) se observa que salvo excepciones ha mantenido una tasa de crecimiento positivo aunque con tendencia decreciente. Sin embargo, si bien las ganancias de productividad han sido una constante del crecimiento económico español, no tienen un valor explicativo del ciclo económico, dado que el ciclo pasa por fases expansivas con muy poco crecimiento de la productividad, por ejemplo a finales de los años noventa, y por fases recesivas con un crecimiento de la productividad de cierta envergadura, por ejemplo en los años setenta [1].

— En quinto lugar, si se analiza el gráfico 25.3, se encuentra que la evolución de la tasa de empleo crece por encima de la de productivi-

807

Gráfico 25.3   Evolución de las tasas de variación de la productividad y de la tasa de empleo

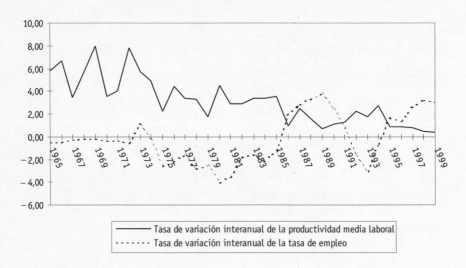

dad exclusivamente en las fases expansivas de la segunda parte de los ochenta y de los noventa.

2.2   El crecimiento económico español en los años ochenta y noventa

A partir del cuadro 25.1 se realiza una aproximación a lo acontecido en términos de crecimiento en las últimas dos décadas, y de manera muy especial desde 1985. Para ello, se parte de la descomposición de la tasa de variación del propio producto per cápita en la suma de la tasa de variación de la productividad y de la tasa de variación de la tasa de empleo. Con la tasa de variación de la productividad lo que se está midiendo es la evolución de la productividad media laboral, entendida ésta como la relación entre el producto interior bruto y la población ocupada. Por otra parte, la tasa de variación de la tasa de empleo se calcula a partir del cociente entre la población ocupada y la población total de España.

1985-1991

Esta nueva fase de crecimiento va a mostrar diferencias en relación con la anterior fase expansiva de la economía española. Así, mientras que en el período 1961-1974 el crecimiento PIB per cápita fue muy intenso y el de la tasa de empleo muy moderado, con la nueva fase expansiva internacional

Cuadro 25.1 Tasas medias de variación interanual (en %) del producto, la productividad y la tasa de empleo en España, 1985-1999

Período	Productividad	Tasa de empleo	PIB per cápita
1985-1991	1,67	1,97	3,64
1992-1994	2,26	−1,83	0,43
1995-1999	0,7	2,36	3,06

FUENTE: INE, Contabilidad Nacional y elaboración propia.

que se inicia en la primera mitad de los años ochenta y que llega con cierto retraso a España en 1985, se apunta un nuevo modelo en el que el objetivo del crecimiento económico se consigue sobre unas bases de mayor crecimiento del empleo que de la productividad (como puede apreciarse en el cuadro 25.1). No obstante lo anterior, no se logran recuperar las tasas de crecimiento económico de los años sesenta.

Es una etapa en la que se cumple con el objetivo de aproximación al bienestar medio comunitario en términos de PIB per cápita. Como se observa en el gráfico 25.2, la economía española crece por encima de la UE de forma continua en esos seis años, aunque, como han señalado Gámir y Durá (1999), la evolución de la productividad media del trabajo se aleje en esta fase de la media comunitaria europea, debido fundamentalmente al más intenso crecimiento del empleo en España respecto a la UE.

La evolución de la relación capital/trabajo apenas crece entre 1985 y 1990 (Gámir y Durá, 1999: 52), lo que sin duda es un factor de influencia para que en esta fase se alejen la productividad media laboral española y de la UE. Este hecho es compatible con el esfuerzo que se realiza desde entonces en materia de inversión pública, especialmente en infraestructuras de transporte, y que, con ritmos diferentes, continúa hasta la actualidad. Así, «en 1986, nuestro país presentaba un déficit en infraestructuras de transporte importante, ya que su dotación era únicamente el 71% de la media de la UE. Once años después, la situación ha mejorado hasta alcanzar el 90%» (Martín, 1997: 45).

Este modelo de crecimiento económico se llevó a cabo con importantes desequilibrios, especialmente en el sector público, lo que sin duda no solamente trajo como consecuencia un evidente crecimiento del endeudamiento público, sino que decantó la articulación del modelo hacia las políticas instrumentales monetarias, que, con la intención de compensar los desequilibrios fiscales, fueron muy restrictivas.

1992-1994

En la segunda mitad del año 1991 se inicia una fase recesiva corta en el tiempo pero de una severidad desconocida desde los años cuarenta. El modelo de crecimiento anterior con fuertes desequilibrios va a desembocar en una fase recesiva comparativamente mayor a la registrada en la UE con el consiguiente retroceso en los niveles de renta per cápita en relación con la media europea.

Como puede apreciarse en el gráfico 25.1, la tasa de variación del PIB per cápita se reduce a unos valores inferiores a los de las fases recesivas anteriores. De hecho en ninguno de los años que se recogen en dicho gráfico el PIB per cápita se redujo tanto como en 1993. Sin embargo, lo más característico de esta etapa es la fuerza con la que aumenta la tasa de paro, que sobrepasa el 24% en 1994, aunque la tasa de empleo evoluciona menos negativamente que en la fase recesiva anterior, sin duda debido a la importante desaceleración del crecimiento de la población española en los años noventa.

1995-1999

En el cuarto trimestre de 1994 comienza una nueva fase expansiva, aunque inicialmente el crecimiento más intenso del producto per cápita no se viera reflejado en un mayor crecimiento del empleo, el cual no terminaría de confirmarse hasta el año 1996, dado que durante algunos trimestres de 1995 esta variación fue negativa.

Va a ser a partir de 1996 cuando la nueva fase expansiva apunta a un nuevo modelo de crecimiento económico con un ritmo sostenido de crecimiento del producto per cápita por encima del 3% a partir de 1997 y una importancia creciente del empleo que se pone de manifiesto en una tasa de variación que supera a cualquiera de los ciclos expansivos anteriores.

Junto a ello, el crecimiento de la productividad baja un peldaño más y se sitúa ya en unas tasas de variación muy próximas a cero, aunque todavía positivas. Es decir, el nuevo modelo económico comparativamente es mucho más intensivo en trabajo, lo que es coherente con las elevadas tasas de paro con las que comienza este período.

El nuevo modelo de crecimiento tiene como elementos que lo diferencian del modelo anterior entre otros los dos siguientes: por una parte, la estabilización económica como marco de referencia para el crecimiento económico y para el cumplimiento efectivo de los compromisos internacionales, especialmente los referidos a la incorporación en la Unión Monetaria Europea. Por otra parte, un esfuerzo de flexibilización y modernización de la oferta productiva que se adapte a las condiciones que debe tener la segunda economía más abierta del mundo entre las diez más grandes.

Gráfico 25.4 Evolución de la tasa de inflación media de la economía española

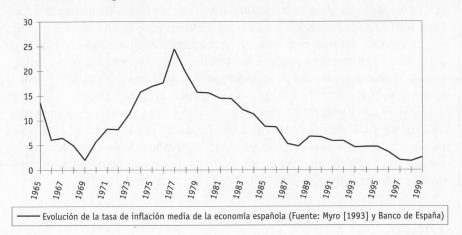

FUENTE: Myro (1993) y Banco de España.

3. La estabilidad de precios como objetivo

El objetivo de estabilidad de los precios ha ido adquiriendo una importancia creciente desde la crisis de los setenta hasta convertirse en uno de los objetivos prioritarios de la política económica. España no ha sido un país con una gran tradición en la estabilidad de precios. Como se pone de manifiesto en el gráfico 25.4, la tasa de inflación a lo largo de ese período recorre un amplio abanico que va del 1,4% conseguido en 1998 a cerca de un 25% que existía en 1977 —con tasas superiores durante el año—. Sin embargo, es precisamente ese año de 1977 el que marca un punto de inflexión en lo que a inflación se refiere, puesto que desde entonces, y con la perspectiva suficiente, la inflación comienza a combatirse al considerarse como un requisito necesario para poder avanzar a largo plazo en la convergencia real (en el contexto de la gravedad coyuntural de la situación).

Los resultados de esta lucha contra la inflación han pasado por diversas etapas. Es difícil, sin embargo, reducir la cuestión a los años ochenta y noventa, dado que no hay una discontinuidad tan clara como en el caso del crecimiento económico.

1970-1977

Desde 1969[2] se pueden distinguir al menos cuatro etapas en cuanto a los resultados obtenidos en la lucha contra la inflación. Una primera etapa desde 1970 hasta 1977 de inflación creciente, consecuencia de la política acomodaticia de la autoridad monetaria. En esta etapa no se toman medidas para enfrentarse a la primera crisis del petróleo y la situación de los grandes desequilibrios (entre ellos la inflación) se va deteriorando de una manera continua hasta los llamados Pactos de la Moncloa (véase el capítulo 1).

En los años sesenta el modelo de crecimiento económico se había llevado a cabo sin mirar demasiado a la estabilidad de precios. De hecho, en algunos de esos años la tasa de inflación se disparó a los dos dígitos y es difícil encontrar algún año con una tasa inferior al 5%. La ineficacia en el control del nivel general de precios comenzó a hacerse más evidente cuando, a partir 1970, ya antes de la primera crisis del crudo, la tasa de inflación inició una senda ascendente, que se vio agravada con la elevación de los precios del petróleo, alcanzando desde 1974 niveles de dos dígitos y llegando a su máximo en 1977, con tasas que se aproximaban al 30%.

1977-1988

Con los Pactos de la Moncloa de 1977 se inicia la segunda etapa. En ella la estabilidad de precios pasa a constituir una de las prioridades de la política económica y se invierte la tendencia, iniciándose una senda descendente de la tasa de inflación que se va a prolongar hasta 1988. Así, el primer año de esta etapa registra un importante éxito, ya que disminuye la inflación casi a la mitad, al pasar del 28,4% de agosto de 1977 al 16,5% de diciembre de 1978. Con posterioridad, los avances son más lentos aunque continuos hasta 1987 en que se acaba el año con un inflación del 4,6%. En los primeros meses de 1988 sigue disminuyendo para cambiar la tendencia en la segunda parte del año. Este nivel tan bajo no se recuperaría hasta 1993.

A largo de esta etapa, se consolida la política monetaria bietápica (véanse los capítulos 1 y 3), que se ve apoyada, la mayoría de los años, por una política de rentas.

1988-1993

A partir de 1988 el objetivo de estabilidad de precios se frena y se interrumpe la trayectoria descendente que se mantenía desde 1977.

Así, desde 1988 la inflación inicia una senda ascendente que lleva a que acabe 1989 prácticamente en el 7% y no vuelve a unos niveles inferiores al 5% hasta 1993.

Hay que señalar que a finales de los ochenta la economía española estaba creciendo a un ritmo muy intenso y que al mismo tiempo los gastos públicos estaban aumentando a una tasa incluso mayor. En esta época también España entra en el SME, con lo que se altera el esquema de la política monetaria.

812

Este incremento de la inflación, que implica un aumento de nuestro diferencial con los otros países del SME, lleva a que no se pueda mantener el tipo de cambio central de la peseta, provocando las sucesivas devaluaciones ocasionadas a partir de finales de 1992 en el contexto de la crisis financiera del SME (para un análisis más detallado, véanse los capítulos 1 y 4).

1994-1999

En el año 1994 se aprueba la Ley de autonomía del Banco de España, momento en que la propia autoridad monetaria se plantea un giro en su política de estabilidad de precios y abandona la política monetaria bietápica por una política de objetivo directo de inflación a medio plazo que el Banco de España establece en una aproximación paulatina a un nivel primero del 3% y posteriormente del 2%.

Los años 1994 y 1995 la inflación acaba en el 4,3% y, por lo tanto, todavía no se empiezan a notar los efectos de la recién estrenada autonomía. Hay que tener en cuenta que en esta fase el déficit público va a alcanzar unos niveles récord en toda la historia de la democracia, y, por lo tanto, no era una buena ayuda para la política monetaria.

En 1996, con un aspecto más saneado que el de años anteriores en cuanto a déficit público y una política monetaria mejor sintonizada con el resto de la política económica de estabilidad, la inflación comienza a recorrer un nuevo camino de descenso que culminará en 1998. Estos elementos permitieron una acelerada aproximación a las pautas comunitarias, tanto en precios como en tipos de interés.

De hecho, el objetivo de precios situado en el entorno del 2% se consigue en 1997 y se supera holgadamente en 1998, con el mejor resultado conseguido en los últimos treinta años.

En el año 1999, el primero del euro y el primero por tanto en el que el Banco Central Europeo tiene en vigor todas sus funciones, se produce un repunte de la inflación hasta el 2,9%. Éste es un año complicado porque en él tiene lugar un incremento importante de los precios del petróleo. Además, aún no tienen toda su incidencia las políticas desde la oferta de desregulación —o re-regulación pro competencia— y de liberalización, aparte de que haga falta profundizar más en ellas. Asimismo, es posible que la política del BCE resultara durante este año demasiado expansiva para las condiciones de un país como España, que, a pesar de la crisis financiera, sigue creciendo a un ritmo alto, a diferencia de lo que ocurría en países como Alemania, Italia y Francia, con una fuerte pulsación —en nuestro caso— de la demanda de los bienes de consumo.

A finales del año 1999 y primeros meses del 2000 la política del BCE cambia hacia un sesgo bastante más restrictivo algo más acorde con las necesidades españolas.

La tasa de inflación, en cualquier caso, no consigue moderarse debido, entre otras razones, al fuerte crecimiento de los precios del petróleo (con un dólar en alza).

La nueva situación es algo compleja. La demanda de los bienes que forman —o representan— el IPC está tirando fuertemente. La política monetaria exige equilibrios con las necesidades de otros países europeos con crecimiento menor. España puede actuar con la política presupuestaria —de ahí que sea positivo el anuncio del déficit cero en el año 2001— y con políticas de oferta que permitan atender a la demanda a precios más competitivos, pero que implican a menudo políticas a medio plazo, que cuesta poner en marcha, por costes fiscales —por ejemplo, infraestructuras—, para hacerlos compatibles con el rigor presupuestario necesario desde la demanda o por «costes sociopolíticos» —por ejemplo, pero no es el único caso, la profundización en la competencia—. Por todo ello la credibilidad, la superación de dichas dificultades, el rigor y la creación de expectativas favorables a la «convergencia en inflación con Europa» son fundamentales.

Ésta es una labor del Gobierno, pero también de los *diversos* agentes sociales, políticos, económicos, etc., si entre todos queremos que España siga convergiendo con Europa en renta por persona y bajando su tasa de paro en un clima de estabilidad.

4. El equilibrio externo como objetivo

Desde la segunda mitad del siglo XX las relaciones comerciales exteriores han ido marcando de forma cada vez más acentuada a todas las economías del mundo. Aunque España se incorporó tarde (véase el capítulo 26), no ha sido una excepción en el proceso de apertura exterior y, por lo tanto, su equilibrio exterior (o al menos la «sostenibilidad» de sus desequilibrios) ha sido uno de los objetivos de la política económica que ha ido adquiriendo cada vez más importancia. El Plan de Estabilización de 1959 y sus medidas de equilibrio externo, tanto en lo que representó la normalización de las relaciones económicas internacionales a través de su incorporación a los Acuerdos de Bretton Woods y al GATT como la puesta en marcha del arancel de 1960, propiciaron una larga etapa de apertura creciente que todavía hoy no se puede dar por concluida.

Del análisis de la evolución de la balanza por cuenta corriente española se deduce lo siguiente:

— El saldo de la balanza por cuenta corriente sigue una senda cíclica, parecida a la del producto, aunque, si se observa con detalle, se anticipa en uno o dos años a los cambios que se van produciendo en el producto.

814

Gráfico 25.5   **Evolución de la capacidad o necesidad de financiación de la economía española**

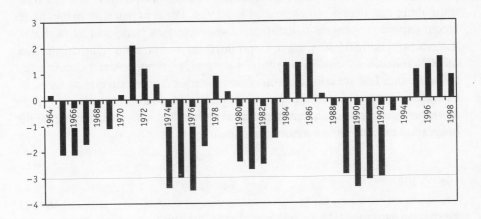

— Por otro lado, los desequilibrios habidos han tenido un carácter temporal o coyuntural, precisamente por modificar su tendencia cuando ha cambiado el ciclo en términos de producto.
— Además, los déficit exteriores que se han producido y, por lo tanto, la necesidad de financiación de la economía nunca han superado el 4% del PIB a precios de cada año, mientras que los superávits han evolucionado en una horquilla menor que los déficit, no llegando casi nunca al 2% del PIB a precios de cada año.

En el gráfico 25.5 se pueden distinguir varias etapas y, más allá de la evolución temporal de su perfil, diferentes maneras de acometer el objetivo del equilibrio externo, especialmente si junto a este saldo se añade alguna información relevante sobre determinadas decisiones tomadas por los distintos gobiernos españoles en las últimas dos décadas.

1978-1982

Los años ochenta dan comienzo con el segundo *shock* de precios petrolíferos —iniciado en 1979—, que vuelve a colocar a la economía española en situación de déficit externo desde 1980. En esta ocasión, la economía española muestra síntomas de mayor fortaleza que en la primera crisis de 1973. De hecho, aunque la necesidad de financiación se mantiene hasta 1983, nunca se situará por encima del 3% del PIB. A pesar de la crisis, y a diferencia de crisis anteriores, las exportaciones no dejan de crecer, superando con claridad y por primera vez en 1980 el 15% respecto al PIB, lo que compensa en cierta medida el crecimiento de las importaciones, también más atenuado por los efectos de una política energética más restrictiva en el uso del petróleo desde el Plan Energético Nacional de 1979 (Cuerdo, 1996) y con la repercusión a los precios finales de la elevación del coste de los crudos, al contrario de lo que ocurrió en el *shock* 1973-1974. Por otra parte, se mantiene el crecimiento de los ingresos turísticos y se intensifica la llegada de capitales exteriores —entre 1980 y 1981 se produce un crecimiento nominal de casi un 60% (Gámir, 1985)—. En términos generales, se puede decir que se atraviesa por una fase de crisis con un déficit exterior controlado que permitió la financiación del déficit público con «importación de ahorro» (Gámir, 1985: 144), pero con una senda decadente de la inflación y un claro incremento de la apertura externa de la economía española.

1982-1994

En estas condiciones, la llegada socialista al gobierno español va a producir algunos cambios en el objetivo del equilibrio externo. Por un lado, las medidas de finales de 1982 incluyeron una devaluación de la peseta y, por lo tanto, un cambio en las condiciones nominales de las transacciones comerciales, si bien en un entorno de tipos de cambio flexibles. Por otro lado, y fundamental, la expectativa primero y, posteriormente, la entrada en la Comunidad Económica Europea modificaron considerablemente las relaciones económicas exteriores españolas de la época. A pesar de todo, se puede decir que hay cierta continuidad en el saldo externo en la medida en que siguió la línea de mejora iniciada en 1981 (véase el gráfico 25.5), quedando confirmada a partir de 1984, puesto que, anticipándose a la fase expansiva de la segunda mitad de los años ochenta, la economía española entraría en una situación de superávit exterior corriente que durará bastante menos que el propio ciclo expansivo.

El superávit exterior que anticipa la fase expansiva no tiene un reflejo claro en términos de apertura externa, dado que es en 1984 cuando las exportaciones alcanzan un máximo en su participación en el producto (véase gráfico 25.6). También las importaciones habían tocado techo un año antes, aunque vuelven a recuperarse a partir de 1986. Es decir, a pesar de la entrada en la CEE en la segunda mitad de los años ochenta, el sector exterior corriente va a tener una orientación divergente según se mire al sector exportador o al importador.

La explicación en gran parte hay que buscarla en la progresiva desaparición de barreras con la CEE, además de la armonización fiscal a través del IVA, en el fuerte ritmo de crecimiento de la demanda interna española en esos años que siguieron a nuestro ingreso en la entonces CEE y en la apreciación real del tipo de cambio. Antes de la integración, la imposición española sobre el consumo y la importación servía de barrera frente al exterior y de acicate para las exportaciones, utilizando desgravaciones en la exporta-

Gráfico 25.6   Participación de las exportaciones e importaciones de bienes y servicios en el PIB

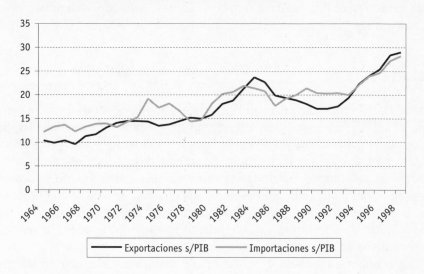

FUENTE: BBV y FUNCAS.

ción y tipos altos en la importación (recuérdese el análisis al respecto del capítulo 1). Con la integración desaparece esta fórmula. Por otro lado, la homogeneización de ciertas políticas, principalmente la agraria (véase el capítulo 8), produjo una importante contracción de la actividad exportadora vista en términos de PIB (véase el gráfico 25.6). En todo caso, con los desfases mencionados, los «efectos renta» (sobre nuestras importaciones debido a nuestro crecimiento y sobre las exportaciones a causa del crecimiento externo) cobran un importante papel. El resultado [3] fue una caída de la tasa de cobertura comercial (véase el cuadro 8.3) que no se evidenció en forma de déficit externo hasta 1988, a pesar de que para entonces España ya percibía importantes transferencias corrientes y de capital procedentes de la CEE.

Este desequilibrio externo se hizo palmario en 1989. Se volvió a cotas no conocidas desde los peores años de la crisis de los años setenta —en ese año y los tres siguientes la necesidad de financiación superó el 3% del PIB— y vino acompañado de una orientación cada vez mayor de la actividad exterior hacia los países de la CEE, en detrimento del resto del mundo.

La corrección del tipo de cambio de la peseta con las devaluaciones que se producen a partir de 1992 invirtió la tendencia, estableciendo prácticamente el equilibrio externo de la economía española en los años siguientes. Así, en 1993 y 1994, aunque todavía había necesidad de financiación, el porcentaje de déficit externo no llegaba al 1% del PIB. Desde 1995 las exportaciones vuelven a cobrar protagonismo en la demanda final española y van incrementando su participación en el PIB a una tasa de aumento superior a la de la primera mitad de los años ochenta. También las importaciones ganan terreno en el PIB —véase el gráfico 25.6—, pero de forma muy proporcionada a las exportaciones (recuérdese también lo dicho en el capítulo 1).

1995-1999

En 1995 comienza una etapa en la que la economía española muestra cierta capacidad de financiación en un entorno muy estable del 1% del PIB. Sin duda, la estabilidad macroeconómica desde 1996 ha favorecido esta senda, y las continuas caídas en los tipos de interés desde entonces permitieron ganancias de competitividad de las exportaciones españolas, no solamente porque hayan mantenido muy estables sus precios, sino también porque en estos años las empresas han realizado un importante esfuerzo de inversión (Ministerio de Economía y Hacienda, 1999) que ha ayudado a ser más competitivos en los mercados internacionales.

La economía española es, entre las de mayor tamaño, una de las más abiertas del mundo y, sin embargo, gozaba también de un período de equilibrio externo —desde 1995— que ya es el más duradero de los últimos cincuenta años, sin duda debido a un entorno de estabilidad económica que lo favorece —a pesar del diferencial en precios con la UE antes mencionado—.

En el año 1999 se ha producido un deterioro en la balanza por cuenta corriente que ha registrado un déficit en el entorno del 2% del PIB. Este resultado se debe en parte al mal comportamiento de las exportaciones en la primera parte del año como consecuencia de la crisis financiera internacional que afectó a los países centrales de Europa y Latinoamérica y a la fuerte subida de los precios del petróleo. En la segunda parte del año, sobre todo en el cuarto trimestre, las exportaciones han recuperado un fuerte ritmo de expansión, por lo que para el año 2000 se prevé una mejora del sector exterior.

En todo caso, las cifras provisionales de parte del año 2000 nos remiten a lo dicho en el apartado anterior, dada la relación entre inflación diferencial y competitividad exterior, aun teniendo en cuenta la diferente importancia del resultado de la balanza por cuenta corriente de un país integrado en su área monetaria más amplia. (También hay que recordar que la previsión para el año 2001 es que el sector exterior reste menos que en el 2000 a la cifra de crecimiento del PIB.)

5. El pleno empleo como objetivo

Entre los objetivos del gobierno que elabora la política económica está el de tener ocupada en el proceso productivo a toda la población que, estando en edad de trabajar, quiere hacerlo. Si lo consigue, se dice que la economía está

Gráfico 25.7 Evolución de la tasa de paro de la economía española

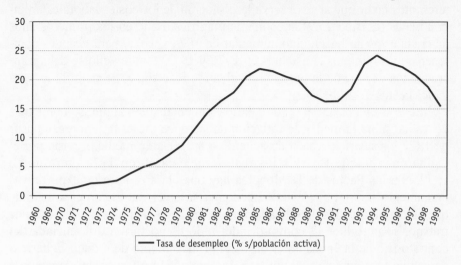

FUENTE: INE-EPA, Myro (1993).

en una situación de pleno empleo —con un margen para el «paro friccional»—.

En el caso del mercado de trabajo en España, el objetivo de pleno empleo se ha encontrado en las últimas décadas con importantes cambios del marco institucional que no han acertado a la hora de evitar una ya larga etapa de paro muy intenso. De hecho, en el año 2000, España es el país de la OCDE con mayores desequilibrios en este mercado, y llegó a alcanzar en algún trimestre del año 1994 una tasa de desempleo similar a la norteamericana de la Gran Depresión.

El origen del mayor desequilibrio macroeconómico español de las últimas décadas se encuentra en los inicios de la crisis internacional de los años setenta. Se puede decir que la economía española comienza a alejarse del objetivo de pleno empleo a partir de 1974. Como se pone de manifiesto en el gráfico 25.7, las tasas de paro hasta entonces eran muy bajas y su crecimiento era muy lento. En esos primeros años setenta, España se mueve en un entorno entre 1,5 y el 2,5% de *paro friccional* más o menos estable y muy reducido.

En 1977 el paro ya es una seña de identidad de la economía española que se hace indeleble en los siguientes veintitrés años, a pesar de subsiguientes ciclos expansivos. En definitiva, en poco más de tres años de crisis la economía española abandona el pleno empleo para no volver a recuperarlo e instalarse en tasas diferenciales elevadas. Las causas de esa situación han sido tratadas con algún detalle fuera de este libro (Gámir, 1985 y 1998) y dentro de él (capítulos 1 y 9). Limitémonos aquí a recordar que se produjo un *shock* de oferta de los precios del factor trabajo, en un contexto de crisis económica y de rigidez en el mercado laboral. En todo caso es interesante añadir que si se observa la evolución de los costes laborales unitarios reales (gráfico 25.9), se pone de manifiesto que en los primeros años de crisis éstos no hacen sino aumentar en 1974 y 1975, para después mantenerse más o menos constantes en 1976 y 1977 (aunque ello se deba a incrementos *ex post* de la productividad como reacción a elevaciones *ex ante* de los costes del trabajo).

Mientras que hasta 1977 los salarios aumentaban en algunos puntos más de lo que subía la media de inflación de los doce meses anteriores, a partir de 1977 los salarios crecen de acuerdo a la inflación media prevista por el Gobierno. Aunque los salarios reales aumentaron en 1978, pero no en 1979, con los Pactos de la Moncloa hay una clara ruptura de expectativas de aumento salarial que ayuda a contener su nivel. Junto con esta medida, que afecta de forma generalizada a todas las negociaciones del mercado de trabajo, se introduce el contrato indefinido como forma diferenciada del contrato fijo de la época anterior. Es el primer intento de reducir la barrera de salida, introduciendo algún tipo de objetividad a través del derecho de despido por parte de los empresarios, quienes, en todo caso, tenían que pagar el mayor coste de despido de la OCDE, medido éste en días trabajados de indemnización, según Termes (1996).

A pesar de todo, como puede apreciarse en el gráfico 25.8, el empleo siguió cayendo a tasas cada vez mayores, a la vez que la variación de la población activa dejaba de disminuir en 1978 y se elevaba a tasas positivas en 1981.

En definitiva, la reforma del mercado de trabajo es tímida (aunque hay que recordar el contexto social y político en el que se negocia). Introduce la autonomía de las partes para negociar y nuevas formas de control salarial, que se van concretando en una política de rentas de cumplimiento diverso (Gámir, 1993), junto con intentos de legalización de los mecanismos de salida del mercado de trabajo que quedan institucionalizados en el Estatuto de los Trabajadores de 1980, en el que además se reconocen formas de contratación laboral más flexibles por razones de actividad productiva estacional basadas en un tipo de contrato temporal y en la figura del trabajador fijo discontinuo. Por otra parte, como puede apreciarse en el gráfico 25.9, la evolución de los costes laborales unitarios reales sigue una evolución poco propicia —desde 1976 hasta 1982, la tasa es negativa, pero rígida a la baja e insuficiente—. En 1980 la tasa de paro supera el 10%, y en 1981 se aproxima al 15%.

1982-1996

Con la nueva administración socialista, la situación no cambia a mejor, a pesar de los indicios expansivos de la economía internacional a partir de 1983. Es más, a las tasas negativas de variación del empleo se van a unir

Gráfico 25.8 Evolución de las tasas de crecimiento de la población activa y de la población ocupada

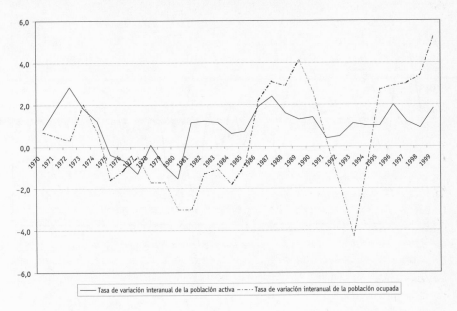

FUENTE: INE/EPA.

tasas positivas de crecimiento de la población activa, por lo que la tasa de desempleo cada vez se ahonda más. Para 1985, año de relanzamiento de la economía española y de su mercado de trabajo, se había perdido un millón de puestos de trabajo y la economía española ostentaba el título de la más alta tasa de paro de la OCDE, superando el 20% de la población activa. Previamente, un nuevo intento de abaratar el mercado de trabajo, a través de la continuación de las políticas de rentas seguidas desde los Pactos de la Moncloa (con las características analizadas en el capítulo 1), y una nueva reforma laboral en 1984 que introducía mayor flexibilidad en las formas de contratación temporal favorecieron una recuperación del empleo al aparecer un ciclo expansivo. Es importante tener en cuenta que a partir de 1983 y hasta 1986 los costes laborales unitarios reales caen de forma más acusada, lo que significa que los aumentos de productividad, el ajuste realizado hasta entonces y las políticas de rentas favorecieron un cociente muy favorable de la productividad frente a los salarios aunque fuese en parte una reacción *ex post* por las razones estudiadas en el capítulo 1.

En la fase expansiva que comienza en 1986 hay varios hechos que posteriormente «pasarán factura». Por un lado, un incremento de la población activa intenso (en 1987 se sitúa por encima del 2%). Por otra parte, un aumento muy considerable del empleo temporal al amparo de la reforma de

Gráfico 25.9 Costes laborales unitarios reales de la economía española (en tasas de variación)

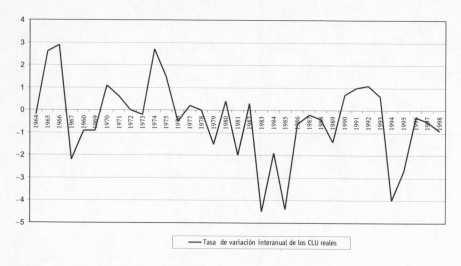

FUENTE: Myro (1993) e Informe Anual Banco de España (varios años).

1984, lo cual producirá una fragmentación importante en el mercado de trabajo, especialmente debido a los costes de salida de unos y otros. Es decir, mientras que los contratos indefinidos mantenían los costes de salida más altos de la OCDE, los temporales se hacían a coste cero. Ello permite un peculiar crecimiento de la demanda de trabajo, en la medida en que el crecimiento de la población activa disponible añadido al número de desempleados produce mano de obra abundante y, por otro lado, la contratación temporal permite cubrir el crecimiento de la demanda propio de la fase expansiva con un mayor control de los costes laborales. De hecho, los costes laborales unitarios reales se mantienen en este período en tasas de crecimiento negativas, al menos hasta 1990. En estas condiciones el aumento del empleo llega a situarse por encima del 4% en 1989.

Así, la tasa de paro se redujo hasta un porcentaje en el entorno del 16%, el cual ya se evidenció rígido a la baja en 1991. Lo mejor de la fase expansiva de los años ochenta había acabado, y una vez más el mercado de trabajo español mostró todos sus defectos, recibiendo la nueva fase recesiva del período 1991-1994 con un crecimiento positivo de los costes laborales unitarios reales (véase el gráfico 25.9). Este encarecimiento de los salarios en relación con la productividad laboral anunciaba paro en cuanto el ciclo del producto decayera, caída en parte propiciada por los desequilibrios externos y monetarios de la época. La fuerte contracción de la demanda llevó a un ajuste intenso de mano de obra. El ajuste produjo la cifra de paro más alta de la España contemporánea, por encima del 24% en algún trimestre de 1994.

En 1992, 1993 y 1994 hubo reformas en el mercado de trabajo. Desaparecieron bonificaciones a algunos tipos de contrato, se hizo más restrictivo el subsidio de desempleo y se introdujeron cláusulas para que las empresas pudieran ajustar sus plantillas y sus condiciones de trabajo al margen de las negociaciones colectivas sectoriales. Además, se introducen nuevas formas de contratación temporal y desaparece el monopolio del Instituto Nacional de Empleo como agencia única «colocadora» de mano de obra.

A pesar de todas estas reformas, el empresariado utilizó la fase recesiva para recomponer su mano de obra, es decir, para reducir de forma considerable toda la fuerza de trabajo asociada a un contrato indefinido y unos costes elevados de salida. De hecho, a pesar de que la crisis afectó a todos los tipos de contrato, los contratos temporales ganaron un peso importante en la mano de obra utilizada, llegando a situarse por encima del 30% de la población ocupada, lo que implica un nuevo rasgo diferencial del mercado de trabajo español frente al europeo, además de la propia tasa de desempleo.

1996-1999

Lo peor del ajuste laboral ya había pasado en 1995. En 1996 la tasa de empleo comenzó a crecer. Parecía que las expectativas de crecimiento y estabilidad también empezaban a favorecer la creación de empleo. En 1997 se inicia una nueva reforma del mercado laboral que, a diferencia de las anteriores, no solamente va a utilizar las relaciones contractuales temporales sin costes de salida como forma de flexibilización y ajuste. Además, va a propiciar nuevas formas de contratación estable, con menores costes de salida que la anterior contratación indefinida y menores costes sociales, con cargo a los presupuestos públicos, en forma de subvenciones y exenciones de los mismos en función del colectivo o de la forma de contratación elegida. El capítulo 9 de este mismo libro acomete con rigor y detalle esta serie de medidas de reforma. Sí se debe hacer notar que en la reforma de 1997 se produce un cambio de orientación en cuanto a la interpretación del desequilibrio en el mercado de trabajo y, junto a la necesidad de flexibilizar las plantillas por la vía de las formas alternativas de contratación y la reducción de los costes de salida, aparece la necesidad de potenciar las políticas activas de empleo que faciliten la movilidad de la mano de obra, además de su reconversión o su reforzamiento como capital humano.

Es destacable que esta última fase expansiva iniciada en 1995 esté acompañada de una disminución de los costes laborales unitarios reales, lo que, unido a la reforma de 1997, está permitiendo una recuperación acelerada del empleo, junto con un crecimiento relativamente estable de la población activa.

En todo caso, la tasa de paro al entrar en el año 2000 sigue siendo superior al 15%, es decir, casi el doble que la de la UE y tres veces superior a la norteamericana, aunque haya que recordar que Estados Unidos lleva diez años de crecimiento ininterrumpido y España atravesó por una profunda recesión a principios de los años noventa debido, en parte, a errores importantes en la política monetaria y fiscal que se han tenido ocasión de estudiar en otros capítulos de este libro. También se debe tener en cuenta que, como ha quedado analizado en el capítulo 9, la tasa de desempleo masculino es prácticamente similar a la de la UE, es decir, que la convergencia en términos de empleo masculino con la UE es un hecho al alcance de la mano. No así la mano de obra femenina, que sigue mostrando una baja tasa de actividad, más de diez puntos inferior a la europea, y una tasa de paro por encima del 20%, lo que exige que la aproximación al objetivo del pleno empleo en el futuro se realice sobre una estructura más incentivadora del trabajo femenino[4].

6. Distribución personal de la renta

Aunque no hubo una medición oficial de la distribución de la renta en los años setenta, algunos estudios privados, como los realizados por Ángel y Julio Alcaide (1974, 1977), permiten hoy saber que el intenso período de crecimiento económico que tuvo lugar en la economía española hasta 1975 no propició un mejor reparto de la renta entre los españoles.

El crecimiento económico español de los años sesenta y principios de los setenta no implicó esta redistribución, y al llegar a 1974 el 10% de la población con los ingresos más bajos apenas había aumentado su participación respecto a 1964. Así, mientras que en 1964 esta parte de la población absorbía el 1,43% de la renta familiar disponible, en 1974 apenas llegaba al 1,76%. Mientras, el diez por ciento de la población con la renta más alta no sólo no había disminuido su cuota en el total, sino que su participación había aumentado en casi tres puntos —del 36,57% de la renta disponible en 1964 había pasado al 39,57% en 1974—.

1976-1981

Cuando llega la crisis económica internacional de los años setenta, España está en la debilidad del «tardofranquismo» y después en el proceso de transición a la democracia, que deja inicialmente los problemas económicos en un segundo plano, como vimos en el capítulo 1. Son los años de las políticas de compensación que intentan amortiguar a corto plazo los efectos de la crisis, renunciando al ajuste activo. En esta época las remuneraciones de los asalariados ganaron peso en el total del producto, y a pesar de la inflación y del incremento del desempleo, se produce una redistribución de la renta por la vía de los incrementos salariales, que, de la forma en que tuvo lugar, luego va a tener consecuencias negativas en el empleo.

Es a partir de 1977 cuando comienza un ajuste de la economía española a la situación de crisis internacional de 1973-1974, a la vez que se asume el propósito de integrarse económicamente en las Comunidades Europeas y, por lo tanto, se acepta su concepción básica del Estado —o sociedad— del Bienestar.

Para ello se modifica sustancialmente el marco fiscal de la economía, se crea el IRPF y la imposición directa pasa a ser la principal fuente de ingreso del Estado. Al mismo tiempo, algunas partidas de gasto como la sanidad o la educación crecen considerablemente, y por la evolución de su alcance en esos años comienzan a parecerse a un servicio universal de hecho. Además van adquiriendo peso algunas transferencias corrientes desde el Estado a los ciudadanos —cobertura de desempleo, jubilaciones anticipadas, crecimiento de las pensiones, etc.—.

Esta concepción del gasto y de la política económica sigue el patrón que dominaba entonces en los Estados de la Europa Occidental con los que se quiere integrar España.

También se puede argumentar —como se hizo en el capítulo 1— que se produjo un *trade-off* fiscal-salarial y que el «consenso de la época» aceptó la moderación salarial contra la reforma fiscal, es decir, se pasó a un sistema redistributivo que tenía menos coste en términos de empleo y que integraba nuestro sistema fiscal en línea con los europeos.

Si se utiliza la misma fuente que para las comparaciones anteriores (el trabajo de Ángel y Julio Alcaide [1983]), que se basa en los datos oficiales proporcionados por el INE a través de la encuesta de presupuestos familiares de 1980-1981, el resultado que se obtiene es que entre 1974 y 1980 el Índice de Gini se redujo en más de un treinta por ciento, lo que el implica un intenso esfuerzo de equidad en el reparto de la renta, deseado por la sociedad, como vimos en el capítulo 1, y que nos acercaba también a una distribución de la renta «europea».

Es cierto, en todo caso, que la rapidez con la que se realizó el proceso y los instrumentos utilizados tuvieron efectos negativos en otros objetivos. Ya se ha destacado, por ejemplo, que la intensa utilización de la vía salarial —y la elevación del que hemos denominado en el capítulo 1 «precio empresarial», en el que se contabilizan los costes psicológicos del «precio sombra» del empleado— influyó claramente en la disminución de la demanda de trabajo.

1982-1991

Sea como fuere, lo cierto es que al avanzar los años ochenta las nuevas ganancias de equidad en el reparto de la renta se van diluyendo poco a poco. Efectivamente esta ralentización se pone de manifiesto tanto en los estudios de Alcaide (1989, 1991) como en los de Escribano (1990). En el trabajo de Alcaide (1989), entre 1980 y 1986 apenas se reduce en 7 milésimas el Índice de Gini, y peor todavía es el resultado de Escribano (1990), quien, al utilizar el gasto per cápita como referencia para la distribución de la renta, se encuentra con un aumento de 3 milésimas en el Índice de Gini entre 1980-1981 y 1985.

En la fase expansiva de la segunda mitad de los años ochenta, aunque las diferencias son pequeñas, la distribución de la renta se hace algo más equitativa. Sin embargo, los avances son reducidos, si se tiene en cuenta lo alcanzado hasta principios de la década de los años ochenta y que, además, el funcionamiento del Estado de Bienestar se acompaña ahora de una fase de crecimiento económico muy intenso. De acuerdo con el trabajo de Alcaide (1991), entre 1986 y 1989 la equidad en el reparto de la renta vuelve a avanzar 7 milésimas en el Índice de Gini, si bien es destacable en este estudio cómo este indicador aumenta entre 1988 y 1989.

En todo caso, en la década de los ochenta hay en España ganancias de equidad en el reparto de la renta. Sin embargo estas ganancias son claramente inferiores a las obtenidas en la segunda mitad de los años setenta (hasta 1981) y, además, se reparten de forma muy proporcional entre la primera y la segunda mitad de la década. En todo caso, según este estudio no se aprovecha el intenso crecimiento económico de la segunda mitad para favorecer una distribución más equitativa de la renta. Hemos mencionado ya que en 1974 el 10% de la población con renta más alta se llevaba el 39% de la renta disponible. Ese porcentaje bajó al 29,2% en 1981 y, según Alcaide, sólo descendió hasta el 28,6% en 1989.

1992-1996

La década de los noventa va a contemplar el final del ciclo expansivo de los ochenta y el comienzo de una fuerte recesión que coge a España en una situación de desequilibrio interno y externo muy acuciante, además de estar obligada a cumplir con un conjunto de objetivos de convergencia nominal con el resto de países que por aquel entonces componen ya el Mercado Común Europeo. En esta fase, y de acuerdo con el análisis efectuado por Alcaide (1999), no parece que haya habido ganancias muy significativas de equidad en la distribución de la renta, especialmente entre 1992 y 1996, período en el que el Índice de Gini cae solamente dos milésimas.

Otra visión del período 1985-1996

Un enfoque en parte distinto es el que resulta del trabajo de Oliver y Raymond (1999). En él se realiza un análisis entre 1985 y 1996 a partir de los datos trimestrales de la Encuesta Continua de Presupuestos Familiares, utilizando como variable de desigualdad en el reparto el llamado coeficiente de convergencia sigma. Entre las conclusiones más relevantes se encuentra que, en la fase expansiva de los años ochenta hubo una caída en el valor del coeficiente —aunque no intenso—, lo que equivale a hablar de mayor equidad en el reparto, mientras que a partir de 1990, apenas varía el coeficiente, por lo que se puede hablar de cierto agotamiento en el reparto más equitativo de la renta a partir del principio de la década de los noventa.

Situación actual

No existen datos —sólo indicios— sobre la evolución de la distribución en fases más recientes. Es difícil aventurar hipótesis al respecto, pero, si alguna, es posible que las rentas más bajas hayan crecido más rápido que la media.

Notas

1 Este punto se explica más extensamente en el capítulo 26, que, por sus propias características, complementa esta y otras contribuciones del libro.

2 Por ejemplo en el capítulo 1 de una versión anterior de este mismo libro, Nieves Santos (1993) ponía de manifiesto, al estudiar la política monetaria española, cómo a partir del Plan de Estabilización de 1959 la autoridad monetaria introduce algunos mecanismos de control crediticio que le sirvan para controlar la evolución del nivel de precios de la economía. Lo cierto es que la aplicación de esta política se muestra poco efectiva y, sobre todo, muy irregular en cuanto a los objetivos, si bien hasta 1969 se vive un período de inflación decreciente.

3 Al tratarse de un porcentaje sobre el producto corriente, se está suponiendo que los precios del sector exterior y del PIB evolucionan de la misma forma. Lo cierto es que una vez que la economía española pierde progresivamente su protección frente a los países de la CE, los precios de las exportaciones y de las importaciones evolucionan de forma mucho más estable que el deflactor del PIB (Myro, 1993), por lo que la conclusión anterior debe quedar matizada por esta cuestión.

4 También hay que tener en cuenta la gravedad del paro de larga duración (con tendencia al desarrollo de la histéresis en el mercado de trabajo; véase Gámir, 1948).

Referencias

Alcaide, Á., y J. Alcaide (1974): «Metodología para la estimación de la distribución personal de la renta en España», *Revista de Hacienda Pública Española*, nº 26.
— (1977): «Distribución personal de la renta en España y otros países de la OCDE», *Revista de Hacienda Pública Española*, nº 47.

— (1989): *La distribución de la renta española en la década de los ochenta*. Documentos de trabajo 38/1989, Madrid, Fundación FIES.

— (1991): «Política de distribución de la renta», *Revista de Economía*, nº 11.

— (1999): «Distribución sectorial, personal y factorial de la renta», en J. L. García Delgado (dir.), *España, economía: ante el siglo XXI*, Madrid, Editorial.

Cuerdo, M. (1996): *La demanda de energía en España: patrones de consumo energético de la economía y de la industria*. Tesis doctoral. Madrid, Universidad Complutense de Madrid.

Gámir, L. (1985): *Contra el paro y la crisis en España*, Barcelona, Editorial Planeta.

— (1993): «El decenio socialista: una interpretación», en Luis Gámir (coord.), *Política Económica de España*, 6ª edición, Madrid, Alianza Editorial.

— (1998): *Evolución del paro y del empleo*, Conferencia en la Universidad Carlos III dentro del Seminario «Condicionantes Históricos y Perspectivas Futuras de la Economía Española», Madrid.

—, y P. Durá (1999): «Crecimiento y productividad», en L. Gámir (dir.), *La convergencia real de la economía española*, Madrid, PriceWaterHouse Coopers.

García Santos, N. (1993): «Política Monetaria», en Luis Gámir (coord.), *Política Económica de España*, 6ª edición, Madrid, Alianza Editorial.

Martín, C. (1997): *España en la nueva Europa*, Madrid, Alianza Editorial.

Myro, R. (1993): «La evolución de la economía española a través de sus principales magnitudes agregadas», en J. L. García Delgado (dir.), *España, economía*, 6ª edición aumentada y actualizada, Madrid, Editorial Espasa Calpe.

Termes, R. (1996): *Libro Blanco sobre el papel del Estado en la economía española*, Madrid, Instituto Superior de Estudios Empresariales.

Apéndice al capítulo 25

Luis Gámir

A modo de conclusiones: los paradigmas ideológico-económicos

Este apéndice no implica las conclusiones de este libro. Por ello, entre otras razones, no se publica como un capítulo independiente. Uno de los activos —y un activo muy positivo— de esta obra desde que apareció en 1972 es su carácter pluriideológico, como se ha destacado en la Presentación. No sólo ello, sino que autores de ideología parecida podrían destacar rasgos distintos en unas conclusiones.

Este apéndice incluye exclusivamente las conclusiones personales del autor sobre lo ocurrido en los últimos sesenta años —y muy especialmente en los más recientes—. Son, se insiste, «conclusiones de autor», *no de libro*. Exigen la interpretación de lo que ha pasado —no la descripción. Son un resumen seleccionando de lo que se estima más básico —no implican un análisis exhaustivo—. Sin embargo, cuidan el «matiz» (el matiz, lo único importante, dice un refrán francés), porque sin matiz no se puede interpretar con un mínimo de sofisticación, en el sentido positivo del término.

Sin duda este apéndice no es *value-free economics*. Decía Ortega y Gasset, cuando le criticaban diciendo que actuaba como intelectual en la vida política, que para él ser intelectual era «su columna vertebral y no su corbata».

El centrismo para el autor de este libro es «su columna vertebral» ideológica desde la universidad, la oposición al anterior régimen político o a través de dos partidos políticos no iguales desde que empezó la democracia, a uno de los cuales pertenece y al otro ha pertenecido.

Se suele argumentar la imposibilidad de la eliminación absoluta de los juicios de valor en el análisis científico. Por ello, se estima que se debe exigir al economista que explicite su postura ideológica. Las ideas anteriores buscan cumplir esta exigencia.

Este apéndice trata de los «paradigmas ideológico-económicos» como base de las políticas económicas concretas desarrolladas. Su ubicación lógica es precisamente después del análisis de los objetivos. Es cierto, en todo caso, que tiene especial relación, aparte de con este capítulo, con el primero del libro, por su carácter introductorio —que aquí queda complementado—, por los conceptos desarrollados y por el marco temporal que en él aparece.

1. El período autárquico

En las dos décadas de la política autárquica, que empezará después de la guerra civil, el «contexto político del paradigma económico» es clave. El modelo español está en el marco del mundo occidental. Existe además un régimen autoritario, conservador y con puntos comunes sobre todo en su arranque con el frente nazi-fascista perdedor de la guerra.

Desde el punto de vista económico, nos encontramos con un sistema en el que básicamente prima la propiedad privada de los medios de producción (la empresa pública se desarrolla con el INI, para fortalecer el enfoque autárquico y, quizás, con alguna relación con el mencionado frente perdedor de la guerra mundial) [1].

Existe también economía de mercado, pero en un grado muy restringido por: a) el fuerte grado de intervencionismo interno y b) el elevado proteccionismo externo y la defensa de la autarquía.

En otras palabras, si el sistema occidental ha tendido hacia a) la propiedad privada de los bienes de producción y b) la libertad de mercado tanto interno como externo, en aquella fase fue precisamente la defensa de la autarquía —contraria a b)— una de las limitaciones de a).

Existe la tendencia a considerar que la autarquía:

— tiende a abrirse al exterior en la década de los cincuenta,
— implicó un grado de crecimiento muy inferior al de los años posteriores,
— fue impuesta desde el exterior.

Quizás sean necesarias algunas precisiones sobre los tres puntos, que, sin negar que tengan parte de razón, invitan a un análisis más complejo y matizado de lo ocurrido.

Veámoslos muy brevemente por separado.

a) En Gámir (1990) se encuentra que la segunda parte de la década de los cuarenta fue más «aperturista» que los años cincuenta en materia de comercio exterior.

b) En el capítulo 1 de este libro se ha recordado que en el período 1950-1958 se creció más rápido que desde 1958 hasta la actualidad, aunque en el mismo lugar se ha argumentado la crítica a aquel sistema y la importancia de la apertura exterior [2].

c) En diversos trabajos (véase Gámir, 1972 y 1980) se ha argumentado, en amable polémica con el profesor Velarde, que la autarquía fue en parte obligada —por el aislamiento internacional—, pero en parte también deseada, y que la apertura al exterior podía haberse realizado desde principios de la década de los cincuenta [3].

Entre la argumentación que aparece en c), recordemos la siguiente frase de F. Franco: «España es un país privilegiado que puede bastarse a sí mismo. Tenemos todo lo que nos hace falta para vivir, y nuestra producción es lo suficientemente abundante para asegurar nuestra propia subsistencia. No tenemos necesidad de importar nada y es así como nuestro nivel de vida es idéntico al que había antes de la guerra» [4].

Pasemos a otros puntos.

El intervencionismo interno no se debía a la búsqueda de una mayor igualdad, o a las «deseconomías externas». Al contrario, el resultado era una mayor concentración del poder y de la riqueza, y la motivación básica estaba muy lejos de pensar en el medio ambiente u otros objetivos parecidos.

Aquel sistema tampoco aportaba los dos típicos «contrapesos» de las economías occidentales de mercado: progresividad en el ingreso y en el gasto fiscal y sindicatos libres con derecho —entre otros— a la huelga.

En resumen, nos encontramos ante un paradigma de a) propiedad privada de los medios de producción; b) mercado, pero con poca utilización del mismo, tanto en lo interno como hacia el exterior (este rasgo será una de las razones básicas de la creación de empresas públicas que matiza el a); c) el grado de autarquía fue en parte deseado y se mantuvo después de que «nos obligaran desde fuera»; d) el intenso intervencionismo estaba alejado de las razones que se suelen exponer de los «fallos de mercado» basadas en la disminución de la desigualdad o en las deseconomías externas; y e) existen subfases de crecimiento y de disminución de la autarquía en las que habría que profundizar más.

Se insiste por último en que este paradigma se entiende mejor en un contexto político autoritario y conservador, procedente de una guerra civil y con diversos puntos de relación —sobre todo al principio— con las ideologías de los perdedores de la guerra mundial.

2. La liberalización económica

El período 1959-1961 va a significar una ruptura parcial de ese paradigma, especialmente en relación con un concepto: mercado.

De forma sucesiva se van a introducir mayores dosis de mercado tanto en la economía interna como en la internacional. Ya vimos en el capítulo 1 las consecuencias sobre la modernización y crecimiento de la economía española de esta modificación básica respecto al paradigma anterior.

Sin embargo, el resto de los rasgos no se van a modificar. Es cierto que se empezará a hablar del sector público como subsidiario del privado (véase el capítulo 11), pero la praxis al respecto no es tan clara.

El largo período de crecimiento hasta 1975 mantiene la desigualdad (véase lo dicho en este mismo capítulo 25 sobre la situación entre 1964 y 1974) y no parece plantearse demasiado en la praxis las otras correcciones relacionadas con el medio ambiente, etc. [5].

3. La crisis del petróleo

Es difícil calificar al paradigma del período desde la crisis del petróleo hasta la iniciación de la democracia y los Pactos de la Moncloa. Ahora que está tan de moda la «economía del caos» podría ser atractivo calificarlo como el «paradigma del caos», pero quizás el término tenga algún punto de exageración.

Sigue siendo una economía de mercado —aunque con mayor proteccionismo exterior, como ya vimos en el capítulo 1—, pero el rasgo básico es que la política económica no sabe o no puede reaccionar frente al doble *shock* de oferta del coste del petróleo y del trabajo —más importante este último.

El contexto político de la debilidad del tardofranquismo y del Gobierno Arias, el efecto champagne sindical y social comentado en el capítulo 1 y la decisión del primer Gobierno Suárez —explicada en el primer capítulo y que comparte el autor de estas líneas— de no dificultar la evolución real y rápida hacia la democracia con un ajuste económico duro llevarían a un cierto paradigma del caos en aquel período (de una política de ajustes —y hacía falta—, se pasaba por ejemplo a otra de tensión de la demanda con devaluación).

En aquella situación —aunque los datos sean agregados hasta 1980— se produce una redistribución de la renta por la vía de la elevación de los salarios nominales —y reales—, positiva dado el nivel de desigualdad del que se partía, pero con efectos negativos a corto y sobre todo a medio plazo sobre otros objetivos básicos, como el del empleo [6].

4. El inicio de la democracia

La primera modificación, relacionada con el nuevo sistema político, es la libertad sindical, el derecho de huelga, etc., y la segunda será algo más tarde la introducción de un sistema fiscal progresivo.

Con ello el paradigma queda enclavado dentro de las economías occidentales de la época. En el contexto de una democracia política, el marco económico se basa en el mercado y la propiedad privada de los medios de producción (con un determinado grado de intervención, protección exterior y empresa pública), unidos a la libertad sindical, un sistema fiscal progresivo y una forma de Estado —o sociedad— de Bienestar.

5. ¿El «paradigma-puente» UCD-PSOE?

En otros lugares (Gámir 1986 y 1997) he defendido 1) la existencia de rasgos comunes entre la política de UCD y del primer período del PSOE —con diferencias claras—; 2) la paradoja de que esos rasgos —en general— no eran «socialdemócratas»; y 3) la «destrucción» de ese posible «paradigma-puente» en la segunda fase del Gobierno PSOE. Veámos separadamente los tres puntos:

1) Entre estos rasgos comunes, distingamos los tres siguientes:

a) Como ya ha sido comentado en capítulos anteriores, desde los Pactos de la Moncloa a los primeros años del Gobierno socialista, desde la oferta, una de las piezas clave fue la política de rentas pactada, basada en la relación entre las subidas salariales y la inflación esperada.
    Incluso con el PSOE, se «endurece» dicha política al utilizarse la inflación esperada diciembre sobre diciembre, lo que implicaba que si se conseguía lo planeado, disminuían los salarios reales, mientras que con UCD el planteamiento era mantener dichos salarios reales con tasas decrecientes de inflación esperada para controlar simultáneamente la inflación [7].

b) Desde la demanda, la hegemonía estaba en la política monetaria, basada en un agregado monetario (y no en una variable precio como los tipos de interés o el tipo de cambio).

c) La política fiscal se basó en el incremento de los impuestos y de la inversión y el gasto público, con un fuerte desarrollo del gasto social y de infraestructuras.

2) En otro lugar [8] he argumentado que los dos primeros principios no son socialdemócratas y que este punto tiene interés destacarlo, porque una

interpretación simplista del paralelismo entre la política económica centrista y la socialista podría basarse en el predominio de la corriente socialdemócrata en ambos partidos entre los encargados de la economía en los sucesivos Gobiernos [9].

Considero que dicho enfoque sigue siendo válido, aunque exige algunas matizaciones. En todo caso sigo pensando que la paradoja —la atractiva paradoja que exigiría un desarrollo más amplio— es que ni la política de rentas ni la monetaria, tal como fueron ejercidas, pertenecen al que podríamos denominar el «paradigma socialdemocráta-keynesiano».

La primera «matización» que se podría, en teoría, plantear es que la actuación sobre el mercado de trabajo que implica la política de rentas está mas cerca de un keynesiano que de un neoclásico. Ahora bien, de hecho, su instrumentación concreta en todo este período se basó en principios neoclásicos. El principio básico consistió en diagnosticar que buena parte del paro era neoclásico, debido a las fuertes subidas del coste del factor trabajo antes analizadas. Se partía de una elevada elasticidad-precio, al menos a medio plazo, de la demanda de trabajo y, por tanto, de la conveniencia de controlar los salarios reales para luchar contra el paro, de forma que no subieran —en la fase centrista— e incluso se redujeran —en el principio de la fase socialista (como acabamos de ver).

Dejando aparte esta nueva paradoja, distinta de la anterior (ahora entre UCD y PSOE), lo que es claro es que ambos veían la realidad del paro con «gafas neoclásicas». Aplicando la teoría del *second best* con enfoques neoclásicos, se podía decir, especialmente en los Pactos de la Moncloa, que, dada la «imperfección» del «efecto champagne» antes mencionado, se introducía como compensación la «imperfección» de la intervención pública para que los salarios reales no siguieran subiendo en una fase de paro [10].

Por otra parte, el análisis se está realizando desde la socialdemocracia más que desde el keynesianismo (aunque nos hayamos referido en otras partes del libro al paradigma socialdemócrata-keynesiano). La socialdemocracia —al menos en su versión tradicional— sería aún menos partidaria que el keynesianismo de las políticas de congelación de los salarios reales.

La sobreutilización de la política monetaria con el centrismo y, sobre todo, con el socialismo no es monetarista, pero está lejos del predominio de los enfoques fiscales para dirigir la demanda agregada del Cambridge I e incluso de la *policy mix* del Cambridge II, dado que la política fiscal —con excepciones, como en 1982— no se ha utilizado como instrumento de manejo de la demanda agregada.

Por otra parte, el keynesianismo «ortodoxo» tradicional defendía dentro de la política monetaria el empleo de un objetivo intermedio, como los tipos de interés, en vez de un agregado monetario. Es cierto que Rojo y Pérez (1977) han defendido de forma convincente que el planteamiento iniciado en España en 1973 de utilizar un agregado monetario no es monetarista. Sin embargo, hay que recordar que diversos economistas —por ejemplo,

Nordhaus (1983)— exponen que una de las derrotas del postkeynesianismo es la tendencia de pasar de los tipos de interés a un agregado monetario, y en la misma línea encontramos a diversos postkeynesianos —Heller, entre otros—.

3)   El punto más discutible sobre lo que aquí se está argumentando (el carácter no socialdemócrata de los «principios básicos» comunes entre centrismo y socialismo) está en la política fiscal. Se ha argumentado unas líneas más arriba que ha existido una continuidad durante todo el período que va desde 1977 al final del PSOE en el Gobierno de incremento de los ingresos y de los gastos públicos. Ahora bien, aceptando que éste es un tema polémico, la postura del autor de este capítulo es la siguiente:

a)   El enfoque socialista es claramente socialdemócrata en el «lenguaje de los hechos» en materia fiscal. Lo es en el gasto, en los impuestos, en los déficit y, en consecuencia, en el incremento de la deuda pública.

A veces parece como si fuera una política «no deseada», a la vista de los planes de control del gasto del déficit del Gobierno y de declaraciones «cuasiliberales» al respecto. Pero luego los planes no se cumplen y los «hechos son tozudos», contradiciendo las palabras y siguiendo la dirección mencionada en el párrafo anterior.

b)   El elemento más keynesiano de la política fiscal es la utilización del déficit público.

Aquí el comportamiento de centristas y socialistas es distinto. Apenas existió déficit en los setenta —al contrario que en otros países europeos—, y sólo al final del centrismo se recurre intencionadamente al déficit y a la inversión pública como política contra el paro, con el muy relativo éxito mencionado [11].

Dicho sea de paso, ese diferente comportamiento en los setenta y en los dos primeros años de la década de los ochenta es una de las razones por las que en deuda pública se han obtenido hasta fechas recientes mejores resultados en el «test» de Maastricht que en los restantes indicadores. Así, en 1982 el PSOE heredó el endeudamiento público más bajo de los doce países que formarán la CEE —el 25% del PIB—, con la única excepción de Luxemburgo, mientas que en 1995 dicho porcentaje llegaba al 66% y el puesto en Europa era muy distinto.

c)   En lo referente al gasto público, el hecho a destacar es que la base de partida es muy diferente. No es lo mismo incrementar el gasto público cuando implicaba una cuarta parte del PIB —que es aproximadamente la situación de partida de UCD— que seguirlo subiendo desde las cotas ya alcanzadas en 1982 —37%— hasta casi la mitad del PIB al dejar el PSOE el Gobierno. En 1977 muchos no socialdemócratas aceptaban la existencia de necesidades sociales no cubiertas (pensiones, educación y sanidad públicas, infraestructuras, etc.). Hoy el reto está en la eficiencia, no en el crecimiento (al contrario, es conveniente disminuir el gasto público como porcentaje del PIB).

d) Un enfoque similar se puede aplicar a los ingresos públicos. Se ha mencionado ya la diferencia entre la ley Fernández Ordóñez sobre el IRPF y la situación actual. Se podría añadir que la propuesta a largo plazo del Partido Popular es precisamente... un tipo marginal máximo del 40% para un tramo de renta en términos reales muy inferior al de la «reforma Ordóñez» (de momento para la legislatura que empieza en el 2000 se plantea una reducción al 46%).

En resumen, existen principios similares en políticas de rentas y monetaria entre el centrismo y el socialismo, principios no necesariamente socialdemócratas. La política fiscal socialista es, en la realidad, fuertemente socialdemócrata. Con el centrismo también se incrementó el gasto público, pero hay que destacar que: a) la política de déficit fue muy distinta, y b) se partía de una situación cuantitativa y cualitativa muy diferente (en las conclusiones de este apéndice se profundizará en esta «diferencia»).

6. El crecimiento desequilibrado

En la segunda mitad de los ochenta el modelo va a cambiar. Se introducen dos rasgos básicos y desaparecen otros.

Estos dos rasgos son el crecimiento a ritmo rápido —que no tenía lugar desde la primera parte de la década de los setenta— y el ingreso en el Mercado Común, que es un logro positivo (cualesquiera que sean los puntos concretos de crítica que se puedan hacer al resultado de la negociación) que fortalece especialmente y de manera importante los elementos promercado externos, pero también los internos.

Es probable que si en todo el período que estamos analizando hubiera que destacar cuatro «grandes acontecimientos», éstos serían la estabilización y apertura al exterior de 1959-1960, los Pactos de la Moncloa con la reforma fiscal, el ingreso en el Mercado Común y la integración en el euro.

El crecimiento fue sin duda positivo, basado en parte en la nueva situación internacional —aprovechada con retraso— y en parte en la política económica realizada: el ingreso en la CEE.

Desaparece la política de rentas pactada —a pesar de los intentos desde el Gobierno—. En el capítulo 1 se ha argumentado que en aquellas fechas se habían podido acumular consecuencias negativas de esta política mientras que disminuían las positivas. El enfoque del capítulo 1 es técnicamente correcto. Sin embargo, de manera complementaria se podría añadir que disminuyó el clima sociopolítico de entendimiento entre sindicatos y Gobierno, lo que pudo ser una de las causas de la huelga general de 1988 —y de las otras huelgas generales de menor seguimiento—. En ellas, los sindicatos argumentaron que el crecimiento debía llevar a incrementar el gasto social. Este gasto fue una de las razones de los desequilibrios fiscales que pasaremos a comentar a continuación.

La crítica básica a ese período es la que han desarrollado Julio Segura y el Banco de España, entre otros: a pesar del crecimiento de los ingresos del fisco, no se supo resolver el problema del déficit público y equilibrar el presupuesto. Tampoco mejoró adecuadamente la inflación, con fuertes diferencias entre inflación prevista y real, y el déficit por cuenta corriente se dispara al final del período.

7. El modelo de los dos déficit y el final del período socialista

Durante la siguiente fase se desarrolló lo que podríamos llamar el «modelo de los dos déficit».

El gasto público crecía rápidamente y los déficit públicos eran abultados e inesperados para el Ejecutivo (un ejemplo: en junio de 1991, el ministro de Economía y Hacienda declaraba que el déficit de la Administración central de ese año sería de medio billón de pesetas: la realidad implicó billón y medio, una diferencia del 200%)[12].

Los presupuestos eran discutibles —con incrementos nominales del gasto público del 14,5%, como los de 1992—, pero la realidad era más compleja que lo presupuestado. Un dato: si desde 1988 se hubieran cumplido los presupuestos de gasto, durante varios años habría existido superávit público (la razón es simple: se recaudó más de lo previsto por tasas de crecimiento más elevadas, pero más recaudación significó más gasto en vez de eliminación del déficit).

La política monetaria tuvo como principal función pagar los «platos rotos» de la política fiscal. Tenía que ser muy restrictiva para intentar disminuir —con poco éxito— el carácter inflacionario de los déficit, lo que llevaba a tipos de interés altos, que además eran necesarios para poder colocar la deuda pública creciente y financiar los desequilibrios fiscales.

Unos tipos de interés diferencialmente altos respecto a los europeos atraían dinero en otras divisas para comprar títulos de renta fija españoles o llevaban a nuestros empresarios a endeudarse fuera. Esos flujos monetarios empujaban artificialmente hacia arriba a la peseta (a lo que colaboraba también una fase de fuerte incremento de la inversión extranjera, espoleada por tomar posiciones en una España en crecimiento que acababa de entrar en la CEE).

Los «paganos» de este modelo fueron los sectores que tenían que competir con el exterior, sea porque exportaran o porque compitiesen con importaciones. Por ejemplo, la industria española en fábrica apenas podía subir sus precios un 2 o 3%, mientras que los de los servicios se elevaban en más del 10% anual. Esta política económica era, de un lado, un eficiente sistema para desindustrializar el país, frente al que poco valían los pequeños impactos «micro» de apoyos concretos, y, de otro, un ineficaz método contra la inflación ante el gran peso de la producción de los bienes y servicios no comercializables [13].

El «modelo del doble déficit» se convirtió, al final, en insostenible por sí mismo y por la aparición de una nueva fase recesiva.

Fue insostenible, entre otras razones: a) por lo abultado y errático del déficit público; b) por el déficit por cuenta corriente —casi récord internacional—; c) por la falta de credibilidad de la política económica del Gobierno y de sus objetivos (con objetividad, resulta extraña la «tozudez» del Gobierno en marcarse continuamente objetivos, incumplirlos, volver a presentar otra serie de metas, quedarse muy lejos de ellas, etc.); d) por la caída de la tasa de crecimiento (del 6% en el primer semestre de 1990 a negativa en 1993); e) por la elevada y creciente tasa de paro, etc. Todo ello llevó a que los mercados internacionales desconfiasen de la política económica del Gobierno y de la solidez de la peseta.

Esta situación eliminó el factor que apuntalaba el modelo de los dos déficit, es decir, la entrada de fondos foráneos, sustituyéndolo, en una primera fase, por un flujo en dirección contraria a pesar del diferencial de intereses y después por un descenso de las entradas netas de inversiones extranjeras, especialmente de las directamente productivas. En esa coyuntura, en la primera fase de fuertes flujos de salida ante el inicio de una «turbulencia» monetaria internacional, el Gobierno no tuvo más alternativa que devaluar.

La economía entra además en recesión, y la «calidad» de la política económica no puede decirse que aumente. Por ejemplo es difícil argumentar que se devaluó bien. El Gobierno se vio obligado a devaluar, como hemos visto, pero dejó a la peseta bajo sospecha de una nueva devaluación, una de las peores situaciones posibles. Tuvo que intervenir en el mercado de cambio y luego devaluar tres veces más (recuérdense los capítulos 1 y 4).

La recesión es más dura que en la media europea —en términos de PIB y empleo—, aunque desde 1994 aparecen indicadores que muestran una mejora por la vía de las exportaciones, que resulta coherente con el grado de crecimiento de las economías norteamericana y europea, con las devaluaciones y con el incremento de competitividad que implicó el duro ajuste de costes de las empresas de 1993.

En el último período de gobierno del PSOE, se mantiene un cierto grado de recuperación económica, se fortalecen ciertas políticas pro mercado, como la intensificación respecto a fases pasadas de las privatizaciones —mucho menos la liberalización—, y se incrementa la «calidad» de la política económica. Sin embargo:

a) Saltan a la luz nuevos procesos de corrupción considerados graves por la ciudadanía, que afectan negativamente a la confianza en el Gobierno.

b) No se cumplen ninguno de los requisitos de Maastricht y además en el último año se produce un empeoramiento de los cinco requisitos. Recuérdese también lo dicho en el capítulo 1 sobre que desde que se aprueba el Tratado de Maastricht en 1991 España se aleja de los valores de referencia en cuatro de dichos criterios.

c) Un rasgo básico de un modelo económico —especialmente al analizar un modelo socialista dado su enfoque ideológico— es la intensidad de la política de redistribución. Vimos, al final del capítulo 25, que según Julio Alcaide el «salto adelante» en la redistribución se produce entre 1974-1980, mientras que apenas se incrementó la igualdad con el Gobierno socialista (sin embargo, el análisis de Oliver y Raymond, realizado con distinta metodología, nos llevaría a la conclusión de que en la segunda mitad de la década de los ochenta se produjo una redistribución más igualitaria, que apenas continuó en los noventa).

8. El PP, ¿hacia un nuevo modelo?

De acuerdo con lo dicho en los capítulos 1 y 2, se puede hablar de un nuevo paradigma económico.

El cuatrienio 1996-2000 se caracteriza, como vimos, por una fase de crecimiento con estabilidad. El crecimiento es mayor que el del entorno europeo, incluso en fases de disminución del incremento del PIB en dichos países —como se analizó con detalle—. Por otra parte, ha resultado un enfoque con una elevada elasticidad empleo/renta.

Se puede argumentar que en estos años se ha profundizado en el paradigma liberal-neoclásico desde varias direcciones, entre ellas las siguientes:

a) una intensa política de privatizaciones, es decir, de reducción de la propiedad pública de los medios de producción; b) disminución de los tipos impositivos —aunque no de recaudación—; c) liberalización, desregulación y re-regulación pro competencia de ciertos sectores, algunos ligados a la política privatizadora; d) reducción del gasto público, de la deuda pública y del déficit público como porcentajes del PIB (este último puede entrar próximamente en superávit).

Simultáneamente —y como consecuencia de la política económica realizada— disminuyen los tipos de interés y la inflación —con el repunte que hemos comentado en este capítulo 25—.

Por otra parte, desde la «solidaridad», y además del crecimiento del empleo —muy importante—, se ha mantenido el gasto público social en porcentajes elevados, incluso mayores de los que existían cuando el PSOE dejó el gobierno.

Así, si comparamos la evolución del gasto social entre los presupuestos de 1995 y del 2000, la diferencia es pequeña pero positiva para el nuevo Gobierno (51,1% contra 49,8%, es decir, algo más de 1 punto. Esta tendencia se acentúa en el proyecto de Presupuestos del 2001 en donde se alcanzaría el 54,7%). Una de las partidas de gasto social que baja es la relacionada con el desempleo, pero no por la disminución de las prestaciones, sino por la fuerte caída del paro. Si no tenemos en cuenta esta partida (ni la incapacidad temporal), que también ha disminuido debido a las medidas contra el fraude), se pasaría del 41,3% en 1995 al 45,6% en el año 2000 (4 puntos suponen casi 1,3 billones de pesetas) [14].

9. En conclusión

En el sentido amplio de la palabra paradigma, que se ha utilizado en este apéndice, podríamos empezar por separar el período autoritario del democrático.

En el primero hay una fase de búsqueda de la eficiencia económica (1960-1974), enmarcada en dos de ineficiencia, sea por la autarquía —con todos los matices analizados—, sea por el «modelo del caos».

El paradigma es conservador, sin sindicatos libres, con un sistema fiscal regresivo y con una redistribución de la renta desigual —salvo en el período final, en el que existe redistribución no por políticas deseadas y con consecuencias negativas sobre el empleo—.

En todo caso, en la fase de la «búsqueda de la eficiencia» la economía española da un «salto adelante».

La democracia —como la República de la década de los treinta— nace en medio de una crisis económica mundial, acentuada en este caso por los problemas internos de los últimos años.

Con la democracia y con la UCD, nuestro modelo pasa a adquirir las características de los sistemas occidentales democráticos. En el capítulo 1 hicimos ya un balance —que no se va a repetir— de los elementos positivos y negativos de la política centrista. Sólo destacar aquí que existió «imaginación» en las políticas empleadas, especialmente en el pacto político sobre rentas basado en la inflación esperada en medias anuales (ante una crisis diferente a la del resto de Europa —entre otras razones por el *shock* del precio del trabajo—, España realiza una política distinta).

Se puede argumentar que en esta época desde un paradigma de la derecha conservadora se pasa a un paradigma de centro, dentro de lo que en aquel contexto internacional occidental se podía entender por centro. Existe una combinación de elementos neoclásicos y liberales —la forma de aplicar la política de rentas e incluso la política monetaria, la liberalización de sectores como, entre otros, el financiero, etc.— con otros algo más social-demócrata-keynesianos, quizá especialmente en el intento de 1982 de emplear el déficit y la inversión pública en la lucha contra el paro (sin mucho éxito y aunque, según el Banco de España, el déficit real fuera inferior al oficial).

La reforma fiscal y el relativo incremento del sector público en esta fase implican —en mi opinión— más el paso de un enfoque heredado de derecha conservadora a otro de centro que una aplicación de un enfoque social-demócrata-keynesiano —con la excepción mencionada en el párrafo anterior—.

Todos vamos siendo más pro mercado que en los «felices sesenta» a lo largo de las siguientes décadas —y el todos incluye la derecha (el liberalismo de Thatcher contrasta con enfoques conservadores más tradicionales), la izquierda y el centro. Cuando el PSOE llega al poder, ya ha tenido una evolución interna muy marcada desde sus posturas en los setenta. Hemos visto que recoge elementos del modelo de UCD en política de rentas —incluso con un enfoque de reducción de salarios reales— y en el de política monetaria —aunque se podría argumentar que su agregado más amplio esté ligeramente más lejos del monetarista que el del centrismo—. Realiza con cierta valentía política un enfoque de «políticas de oferta versión Klein» [15] en cuanto a la reconversión sectorial —especialmente en la industria pública—, aunque con resultados muy limitados.

La diferencia básica es el mayor empleo del gasto y del déficit público. En ese sentido se puede hablar de un paradigma socialdemócrata-keynesiano de centro izquierda (o, en ciertos aspectos, de izquierdas).

Dentro de ese paradigma, el PSOE va a pasar por una fase de crecimiento mayor que el europeo en la segunda mitad de los ochenta (igual que sus recesiones habían sido y fueron más pronunciadas), al principio de la cual aparece el dato muy positivo del ingreso en la CEE, que, entre otros efectos, impulsa el crecimiento.

Sin embargo, se trata de un enfoque de crecimiento desequilibrado, que va a pagar sus consecuencias con el que hemos denominado «modelo de los dos déficit» y que se enfrenta con una dura recesión a principios de los noventa, envuelta en cuatro devaluaciones.

La mejoría iniciada en 1994 es insuficiente, y al «entregar el testigo» al PP tras las elecciones de 1996 el resultado es un 23% de paro y, como vimos, el incumplimiento de todas las condiciones exigidas por Maastricht para entrar en el euro.

El modelo que instaura el PP ha sido «eficiente» en crecimiento, por encima de la media europea y en convergencia con Europa —como veremos en el próximo capítulo—, dentro de un enfoque de desarrollo equilibrado. Se ha profundizado en el paradigma neoclásico-liberal en el sentido de a) privatizaciones, b) liberalizaciones sectoriales [16], c) política de gasto público y de impuestos. Simultáneamente, desde el punto de vista de la solidaridad, se ha creado empleo y se ha incrementado el porcentaje del gasto público dedicado a gasto social.

Por otra parte, el PP no vuelve a la política de rentas pactada dependiente de la inflación esperada, pero sí a la política social pactada en otros contenidos de la relación laboral (mientras que con el PSOE se aprobaron medidas laborales y de pensiones por el Gobierno que tuvieron una fuerte contestación social).

En este sentido se puede decir que, con contenidos distintos, el PP vuelve a la política de diálogo y de acuerdos con sindicatos y empresarios que había establecido UCD y se había mantenido en el primer período del PSOE [17].

En conclusión, podríamos decir que los resultados del paradigma ideológico del PP implican un «liberalismo solidario».

Visto desde otro enfoque, se podría plantear que la UCD se encaminó hacia el centro desde un sistema anterior de derecha conservadora, mientas que el PP toma la misma dirección, heredando un enfoque de centro-izquierda.

Sin embargo, las medidas concretas, en ciertos campos, parecen ir en direcciones opuestas —porque los puntos de partida son contrarios—, pero conducen a lugares no lejanos—.

En todo caso, el contenido de la expresión centro también es «móvil». Como dijimos antes, entre otros cambios, derecha, centro e izquierda resultan en la actualidad más pro mercado que hace veinte años. Por ello, el «centro» al que se dirige el PP no es necesariamente el mismo que el que buscaba UCD.

Notas

1 Sin profundizar al respecto, y aunque el nacionalismo y el racismo fueran su «urdimbre básica», recordemos el sustantivo «socialismo» —con el grado de aplicación que tuviera— de la expresión «nacionalsocialismo».

En cuanto a la relación entre fascismo y autarquía, se puede recordar la siguiente frase de Mussolini: «la autodeterminación de los pueblos no se comprende si no está respaldada por la independencia de su economía respecto del mercado exterior» (citado por Robert, 1944).

2 En Gámir (1980) se critica, sin embargo, la elección del período 1950-1958 en comparaciones de crecimiento. Tanto este punto como el anterior buscan más «provocar» la profundización del análisis que afirmar la exactitud de las respectivas «heterodoxias» —especialmente en lo referente al punto b)—.

3 En aquella pequeña discusión afirmé que «mi desacuerdo en este punto concreto con el profesor Velarde no es óbice para mi admiración personal por la obra científica del citado catedrático» (Gámir, 1972). Casi treinta años después, la frase sigue siendo literalmente exacta.

4 H. Massis (1938). Una argumentación más extensa del carácter parcialmente «deseado» de la autarquía aparece en Gámir (1980).

5 El contexto político estricto (sistema de gobierno, etc.) no es el objeto de este apéndice, y simplemente se ha mencionado antes para entender mejor el paradigma ideo-

lógico-económico. Continúa el autoritarismo —en algún grado algo disminuido— y el conservadurismo —probablemente con un grado mayor de disminución en terrenos como el de las costumbres, entre otras razones por la apertura al exterior—. En todo caso la calificación de autoritarismo-conservador sigue siendo la adecuada

6 El *trade-off* igualdad-empleo se manifiesta de forma clara, dado el instrumento empleado por la sociedad —salarios—, como pocas veces ha ocurrido, ya que a menudo ambos objetivos han ido en la misma dirección (ante expansiones de la demanda agregada).

7 Este párrafo complementa lo dicho en el capítulo 1.

8 Gámir (1993 y 1997).

9 Hay un grupo de personalidades de primera fila, entre las que citaré sólo a los que ocuparon el cargo de vicepresidente, ministro o gobernador del Banco de España, es decir, a García Díez, Boyer, Bustelo y Rubio —cualesquiera que fueran los problemas posteriores en el caso de este último—. Este grupo entró de forma conjunta en 1977 en la socialdemocracia de Fernández Ordóñez y en el propio CD (Centro Democrático). Cuando CD se convierte en UCD, Boyer se retira y pasa algún tiempo hasta su reincorporación al PSOE —que había abandonado tras el XXVII Congreso—. Este grupo de personalidades será clave en las políticas económicas de UCD y del PSOE. A él habría que añadirles la actuación del propio Fernández Ordóñez —aunque en el PSOE su influencia en la economía fue menor—, la compleja —en el sentido más positivo del término— ubicación ideológica de Fuentes Quintana de los setenta y la presencia de un buen número de personalidades que influyeron en la política económica de UCD y del PSOE y que se autodefinieron como socialdemócratas (si bien es cierto que ese término fue en su día muy amplio y en él estuvieron también incluidas personalidades de otros partidos, como, por ejemplo, Miquel Roca).

10 Se puede contestar que Keynes acepta el modelo neoclásico de demanda en el mercado de trabajo y estima que los incrementos de la demanda agregada son un instrumento que tiene, entre otras finalidades, la de reducir los salarios reales por la vía del incremento de los precios. Ahora bien, dejando aparte lo que Keynes llega a aceptar, hay que recordar que el núcleo del pensamiento neoclásico pigouviano en su polémica con Keynes estribaba en que la vía salarial era básica para la lucha contra el paro.

11 En grado menor al declarado posteriormente, como vimos en el capítulo 1.

12 En estos años —y no sólo en ellos— el Tribunal de Cuentas acababa dictaminando déficit aún superiores.

13 Las importaciones se desarrollaron por: a) el crecimiento de la demanda interna; b) la sobrevaloración de la peseta; c) el desarme arancelario y el paso del ICGI al IVA —recuérdese lo dicho en el capítulo 1, donde también se comentan los contradictorios efectos de nuestro ingreso en el SME—. Las exportaciones se vieron afectadas negativamente por: a) la sobrevaloración de la peseta, y b) el paso de la desgravación fiscal al IVA.

14 Se entienden por gasto social las siguientes partidas: pensiones contributivas, sanidad, educación homogeneizada, incapacidad temporal, pensiones no contributivas, prestaciones asistenciales y servicios sociales.

15 La diferencia muy marcada entre las políticas de oferta «versión Klein» y «versión Laffer» se analizó con detalle en Gámir (1985).

16 En opinión de este autor, se podría haber intensificado esta política, lo que normalmente tendrá lugar en la legislatura que empieza en el año 2000.

17 En períodos posteriores, Gobiernos del PSOE intentan pero no consiguen volver a la política de acuerdos, con distintos contenidos.

Referencias

Gámir, L. (coord.) (1972, 1980, 1993): *Política económica de España,* Guadiana de Publicaciones y Alianza Editorial.

— (1985): *Contra el paro y la crisis en España,* Barcelona, Editorial Planeta.

— (1990): «Política arancelaria», *Información Comercial Española,* diciembre 1989-enero 1990.

— (1997): «La política económica española de 1954 a 1994», en Ramón Febrero (ed.), *Qué es la economía,* Madrid, Pirámide.

Massis, H. (1938): Declaraciones de F. Franco publicadas en *Candide,* 18 de agosto.

Nordhaus (1983): «Crecimiento y energía: política en los países industrializados», *Papeles de Economía Española,* nº 14.

Oliver, J., y J. L. Raymond (1999): «La distribución de la renta en España en el período 1985-1996. Resultados derivados de la encuesta continua de presupuestos familiares», *Cuadernos de Información Económica,* nº 150, septiembre.

Rojo, L. Á., y J. Pérez (1977): «La política monetaria en España: objetivos e instrumentos», *Estudios Económicos, Banco de España, Servicio de Estudios,* Madrid.

Scitowsky, T. (1974): *The place of Economic Welfare in Human Welfare,* Departament of Economics, Stanford University.

Séptima parte

A modo de epílogo

26. Globalización y convergencia real con Europa *

Luis Gámir

En la presentación de este libro se comentó que este capítulo se podía clasificar junto a las políticas «espaciales» —ampliando su ámbito— o relacionarlo más con los dos primeros capítulos del libro.

Con el primer capítulo, el argumento sería que esta obra comienza analizando «de dónde proviene y donde está nuestra economía» y simétricamente se podría cerrar estudiando «hacia dónde puede ir», es decir, hacia la globalización y la convergencia real con Europa.

Con el segundo, el enfoque sería que este trabajo profundiza en el «marco económico», desde el momento en que los elementos de la globalización y la convergencia europea serán progresivamente más importantes en este «marco».

Finalmente, se ha introducido como epílogo de la obra relacionándolo con los dos primeros capítulos y especialmente con el segundo. Desde este último enfoque, que es el que se ha seguido, resulta necesaria —aunque sea un planteamiento algo excepcional en este libro [1]— una introducción teórica y general sobre lo que implica la globalización, antes de pasar a analizar la posición que ha tenido y que puede tener España dentro de esa corriente.

1. Introducción

Una de las características más trascendentes que ha afectado a la economía internacional, especialmente en la última década del siglo XX, ha sido la globalización. A lo largo de la mayoría de los trabajos que aparecen en este libro, de una manera u otra, se ha ido viendo cómo este fenómeno ha afectado a las diferentes políticas (fiscal, monetaria, del tipo de cambio, industrial, del sector de las telecomunicaciones, etc.).

En el apartado segundo de este capítulo se comenta cuáles fueron los precedentes de la actual globalización. Resulta sorprendente que, en algunos puntos, la «primera globalización», ocurrida en las últimas décadas del siglo XIX y primera del XX fuera más profunda que la actual.

El apartado tercero se dedica a resaltar las características de la globalización de la década de los noventa del siglo XX y en el cuarto se hacen unos breves comentarios sobre los costes y beneficios de la globalización.

El punto quinto se dedica a analizar la relación entre el proceso de globalización seguido por la economía española (diferente al de la economía internacional) y la convergencia real, en términos de PIB por persona. Veremos que España tendría mucho que perder si se volviera a un nuevo (y poco probable) escenario de «desintegración» económica.

El apartado seis contiene una reflexión sobre el grado de convergencia alcanzado en términos de producción por persona ocupada, en I+D, en sanidad y en educación. Alguno de los resultados puede sorprender.

El capítulo se cierra con un apartado de resumen y conclusiones.

2. Precedentes de la globalización

La globalización de la década de los noventa no es un fenómeno completamente novedoso. Por un lado, es el resultado de un proceso gradual iniciado al acabar la Segunda Guerra Mundial en los países con economías de mercado y, por otro, tiene un precedente importante en los acelerados cambios que condujeron a una creciente globalización en el medio siglo que precede a la Primera Guerra Mundial.

A los años comprendidos entre estos dos períodos mencionados se les ha denominado «la era de la desintegración» de la economía mundial y supusieron, sin duda, un grave retroceso en el proceso hacia la globalización.

Aunque existen similitudes entre la globalización de finales del siglo XX y la de finales del XIX, también hay claras diferencias, y aunque, en general, la globalización actual o «segunda globalización» es más profunda en la mayoría de los campos, la integración alcanzada a finales del siglo XIX en algunos aspectos fue mayor que la existente en la actualidad.

2.1 Primera globalización

En la «primera globalización» se cumplían los dos componentes básicos que integran la actual: a) una aceleración de los avances técnicos y b) unas políticas económicas favorables al mercado y a la globalización.

848

a)   Sin entrar en toda su complejidad, los avances de la Revolución industrial, que comienza en la segunda parte del siglo XVIII, se empiezan a aplicar (una vez superadas las guerras napoleónicas, que afectaron prácticamente a toda Europa) con cierta amplitud al aparato productivo a partir de la década de los veinte del siglo XIX.

Estos progresos técnicos aplicados a las manufacturas provocan unos efectos espectaculares: entre 1820 y 1913 la tasa de crecimiento de la productividad del trabajo de los actuales países de la OCDE fue siete veces más grande que la del período que transcurre entre 1700 y 1820[2].

Pero los avances técnicos no sólo afectaron a los sistemas de producción, sino también a otros campos muy presentes cuando hacemos referencia a la globalización actual: los transportes y las comunicaciones. Así, la máquina de vapor aplicada tanto en el transporte terrestre (ferrocarril) como en el marítimo (los barcos ya no dependían de los vientos) posibilitó la extensión del comercio tanto dentro de los propios países como entre las distintas partes del mundo. Estos avances en el transporte, unidos a los que tienen lugar en las «telecomunicaciones», permitían que los intercambios de información y las operaciones financieras se realizaran con mayor rapidez. Así, el telégrafo, junto con el establecimiento del primer cable submarino transatlántico en 1866, permitió los primeros flujos de «dinero caliente» entre Londres y Nueva York, al reducir el tiempo de liquidación de las transacciones intercontinentales desde los 10 días (lo que se tardaba en barco en cruzar el Atlántico) a unas pocas horas. Este avance ha sido considerado por algunos autores como proporcionalmente mayor al que supuso la incorporación de los ordenadores a la liquidación de las operaciones.

b)   En el campo de la política, el patrón oro, la libertad de movimientos de capitales y la tendencia hacia el librecambio en las transacciones internacionales fueron parte de las políticas económicas que ayudaron a la globalización.

Esta primera globalización alcanzó resultados importantes. Recordemos tres ejemplos al respecto:

En relación con el comercio internacional de bienes se produjo un rápido crecimiento en las transacciones internacionales muy superior al crecimiento del PIB. Así, entre los años 1820 y 1913 el volumen mundial de las exportaciones se multiplicó por 30[3], alcanzándose, en 1913, un porcentaje de las exportaciones sobre la renta mundial que no se recupera hasta una fecha tan reciente como 1970[4].

Los estudios sobre la integración de los mercados de capitales en esta época[5] han analizado la diferencia entre los tipos de interés en diferentes plazas financieras (Londres y Nueva York, básicamente), destacando que su cuantía llegó a ser inferior a la actual. Este resultado es consecuencia, entre otros factores, de la práctica ausencia de riesgo cambiario derivado de la vigencia y credibilidad del patrón oro.

Asimismo, se alcanzó una elevada movilidad de la mano de obra. Entre 1830 y la Primera Guerra Mundial cerca de treinta millones de europeos emigraron al continente americano. Esta cifra supone ¡el 30%! de la población europea de 1830 [6] (hay que tener en cuenta que el crecimiento demográfico en esta época en Europa fue muy elevado). Por diversas causas (y a pesar de los peores sistemas de transporte existentes) esta movilidad era muy superior a la existente en la actualidad.

2.2   La era de la «desintegración»

Algunos autores han denominado al período comprendido entre el comienzo de la Primera Guerra Mundial y el final de la segunda (1914-1945) la «era de la desintegración económica mundial».

En este período suceden una serie de hechos (dos guerras mundiales, Revolución rusa, Gran Depresión, creación de bloques) que tienen consecuencias que afectan sensiblemente a los elementos en los que se basaba la globalización anterior.

Así, la Primera Guerra Mundial acabó con el sistema monetario internacional basado en el patrón oro, que había permitido que las transacciones internacionales contaran con un aceptable sistema de pagos. Finalizada esta guerra se intentó regresar a dicho patrón (aunque no al sistema «clásico» anterior, sino con otras modalidades), pero su menor credibilidad y los efectos derivados de la Gran Depresión hicieron que desapareciera definitivamente.

La Gran Depresión acabó también con el otro pilar de la política económica en que se había basado la globalización: el librecambio. Así, la reacción de la política económica frente a esta crisis fue utilizar menos el mercado y depender menos de la economía internacional. Se intentó hacer frente a la crisis desde un punto de vista exclusivamente nacional sin recurrir a la cooperación internacional. De esta manera se desata la guerra de tarifas arancelarias (tras la imposición en Estados Unidos en 1930 del famoso arancel Hawley-Smoot) y de medidas proteccionistas de todo tipo. Se profundiza en la progresiva desintegración del sistema económico internacional y se recurre a los acuerdos bilaterales (más restrictivos y con un carácter discriminatorio entre diferentes países) para regular el comercio y los pagos internacionales.

Por otra parte, la Revolución rusa dará lugar a la aparición de uno de los dos grandes bloques/sistemas en que se dividirá el mundo una vez acabada la Segunda Guerra Mundial, división que durará hasta finales de la década de los ochenta. Hay que recordar que, con anterioridad, la extensión alcanzada por el sistema colonial —con todo lo criticable que fuera— había facilitado la participación en la extensión de la globalización a la mayor parte de las zonas del planeta.

2.3 Bases de la actual globalización

Ya antes de finalizar la Segunda Guerra Mundial se empieza a diseñar el sistema económico internacional que debería regir en la posguerra. Se intenta crear en los campos del comercio y de los pagos internacionales un sistema que superase los problemas del período de entreguerras: los obstáculos de todo tipo al comercio, el bilateralismo, el control de cambios y la inestabilidad de los tipos de cambio.

Así, se crea el FMI, al que se le asigna el problema de los pagos internacionales con los objetivos de crear un sistema multilateral de pagos no discriminatorio entre países, establecer un sistema de cambios fijos, aunque modificables bajo ciertas circunstancias (este objetivo fue sustituido en 1978 con la Segunda Enmienda al Convenio Constitutivo), y la ayuda, con condiciones, a los países en dificultades de balanza de pagos. También se crea el Banco Mundial con el objetivo de prestar ayuda «multilateral» al desarrollo y apoyar la reconstrucción de la guerra.

En el ámbito del comercio se intentó crear un organismo (la Organización Internacional de Comercio) con el objetivo de reducir los obstáculos al comercio también sobre bases multilaterales no discriminatorias. Sin embargo, este organismo no es ratificado y es sustituido por el GATT, que a través de sus sucesivas «rondas» logra avances importantes hacia este objetivo, hasta que finalmente se convierte en 1995 en la Organización Mundial de Comercio.

Este «sistema económico internacional» en principio estaba pensado para todos los países, pero de hecho no van a participar los países del Este, con lo que surgen dos sistemas económicos internacionales en vez de uno «global».

En todo caso, con esta organización se van dando pasos hacia la integración de la economía internacional y se va creando la cultura de la cooperación internacional. En este contexto, cuando se producen las crisis de los setenta la reacción de los países va a ir en dirección opuesta a la producida en la crisis de 1929. Por un lado (con excepciones), los países no buscan soluciones dentro de sus fronteras, sino que funciona una cierta cooperación internacional y, por otro lado (en general), en las posibles salidas a la crisis se intenta dar mayor peso al mercado.

Esto permite que, aunque se frene algo el ritmo de integración económica, no se produzca una vuelta atrás, como ocurrió en los años treinta. Con la recuperación que tiene lugar ya entrados en la década de los ochenta, unida a la aceleración de los avances tecnológicos (especialmente en tecnologías de la información) y a la caída del muro de Berlín, de nuevo aparecen importantes pasos hacia la globalización.

3. La globalización de la década de los noventa

Los elementos esenciales de la actual globalización son los mismos (con características diferenciadas) que los que facilitaron la globalización de finales del siglo pasado: a) el progreso tecnológico y b) una política económica favorable (en términos generales) a la integración de las economías.

a) El **progreso tecnológico** que se ha ido produciendo desde la Revolución industrial se ha acelerado en las últimas décadas. Así, en los últimos diez o quince años, el coste unitario de los fletes marítimos ha disminuido, en términos reales, casi un 70% y el de los fletes aéreos se ha reducido entre el 3 y el 4% anual durante el mismo período. Esto implica que económicamente el tamaño del mundo es menor y los intercambios (tanto de bienes finales como de bienes intermedios) son más rápidos y menos costosos.

Los avances en los medios de transportes no son una novedad, sino más bien suponen una profundización de lo que viene sucediendo desde el siglo pasado. Donde sí se ha producido una verdadera innovación es en las tecnologías de la información (informática, telecomunicaciones, Internet...). Aunque estas tecnologías ya venían registrando avances en la década de los ochenta, es desde principios de la década de los noventa cuando se vuelven accesibles no sólo a las grandes empresas, instituciones oficiales o universidades, sino también a las Pymes y a los particulares en general. El abaratamiento del acceso a la información (es decir, a un factor de producción cada vez más importante) tiene una serie de potencialidades y unos efectos difíciles de predecir. Las redes no sólo suponen el que se pueda acceder a la información en condiciones similares en cualquier lugar del planeta, sino que cada vez más se están convirtiendo en un medio para realizar transacciones comerciales (se prevé que, a principios del próximo siglo, unos 300 millones de usuarios de Internet participarán en el comercio electrónico) [7].

b) Indudablemente no sólo el progreso técnico es necesario para la globalización, sino también una **política favorable al proceso**. Así, desde finales de los ochenta (superados los efectos de la crisis del petróleo), se produce una aceleración de la dinámica de reducción de barreras a los movimientos de bienes, servicios y capitales.

Las barreras al comercio de bienes se habían ido reduciendo en las sucesivas rondas del GATT y los aranceles de los países industriales oscilarán alrededor del 4% cuando se apliquen, plenamente, los acuerdos de la Ronda Uruguay que también implicaron la creación de la Organización Mundial de Comercio (1995). (Estos avances han sido menores para los países en desarrollo y para los bienes agrícolas o los servicios e incluso para algunos bienes industriales como los textiles.) Esta disminución de la protección, junto a la reducción de los costes de transportes, ha supuesto una importante integración de los mercados de bienes. Entre ellos hay que destacar la importancia creciente del comercio de bienes intermedios (partes y componentes).

Esta situación ha implicado que cada vez más empresas se planteen su producción de bienes y servicios sin tener en cuenta las fronteras nacionales, aprovechando en mayor medida las ventajas ofrecidas por las distintas zonas geográficas. Por ejemplo, en el caso de una de las grandes empresas automovilísticas de los Estados Unidos, el 30% del valor del automóvil procede de Corea, el 17% de Japón, el 7% de Alemania, el 4% de Taiwan y Singapur, el 2% de Inglaterra y el 1% de Irlanda y Barbados. Finalmente sólo el 37% del valor del producto se produce en los propios Estados Unidos.

Una de las características más significativas de la actual globalización es la notable integración alcanzada por los mercados de capitales.

Curiosamente, hasta el momento, la liberalización de los movimientos de capitales no es una de las competencias asignadas al FMI (aunque ya hay propuestas al respecto). Su mandato se reduce desde su creación a los pagos por cuenta corriente. De esta manera hasta principios de la década de los noventa sólo estaban liberalizados (en los países de la OCDE y en algunos de los países en desarrollo) los movimientos por cuenta corriente y algunos tipos de movimientos de capital como las inversiones directas, con limitaciones para el resto de los movimientos de capital.

La entrada de la década coincide con la plena liberalización de los movimientos de capital en la UE, que se extiende a lo largo de la década a otros países. Así, en la UE en 1988 se aprueba la directiva que liberalizaba plenamente los movimientos de capital el 1 de julio de 1990. (Con un período transitorio mayor para algunos países. Entre ellos estaba España, que no lo agotó en su totalidad y, además, a finales de diciembre de 1991 liberalizó plenamente los movimientos de capital, no sólo con los países de la UE sino con el resto del mundo. Aunque en la directiva la liberalización sólo se refería a los países de la UE, se señalaba la conveniencia de alcanzar el mismo nivel de liberalización con respecto a terceros países, como finalmente ocurrió.)

Esta situación de ausencia de restricciones a los movimientos de capital no se producía desde la existencia del patrón oro, con la diferencia de que el actual desarrollo de la informática y las telecomunicaciones permite un desarrollo potencial mucho mayor, ya que posibilita la realización de operaciones entre rincones alejados del planeta de una manera prácticamente instantánea.

Paradójicamente, y a diferencia de lo ocurrido a finales del siglo XIX, las políticas de inmigración no han favorecido la globalización del mercado del otro factor de producción: el trabajo. En efecto, las restrictivas políticas de inmigración adoptadas por los países desarrollados en la actualidad contrastan con las políticas mucho más liberales practicadas en los otros campos mencionados. No sólo se han reducido los movimientos subdesarrollo-desarrollo de trabajadores, sino, de hecho, las migraciones en el interior de los países desarrollados. (El mercado de trabajo interno de los Estados Unidos tiene un grado de movilidad muy superior al europeo, entre otras razones por el idioma, las políticas de educación y vivienda e incluso ciertas prestaciones sociales que, junto con sus ventajas, desincentivan la movilidad geográfica.)

Esto ha provocado que exista una dualidad entre la fuerte integración de los mercados de capitales y la escasa de los mercados de trabajo, lo que, aparte de problemas mundiales de equidad, plantea otros temas técnicos, como es la problemática impositiva (con sus efectos en la equidad, aunque de otra índole, y en la asignación de recursos).

Otras políticas que también han impulsado la globalización han sido la liberalización y apertura a la competencia de sectores de la economía en los que durante décadas habían funcionado en régimen de monopolios nacionales o sistemas con importantes barreras a la entrada. Estas políticas (que se inician a principios de la década de los ochenta, principalmente en el Reino Unido y en los Estado Unidos) se extienden luego a muy diversos países. Su impacto es importante porque afectan a sectores básicos de la economía como las telecomunicaciones, la electricidad, el gas, el petróleo, el transporte aéreo, etc., que habían quedado al margen de la globalización.

Estas políticas liberalizadoras suelen ir acompañadas de la privatización de la empresa o empresas que prestaban el servicio en régimen de monopolio. De esta manera, las políticas de privatizaciones iniciadas a finales de los setenta han tenido, especialmente en los noventa, una extensión prácticamente mundial. La privatización, además, contribuye a la internacionalización de la empresa privatizada debido a que, en algunas ocasiones, su carácter público puede suponer un obstáculo a su expansión internacional (sobre las políticas de liberalización, desregulación y privatizaciones en nuestro país, véase lo dicho en los capítulos 1, 2, 10, 11, 15 y 18 de este libro).

Por otra parte, el ámbito geográfico afectado por la globalización ha crecido debido a que en los últimos años de la década de los ochenta van a ir desapareciendo de Europa —y no sólo de ella— los sistemas de «socialismo real», proceso simbolizado en la caída del muro de Berlín a la que antes nos hemos referido. A lo largo de los años noventa estos países van a ir adaptando estructuras de mercado e integrándose en la economía internacional. Por tanto, con la práctica desaparición (salvo excepciones, algunas importantes) de uno de los dos sistemas económicos en que se había dividido el mundo, se puede hablar de un proceso de globalización más auténtico.

4. Costes y beneficios de la globalización

La globalización es un proceso con claroscuros, aunque en mi opinión predominen claramente los aspectos positivos. Este apartado por sí sólo podría dar lugar a un libro entero. Por ello, solamente realizaremos unos breves comentarios.

Los beneficios del proceso de globalización se derivan en buena medida de las ventajas que Adam Smith atribuía a la extensión de los mercados, con sus correspondientes efectos sobre la especialización y la productividad. De esta manera se logra aprovechar las economías de escala y se consigue una mejor asignación de los recursos mejorando la eficiencia de las economías y permitiendo impulsar el progreso tecnológico. Así, a largo plazo la globalización permite un mayor crecimiento económico que se traduce en una renta per cápita superior.

Además, la globalización, que se basa en la economía de mercado y en las empresas privadas dentro de un modelo de competencia, implica que los países que logren establecer un marco favorable para el desarrollo de la actividad empresarial aprovecharán mejor las oportunidades que se abren. De esta manera, dentro de la actividad de los Estados tendrán que aumentar su peso relativo las políticas que tiendan a aumentar la competitividad de las empresas (infraestructuras físicas, de información y de comunicación; educación, capital humano e I+D+I; marco fiscal adecuado; privatización y desregulación; etc.).

Entre los posibles elementos negativos podemos citar en primer lugar el temor existente a que haya países que para ser más competitivos decidan «arrumbar» el Estado del Bienestar. El temor ha disminuido con la evolución de los países asiáticos en la última crisis financiera —en los que se solía pensar cuando se planteaba este problema—. Además la cultura europea busca mantener la cohesión social al mismo tiempo que la competitividad, considerando que la cohesión social y la solidaridad en pensiones, educación, sanidad, etc., son un objetivo por sí mismo y un instrumento a medio plazo para el incremento de la competitividad. Ello no significa que no sea necesario plantear nuevos enfoques en relación al Estado del Bienestar que busquen relacionar solidaridad y eficiencia, procurando la mayor eficacia de cada euro utilizando e impulsando sistemas de cohesión social al tiempo que se desarrolla la competitividad económica.

Otro posible punto negativo puede ser el posible incremento de la volatilidad de los mercados financieros y el efecto «contagio» de las crisis financieras. Así, se plantea que la globalización aumenta la facilidad con que se transmiten las crisis. Estos efectos contagio pueden afectar a países cercanos y, por lo tanto, con sus economías muy interrelacionadas; a países lejanos pero en situación similar al que origina la crisis o incluso, paradójicamente, a países con políticas «sanas» (en este último caso debido a que los inversores pueden liquidar inversiones en estos países para compensar las pérdidas ocasionados en los que sufren la crisis). Por otra parte también pueden surgir «efectos contagio» positivos, como el de la Unión Monetaria Europea, no solamente por el euro, sino también por las políticas que se realizan dentro del área. En la medida en que políticas similares de crecimiento saneado se exporten y contagien a otros países, resultará más fácil la prevención de las crisis financieras.

En todo caso, el problema mayor de la globalización es la «esquizofrenia» (doble visión de la realidad) entre los mercados de capitales y de trabajo y sus posibles efectos sobre un incremento de las disparidades norte-sur, sin el elemento «suavizador» de la emigración [8].

5. España y la globalización

Si nos fijamos en la evolución de España en relación al proceso de globalización descrito en los apartados anteriores, podemos observar que: a) se «apunta» menos a la primera globalización (no adoptó el patrón oro y las políticas librecambistas no llegaron a implantarse, produciéndose un importante retroceso a partir de la última parte del siglo XIX); y b) la «era de la desintegración» se prolonga más, es decir, España se incorpora más tarde a la nueva época de la integración económica internacional. Efectivamente, no es hasta el año 1959-1960 cuando se empieza a producir la apertura y la integración de nuestra economía en la economía internacional. Esto afectó a nuestro desarrollo.

Así, en Piqué (1998), tomando como referencia un período largo (desde mediados del siglo XIX hasta nuestros días), se encuentra una relación entre los períodos en los que la economía española ha estado más abierta (medida a través del peso del comercio exterior en el producto nacional) con las fases en las que nuestra renta per cápita se ha aproximado a la renta per cápita media de Europa (medida ésta por la renta media de los cuatro grandes países europeos, Alemania, Francia, Reino Unido e Italia). Y al contrario, aquellas fases en las que ha disminuido la apertura de nuestra economía coinciden con épocas en las que nos hemos alejado de la renta per cápita media europea. De todo el período comentado, es con la autarquía de los años cuarenta cuando se obtiene el peor resultado, con una renta per cápita próxima al 40% de la media de los cuatro países mencionados.

Parecido resultado se obtiene en Velarde (1999), trabajo en el que se recoge que en 1885, en cuanto a la producción por habitante se refiere, si damos el valor 100 a España, Italia tenía 96, Francia 121, Gran Bretaña 110 y los Estados Unidos 202. Si volvemos a observar estos mismos datos en 1957, momentos finales de la autarquía, obtendríamos el resultado de que todos los países mencionados tuvieron un progreso relativo mayor que España. Así, si de nuevo le damos el valor 100 a la producción por habitante en España, Italia pasaría a un valor de 159, Francia de 207, Gran Bretaña de 220 y Estados Unidos de 241.

Con el Plan de Estabilización de 1959 se inicia el proceso de apertura e integración (gradual) de la economía española en la internacional que, como se ha comentado, ya había iniciado con anterioridad el camino que ha conducido a la actual globalización. Desde ese momento (superada la recesión inicial ocasionada por las medidas restrictivas), España empieza a recortar diferencias en renta per cápita con los países más avanzados, logrando disminuir a la mitad las diferencias con la UE. De esta manera, la renta per cápita española pasa, de suponer en 1960 el 60% de la renta per cápita media europea, al 80% actual (véase gráfico 26.1, que se incluye en el siguiente apartado).

Por tanto, acudiendo a nuestra historia reciente podemos mantener que a España «le sienta bien la globalización» y podemos, en principio, ser optimistas sobre el desenvolvimiento de nuestro país en un mundo cada vez más globalizado (el escenario que tendríamos que temer sería la poco probable vuelta a un período de desintegración). Como hemos visto, el proceso de globalización se ha acelerado en la década de los noventa y es de prever que en las próximas décadas se mantenga e incluso aumente el ritmo hacía una mayor globalización. Parece que por primera vez nuestro país está preparado para incorporarse a esta nueva etapa desde el principio y sin retrasos.

6. Convergencia de la economía española

Hemos visto en el apartado anterior que desde el momento en que la política económica española toma la decisión (1959) de incorporar a nuestro país a la internacionalización ya en marcha en los países occidentales, se inicia un proceso de convergencia de nuestros niveles de renta.

En este apartado vamos a centrarnos en este proceso de convergencia ocurrido desde 1961. En el gráfico 26.1 podemos observar que España ha necesitado 38 años para reducir a la mitad su diferencia con la renta per cápita media europea [9]. Esta mejora encaja con las predicciones que se desprenderían de la teoría neoclásica del crecimiento, según los trabajos de Barro y Sala i Martín (1995). En concreto, estos autores predicen que para cubrir la mitad de la distancia se necesitaría un período comprendido entre los 23 y 47 años (es decir, una media de 35).

Si nos fijamos en lo sucedido en los otros tres países de la actual UE que en 1960 se encontraban significativamente alejados de la media (en el gráfico 26.1, además de la evolución de España, se ha representado la evolución de Irlanda y Portugal), observamos que también han tenido un resultado dentro de las previsiones de la teoría. Así, Irlanda y Portugal han necesitado 32 y 36 años respectivamente, y Grecia, transcurridos 38 años, todavía no ha cubierto este objetivo, pero se encuentra muy próxima a cumplirlo.

Si realizamos una predicción para el futuro aceptando esta velocidad de convergencia, estimaríamos que para que la economía española cubriera la

Gráfico 26.1   PIB per cápita (UE-15 = 100)

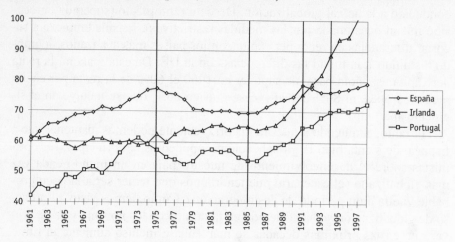

FUENTE: Eurostat.

mitad de la distancia que en la actualidad le separa de la media y alcanzara, por tanto, el 90%[10] de la renta per cápita media comunitaria, necesitaría un período de tiempo situado entre los 27 y los 47 años mencionados. Esta previsión no parece muy optimista (la teoría neoclásica predice que según nos vamos acercando al «objetivo» la velocidad absoluta[11] de convergencia se va desacelerando), pero existen diversos factores que tenderían a reducir la duración de ese período y por tanto a acelerar la velocidad de convergencia. Vamos a citar tres. La teoría predecía mayor velocidad de convergencia para economías abiertas. España ha sufrido una transformación acelerada en el grado de apertura de su economía y en la actualidad (en relación con su tamaño) es una de las economías más abiertas del mundo, mientras que al inicio del período considerado era una economía que iniciaba su apertura desde una situación próxima a la autarquía. Por tanto, el grado actual de apertura de la economía es muy superior a la apertura media de los cuarenta años anteriores.

Por otro lado, la teoría neoclásica supone que los factores están siendo utilizados eficientemente y que, por tanto, las distorsiones en los mercados darían lugar a un estado estacionario (o a una senda de estados estacionarios) con un nivel inferior, de lo cual se deriva una menor tasa de crecimiento de la que se experimentaría si se tendiera a un nivel superior. Aunque sigan existiendo importantes distorsiones en los mercados, la economía española está en la actualidad mucho más liberalizada que al inicio del período considerado y, en consecuencia, las distorsiones son menores. Piénsese, por ejemplo, en un mercado tan trascendente para el crecimiento a largo plazo como lo es el mercado financiero, dado el importante papel que juega en la asignación de los fondos prestables (y en última instancia en la asignación del capital) a sus distintos usos alternativos. En la actualidad goza de un alto grado de liberalización frente al gran intervencionismo que existía hasta fechas recientes (no es hasta finales de los setenta cuando los tipos de interés comienzan a fijarse por las fuerzas del mercado y no por decisión administrativa).

Por último, dado que las inversiones en capital tienen una vigencia de varios períodos, la incertidumbre sobre la evolución del marco macroeconómico actúa aumentando la prima de riesgo que los prestamistas exigirán a las inversiones, produciendo por tanto una ralentización en su ritmo de crecimiento. En la actualidad la economía española puede ofrecer a los agentes económicos un marco macroeconómico estable y, lo que es más importante de cara a la tasa de crecimiento a largo plazo, un grado de confianza importante en que este marco de estabilidad se va a mantener en el futuro (la adopción del euro y las políticas de saneamiento aplicadas contribuyen, sin duda, a la confianza en el mantenimiento de este marco de estabilidad).

Estas razones apuntan a que, desde la perspectiva de este enfoque, el período necesario para cubrir la mitad de la distancia tendería a ser menor que el indicado anteriormente. Un ejemplo que apoyaría esta tesis es el de Irlanda. Se puede decir que Irlanda logra su «estabilidad» macroeconómica a partir de 1986 (como se comentó en el capítulo 1). España no logra esta situación hasta 1996 (ese año la inflación se situó en el 3,1%). Precisamente a partir de 1986 (como se puede ver en el gráfico 26.1), Irlanda inicia su despegue [12] y en 1992 (tan sólo seis años después) supera holgadamente los 6 puntos que la separaban de España, situándose en el 79% de la renta media comunitaria (nivel que España sólo alcanzaría otros seis años más tarde). Desde ese momento necesita solamente cinco años para llegar a la media europea, situándose en 1998 significativamente por encima. En cualquier caso, la espectacularidad del caso irlandés es difícil que se reproduzca en España (dadas sus características especiales), pero sí aporta indicios de que la velocidad de convergencia puede acelerarse [13].

En el análisis de los párrafos anteriores nos hemos fijado únicamente en el principio y en el final del período considerado. Sin embargo, el proceso de convergencia de estos países no ha sido lineal y se han alternado fases de fuerte aceleración con otras de estancamiento o retroceso (siempre hablando en términos comparativos con la media de la UE). Además, las sendas temporales seguidas por los cuatro países mencionados han sido diferentes (véase gráfico 26.1, en el que no se ha incluido a Grecia por razones de claridad).

La trayectoria de España es conocida (las líneas verticales que se han dibujado en el gráfico 26.1 separan las diferentes etapas que se han sucedido en el proceso de convergencia de la economía española). Al Plan de Estabilización de 1959 le sigue una etapa de fuerte crecimiento, en la que se recorta de manera significativa la distancia con respecto a la renta per cápita media europea, que se interrumpe en 1975, una vez comenzada la primera crisis del petróleo. A continuación se inicia una larga década, que dura hasta 1985, en la que la economía española pierde casi la mitad del avance logrado en el período anterior en la convergencia de la renta per cápita. A partir de esa fecha, y coincidiendo con una época de fuerte crecimiento, se vuelve a recortar diferencias con la media europea hasta situarse en 1991 en un nivel parecido al de 1975. Durante el período 1992-1994 de nuevo la fase recesiva afecta en mayor medida a España, cuya renta per cápita retrocede, con relación a la europea, a una media de poco más de un punto en cada uno de esos tres años, retroceso que se va a recuperar durante los años 1995-1998 (según las previsiones de Eurostat en 1999 se han seguido recortando las diferencias hasta alcanzar el 80,2% de la renta per cápita media de la UE).

Por tanto, con los datos anteriores podríamos extraer el resultado de que la tasa de crecimiento de la economía española es más volátil que la media de la UE. Así, sistemáticamente ha crecido más en las fases de expansión y menos en las de recesión, con lo que se recortan diferencias en las fases de elevado crecimiento pero se retrocede en las de recesión o de crecimiento moderado. Este resultado no ocurre en las otras tres economías (Portugal es la que se acerca más a este enfoque) de la UE que en 1960 se encontraban alejadas de la media, en las que no existe una pauta sistemática a crecer menos que la UE en las recesiones (período en el que, en muchas ocasiones, han seguido recortando diferencias) [14] ni a crecer más en los períodos expansivos [15].

De lo anterior se deduce que parte de los avances logrados por la economía española en la convergencia real en las fases expansivas se pierden en las fases recesivas siguientes, lo que ha impedido que nuestra economía recorte sus diferencias con la media de la UE a un ritmo mayor. Por tanto, uno de los objetivos de la política económica española consistiría en mejorar el mal comportamiento comparado de nuestra economía en los períodos recesivos. El actual enfoque de la política económica de lograr y mantener la estabilidad macroeconómica, por un lado, e impulsar reformas que avancen en la liberalización y flexibilización de la economía, por otro, es coherente con este objetivo.

Debido a que los efectos del entorno macroeconómico se prolongan durante un período de tiempo largo y normalmente no se sienten en toda su intensidad al principio, para tener en cuenta todos los beneficios aparejados a la actual política de estabilidad macroeconómica no sólo tendríamos que fijarnos en la actual fase expansiva, sino también en la siguiente etapa de un crecimiento más moderado.

Por ejemplo, durante los períodos expansivos de los años sesenta y de la segunda mitad de los ochenta, el ritmo anual al cual se recortaban las diferencias con la renta per cápita media europea se situaba, de media, ligeramente por encima del punto anual, un ritmo que es algo superior al que se está recortando la diferencia en el período expansivo actual. Sin embargo, como ya hemos visto, durante los últimos cuarenta años España ha recortado distancias con Europa (en términos de renta per cápita) en los períodos expansivos y, por el contrario, estas diferencias han aumentado —aunque menos— en los períodos recesivos. Aceptemos que el comportamiento de la economía en el período expansivo tiene alguna influencia en el desenvolvimiento en la fase recesiva que le sigue. (Por ejemplo, si el crecimiento económico ha ido acompañado de fuertes desequilibrios macroeconómicos, es de esperar un período recesivo subsiguiente comparativamente más severo que si ese crecimiento hubiera sido más equilibrado.)

Si el razonamiento anterior es correcto, se podría quizás predecir que si se mantiene el actual marco de estabilidad, y dado que el crecimiento actual se realiza dentro de un entorno macroeconómico más equilibrado que en períodos anteriores, en la siguiente fase recesiva el comportamiento comparativo español en relación con Europa tendería a ser menos negativo de lo que ha sido en otros períodos anteriores. Es decir, en las fases recesivas anteriores la economía española se ha comportado peor que la europea, lo que ha supuesto que la renta per cápita se alejara de la media a un ritmo que, por término medio, se sitúa por encima del medio punto anual. Esto no tiene que ocurrir en las fases recesivas futuras, dado que los desequilibrios a corregir son menores. La economía no tendría necesariamente que retroceder en relación a la media europea, al menos en el mismo grado, e incluso en los períodos recesivos (como ha ocurrido con Irlanda recientemente) podría seguir recortando diferencias.

Por tanto, en un análisis completo que incluyera las fases expansivas y recesivas podría ocurrir que el menor ritmo al que en el período actual se están recortando diferencias con la media europea se pueda ver compensado —o más que compensado— con un mejor comportamiento en la siguiente fase de menor crecimiento [16].

Sin duda lo que estamos argumentando requiere una contrastación empírica más extensa en el tiempo, durante la que se mantengan las características que acabamos de reseñar. En todo caso, la actual fase de crecimiento presenta algunos datos que parecen apuntar en esta dirección.

En primer lugar, algo de lo que venimos de analizar puede haber ocurrido en la primera parte de 1999. Así, y debido a los efectos de las crisis financieras internacionales, se produjo una importante desaceleración del crecimiento en los países de la UE (incluyendo España), pero a pesar de ello el diferencial de crecimiento sigue siendo favorable a nuestro país y el ritmo al cual se recortan diferencias con la renta media europea no disminuye, sino que incluso aumenta (según las previsiones de Eurostat).

Por otro lado, en este ciclo expansivo la diferencia positiva en el crecimiento a favor a España va siendo mayor en cada año sucesivo (+0,3, +0,5, +0,7 y +0,9 respectivamente para los años 1995, 1996, 1997 y 1998), y con las previsiones de la Comisión Europea para el año 1999 España seguirá aumentando la diferencia en su crecimiento comparado (la diferencia sería de +1,2 puntos, diferencia que parece que resultará mayor cuando se conozcan los datos definitivos del año). Este comportamiento difiere sustancialmente de lo ocurrido en las dos fases expansivas anteriores, en las que en el primer o segundo año de recuperación la economía española salía lanzada de la anterior crisis, alcanzando su máximo crecimiento y también su máxima distancia con relación al crecimiento europeo, para a continuación dar síntomas de agotamiento al iniciar una senda irregular, pero con tendencia decreciente en ambas variables (es decir, tanto en la tasa de crecimiento como en el diferencial de crecimiento con Europa).

Un último comentario para acabar con este apartado. Para avanzar en la convergencia real es esencial estimular un crecimiento intenso y sostenido de nuestro *stock* de capital (incluyendo tanto el capital físico como el humano y tecnológico) [17] con el objetivo de acercarnos a la dotación per cápita de los países más avanzados de Europa. Para ello, es esencial contar con ciclos expansivos lo más largos posibles sin interrupciones. La estabilidad y la mayor predecibilidad del entorno macroeconómico contribuyen a que se genere mayor confianza sobre la sostenibilidad en el tiempo de los ciclos expansivos, algo que no ocurre cuando una economía crece (aunque sea a un ritmo rápido) con importantes desequilibrios macroeconómicos, ya que las expectativas de que el crecimiento tendrá que cesar en algún momento para que se produzcan los necesarios ajustes son mucho más intensas.

En general, todo parece indicar que la estabilidad macroeconómica ayuda en el largo plazo al crecimiento económico. En esta línea se encuentra Iranzo e Izquierdo (1999), donde se hace referencia a un estudio realizado en 1997 por el Fondo Monetario Internacional «en el que se compara la evolución media de los últimos 25 años de las variables de estabilidad macroeconómica, por un lado, y de crecimiento económico alcanzado por los países. La conclusión principal a la que llega es que, prácticamente sin excepción, los países que han reducido su inflación y mantenido bajos niveles de déficit público, que a su vez son los mismos que han tenido un crecimiento económico más intenso, son también los que han establecido mejores bases para el desarrollo económico (inversión y ahorro)».

7. Otros aspectos de la convergencia real de la economía española

De entre los muchos temas que podríamos analizar en este apartado nos centraremos en dos: a) la convergencia de la productividad media del trabajo y b) la convergencia en I+D; y realizaremos una breve referencia a otros aspectos como c) sanidad y educación.

a) Convergencia de la productividad del trabajo

En el apartado 6 anterior hemos analizado la convergencia de la economía española en términos de producción per cápita (o PIB por habitante). En este apartado vamos a ampliar el análisis e incluir también la convergencia en términos de producción por trabajador, es decir, del PIB producido por cada persona ocupada. Observaremos que la evolución de estas dos variables (al menos desde 1975) es opuesta (cuando una sube la otra baja). Por otra parte, veremos que con el dato de producción por trabajador podríamos llegar a la conclusión de que la economía española ha convergido con la media de la UE (es decir, la productividad media de un trabajador español es prácticamente la misma que la de uno europeo).

En el gráfico 26.2 se ha representado de nuevo la evolución del PIB per cápita español (UE = 100) para compararlo con la evolución del PIB por ocupado (UE = 100)[18]. Una primera característica que resaltamos del gráfico es que en todo el período representado (1961-1999 —el dato para 1999 es la previsión realizada por Eurostat—), y siempre hablando en términos comparados con la media de la UE, el PIB por ocupado es mayor que el PIB por habitante (o per cápita). Además, esa diferencia ha tendido a aumentar en el tiempo (mientras que en 1961 el PIB por ocupado era sólo de 9 puntos superior, en 1994 la diferencia alcanza un máximo de casi 25 puntos de diferencia para reducirse a 17 en 1998). Por tanto, el PIB por ocupado no sóio es superior al PIB per cápita (ambos con relación a la media europea), sino que su velocidad de convergencia con la media europea ha sido mayor. Veíamos en el apartado anterior que el PIB per cápita había avanzado 20 puntos entre 1961 y 1998 (de encontrarse en el entorno del 60% de la renta per cápita media europea en 1961 en la actualidad se encuentra en el entorno del 80%). Pues bien, el avance de la productividad por ocupado ha sido de casi 30 puntos, lo que ha supuesto que se haya producido la convergencia con la media europea (desde 1983 no ha estado nunca por debajo del 95% de la media comunitaria, y en tres años —1993, 1994 y 1995— se sitúa ligeramente por encima del 100%).

Esta diferencia entre la producción por trabajador ocupado y la producción por habitante se debe a que, como es sabido, el porcentaje de la población española que se encuentra ocupada es inferior al de la población europea que trabaja. Esto se puede deber a: a) que el porcentaje de la población activa sobre la población total sea menor; o b) que el porcentaje de empleados en relación a los activos sea menor. En España suceden ambas cosas (para un análisis de la evolución de estos datos, véanse los capítulos de este libro que se dedican al empleo, tanto en la parte dedicada a los instrumentos como en la relacionada con los objetivos).

Un análisis rápido de los datos anteriores podría conducir a la conclusión de que, para que se produzca la convergencia de la renta per cápita española con la europea, dado que la productividad de nuestros trabajadores

Gráfico 26.2   PIB por ocupado y PIB per cápita (UE = 100)

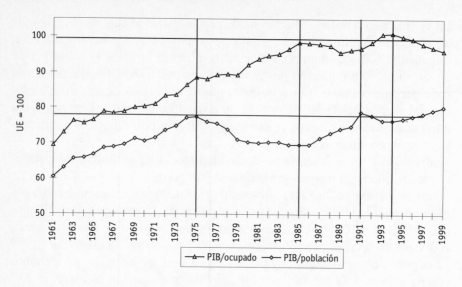

FUENTE: Eurostat, Guindos (1997) y elaboración propia.

es prácticamente la misma, bastaría con incrementar el empleo para aproximar nuestra tasa de ocupación a la suya y de este modo nuestra renta per cápita. Sin embargo, matizaremos esta afirmación analizando más detenidamente el gráfico 26.2 e introduciendo el concepto de capital disponible por empleado (cuya evolución se representa en el gráfico 26.3).

A continuación haremos algunas referencias a los diferentes subperíodos contenidos en el gráfico 26.2. Si nos fijamos en la evolución registrada a partir de 1975 observamos que, en los períodos recesivos o de bajo crecimiento (1975-1985 y 1991-1994), disminuye (como hemos visto con anterioridad) el PIB per cápita español en relación a la media europea, pero al mismo tiempo aumenta el PIB por ocupado (también con relación a la media europea). Lo contrario ocurre en los períodos expansivos (1986-1991 y 1995-1998), en los que el PIB per cápita español recorta diferencias con la media europea, pero el PIB por persona ocupada se reduce en relación a la media [19]. Este resultado, que podría parecer paradójico, viene explicado en parte por la evolución del empleo y por su relación con el capital existente en la economía.

Así, en los períodos recesivos la destrucción de empleo en España es bastante mayor que en la UE. La diferencia fue especialmente importante entre 1975 y 1985. Durante esta década España estuvo destruyendo empleo a un ritmo medio anual del 1,6%, mientras que en la UE en media anual el empleo creció al ritmo de 0,1%. En el período 1992-1994 las diferencias de comportamiento fueron menores, aunque España también destruyó empleo

Gráfico 26.3   Capital por ocupado (valores absolutos y tasas de crecimiento)

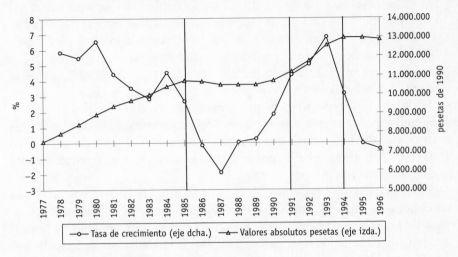

FUENTE: Eurostat, Guindos (1997) y elaboración propia.

a un ritmo superior (–1,6% para España frente a –1,2% para la UE, en media anual durante esos años). El resultado de esa fuerte destrucción de empleo ha sido la de repartir el capital disponible entre un menor número de trabajadores y por tanto provocar aumentos importantes en la productividad del trabajo.

Si nos fijamos en el primer período recesivo citado, en el gráfico 26.2 observamos que en 1975 el PIB por ocupado español era del 85,5% del PIB por ocupado de la UE y que esta cifra se eleva hasta el 98,4% en 1985 (produciéndose casi la convergencia en este campo). En el gráfico 26.3 podemos observar que las tasas de crecimiento del capital por ocupado en ese período son altas, lo que supone que se pasa de 7,5 millones de pesetas (de 1990) de capital disponible por cada empleado en 1977 a 10,7 millones de pesetas (también de 1990) en 1985 (este resultado se produce a pesar de que en este período el crecimiento del *stock* de capital se ralentiza debido a la disminución de la tasa de inversión —que registró tasas de crecimiento negativas durante todos los años de este período con tres excepciones—). Éste era un resultado «buscado» por los empresarios, ya que debido a las fuertes alzas del coste (tanto de origen salarial como extrasalarial) del factor trabajo ocurrido principalmente durante la década de los setenta el comportamiento «racional» era tender hacia una producción más intensiva en capital para, de esta manera, aproximar la productividad (marginal) del trabajo a sus costes[20].

En el segundo de los períodos recesivos la evolución es parecida. En 1991 el PIB por ocupado suponía el 96,8% de la media europea y en 1994 este porcentaje había aumentado al ¡101,1%! (es decir, se encontraba un punto por encima de la media europea). El crecimiento del capital por ocupado es espectacular: frente a los 11,1 millones de 1991 se pasa casi a los 13 millones de 1994 (la tasa de crecimiento del capital por ocupado que se registra en 1993, año en que se produce la mayor caída del empleo desde 1960, es la mayor de todo el período que se representa en el gráfico 26.3 y asciende a casi el 7%). En este período recesivo también quedó patente la escasa flexibilidad del mercado de trabajo [21].

En los párrafos anteriores hemos comentado los dos períodos recesivos; a continuación nos centraremos en los dos períodos expansivos posteriores a 1985 y realizaremos algunas comparaciones con el período expansivo 1961-1975, en el que el PIB por ocupado se comporta de manera distinta que en los otros dos períodos.

En el gráfico 26.2 podemos observar esta diferencia. Así, mientras que en el período expansivo de 1961-1975 el acercamiento a los niveles europeos de la renta per cápita fue acompañado por el acercamiento de la productividad por ocupado (que pasó del 69,4% de la media europea en 1961 al 88,5% en 1975), en los otros dos períodos expansivos (en los que también se produce un acercamiento de la renta per cápita) el PIB por ocupado disminuye en relación a la media europea. En el período 1986-1991 el PIB por ocupado descendió del 98,4% de 1985 al 96,8% en 1991 (con un mínimo en 1988 del 95,6), mientras que en el período 1995-1998 descendió desde el 101,1% de la media comunitaria en 1994 al 96,9% de 1998 (con las previsiones de Eurostat sobre el crecimiento del empleo y del PIB para España y la UE en 1999 seguiría bajando y se situaría en el 96,1%).

Este desigual comportamiento de la productividad del trabajo en los diferentes períodos expansivos está muy relacionado con las tasas de creación de empleo (así como con su comparación con el crecimiento del empleo a nivel europeo) registradas en cada una de las fases.

En el período 1961-1975 la tasa de crecimiento medio anual del empleo en España es muy reducida (sólo del 0,5%) y prácticamente igual a la europea (0,3%). Esto implica que el de esta época fue un crecimiento intensivo en capital, que registró unas tasas de crecimiento mayores que las del empleo con el consiguiente aumento continuado del capital disponible por cada ocupado. De esta manera, la productividad del trabajo creció a un ritmo muy rápido y recortó diferencias con la media de la UE, como se ha comentado. Éste es un modelo de crecimiento que se puede considerar normal en economías próximas el pleno empleo (especialmente en una fase de fuerte pulsación no sólo de la demanda interna sino también de la externa, lo que, unido a las diferencias salariales, favorece la absorción de mano de obra española e impulsaba un modelo interno de crecimiento poco trabajo-intensivo y sin embargo de pleno empleo).

Sin embargo, tanto en el período expansivo de 1986-1991 como en el de 1995-1998 existen dos diferencias importantes en el comportamiento del empleo con relación al período 1961-1975. Por un lado, el empleo en España crece a un ritmo mucho mayor (a unas tasas medias anuales de 2,9% y de 2,3% respectivamente en el primero y segundo de los períodos mencionados) y, por otro lado, estas tasas son significativamente más elevadas a las registradas en la UE (en donde el empleo también crece a unas tasas mayores que entre 1961 y 1975). En concreto el empleo en España crece en media anual 1,7 y 1,6 puntos por encima de la UE en los períodos 1986-1991 y 1995-1998 respectivamente. Este fuerte ritmo de creación de empleo ha dado lugar a que se ralentizara el crecimiento del capital disponible por trabajador e incluso, en algunos años, disminuyera como consecuencia del mayor ritmo de crecimiento del empleo en relación al *stock* de capital (véase en el gráfico 26.3 cómo en estos períodos se produce un estancamiento del capital por ocupado —en relación con los importantes incrementos que tienen lugar en el resto de los períodos—). Este estancamiento (o ligeras disminuciones) del capital por empleado es una de las principales causas que explican el descenso relativo de la productividad de los ocupados españoles con relación a los europeos en estos períodos expansivos (gráfico 26.2).

Este estancamiento en la evolución del capital por ocupado registrado en las recientes fases expansivas se ha producido a pesar de las fuertes tasas de crecimiento de la inversión bruta experimentado en algunos de los años de estos períodos (en los que llega a crecer por encima del 15%). Recordemos que, por un lado, no todo el capital nuevo que se genera con la inversión supone un incremento neto del *stock* de capital, ya que es necesario cubrir la depreciación del capital antiguo, y que, por otro, normalmente para que entre en funcionamiento el nuevo capital es necesario el transcurso de un determinado lapso de tiempo. Adicionalmente, la inversión en un período determinado de tiempo sólo significa un reducido porcentaje del conjunto del *stock* de capital total de la economía (en concreto en 1996 la formación bruta de capital fijo española —de la que habría que restar la depreciación para obtener la inversión neta— significó sólo el 7% del total del *stock* de capital). Por lo tanto, variaciones en la tasa de inversión ocurridas en un año (aun en el caso de que sean importantes) tienen un impacto muy limitado en el conjunto del capital de la economía. En resumen, nos encontramos con que existen limitaciones para incrementar significativamente el *stock* de capital de una manera rápida y que lo importante para lograr crecimientos significativos del *stock* de capital es que se puedan mantener altas tasas de inversión durante períodos prolongados de tiempo.

El comportamiento que hemos descrito sobre las fases expansivas ocurridas desde 1985, que lo podríamos considerar como crecimiento neutral, dado que la relación capital-trabajo permanece aproximadamente constante, es coherente con economías donde existe una importante dotación del factor trabajo sin utilizar (es decir, en economías con elevadas tasas de paro). De esta manera se conduce a la economía a producir con una relación capital-trabajo más acorde con la dotación relativa de factores de la economía, disminuyendo sus recursos ociosos.

Es decir, mientras que nuestra producción por habitante se encuentra en el 80% de la media europea, nuestra producción por ocupado ha alcanzado la convergencia (encontrándose entre el 95 y el 100%). Por lo tanto, este descenso de la productividad relativa (no absoluta) de los ocupados españoles en relación con los ocupados europeos implica que nuestra producción por ocupado se está situando en unos niveles más próximos a los que nos correspondería dado nuestro nivel relativo de renta per cápita [22].

Por otra parte, ese descenso relativo en el producto por ocupado pone de manifiesto que la creación de empleo, aunque necesaria, no es suficiente para alcanzar la convergencia real. Además es necesario contar con un marco estable que haga factible prolongar en el tiempo la consecución de incrementos significativos de nuestra dotación de capital que permitan no sólo mantener la dotación de capital por ocupado, sino incrementarla a un ritmo superior (o al menos no inferior) a la tasa a la que crece en la UE.

b) Convergencia en I+D

La causa que explica la introducción de este apartado es la importancia destacada que los diferentes modelos de crecimiento económico otorgan al progreso técnico como variable explicativa del crecimiento per cápita a largo plazo y, por lo tanto, de la convergencia real [23].

En el capítulo de este libro dedicado a «Políticas de innovación tecnológica» se realiza un exhaustivo e interesante análisis de la política desarrollada en España en este campo. A continuación se añaden unas breves consideraciones parciales que provienen de investigaciones posteriores a las mencionadas en dicho capítulo.

Es ya conocida la escasa «intensidad investigadora» existente en nuestro país en comparación con la media de la UE, la cual a su vez se encuentra muy alejada de Estados Unidos o Japón. Esto se puede observar en el porcentaje del PIB dedicado a gasto en I+D (que tan sólo supone el 46% de lo que destina la UE y el 33% de lo que destinan los Estados Unidos) o en el número de investigadores y científicos por cada 100 habitantes (la mitad que la media de los países de la OCDE). Desde este punto de vista, por lo tanto, la convergencia esta lejos de producirse.

Sin embargo, el análisis anterior presenta la característica de realizar las comparaciones del gasto en I+D en relación al PIB absoluto (o al número absoluto de científicos) de los diferentes países sin tener en cuenta el PIB por persona. Creemos que puede ser de utilidad detenernos brevemente en realizar unas referencias a la relación entre PIB per cápita y el «esfuerzo investigador» [24].

Así, ya se ha comentado que los modelos de crecimiento destacan la interacción existente entre el crecimiento del PIB per cápita y el gasto en I+D, en el sentido de que el mayor gasto en I+D tendrá efectos positivos sobre la tasa de crecimiento a largo plazo. Sin embargo, existen razones que también provocan la causalidad inversa, es decir, el crecimiento de la renta per cápita de un país estimulará la inversión en I+D.

En esto último influyen tanto elementos desde la «oferta de I+D» como desde su demanda. Entre los primeros podríamos citar el efecto sobre las ventajas comparativas que provoca la mayor dotación relativa de factores, como el capital humano, existente en los países con mayor renta per cápita. Como las actividades de I+D son intensivas en capital humano, estas actividades presentarán unos costes comparativos menores en los países con mayor renta per cápita (es decir, estos países tendrán ventajas comparativas en estas actividades) y, por tanto, tenderán a especializarse en este campo.

Desde el lado de la demanda podríamos citar que los bienes que contienen elementos de alta tecnología suelen tener una elasticidad demanda-renta mayor que uno, lo que implica que, según va elevándose la renta, la demanda de estos bienes va aumentando en una proporción mayor. De esta manera, en los países con renta per cápita elevada los bienes intensivos en tecnología supondrán una proporción mayor en la cesta de consumo y también en la demanda de servicios por parte de las empresas.

Por lo tanto, para observar si la intensidad investigadora española se corresponde con su nivel de desarrollo, podría ser quizás interesante complementar el análisis del capítulo 12 con una referencia a su renta per cápita comparada. El resultado que obtenemos va a ser el mismo: los recursos que España dedica a la investigación resultan insuficientes, incluso cuando se tiene en cuenta su grado de desarrollo relativo.

Este hecho se puede observar en el gráfico 12.1 que se incluye en el capítulo dedicado a «Política de innovación tecnológica». Así, en ese gráfico se realiza un análisis de regresión simple utilizando la renta per cápita como variable explicativa y el gasto en I+D como variable a explicar. Se obtiene un coeficiente positivo (lo que implica que a mayor renta per cápita le corresponde un mayor nivel teórico de gasto en I+D) y significativo, lo que es coherente con los comentarios teóricos realizados con anterioridad sobre la influencia positiva de la renta per cápita en el gasto en I+D.

En ese gráfico se puede observar que el punto para España se encuentra por debajo de la recta de regresión, lo que significa que el gasto de I+D en porcentaje del PIB es inferior al que «teóricamente» le correspondería de acuerdo con su renta per cápita.

Ahora bien, recientemente se ha aprobado el nuevo plan de I+D+I (véase el mencionado capítulo de «Política de innovación tecnológica» para una descripción y análisis de este plan) que se fija como objetivo para el año 2003 un gasto en I+D del 1,3% del PIB. Para poder analizar si con este gasto España se situaría por encima o por debajo de su nivel teórico, tendría-

Gráfico 26.4   Relación entre PIB per cápita y gasto en I+D
(datos UE 1995, salvo España I+D previsión año 2003
y PIB extrapolación a 2003 según crecimiento de los
últimos cinco años)

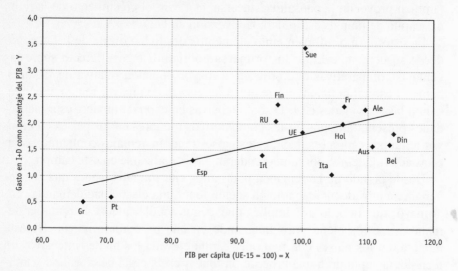

FUENTE: Comisión Europea, Eurostat y elaboración propia.

mos que realizar unos supuestos sobre cuál será la renta per cápita española en el 2003 en relación a la UE. Para ello, hemos considerado que el ritmo de convergencia anual hasta esa fecha será el mismo que el ritmo de convergencia anual medio experimentado durante los últimos cinco años. Ello supondría que en el año 2003 España alcanzaría el 83% de la renta per cápita media de la UE.

Con estos datos podemos observar en el gráfico 26.4 que el punto correspondiente a España se sitúa en la recta de regresión, lo que implica que si se cumplen los objetivos del plan de I+D+I España alcanzaría en el 2003 el nivel teórico que le correspondería en relación a su grado de desarrollo.

c)   Convergencia en sanidad y educación

Esta misma técnica se podría aplicar a otros conceptos para analizar la convergencia alcanzada no en términos absolutos sino en relación a nuestro nivel de renta per cápita. Un ejemplo podría ser el gasto en sanidad o educación.

En el gráfico 26.5 se ha representado para los 15 países de la UE una regresión simple entre el gasto en sanidad como porcentaje del PIB y el PIB per cápita. Aunque el ejercicio no es estadísticamente significativo, el grá-

Gráfico 26.5   Relación existente entre PIB per cápita y gasto total en sanidad, 1995

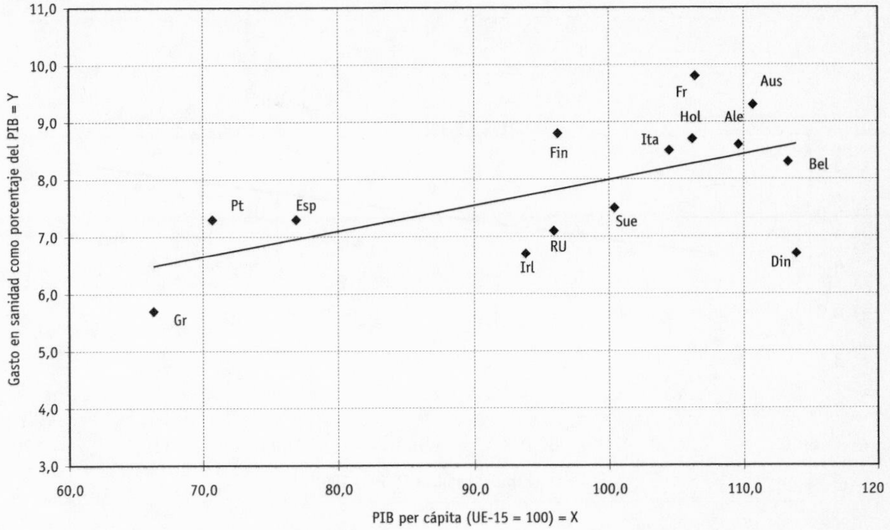

FUENTE: Eurostat y OCDE y elaboración propia.

fico viene a mostrar algo que puede resultar sorprendente: el punto real para España está por encima del valor teórico, es decir, nuestro gasto sería mayor del que nos correspondería de acuerdo a nuestro nivel relativo de renta per cápita.

En el gráfico 26.6 se ha realizado el mismo análisis para el gasto público en educación. En esta ocasión el coeficiente de la variable independiente también es positivo, aunque no significativo. Al trazar la recta de regresión podemos observar que España se encuentra justo en la propia recta, lo que implica que teniendo en cuenta nuestra renta per cápita el gasto público en educación se correspondería a su nivel teórico (en el capítulo 20, dedicado a la educación, se facilitan unas cifras para España más actualizadas, con las que se podría deducir que nuestro país se situaría por encima de dicha recta).

8.   Conclusiones

El proceso de globalización actual es el resultado de un proceso gradual iniciado al finalizar la Segunda Guerra Mundial y tiene un primer precedente en la «primera globalización» ocurrida en el medio siglo que antecede a la Primera Guerra Mundial. A los años que transcurren entre ambas contiendas se les podría llamar «la era de la desintegración» de la economía internacional.

Gráfico 26.6   Relación entre PIB per cápita y gasto público en educación, 1995

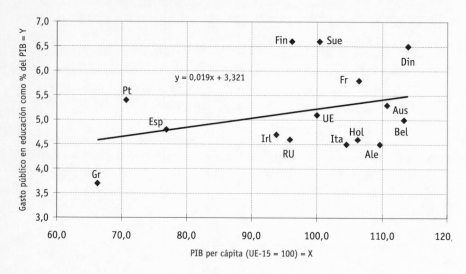

FUENTE: OCDE, Eurostat y elaboración propia.

España ha sido «algo diferente» en sus procesos hacia la globalización. Así, a) se «apunta» menos a la primera globalización (no adoptó el patrón oro y las políticas librecambistas no llegaron a implantarse, produciéndose un importante retroceso desde la última parte del siglo XIX); y b) la «era de la desintegración» se prolonga más, es decir, se incorpora más tarde a la nueva época de la integración económica internacional. Efectivamente, no es hasta el año 1959-1960 cuando se empieza a producir la apertura y la integración de nuestra economía en la economía internacional, lo que afectó negativamente a nuestro grado de desarrollo [25].

Si nos fijamos en nuestra historia podemos observar que cuando la economía se abre al exterior, se recortan las diferencias en renta per cápita con los países más desarrollados (ocurre lo contrario en los períodos en los que se encierra en sí misma). Por tanto, podemos mantener que a España «le sienta bien la globalización» y, en principio, ser optimistas sobre el desenvolvimiento de nuestro país en un mundo cada vez más globalizado (el escenario que tendríamos que temer sería la poco probable vuelta a un período de desintegración).

Desde que España inicia su apertura al exterior en 1959-1960 ha recortado a la mitad la distancia que le separaba de la UE-15 (al pasar de tener un PIB por persona que representaba el 60% en 1961 al 80% actual). Del análisis de este período observamos que la tasa de crecimiento española es más volátil que la media de la UE, es decir, sistemáticamente ha crecido más en las fases de expansión y menos en las fases de recesión. El país que ha presentado un enfoque más parecido ha sido Portugal, con la diferencia de que en los períodos de bajo crecimiento no tiene una pauta sistemática clara a crecer menos que la media de la UE.

De lo anterior se deduce que parte de los avances logrados en la convergencia real en las fases expansivas se pierden en las recesivas siguientes, lo que ha impedido que nuestra economía recorte sus diferencias con la media de la UE a un ritmo mayor. Por tanto, uno de los objetivos de la política económica española consistiría en mejorar el mal comportamiento comparado en los períodos recesivos. El actual enfoque de la política económica de lograr y mantener la estabilidad macroeconómica, por un lado, e impulsar reformas que avancen en la liberalización y flexibilización de la economía, por otro, es coherente con este objetivo.

Así, se podría quizás predecir que si se mantiene el actual marco de estabilidad, y dado que el crecimiento actual se realiza dentro de un entorno macroeconómico más equilibrado que en períodos anteriores, en la siguiente fase recesiva el comportamiento comparativo español en relación con Europa tendería a ser menos negativo de lo que ha sido en otros períodos anteriores. Es decir, en las fases recesivas anteriores la economía española se ha comportado peor que la europea. Esto no tiene que ocurrir en las fases recesivas futuras, dado que los desequilibrios a corregir son menores e incluso en los períodos recesivos se podrían seguir recortando diferencias [26].

De hecho podríamos encontrar algunos datos que apuntan en esa dirección. Así, en la actual fase de crecimiento (1995-1998), la diferencia positiva en el crecimiento a favor de España se va incrementando en cada año sucesivo, lo que se ha mantenido incluso en un año de desaceleración europea como ha sido 1999.

Finalmente realizaremos unos comentarios sobre la convergencia lograda en dos variables: la producción por ocupado y la política de I+D (y añadiremos una breve reflexión sobre la convergencia en el gasto en educación y sanidad).

Si observamos la evolución de la producción por ocupado podríamos concluir que se ha producido la convergencia con la media europea (desde 1983 no se ha situado nunca por debajo del 95% de la media comunitaria y en tres años —1993, 1994 y 1995— se coloca ligeramente por encima del 100%).

Un análisis rápido podría conducir a la conclusión de que, para que se produzca la convergencia de la renta per cápita española con la europea, dado que la productividad de nuestros trabajadores es prácticamente la misma, bastaría con incrementar el empleo para aproximar nuestra tasa de ocupación a la europea y de este modo nuestra renta per cápita. Sin embargo, hay que matizar esta afirmación. Para ello, se ha analizado con mayor profundidad la evolución de la productividad media del trabajo y una de sus principales variables explicativas: el capital disponible por ocupado.

Al observar la evolución de las variables producción per cápita y producción por ocupado (las dos en relación a la media europea), observamos que (desde 1975) se mueven en direcciones opuestas: en los períodos expansivos la producción per cápita se acerca a la media europea, mientras que la producción por ocupado se aleja de dicha media y lo contrario ocurre en los períodos de bajo crecimiento. Este comportamiento está relacionado con la evolución de la variable capital por ocupado.

En los períodos recesivos o de bajo crecimiento (ocurridos desde 1975), el capital a disposición de cada empleado crece muy rápidamente (debido a la fuerte destrucción de empleo que ha producido la economía española en estas fases), con el consiguiente incremento de la producción por ocupado (que en la fase recesiva 1992-1944 supera la media europea). El fenómeno contrario ocurre en los períodos expansivos. En ellos, el rápido crecimiento del empleo (lo que no ocurrió en el período expansivo anterior a 1975, donde el empleo aumentó muy lentamente) supera al crecimiento del *stock* de capital y el capital disponible por cada trabajador se estanca o disminuye, lo que implica que, en relación a la media europea, la productividad de los empleados españoles se reduce.

Este descenso de la productividad relativa de los ocupados españoles en relación con los ocupados europeos pone de manifiesto que la creación de empleo, aunque necesaria, no es por sí sola suficiente para alcanzar la convergencia real con la UE. Hace falta también contar con un marco estable, que haga factible prolongar en el tiempo la consecución de incrementos significativos de nuestra dotación de capital, que permitan no sólo mantener la dotación de capital por ocupado, sino incrementarla a un ritmo superior (o al menos no inferior) a la tasa a la que crece en la UE.

En lo relativo al I+D observamos que en términos de porcentaje de gasto sobre el PIB (o en términos de otras variables como número de investigadores por 1.000 habitantes) nos encontramos muy alejados de la convergencia. Esta conclusión se sigue manteniendo cuando comparamos nuestro gasto en I+D en relación al PIB con el gasto que teóricamente nos correspondería de acuerdo a nuestro PIB per cápita.

Sin embargo, si se cumplen los objetivos del recientemente aprobado plan de I+D+I y suponiendo un ritmo de convergencia similar al ocurrido en los últimos cinco años, en el año 2003 el gasto de I+D (en porcentaje del PIB de España) se situaría en un nivel acorde con su renta per cápita.

Si realizamos un análisis parecido en relación con el gasto público en educación y en sanidad, en el primer caso observamos que en relación a su renta per cápita España se sitúa justo en su nivel teórico, y en el segundo obtenemos un resultado sorprendente: el gasto en sanidad en relación al PIB se coloca por encima del que nos correspondería teóricamente.

Por lo tanto, de las cuatro variables analizadas (productividad, gasto en I+D, educación y sanidad), y siempre en relación a nuestro grado de desarrollo medido por la renta per cápita, en dos variables (productividad y sanidad) estaríamos por encima de nuestro punto teórico, en una (educación) nos situaríamos en dicho nivel y en la cuarta (I+D) nos encontraríamos por debajo del nivel que nos correspondería con este criterio. El desfase de esta última variable quedaría superado en el 2003 si se cumplen las previsiones contenidas en el recientemente aprobado plan de I+D+I y los supuestos de mantenimiento de la convergencia real en renta por persona que hemos utilizado en nuestro análisis. Todo ello implica también que si nuestra convergencia con Europa continúa (y, como tal, se acerca nuestro nivel de renta per cápita), podemos suponer que los ratios en sanidad, educación I+D+I, e incluso en productividad en relación a nuestra renta, pasen a acercarse a los europeos.

Para finalizar, podemos constatar que el proceso de globalización se ha acelerado en la década de los noventa y es de prever que (debido en parte a los importantes avances en el mundo de las telecomunicaciones e información) en las próximas décadas se mantenga e incluso aumente el ritmo hacia una mayor globalización. Parece que por primera vez nuestro país está preparado para incorporarse a esta nueva etapa desde el principio y sin los desfases de otras épocas históricas.

Notas

* Este capítulo proviene en parte de Gámir (1999 a y b) y de Gámir y Durá (1999). Por sus características, Gámir (1999 a) recoge el contenido de muchas otras ponencias que se presentaron en el VI Congreso Nacional de Economía y que, salvo excepciones, resulta imposible citar por separado.

1 No es, en todo caso, el único capítulo que empieza con una alusión al marco teórico.

2 Véase Adelman (1998).

3 Adelman (1998).

4 Varela (1999).

5 Véase, por ejemplo, Obstfeld (1998).

6 Adelman (1998).

7 Esta frase está escrita a principios del año 2000, bajo el enfoque de que el siglo acaba el 31-XII-2000.

8 El contenido de este párrafo exigiría un tratamiento mucho más extenso porque en la globalización también existen elementos que pueden disminuir la desigualdad «norte-sur», pero no es éste el lugar de profundizar más al respecto, sino simplemente de apuntar el problema.

9 En este resultado influye el período de tiempo escogido.

10 Por otra parte éste es el límite que está establecido en la actualidad para que un país pueda acceder a las ayudas de los Fondos de Cohesión.

11 Para cubrir la mitad de la distancia se necesita el mismo tiempo, pero como la «mitad» es cada vez más pequeña, en términos absolutos los avances son menores.

12 Como se ha comentado en el capítulo 1, a partir de ese año y a diferencia de España, Irlanda realiza una política de contención del gasto público que ocasiona una reducción significativa del peso de éste en el PIB.

13 Hasta ahora nos hemos referido al modelo neoclásico. En años recientes se ha planteado lo que se conoce como «nuevas» teorías del crecimiento o modelo de crecimiento endógeno, en algunas de las cuales una política explícita en capital humano e I+D puede reducir las disparidades. Volveremos más tarde sobre este punto.

14 Por ejemplo, Irlanda o Portugal durante el período recesivo de 1992-1994.

15 Por ejemplo durante la década de los sesenta Irlanda apenas recorta diferencias.

16 Estamos considerando que la razón básica de nuestro peor comportamiento en las fases recesivas se debe a los mayores desequilibrios de las expansivas. Un análisis más completo exigiría analizar los efectos con posibles elasticidades/renta superior a una de las modificaciones del crecimiento europeo sobre el español, a través del turismo, la absorción de nuestras exportaciones, etc., estudio que cae fuera de los límites de este capítulo.

17 Recuérdese lo dicho en la nota 8.

18 Para esta serie habría que realizar dos observaciones: 1) en el resto del capítulo se ha utilizado datos UE-15; sin embargo aquí se han utilizado datos UE-12 hasta 1995; 2) en el año 1996 se produce, por tanto, la ruptura de la serie, que pasa a ser UE-15. Consideramos que estas restricciones son limitadas para el alcance de este trabajo en el que lo que se persigue es analizar las tendencias. Asimismo, los tres últimos países que se incorporan a la UE tienen una influencia muy pequeña en los índices medios europeos debido, por un lado, a su pequeño tamaño (en términos de población) y, por otro, a que los tres se encuentran precisamente en torno a la media.

19 Esto último no implica que disminuya la productividad de los ocupados españoles, sino simplemente que aumenta menos que la productividad media de los ocupados europeos.

20 Véase al respecto Gámir (1985). En esta obra también se recoge que durante esta década y hasta 1979 el coste del factor trabajo en España creció incluso más rápidamente que los costes energéticos, por lo que, desde los costes, el empresario español vio las crisis de los setenta mucho más como un encarecimiento del coste del trabajo que del coste de la energía (véase el capítulo 1 de este libro).

21 Así, en Viñals y Jimeno (1996) se puede observar que la rigidez salarial real existente en nuestro país es la más elevada entre los 12 países de la UE analizados, y en cualquier caso más elevada que la media de la UE, que a su vez supera a la de Japón y casi duplica a la de Estados Unidos.

22 Sobre el tema de la evolución de la productividad, véase también lo dicho en el capítulo 25.

23 Recuérdese además lo dicho en la nota 8.

24 Los razonamientos que a continuación se exponen tienen bases diferentes a los utilizados para analizar el «esfuerzo» en vez de la «presión» como indicador fiscal.

25 Sobre el crecimiento en el período autárquico, recuérdese lo dicho en el capítulo 1. En todo caso, esta afirmación es básicamente correcta.

26 Ésta es, en todo caso, una hipótesis que necesita mayor contrastación empírica y que se formula desde los supuestos planteados.

Referencias

Adelman, I. (1998): «The Genesis of the Current Global Economic System», en A. Levy-Livermore (ed.), *Handbook on the Globalization of the World Economy*, Edwar Elgar.

Barro, R. J., y X. Sala i Martin (1995): *Economic Growth*, Nueva York, McGraw-Hill.

Gámir, L. (1985): *Contra el paro y la crisis en España*, Barcelona, Planeta.

— (1999a): *A modo de conclusiones*. Ponencia presentada en el VI Congreso Nacional de Economía, dedicado a la globalización de la economía.

— (1999b): «Análisis introductorio», en Gámir (dir.), *La Convergencia Real de la Economía Española*, PriceWaterhouseCoopers.

—, y P. Durá (1999): «Crecimiento y productividad», en Gámir (dir.), *La Convergencia Real de la Economía Española*, PriceWaterhouseCoopers.

Iranzo, J. E., y G. Izquierdo (1999): «La estabilidad macroeconómica y el crecimiento económico», en A. Fernández (dir), *Fundamentos y papel actual de la política económica*, Madrid, Pirámide.

Obstfeld, M. (1998): «The Global Capital Market: Benefactor or Menace?», *Journal of Economic Perspectives*, vol. 12, nº 4, otoño.

Piqué, J. (1998): «*Un proyecto para la industria en el siglo XXI*», Conferencia en el Club Siglo XXI.

Pizarro, M., y J. Trigo (1999): «*España en Europa, un esfuerzo fiscal desproporcionado*», Monografía 6, Círculo de Empresarios, marzo.

Varela, M. (1999): «*La globalización y sus aspectos institucionales*», Ponencia presentada en el VI Congreso Nacional de Economía, 18-20 febrero.

Velarde, J. (1999): *La nueva industrialización: un difícil aprendizaje en cinco momentos*, Ponencia presentada en el VI Congreso Nacional de Economía, 18-20 febrero.

Viñals, J., y J. F. Jimeno (1996): *Monetary Union and European Unemployment*, Documento de trabajo, 96-22, FEDEA.